L'état du monde
Édition 1991

L'ÉTAT DU MONDE

Édition 1991

Annuaire économique et géopolitique mondial

ÉDITIONS LA DÉCOUVERTE

ÉDITIONS DU BORÉAL
4447, rue Saint-Denis
Montréal (Québec) H2J 2L2

Comité de rédaction : Hélène Arnaud, Jean-François Bayart, Serge Cordellier, Jean-Luc Domenach, François Gèze, Yves Lacoste, Annie Lennkh, Gustave Massiah, Thierry Paquot, Alfredo G.A. Valladão, Francisco Vergara.

Coordination et réalisation : Serge Cordellier, Catherine Lapautre. Assistante : Isabelle Paccalet.

Rédaction : Salvatore Aloise, Marie-Christine Aymé, Daniel C. Bach, Paul Balta, Martine Barthélémy, Pierre C. Bélanger, Gérard Belloin, Nicolas Bessarabski, Sophie Bessis, Marcel Blanc, Paul Blanquart, André Bourgey, Daniel Bourmaud, Jean-Claude Boyer, Paul Brennan, Nicolas Brouard, François Burgat, Noëlle Burgi, James Burnet, André H. Caron, Jean-Marc Carpentier, José Casas, Françoise Cayrac-Blanchard, Véronique Chaumet, Bertrand Chung, François Constantin, Catherine Coquery-Vidrovitch, Serge Cordellier, Georges Couffignal, Olivier Dabène, Zakya Daoud, Dominique Darbon, Martial Dassé, Marie-Hélène Deval, Bernard Diallo, Jean-Luc Domenach, Graciela Ducatenzeiler, Daniel van Eeuwen, Sylvie Elourimi, Philippe Fargues, Philippe Faucher, François Féron, Sylvain Flanagan, Michel Foucher, Joachim Fritz-Vannahme, Carlos Gabetta, Ana Maria Galano, Alain Gandolfi, José Garçon, Alain Gascon, Pierre Gentelle, Jean-René Germain, Jean-Pierre Gomane, Gilbert Grandguillaume, Agnieszka Grudzinska, François Guilbert, Pierre Haski, Christophe Jaffrelot, Amnon Kapeliouk, Anne de La Celle, Guy Labertit, Antoine Labey, Alain Labrousse, Denis Lacorne, Yves Lacoste, Marie-Laure Lambert, Jean-Luc Lederrey, Jacques Lévesque, Philippe G. L'Hoiry, Éric Macé, Marie-Hélène Mandrillon, Claude Manzagol, Roland Marchal, Lilly Marcou, Marcel Marloie, Georges Mathews, Jean-François Médard, Éric Meyer, Patrick Michel, Georges Mink, Philippe Moreau Defarges, Jules Nadeau, Sélim Nassib, Ana Navarro Pedro, Philippe Norel, René Otayek, Yolande Pizetty-van Eeuwen, Jean-Marie Poutrel, Serge Priwarnikow, Jean Quatremer, Jean Racine, Philippe Ramirez, Xavier Richet, Martine Rigoir, Alain Roussillon, Michel Roux, Olivier Roy, Christophe Sabouret, Jean-François Sabouret, Pierre Salama, Jacques Sapir, Monique Selim, Rudolf Slánský Jr., Stephen Smith, Marie-Claude Smouts, François Soudan, Véronique Soulé, Todor Stoaïnov, Joëlle Stolz, Jean-Charles Szurek, Georges Photios Tapinos, Christian Thibon, Anne de Tinguy, Marie-France Toinet, Charles Urjewicz, Jacques Valier, Alfredo G.A. Valladão, Semih Vaner, Francisco Vergara, Jean-Christophe Victor, Catherine Weiller, Stéphane Yérasimos, Laurent Zecchini.

La réalisation de *L'état du monde* bénéficie du concours de nombreux auteurs du Centre d'études et de recherches internationales (CERI-FNSP), ainsi que de nombreux collaborateurs de la revue de géographie et de géopolitique *Hérodote* (Éditions La Découverte).

Statistiques : Francisco Vergara.

Cartographie : Claude Dubut, Martine Frouin, Anne Le Fur (AFDEC, 25, rue Jules-Guesde - 75014 Paris. Tél. (1) 43 27 94 39).

Bibliographie : CEDIDELP, 14, rue de Nanteuil - 75015 Paris. Tél. (1) 45 31 43 38.

Traduction : Anne Valier (espagnol), Ivan Bartoček (tchèque).

Dessins : Plantu (dessins parus dans *Le Monde, Le Monde diplomatique, Le Monde de l'éducation*).

Fabrication : Monique Mory.

Pour toute information sur la projection Dymaxion figurant en couverture de ce livre, contacter le Buckminster Fuller Institute, 1743 S. La Cienega Bvd., Los Angeles, Californie, 90035 États-Unis [Tél. (213) 837-77-10].

ISBN 2-89052-367-5
Dépôt légal: 4e trimestre 1990
Bibliothèque nationale du Québec

Avant-propos

Cette dixième édition de L'état du monde *coïncide avec un tournant de l'Histoire. La succession des événements s'est accélérée dans plusieurs régions de la planète : répression de l'élan démocratique en Chine ; effondrement du communisme en Europe centrale ; puissante expression des aspirations nationales dans les républiques soviétiques au moment même où l'intégration de l'URSS à la communauté internationale s'accélérait ; réunification de l'Allemagne dans le cadre de l'OTAN, provoquant une redéfinition de l'architecture européenne ; vague de contestation de pouvoirs autoritaires et corrompus en Afrique...*

Dans une telle conjoncture, cet annuaire économique et géopolitique mondial apparaît plus indispensable que jamais. Il permet d'effectuer des comparaisons entre États, de replacer les événements immédiats dans des tendances à plus long terme, et de disposer d'une multitude d'informations précises, chiffrées, datées et vérifiées.

Pour cette édition-anniversaire, comme pour les neuf précédentes, le contenu de L'état du monde *a été totalement renouvelé. On y trouvera comme d'habitude, pour les 170 États souverains et pour 27 territoires non indépendants de la planète, le bilan complet de l'année sous les angles politique, économique, social et diplomatique ; une étude des grandes mutations internationales ; et l'analyse géopolitique des grands ensembles continentaux et régionaux. Quarante-deux articles classés en douze rubriques font par ailleurs le point des tendances et événements les plus significatifs de la période. Le dossier de l'année est consacré au thème « Le système soviétique en révolution ».*

Outre ce dossier, L'état du monde 1991 *consacre de nombreux articles aux mutations historiques de l'Europe, de l'Est comme de l'Ouest, ainsi qu'aux conflits et tensions, lesquels, loin s'en faut, n'ont pas tous disparu avec la nouvelle configuration géopolitique mondiale.*

Serge Cordellier, Catherine Lapautre

Table des matières

QUESTIONS STRATÉGIQUES

34 ÉTATS

33 ENSEMBLES GÉOPOLITIQUES

ÉVÉNEMENTS ET TENDANCES

DOSSIER : LE SYSTÈME SOVIÉTIQUE EN RÉVOLUTION

STATISTIQUES MONDIALES

Présentation

L'ÉTAT DU MONDE 1991 comporte cinq grandes parties :

1. QUESTIONS STRATÉGIQUES

Cinq articles de fond traitent de grands problèmes qui, directement ou par leurs retombées, ont contribué à modifier la situation internationale. Cette partie est complétée par une chronologie des principaux événements stratégiques qui se sont déroulés entre le 1er juin 1989 et le 31 mai 1990.

2. ÉTATS ET ENSEMBLES GÉOPOLITIQUES

Cent soixante-dix États souverains et vingt-sept territoires non indépendants (colonies, pays associés à un État, pays sous tutelle, etc.) sont passés en revue.

• *Trente-quatre États* ont été choisis et classés par ordre d'importance « géopolitique » en mettant en relation superficie, population et produit intérieur brut par habitant. Pour chaque État, on trouvera une analyse des principaux développements politiques, économiques et sociaux de l'année écoulée. Chaque texte est accompagné de tableaux statistiques et d'une bibliographie sélective des titres les plus récents. Cette année, six nouveaux États sont présentés dans cette section (Chili, Hongrie, Liban, RDA, Roumanie, Vietnam), alors que six États qui s'y trouvaient dans la précédente édition sont traités dans la section « Trente-trois ensembles géopolitiques ». Cette rotation se poursuivra dans les prochaines éditions, de façon à pouvoir aborder en détail l'actualité d'un plus grand nombre d'États.

• *Trente-trois ensembles géopolitiques*. Cette section dresse un bilan de l'année dans chacun des États qui composent les ensembles géopolitiques, définis en fonction de caractéristiques communes [voir page 12]. La présentation de chaque ensemble est accompagnée de tableaux statistiques et d'une carte géographique.

3. ÉVÉNEMENTS ET TENDANCES

Quarante et un articles présentent autant de « signes des temps », organisés en douze rubriques : conflits et tensions, organisations internationales, médias et communication, éducation et culture, démographie, mouvements sociaux, religions et sociétés, questions économiques, environnement, droit et démocratie, sciences et techniques, portraits.

4. DOSSIER

En ces temps où l'histoire contemporaine franchit un seuil et change tous nos repères, *L'état du monde 1991* a choisi d'offrir à ses lecteurs un ensemble d'éclairages permettant de mesurer l'ampleur des mutations opérées à l'Est et de prendre du recul. Le « dossier de l'année » est ainsi consacré au thème « Le système soviétique en révolution ». Composé d'un ensemble d'articles à la fois rigoureux et didactiques, ce dossier rappelle comment ce système s'est construit, quel en est le bilan et comment il se défait.

5. STATISTIQUES MONDIALES

On trouvera dans cette section les statistiques les plus récentes sur les principales productions minières, énergétiques et agricoles, ainsi que des analyses des tendances de conjoncture pour les métaux, les énergies combustibles et les céréales.

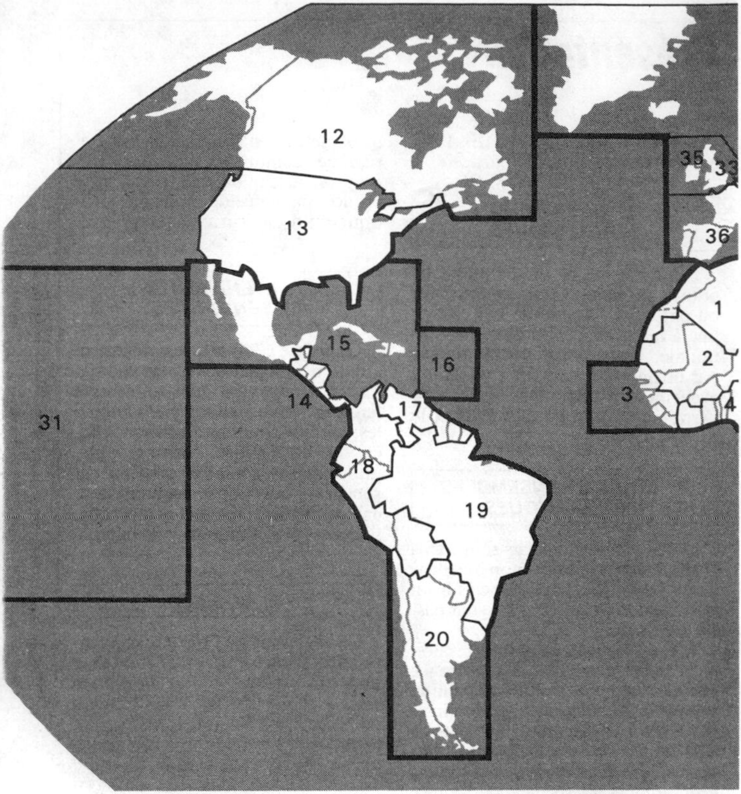

LES ENSEMBLES

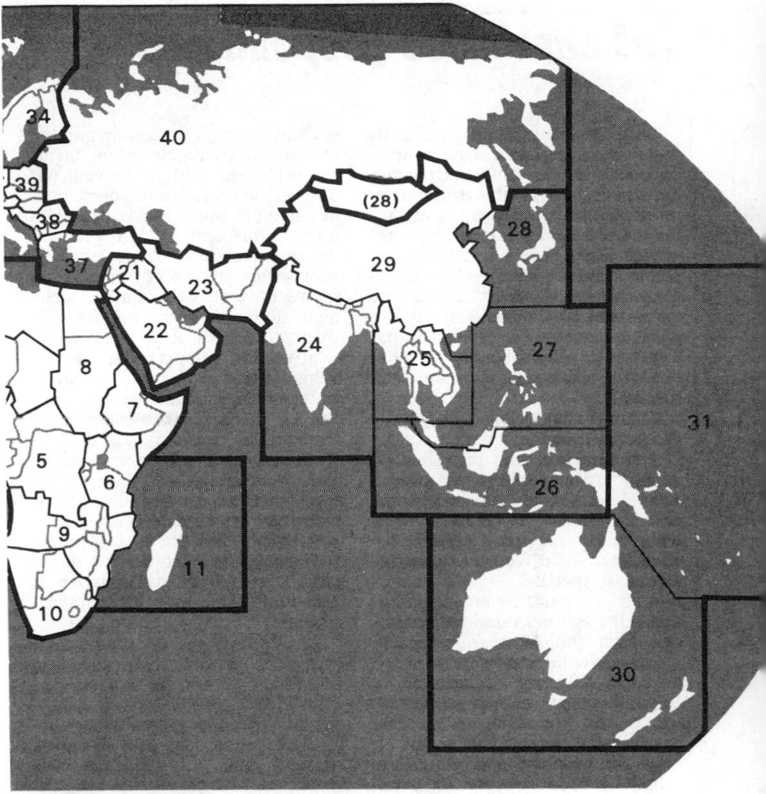

GÉOPOLITIQUES

Les ensembles géopolitiques

Dans cet annuaire, on a choisi de regrouper en trente-trois « ensembles géopolitiques » les cent quatre-vingt-dix-sept États et territoires non indépendants qui se partagent la surface du globe, à l'exception des sept très grands États (URSS, États-Unis, Chine, Inde, Brésil, Indonésie, Canada) qui forment chacun ce qu'on peut aussi appeler un ensemble géopolitique. Qu'entend-on par « ensemble géopolitique » et quels ont été les critères de regroupement retenus ?

Contrairement à ce qui se passait encore au lendemain de la Seconde Guerre mondiale, plus aucun État ne vit aujourd'hui replié sur lui-même. Les relations entre États, en s'intensifiant, sont devenues plus complexes. Aussi est-il utile de les envisager à différents niveaux d'analyse spatiale.

— D'une part, *au niveau planétaire*. Il s'agit des relations de chaque État (ou de chaque groupe d'États) avec les grandes puissances : les États d'Europe occidentale, le Japon et surtout les deux superpuissances, les États-Unis et l'Union soviétique. L'une et l'autre ont en effet des rapports plus ou moins « bons » et importants avec les autres États, chacune d'elles ayant sa « zone d'influence » dominante (l'Amérique latine et l'Europe occidentale pour les États-Unis, l'Europe orientale et l'Indochine pour l'Union soviétique).

— D'autre part, dans le cadre de chaque *ensemble géopolitique*. Définir un ensemble géopolitique est une façon de voir les choses, de regrouper un certain nombre d'États en fonction de caractéristiques communes. On peut évidemment opérer différents types de regroupement (par exemple : les « pays les moins avancés », les États musulmans, etc.). On a choisi ici des regroupements ayant environ trois à quatre mille kilomètres pour leur plus grande dimension (certains sont plus petits et quelques-uns plus grands).

Considérer qu'un certain nombre d'États font partie d'un même ensemble géopolitique ne veut pas dire que leurs relations soient bonnes, ni qu'ils soient politiquement ou économiquement solidaires les uns des autres (certains d'entre eux peuvent même être en conflit plus ou moins ouvert). Cela signifie seulement qu'ils ont entre eux des relations (bonnes ou mauvaises) relativement importantes, du fait même de leur proximité, des caractéristiques communes jugées significatives et des problèmes assez comparables : même type de difficultés naturelles à affronter, ressemblances culturelles, etc. Chaque État a évidemment, au sein d'un même ensemble, ses caractéristiques propres. Mais c'est en les comparant avec celles des États voisins qu'on saisit le mieux ces particularités et que l'on comprend les rapports mutuels.

Ce découpage en trente-trois ensembles géopolitiques constitue une façon de voir le monde. Elle n'est ni exclusive ni éternelle. Chacun des ensembles géopolitiques définis dans cet ouvrage peut être aussi englobé dans un ensemble plus vaste : on peut, par exemple, regrouper dans un plus grand ensemble qu'on dénommera « Méditerranée américaine » les États d'Amérique centrale et les Antilles et ceux de la partie septentrionale de l'Amérique du Sud. Mais on peut aussi subdiviser certains ensembles géopolitiques, si l'on considère que les États qui les composent forment des groupes de plus en plus différents ou antagonistes : au sein de l'ensemble dénommé « Indochine », le contraste est par exemple de plus en plus marqué entre les États communistes (Vietnam, Laos, Cambodge) et les autres.

On ne peut aujourd'hui comprendre un monde de plus en plus complexe si l'on croit qu'il n'y a qu'une seule façon de le représenter ou si l'on ne se fie qu'à une représentation globalisante. Les grandes « visions » qui soulignent l'opposition entre le *Centre* et la *Périphérie*, le *Nord* et le *Sud*, l'*Est* et l'*Ouest*, le *socialisme* et le *capitalisme* sont certes utiles. Mais elles apparaissent de plus en plus insuffisantes, parce que beaucoup trop schématiques. Il faut combiner les diverses représentations du monde.

Pour définir chacun des trente-trois ensembles géopolitiques nous avons pris en compte les intersections de divers ensembles de relief comme les grandes zones climatiques, les principales configurations ethniques ou religieuses et les grandes formes d'organisation économique, car tous ces éléments peuvent avoir une grande importance politique et militaire.

En sus du découpage en trente-trois ensembles géopolitiques, nous avons opéré un deuxième type de regroupement par continent ou semi-continent : Afrique, Proche et Moyen-Orient, Asie orientale, Océanie, Amérique du Nord, Amérique centrale et du Sud, Europe. On trouvera dans cette édition des présentations géopolitiques de ces grands ensembles qui permettent d'en saisir à la fois l'unité et la diversité. Par ailleurs, cinq articles de « géopolitique interne » rendent compte des contrastes que connaissent les plus grands des États : URSS, États-Unis, Chine, Inde et Brésil.
[*Voir à la fin de l'ouvrage l'index des articles géopolitiques.*]

Yves Lacoste

Les chronologies

Quatorze chronologies recensent près d'un millier d'événements parmi les plus significatifs de l'année écoulée. La période de référence s'étend du 1er juin 1989 au 31 mai 1990.

Sept de ces chronologies sont présentées dans la section « Trente-trois ensembles géopolitiques », aux chapitres Afrique, Proche et Moyen-Orient, Asie orientale, Océanie, Amérique du Nord, Amérique centrale et du Sud, Europe. Les événements mentionnés ont été sélectionnés pour leur importance régionale ou internationale. Une autre figure dans la section « Trente-quatre États » et accompagne l'article URSS.

Six chronologies ont un caractère thématique. Elles sont présentées dans la section « Événements et tendances », à l'ouverture des chapitres suivants : conflits et tensions, organisations internationales, mouvements sociaux, religions et sociétés, questions économiques, sciences et techniques.

On trouvera une chronologie des événements mondiaux de janvier 1980 à décembre 1980 dans l'édition 1981 de *L'état du monde*, de janvier 1981 à mai 1982 dans l'édition 1982, de juin 1982 à mai 1983 dans l'édition 1983, de juin 1983 à mai 1984 dans l'édition 1984, de juin 1984 à mai 1985 dans l'édition 1985, de juin 1985 à mai 1986 dans l'édition 1986, de juin 1986 à mai 1987 dans l'édition 1987-1988, de juin 1987 à mai 1988 dans l'édition 1988-1989 et de juin 1988 à mai 1989 dans l'édition 1989-1990. On pourra également consulter *Le Nouvel état du monde. Bilan de la décennie 1980-1990* qui comporte de nombreuses rétrospectives chronologiques sur les années quatre-vingt, concernant notamment les négociations stratégiques Est-Ouest, les relations Nord-Sud, les conflits et tensions [présentés continent par continent et conflit par conflit], les accords internationaux, les « explosions sociales », ainsi que les grandes dates de la décennie pour les principales puissances.

Les indicateurs statistiques

Les définitions et commentaires ci-après sont destinés à faciliter la compréhension des données statistiques présentées dans les sections « 34 États » et « 33 ensembles géopolitiques ».

On trouvera à la fin de l'ouvrage la liste des abréviations et symboles utilisés dans les tableaux.

Démographie et culture

• Le chiffre fourni dans la rubrique *population* donne le nombre d'habitants en milieu d'année. Les réfugiés qui ne sont pas installés de manière permanente dans le pays d'accueil sont considérés comme faisant partie de la population du pays d'origine. [*Source principale* : 1].

• Le *taux de mortalité infantile* est le nombre de décès d'enfants âgés de moins d'un an rapporté au nombre d'enfants nés vivants pendant l'année indiquée. [*Source principale* : 3].

• L'*espérance de vie* est le nombre d'années qu'un nouveau-né peut espérer vivre (en moyenne) dans l'hypothèse où les taux de mortalité, par tranche d'âge, restent, pendant toute sa vie, les mêmes que ceux de l'année de sa naissance. [*Source principale* : 3].

• La *population urbaine*, exprimée en pourcentage de la population totale, en dépit des efforts d'harmonisation de l'ONU, est une donnée très approximative, tant la définition urbain-rural diffère d'un pays à l'autre. Les chiffres sont donnés à titre purement indicatif. [*Source principale* : 6 et 32].

• Le *taux d'analphabétisme* est la part des illettrés dans une catégorie d'âge donnée de la population. Tous les chiffres pour 1985 se réfèrent à la catégorie « 15 ans et plus ». Pour quelques pays, le taux se référant à d'autres années concernent la catégorie « 10 ans et plus ». [*Source principale* : 7 et 8].

• *Niveau de scolarisation*. L'enseignement primaire et secondaire étant de durée inégale d'un pays à l'autre, la tranche d'âge « normalement » inscrite dans le secondaire est précisée pour chaque pays. Les chiffres donnés sont néanmoins des taux « bruts » : le total des élèves inscrits dans le secondaire (quel que soit leur âge) divisé par le nombre d'enfants de la tranche d'âge en question. Pour les pays en voie de développement nous avons préféré, au taux d'inscription dans le secondaire, le taux d'inscription pour la tranche d'âge « 12-17 ans ». Pour l'ensemble des pays, le taux d'inscription au « 3e degré » (niveau universitaire) correspond au nombre d'étudiants divisé par la population ayant vingt à vingt-quatre ans. Dans les très petits pays, ce taux n'est pas toujours significatif dans la mesure où une part importante des universitaires étudie à l'étranger. Dans les pays développés, le taux en question peut refléter le caractère plus ou moins élitiste du système universitaire. [*Source principale* : 7 et 31].

• *Livres publiés*. Selon les recommandations de l'UNESCO sur « la standardisation des statistiques internationales concernant la publication de livres (1964) », est considéré comme livre une publication non périodique, de 49 pages au moins et disponible au public. [*Pour le détail, voir sources* : 7 et 11].

Économie

Les pays à économie de marché et les pays à économie dirigée ont des systèmes de comptabilité nationale très différents. La Hongrie, la Chine, la Roumanie et la Pologne tiennent une comptabilité dans les deux systèmes. Leur P I B ou P N B est donc fourni.

Dans les pays à économie de marché, la production est mesurée par le P I B et le P N B.

• Le *produit intérieur brut* (P I B) mesure la richesse créée dans le pays pendant l'année, en additionnant la valeur ajoutée dans les différentes branches. La valeur ajoutée de la production paysanne pour l'autoconsommation, ainsi que celle des « services non marchands » (éducation publique, défense nationale, etc.) sont inclus. En revanche, le travail au noir, les activités illégales (comme le trafic de drogue), le travail domestique des femmes au foyer ne sont pas comptabilisés (un homme qui se marie avec sa domestique diminue ainsi le P I B).

• Le *produit national brut* (P N B) est égal au P I B, additionné des revenus rapatriés par les travailleurs et les capitaux nationaux à l'étranger, diminué des revenus exportés par les travailleurs et les capitaux étrangers présents dans le pays.

Dans les pays à économie planifiée, la production est mesurée par le P S G et le P M N.

• Le *produit social global* (P S G) est la somme de la *valeur globale* de la production des différentes branches (et pas seulement de la *valeur ajoutée*, à la différence du P I B). Le P S G comptabilise ainsi deux fois certaines valeurs, comme le blé, qui est non seulement compté comme production agricole, mais aussi, une seconde fois, comme biscuits ou pâtes alimentaires (production industrielle). Il diffère aussi du P I B dans la mesure où il compte seulement la production « matérielle ». L'éducation, la défense, la médecine gratuite, etc., sont donc exclus.

• Le *produit matériel net* (P M N) est obtenu à partir du P S G, auquel est soustraite la valeur des consommations intermédiaires. C'est donc la somme de la valeur ajoutée des branches de la production « matérielle ».

Attention, statistiques

Comme pour les éditions précédentes, un important travail de compilation de données recueillies auprès des services statistiques des différents pays et d'organismes internationaux a été réalisé afin de présenter aux lecteurs, dès septembre 1990, le plus grand nombre possible de résultats concernant l'année 1989.

Les informations portent sur la démographie, la culture, la santé, les forces armées, le commerce extérieur et les grands indicateurs économiques. Pour la section « 34 États », les données de 1970, 1980 et 1989 sont fournies afin de permettre la comparaison dans le temps et de dégager certaines tendances. Dans la section « 33 ensembles géopolitiques », les résultats de 1989 sont consignés pour les 170 États souverains de la planète et pour 16 territoires non indépendants.

Les décalages que l'on peut observer, pour certains pays, entre les chiffres présentés dans les articles et ceux qui figurent dans les tableaux peuvent avoir plusieurs origines : les tableaux, qui font l'objet d'une élaboration séparée, privilégient les chiffres officiels plutôt que ceux émanant de sources indépendantes (observatoires, presse, syndicats...) ; et les données « harmonisées » par les organisations internationales ont priorité sur celles publiées par les autorités nationales.

Il convient de rappeler que *les statistiques, si elles sont le seul moyen de dépasser les impressions intuitives, ne reflètent la réalité économique et sociale que de manière très approximative*, et cela pour trois raisons au moins. D'abord parce qu'il est rare que l'on puisse mesurer directement un concept économique ou social : l'indice du chômage, par exemple, mesure certainement un phénomène lié à ce fléau, mais pas le chômage lui-même. Ensuite, l'erreur de mesure est plus importante dans les sciences sociales que dans les sciences exactes. L'imprécision due à des facteurs techniques peut être encore aggravée par la simple malhonnêteté de ceux qui peuvent tirer profit de chiffres « enjolivés ». Il faut savoir aussi que la définition des concepts et les méthodes pour mesurer la réalité qu'ils recouvrent sont différentes d'un pays à l'autre, malgré les efforts d'harmonisation accomplis depuis les années soixante.

Certains pays à économie de marché utilisent le PIB comme indicateur de croissance, d'autres utilisent le PNB. Pour les périodes de dix ans et pour des pays suffisamment grands, la différence est en général négligeable. Mais pour des pays petits ou très liés à l'extérieur, la différence pour une année donnée peut être considérable. Les pays à économie planifiée diffèrent aussi quant à l'indicateur de croissance qu'ils privilégient, certains choisissant le PMN, d'autres le PSG, d'autres encore utilisant le produit matériel brut. [*Principales sources* : 2, 10, 12, 13, 14, 15 et 16].

Contrairement à une croyance très répandue, la valeur de la production n'est pas nécessairement surestimée par le système de comptabilité des pays à économie planifiée. Si le PSG compte certaines valeurs deux fois, il ne compte pas l'éducation et la médecine gratuite, ni la défense nationale. De même, il n'est pas certain que cette comptabilité exagère les taux de croissance : en effet, dans les économies modernes, les services non marchands tendent à augmenter plus vite que la production matérielle (gonflant le taux de croissance du PIB), tandis que l'effet du double comptage (dans le PSG) devient moins sensible, celui-ci étant déjà présent dans les chiffres de l'année précédente. D'ailleurs, le PMN est presque identique à un indicateur que les statisticiens français surveillent de près : le *produit intérieur brut marchand*. Quant au PSG, il n'est rien d'autre qu'une somme pondérée de trois des indices les plus importants utilisés dans les comptabilités des pays occidentaux : le volume de la production industrielle, le volume de la production agricole et le volume des ventes du commerce au détail.

Dans la décomposition par branches du PIB, la production d'eau, d'électricité et de gaz, ainsi que la construction et la production minière, ont été inclues dans la branche « industrie ». Dans la décomposition par branches du PMN, la branche « services » ne comprend pas les services « non productifs » (santé, éducation, commerce, etc.). En revanche, tous les employés des services publics et du commerce sont comptés dans la partie « services » de la rubrique « population active » des pays à économie planifiée.

• *Le PIB exprimé en dollars*. Pour exprimer le PIB et le PNB en dollars, la « méthode de la Banque mondiale » a été préférée à celle des Nations unies. Le taux de conversion utilisé est une moyenne pondérée des taux de change des trois dernières années, les coefficients de pondération tenant compte de la différence d'inflation entre les États-Unis et le pays considéré. Cette méthode permet d'« amortir » l'effet des fluctuations des taux de change.

• Par *population active*, on entend la population en âge de travailler, à l'exclusion des étudiants, des membres des forces armées, des femmes mariées occupées aux tâches ménagères et de ceux des chômeurs qui ne recherchent pas activement un emploi. Les chômeurs ayant travaillé auparavant sont classés en tant qu'actifs de la branche à laquelle ils participaient. Les chômeurs n'ayant jamais travaillé ne sont pas comptés, l'ensemble totalise donc 100 %. [*Sources principales* : 17, 18, 13, 28 et 29].

• Le *taux de chômage* est le rapport entre le nombre de chômeurs — dont la définition est très variable d'un pays à l'autre — et la population active qui, bien que la définition de base soit la même, est calculée de manière un peu différente dans chaque pays. Pour la plupart des pays développés, les chiffres indiqués sont ceux qui résultent de l'harmonisation effectuée par la CEE et l'OCDE. Cette harmonisation ne supprime cependant pas l'effet du « traitement social » du chômage, souvent plus intensif à l'approche des échéances électorales. Pour les pays en développement, il a semblé préférable de ne pas mentionner les chiffres du chômage tellement leur interprétation est délicate. [*Sources* : 27, 17 et 18].

• *Taux d'inflation*. L'indicateur choisi est le rapport entre l'indice officiel des prix à la consommation de décembre 1989, et celui de décembre 1988. [*Sources principales* : 10, 2, 14 et 19].

• *Dette extérieure*. Pour les pays du tiers monde et les pays de l'Europe de l'Est (CAEM), c'est la dette brute, publique et privée, qui est indiquée. Pour certains pays, la dette est essentiellement libellée en dollars (Mexique par exemple), pour d'autres, elle est libellée en francs (suisses et français), en marks, etc. L'évolution des chiffres reflète donc autant les fluctuations des taux de change que le véritable recours à l'emprunt net. [*Sources principales* : 14, 15, 16 et 20].

• Par *production d'énergie*, on entend la production d'« énergie primaire », non transformée, à partir de ressources nationales. Est donc exclue l'« énergie secondaire » (par exemple l'électricité obtenue à partir de charbon, ce dernier ayant déjà été compté comme énergie primaire). Cependant, l'électricité d'origine nucléaire est comptée dans la production d'énergie primaire, même si l'uranium utilisé est importé. L'uranium produit par un pays et exporté n'est pas compté, en revanche, comme énergie primaire. Le rapport entre énergie produite et énergie consommée indique le degré d'indépendance énergétique du pays.

Commerce extérieur

• Le *commerce extérieur*, estimé en pourcentage du PIB, est calculé en additionnant la valeur des exportations et des importations de marchandises et en divisant ce total par 2 × PIB. Ce rapport donne une indication du degré d'ouverture (ou de dépendance) de l'économie vis-à-vis des autres pays. [*Sources principales* : 2, 9, 10 et 26].

Principales sources utilisées

1. Bulletin mensuel de statistique, mai 1990 (ONU).
2. Principaux indicateurs économiques, mai 1990 (OCDE).
3. United Nations World Population Chart 1988, nov. 1988 (ONU).
4. Population and Vital Statistics, n° 1, 1990 (ONU).
5. World Tables 1989-1990 (Banque mondiale).
6. World Demographic Estimates and Projections, 1950-2025, mai 1988 (ONU).
7. Annuaire statistique de l'UNESCO 1989.
8. UNCTAD Statistical Pocket Book, ONU, 1989.
9. Statistiques financières internationales, Annuaire 1989 (FMI).
10. Statistiques financières internationales, juin 1990 (FMI).
11. An International Survey of Book Production During the Last Decades, Statistical Reports and Studies, n° 26 (UNESCO).
12. Atlas de la Banque mondiale, 1989.
13. Annuaire statistique des pays membres du Conseil d'assistance économique mutuelle 1989 (CAEM).
14. Séries « Country Profile » et « Country Report » (The Economist Intelligence Unit).
15. Étude sur la situation économique de l'Europe en 1989-90, Commission économique pour l'Europe (ONU).
16. Balance preliminar de la economia latinoamericana 1989, décembre 1989 (CEPAL).
17. Statistiques de la population active 1966-87 (OCDE).
18. Statistiques trimestrielles de la population active, n° 1, 1990 (OCDE).
19. Bulletins périodiques des postes d'expansion économique (PEE) auprès des ambassades de France dans le monde.
20. World Debt Tables 1989-90 (Banque mondiale).
21. Annuaire statistique du commerce international, 1987 (ONU).
22. Manuel de statistiques du commerce international, supplément 1988 (CNUCED).
23. Bulletin mensuel de statistique, juillet 1989, Tableau spécial D (ONU).
24. Direction of Trade Statistics, Yearbook 1989 (FMI).
25. Direction of Trade Statistics, mars-mai 1990 (FMI).
26. Statistiques mensuelles du commerce extérieur, mai 1990 (OCDE).
27. Économie européenne, supplément A, n° 4, 1990 (CEE).
28. Annuaire de statistiques du travail 1989 (BIT).
29. Population active, évaluations 1950-80, projections 1985-2025, vol. 1-5 (BIT).
30. Informations récentes sur les comptes nationaux des pays en développement, 1989 (OCDE).
31. Trends and Projections of Enrolment by Level of Education and by Age, UNESCO, novembre 1989.
32. Prospects of World Urbanisation 1988; ONU, 1989.

• *Commerce extérieur par produits*. Les tableaux distinguent les produits agricoles, miniers et industriels. Tous les produits alimentaires sont inclus sous la dénomination « agricoles », quel que soit leur degré d'élaboration/transformation. La dénomination « produits agricoles » correspond aux rubriques 0 + 1 + 2 − 25 − 27 − 28 + 4 de la nomenclature internationale CTCI (classification type du commerce international) ; elle inclut donc les produits de la pêche et de l'industrie agro-alimentaire. La dénomination « produits miniers » inclut les « produits énergétiques » (rubrique 3) et les rubriques 27, 28 et 56. [*Sources* : 21, 22 et 13].

Tous les autres produits (rubriques 5 à 9) sont classés sous la dénomination « industriels ». La dénomination « produits manufacturés » est égale à celle des « produits industriels » moins les rubriques 56 (engrais), 67 et 68 (métaux) et 9 (divers non classés ailleurs).

• *Commerce extérieur par origine et destination*. L'évaluation de la part des différents partenaires commerciaux des pays de l'Afrique au sud du Sahara, des petits pays des Caraïbes, et de quelques pays asiatiques (Birmanie et Thaïlande surtout), pose des problèmes complexes. Certains de ces pays n'ont pas communiqué leurs chiffres depuis très longtemps ; pour d'autres, les chiffres fournis sont douteux. Leur commerce est donc estimé d'après les statistiques de leurs partenaires. [*Sources* : 13, 23, 24 et 26].

Francisco Vergara

Les cartes

Chacun des États souverains et des territoires non indépendants étudié dans l'ouvrage fait l'objet d'une représentation. Les cartes correspondant aux pays dont l'importance spatiale est la plus grande sont placées dans la rubrique « 34 États », les autres dans la rubrique « 33 ensembles géopolitiques ». Afin de faciliter leur utilisation, une attention particulière a été portée au tracé des frontières, à la localisation des principales villes, ainsi qu'aux délimitations territoriales, administratives et politiques internes à chaque pays (régions, provinces, États, etc.).

Cette édition comporte en outre une carte inédite des nationalités en Yougoslavie, ainsi qu'une présentation des républiques baltes.

Claude Dubut, Martine Frouin, Anne Lefur

Légende pour la taille des villes :
- moins de 500 000 habitants
- 500 000 à 2 000 000 habitants
- 2 000 000 à 5 000 000 habitants
- plus de 5 000 000 habitants

QUESTIONS STRATÉGIQUES

Une nouvelle architecture pour le Vieux Continent

La chute du Mur de Berlin, le 7 novembre 1989, a clos définitivement la Seconde Guerre mondiale et son corollaire, la « guerre froide ». Comme en 1945, en 1919 ou dans les années 1890, la question centrale qui a resurgi est la place qu'il faudra faire à l'Allemagne dans le concert des puissances. Les retrouvailles des Berlinois ont en effet symbolisé l'accession des Allemands, une nouvelle fois, à la qualité de sujets et non plus de simples objets de l'Histoire. Dix ans — au mois près — ont séparé l'ouverture du Mur de la décision de l'Alliance atlantique de déployer les missiles Pershing-2 sur le sol allemand ; une décennie au cours de laquelle, en Allemagne, les « mouvements de paix », puis toutes les forces politiques ont revendiqué, chacun à sa façon, le droit pour les Allemands de décider eux-mêmes de leur destin.

A la mi-1990, des armées étrangères campaient toujours, l'arme au pied, entre Rhin et Oder et le territoire allemand accueillait encore des milliers de têtes nucléaires et la plus forte concentration de forces militaires de tous les temps en période de paix. Mais plus personne ne doutait que cela appartenait déjà au passé. L'Allemagne allait bientôt retrouver son unité territoriale et politique. En dépit des réticences soviétiques, on savait que les quatre vainqueurs de 1945 finiraient par négocier l'abandon de leurs droits sur l'État allemand unifié. Celui-ci, pleinement souverain désormais, représentera la plus grande puissance économique, démographique et militaire conventionnelle du Vieux Continent — à l'exception de l'URSS.

Mais qui commanderait l'armée allemande ? Le futur gouvernement fédéral unifié, un général américain ou un état-major européen ? Ce détail, à première vue technique, constituait à la mi-1990 l'enjeu central des manœuvres diplomatiques pour la définition d'une nouvelle « architecture » européenne. L'entière autonomie de décision en matière de sécurité est en effet l'attribut ultime de la souveraineté. Or, le problème clef de l'Europe future est la définition de l'espace de souveraineté de la puissance allemande. La manière dont il sera pris en compte déterminera la place et la marge de manœuvre des autres protagonistes — États-Unis, URSS, Europe centrale et Europe occidentale.

On ne s'étonnera pas que l'essentiel des pourparlers diplomatiques, après la réunification de Berlin, ait tourné autour de l'appartenance ou non de l'Allemagne unifiée à l'OTAN (Organisation du traité de l'Atlantique nord). Cette question est en effet vitale pour l'avenir de la présence américaine sur le Vieux Continent et pour les relations entre l'Europe et une URSS « restructurée » de fond en comble. De même, elle pèse lourdement sur le processus d'union politique au sein de la CEE et par là, sur le statut de puissance du Royaume-Uni et de la France.

Un vieux problème se reposait néanmoins : la Russie fait-elle ou non partie de l'Europe ? La désagrégation du pacte de Varsovie, au début de 1990, a bouleversé les perceptions géopolitiques. Tout s'est passé comme si le « front » séparant l'Est et l'Ouest s'était déplacé de l'Elbe à la frontière soviéto-polonaise. Les petits États d'Europe centrale, désormais tournés vers l'Occident, se seraient ainsi transformés en une sorte de glacis de l'OTAN. La communauté atlantique aurait élargi son espace stratégique, alors que l'URSS, grand vaincu de la guerre froide, verrait à nouveau son périmètre de sécurité se restreindre à ses propres frontières.

L'Europe et la Russie

Cette vision excluait de fait la Russie du concert européen. Or, une telle perspective apparaissait comme intolérable aux yeux des dirigeants de l'URSS qui pouvaient difficilement admettre qu'après les 20 millions de morts soviétiques de la Seconde Guerre mondiale, leur pays se retrouverait dans la position d'un donjon assiégé, sans aucun droit de regard sur les futurs équilibres de sécurité sur le Vieux Continent.

Pour leur part, les partisans les plus radicaux de la *perestroïka* s'inquiétaient de se voir rejeter aux marges de l'Europe riche et démocratique. Quant aux républiques « soviétiques », l'intégration à l'Europe est la condition *sine qua non* de leur survie comme États « indépendants ».

L'absorption de la RDA par la RFA et le passage de l'Allemagne unifiée sous le commandement intégré d'une OTAN inchangée matérialiseraient une nouvelle division du monde en deux camps : d'un côté une URSS affaiblie, rongée par ses difficultés intérieures, de l'autre une communauté euro-américaine triomphante, s'étendant jusqu'au Niemen. Les propositions avancées en la matière par le Kremlin visaient donc toutes à obtenir une transformation radicale de l'Alliance atlantique, parallèle à celle du pacte de Varsovie, dans le but de créer un système pan-européen de sécurité où l'URSS aurait également sa place. Ce dernier pourrait se constituer à partir d'une institutionnalisation de la Conférence sur la sécurité et la coopération en Europe (CSCE) : secrétariat permanent, sommets réguliers des chefs d'État, un centre de prévention des crises, des « casques bleus » européens...

Un système pan-européen de sécurité

Moscou, concernant l'Allemagne, a ainsi proposé, tour à tour, la « neutralité » ; un statut « à la française » (membre de l'OTAN, mais ne participant plus au commandement militaire intégré depuis 1966), la double appartenance aux deux alliances. Dans tous les cas, cela impliquait que les forces armées allemandes soient placées sous le commandement des autorités allemandes qui, elles, devraient accepter des contraintes strictes sur les effectifs déployés et les armements. Une telle solution aurait sonné le glas de l'OTAN en tant que « bloc » militaire dirigé contre l'Est. L'ensemble de la doctrine, des stratégies, des déploiements et des systèmes de commandement occidentaux auraient dû en effet être revus dans le sens non plus d'un affrontement, mais d'une coopération avec l'URSS.

Confronté au refus unanime des Occidentaux, le Kremlin a également avancé l'idée d'une refonte complète de l'Alliance atlantique par l'OTAN elle-même. Une organisation occidentale devenant plus politique que militaire, et acceptant d'institutionnaliser des relations de coopération avec ce qui resterait du pacte de Varsovie et l'Union soviétique elle-même, aurait pu alors, sans dommage, absorber l'Allemagne unifiée.

Les États-Unis et leurs alliés européens ont reconnu, quant à eux, la « légitimité » des intérêts de sécurité de l'URSS. Et puis, comment gérer en effet un processus de réunification européenne aussi complexe et la reconstruction d'économies exsangues, dans une situation de crise ouverte avec les Soviétiques ?

A Bonn et à Washington en particulier, on s'est montré décidé à trouver un arrangement avec Mikhaïl Gorbatchev. Mais les États-Unis se

L'ÉVOLUTION DES NÉGOCIATIONS SUR LE DÉSARMEMENT

La grande révolution européenne de 1989 a dérangé la délicate mécanique des pourparlers sur le désarmement. Ceux-ci, au cours des derniers vingt ans de « guerre froide », avaient servi de pont pour le dialogue entre les deux Grands. Les États-Unis et l'URSS, à la tête de deux camps perçus comme irréconciliables, avaient trouvé dans le langage abstrait du « contrôle des armements » une manière de code commun permettant une gestion « raisonnable » de leur rivalité et des grands équilibres européens. A la mi-1990, après l'effondrement du pacte de Varsovie et la chute du Mur de Berlin (9 novembre 1989), la langue politico-diplomatique traditionnelle avait repris ses droits. Les différents forums de la négociation sur le désarmement n'étaient plus que l'un des canaux possibles pour les discussions concernant le nouvel équilibre des puissances et l'avenir de l'Europe.

*La conséquence en a été une certaine dévaluation politique du processus de l'*arms control*, en même temps qu'une accélération des pourparlers. Ces derniers avaient déjà reçu une forte impulsion en décembre 1987, avec la signature du traité FNI (forces nucléaires intermédiaires) qui, pour la première fois, stipulait l'élimination d'une entière catégorie d'armes nucléaires. L'ouverture, à Vienne, au début 1989, de négociations sur la réduction des forces conventionnelles en Europe (CFE), « de l'Atlantique à l'Oural », avait également représenté un énorme pas en avant au regard des vieux pourparlers MBFR (réduction mutuelle et équilibrée des forces en Europe), paralysés depuis 1973.*

L'arrivée au pouvoir, à Washington, de l'administration Bush, en janvier 1989, a été, quant à elle, décisive. Le président américain, après trois mois d'hésitations, se décida en effet à jouer le jeu de la coopération avec Mikhaïl Gorbatchev. Le 30 mai 1989, à l'occasion d'une rencontre au sommet des pays membres de l'OTAN (Organisation du traité de l'Atlantique nord), George Bush donnait officiellement le feu vert occidental pour une conclusion rapide des différentes négociations. A Vienne comme à Genève, les dossiers commencèrent à se débloquer.

Armes conventionnelles (CFE)

Aux pourparlers CFE — qui réunissent les seize pays de l'OTAN et les sept du pacte de Varsovie — l'Ouest accepta la demande soviétique d'inclure l'aviation basée au sol dans les limitations d'armements. La conclusion d'un traité fut fixée pour la fin de 1990. Par ailleurs, les États-Unis se déclareront prêts aussi à entamer des négociations sur les missiles nucléaires à courte portée (SNF) stationnés en Europe, dès la mise en route des réductions des forces conventionnelles (puis, en juin 1990, dès la signature du traité CFE).

A la mi-1990, les négociateurs à Vienne s'étaient déjà entendus sur les plafonds et la définition du matériel militaire à réduire (limite de 20 000 chars de part et d'autre, 30 000 véhicules blindés de combat, 16 800 pièces d'artillerie). La question des avions et hélicoptères de combat, enlisée dans une polémique sur leurs définitions, n'avait pas encore trouvé une solution. Tous les participants aux CFE reconnaissaient néanmoins la nécessité impérieuse de conclure les négociations à temps pour la tenue d'un sommet de la Conférence sur la sécurité et la coopération en Europe (C S C E), fin 1990, à Paris, qui devait entériner une nouvelle « architecture de sécurité » pour le Vieux Continent. Parallèlement, l'autre forum, de Vienne, concernant les « mesures de confiance » (C S B M), a réussi une grande première en janvier 1990 : un séminaire sur les doctrines militaires, auquel ont participé les principaux responsables des armées de l'Est et de l'Ouest.

Armes chimiques

La négociation sur les armes chimiques, au sein de la Conférence du désarmement (C D) de l'O N U, à Genève, a également connu une importante accélération. Le point de vue de l'industrie chimique civile exigeant une convention comportant un minimum de contraintes, et celui des militaires qui en veulent un maximum se sont peu à peu rapprochés. Le problème de la vérification d'un accord est resté extrêmement complexe, mais non pas impossible à résoudre.

La possibilité d'obtenir, avant la fin 1991, la signature d'un traité interdisant la production, l'utilisation et le stockage des armes chimiques, est devenue plus tangible après l'accord soviéto-américain annoncé au sommet Bush-Gorbatchev en juin 1990. Les deux Grands se sont engagés, avant même un accord à Genève, à cesser toute production de gaz de combat et à réduire leurs stocks de 80 % (équivalent à un plafond de 5 000 tonnes). Dès la signature d'une convention à la C D, ces stocks devaient être encore réduits jusqu'à 500 tonnes, puis définitivement éliminés après que les autres pays détenteurs d'armes chimiques ont adhéré au traité.

Armes stratégiques (S T A R T)

Lors de cette même rencontre, George Bush et Mikhaïl Gorbatchev ont aussi annoncé un accord de principe sur la réduction de leurs armements stratégiques (S T A R T). Les plafonds agréés représentent une réduction d'environ 30 % des têtes nucléaires américaines et soviétiques. Ces dernières seront ainsi limitées à 6 000 de part et d'autre. Les missiles de croisière navals atomiques (S L C M, plafonnés à 880 de chaque côté) n'ont cependant pas été pris en compte dans ce chiffre. De même, les missiles de croisière aéroportés (A L C M) seront délibérément sous-estimés : un bombardier sera comptabilisé comme transportant dix A L C M, même s'il en est équipé de vingt.

Le traité S T A R T, tel qu'il apparaissait en juin 1990, est éminemment favorable aux États-Unis. Les différents plafonds et sous-plafonds décidés par les négociateurs pénalisent les gros missiles basés à terre (I C B M « lourds ») qui constituent l'essentiel de l'arsenal soviétique, et donnent une prime aux missiles balistiques sur sous-marins, aux bombardiers et aux missiles de croisière, les joyaux de la force stratégique américaine. En outre, les États-Unis ont obtenu que le traité S T A R T (signature prévue en 1991) ne soit plus lié à un accord sur les armes dites « défensives » de la « guerre des étoiles » (Initiative de défense stratégique américaine, I D S).

Enfin, les deux Grands se sont entendus sur les moyens de vérification des essais nucléaires. Cet accord permettra enfin la ratification par le Sénat américain des deux traités sur la limitation de la puissance des tests atomiques souterrains : le traité dit « du seuil » (T T B T signé en 1974) et celui sur les essais à des fins pacifiques (P N E T, signé en 1976).

Alfredo G. A. Valladão

sont retrouvés eux aussi dans une situation délicate. L'OTAN est en effet la seule institution leur accordant formellement un droit de regard sur les affaires européennes. L'organisation militaire occidentale codifie même le leadership américain au sein de l'Alliance. Le maintien de cette dernière est d'autant plus important aux yeux des responsables américains qu'ils craignent d'être exclus d'une « forteresse Europe » s'organisant autour de la puissance allemande. Paradoxalement, les États-Unis et l'URSS ont donc au moins un point de convergence : la peur d'être rejetés par les Européens. Avant même la chute du Mur de Berlin, le président George Bush avait donné priorité aux relations avec la RFA, appelant les Allemands à devenir des « partenaires dans le leadership » de l'Alliance atlantique. Washington estime que l'Allemagne sera non seulement son principal interlocuteur sur le Vieux Continent, mais également une force décisive en faveur d'une Europe ouverte au reste du monde. Que la Communauté européenne s'ouvre aussi à l'URSS, et ce mouvement d'ouverture n'en serait que consolidé.

Un nouvel atlantisme

La Maison Blanche s'est donc avant tout présentée comme le plus chaud partisan d'une unité allemande rapide et de l'intégration du nouvel État dans l'OTAN. Face aux réticences soviétiques, elle a lancé l'idée d'un « nouvel atlantisme », postulant de fait que la présence américaine en Europe devrait reposer, progressivement, sur des instruments et des engagements politiques plutôt que militaires.

Washington a proposé ainsi de nouveaux accords avec la CEE, assez contraignants pour faire virtuellement des États-Unis une sorte de treizième membre de la Communauté, avec un droit de regard institutionnalisé sur la future architecture politique des Douze. Parallèlement, les Américains ont entrepris un vaste exercice de révision des fondements mêmes de l'Alliance atlantique visant à en faire une sorte de directoire occidental pour l'administration des affaires du monde. En somme, une alliance s'occupant d'écologie, de développement scientifique, d'économie ou de sécurité dans des zones qui, jusqu'alors, échappaient à son mandat.

Il était évident que cette évolution prendrait du temps. Et les États-Unis n'étaient pas disposés à brader leur seul vrai atout : le commandement militaire intégré de l'OTAN, où l'armée allemande est soumise à l'autorité d'un général américain. Comment alors concilier le refus d'une autonomie de l'Allemagne en matière militaire et la nécessité d'amadouer les Soviétiques ?

Lors du sommet Bush-Gorbatchev de juin 1990, le président américain a proposé à son interlocuteur des garanties de sécurité en Europe centrale et s'est prononcé pour le développement de la coopération économique avec l'URSS. De fait, Washington, tout en affirmant la nécessité du maintien de l'OTAN, a accepté le principe de l'institutionnalisation de la CSCE demandée par Moscou. Mieux : George Bush s'est décidé à promouvoir une révision radicale des doctrines et de la stratégie militaires de l'alliance occidentale, de manière à ce qu'elle n'apparaisse plus comme une machine de guerre tournée contre l'URSS.

Le sommet de l'OTAN du 6 juillet 1990 a ainsi marqué une véritable révolution au sein de l'Alliance atlantique. Sous l'impulsion des États-Unis et de la RFA, les Occidentaux ont proclamé la fin de la « guerre froide » et se sont prononcés pour la coopération avec l'URSS. Pour montrer leur bonne foi, ils ont abandonné de fait les deux piliers de l'Alliance : les doctrines de la « défense de l'avant » et de la « réponse flexible ».

Le président américain, désormais favorable à des accords entre le pacte de Varsovie et l'OTAN, a donc semblé vouloir accueillir l'Union soviétique au sein de la famille européenne, à condition que la *perestroïka* se poursuive et que la présence américaine en Europe soit elle aussi garantie. Il espérait lever les objections du Kremlin à l'intégration de l'Allemagne dans la structure militaire occidentale.

L'accord du « Caucase », le 16 juillet 1990, entre l'URSS et la RFA a couronné ses efforts : M. Gorbatchev a accepté l'intégration de l'Allemagne unifiée dans l'OTAN réformée.

Les inquiétudes de Londres et de Paris

Ce dialogue à trois — Allemagne, États-Unis, URSS — a laissé de côté les deux autres principales puissances européennes, le Royaume-Uni et la France. Longtemps, la « relation spéciale » entre Londres et Washington avait permis aux Britanniques de se donner un rôle de vieux sages, habiles et expérimentés, pilotant la jeune puissance américaine à travers les écueils du « Grand Jeu » diplomatique. Une Grèce britannique d'une Rome américaine. Cette vision quelque peu chimérique a cependant besoin d'une OTAN « classique », où l'alignement de tous sous le commandement militaire américain donne une prime à ce savoir-faire politique réputé « supérieur » de la Grande-Bretagne (le seul concurrent sérieux dans ce domaine, la France, s'étant exclu de lui-même depuis 1966).

Londres est donc apparue comme le plus ardent défenseur du *statu quo* au sein de l'OTAN. Margaret Thatcher allant même jusqu'à refuser tout changement de doctrine en insistant pour le maintien des déploiements « à l'avant » (c'est-à-dire sur le territoire allemand) de troupes et d'armes nucléaires. Vivant avec amertume les nouvelles relations privilégiées entre Bonn et Washington, les Britanniques ne se sont pas gênés pour exprimer ouvertement leurs craintes d'une Allemagne indépendante au centre de l'Europe. Une intransigeance aux allures de combat d'arrière-garde.

La France, quant à elle, a vu sa marge de manœuvre se réduire. L'organisation militaire intégrée de l'OTAN avait jusqu'alors, paradoxalement, servi la « spécificité » française. Elle garantissait, en dernière instance, la sécurité collective de l'Europe de l'Ouest, tout en empêchant une autonomie allemande en matière de défense. Ce statut de souveraineté limitée imposé à l'Allemagne accordait ainsi à la France le privilège d'une diplomatie « indépendante » — ou du moins autonome — dans une Europe alignée. La perspective d'une Allemagne forte et souveraine oblige les Français à une sérieuse révision politique.

Paris veut éviter le double écueil que constitueraient à ses yeux un alignement sur un système euro-américain décidant collectivement du sort de l'Europe, et une Allemagne pleinement indépendante en matière de sécurité. Les dirigeants français ont donc proposé la création d'une sorte de mini-bloc européen : l'union politique et militaire des pays membres de la CEE, ce qui, selon eux, placerait la force nucléaire française — le seul arsenal atomique indépendant parmi les Douze — au centre du dispositif de sécurité ouest-européen. Quant aux États-Unis, ils continueraient à servir d'assurance en cas de dérapage allemand. Les Français se sont donc prononcés pour le maintien d'une OTAN réformée, où le « pilier européen » dialoguerait d'égal à égal avec les Américains.

Les dangers de la méfiance réciproque

A Paris, cette solution avait semblé pouvoir être plus acceptable que pour les Soviétiques : l'Allemagne unifiée ne viendrait pas renforcer le potentiel d'une alliance militaire dominée par les États-Unis, mais ses forces armées seraient toujours soumises à un contrôle collectif. D'autant que la France avait également accepté l'institutionnalisation de la CSCE. La tentation de jouer le rappel des vieilles alliances franco-russes, tout en exorcisant la résurgence de la puissance allemande au

BIBLIOGRAPHIE

GHÉBALI V.Y., *La Diplomatie de la détente : la CSCE d'Helsinki à Vienne 1973-1989*, Émile Bruylant, Bruxelles, 1989.

GRIP, *Mémento Défense Désarmement* (annuel), Bruxelles, 1990.

IFRI, *Ramses 90. Système économique et stratégies*, Dunod, Paris, 1989.

JOXE A., *Le Cycle de la dissuasion (1945-1990)*; *Essai de stratégie critique*, La Découverte/Fondation pour les études de la défense nationale, Paris, 1990.

Le Nouvel état du monde, La Découverte, coll. « L'état du monde », Paris, 1990.

SIPRI Yearbook 1989. World Armaments and Disarmament (annuel), Oxford University Press, Oxford, 1989.

travers de l'idée d'une fédération ouest-européenne réapparaissait ainsi au cœur de la vision française de la future architecture du Vieux Continent. Une vision qui fait cependant peu de cas du principal intéressé, l'Allemagne.

Les dirigeants allemands ne se sont fixé qu'une priorité tout au long de l'année 1990 : réussir l'unification du pays le plus rapidement possible. Le gouvernement de Bonn a assumé ainsi un rôle d'intermédiaire incontournable entre les deux puissances qui détiennent les clefs de cette unification, les États-Unis et l'URSS — et non pas la France ou le Royaume-Uni. Naviguant entre Moscou et Washington, il était décidé à fournir les garanties qu'il fallait à l'un et à l'autre. Une fois l'unité réalisée et la pleine souveraineté recouvrée, les questions se poseront autrement.

La vérité est que l'argumentaire occidental pour exiger l'intégration de l'Allemagne dans l'OTAN équivalait à un vote de défiance à l'égard des Allemands. On a avancé, en effet, qu'une Allemagne non intégrée à une alliance militaire finirait par « dériver » au centre de l'Europe et ne pourrait pas résister à la tentation de se doter d'armes nucléaires pour assurer sa sécurité. L'OTAN serait donc l'« ancre » indispensable qui empêcherait les Allemands de renouer avec leurs vieux démons.

Ce type de raisonnement ne peut que susciter un sentiment de frustration en Allemagne vis-à-vis d'alliés qui, par ailleurs, n'ont cessé d'affirmer qu'ils étaient favorables à la pleine souveraineté allemande. Aucun dirigeant à l'Ouest, en effet, ne s'est inquiété d'une « dérive » de la France (qui a pourtant quitté depuis longtemps le commandement intégré de l'OTAN) ou du danger que représenteraient pour l'Europe les forces nucléaires britanniques ou françaises. Pour réaliser l'unification du pays, les Allemands se sont clairement montrés conciliants. En outre, une partie importante de l'opinion publique outre-Rhin a, elle aussi, des craintes concernant d'éventuelles résurgences du passé. Mais les mécanismes de la méfiance réciproque n'en ont pas moins commencé à réapparaître. Ceux-là mêmes qui ont été à l'origine des grandes catastrophes européennes du XXe siècle.

Alfredo G. A. Valladão

Le Sud au péril de la nouvelle donne Est-Ouest?

L'année 1989 a bouleversé les rapports Est-Ouest. Avant cette rupture, ils s'organisaient à partir et autour de deux blocs, l'un dirigé par les États-Unis, l'autre par l'Union soviétique; si les contacts entre les deux ensembles et leurs membres respectifs se multipliaient, l'antagonisme libéralisme-communisme subsistait, contribuant à maintenir les échanges économiques Est-Ouest dans une situation de marginalité et de stagnation. Avec la cassure de 1989, le paysage est métamorphosé. L'élément central de la lutte Est-Ouest, c'est-à-dire la compétition et l'affrontement entre deux idéologies, s'évanouit, les pays de l'Est se ralliant d'eux-mêmes aux notions de marché, de libre entreprise, de multipartisme et de démocratie. L'Occident ne peut plus considérer ces peuples comme appartenant à une autre planète, celle du marxisme-léninisme. L'hostilité et l'indifférence laissent la place à un devoir de solidarité. Les démocraties industrielles, et d'abord l'Europe de l'Ouest, se trouvent condamnées à contribuer à la reconstruction et la modernisation des pays ex-socialistes : si ces derniers basculent du socialisme dans le chaos, les nations riches — et, en premier lieu, celles d'Europe — seront frappées (ne serait-ce que par l'afflux de migrants en quête d'une vie meilleure).

Dans ce nouveau contexte, les « pays du Sud » tendent à se percevoir comme les grands perdants. Déjà, tout au long des années quatre-vingt, les problèmes Nord-Sud (prix des produits bruts, dette, transferts de technologie, situation des « pays les moins avancés »...) soit ont suscité des remèdes partiels plus ou moins improvisés (dette), soit se sont enlisés, les solutions mises en place se disloquant (accords de stabilisation des cours des matières premières). Du fait des révolutions de l'Est, le Sud se sent poussé hors du champ des grands débats internationaux : l'Ouest donne la priorité politique et financière à l'intégration de l'Est dans le marché mondial ; quant à l'Union soviétique, se mobilisant pour le changement politique et économique interne et renonçant à la déstabilisation politico-militaire de l'Occident, elle ne peut que se détourner du Sud, en particulier pour économiser ses ressources. Bref, le Sud regretterait les temps de guerre froide, durant lesquels nombre d'États du tiers monde faisaient monter les enchères entre les États-Unis et l'Union soviétique sans cesse en quête de clients, de protégés.

Un révélateur des réalités Nord-Sud

La nouvelle donne Est-Ouest surgit, alors que les rapports Nord-Sud sont pris dans des tranformations radicales.

Le Sud a-t-il jamais existé ? Les thèmes de la décolonisation, du non-alignement, d'un nouvel ordre mondial ont conféré au tiers monde une unité idéologico-diplomatique. En ces années quatre-vingt-dix, ces idées soit sont accomplies, soit se sont perdues dans les sables de l'histoire. Et il demeure une mosaïque : des pays — principalement asiatiques — plus ou moins avancés dans l'industrialisation ; des pays — notamment latino-américains — pris au piège de leurs difficultés financières (inflation, dette) ; des pays marqués par le facteur pétrole, source souvent de déconvenues (Algérie, Mexique...) ; enfin, des pays enfoncés dans leur pauvreté (Afrique au sud du Sahara, pays de l'Indochine ex-française...).

De même, le Nord a-t-il jamais existé ? Dans les années soixante-dix, à l'époque des tentatives de négociations globales Nord-Sud, l'Est, industrialisé et socialiste, se veut à part, proche par les principes des « nations prolétaires », mais s'en tenant à un soutien lointain, avare, du Sud. Le Nord, c'est en fait l'Ouest, triangle États-Unis - Japon - Europe occidentale, autour duquel s'organise l'économie mondiale.

Jusqu'au milieu des années quatre-vingt, l'antagonisme Est-Ouest permet des schémas simples. L'Ouest est défié à la fois par l'Est et le Sud, qui peuvent se rejoindre dans l'anti-impérialisme ; et le premier aiguillon de l'Ouest, dans son aide au Sud, est d'empêcher ou de combattre la subversion communiste. Quant à l'Est, et surtout l'Union soviétique — à la fois acheteurs sans grandes ressources et donateurs étriqués —, ils saisissent, pour avancer leurs positions, les occasions que leur offrent les décolonisations violentes et les guerres du tiers monde.

L'économique supplante l'idéologique

La nouvelle donne Est-Ouest opère une mutation majeure. Les critères idéologiques et stratégiques, déterminants à l'époque de l'antagonisme, sont bousculés par les critères économiques : le partenaire intéressant n'est plus celui dont la localisation géopolitique peut gêner l'« autre » (soit les États-Unis, soit l'Union soviétique), mais celui qui offre un marché, des possibilités d'expansion, des hommes.

Dans ces conditions, l'Est devient d'abord un nouveau Sud, une zone en friche qu'il faut engager sur le chemin de la croissance. Or l'Est semble avoir des atouts particuliers : une expérience — certes quelque peu manquée — de l'industrialisation ; des populations instruites, appartenant à la culture européenne. L'Est apparaît alors comme un concurrent mieux placé que le Sud, en particulier pour les investissements des entreprises américaines, européennes, japonaises.

Le Sud, lui-même, redécouvre sa fragmentation. De ce point de vue, la nouvelle donne Est-Ouest représente une menace moins pour le Sud en tant que tel que pour ceux de ses pays qui se trouvent dans une dépendance extrême vis-à-vis du Nord, et, en premier lieu, les soixante-neuf pays d'Afrique, des Caraïbes et du Pacifique — ACP — associés à la CEE au sein du dispositif de la Convention de Lomé.

Or, ici, la nouvelle donne Est-Ouest intervient de manière finalement négligeable, la dégradation et la crise du dispositif de Lomé résultant de phénomènes spécifiques : érosion du système préférentiel ; usure des mécanismes de soutien des recettes au titre des exportations de produits bruts (STABEX) ; surtout maintien des retards des États ACP qui ne sont pas parvenus à diversifier leurs activités ; enfin désintérêt des industriels pour ces zones sans perspective d'enrichissement. La vision d'un arbitrage de ressources entre l'Europe de l'Est et l'Afrique, si elle peut avoir une part de réalité (en particulier, dans les choix budgétaires à venir de la Communauté européenne), ne doit pas masquer l'essentiel : en 1990, l'Europe centrale et orientale se présente comme une promesse, alors que l'Afrique ne propose que sa misère.

Une épreuve de vérité pour le Sud

Comme tout bouleversement, ceux de l'Est mettent à nu d'abord tous les défauts, toutes les corruptions du socialisme marxiste de type soviétique. Mais l'épreuve de vérité touche aussi les autres. L'Occident doit démontrer que sa vision du marché et de la démocratie est vraiment la meilleure, en s'efforçant que les expériences en cours réussissent. Quant aux pays du Sud (ou au moins nombre d'entre eux), ils vivent en parallèle la même cassure que ceux de l'Est : l'effondrement de leurs modèles.

Le tiers monde, dans sa partie la plus affirmée, a cherché, des années cinquante aux années quatre-vingt, dans le socialisme son mode de développement. Nationalisation de l'économie, planification, industrialisation lourde, contrôle des prix et subventions, tels furent les dogmes de ceux des États asiatiques et africains qui rejetaient l'Occident. L'Union soviétique et la Chine étaient au moins des points de repère. Mais, comme les socialismes de l'Est, ceux du Sud font faillite. De l'Algérie à Cuba, du Vietnam au Nicaragua, s'impose un sentiment de désastre, qui, comme à l'Est, se trouve souligné par le désir des populations d'une existence enfin libérée de la pénurie et du rationnement.

Toujours comme à l'Est, l'onde de choc a atteint de plein fouet les systèmes politiques du tiers monde. Les aspirations à la libre expression, au pluralisme, à la démocratie explosent dans le Sud, touchant tout à la fois des régimes d'inspiration marxiste-léniniste (alternance au Nicaragua, changements au Bénin) et des régimes de parti unique (Côte d'Ivoire, Gabon...). Seul, au printemps 1990, le Moyen-Orient semblait encore préservé de la tourmente.

Ces crises se produisent tandis que s'opère un vaste mouvement de repli des deux super-grands. Le temps des interventions idéologico-stratégiques s'achève. Les pays du Sud ne peuvent plus se présenter comme des pions, enjeux et victimes de l'affrontement américano-soviétique. Le tiers monde obtient ce qu'il a réclamé depuis sa naissance : ne plus constituer un objet d'ingérences, mais être laissé à lui-même, responsable de ses choix.

Ici aussi, la nouvelle donne Est-Ouest, ou plus précisément la disparition de la dimension Est-Ouest dans l'évolution du Sud, agit comme un élément amplificateur, confirmant la fragmentation du Sud selon plusieurs lignes de partage (niveau de développement économique, localisation géographique, problèmes d'identité culturalo-politique).

Ainsi plusieurs conflits du tiers monde (Cambodge, Vietnam, Amérique centrale, Corne de l'Afrique, Afrique australe), sortant du jeu Est-Ouest, deviennent bien l'affaire des États directement impliqués. A eux de bâtir la paix ou de continuer la guerre. De même, la réussite économique ne peut plus dépendre de la conformité à un modèle, mais s'appréciera à la lumière des performances en termes de croissance, de conditions de vie, de compétitivité.

Dans la première moitié des années quatre-vingt, le retour de la guerre froide a contribué à repousser à l'arrière-plan les tensions Nord-Sud, qui avaient marqué les années soixante-dix (à la suite du premier choc pétrolier, revendication d'un Nouvel ordre économique international). Avec la décomposition de l'antagonisme Est-Ouest, les conflits Nord-Sud sont sans doute appelés à revenir sur le devant de la scène, mais leurs points de cristallisation seront plus concrets, plus éclatés que ceux — très globaux — des années soixante-dix. Dette, aide aux pays les plus pauvres, transferts de technologie, droit au développement et protection de l'environnement, autant de questions qui mettent et mettront aux prises les pays riches (Amérique du Nord, Japon, Europe occidentale), les pays à la conquête d'une place au soleil (nouveaux pays industriels) et les pays exclus de cette course.

Philippe Moreau Defarges

L'Europe après la «pax sovietica» : de nouvelles sources de tension ?

Les révolutions politiques de 1989 en Europe dite de l'Est et en Union soviétique se sont déroulées sans effusion de sang, à l'exception de la Roumanie (400 morts en décembre 1989). Elles ont marqué un tournant politique fondamental de l'histoire européenne, du fait de leurs implications multiples et combinées : repli de l'influence politique, idéologique et militaire de l'URSS, amorce de re-connexion entre les deux parties du continent, processus de *vereinigung* — unification — entre les deux États allemands.

Ces changements datent la fin d'un XXe siècle européen largement placé sous le signe de la révolution d'Octobre. Or, celle-ci avait offert un sursis à l'empire russe, puisque le maintien de l'hégémonie du « centre » russe sur les périphéries avait été assuré par le Parti communiste de l'Union soviétique (PCUS). Divisé en PC républicains et éclaté en courants rivaux, le PCUS a perdu ce rôle de fédérateur autoritaire des peuples d'un continent immense. Une nouvelle phase de l'histoire soviétique s'est ouverte, qui est moins une « décolonisation » d'un empire sans outre-mer qu'une « désimpérialisation ».

Pourquoi le « centre » a-t-il accepté de perdre le contrôle politique sur la partie externe de son empire ? Les changements politiques y ont été trop rapides et la stratégie gorbatchévienne de mise en place d'alliés capables de réformer les régimes communistes a échoué à convaincre des populations déterminées non pas à leur réforme, mais à leur renversement. De plus, la prise de conscience par les réformateurs soviétiques de l'ampleur des blocages intérieurs les a conduits à définir une stratégie de détente globale en Europe et dans les points chauds du monde. La non-intervention en Europe de l'Est, signe de l'abandon de la doctrine soviétique de souveraineté limitée, était le prix à payer pour que l'URSS retrouve ses contacts avec les États-Unis et l'Europe occidentale et escompte une aide technique et économique à la nécessaire modernisation.

C'était aussi la première fois dans l'histoire récente de l'Europe que de tels changements intervenaient dans un contexte de non-guerre et d'absence de tensions internationales. Pour autant, le dépassement de la division bipolaire de l'Europe et la fin de la période initiée par la révolution d'Octobre ont ouvert ou réactivé de nombreuses questions géopolitiques. Laissées sans réponse, elles seront autant de sources de tensions en Europe, que l'on peut ordonner en quatre catégories.

1. La sécurité dans la « maison commune européenne »

La première source de tension potentielle réside dans les conséquences géomilitaires de la fin de la bipolarité en Europe. Les nouveaux gouvernements de Tchécoslovaquie et de Hongrie avaient obtenu, avant même les élections du printemps 1990, le retrait progressif des troupes soviétiques de leur territoire respectif, entraînant une dislocation de fait du pacte de Varsovie. Ces deux États se sont orientés vers une sorte de neutralisme *de facto*, à l'autrichienne. Le Pacte, qui se maintient formellement tant que des négociations avec l'OTAN (Organisation du traité de l'Atlantique nord) sont en cours, se réduit à une alliance défensive soviéto-polonaise : celle-ci garde une cohérence dans la mesure où l'opinion publique polonaise ressent l'unification allemande et ses incertitudes territoriales comme une menace sur la frontière occidentale du pays.

Une question a dominé les débats du premier semestre 1990 : « Quel sera le statut militaire de l'Allemagne unifiée ? » Celle-ci devait logiquement appartenir entièrement à l'OTAN — puisque les Allemands de l'Est avaient plébiscité la fusion économique, puis politique avec la RFA et retiré ainsi toute confiance à l'appareil d'État de RDA. Quand l'année 1990 a commencé, l'Armée rouge comptait 380000 soldats sur le territoire de la RDA, troupes d'élite, équipées de chars T 80 et bien entraînées. Au printemps, quand ont débuté les négociations dites « 4+2 » (réunissant les quatre ex-alliés de la Seconde Guerre et les deux Allemagnes), l'OTAN, sous la pression de Washington et de Londres, n'avait pas encore modifié sa doctrine et sa stratégie — défense de l'avant et riposte graduée. Mais à la mi-1990, les Soviétiques, constatant que l'Alliance atlantique acceptait de réviser celles-ci (sommet de Bruxelles, le 6 juillet) et que la RFA acceptait d'autolimiter ses forces militaires à

370 000 hommes (accord germano-soviétique du 16 juillet), consentaient à une unification allemande dans le cadre de l'OTAN. L'ancien « rideau de fer » restera cependant la limite orientale des armées de cette dernière et l'ex-RDA deviendra une marche démilitarisée que les troupes soviétiques devront quitter en quatre ou cinq ans.

L'option américaine a résidé en un retrait soviétique des trois États de la « ligne de contact » — RDA, Tchécoslovaquie et Hongrie —, tandis que la Pologne acceptait une Allemagne intégrée à l'OTAN lui offrant une garantie internationale à la frontière Oder-Neisse.

2. L'insertion de l'URSS dans une « plus grande Europe »

Conscients des menaces pesant sur la cohésion interne de l'Union, les dirigeants de Moscou veulent d'abord obtenir confirmation du respect par les Occidentaux des principes affirmés lors de la conférence d'Helsinki en 1975, qui garantissait le *statu quo* des frontières issues de Yalta. Bref, l'URSS est attachée à une garantie internationale de ses frontières occidentales, dont l'inviolabilité a été encore rappelée par le premier ministre polonais Tadeusz Mazowiecki en mai 1990. *Statu quo* mis à mal par le séparatisme balte. Une intervention trop partiale des Occidentaux aux côtés des Baltes serait une seconde source de tension. Qui offrira à Moscou une garantie de sécurité sur ses frontières? L'OTAN? Les États-Unis seuls? L'Allemagne unifiée, seule, ou pour le compte des États-Unis?

Ayant accepté l'unité allemande dans ses dimensions politiques et économiques — signe clair que l'URSS a en fait cessé d'être une superpuissance —, Moscou a tenté de « découpler » ce processus politique de sa dimension militaire, à l'inverse du chancelier Helmut Kohl, qui a revendiqué pour le nouvel État allemand une souveraineté sans partage. Moscou cherchait ainsi à garder une prise sur les évolutions en Europe centrale et veut que ses concessions éventuelles dans le domaine militaire servent à réaliser son objectif premier : l'insertion politique, économique et institutionnelle de l'URSS dans un ensemble européen élargi. Le souci de faire accepter l'URSS dans la « maison commune européenne », pour reprendre la formule de Mikhaïl Gorbatchev, est apparu, pour les réformateurs, comme le seul moyen de moderniser l'URSS et d'enrayer le décalage croissant avec la sphère de co-prospérité de l'Ouest de l'Europe. Toute perception, à Moscou, d'une mise à l'écart par les Occidentaux sera source de crise, l'ultime recours de Moscou restant sur le registre militaire.

Qui sera en mesure de garantir cette insertion de l'URSS dans une « plus grande Europe » ? Ce ne peut-être l'OTAN ni les États-Unis seuls. La CEE n'agit encore que sur le plan de l'économie et n'a pas acquis assez de poids politique. Cette tâche reviendra-t-elle à l'Allemagne unifiée ? Amenée, pour prix de son unification avec l'ex-RDA, à prendre en charge pendant une période transitoire les obligations contractées auparavant par la RDA à l'égard de l'URSS, en particulier les frais élevés du stationnement des troupes soviétiques et les engagements de livraison de produits industriels de haute technologie, l'Allemagne nouvelle s'est placée d'ores et déjà en position d'interlocuteur civil majeur en Europe. Ce peut être une autre source de tension, cette fois à l'intérieur de la CEE.

3. La décomposition de l'empire soviétique intérieur

L'URSS est soumise à un véritable réveil des nationalités, conséquence spatiale du mouvement de

BIBLIOGRAPHIE

FOUCHER M., *Fronts et Frontières. Un tour du monde géopolitique*, Fayard, Paris, 1988.

Le Nouvel état du monde. Bilan de la décennie 1980-1990, La Découverte, Paris, 1990.

« Les marches de la Russie », *Hérodote*, n° 54-55, La Découverte, Paris, 1990.

PFAFF W., *Le Réveil du Vieux Monde. Vers un nouvel ordre international*, Calmann-Lévy, Paris, 1990.

démocratisation, qui touche d'abord les républiques intégrées depuis le moins longtemps — pays Baltes — et dotées d'une tradition étatique. État-continent qui n'est pas une nation, dans lequel l'*homo sovieticus* a cessé d'être une référence univoque, l'URSS est en voie de redéfinition, au prix de tensions internes croissantes : indépendantisme balte, séparatisme en Moldavie et dans une grande partie de l'Ukraine, réveil national géorgien, situations conflictuelles en Azerbaïdjan et en Arménie, crise économique et politique en Asie centrale turcophone, montée de l'affirmation nationale russe...

Là encore, l'ultime recours du centre fédéral demeure l'argument de sécurité militaire : la présence de l'armée Rouge encadrée par des officiers russo-ukrainiens exprime que, même indépendantes, les républiques resteraient membres d'une « communauté de défense », assurant en fait la protection de la Russie et du centre fédéral. A défaut de pouvoir se transformer selon le vœu d'Andreï Sakharov en « Commonwealth », faute de richesses à partager tant que la réforme économique n'est pas achevée.

Une autre source de tension concerne les périphéries, qui sont rarement de peuplement homogène : 20 millions de Russes, plusieurs millions d'Ukrainiens et de Biélorusses résident en dehors des républiques slaves et peuvent peser sur les évolutions politiques et la redéfinition des frontières internes des républiques indépendantistes. C'est notamment le cas en Ukraine, où l'Est est fortement russifié, à l'opposé de l'Ouest, autour de Lvov, uniate et nationaliste. Chaque république pourrait revendiquer une portion du territoire de la république voisine ; des phénomènes d'enclaves seront à gérer, tel Kaliningrad. Le centre pourrait, comme dans le passé, y trouver un rôle d'arbitre. Enfin, quels seront les choix géopolitiques internes d'une République fédérative de Russie (RSFR) présidée depuis mai 1990 par Boris Eltsine ?

4. Frontières, nationalismes et migrations

Dans le cas de la frontière germano-polonaise Oder-Neisse, c'est à l'Allemagne unifiée que Varsovie demande des garanties de sécurité. La reconfirmation des tracés a cessé d'être l'affaire des conférences internationales et devient celle des États contigus. L'effacement de la frontière interallemande montre que les tracés ne sont plus intangibles. La fin de la *pax sovietica* en Europe orientale ouvre-t-elle une période de modification des tracés ? Les Moldaves de l'URSS peuvent être tentés par un rattachement à la Roumanie dès lors qu'à Bucarest un régime plus stable et une économie plus attractive seraient en place. En Hongrie, des forces politiques affichent leur insatisfaction à propos du traité de Trianon (1920) et le nouveau Premier ministre, Jozsef Antall, n'a pas hésité au soir du deuxième tour des élections d'avril 1990, à saluer les quinze millions de Hongrois, dont le tiers vit hors de la Hongrie. Amorce d'une volonté de révision ou souci de satisfaire un électorat nationaliste ? Le nouveau cours diplomatique de Budapest dépendra largement du succès de la réforme politique en Hongrie.

La Yougoslavie connaît des tensions internes vives depuis la mort de Tito, en 1980. Les rivalités entre Croates et Slovènes, d'une part, Serbes de l'autre, peuvent réactiver les questions de frontières, notamment au sud, puisque la Macédoine est divisée entre trois États, Yougoslavie, Grèce et Bulgarie, et que le fait national macédonien, reconnu en Yougoslavie, est nié dans les deux autres. D'importantes manifestations ont eu lieu en mai 1990 à la frontière gréco-yougoslave, protestant contre le statut discriminatoire imposé aux Macédoniens en Grèce du Nord. De même, l'Église orthodoxe grecque rappelle publiquement les difficultés de la minorité grecque d'Épire, en Albanie. Enfin, problème le plus grave, la tension est permanente entre magyarophones et Roumains en Transylvanie, où les Roumains forment aujourd'hui les trois quarts de la population dans une région autrefois sous contrôle hongrois.

La fin du cloisonnement entre les deux Europes réactive par ailleurs les flux migratoires vers la partie Ouest, comme par le passé. L'importance des diasporas originaires d'Europe centrale — en Europe et en Amérique du Nord — en témoigne ; leur rôle dans le réveil minoritaire est d'ailleurs essentiel. Berlin reçoit des milliers de Polonais ; de même, la présence de plusieurs dizaines de milliers de Roumains à Vienne, en attente de visas, manifeste qu'une crise politique et économique prolongée provoquera des départs vers des cieux plus propices. Avec l'union monétaire allemande, l'Oder-Neisse devient *de facto* la frontière Est de la CEE, qui devra définir une politique migratoire commune.

Michel Foucher

Dette : les banques prises à leur propre piège ?

Les banques ont-elles mordu la poussière en 1990 ? Après avoir imprudemment prêté aux pays du tiers monde dans les années soixante-dix, après leur avoir concédé des rééchelonnements de dette à partir de 1982 (tout en engrangeant des intérêts sur des durées plus longues), les banques auraient finalement capitulé... En accordant au Mexique une réduction d'environ 35 % sur les deux tiers de sa dette bancaire, en acceptant que les Philippines et le Costa Rica rachètent directement des montants substantiels de leur dette aux prix du marché (à environ 50 et 20 % de la valeur officielle respectivement), les banques ont bel et bien renoncé au dogme du paiement d'intérêts et du remboursement à la valeur faciale du capital emprunté.

Une première lecture de ce renversement de situation consisterait à imputer au gouvernement américain la paternité du coup de théâtre : en déclarant en mars 1989 que « les banques devaient faire des efforts pour parvenir à des réductions, tant de la dette que du service de la dette », Nicholas Brady, secrétaire américain au Trésor, a bien forcé la main aux banquiers. Ces derniers ont dû s'exécuter d'autant plus rapidement que le Fonds monétaire international (FMI) et la Banque mondiale, d'abord circonspects, ont rapidement pesé de tout leur poids pour appuyer le plan Brandy. Dès lors, impossibilité de payer reconnue pour plusieurs grands pays d'un côté, réalisme devenu doctrine officielle à Washington, de l'autre, seraient responsables de la brèche ainsi ouverte dans l'orthodoxie financière.

BIBLIOGRAPHIE

ARNAUD P., *La Dette du tiers monde*, La Découverte, « Repères », Paris, 1989.

GEORGE S., *Jusqu'au cou. Enquête sur la dette du tiers monde*, La Découverte, Paris, 1988.

GEORGOPOULOS M., « La transformation des créances bancaires en instruments financiers : le recours des banques aux marchés secondaires des dettes », *Épargne sans frontières*, n° 14, Paris, 1989.

« L'endettement international : approches théoriques, stratégies et résultats », *Économie appliquée*, tome XLI, n° 4, Droz, Genève, 1988.

1982-1989 : L'Amérique latine face à la dette, La Documentation française, Paris, 1990.

NOREL P., *Les Banques face aux pays endettés*, Syros Alternatives, Paris, 1990.

SACHS J., HUNZINGA H., « US Commercial Banks and the Developing Country Debt Crisis », *Brookings Papers on Economic Activity*, Washington, fév. 1987.

World Debt Tables (annuelles), Banque mondiale, Washington.

Cette vision n'est pas contradictoire avec une seconde lecture, plus structurelle celle-ci, qui consiste à critiquer les banques pour s'être piégées elles-mêmes. Montrant un front uni face aux débiteurs isolés lors des négociations de rééchelonnement, les banques se trouvaient indiscutablement en position de force relative dans les années 1983-1986. Ce pouvoir s'est notamment matérialisé par leur capacité à imposer aux débiteurs le principe d'une créance quasi perpétuelle, tout en les contraignant à des programmes d'ajustement structurel formellement pilotés par le FMI. Mais devant l'irréalisme à long terme de cette position (incapacité des débiteurs de stabiliser leurs déficits courants tout en maintenant une croissance saine), les banquiers ont fait clandestinement voler en éclats leur propre solidarité.

Le marché des créances douteuses

Au moment même (1984) où le principe de solidarité leur faisait « jouer » les rééchelonnements, le principe éternel du « chacun pour soi » les incitait à jouer le marché secondaire, à tenter de se refiler les mauvaises créances contre de relativement bonnes ou à diversifier géostratégiquement leur portefeuille de créances... Le marché des créances douteuses a été l'outil privilégié pour se tirer d'affaire, se défausser individuellement. Au risque qu'apparaisse rapidement une forte décote sur les pays les moins prisés... C'est-à-dire que la crédibilité d'un paiement des intérêts et d'un remboursement selon la valeur faciale soit fondamentalement entamée... C'est-à-dire aussi que la solidarité dans l'orthodoxie affichée lors des rééchelonnements passe pour de la pure et simple hypocrisie !

Les résultats de cette rupture de solidarité ne se sont guère fait attendre : dès 1986, Chili, Philippines, Mexique et Vénézuela commençaient à racheter leurs créances pour 80 à 90 % de leur valeur, avec de la monnaie locale (il est vrai avec cession d'actifs productifs nationaux en contrepartie) ; en 1988, le Brésil s'y mettait à son tour et imposait des « ristournes » allant jusqu'à 46 % ; dès 1987 pour la Bolivie et en 1988 pour le Chili, le rachat direct de la dette, sans contrepartie et au prix du marché, devenait officiel pour de faibles montants (21 % de sa dette bancaire pour la Bolivie, 2,5 % pour le Chili).

En 1988 et 1989, les opérations d'échange sud-sud financées par des créances douteuses se multipliaient ; courant 1989, quelques institutions financières commençaient à racheter d'importants paquets de dettes d'un pays donné pour les revendre à un prix convenu et proche du marché à ce débiteur... Tout indiquait donc que la valeur des créances sur le marché, sans représenter la valeur réelle des économies ainsi « bradées », devenait la valeur unique et incontournable de référence. Et constituait désormais l'horizon des acteurs de la dette, bien davantage que les accords de rééchelonnement de plus en plus vidés de toute signification.

Si les banques se sont bien piégées elles-mêmes globalement en misant sur le marché (avec toutefois de beaux profits individuels pour celles qui ont bien joué), elles ont parallèlement su atténuer les effets douloureux du piège. En provisionnant leurs créances douteuses jusqu'à 40-70 % du total (sauf banques japonaises), elles ont su constituer un matelas de sécurité qui leur a permis d'aller tranquillement à Canossa et de consentir des rabais significatifs. Qui plus est, ces provisions amassées depuis 1982 (pour les banques européennes continentales) et surtout 1987 (pour les banques anglo-saxonnes) ne leur ont pas coûté trop cher : la défiscalisation par leurs Trésors respectifs, le placement de ces provisions, leur insertion dans les fonds propres ont, à des degrés divers selon leur nationalité, procuré des avantages supplémentaires aux institutions financières.

En définitive, les banques sont loin d'avoir perdu dans l'affaire le montant de réduction de dette consenti. En payant les intérêts depuis 1982, les débiteurs ont pris leur part du coût immédiat de la réduction de dette ; en payant régulièrement leurs impôts, les contribuables des pays riches (sauf Américains et Japonais) ont aussi partagé le fardeau. Mais, comme la dette était (est toujours) une entrave à la croissance du tiers monde et un frein à l'expansion au Nord, commencer à la réduire, c'est d'abord favoriser la relance de l'économie mondiale. Il n'est pas sûr pour autant que la question du développement dans les pays endettés s'en trouve automatiquement résolue.

Philippe Norel

Trente ans après, les indépendances africaines

En février 1990 a eu lieu à Bellagio (Italie) un colloque international visant à comparer la genèse de l'État entre l'Europe de l'Est et l'Afrique noire. L'idée, lancée trois ans auparavant par un historien africaniste d'origine polonaise, avait alors paru saugrenue. A la date du colloque, elle est devenue à l'ordre du jour. Les historiens africains y ont suggéré à leurs collègues européens de rechercher des thèmes de réflexion dans des concepts naguère élaborés sur l'Afrique, de *colonisation*, *décolonisation*, *ethnicité*, *tribalisme* ou *Parti unique*. C'est que, pour ces nouvelles générations d'intellectuels africains nés avec l'indépendance, le malaise néocolonial issu de leur double appartenance à deux cultures contradictoires est en passe de se dissiper. Leurs parents se sentaient plus à l'aise en Occident qu'auprès de la base rurale analphabète de leurs concitoyens. Ce n'est plus le cas aujourd'hui, du moins plus de la même manière. Tout a changé, sur les plans politique, économique, culturel et — peut-être plus que tout — démographique.

L'évolution de la population reste une différence majeure avec l'Occident : en trente ans la population africaine a doublé; la transition démographique est à peine ébauchée. Hasard ou fatalité? Le « boom », largement amorcé depuis la Seconde Guerre mondiale, a pris son envol définitif au début des années soixante, précisément au moment où les jeunes États africains se trouvaient affronter une extrême variété de problèmes, tous urgents et graves : le passage de l'autocratie coloniale (qui avait fait de l'État l'ennemi) à des régimes « démocratiques » indissociables de la notion ignorée de « bien public » ; la résorption de retards de croissance accumulés par des décennies d'extraversion économique ; un niveau d'éducation primaire catastrophique sauf exception rarissime (sur la côte occidentale anglophone, et encore), et une protection sanitaire lamentable qui s'était jusqu'alors limitée à résorber quelques grandes endémies (maladie du sommeil).

On a beau accumuler les éléments de diversité : extrêmes disparités géographiques (taille très inégale des États, climats allant du désert à la forêt profonde, densités nationales de population variant de l'unité à plus de 500 habitants par kilomètre-carré), idéologies politiques (du marxisme-léninisme le plus strict au libéralisme le plus sauvage) entraînant le contraste des options économiques (communiste ou libérale, agricole comme en Tanzanie ou minière comme au Gabon), on aboutit partout, au bout de trente ans, à des résultats en apparence identiques : l'échec. Pis, le système politique semble avoir presque partout suivi la même voie : régime militaire, parti unique, corruption généralisée, divorce entre les groupes sociaux et le pouvoir d'État.

L'indépendance politique

Qui aurait pu croire, en 1955, à l'époque de la réunion de Bandung qui deviendra une date historique du futur mouvement non aligné, alors que seulement deux États africains étaient indépendants (le vieil empire d'Éthiopie et le Libéria créé au XIXe siècle), que dix ans plus tard la quasi-totalité des territoires colonisés du continent les auraient rejoints ? Le premier fut le Soudan (1956), suivi par le Ghana de Kwane N'krumah (1957) ; le processus enclenché fut accéléré par ce militant du panafricanisme qui contribua au succès de l'Organisation de l'unité africaine (OUA, 1963), outil de combat efficace, quoi qu'on en ait dit, des indépendances.

La Communauté de De Gaulle, dans le cadre de laquelle chaque territoire devait s'administrer souverainement mais laisser à la métropole la gestion de la défense, de l'économie et de la diplomatie, ne vécut que deux ans (1958-1960), même si la dernière colonie française, Djibouti, ne disparut de la carte africaine qu'en 1977... Les États d'Afrique orientale et centrale britannique acquirent leur indépendance entre 1963 et 1965, après de brèves transitions coloniales dites de « multiracialisme », qui prétendaient faire triompher le principe « une couleur/une voix ». Même cela, la minuscule minorité blanche de Rhodésie (un peu plus de 300 000 personnes) ne put l'accepter. Elle déclara unilatéralement, contre Londres, un État racial qui ne fit place qu'en 1980 au Zimbabwé. Là comme dans l'empire portugais, il fallut une guerre de libération nationale pour venir à bout du régime colonial. La chute du dictateur Salazar rendit l'indépendance inévitable dans la Guinée Bissao d'Amilcar Cabral (1974), le Mozambique d'Eduardo Mondlane, et l'Angola — plus divisé entre partis résolument marxistes : MPLA (Mouvement populaire de libération de l'Angola) et FNLA (Front national de libération de l'Angola), et l'UNITA plus ambiguë (Union nationale pour l'indépendance totale de l'Angola). En 1990, l'évolution est arrivée à son terme : la Namibie a obtenu l'indépendance le 21 mars 1990 et l'Afrique du Sud, dernière colonie blanche refermée sur elle-même, a accéléré une déségrégation de fait que même les plus optimistes n'osaient espérer deux ans plus tôt.

Des États devenus irréversibles

Les États dits « libéraux » calquèrent leurs constitutions sur celles des ex-métropoles. L'idée fédérale fit des ravages au Nigéria où, à trop vouloir modeler les trois États sur leur héritage culturel dominant, le législateur britannique créa les conditions d'une violente guerre civile opposant les Ibos du sud-est, entreprenants, christianisés et ouverts sur l'Occident, aux musulmans du nord enfermés dans leurs archaïsmes et aux Yorubas urbanisés de l'ouest (sécession du Biafra, 1967-1970).

Les États nés d'une guerre de libération nationale optèrent à brève échéance pour un régime marxiste ; mais les indépendances « octroyées » (ou non) ne garantirent pas le contraire : Congo (1963), Ghana (1964 à 1966), Bénin (1974 à 1990), Éthiopie (1974) allaient le démontrer. Tous, de façon symptomatique, optèrent pour le « marxisme-léninisme scientifique » aussi influencé par la culture occidentale que leurs adversaires politiques. Seul le socialisme « humaniste » de la Tanzanie de Julius Nyerere voulut s'appuyer sur les cultures autochtones. Ailleurs, les petits groupes d'intellectuels marxistes au pouvoir voulurent faire « du passé table rase », avec le même insuccès : l'historien sait bien que les structures mentales sont les plus tenaces et les plus promptes à se rebeller, sur le plan régional et local, contre des mutations brutales, surtout lorsque celles-ci ne sont pas suivies d'une amélioration économique. Presque tous les gouvernements en vinrent à pratiquer la même politique autoritaire : neutralisation des forces sociales par l'enrégimentement des syndicats, et parti unique supposé imposer le centralisme d'État à une nation en train de se faire.

Irrédentismes, ethnismes, guerres frontalières révélèrent la prise de conscience collective d'un espace national. Au sein des frontières coloniales, les États sont devenus aussi irréversibles que ceux d'une Europe encore à faire. Migrations, échanges culturels et sociaux font qu'on est désormais sénégalais ou kényan avant d'être diola ou kikuyu...

Mutations économiques et culturelles

On connaît le désastre économique de l'ensemble de ces pays. L'effondrement des prix des matières premières les a privés de devises, il n'y a plus de « miracle ». La tendance s'est accélérée dans les années quatre-vingt. L'industrialisation d'équipement considérée comme la panacée au début des années soixante a peu et mal progressé ; elle a rendu la dette énorme sans créer les emplois escomptés. L'agriculture d'exportation a particulièrement souffert dans les pays « marxistes ». Mais les barrages construits ailleurs à grands frais n'ont été suivis, faute de compétitivité internationale, ni par l'agro-business ni par une amélioration sensible de la condition du paysannat. Le retour à l'autosubsistance est entravé par le surpeuplement relatif des campagnes où, sauf exception, la révolution verte ne pointe guère (sinon par la culture du riz dans les bas-fonds humides et l'adaptation de certaines cultures, comme la pomme de terre au Rwanda). Quant au PIB par tête d'habitant, il s'est effondré de près de 10 % entre 1980 et 1990.

Parallèlement, médias aidant, le capitalisme occidental, son marché, ses besoins ont pénétré partout, y compris au fin fond des campagnes. L'urbanisation s'est formidablement accélérée : même si subsistent des pays ruraux (5 % de citadins au Rwanda mais déjà 20 % au Mali en 1985), à l'horizon 2010 l'Afrique noire sera majoritairement citadine. Comme ailleurs dans le monde, l'avenir de l'Afrique sera un avenir urbain... ou ne sera pas. Depuis 1980, le secteur dit informel, c'est-à-dire l'extension de stratégies de sur-

BIBLIOGRAPHIE

BAYART J.-F., *L'État en Afrique*, Fayard, Paris, 1989.

COQUERY-VIDROVITCH C., *Africa. Endurance and Change South of the Sahara*, University of California Press, Berkeley, 1988 (éd. rév.).

GIFFORD P., LOUIS R. (sous la dir. de), *Decolonization and African Independence. The Transfers of Power, 1960-1980*, Yale University Press, New Haven et Londres, 1988.

Institut d'histoire du temps présent, *Les Chemins de la décolonisation de l'empire colonial français*, Éditions du CNRS, Paris, 1986.

MBEMBE A., *Afriques indociles. Christianisme, pouvoir et État en société postcoloniale*, Karthala, Paris, 1988.

PEAN P., *L'Argent noir. Corruption et sous-développement*, Fayard, Paris, 1988.

TABUTIN D. (sous la dir. de), *Populations et Sociétés en Afrique au sud du Sahara*, L'Harmattan, Paris, 1988.

vie qui se glissent dans les interstices laissés libres par le marché international et par l'économie d'État, a crû au point de devenir majoritaire dans les villes *et* dans les campagnes : le grand renversement est que ce sont les villes qui font maintenant vivre les campagnes ; les paysans, démunis de techniques modernes élémentaires, sont non seulement dépendants mais assistés par le jeu des clientélismes politiques et de parentèle.

Les migrants qui ont déferlé sur les villes depuis la Seconde Guerre mondiale n'ont plus grand-chose à voir avec l'« éternel paysan » qui définissait l'Afrique noire. Mode de vie, mode de penser, modes de connaissance ont formidablement changé, même si les conditions éducatives demeurent dramatiques sinon empirent dans des structures héritées : l'éducation primaire s'est démultipliée ; mais les classes surchargées dépassent en ville souvent la centaine d'élèves ; des enseignants peu ou mal formés dédoublent par demi-journées leurs classes démunies de tout. Le problème crucial de la langue de scolarisation n'a été résolu nulle part sauf en Tanzanie — où le swahili est une réelle langue nationale — et dans les minuscules États du Rwanda et du Burundi qui ont la chance de voir à peu près coïncider limites politiques et limites linguistiques. Ailleurs, la langue du colonisateur a été conservée. Elle seule permet une communication à l'échelle nationale ; on assiste aussi parfois, comme au Sénégal, à une scission entre la langue usuelle (ouolof) et la langue de culture étrangère. Cette dernière demeure langue de l'élite, contribuant à véhiculer valeurs et modèles étrangers.

Un phénomène est évident : la place de plus en plus grande prise par la culture « populaire » urbaine (par opposition à la culture rurale « traditionnelle », en voie de disparition) : littérature « de marché » en arabe ou en swahili, peinture naïve, mini-sectes religieuses d'inspiration chrétienne se sont multipliées ; ce sont autant de médiateurs susceptibles de faire évoluer la société « informelle » vers une société civile en gestation à la découverte de ses capacités individuelles.

Ce que les Occidentaux interprètent aujourd'hui comme autant de signes de « décomposition » est à analyser plutôt en termes de « recomposition » d'une société à l'étonnante vitalité : faute d'outils conceptuels adéquats, rien ne permet d'étendre le pessimisme à court terme (évident) à plus longue échéance — à condition que les Africains parviennent enfin à prendre leur destin en mains.

Catherine Coquery-Vidrovitch

Voir aussi l'article consacré à l'Afrique ex-française au chapitre « Mouvements sociaux ».

34 ÉTATS

URSS. La tourmente

A l'intérieur comme à l'extérieur, les problèmes auxquels l'URSS est confrontée et que le pouvoir n'est pas parvenu à maîtriser n'ont fait que s'aggraver au tournant de la décennie.

Cinq ans de *perestroïka* (restructuration) n'ont réussi ni à relancer l'économie, ni même à en freiner le déclin. Les résultats de 1989 n'ont pas correspondu aux attentes des autorités et les signes de désorganisation se sont multipliés. Les taux de croissance du produit matériel net (PMN) et de la productivité du travail se sont sensiblement ralentis. Le déficit budgétaire n'a pas été résorbé (92 milliards de roubles). La production des biens de consommation a progressé de 5,9 %, mais moins vite que les revenus (12 %). Les pénuries se sont aggravées. Le sucre, la viande, le beurre et le thé ont dû être rationnés dans plusieurs régions. Dans des secteurs primordiaux comme celui de l'énergie, la production a diminué (pétrole : –2,6 % ; charbon : –4,1 %). Le chômage a touché officiellement 6,7 millions de personnes (3,8 % de la population active), et la situation financière extérieure s'est détériorée.

Cette dégradation a souligné l'échec de la stratégie adoptée depuis 1985 en matière économique. Les réformes entreprises, qui n'étaient que partielles, ont été grignotées par des compromis, acceptés pour vaincre les résistances. Cela a été le cas de lois aussi fondamentales que celles adoptées en 1987-1988 sur les coopératives et sur l'entreprise.

Comment réformer une économie à la dérive ?

Cette situation, souvent décrite en termes dramatiques, a amené les dirigeants à réfléchir à une réforme en profondeur. Entre novembre 1989 et juin 1990, trois projets ont été avancés. Le premier, présenté par le Premier ministre, Nikolaï Ryjkov, a été adopté en décembre par le Congrès des députés du peuple. Très contesté, il n'a jamais été appliqué. Un autre plan de passage à un « système d'économie mixte de marché planifié » présenté, au même moment, par le Vice-Premier ministre, Leonid Abalkine, n'a pas non plus vu le jour.

Les mauvais résultats du premier trimestre 1990 — diminution de 1 % du PNB, de 1,2 % de la production industrielle, augmentation des revenus de 13,3 % — ont poussé Mikhaïl Gorbatchev, après son élection à la présidence de l'URSS (15 mars 1990), à relancer l'idée d'une réforme radicale. Au printemps, les économistes libéraux qui l'entourent ont ouvertement étudié un ambitieux projet de dénationalisation. Le plan de transition graduelle vers « une économie de marché contrôlée », finalement proposé par N. Ryjkov le 24 mai, a été beaucoup plus prudent. Il maintenait, certes, le principe d'une désétatisation, mais moins importante et plus lente, il n'envisageait plus de libérer les prix, mais décidait de les augmenter fortement. L'annonce de hausses de prix, malgré les mesures compensatoires prévues, a provoqué dans la population une véritable panique. Lui aussi très critiqué, ce programme a été repoussé le 13 juin par le Soviet suprême.

Les hésitations du pouvoir sur ce dossier ont été manifestes. Les grèves, qui ont été en 1989 à l'origine de la perte quotidienne de 30 000 journées de travail et qui ont été plus nombreuses au cours du premier trimestre 1990 que pendant toute l'année 1989, ont témoigné d'un mécontentement grandissant. Le Kremlin craint qu'une « thérapie de choc », dans un pays où 40 millions de personnes vivent en dessous du seuil de pauvreté (moins de 78 roubles par mois), ne déclenche une explosion sociale. Les très nombreux problèmes nationaux ont encore compliqué la situation.

Exaspérations nationales

Malgré les efforts de Mikhaïl Gorbatchev qui s'est personnellement rendu sur place en janvier 1990, la Lituanie a proclamé le 11 mars son indépendance. Des manœuvres d'intimidation, puis la mise en place, à partir du 17 avril, d'un embargo économique ont amené Vilnius à suspendre momentanément sa déclaration d'indépendance. Sa détermination me semblait pas pour autant être entamée. La Lettonie et l'Estonie, les deux autres républiques baltes, ont suivi en mai la même voie [*voir article au chapitre « Conflits et tensions »*].

Dans le Caucase, la violence s'est une fois de plus déchaînée. A l'automne 1989, pendant deux mois, l'Azerbaïdjan a soumis l'Arménie à un blocus ferroviaire et routier. En janvier 1990, la crise a atteint de nouveaux sommets. Après des manifestations nationalistes à Bakou, des pogroms anti-Arméniens ont éclaté. Incapable de maîtriser la crise, probablement désireux de détourner l'attention de l'affaire lituanienne et inquiet d'une possible prise de pouvoir à Bakou par le Front populaire azéri, le Kremlin a décidé d'intervenir militairement pour rétablir l'ordre. Les victimes ont été très nombreuses. En mai 1990, en Arménie, la tension a de nouveau débouché sur des affrontements. En Géorgie, où la brutale répression de Tbilissi d'avril 1989 a conforté les sentiments nationalistes, la volonté d'indépendance s'est confirmée. Des conflits qui ont fait plusieurs morts, ont en outre opposé, en 1989, les Géorgiens aux Abkhazes et aux Ossètes [*voir article sur les origines de la question caucasienne au chapitre « Conflits et tensions »*]

Dans les républiques d'Asie centrale, les plus pauvres d'URSS, les émeutes se sont succédé. En mai 1989, en Turkménie; puis en Ouzbékistan, dans la vallée de la Fergana.

URSS

Union des Républiques socialistes soviétiques.
Capitale : Moscou.
Superficie : 22402200 km² (41 fois la France).
Monnaie : rouble (au taux officiel, 1 rouble = 9,47 FF au 19.6.90).
Langues : russe (52 % de la population); 112 autres langues officielles.
Chef de l'État : Mikhaïl Gorbatchev, président de l'URSS (depuis le 15.3.90).
Président du Conseil des ministres : Nicolai Ryjkov (depuis le 27.9.85).
Chef du Parti : Mikhaïl Gorbatchev (secrétaire général depuis mars 1985).
Échéances institutionnelles : Une réforme constitutionnelle est à l'ordre du jour.
Nature de l'État : L'URSS est un État socialiste fédéral et multinational (15 républiques fédérées et 20 républiques autonomes). Au premier semestre 1990, plusieurs républiques (Lituanie, Lettonie, Estonie notamment) ont proclamé leur volonté d'indépendance politique.
Nature du régime : État du « socialisme développé », fondé sur le « centralisme démocratique ». Le monopole du Parti communiste d'Union soviétique (PCUS), au pouvoir depuis 1917, a été supprimé en 1990. Émergence et multiplication, depuis 1988, d'organisations indépendantes (Fronts populaires, groupes informels).
Carte : p. 42-43.

UNION SOVIÉTIQUE

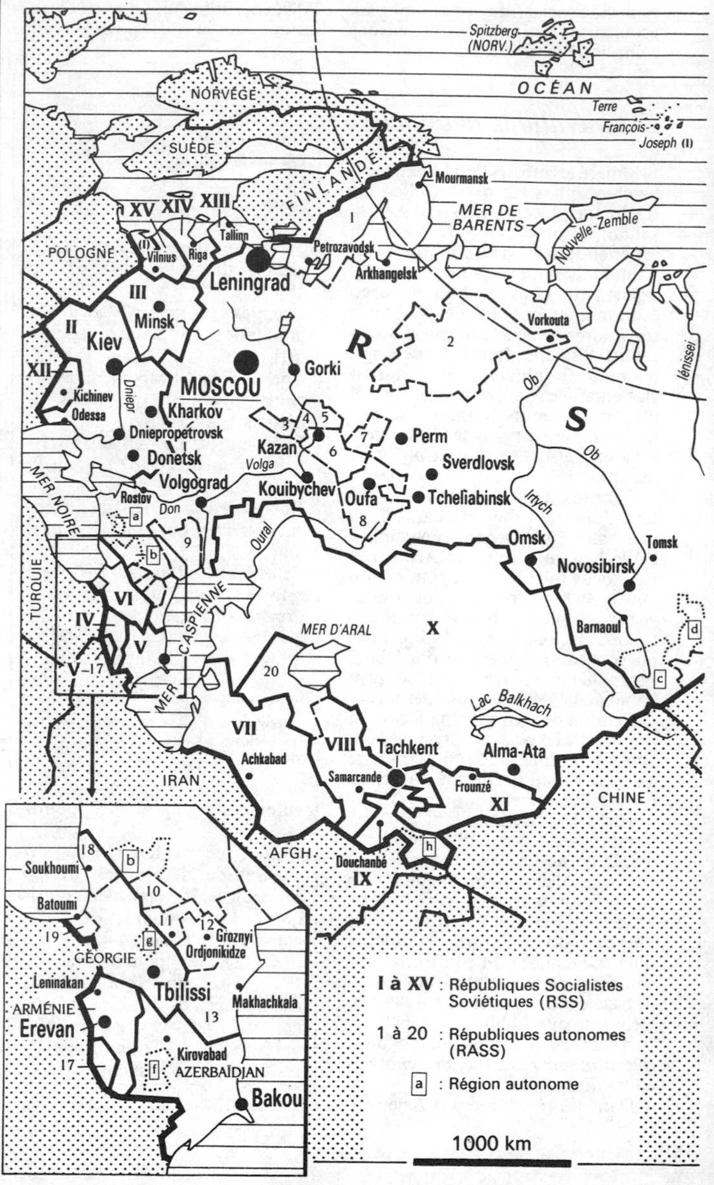

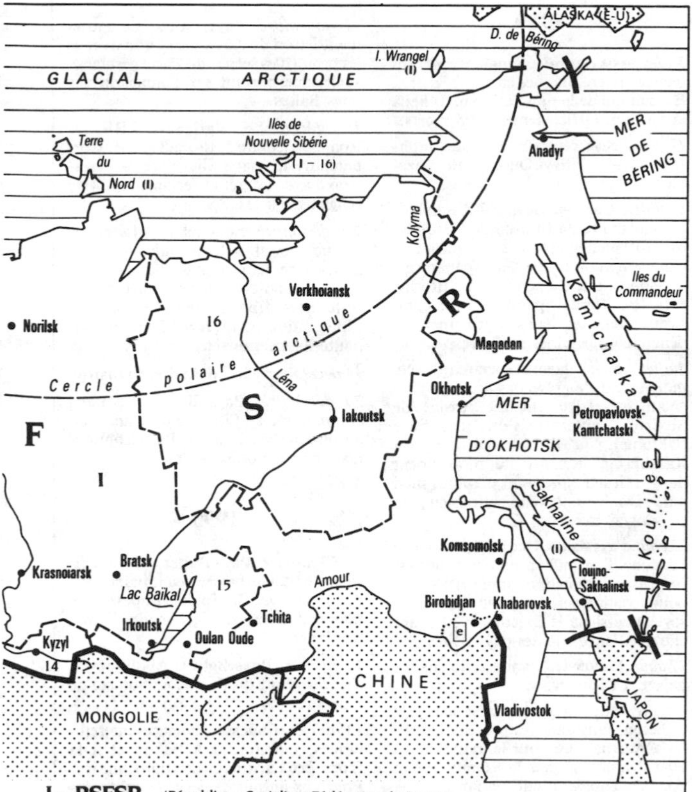

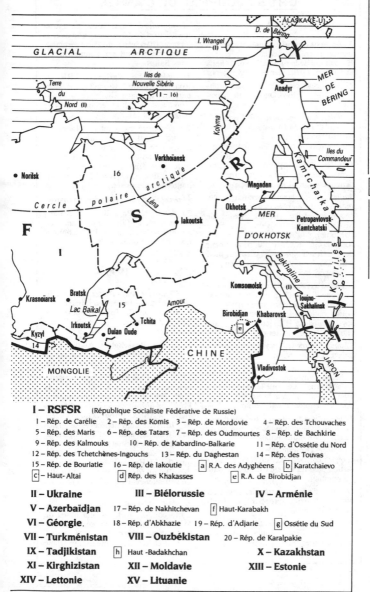

I – RSFSR (République Socialiste Fédérative de Russie)

1 – Rép. de Carélie 2 – Rép. des Komis 3 – Rép. de Mordovie 4 – Rép. des Tchouvaches
5 – Rép. des Maris 6 – Rép. des Tatars 7 – Rép. des Oudmourtes 8 – Rép. de Bachkirie
9 – Rép. des Kalmouks 10 – Rép. de Kabardino-Balkarie 11 – Rép. d'Ossétie du Nord
12 – Rép. des Tchetchènes-Ingouchs 13 – Rép. du Daghestan 14 – Rép. des Touvas
15 – Rép. de Bouriatie 16 – Rép. de Iakoutie a R.A. des Adyghéens b Karatchaïevo
c – Haut-Altai d Rép. des Khakasses e R.A. de Birobidjan

II – Ukraine **III – Biélorussie** **IV – Arménie**

V – Azerbaïdjan 17 – Rép. de Nakhitchevan f Haut-Karabakh

VI – Géorgie. 18 – Rép. d'Abkhazie 19 – Rép. d'Adjarie g Ossétie du Sud

VII – Turkménistan **VIII – Ouzbékistan** 20 – Rép. de Karalpakie

IX – Tadjikistan h Haut -Badakhchan **X – Kazakhstan**

XI – Kirghizistan **XII – Moldavie** **XIII – Estonie**

XIV – Lettonie **XV – Lituanie**

URSS / JOURNAL DE L'ANNÉE

- 1989 -

3 juin. **Asie centrale.** Sanglants affrontements interethniques en Ouzbékistan. Évacuation de la population meskhet à la mi-juin. Officiellement 105 morts.

17 juin. **Asie centrale.** Émeutes interethniques à Novyi-Ouzen, au Kazakhstan.

6 juillet. **Europe.** Devant l'Assemblée parlementaire du Conseil de l'Europe, M. Gorbatchev précise son concept de « maison commune européenne » : développer une coopération multiforme entre les différents pays, abaisser significativement les seuils d'armement et démanteler les blocs militaires.

Juillet. **Mouvements sociaux.** Vaste mouvement de grève des mineurs touchant successivement les bassins de Sibérie orientale, du Donbass (Ukraine), du Grand Nord et du Kazakhstan. Relance du mouvement dans le Grand Nord le 25 octobre, suivi par le Donbass. Revendications en partie satisfaites.

23 août. **Pays Baltes.** Une immense chaîne humaine d'un million de personnes est formée en Lituanie, Lettonie et Estonie pour condamner le pacte germano-soviétique signé le 23 août 1939 ayant entraîné l'annexion des pays Baltes.

27 août. **Moldavie.** Manifestation nationaliste à Kichinev.

4 septembre. **Caucase.** Grève générale à Bakou, puis dans les principales villes d'Azerbaïdjan pour le maintien du Haut-Karabakh dans la République et pour davantage d'indépendance.

17 septembre. **Ukraine.** Puissante manifestation réclamant la reconnaissance de l'Église catholique uniate.

9 octobre. **Droit de grève.** Légalisation et réglementation de ce droit (avec interdiction dans les secteurs stratégiques de l'économie).

Octobre. **Caucase. Arménie.** Levée du blocus ferroviaire exercé par l'Azerbaïdjan sur l'Arménie.

10 novembre. **Moldavie.** Manifestations à l'appel du Front populaire moldave pour protester contre l'arrestation (le 7) de plusieurs militants nationalistes.

11 novembre. **Pays Baltes.** Le Parlement letton déclare nuls et non avenus les protocoles secrets du Pacte germano-soviétique portant sur l'annexion des pays Baltes.

1er décembre. **Vatican-URSS.** A Rome, rencontre Jean-Paul II - M. Gorbatchev. Le pape dit suivre la *perestroïka* avec intérêt et réclame la liberté religieuse en URSS.

2-3 décembre. **Sommet de Malte.** M. Gorbatchev et G. Bush conviennent de poursuivre le processus de désarmement. Les observateurs considèrent que cette rencontre marque une étape dans l'intégration de l'URSS à la communauté internationale.

14 décembre. Mort d'Andréi Sakharov.

20 décembre. **Pays Baltes.** Le Parti communiste de Lituanie proclame son autonomie vis-à-vis du Parti communiste de l'Union soviétique.

- 1990 -

11-13 janvier. **Pays Baltes.** Visite officielle de M. Gorbatchev en Lituanie. Vif dialogue avec la foule. Importantes manifestations en faveur de l'indépendance.

12 janvier. **Pays Baltes.** Abolition du rôle dirigeant du Parti communiste de Lettonie.

13 janvier. **Caucase.** Violences interethniques, notamment à Bakou et à la frontière arméno-azerbaïdjanaise. Pogroms anti-arméniens. Nombreuses victimes. Armée et troupes du ministère de l'Intérieur sont dépêchées sur place (le 15). Situation de rébellion ouverte en Azerbaïdjan. Fermeture des frontières avec les pays limitrophes, Iran et Turquie (le 17). Entrée en force des blindés dans Bakou (dans la nuit du 19 au 20). Le Nakhitchevan proclame son « indépendance ».

10 février. **URSS-Allemagne.** En visite à Moscou, H. Kohl obtient l'aval de M. Gorbatchev pour la réunification de l'Allemagne, mais ce dernier dit ne pouvoir accepter son intégration dans l'OTAN. Il défend le principe d'une neutralisation. Cette position évoluera. En contrepartie d'un important arrangement économique, et après que l'Alliance atlantique ait accepté de modifier profondément sa doctrine et son déploiement, Moscou acceptera de voir l'Allemagne unifiée intégrée à l'O T A N (accord germano-soviétique du 16 juillet 1990).

12 février. **Asie centrale.** Émeutes interethniques à Douchanbé, au Tadjikistan.

24 février. **Pays Baltes.** Victoire des indépendantistes du Sajudis au premier tour des élections (libres) au Soviet suprême de Lituanie.

4 et 18 mars. **Élections.** Élections municipales et parlementaires en Russie, Biélorussie et Ukraine. Avantage aux réformistes et nationalistes dans plusieurs grandes villes, notamment à Moscou et Leningrad.

11 mars. **Pays Baltes.** Proclamation unilatérale d'indépendance par le Soviet suprême de Lituanie. Le 16, M. Gorbatchev donne un délai de trois jours à cette république pour revenir sur sa décision. Mesures d'intimidation. Le 17 avril, Moscou décrétera le blocus économique.

13 mars. **Réforme constitutionnelle.** Création par le Congrès des députés du peuple d'un poste de président de l'Union et abrogation du rôle dirigeant du Parti (article 6). Le 15, M. Gorbatchev est élu président pour un mandat de cinq ans. L'élection suivante (1994) est prévue au suffrage universel.

30 mars. **Pays Baltes.** Le Parlement estonien vote en faveur de la restauration de l'indépendance à l'issue d'une période transitoire.

23-26 avril. **URSS - Chine.** Visite à Moscou du Premier ministre Li Peng, la première d'un chef de gouvernement chinois depuis vingt-cinq ans.

4 mai. **Pays Baltes.** Le Parlement letton vote une déclaration d'indépendance.

24 mai. **Réforme économique.** Le Premier ministre, Nicolaï Ryjkov, présente un plan de réformes économiques qui suscite de nombreuses inquiétudes de par ses conséquences sociales potentielles. Ce plan est repoussé par le Soviet suprême le 13 juin.

29 mai. **Russie.** Boris Eltsine est élu président du Parlement de Russie. Il annonce vouloir promouvoir la souveraineté de cette république.

A.d.T.

Voir aussi la chronologie « Europe » (p. 430) pour les changements en Europe de l'Est, et l'encadré sur le désarmement (p. 22-23) pour les relations Moscou-Washington.

En juin, au Kazakhstan, à Novyi Ouzen. En juillet à la frontière entre la Kirghizie et le Tadjikistan. En 1990, en février, à Douchanbé, capitale du Tadjikistan. En juin, en Kirghizie dans des villages proches de l'Ouzbékistan. A chaque fois les conditions de vie ou de travail ont été à l'origine d'incidents qui ont dégénéré. Pillages, incendies criminels, mais aussi dans plusieurs cas, batailles rangées et tueries ont fait officiellement, outre de très nombreux dégâts matériels, des centaines de victimes. Les minorités étant souvent prises comme boucs émissaires, le pouvoir central a été obligé d'évacuer des milliers de personnes.

A l'intérieur comme à l'extérieur de la Fédération de Russie, tous ces événements ont provoqué des réactions parmi les Russes. L'élection, le 29 mai 1990, à la tête de cette république, d'un homme qui à plusieurs reprises avait exalté l'identité russe, a suggéré que le malaise pouvait être profond. A peine élu, Boris Eltsine a réclamé, dans un délai de cent jours, la souveraineté pour la Russie. Cette initiative émanant de la plus grande des républiques de l'Union présentait le risque d'aggraver encore un peu plus les crises interethniques. Le pouvoir central sera-t-il capable de proposer une redéfinition radicale des fondements de cette Union et de ne plus se contentez de parer, de façon souvent peu habile, au plus pressé ?

Faire accepter des solutions, dont certaines devraient être radicales, à des problèmes économiques et nationaux d'une telle gravité suppose un consensus national. Or celui-ci

L'UNION DÉSUNIE

Après près de soixante-dix ans d'existence, une incertitude lourde de menaces plane sur l'avenir de l'Union des républiques socialistes soviétiques (URSS). Déstabilisé par la perestroïka *(restructuration), l'empire est déchiré par trop de conflits mal maîtrisés, menacé par la sécession de pans entiers de ses marches, la remise en cause de ses frontières internes et l'irruption sur la scène nationale de la Russie, la plus importante des républiques constituant l'Union. Les égoïsmes nationaux, dans lesquels les appartenances confessionnelles ne sont pas sans compter (identifications uniate, orthodoxe, musulmane, etc.) ébranlent un peu plus encore les équilibres précaires de cet ensemble immense et hybride que traverse l'axe nord-sud : républiques et régions sont saisies par un sauve-qui-peut général à la mesure de la gravité de la crise économique.*

Mais la fédération soviétique doit affronter d'autres dangers : après le drame de Tbilissi (répression brutale en avril 1989) et la sanglante reconquête de Bakou par les forces armées (janvier 1990), elle doit faire face à la défiance d'une périphérie engagée dans un rapide processus de radicalisation. Affaiblie par les ambiguïtés et les hésitations d'un pouvoir central dépassé par un mouvement d'émancipation qui n'hésite plus à inscrire l'indépendance au nombre de ses revendications, elle est contestée dans les fondements mêmes de sa légitimité, en particulier historique. Alors que la Lituanie a passé le Rubicon en 1990 et que Moscou ne semble plus en mesure de maintenir la paix civile, en particulier au Caucase, il lui faut trouver d'urgence de nouvelles structures et une nouvelle identité.

Des cohortes de réfugiés

« Réfugiés... Ce mot emprunté à la période de la guerre fait désormais partie de notre vocabulaire quotidien. On ne fuit plus un envahisseur ou les fascistes, mais les siens, des Soviétiques... » notait un journal moscovite fin mai 1990. L'URSS est aujourd'hui traversée par des flux de réfugiés victimes des tensions nationales et des règlements de comptes ethniques. Laissés le plus souvent à eux-mêmes, Arméniens et Russes échappés de Bakou (Azerbaïdjan), Azéris fuyant l'Arménie, « Turcs Meskhs » chassés d'Ouzbékistan, s'entassent dans les bidonvilles de Erevan (Arménie) et de Bakou, convergent vers Moscou où les salles des pas perdus des gares de la capitale restent souvent les uniques structures d'accueil. Combien sont-ils, ceux que la presse soviétique appelle les « réprouvés » ? Certainement des centaines de milliers.

Les pogroms de Soumgaït (février 1988) et de Bakou (janvier 1990) en Azerbaïdjan, de Fergana (mai 1989) en Ouzbékistan, les heurts interethniques de Douchanbé au Tadjikistan (février 1990) et d'Och en Kirghizie (juin 1990) ont inquiété un peu plus encore un pays fébrile parcouru de rumeurs qui semblent s'inscrire dans une stratégie concertée de la tension : à Moscou, les Juifs sont les victimes désignées des pogroms annoncés par des tracts déposés dans les boîtes à lettres; à Tbilissi, les menaces visent Russes et Arméniens.

Ce climat d'insécurité engendre de nouveaux comportements : les migrations internes se banalisent. Est-ce la préfiguration d'une nouvelle redistribution des populations, en particulier des « pieds-rouges », ces Russes disséminés sur tout le territoire de l'Union ? Autre manifestation des tensions nationales, l'émigration massive hors des frontières de l'Union a reçu une nouvelle impulsion : Allemands originaires de la Volga à la recherche de leurs racines, Juifs incrédules malgré la fin des interdits, et Arméniens désespérés par l'accumulation des malheurs partent à la recherche d'un peu plus de sécurité et de bien-être.

Un tiers monde soviétique

Mais ce que l'on a encore coutume de nommer le problème national, *c'est aussi l'existence de vastes zones de sous-développement, en particulier en Azerbaïdjan (Caucase) et en Asie centrale (Ouzbékistan, Turkménistan, Kirghizistan...), une région où vivent 35 des 50 millions de musulmans soviétiques. Sur fond de monoculture du coton, d'accroissement démographique rapide (30 ‰ en moyenne, contre 4 ‰ en Estonie et 6,8 ‰ en Russie) et d'appauvrissement d'une population rurale frappée de plein fouet par la crise économique, le chômage touche près du tiers de la population active en milieu rural. L'état sanitaire est désastreux (mortalité infantile de 46 ‰ en Ouzbékistan, de 58 ‰ au Turkménistan), la situation écologique catastrophique; l'assèchement rapide, et semble-t-il irrémédiable, de la mer d'Aral en est l'une des manifestations les plus dramatiques. Mais l'Asie centrale, figée dans un immobilisme craintif, observe avec méfiance les changements induits par cette forme d'européanité radicale qu'est la* perestroïka, *alors qu'à ses frontières le désengagement soviétique en Afghanistan a modifié le cadre géopolitique régional.*

Sur la frontière occidentale de l'Union, au contact direct d'une Europe de l'Est bouleversée par l'écroulement du « camp socialiste », l'Ukraine et la Moldavie ont connu une radicalisation rapide. Les élections qui s'y sont déroulées au début du printemps 1990 ont donné aux fronts populaires locaux la légitimité que les appareils locaux du Parti communiste leur contestaient. En Ukraine, le « Roukh » contrôle désormais la partie occidentale (la région de Lviv-Lvov pour les Russes) ; en Moldavie le Front populaire ne cache plus sa volonté de voir la république rejoindre à terme la « mère patrie » roumaine.

Vague sécessionniste

Le Caucase n'échappe pas à cette vague sécessionniste. Si l'Arménie et l'Azerbaïdjan, un moment tentées par une indépendance immédiate, ont poursuivi un face à face tendu et parfois sanglant, la Géorgie a inscrit cette perspective dans un avenir rapproché.

Les nations de l'URSS sortent du « socialisme » orphelines d'une authentique citoyenneté. Victimes d'un système autoritaire et infantilisant, elles trouvent trop souvent pour seul refuge un nationalisme investi de vertus magiques. Dans la sphère des rapports nationaux, la dégradation continue des conditions de vie a des effets dévastateurs. Chaque jour qui passe accentue les tensions, rendant certaines cassures plus profondes. Cette dégradation remet en cause un système économique et social délabré et laisse sceptique sur la capacité de cette Union à vivre durablement ensemble.

Fédération rénovée, confédération ? Quels rapports à établir entre un centre affaibli et une périphérie impatiente ? Quel rôle pour une Russie elle-même menacée d'éclatement ? Le débat est ouvert et confus. L'avenir de la « sixième partie du monde » en dépend.

Charles Urjewicz

UNION SOVIÉTIQUE

1. DÉMOGRAPHIE, CULTURE, ARMÉE

	Indicateur	Unité	1970	1980	1989
Démographie	Population	million	243	266	285,9
	Densité	hab./km²	10,9	11,9	12,8
	Croissance annuelle	%	1,0[a]	0,8[b]	0,8[c]
	Mortalité infantile	‰	24,7	27,3	24[c]
	Espérance de vie	année	68,6[d]	67,9[e]	69,5[c]
	Population urbaine	%	56,7	63,1	67,1
Culture	Nombre de médecins	‰ hab.	2,74	3,75	4,38[f]
	Scolarisation *2e degré*[h]	%	85	93	98[g]
	3e degré	%	25,3	21,2	22,5[g]
	Postes tv (L)	‰	142,8	250,4	313,6[f]
	Livres publiés	titre	78 899	80 676	81 600[f]
Armée	Marine	millier d'h.	475	433	437
	Aviation	millier d'h.	480	475	448
	Armée de terre	millier d'h.	2 000	1 825	1 596
	Défense aérienne	millier d'h.	500	550	502
	Total	millier d'h.	3 305	3 658	4 258

a. 1965-75 ; b. 1975-85 ; c. 1985-90 ; d. 1970-75 ; e. 1980-85 ; f. 1988 ; g. 1987 ; h. 12-16 ans ; (L). Licences.

2. COMMERCE EXTÉRIEUR[a]

Indicateur	Unité	1970	1980	1989
Total imports	milliard $	11,7	68,5	114,5
Produits agricoles	%	25,3	27,4	18,7[c]
Autres produits de consommation	%	18,3	12,2	12,8[c]
Machines et équipements	%	35,6	33,9	40,9[c]
Total exports	milliard $	12,8	76,5	108,4
Pétrole et gaz	%	14,9	46,2	40,3[c]
Métaux et minerais[b]	%	23,2	11,0	12,6[c]
Produits agricoles	%	16,6	7,5	7,0[c]
Produits industriels	%	42,2	34,5	39,4[c]
Principaux fournisseurs	% imports			
CAEM		61,6	48,2	61,2[c]
PCD		26,2	39,3	25,1[c]
PVD[d]		16,5	12,4	8,2[c]
Principaux clients	% exports			
CAEM		60,8	49,0	58,2[c]
PCD		21,2	36,1	21,8[c]
PVD[d]		18,0	14,9	14,3[c]

a. Marchandises ; b. Produits énergétiques non compris ; c. 1988 ; d. Vietnam et Cuba (7,6 % des exportations et 6,5 % des importations) inclus dans CAEM.

3. ÉCONOMIE

Indicateur	Unité	1970	1980	1989
PMN	milliard roubles	293,5	462,2	641,0
Croissance annuelle	%	6,5[a]	3,9[b]	2,5
Par habitant	roubles	1 202	1 731	2 242
Structure du PMN				
Agriculture	% } 100 %	22,0	15,1	22,8[c]
Industrie	% } 100 %	61,5	61,8	55,5[c]
Services	% } 100 %	16,5	23,1	21,7[c]
Dette extérieure brute	milliard $	1,6	25,2	50,0
Taux d'inflation	%	—	0,7	2,3
Population active	million	117,3	136,9	146,0
Agriculture	% } 100 %	25,4	20,2	18,8[c]
Industrie	% } 100 %	37,9	38,5	38,9[c]
Services	% } 100 %	36,7	41,3	42,3[c]
Dépenses publiques				
Éducation	% PMN	6,8	7,3	7,3[d]
Défense	% PMN	6,1	3,7	3,3[c]
Recherche et Développement	% PMN	4,0	4,6	5,6[d]
Production d'énergie	million TEC	1 216,4	1 935,9	2335,8[d]
Consommation d'énergie	million TEC	998,7	1 473,1	1 867,2[d]

a. 1965-75; b. 1975-85; c. 1988; d. 1987.

n'existe pas. Dans un paysage politique en pleine mutation, les forces centrifuges et les dissensions se sont multipliées.

Multiplication des forces politiques

Pour mener à bien la *perestroïka*, Mikhaïl Gorbatchev a jugé nécessaire de développer un pluralisme d'opinions. Empêcher le monopole du pouvoir du Parti d'être source de sclérose passait à son avis entre autres par un renforcement de l'appareil de l'État. La mise en place, en 1989, des nouvelles structures issues de la réforme institutionnelle de 1988 a contribué à transformer la vie politique. Le nouveau Soviet suprême n'est plus une simple chambre d'enregistrement. A plusieurs reprises, il a refusé de suivre la voie qui lui était proposée par les autorités. Il a ainsi repoussé la candidature de certains ministres en juillet 1989 et le projet de réforme économique de Nikolaï Ryjkov en juin 1990. Il a été le théâtre de débats réels et parfois très vifs entre conservateurs et réformateurs, ces derniers s'étant regroupés au sein d'un « groupe inter-régional » coprésidé jusqu'à sa mort, en décembre 1989, par Andréi Sakharov. Au niveau local, les élections de mai 1990 ont montré que les soviets n'étaient plus tout à fait des instruments entre les mains du pouvoir. Malgré les faibles moyens dont elles disposaient, les formations extérieures au Parti ont réussi à faire élire, notamment à Moscou et à Leningrad, un nombre important de leurs candidats.

Mais la mutation politique a été beaucoup plus loin. Après les élections du printemps 1989, l'aspiration au pluralisme s'est développée, ce que les révolutions d'Europe de l'Est

BIBLIOGRAPHIE

AMNESTY INTERNATIONAL, *URSS. Droits de l'homme et perestroïka*, AEFAI, Diff. La Découverte, Paris, 1989.

ASLUND A., *Gorbatchev's Struggle for Economic Reform : the Soviet Reform Process 1985-1988*, Cornell University Press, NY, 1989.

CROSNIER M.-A., « Désarroi économique et crise d'autorité », *Le Courrier des pays de l'Est*, n° 349, La Documentation française, Paris, avr. 1990.

DUCHÊNE G., *L'Économie de l'URSS*, La Découverte, « Repères », Paris, 1989 (nouv. éd.).

ELTSINE B., *Jusqu'au bout !*, Calmann-Lévy, Paris, 1990.

« Environnement et politique en URSS » (dossier constitué par M.-H. Mandrillon), *Problèmes politiques et sociaux*, n° 621, La Documentation française, Paris, 1989.

FERRO M., AFANASSIEV Y. (sous la dir. de), *Dictionnaire de la glasnost. 50 idées qui ébranlent le monde*, Payot/Progress, Paris-Moscou, 1989.

KERBLAY B., *La Russie de Gorbatchev*, La Manufacture, Lyon, 1989.

« Le crime organisé en URSS : une menace pour la perestroïka » (dossier constitué par N. Marie-Schwartzenberg), *Problèmes politiques et sociaux*, n° 629, La Documentation française, Paris, 1990.

« Les marches de la Russie », *Hérodote*, n° 54-55, La Découverte, Paris, 1990.

LEWIN M., *La Grande Mutation soviétique*, La Découverte, Paris, 1989.

MARIE-SCHWARTZENBERG N., *Le Droit retrouvé ? Essai sur les droits de l'homme en URSS*, PUF, Paris, 1989.

SAPIR J., *L'Économie mobilisée*, La Découverte, Paris, 1989.

SCHREIBER T., BARRY F. (sous la dir. de), « L'URSS et l'Europe de l'Est, Édition 1989 », *Notes et études documentaires*, n° 4891-4892, La Documentation française, Paris, déc. 1989.

THOM F., *Le Moment Gorbatchev*, Hachette, Paris, 1989.

« URSS. Décomposition ou recomposition » (actes du Colloque FIP/ISER - 22, 23.11.1989), *Cosmopolitiques*, n° 14/15, Paris, 1990.

Voir aussi les bibliographies consacrées au dossier « Le système soviétique en révolution » en fin d'ouvrage.

ont encouragé. Les mouvements indépendants — fronts populaires, groupes informels, comités ouvriers et même partis d'opposition — se sont multipliés. Certains ne sont que des groupuscules, d'autres des forces politiques à l'échelle républicaine. Cela a été le cas dès 1988 du Comité Karabakh en Arménie, puis du Sajudis en Lituanie, du Roukh en Ukraine, des Fronts populaires d'Azerbaïdjan, de Biélorussie...

Contrairement à ce qu'espérait Mikhaïl Gorbatchev, le Parti n'a pas su être la force d'intégration capable de maîtriser ce pluralisme et d'être à l'avant-garde du changement. Il a certes continué à peser très lourd dans la vie politique, mais sa toute-puissance a été sérieusement entamée et son autorité affaiblie. L'incompétence et la corruption de nombre de ses dirigeants ont été de plus en plus fréquemment étalées sur la place publique, ce qui a contribué, les sondages l'ont montré, à le discréditer.

Fin du monopole du Parti

L'article 6 de la Constitution de 1977, qui reconnaissait au Parti le rôle de force dirigeante de la société, a fait pendant plusieurs mois l'objet de très vifs débats. Après avoir refusé que cette question soit inscrite à l'ordre du jour, le Soviet suprême de l'URSS, après ceux des pays Baltes, l'a abrogé le 13 mars 1990. Le fait que ce débat n'ait pas précédé, mais suivi l'événement, a témoigné de la dégradation de son influence.

Le Kremlin n'a pas pour autant accepté le pluripartisme. Mikhaïl Gorbatchev a affirmé en Lituanie qu'il ne fallait pas en avoir peur, mais aussi qu'il n'était « pas une panacée ». A maintes reprises il a rappelé son attachement au parti unique. Et en Azerbaïdjan, en janvier 1990, il n'a pas craint d'avoir recours à une intervention militaire pour tenter de sauvegarder ce qui restait des autorités en place (comme l'a admis le ministre de la Défense le 26 janvier).

Le monolithisme du PCUS, bousculé de toutes parts, n'a pas résisté à ces évolutions. Son unité a été entamée par les scissions des partis des pays Baltes. Et en son sein les dissensions se sont multipliées. En janvier, un courant réformateur, la Plate-Forme démocratique, s'est formé.

Après la création (20-23 juin) d'un Parti communiste de Russie (qui n'existait plus depuis 1925), où les conservateurs étaient majoritaires, la scission apparaissait cependant difficilement évitable. Mikhaïl Gorbatchev, a, quant à lui, continué à consolider ses positions. Le 15 mars 1990, il a été élu par le Congrès des députés du peuple président de l'URSS, poste dont la création avait été préconisée en février par le Comité central et acceptée le 14 mars par le Congrès. Les immenses pouvoirs constitutionnels dont il a été investi n'ont cependant pas conforté son autorité en termes réels. Sa capacité à gérer les crises, à entreprendre des changements radicaux, et même à faire appliquer les décisions prises, est restée limitée. L'élection le 29 mai 1990 à la tête de la fédération de Russie de Boris Eltsine a été de nature à limiter encore la marge de manœuvre de celui qui, fait sans précédent, a été hué le 1er mai sur la place Rouge.

Cependant, le XXVIIIe congrès du PCUS (2-3 juillet) a vu la défaite spectaculaire d'Egor Ligatchev, chef de file des conservateurs. C'est le candidat soutenu par M. Gorbatchev, Vladimir Ivachko, qui a été élu au poste de « numéro deux ». A la fin de ce congrès, Boris Eltsine a annoncé qu'il démissionnait du Parti.

Les succès extérieurs avaient auparavant compensé les difficultés intérieures. Cela n'a plus été le cas en 1989-1990, l'URSS devant faire face en Europe à une situation très difficile.

Perte du glacis

A l'automne 1989, en quelques semaines, tous les partis communistes des États est-européens ont perdu leur monopole du pouvoir, ce qui a bouleversé l'ordre européen issu de la Seconde Guerre mondiale. Le rôle que l'URSS a joué dans ces révolutions est resté mal connu. Qu'elle ait encouragé des évolutions jugées nécessaires et inévitables n'a cependant guère fait de doute. La visite de Mikhaïl Gorbatchev en RDA en octobre 1989 en a témoigné. La nécessité, à l'heure de la *perestroïka*, de faire évoluer des systèmes politiques figés, de trouver des solutions aux immenses problèmes socio-économiques de ses alliés (au moment où la puissance de la CEE se renforçait), d'arrêter la fuite des Allemands de l'Est... ont été autant d'éléments pesant sur ses choix.

L'objectif de l'URSS était probablement de repartir sur de nouvelles bases et de renouveler son influence dans cette région. Les événements ont été très vite beaucoup plus loin qu'elle ne l'avait prévu et souhaité. Ils ont bousculé tous les équilibres européens et créé une situation que Moscou a jugé menaçante pour « ses intérêts de sécurité ». La destruction du Mur de Berlin à partir du 9 novembre 1989 a ouvert la voie à une réunification de l'Allemagne et posé le problème de l'engagement de ce nouvel État au sein de l'OTAN (Organisation du traité de l'Atlantique nord).

Elle a tenté, en vain, d'empêcher cette évolution en préconisant une neutralisation de la future Allemagne, et en montrant, au printemps 1990, qu'elle conservait les moyens de freiner le processus de désarmement. Dans les négociations, elle s'est par ailleurs efforcée d'obtenir des Occidentaux une renégociation de sa place dans le système de sécurité européen.

Après avoir obtenu que l'Alliance atlantique modifie profondément sa doctrine et sa stratégie, Moscou a fini par accepter l'intégration de la future Allemagne unifiée dans l'OTAN (accord germano-soviétique du « Caucase », 16 juillet 1990).

Les alliances de l'URSS sont donc apparues menacées de désagrégation. Réunis en janvier 1990 à Sofia, les pays-membres du CAEM (Conseil d'assistance économique mutuelle, ou COMECON) ont constaté leurs échecs et leurs divergences. Le pacte de Varsovie allait perdre son plus beau fleuron (l'URSS, au début de 1990, entretenait 380 000 hommes sur le sol de la RDA) et deux de ses membres, la Hongrie et la Tchécoslovaquie, avaient demandé au Kremlin de retirer ses forces de leur territoire avant juillet 1991. Pour survivre, l'une et l'autre de ces organisations allaient devoir se renouveler. Des décisions de transformation radicale ont été prises. Mais de nouvelles solidarités ne sont pas immédiatement apparues de manière évidente. L'avenir de ses positions en Europe, où elle a d'ores et déjà perdu son glacis stratégique, a été pour l'URSS un souci central, s'ajoutant à beaucoup d'autres.

Anne de Tinguy

États-Unis. Une menace chasse l'autre ?

Ronald Reagan incarnait, en rhétorique plus qu'en réalité, la montée au pouvoir d'un homme de l'Ouest, d'origine modeste, déterminé à détruire l'*establishment* washingtonien et à renouveler la politique américaine en imposant les idées peu orthodoxes d'un entourage d'idéologues conservateurs. George Bush symbolise tout le contraire : le triomphe de l'*establishment* washingtonien, la prudence et le pragmatisme de bureaucrates de carrière cooptés aux plus hauts postes de l'État.

Contrairement à R. Reagean, issu d'un milieu catholique irlandais, G. Bush, élu président en 1988, est un véritable WASP (*white anglo saxon protestant*), le scion d'une famille patricienne de la côte Est, l'ancien élève d'Andover, une école privée réservée aux familles les plus riches, et d'une université privée tout aussi prestigieuse, Yale. La victoire de G. Bush contre un fils d'immigrant grec, Michaël Dukakis, marquait-elle le retour au pouvoir de ces privilégiés qui, selon le dicton américain, sont nés avec une cuillère d'argent dans la bouche ? Les apparences sont trompeuses. Les élections régionales et municipales de novembre 1989 ont marqué, un an après l'élection du nouveau président, le succès sans précédent de minorités ethniques traditionnellement ignorées ou sous-représentées en politique : les Noirs et les Hispaniques. A Miami, les électeurs ont choisi pour la première fois un maire hispanophone d'origine cubaine, Xavier Suarez ; à New York, la plus grande ville des États-Unis, ils ont élu un Noir de Harlem, David Dinkins ; à New Haven, dans le Connecticut, et à Seattle, dans l'État de Washington, les électeurs ont porté au pouvoir deux autres Noirs, John Daniels et Norman Rice. Fait remarquable : la population de ces deux dernières villes est à majorité blanche et à Seattle, par exemple, les Noirs représentent moins de 10 % des habitants.

Le préjugé racial n'est donc plus le facteur déterminant de la politique locale. Qui plus est, pour la première fois dans l'histoire des États-Unis, les électeurs d'un État sudiste, la Virginie, ont élu à la tête de leur État un gouverneur noir, Douglas Wilder, le petit-fils d'un esclave. Ignoré par les médias européens, un Africain d'origine jamaïcaine, élevé et éduqué à Harlem, le général Colin Powell, a réussi une extraordinaire ascension professionnelle : il a été nommé par G. Bush au poste de chef d'état-major des armées, la plus haute fonction militaire des États-Unis. Mais le triomphe des élites noires ne doit pas tromper : il s'agit bien d'élites, issues de milieux humbles mais fort bien éduquées et enfin reconnues à leur juste valeur.

Le citoyen noir typique, mal éduqué, sous-employé, habitant d'insalubles ghettos reste la principale victime de la pauvreté, des méfaits de la drogue et de la criminalité liée aux réseaux de distribution du *crack*, cette nouvelle drogue accoutumante, dérivée de la cocaïne. Les mœurs violentes des gangs de revendeurs de *crack* ont accru la mortalité criminelle de plus de 60 % dans des villes comme Washington DC. C'est bien pourquoi la lutte contre la drogue constitue l'une des priorités du gouvernement Bush. La réunion à Carthagène (Colombie) d'un sommet anti-drogue, le 15 février 1990, regroupant, outre le président américain, les chefs d'État de Colombie, Bolivie et Pérou a donné la mesure des ambitions déclarées. Mais la multiplication d'agences fédérales de répression contre le trafic des stupéfiants, la dimension diplomatique accordée au problème, la mise en œuvre de moyens de lutte contre le blanchiment financier des narcodollars n'ont pas apporté les résultats escomptés. Les saisies de drogue sont plus fréquentes, mais rien n'indique que le trafic se soit ralenti ou que la toxicomanie ait diminué. Difficile de résoudre par décret un problème qui touche plus de 2 millions de consommateurs de cocaïne, dont 860 000 véritables toxicomanes, et 500 000 héroïnomanes, sans compter la grande masse des fumeurs de majijuana (entre 10 et 20 millions).

La fin de la stratégie de l'« endiguement »

Accusé de mollesse, d'indécision, de nostalgie pour la guerre froide, George Bush a finalement tranché : il présidera au démantèlement idéologique, diplomatique et militaire de

ÉTATS-UNIS

États-Unis d'Amérique.
Capitale : Washington.
Superficie : 9 363 123 km² (17 fois la France).
Monnaie : dollar (1 dollar = 5,47 FF au 21.6.90).
Langue : anglais (off.).
Chef de l'État : George Bush, président (élu le 8.11.88), mandat expirant en janvier 1993.
Nature de l'État : république fédérale (50 États et le District of Columbia).
Échéances électorales : législatives le 6.11.90 (renouvellement d'un tiers du Sénat et de l'ensemble de la Chambre des représentants).
Nature du régime : démocratie présidentielle.
Principaux partis politiques : Parti républicain et Parti démocrate.
Possessions, États associés et territoires sous tutelle : Porto Rico, îles Vierges américaines [Caraïbe], zone du canal de Panama [Amérique centrale], îles du Pacifique en libre-association, Guam, Samoa oriental [Pacifique].
Carte : p. 54-55.

ÉTATS-UNIS

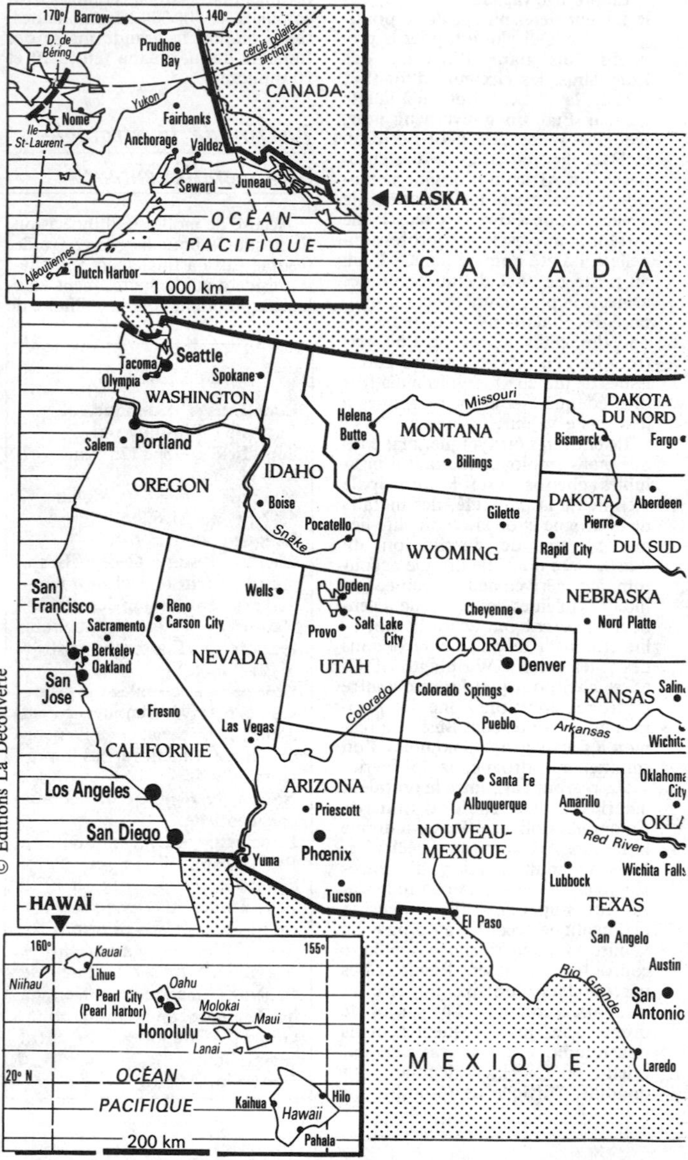
170°
Barrow
140°
D. de Béring
Prudhoe Bay
cerclé polaire arctique
CANADA
Yukon
Fairbanks
Nome
Ile St-Laurent
Anchorage
Valdez
Seward
Juneau
OCÉAN
PACIFIQUE
I. Aléoutiennes
Dutch Harbor
1 000 km
ALASKA
C A N A D A
Seattle
Tacoma
Olympia
Spokane
WASHINGTON
Portland
Salem
OREGON
IDAHO
Boise
Snake
Pocatello
Helena
Butte
MONTANA
Missouri
Billings
DAKOTA DU NORD
Bismarck
Fargo
DAKOTA DU SUD
Aberdeen
Pierre
Rapid City
Gilette
WYOMING
Cheyenne
NEBRASKA
Nord Platte
San Francisco
Sacramento
Berkeley
Oakland
San Jose
Reno
Carson City
Wells
NEVADA
Ogden
Salt Lake City
Provo
UTAH
COLORADO
Denver
Colorado Springs
Pueblo
Colorado
Arkansas
KANSAS
Wichita
Fresno
Las Vegas
CALIFORNIE
Los Angeles
San Diego
ARIZONA
Priescott
Phœnix
Yuma
Tucson
Santa Fe
Albuquerque
NOUVEAU-MEXIQUE
Oklahoma City
Amarillo
Red River
Wichita Falls
Lubbock
TEXAS
El Paso
San Angelo
Austin
San Antonio
Rio Grande
Laredo
M E X I Q U E
HAWAÏ
160°
155°
Kauai
Lihue
Niihau
Oahu
Pearl City (Pearl Harbor)
Honolulu
Molokai
Maui
Lanai
20° N
OCÉAN
PACIFIQUE
Kaihua
Hilo
Hawaii
Pahala
200 km

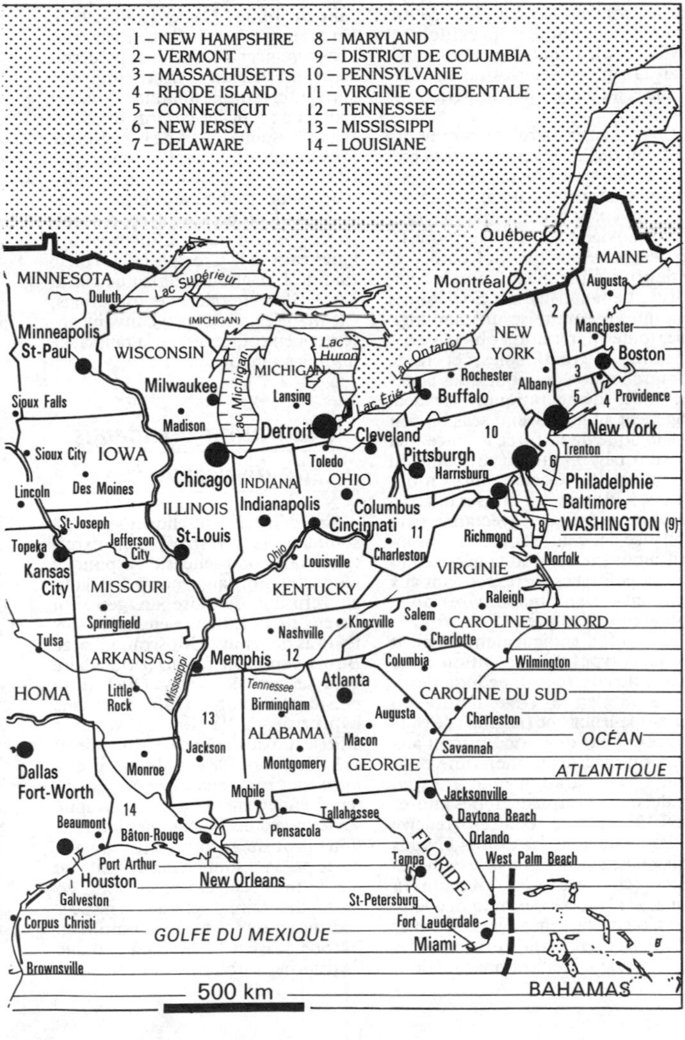
1 – NEW HAMPSHIRE
2 – VERMONT
3 – MASSACHUSETTS
4 – RHODE ISLAND
5 – CONNECTICUT
6 – NEW JERSEY
7 – DELAWARE
8 – MARYLAND
9 – DISTRICT DE COLUMBIA
10 – PENNSYLVANIE
11 – VIRGINIE OCCIDENTALE
12 – TENNESSEE
13 – MISSISSIPPI
14 – LOUISIANE
Québec
Montréal
MAINE
Augusta
Manchester
Boston
Providence
NEW YORK
Albany
Rochester
Buffalo
New York
Trenton
Philadelphie
Baltimore
WASHINGTON (9)
Richmond
Norfolk
VIRGINIE
Raleigh
Salem
CAROLINE DU NORD
Charlotte
Wilmington
Columbia
CAROLINE DU SUD
Charleston
Savannah
OCÉAN
ATLANTIQUE
Jacksonville
Daytona Beach
Orlando
West Palm Beach
FLORIDE
Tampa
St-Petersburg
Fort Lauderdale
Miami
BAHAMAS
MINNESOTA
Duluth
Lac Supérieur
(MICHIGAN)
Minneapolis
St-Paul
WISCONSIN
Milwaukee
Madison
Lac Michigan
MICHIGAN
Lac Huron
Lansing
Lac Ontario
Lac Érié
Detroit
Cleveland
Toledo
Pittsburgh
Harrisburg
Sioux Falls
Sioux City
IOWA
Des Moines
Lincoln
Chicago
INDIANA
OHIO
ILLINOIS
Indianapolis
Columbus
Cincinnati
Charleston
St-Joseph
Topeka
Jefferson City
St-Louis
Kansas City
MISSOURI
Ohio
Louisville
KENTUCKY
Springfield
Knoxville
Nashville
Tulsa
ARKANSAS
Memphis
Mississippi
Tennessee
Atlanta
HOMA
Little Rock
Birmingham
Augusta
ALABAMA
Macon
GEORGIE
Jackson
Montgomery
Dallas
Fort-Worth
Monroe
Mobile
Tallahassee
Pensacola
Beaumont
Bâton-Rouge
Port Arthur
Houston
New Orleans
Galveston
Corpus Christi
GOLFE DU MEXIQUE
Brownsville
500 km

la stratégie américaine de l'endiguement (*containment*). Inventée par George Kennan au lendemain de la Seconde Guerre mondiale et exposée pour la première fois dans son *Long Telegram* de 1946, cette stratégie a été adoptée sans grande modification par tous les présidents américains de l'après-guerre. Elle fut même durcie par le président Reagan, lors de son premier mandat présidentiel (1980-1984). L'endiguement constituait la riposte américaine au stalinisme et au danger de l'impérialisme soviétique.

Cette doctrine stratégico-militaire postulait quelques solides vérités présentées comme incontournables : aucun compromis, aucune accommodation n'est possible avec les dirigeants soviétiques. Le seul objectif affiché par les maîtres du Kremlin est la destruction totale du monde capitaliste. Le fanatisme des Soviétiques leur interdit tout raisonnement logique, toute appréciation objective des relations internationales, et toute compréhension des politiques et des méthodes démocratiques. Le seul argument auquel ils sont sensibles est la « logique de la force ». Face à la « vision névrotique du monde » du Kremlin, les Occidentaux n'ont qu'une seule option : dresser des barrières et « appliquer avec adresse et vigilance des contre-forces au dispositif mouvant des points géographiques et politiques correspondant aux tournants et aux manœuvres de la politique soviétique ».

En bref, l'endiguement exigeait plusieurs types d'intervention : une guerre de contre-propagande destinée à révéler la vraie nature du marxisme-léninisme (les abus de cette contre-propagande conduisirent aux excès du maccarthysme) ; une politique de préparation militaire (qui produisit le surarmement des années 1960-1980) ; une contre-offensive militaire sur tous les points chauds de la planète pénétrés par le communisme (en Corée, au Vietnam, à Cuba...) ; le refus de toute négociation sérieuse avec un adversaire fanatisé qui ne cherche qu'à exacerber les faiblesses de l'Occident pour lui donner un « coup de grâce final ». On retrouve là, à peu de chose près, les éléments de la « doctrine Reagan ». Lorsque ce dernier dénonçait l'« Empire du mal », il ne faisait que renouer avec une tradition anticommuniste, inaugurée par George Kennan et reprise à leur compte par tous les présidents américains, exception faite de Jimmy Carter (1976-1980). En pratique, la « doctrine Reagan », contrairement à celle de ses prédécesseurs, privilégiait la guerre indirecte sur l'intervention militaire directe : l'aide aux rebelles *contras* du Nicaragua, le soutien actif de la résistance musulmane afghane, l'aide aux guérilleros de l'UNITA (Union nationale pour la libération totale de l'Angola), en bref la guerre par personne interposée. L'intervention américaine à la Grenade (1983) ou le raid de l'aviation américaine sur la Libye (1986) restaient des exceptions, des manifestations peu convaincantes (et peu coûteuses) de la puissance militaire américaine...

De la notion d'ennemis à celle de partenaires

En affirmant publiquement son soutien à la *perestroïka*, en exprimant sa « compréhension » pour la répression sanglante menée à Bakou, en refusant de faire un geste en faveur de la Lituanie engagée dans un bras de fer avec Moscou, George Bush a rompu de façon spectaculaire avec ses prédécesseurs. Quel autre président aurait pu affirmer sans hypocrisie, à la fin du sommet américano-soviétique de Malte des 2 et 3 décembre 1989 : « Je suis prêt à faire tout mon possible pour faciliter l'engagement de l'économie soviétique dans les marchés internationaux », ou encore : « Il y a dans notre pays un soutien massif pour ce que le président Gorbatchev est en train de faire » et un « respect énorme » pour ce qu'il accomplit en Europe de l'Est ? Mais il est vrai que l'opinion publique américaine, comme l'opinion européenne, n'a plus grande appréhension à l'égard du « danger » soviétique. D'abord incrédule, elle a compris que l'effondrement du communisme en Europe de l'Est, sans réaction soviétique, signifiait l'ouverture d'une nouvelle ère de paix et de prospérité. Ce qu'elle avait pris pour un « loup » dans la bergerie d'Europe centrale n'était, découvrait-elle, qu'un agneau parmi les agneaux.

Signe avant-coureur des temps nouveaux, M. Gorbatchev déclarait le 20 juin 1989, au cours d'une visite de courtoisie de l'ancien chef d'état-major inter-armées des États-Unis, l'amiral William Crowe : « Nous sommes en train de passer de la notion d'ennemis à celle de partenaires. » Parole tenue : les anciens « ennemis » sont devenus les « partenaires » d'une immense entreprise de paix concrétisée par les sommets de Malte (décembre 1989) et de Washington (mai 1990).

L'importance historique du sommet de Malte a été soulignée par Mikhaïl Gorbatchev lui-même. Il a annoncé à son issue « la fin de l'épo-

« JUSTE CAUSE »

Dans la nuit du 20 décembre 1989, 24 000 Américains envahissent le Panama. L'effet de surprise de l'opération Juste cause *est total. Les 6 000 hommes des forces de défense de Panama n'opposeront qu'une faible résistance. Il y aura 23 morts du côté américain et 400 victimes civiles et militaires du côté panaméen. Caché, puis réfugié au siège du nonce apostolique, le général Manuel Antonio Noriega se rend, le 3 janvier 1990, aux hommes de l'Agence américaine de la lutte contre la drogue. Inculpé de trafic de drogue par deux tribunaux de Floride, Noriega est désormais traité comme un criminel de droit commun dans une prison de Floride. L'invasion américaine, approuvée selon les sondages, par 80 % des Américains, fut justifiée par les autorités américaines au nom de quatre principes : (1) protéger la vie des résidents américains, après la mort d'un officier américain en service au Panama (17 décembre 1989) ; (2) restaurer la démocratie bafouée, après l'annulation des élections parlementaires du 7 mai 1989 que l'opposition considérait avoir remportées ; (3) arrêter un trafiquant de drogue international, le général Noriega ; (4) garantir le contrôle américain de la zone du canal, prévu jusqu'à l'an 2000, d'après le traité américano-panaméen de 1977 (traité « Trujillo-Carter »). L'invasion était-elle conforme aux normes du droit international ? On peut en douter. Le principe de souveraineté interdit l'intervention d'un État dans les affaires intérieures d'un autre État, sauf en cas de « légitime défense » (articles 51 de la Charte de l'ONU et 21 de la Charte de l'Organisation des États américains). Or les exactions du général-dictateur ne menaçaient pas directement la survie des États-Unis ni même celle des citoyens américains résidant au Panama. Motif probable mais moins avouable : ancien employé contractuel de la CIA (Central Intelligence Agency), à l'époque où George Bush dirigeait cette agence, Noriega avait cessé de plaire à ses protecteurs. Ses liens avec le cartel de la drogue de Medellin étaient devenus intolérables : ils heurtaient de front la politique intérieure du président Bush et sa grande priorité, la lutte contre la drogue.*

D. L.

GÉOPOLITIQUE INTERNE DES ÉTATS-UNIS

La puissance américaine s'est forgée dans l'organisation d'un vaste espace : aux 48 États métropolitains (7839000 km²) s'ajoutent les îles Hawaii (16000 km²) et l'Alaska (1518000 km²) pour une population de 240 millions d'habitants.

L'armature physique est simple, avec trois grands ensembles d'est en ouest : surplombant une plaine littorale qui s'élargit vers le sud, les crêtes et sillons parallèles de la vieille chaîne appalachienne *qui courent du Maine à l'Alabama; les* grandes plaines centrales *drainées, au sud des Grands Lacs, vers le golfe du Mexique par le système du Mississippi; les* Cordillères occidentales *qui associent en bandes parallèles les Rocheuses, les hauts plateaux et les chaînes bordières (axe Sierra Nevada-Cascades et Coast Range encadrant la Grande Vallée californienne).*

La disposition du relief limite l'influence pacifique à un étroit liséré, engendre l'aridité qui prévaut à l'ouest du centième méridien, et accentue le jeu nord-sud des masses d'air, source de vigoureux contrastes thermiques saisonniers; seul le Sud, subtropical, échappe aux hivers rudes.

Prépondérance du Nord-Est industriel

*Dans la foulée de la guerre de Sécession (1861-1865), le Nord-Est établit sa suprématie et conduit l'intégration économique à son profit grâce aux politiques qu'il impose en matière de transport, de douanes, de banque, d'étalon monétaire et de distribution des terres publiques. Alors se met en place une structure cœur-*hinterland. *Le cœur est le quadrilatère Baltimore-Saint Louis-Milwaukee-Portland où s'érige la puissance industrielle de l'Union; la* « Manufacturing Belt » *(la ceinture manufacturière) concentre vers 1900 plus des trois quarts des effectifs industriels. D'abord fixé près des industries de consommation de Nouvelle-Angleterre et des centres commerciaux et bancaires de l'Atlantique (Boston, New York), le centre de gravité migre entre Pennsylvanie et Grands Lacs où règnent les industries de biens d'équipement : en 1914, la* Manufacturing Belt *compte 80 % des villes de plus de 250000 habitants qui fixent les immigrants et attirent les Noirs du Sud.*

*Le développement industriel du Nord-Est est alors largement financé par les exportations agricoles de l'*hinterland *où la production s'organise en vastes régions de monoculture, en « ceintures » spécialisées : ceinture du tabac (Virginie, Caroline), du coton (de la Georgie au Texas), du blé (Kansas, Oklahoma, Nebraska), du maïs (de l'Indiana à l'Iowa), du lait (Wisconsin, Michigan); ceinture plus floue de l'élevage (du Texas au Montana), jardins et vergers (Floride, Californie). A côté des villes-marchés émergent quelques grandes « portes » commerciales : La Nouvelle-Orléans, San Francisco, Los Angeles. L'*hinterland *n'est cependant pas homogène : à un Sud stagnant, mal dégagé de ses pesanteurs historiques, s'oppose un Ouest dynamique et prometteur.*

Cette structure duale a été remarquablement durable puisqu'en 1957 la Manufacturing Belt *comptait encore 46 % de la population américaine, tout comme en 1900. La suprématie économique du Nord-Est s'est doublée d'une longue domination politique, celle du Parti républicain lié aux milieux d'affaires, le Parti démocrate exprimant les aspirations de la périphérie. Il a fallu la Grande Dépression (1929) pour que les démocrates cimentent la coalition du New Deal dont les contradic-*

tions régionales ont pu être longtemps masquées par une vigoureuse politique dè croissance stimulée par l'intervention fédérale.

Le grand retournement spatial

Les crises des deux dernières décennies (1970-1973, 1980-1982) ont brutalement révélé le renversement de la dynamique spatiale : le poids démographique du Nord-Est tombe de 46 % à 40 % entre 1950 et 1980, son poids industriel de 68 à 48 %. La Manufacturing Belt, *désormais baptisée* Frost Belt, *voire* Rust Belt *(ceinture du givre, de la rouille...), perd de sa substance au bénéfice du Sud et de l'Ouest, la* Sun Belt. *Son solde migratoire est nettement déficitaire (3 millions entre 1970 et 1980 dont 350 000 Noirs). La ceinture du soleil fixe les nouveaux immigrants (Cubains en Floride, Mexicains du Texas à la Californie, Asiatiques sur la côte Ouest). Durant la même période, la population de l'Ohio et de la Pennsylvanie stagne, alors que la Californie progresse de 18 %, la Floride de 41 %, l'Arizona de 53 %.*

Le retournement spatial s'est amorcé dès la Seconde Guerre mondiale sous l'influence de divers facteurs : recherche de nouvelles bases énergétiques (hydrocarbures du golfe du Mexique, de Californie), politique de grands travaux (aménagement des rivières Columbia, Tennessee..., système autoroutier) et décentralisations stratégiques (bases militaires et contrats de fabrication) sous l'impulsion du gouvernement fédéral, attrait du soleil (tourisme, retraités), intérêt pour la sphère pacifique, etc. Le fait essentiel est le redéploiement du système industriel : les entreprises fuient un cadre vieilli, contraignant, et trouvent dans les États interdisant le monopole syndical les bases d'une rentabilité accrue. Le symbole de cet essor est la Silicon Valley, complexe à base scientifique développé autour de l'université Stanford près de San Francisco, et plus récemment, le Triangle d'or de Caroline du Nord, ou le complexe micro-électronique d'Austin (Texas).

L'idée de retournement spatial doit être nuancée : la fortune de la ceinture du soleil n'est pas sans nuages (séquelles de la crise pétrolière à Houston par exemple) ; si la Californie est le premier État de l'Union (25 millions d'habitants), la Manufacturing Belt *conserve une grande part du pouvoir de commandement (72 % des sièges sociaux des deux cents plus grandes firmes). Surtout, la puissance de la Mégalopolis (45 millions d'habitants de Boston à Washington), le rôle commercial et financier de New York demeurent, et la capacité d'innovation illustrée par le complexe de la* Route 128 *(Boston) se diffuse. L'Amérique en difficulté, c'est d'abord celle du centre : le Midwest des industries d'équipement en proie à la restructuration de la sidérurgie, de l'automobile... et les Grandes Plaines agricoles où de nombreux producteurs endettés, dans la dépendance de l'*agrobusiness, *sont guettés par la faillite et la concentration de la propriété.*

La nouvelle donne régionale a une traduction politique : la coalition du New Deal n'a pas résisté à l'affaiblissement des bastions industriels traditionnels ; le Parti démocrate a été marginalisé au profit d'un Parti républicain renouvelé qui subit fortement la marque du Nouveau Sud et surtout de l'Ouest, nationaliste, individualiste, conservateur. La croissance retrouvée depuis 1982 masque imparfaitement les faiblesses (déficit commercial et budgétaire, inégalités sociales accrues) et le devenir des régions est lié à la restauration de la compétitivité de l'économie nationale.

Claude Manzagol

ÉTATS-UNIS

1. DÉMOGRAPHIE, CULTURE, ARMÉE

	Indicateur	Unité	1970	1980	1989
Démographie	Population	million	205,1	227,8	248,8
	Densité	hab./km²	21,9	24,3	26,6
	Croissance annuelle	%	1,1 [a]	1,0 [b]	0,8 [c]
	Mortalité infantile	‰	18,6	12,6	10 [c]
	Espérance de vie	année	70,8	73,7	75,4 [c]
	Population urbaine	%	73,6	73,7	74,0
Culture	Nombre de médecins	‰ hab.	1,58	2,0	2,3 [g]
	Scolarisation 2e *degré* [k]	%	92 [i]	89	98 [h]
	3e *degré*	%	57,3 [j]	56,0	59,6 [h]
	Postes tv	‰	413	684	811 [g]
	Livres publiés	titre	79530	85126	..
Armée	Marine	millier d'h.	988 [d]	717 [e]	779,2 [f]
	Aviation	millier d'h.	810	555	579,2
	Armée de terre	millier d'h.	1363	774	766,5

a. 1965-75; b. 1975-85; c. 1985-90; d. Dont 294000 *marines*; e. Dont 189000 *marines*; f. Dont 195300 *marines*; g. 1987; h. 1986; i. 1984; j. 1975; k. 14-17 ans.

2. COMMERCE EXTÉRIEUR [a]

Indicateur	Unité	1970	1980	1989
Commerce extérieur	% PIB	8,5	8,7	8,2
Total imports	milliard $	42,7	273,3	492,9
Produits agricoles	%	20,7	10,4	7,8
Produits énergétiques	%	7,7	32,5	11,1
Produits industriels	%	65,6	53,2	80,2
Total exports	milliard $	43,2	233,7	364,0
Produits agricoles	%	20,9	23,0	16,4
Produits miniers [c]	%	4,3	3,9	2,6
Produits industriels	%	70,9	69,4	79,0
Principaux fournisseurs	% imports			
CEE		24,4	15,6	18,0
Asie [b]		23,3	22,9	43,2
Japon		14,7	12,8	19,8
Principaux clients	% exports			
CEE		28,6	26,7	23,8
Amérique latine		15,1	17,5	13,4
Asie [b]		20,2	20,0	31,0

a. Marchandises; b. Chine et Japon inclus; c. Produits énergétiques non compris.

que de la guerre froide et le début d'une nouvelle ère». La conférence de presse conjointe Bush-Gorbatchev du 3 décembre 1989 a illustré admirablement l'après-guerre-froide : assis côte à côte, plai-

3. ÉCONOMIE

Indicateur	Unité	1970	1980	1989
PNB	milliard $	1 015	2 732	5 234
Croissance annuelle	%	2,6[a]	2,9[b]	3,0
Par habitant	$	4 949	11 998	21 037
Structure du PIB				
Agriculture	% } 100 %	2,8	2,6	2,0[d]
Industrie	% } 100 %	34,6	33,6	29,3[d]
Services	% } 100 %	62,7	63,8	68,7[d]
Taux d'inflation	%	5,9	13,5	4,6[f]
Population active	million	86,0	109,0	125,6
Agriculture	% } 100 %	4,5	3,6	2,9
Industrie	% } 100 %	34,4	30,5	26,7
Services	% } 100 %	61,1	65,9	70,5
Chômage	%	4,8	7,0	5,3[g]
Dépenses publiques				
Éducation	% PIB	6,5	6,7	6,7[e]
Défense	% PIB	7,7	6,0	5,6
Recherche et Développement	% PIB	2,6	2,4	2,71[c]
Aide au développement	% PIB	0,31	0,27	0,20[c]
Production d'énergie	million TEC	2 103,7	2 045,7	1 987,3[d]
Consommation d'énergie	million TEC	2 216,9	2 364,5	2 322,9[d]

a. 1965-75 ; b. 1975-85 ; c. 1988 ; d. 1987 ; e. 1985 ; f. Décembre à décembre ; g. En fin d'année.

santant comme deux joyeux compères, répondant souvent l'un pour l'autre aux questions posées, se faisant mille politesses et sourires, les deux grands leaders n'étaient plus des adversaires mais des comparses, participant à la même aventure commune : la plus grande entreprise de désarmement jamais conçue dans l'histoire de l'humanité.

Nippophobie ambiante

Une grande puissance peut-elle maintenir sa grandeur sans émulation et sans avoir en face d'elle un « ennemi » à combattre ? Le déclin si souvent prédit de l'économie américaine pourrait-il être enrayé par une nouvelle guerre froide, de nature économique ? L'ennemi est là, puisqu'il a été nommé en toutes lettres en 1989 par le département du Commerce des États-Unis. C'est le Japon, placé au sommet de la liste noire des pays dont les pratiques commerciales sont jugées « déloyales » par les États-Unis. Être ainsi nommé sur la liste noire dite du « super 301 » (d'après l'article 301 de la *loi sur le commerce* adoptée en 1988) entraîne trois effets administratifs : une enquête rigoureuse sur l'existence de pratiques discriminatoires ; des négociations avec le pays incriminé pour corriger les pratiques en question ; et, en cas d'échec des négociations, l'adoption automatique de mesures de représailles économiques tendant à restreindre ou même à interdire l'accès au marché américain. L'opinion publique américaine a bien conscience du danger japonais. D'après un sondage réalisé en 1989 par le *Washington Post* et *ABC News*, 54 % des Américains pensent que le Japon est la « puissance économique la plus forte dans le monde aujourd'hui » et 40 % d'entre eux sont convaincus que le Japon constitue « une plus grande

BIBLIOGRAPHIE

AMNESTY ITERNATIONAL, *États-Unis. Peine de mort et discrimination en 1987*, AEFAI, Diff. La Découverte, Paris, 1988.

BIALER S., MANDELBAUM M. (sous la dir. de), *Gorbatchev's Russia and American Foreign Policy*, Boulder, Westview Press, 1988.

FOUET M., *L'Économie des États-Unis*, La Découverte, « Repères », Paris, 1989.

KENNEDY P., « Cinq siècles America », *New York Review of Books*, 28 juin 1990.

KENNEDY P., *Naissance et Déclin des grandes puissances*, Payot, Paris, 1989.

LACORNE D., *Le Modèle américain. La République des fondateurs*, Hachette, Paris, 1990 (à paraître).

LEE W., RUEGG M., « La nouvelle loi américaine sur le commerce et la montée du protectionnisme aux États-Unis », *Revue du droit et des affaires internationales*, n° 6, Paris, 1988.

LENNKH A., TOINET M.-F. (sous la dir. de), *L'état des États-Unis*, La Découverte, coll. « L'état du monde », Paris, 1990.

« Le reaganisme à l'œuvre », *Revue française de science politique*, vol. XXXIX, n° 4, Paris, août 1989.

NAU H., *The Myth of America's Decline*, Oxford University Press, É-U, 1990.

NYE J.S., *Bound to Lead, the Changing Nature of American Power*, Basic Books, New York, 1990.

PISANI-FERRY J., *L'Épreuve américaine : les États-Unis et le libéralisme*, Syros Alternatives, Paris, 1988.

TOINET M.-F. (sous la dir. de), *L'État en Amérique*, Presses de la FNSP, Paris, 1989.

TOINET M.-F., KEMPF H., LACORNE D., *Le Libéralisme à l'américaine*, Économica, Paris, 1989.

YERGIN D., SHATTERED P., *The Origins of the Cold War and the National Security States*, Houghton Mifflin, Boston, 1977.

Voir aussi la bibliographie sélective « Amérique du Nord » dans la section « 34 ensembles géopolitiques ».

menace pour les États-Unis que la puissance militaire soviétique ». La nippophobie ambiante est aggravée par la forte visibilité des investissements japonais aux États-Unis, à commencer par le rachat des dix-neuf gratte-ciel du centre commercial Rockefeller à Manhattan par Mitsubishi Estate et celui de la société de films Columbia par Sony. 45 % des Américains estiment que leur gouvernement devrait interdire aux Japonais l'achat d'un terrain ou d'une propriété américaine.

La menace, pourtant, est exagérée : moins de 1 % de la valeur des propriétés américaines est aux mains d'étrangers. En fait, ce sont les investisseurs anglais, plus discrets, qui se sont emparés de la part du lion. En 1989, d'après le *Sunday Times* du 28 janvier 1990, ces derniers ont investi plus de 122 milliards de dollars pour acheter des entreprises ou des propriétés américaines, soit trois fois plus que les investisseurs japonais...

L'Américain moyen est nippophobe, mais en même temps, il ne peut s'empêcher d'admirer certaines vertus japonaises. Ainsi, plus des deux tiers des Américains admettent que les entreprises japonaises sont « mieux gérées » que les compagnies américaines et qu'elles intègrent dans leurs produits des technologies plus avancées. Un même pourcentage d'Américains avoue qu'entre un produit américain de qualité médiocre et un produit importé de qualité supérieure, ils n'hésiteraient pas à choisir le second. La meilleure preuve en est, d'après une enquête de *Consumer Reports*, l'extraordinaire satisfaction des propriétaires américains de véhicules japonais, jugés quatre fois supérieurs en qualité aux automobiles *made in USA* (*Wall Street Journal*, 28 mars 1990).

Une dépendance à risque

Naturellement fiers de leur supériorité technologique, mais inquiets de la montée des sentiments protectionnistes, les Japonais ont dû faire amende honorable. Le 5 avril 1990, ils ont accepté, sur la pression des autorités américaines, d'ouvrir leur marché aux ventes américaines de produits forestiers, de superordinateurs, de satellites et de matériel de télécommunications. Récompense ultime pour ces concessions tardives : le Japon n'a plus été cité sur la liste noire des concurrents « déloyaux » des États-Unis. Il faut bien reconnaître, en dernière analyse, que les Américains sont en partie responsables de leur dépendance à l'égard du Japon. Non seulement parce que leurs produits sont souvent de qualité inférieure, mais aussi et surtout à cause de l'énormité de leur dette publique. Cette dette est « épongée » par les acheteurs de bons du Trésor américains parmi lesquels les Japonais tiennent la première place. Ces derniers achètent en effet près du tiers des bons émis par le Trésor américain, soit environ trois milliards de dollars par mois. C'est en partie grâce au financement japonais de la dette américaine que les Américains peuvent continuer à vivre au-dessus de leurs moyens, en maintenant un impressionnant déficit budgétaire. Mais la dépendance économico-financière des États-Unis n'est pas sans risque. Les Japonais comme les Allemands sont les grands vaincus de la Seconde Guerre mondiale. Il leur est interdit, à ce titre, de disposer de l'arme nucléaire. Mais ils disposent d'une autre arme tout aussi redoutable, celle de leurs investissements. Que se passerait-il si les institutions financières japonaises décidaient soudainement d'investir leurs fonds ailleurs qu'aux États-Unis ? Personne n'envisage un tel scénario, mais la menace est là et c'est sans doute pourquoi le gouvernement américain reste toujours prêt à négocier et à trouver un accommodement avec les autorités japonaises, quelles que soient la nature des relations politiques entre les deux États et la violence du sentiment nippophobe américain.

Malgré les prédictions des plus pessimistes, l'économie américaine n'est pas entrée en récession au début de l'année 1990. La croissance, certes, s'est ralentie — 1,6 % pour l'année 1990 d'après la majorité des économistes — et le déficit budgétaire est resté imposant : 140 milliards de dollars pour l'année fiscale 1989-1990, soit 2,5 % du PNB. La crise la plus sérieuse a concerné la faillite de quelque 400 banques spécialisées dans les prêts immobiliers, les *savings and loan associations* ou *S&Ls*. En 1990, le sauvetage des *S&Ls* devait coûter environ 45 milliards de dollars au gouvernement. A long terme, la facture pourrait atteindre 500 milliards de dollars. On comprend dans ces conditions que George Bush, contrairement à ses promesses électorales, se soit déclaré d'accord avec les membres du Congrès sur la nécessité d'augmenter les impôts pour régler le problème du déficit.

Denis Lacorne

Chine. L'élan brisé

1989, année de vacillement majeur, année coupée en deux à partir du 4 juin, avec l'écrasement par l'armée d'un mouvement populaire de contestation des pratiques du régime. Au moment où l'empire soviétique commençait à laisser les peuples de l'Europe de l'Est libres de démanteler un à un les symboles hérités de la guerre froide, les étudiants, dont les manifestations, depuis plusieurs semaines, n'avaient cessé de prendre de l'ampleur et de l'audace, osaient de leur côté construire sur un lieu (la place Tien Anmen, à Pékin) et en face d'un portrait (Mao Zedong) hautement symboliques, leur propre symbole, puissant et dynamique : une statue géante de la déesse Démocratie. Au moment où le pouvoir sans partage de nombreux partis communistes s'apprêtait à se dissoudre, parfois de stupéfiante manière, le Parti communiste chinois (PCC) revenait, à partir de juin, à des politiques rigides que l'on avait pu croire abandonnées depuis une décennie. Au moment où les économies des pays à planification centrale tentaient, par le recours aux méthodes de gestion de l'économie de marché, de remettre en marche des systèmes bloqués, le gouvernement de Li Peng rejetait les avancées réalisées depuis 1979 en Chine dans ce domaine. Ce mouvement de contre-réforme touchait tous les domaines, propagande comprise, puisqu'on osait l'appeler, dans la langue de bois retrouvée, le mouvement de poursuite de la réforme.

1989 a été par ailleurs l'année d'un échec probablement définitif, à première vue incompréhensible, pour Deng Xiaoping. Celui qui fut le guide du pays pendant dix ans, après avoir survécu à vingt ans d'opposition aux politiques menées par Mao Zedong (1957-1976), a dû battre en retraite sur plusieurs fronts. Il avait réussi à démanteler l'essentiel du système maoïste entre 1979 et 1989. Il avait su, contre les « conservateurs » du PCC, ouvrir la Chine sur le monde et la sortir de l'isolement. Il avait osé renvoyer les militaires dans leurs casernes. Il avait engagé une réforme économique qui reposait sur le retour au marché. Soudain, quand il a autorisé, en juin, le Parti et le gouvernement à faire marcher les chars sur la foule, il a réendossé le manteau usé du vétéran borné de la Longue marche (1934-1935), du communiste brutal qui réprima les intellectuels lors de la période des Cent Fleurs (1956-1957). Lui, le contestataire des méthodes maoïstes, devint le premier artisan de leur retour.

Les raisons de ce revirement personnel, qui rencontrait les souhaits ardents de la fraction dite « conservatrice » du PCC, sont difficiles à connaître. Dire, comme certains analystes, qu'il était prêt à tout renier pour rester accroché, lui et son clan, au pouvoir, n'épuise pas la question. Qu'il ait utilisé, une fois de plus, non pas les seuls réflexes des autocrates communistes, mais surtout peut-être les antiques traditions despotiques de la Chine d'empire n'est certainement pas faux. On a pu en voir le signe dans la solennité donnée, après le mois de juin, aux célébrations du 2 500e anniversaire de Confucius, « le Grand Sage dont a hérité la tradition nationale ». Ce maître Kong, pourtant, a été dénoncé dès le 4 mai 1919 (« A bas la boutique de Confucius »), lors du premier mouvement symbolique de protestation étudiante, comme le grand responsable du conservatisme. Ce Kong fuze, vivant au VIe siècle avant notre ère, soumis encore en 1974 à un cocasse mouvement de critique associé au « maréchal-traître » Lin Biao (1907-1971), redevenait, pour les besoins de la répression contre le mouvement démocratique, le héros fondateur des « valeurs chinoises » : autorité, ordre, étude, tradition.

Cette répression et la politique sui-

ISOLEMENT INTERNATIONAL

Les réactions internationales au coup brutal donné par le gouvernement et le groupe des « révolutionnaires octogénaires » ont été, en juin 1989, particulièrement nettes. Le sentiment d'horreur devant l'intervention des chars sur la place de la Paix céleste a été aussitôt suivi, dans les chancelleries, d'une grande inquiétude pour l'évolution ultérieure de la Chine et ses relations avec ses voisins. Certes, des opérateurs du commerce international, les banques, quelques entreprises, japonaises en premier, ont, dès l'automne, repris les contacts interrompus avec les autorités chinoises. Mais, dans l'ensemble, le risque chinois n'est plus apparu comme « bon ». Beaucoup d'hommes d'affaires estimaient que les nouveaux retards que va prendre la Chine dans sa modernisation rendraient probablement coûteuse la « pénétration du marché chinois ». L'implosion, dans le même temps, du système soviétique en Europe de l'Est, les grandes espérances nées de la politique de Mikhaïl Gorbatchev visant à introduire en URSS l'économie de marché, ont orienté les esprits vers de profitables (?) relations élargies avec cette « nouvelle Europe ».

Dans le domaine politique, l'ensemble des évolutions dans le monde, y compris en Afrique du Sud, ont fait paraître encore plus rétrograde le comportement des dirigeants chinois. Les relations sino-soviétiques, qui venaient de reprendre en avril 1989, ont été gelées de fait, les Soviétiques ayant chez eux d'autres chats à fouetter, les Chinois au pouvoir considérant presque ouvertement M. Gorbatchev comme un « liquidateur du communisme ». L'Asie du Sud-Est, dans son ensemble, a vu ses craintes séculaires brusquement renforcées. Hong Kong, dans l'attente de revenir à la Chine en 1997, et qui perd chaque mois plusieurs milliers de cadres inquiets, est apparu clairement comme un otage de Pékin. Les États-Unis ont marchandé leur considération au régime en place, et, s'ils lui ont fait l'aumône de la reconduction, le 24 mai 1990, pour un an, de la clause commerciale « de la nation la plus favorisée », ce fut surtout pour des raisons de politique intérieure. La France, discrètement, quoique avec ténacité, a maintenu son soutien aux dissidents chinois.

Mais cet isolement international, à la mi-1990, ne semblait pas devoir être éternel. Le 11 juillet, Tokyo a annoncé la relance d'un programme de plus de 5 milliards de dollars qui avait été suspendu en juillet 1989 dans le cadre des mesures de rétorsion décidées par le groupe des sept pays les plus industrialisés.

P.G.

vie par la suite ont entraîné une considérable perte de prestige de la Chine dans l'ensemble du monde, d'autant plus visible que les soubresauts libérateurs de l'Europe de l'Est faisaient apparaître plus rétrogrades les méthodes de Pékin. La séduction qu'avait exercée sur le monde le projet de marche triomphale vers l'an 2000 d'un ensemble de plus d'un milliard d'hommes devenait brutalement problématique.

Sur un fond de mesures d'austérité, déclenchées en septembre 1988, de corruption qui s'est progressivement élargie pendant une décennie et de lutte vaine contre l'inflation, l'année économique 1989 se divise elle aussi en deux parties pour ce qui concerne les politiques menées. Tout le monde admet, y compris les adversaires du régime, que la croissance décennale de l'économie a été trop rapide. La « surchauffe » était parfaitement compréhensible. Privés pendant des décennies de toute liberté d'action, les différents acteurs économiques ont révélé à partir de

CHINE

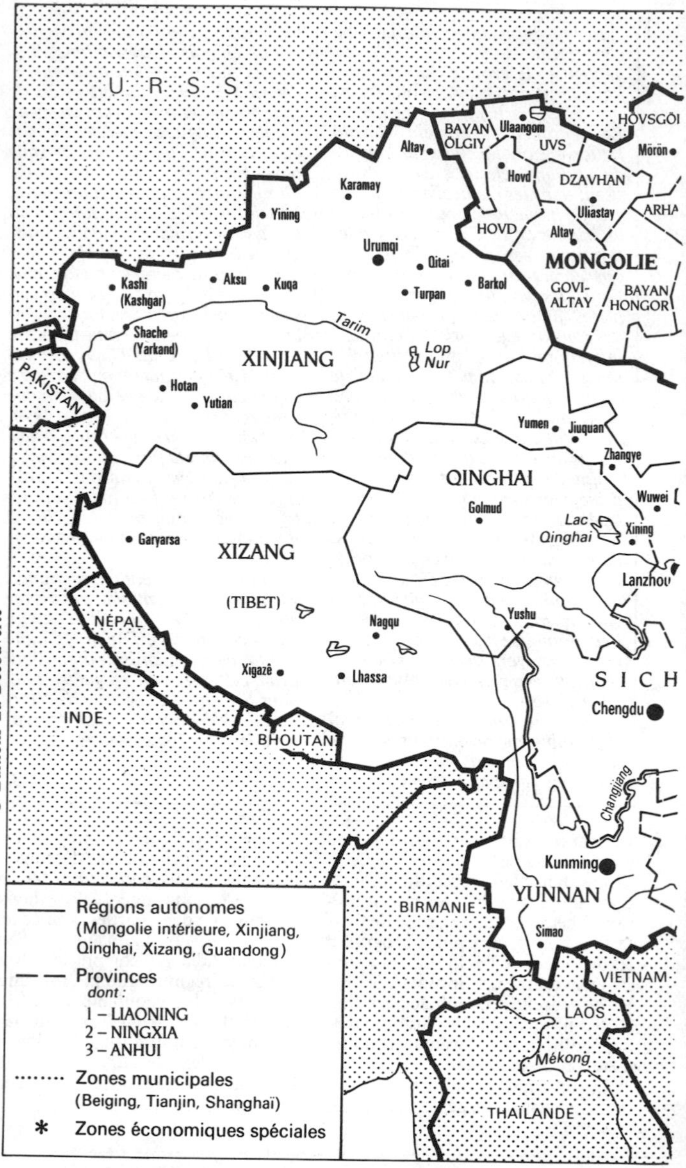
U R S S
PAKISTAN
BAYAN ÖLGIY
Ulaangom
UVS
HÖVSGÖl
Mörön
Altay
Hovd
DZAVHAN
Karamay
Uliastay
ARHA
Yining
HOVD
Altay
Urumqi
Qitai
MONGOLIE
Kashi (Kashgar)
Aksu
Kuqa
Turpan
Barkol
GOVI-ALTAY
BAYAN HONGOR
Tarim
Shache (Yarkand)
XINJIANG
Lop Nur
Hotan
Yutian
Yumen
Jiuquan
Zhangye
QINGHAI
Wuwei
Golmud
Lac Qinghai
Xining
Garyarsa
XIZANG
(TIBET)
Lanzhou
NÉPAL
Nagqu
Yushu
Xigazê
Lhassa
S I C H
Chengdu
INDE
BHOUTAN
Changjiang
Kunming
BIRMANIE
YUNNAN
Simao
VIETNAM
LAOS
Mékong
THAÏLANDE
Régions autonomes
(Mongolie intérieure, Xinjiang, Qinghai, Xizang, Guandong)
Provinces
dont :
1 – LIAONING
2 – NINGXIA
3 – ANHUI
Zones municipales
(Beiging, Tianjin, Shanghaï)
Zones économiques spéciales

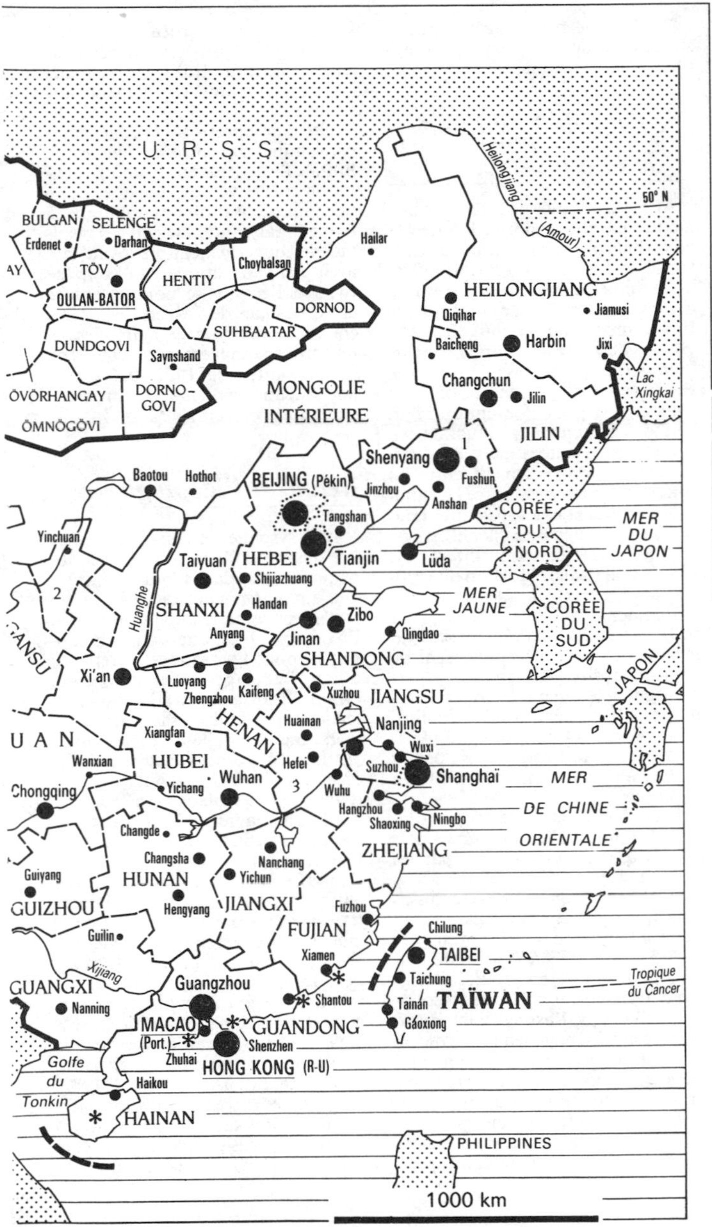
U R S S
Heilongjiang
50° N
(Amour)
BULGAN
SELENGE
Erdenet
Darhan
TÖV
OULAN-BATOR
HENTIY
Choybalsan
DORNOD
SUHBAATAR
DUNDGOVI
Saynshand
ÖVÖRHANGAY
DORNO-GOVI
ÖMNÖGÖVI
MONGOLIE INTÉRIEURE
Hailar
HEILONGJIANG
Qiqihar
Jiamusi
Baicheng
Harbin
Jixi
Lac Xingkai
Changchun
Jilin
JILIN
1
Shenyang
Fushun
Jinzhou
Anshan
Baotou
Hothot
BEIJING (Pékin)
Tangshan
Tianjin
Lüda
CORÉE DU NORD
MER DU JAPON
Yinchuan
Taiyuan
HEBEI
Shijiazhuang
2
Huanghe
SHANXI
Handan
Zibo
MER JAUNE
CORÉE DU SUD
GANSU
Anyang
Jinan
Qingdao
SHANDONG
JAPON
Xi'an
Luoyang
Zhengzhou
Kaifeng
Xuzhou
JIANGSU
HENAN
Huainan
Nanjing
UAN
Xiangfan
Wuxi
HUBEI
Hefei
Suzhou
Shanghaï
Wanxian
Wuhan
3
MER
Chongqing
Yichang
Wuhu
Hangzhou
DE CHINE
Shaoxing
Ningbo
ORIENTALE
Changde
Changsha
Nanchang
ZHEJIANG
Guiyang
HUNAN
Yichun
GUIZHOU
Hengyang
JIANGXI
Fuzhou
FUJIAN
Chilung
Guilin
Xiamen
TAIBEI
Xijiang
Taichung
Tropique du Cancer
GUANGXI
Guangzhou
Shantou
Tainan
TAÏWAN
Nanning
MACAO (Port.)
GUANDONG
Gaoxiong
Shenzhen
Zhuhai
HONG KONG (R-U)
Golfe du Tonkin
Haikou
HAINAN
PHILIPPINES
1000 km

1979, lorsque fut engagé le processus de réforme économique, une légitime boulimie de développement.

Freinage de l'inflation et de la croissance

Mais l'état général du pays ne permettait pas de supporter longtemps un rythme de croissance à deux chiffres. Il en résulta assez tôt, dès 1985, un manque général de matières premières, d'énergie, de moyens de financement, qui ne pouvaient suivre la vitesse de développement de l'industrie, pilotée par l'industrie légère et la consommation. La compétition pour l'obtention régulière des moyens de production, en quantité suffisante et dans les délais, fut avivée non seulement entre les entreprises, mais aussi entre les entreprises existantes et les structures nouvelles. Marchandages illicites, trocs, échanges préférentiels proliférèrent, fondés non pas sur la rationalité économique mais sur des alliances notamment familiales, sources de trafics en chaîne, qu'on appelle également le système confucéen de débrouillardise généralisée. Ils pervertirent gravement le fonctionnement d'une économie encore dominée par les habitudes administratives du plan central, mais dont les règles n'étaient plus entièrement appliquées.

L'un des résultats de cette évolution fut une inflation jamais vue depuis la prise du pouvoir par les communistes, en 1949. Selon les chiffres officiels, qui valent ce qu'ils valent, le freinage brutal opéré aurait ramené l'inflation d'une moyenne de 17,8 % pour 1989 à 7 % en décembre, puis à 4 % en janvier-février 1990. Cela devait conduire l'économie au bord de l'asphyxie et entraîner certains relâchements de la pression en fin d'année. Auparavant, nombre de projets avaient été remis en cause, des coupes sévères pratiquées dans les investissements improductifs (ceux du moins qui n'étaient pas protégés par un notable), la priorité à nouveau accordée aux grandes entreprises d'État, les restrictions de financement généralisées, les sociétés de commerce étroitement surveillées.

Cette compression brutale de la consommation entraîna une chute brutale de la demande, une augmentation excessive des stocks et donc une immobilisation des liquidités, à terme paralysante. Devant ces résultats, le gouvernement prévoyait, dès avril 1990, de donner un coup de fouet à l'économie pour atteindre une croissance de 5 % en 1990. Mais comment relancer le marché sans remettre en mouvement les causes de la surchauffe de 1987-1988, puisque aucune réforme de structure n'avait été entreprise ?

Retour à l'idéologie

Le « système de responsabilité », une des bases de la réforme économique de 1980 dans l'industrie, étendue aux campagnes en 1984, a été fortement contesté depuis juin 1989. En octobre, il fut question de le supprimer pour les grandes entreprises d'État. Le renforcement du contrôle central visait à réduire la marge de manœuvre dont disposaient les directeurs, maîtres de leurs pertes, mais aussi de leurs profits, liberté utilisée, dit-on, pour des résultats à court terme préjudiciables aux intérêts collectifs. En réalité, il s'agissait de justifier la re-centralisation de l'économie contre les lois du marché. Il s'agissait aussi de revenir à un ordre antérieur dans la répartition administrative des ressources financières, des matières premières et de l'énergie. Enfin, ce retour aux règles d'avant l'ère Deng Xiaoping permettait de repousser *sine die* le projet expérimental d'actionnariat ouvrier, préalable à la transformation d'ensemble de l'économie qu'envisageaient les réformateurs jusqu'en avril 1989. Les grandes entreprises d'État, pierres angulaires du système économique (les 450 plus grandes d'entre elles assurent 20 % de la production industrielle), restaient ainsi à l'origine du cercle vicieux des retards de l'économie : équipements obsolètes, effectifs pléthoriques, une des plus basses productivités du monde, gaspillage d'énergie et de matières premières, production de basse qualité, stocks excessifs, délais non tenus et donc subventions massives.

L'injection de capitaux étrangers et le quintuplement du commerce international en dix ans n'ont pas eu le temps d'influer sur ces pratiques. 5,5 milliards de dollars, soit 35 % environ des investissements étrangers (1979-1989), avaient été dirigés vers la construction de bureaux et d'hôtels. Cet optimisme envers le tourisme, dont la Chine attendait une croissance annuelle de ses rentrées de devises (de 2 milliards de dollars en 1988 à 12 milliards espérés pour l'an 2000), fut brutalement brisé en juin. En décembre, 90 % des prêts étaient en renégociation, la Chine ne pouvant faire face aux remboursements.

Beaucoup d'illusions se sont dissipées avec le freinage de 1988-1989. A la fin de l'année 1989, plus de 70 % du commerce extérieur s'effectuait dans le cadre de programmes d'échanges imposés par l'État. Ce commerce restait le monopole de 5 000 « corporations » environ, habilitées à traiter directement avec l'étranger. Les licences d'importation, révisées en juillet 1989, concernaient 66 catégories de produits étroitement liés aux priorités du plan : hautes technologies et activités structurantes de l'économie (énergie, transports, sidérurgie, chimie, matériaux de construction).

A partir de l'écrasement du printemps de Pékin 1989 par l'armée, le régime n'a eu de cesse de transformer les universités, fauteuses de troubles, en « universités socialistes aux couleurs de la Chine », plus explicitement en pépinières de jeunes diplômés « rouges et experts ». La réapparition de ce slogan de la « révolution culturelle » (1966-1976) n'a évidemment rien dû au hasard. La reprise en mains des étudiants par l'armée a rappelé également les plus sévères moments de cette période quand, en 1967-1969, le maréchal Lin Biao, avant qu'il ne devienne « traître contre-révolutionnaire », avait chargé l'armée de mettre au pas le pays, et les universités particulièrement. Toute la seconde moitié de 1989 a été de nature à décourager le mouvement étudiant.

Le ralentissement de l'économie a évidemment entraîné une réduction des offres d'emplois. Ainsi, des 30 000 diplômés de 1989, seul un tiers a trouvé place dans les entreprises ou les administrations. Pour les autres,

CHINE

République populaire de Chine.
Capitale : Pékin (Beijing).
Superficie : 9 596 961 km² (17,5 fois la France).
Monnaie : renminbi (*yuan* ; au taux officiel, 1 yuan = 1 renminbi = 1,19 FF au 30.4.90).
Langues : mandarin (putonghua, langue commune officielle) ; huit dialectes avec de nombreuses variantes ; 55 minorités nationales avec leur propre langue.
Chef de l'État : Yang Shangkun, président de la République (depuis 1988).
Premier ministre : Li Peng, « numéro deux » du CP du Bureau politique du Parti (depuis 1987).
Nature de l'État : république socialiste unitaire et multinationale (22 provinces, 5 régions autonomes, 3 grandes municipalités : Pékin, Shanghai, Tianjin).
Nature du régime : démocratie populaire à parti unique et à idéologie d'État : le marxisme-léninisme.
Parti unique : Parti communiste chinois (secrétaire général : Zhao Ziyang, limogé en juin 1989, remplacé par Jiang Zemin le 24.6). Deng Xiaoping, qui s'est fait remplacer en nov. 89 à la tête de la Commission militaire, reste l'arbitre du régime.
Carte : p. 66-67.

GÉOPOLITIQUE INTERNE DE LA CHINE

Les 60 % de territoire chinois qui appartiennent aux 55 peuples qu'on désigne sous la formule « minorités nationales » (c'est-à-dire autres que les Han qui forment 93 % de la population totale) continuent d'être traités comme des terres de colonisation. Comparés aux provinces de la côte et même du centre, le Tibet, le Qinghai, le Xinjiang tur ouïgour, la Mongolie, le Guangxi des Zhuang demeurent les lieux d'un moindre développement. Il en est de même pour les districts particuliers, dans une dizaine d'autres provinces, où vivent ceux que naguère les Chinois appelaient les Barbares « crus », non civilisés.

Mais la situation ethnique n'est pas la seule clé d'explication des contrastes et des hiérarchies internes du territoire chinois. D'autres déséquilibres trouvant leur source dans l'organisation régionale et dans les formes du développement.

Le poids économique de la Chine dans le domaine des produits agricoles de base est énorme en valeur absolue (20 % du riz mondial et du coton, 15 % du maïs et du soja, 12,5 % du tabac, 40 % du thé, etc.). Il en est de même pour les matières premières principales, comme le charbon (un milliard de tonnes), etc. Mais, rapportées à la tête d'habitant, ces productions ne permettent à la Chine que de se classer dans le bas du tableau des nations du monde. Et, si l'on considère la répartition territoriale, les régions économiques et les trente provinces qui constituent le pays ont des tailles et des poids très inégaux.

Une analyse à partir de critères valables pour le XIX*e siècle avait montré que neuf grands domaines socio-économiques correspondaient grosso modo aux grands bassins hydrographiques. Peu liés entre eux, organisés autour de réseaux de villes grandes et moyennes, ces domaines constituaient chacun une masse de poids suffisante pour subsister indépendamment des politiques économiques du centre. Au* XX*e siècle, cette organisation de base a perduré et est restée sous-jacente aux aménagements centraux mis en place par le pouvoir communiste après 1949. C'est d'ailleurs par référence à l'existence de ces « macro-régions » que la « décentralisation » effectuée à partir de 1964 à 1989 s'est opérée.*

Un développement à plusieurs vitesses

La seconde moitié de l'année 1989 aura correspondu à une remise en cause des « grands déséquilibres » créés par la politique de réforme et d'ouverture menée à partir de 1979. Mais, au milieu de 1990, cette volonté politique de recentralisation de l'économie n'avait encore que partiellement porté ses fruits, tant les unités régionales — à commencer par les provinces — avaient gardé les moyens de résister aux pressions d'une planification centrale revivifiée. Notamment, le renforcement du pouvoir des provinces par rapport aux ministères centraux et aux bureaux provinciaux de ces ministres n'a pu être supprimé, le transfert des compétences a continué de jouer en faveur des provinces.

Par « grands déséquilibres », il faut entendre la division explicite du pays en trois grandes « zones » : la côte, l'intérieur, l'Ouest. A cette division est liée une hiérarchisation des moyens économiques et un essai de rationalisation — dans l'inégalité et les différences de potentiel — d'un développement à plusieurs vitesses. Mais ce mouvement se heurte aux ambitions propres de chacune des provinces. Si les dix provinces côtières rassemblent 73 % du commerce international, et se trouvent de fait liées à l'économie mondiale, les vingt autres subsistent tant bien que mal. La création de « zones économiques spéciales » en des points choisis du territoire, au contact de Hong Kong, de Macao, à proximité des grandes villes côtières et en face de Taïwan, puis de zones entières ouvertes aux investissements étrangers ont fait naître des désirs de développement quasiment inextinguibles.

L'attribution du commerce avec l'étranger à des corporations sectorielles, au niveau national, a donné lieu à la multiplication de liaisons souvent informelles entre villes, régions et grandes entreprises, qui se sont tenues à l'écart des contrôles étatiques. Tout cela a créé une impatience généralisée pour le développement d'une économie orientée vers le marché extérieur.

La priorité accordée jusqu'à la fin de 1988 aux entreprises qui rapportent, en particulier des devises, a été remplacée par un soutien préférentiel aux grandes entreprises d'État, dont une part importante fonctionne, à perte. Le gel des crédits de 1989, la réduction brutale de la « surchauffe » de l'économie ont mis des milliers d'entreprises en difficulté. Mais la constitution antérieure de réseaux d'entreprise à entreprise n'a pas été atteinte. La Chine reste un pays où chacun « se débrouille », où des liens souvent invisibles se sont tissés entre « ceux qui se connaissent bien et se rendent des services mutuels les plus variés ».

Le rôle des réseaux urbains

La politique de réanimation des bourgs comme centres régionaux de développement a été brutalement stoppée au début de 1989 par l'assèchement du crédit. Cette politique était pourtant nécessaire, puisqu'elle permettait de faire apparaître enfin des petites industries aux abords immédiats de la campagne, relais pour les villes moyennes, et d'absorber une partie de l'inévitable exode rural. A la fin de 1989, la rupture de cette continuité dans l'effort se manifestait par le fait que 80 millions de paysans se trouvaient « à l'extérieur des statistiques ». Le recensement de juillet 1990 ayant pour tâche de les retrouver.

La politique d'aménagement du territoire, de 1979 à 1989, était demeurée floue dans ses principes et surtout dans sa mise en œuvre, au point que son existence même était contestée. Il n'empêche que des essais de constitution de zones de développement ont été tentés, dans la grande plaine du Nord, base céréalière, le long du fleuve Bleu (Yangzijiang). Le mouvement essentiel a été cependant la priorité presque absolue donnée à la création de réseaux urbains. La constitution territoriale des grandes villes, qui ont vu leur périmètre considérablement agrandi à la campagne alentour, le soin apporté à la constitution d'assises régionales stables et étendues pour des villes comme Canton (et tout son delta), Shanghai et la basse vallée du fleuve Bleu, Tianjin et un axe nord-est, se sont retrouvés à des échelles plus modestes un peu partout dans le pays (axe-relais au Yunnan, rôle majeur dévolu à Wuzhou au Guangxi, axe structurant de la côte à Lianyungang jusqu'au pétrole du Xinjiang à Karamai). Ils ont correspondu à des drainages de compétences dans les zones en fort développement (des dizaines de milliers de candidats à la migration vers Hainan, le Shandong côtier, des centaines de milliers vers le delta de la rivière des Perles).

C'est tout ce mouvement de structuration, un peu « sauvage », certes, un peu hors des normes d'une économie centralement planifiée qui avait réduit ses contrôles stricts à 26 grands produits seulement, qui a été interrompu à partir de l'été 1989. Il n'attend que des jours meilleurs pour reprendre.

Pierre Gentelle

CHINE

1. DÉMOGRAPHIE, CULTURE, ARMÉE

	Indicateur	Unité	1970	1980	1989
Démographie	Population	million	831	996	1 120
	Densité	hab./km²	86,6	103,8	116,7
	Croissance annuelle	%	2,4 [a]	1,3 [b]	1,4 [c]
	Mortalité infantile	‰	61 [f]	39 [g]	32 [c]
	Espérance de vie	année	63,2 [f]	67,8 [g]	69,4 [c]
	Population urbaine	%	20,1	20,4	21,2
Culture	Analphabétisme	%	••	34,5 [h]	30,7 [e]
	Nombre de médecins	‰ hab.	0,26 [i]	0,45	0,91 [j]
	Scolarisation *12-17 ans*	%	••	46,7	43,3
	3ᵉ degré	%	0,1	1,3	1,7 [d]
	Postes tv	‰	••	4,0	17 [d]
	Livres publiés	titre	4 889	21 621	40 265 [e]
Armée	Marine	millier d'h.	150	360	260
	Aviation	millier d'h.	180	490	470
	Armée de terre	millier d'h.	2 450	3 600	2 300

a. 1965-75; b. 1975-85; c. 1985-90; d. 1987; e. 1985; f. 1970-75; g. 1980-85; h. 1982; i. 1965; j. 1986, y compris médecins de médecine traditionnelle.

2. COMMERCE EXTÉRIEUR [a]

Indicateur	Unité	1970	1980	1989
Total imports	milliard $	2,3	19,9	58,3
Produits primaires [b]	%	40,3	31,8	16,9 [d]
Énergie	%	0,5	0,1	1,3 [d]
Produits manufacturés [c]	%	59,3	68,0	81,7 [d]
Total exports	milliard $	2,3	18,1	51,6
Produits primaires [b]	%	54,0	27,9	22,1 [d]
Énergie	%	0,9	24,0	9,2 [d]
Produits manufacturés [c]	%	45,1	48,1	68,7 [d]
Principaux fournisseurs	% imports			
CEE		32,4	14,1	14,5 [d]
Japon		25,0	25,9	20,0 [d]
États-Unis		—	19,2	12,0 [d]
PVD		22,4	16,1	36,1 [d]
Principaux clients	% exports			
CEE		14,2	13,0	9,9 [d]
Japon		9,9	22,2	16,9 [d]
États-Unis		—	5,4	17,1 [d]
PVD		59,8	45,6	57,5 [d]

a. Marchandises; b. Hors énergie; c. Y compris industries agricoles et alimentaires; d. 1988.

qui avaient dû auparavant rédiger jusqu'à ce qu'elle soit jugée convenable une autocritique de leur attitude pendant le printemps, la « réé-

3. ÉCONOMIE

Indicateur	Unité	1970	1980	1989
PNB	milliard $	97,8	294,3	365,1
Croissance annuelle	%	5,8[a]	7,8[b]	3,9
Par habitant	$	120	300	326
Structure du PIB				
Agriculture	% } 100 %	39,4	35,9	32,4[c]
Industrie	% } 100 %	42,3	48,9	46,1[c]
Services	% } 100 %	18,3	15,1	21,4[c]
Taux d'inflation	%	..	7,4	16,3[e]
Dette extérieure	milliard $	—	4,5	45,7
Population active	million	428,3	547,1	667,0
Agriculture	% } 100 %	81,6[h]	72,1	61,1[f]
Industrie	% } 100 %	6,4[h]	15,6	22,1[f]
Services	% } 100 %	12,0[h]	12,3	16,8[f]
Dépenses publiques				
Éducation	% PNB	1,8[i]	2,5	2,7[j]
Défense[g]	% PNB	9,1	4,7	1,7
Production d'énergie	million TEC	303,8	615,1	884,7[d]
Consommation d'énergie	million TEC	288,4	562,8	800,8[d]

a. 1965-75 ; b. 1975-85 ; c. 1988 ; d. 1987 ; e. Moyenne annuelle ; f. 1986 ; g. Budget officiel ; h. 1965 ; i. 1975 ; j. 1985.

ducation » dans l'armée a été le lot courant, ainsi que le chômage ou les petits travaux, bien que l'État soit censé leur garantir un emploi en fin d'études. On mesurera mieux le changement intervenu en notant que sur 100 000 étudiants ou stagiaires qui se trouvaient à l'étranger au début de 1989, bien peu ont été tentés de rentrer au pays, sachant que les nouveaux départs ne sont autorisés qu'après deux ans au moins de vie professionnelle et un petit séjour dans l'armée.

Agitation anticoloniale

Tous les observateurs qui s'étaient rendus au Xinjiang les années précédentes avaient vu croître l'impatience des populations turques musulmanes. Les revendications nationalistes, qualifiées de séparatistes, demeurent fort redoutées par l'armée chinoise qui occupe le Xinjiang et garde la frontière avec l'URSS. Elles n'attendent que le moment pour se manifester plus bruyamment que par les quelques explosions sporadiques qui ont secoué la province depuis 1981. Elles viennent relayer la lutte des Tibétains pour leur indépendance, qui pose de manière aiguë au gouvernement central de Pékin la question de l'autonomie des peuples « minoritaires ». Il a fallu plusieurs mois d'état d'urgence, l'intervention massive, bien que camouflée, de l'armée et de la police secrète et l'arrestation de centaines de bonzes soumis aux mauvais traitements pour endiguer le crescendo des manifestations indépendantistes menées depuis 1988. Les changements de régime engagés en Mongolie ont posé à nouveau la question du comportement des Mongols de Chine apparemment subjugués par la poussée massive de colons chinois dans la boucle du fleuve Jaune et le long des frontiè-

BIBLIOGRAPHIE

BERGERE M.-C., *La République populaire de Chine de 1949 à nos jours*, Armand Colin, Paris, 1987.

BERGERE M.-C., BIANCO L., DOMES J. (sous la dir. de), *La Chine au xxe siècle : d'une révolution à l'autre 1895-1949*, Fayard, Paris, 1989.

« Chine 89 », *Politique internationale*, n° 45, Paris, aut. 1989.

« Chine : l'ouverture sans les réformes ? » (dossier constitué par F. Gipouloux et J. Svartzman), *Problèmes politiques et sociaux*, n° 630, La Documentation française, Paris, 1990.

DE BEER P., *La Chine : le réveil du dragon*, Le Centurion, Paris, 1989.

DOMENACH J.-L., RICHER P., *La Chine 1949-1985*, Imprimerie nationale, Paris, 1987.

DONNET P.-A., *Tibet, mort ou vif*, Gallimard, « Au vif du sujet », Paris, 1990.

« De nouvelles relations sino-soviétiques » (dossier constitué par V. Niquet), *Problèmes politiques et sociaux*, n° 619, La Documentation française, Paris, 1989.

FABRE G., « Chine, loger un quart de l'humanité. La montée d'inégalités », *Le Courrier des pays de l'Est*, n° 346, La Documentation française, Paris, janv. 1990.

GAUDU A., *Chine : l'empire déchiré*, Ramsay, Paris, 1989.

GENTELLE P. (sous la dir. de), *L'état de la Chine*, La Découverte, coll. « L'état du monde », Paris, 1989.

JOYAUX F., *La Nouvelle Question d'Extrême-Orient*, tome III : « L'ère de l'ouverture chinoise 1979-1989 », Bibliothèque historique Payot, Paris, 1985, 1988, 1990.

« La crise sociale en Chine » (dossier constitué par J.-P. Béja), *Problèmes économiques et sociaux*, n° 612, La Documentation française, Paris, 1989.

LEMOINE F., *L'Économie chinoise*, La Découverte, « Repères », Paris, 1986.

LEW R., « Les effets sociaux des réformes en Chine », *Le Courrier des Pays de l'Est*, n° 340, La Documentation française, Paris, mai 1989.

LIU G. (sous la dir. de), *China's Economy in 2000*, New World Press, Pékin, 1987.

SABATIER P., FRANKLIN R., ZHOU P. *et alii*, « Chine, de la liberté au massacre », *Libération-Collection*, n° 1, Paris, juin 1989.

res méridionales de la région « autonome ». Dans le sud du pays, les minorités nationales sont apparemment soumises à Pékin. Le calme qu'on y constate est-il définitif ?

L'année 1989, ouverte aux cris de liberté et démocratie, devrait compter dans le futur comme un moment où les premières chances de décolonisation de l'empire continental chinois, apparues au sein même de la Chine, ont été étouffées à nouveau. Le chemin n'en sera que plus ardu.

Des politiques se définissent toujours par rapport à des objectifs et un avenir. La Chine n'y manque pas. Le mot d'ordre « Unité et stabilité », s'il est évidemment d'abord profitable au gouvernement en place, rend compte d'une des faiblesses majeures que doit corriger le régime communiste, son instabilité institutionnelle. Une des causes du retard pris depuis les années cinquante a été l'agitation permanente entretenue par la « révolutionnarisation » maoïste, les changements brutaux de politique, tant intérieure qu'extérieure, la violence des affrontements. Le Japon, modèle implicite de développement, a grandi dans la stabilité. Même l'Inde, qui doit surmonter de grands retards, a su profiter de la stabilité de ses institutions. En 1980, la Chine occupait le 133e rang dans le monde pour le PIB par tête, et les projections la situaient au 80e vers l'an 2000, si la politique d'avant juin 1989 avait été maintenue. Elle était toujours, en 1988, le 18e pays le plus pauvre du monde par habitant. La poursuite de la politique menée après le 4 juin 1989 ajouterait encore au retard chinois, repoussant vers la fin du XXIe siècle l'espoir d'une amélioration substantielle, qui mettrait la Chine au niveau actuel des pays avancés.

Pierre Gentelle

Inde. Une alternance pour quel renouveau ?

L'année 1989 aura encore alimenté le cliché d'une Inde-terre-de-contrastes, notamment sur le front technologique : alors qu'en avril une catastrophe ferroviaire avait fait 69 morts à cause d'une défaillance technique, le 22 mai, l'Inde lançait son premier missile balistique à portée intermédiaire. En dépit de son « sous-développement », l'Inde s'est aussi donné, en 1989, les moyens de renforcer son fonctionnement démocratique en conférant le droit de vote aux jeunes de 18 à 21 ans; une mesure non exempte d'électoralisme, comme bien d'autres de cette année largement dominée par la perspective du scrutin de novembre.

Inquiétude sur le front économique

Bénéficiant à nouveau d'une bonne mousson en 1989, le secteur agricole a poursuivi sur sa lancée de 1988-1989 en établissant de justesse un nouveau record de 175 millions de tonnes de grain. D'où une croissance de la production agricole de 1 % pour l'année budgétaire s'achevant en mars 1990. La croissance industrielle a connu, quant à elle, un coup de frein (+5,2 % en 1989 contre +8,8 % en 1988); ce qui a ramené le taux de croissance moyen de l'économie à 4,5 % en 1989-1990. Il s'est agi là d'un revers sérieux pour Rajiv Gandhi, Premier ministre depuis 1984; d'autant que sa politique de modernisation et de libéralisation de l'économie s'est, en outre, traduite par un déficit commercial et un déficit budgétaire dont le caractère intenable est apparu en 1989. Le budget adopté en mars 1989, tout en alourdissant la charge fiscale pesant sur les hauts revenus et certains biens de consommation, resta cependant très déficitaire (presque 6,9 milliards de dollars en fin d'exercice), en raison notamment d'un plan d'emploi rural de 326 milliards de dollars motivé par les échéances électorales.

L'Inde a donc poursuivi sa politique d'emprunt sur les marchés internationaux mais à des taux élevés car le gouvernement a renoncé au printemps 1989 à solliciter un prêt du FMI, jugé trop impopulaire dans le contexte préélectoral. La croissance de sa dette extérieure (environ 65 milliards de dollars) situe l'Inde au quatrième rang mondial et s'accompagne d'une érosion des réserves de changes (six semaines d'importations à l'automne 1989) préoccupante, même si ces chiffres se trouvent relativisés dès lors qu'on les rapporte au PIB indien et au volume des importations, en plein essor (+38 % en 1989). Le déficit budgétaire a aussi été financé par la planche à billets; et l'augmentation de la masse monétaire (16 % d'avril à novembre 1989) a contribué à porter le taux d'inflation autour de 10 % pour les prix à la consommation en 1989.

L'accélération de la hausse des prix constitua un des thèmes de la campagne électorale qui fut toutefois dominée par des arguments plus strictement politiques. En avril 1989, le Janta Dal, principal parti d'oppo-

INDE ET PÉRIPHÉRIE

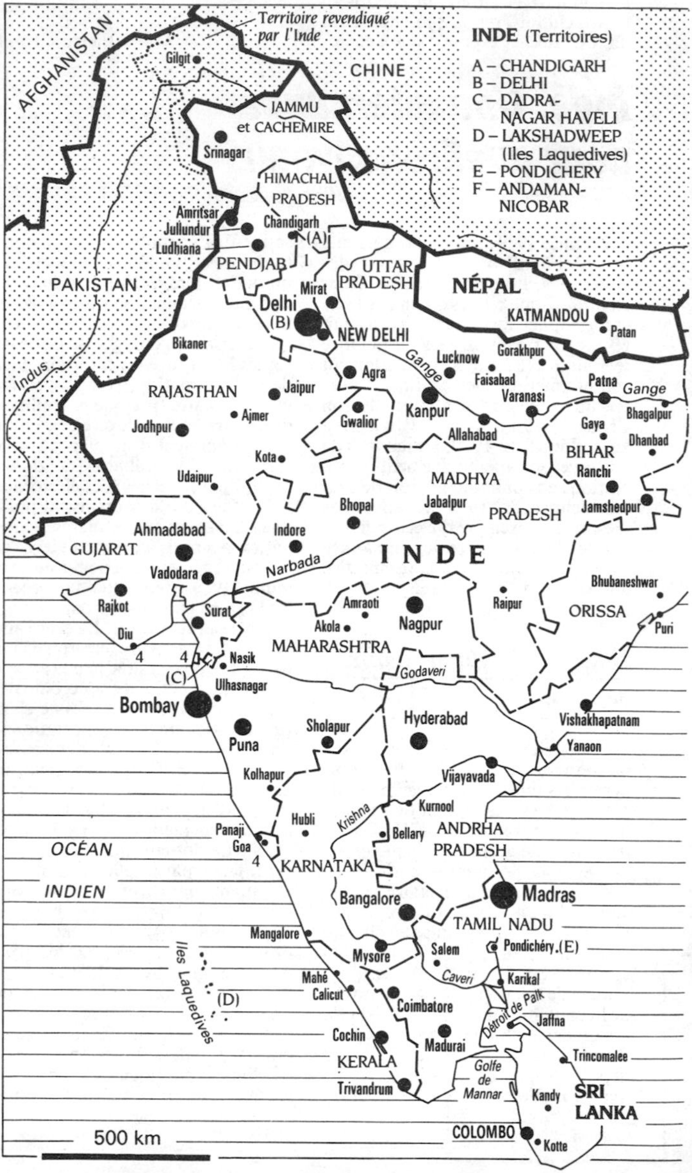

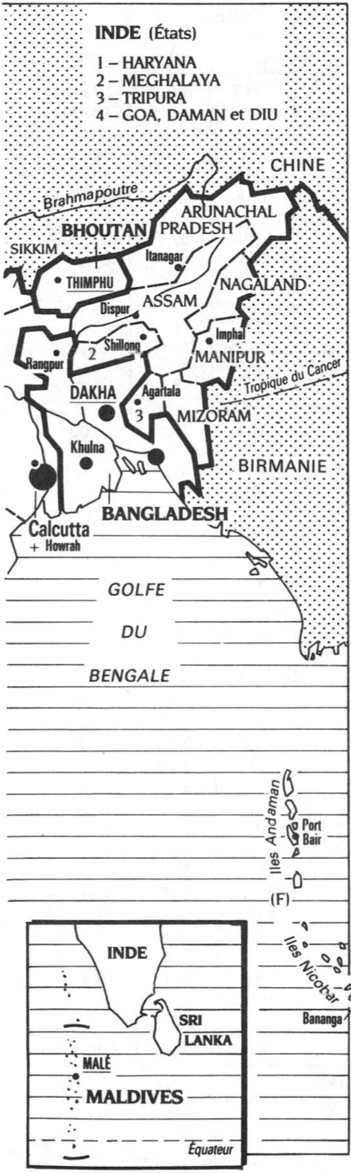

INDE

Union indienne.
Capitale : New Delhi.
Superficie : 3 287 590 km² (6 fois la France).
Monnaie : roupie (1 roupie = 0,32 FF au 30.4.90).
Langues : outre l'anglais, langue véhiculaire, 15 langues officielles (assamais, bengali, gujarati, hindi, kannada, cachemiri, malayalam, marathi, oriya, pendjabi, sanscrit, sindhi, tamoul, telugu et urdu). Entre 3 000 et 5 000 langues et dialectes non reconnus.
Chef de l'État : Ramaswami Venkataraman (depuis le 25.7.87).
Chef du gouvernement : Rajiv Gandhi, Premier ministre, remplacé par Vishwanath Pratap Singh le 2 décembre 1989.
Échéances électorales : élections législatives fin 1994.
Nature de l'État : république fédérale (25 États, 6 territoires de l'Union dont l'un, Chandigarh, doit être inclus dans le Pendjab).
Nature du régime : démocratie parlementaire.
Principaux partis politiques : *Au plan national :* Bharatiya Janta Party (nationaliste hindou); Congrès-I (I pour Indira Gandhi); Parti communiste de l'Inde; Parti communiste de l'Inde (marxiste); Janata Dal regroupant l'ancien Parti du Janata, l'ancien Lok Dal (parti dominé par les castes agraires du Nord) et la Jan Morcha de V.P. Singh. *Au plan régional :* Asom Gana Parishad (Assam); Dravida Munetra Kazagham (Tamil Nadu); Telugu Desam Party (Andra Pradesh) [tous trois inclus dans le Front national dominé par le Janta Dal]; Conférence nationale du Cachemire et All India Anna Dravida Munetra Kazagham (tous deux alliés au Congrès-I).
Statistiques : voir aussi p. 336.

UNION INDIENNE

1. DÉMOGRAPHIE, CULTURE, ARMÉE

	Indicateur	Unité	1970	1980	1989
Démographie	Population	million	554,9	688,9	812,0
	Densité	hab./km²	168,8	209,5	247,0
	Croissance annuelle	%	2,3 [a]	2,2 [b]	2,1 [c]
	Mortalité infantile	‰	135 [h]	114	99 [c]
	Espérance de vie	année	47,3	53,3	57,9 [c]
	Population urbaine	%	19,8	23,4	27,5
Culture	Analphabétisme	%	65,9 [i]	59,2 [j]	56,5 [f]
	Nombre de médecins	‰ hab.	0,21	0,38	0,43 [d]
	Scolarisation *12-17 ans*	%	25,1	29,7	40,6
	3e degré	%	6,2	8,7	8,9 [g]
	Postes tv (L)	‰	0,0	2,2	6,9 [e]
	Livres publiés	titre	14 145	13 148	14 965 [e]
Armée	Marine	millier d'h.	40	47	47
	Aviation	millier d'h.	90	113	110
	Armée de terre	millier d'h.	800	944	1 100

a. 1965-75; b. 1975-85; c. 1985-90; d. 1988; e. 1987; f. 1985; g. 1983; h. 1970-75; i. 1971; j. 1981.

2. COMMERCE EXTÉRIEUR [a]

Indicateur	Unité	1970	1980	1989
Commerce extérieur	% PIB	3,9	7,2	5,9 [b]
Total imports	milliard $	2,12	14,86	19,18
Produits agricoles	%	30,1	10,7	13,0 [b]
Produits énergétiques	%	7,7	44,6	18,3 [b]
Produits manufacturés	%	41,4	32,6	47,3 [e]
Total exports	milliard $	2,03	8,59	15,56
Produits agricoles	%	35,0	33,1	20,0 [b]
Produits manufacturés	%	45,1	57,5	57,6 [e]
Métaux et prod. miniers	%	18,5	8,6	8,1 [e]
Principaux fournisseurs	% imports			
États-Unis		29,3	12,5	11,3 [b]
CEE		18,0	21,8	30,0 [b]
PVD		21,9	42,4	30,4 [b]
CAEM		14,9	10,6	11,4 [b]
Principaux clients	% exports			
États-Unis		13,5	11,5	18,8 [b]
CEE		19,1	23,0	23,3 [b]
PVD		25,7	29,6	24,5 [b]
CAEM		20,2	19,4	20,5 [b]

a. Marchandises; b. 1988; c. 1987; d. 1986; e. 1985.

3. ÉCONOMIE

Indicateur	Unité	1970	1980	1989
PIB	milliard $	60,3	164,9	276,8[c]
Croissance annuelle	%	3,9[a]	4,5[b]	3,5
Par habitant	$	110	240	340[c]
Structure du PIB				
Agriculture	% } 100 %	45,1	38,0	32,2[c]
Industrie	% } 100 %	21,9	25,9	29,6[c]
Services	% } 100 %	32,9	36,1	38,2[c]
Dette extérieure	milliard $	8,1	20,6	57,5[c]
Taux d'inflation	%	5,1	11,4	4,5[f]
Population active	million	223,9	265,3	316,8
Agriculture	% } 100 %	71,8	69,8	67,1[c]
Industrie	% } 100 %	12,5	13,2	..
Services	% } 100 %	15,7	17,0	..
Dépenses publiques				
Éducation	% PIB	2,8	2,8	3,4[e]
Défense	% PIB	2,7	2,8	3,4
Recherche et Développement	% PIB	0,4	0,5	0,9[e]
Production d'énergie	million TEC	67,8	113,5	208,6[d]
Consommation d'énergie	million TEC	76,4	139,4	220,5[d]

a. 1965-75; b. 1975-85; c. 1988; d. 1987; e. 1986; f. Décembre à décembre.

sition, fondé six mois plus tôt par Vishwanath Pratap Singh en vue des élections, montrait des faiblesses inhérentes à sa structure « fédérale » : les chefs des formations regroupées sous cette bannière — surtout représentatives des milieux agraires d'Inde du Nord — se disputaient les postes de responsabilité. Rajiv Gandhi, dont la popularité n'avait cessé de s'éroder depuis 1985, lança à ce moment la campagne électorale en proposant au pays, début mai, d'amender la Constitution pour réhabiliter le *Panchayati Raj*, le pouvoir des institutions locales auxquelles son projet prévoyait de confier des ressources financières propres. Cette offensive sur un thème populaire contribua à renforcer le Congrès, le parti de R. Ganghi, auquel les sondages de l'été donnaient l'avantage. Le tournant eut lieu le 24 juillet lorsque les députés de l'opposition, renonçant à leurs disputes pour se ranger derrière V.P. Singh, démissionnèrent en masse du Lok Sabha (Chambre basse) en dénonçant l'implication de Rajiv Gandhi dans l'« affaire Bofors ». Avec cette affaire de pots-de-vin, versés en 1986 à des responsables indiens par la firme d'armement suédoise Bofors, l'opposition — aidée par une partie de la presse — tenait l'instrument de sa contre-offensive.

Un vote pour le changement

Le 17 octobre 1989, Rajiv Gandhi annonça la tenue des élections législatives les 22-26 novembre, après que l'opposition eut empêché le vote du *Panchayati Raj Bill* à la Chambre haute ; il comptait mener campagne sur ce thème mais se trouva gêné par les branches régionales du Congrès qui demeuraient divisées en factions

GÉOPOLITIQUE INTERNE DE L'INDE

Une, assurément une depuis l'Indépendance, l'Inde doit aussi gérer une pluralité sans égale, et c'est bien la quête de l'équilibre de l'un et du multiple qui ordonne sa géopolitique. Géopolitique du nombre : 830 millions d'habitants en 1990, et un taux de croissance démographique annuelle de 2,1 % au fil des années quatre-vingt. Quinze langues nationales, dont l'hindi (plus de 200 millions de locuteurs), qui n'a pu s'imposer comme seule langue officielle, et qui doit s'accommoder du maintien de l'anglais comme langue véhiculaire, tandis qu'on estimait en 1981 que douze autres langues comptaient plus de 10 millions de locuteurs. La géographie linguistique a guidé pour une large part le processus de réorganisation de la carte administrative engagé après 1953. Au terme d'autres ajustements plus modestes, l'Union indienne, en 1990, compte 25 États, dont les plus peuplés sont des entités considérables, si l'on en juge par leur population de 1981 : Uttar Pradesh, 111 millions d'habitants; Bihar, 70 millions; Bengale occidental, 55 millions... S'y ajoutent six territoires de l'Union de moindre autonomie, dont Delhi.

Le poids des régionalismes

De type fédéral, la Constitution indienne a permis au gouvernement de l'Inde indépendante de transcender les pluralités héritées du passé, sans les résorber pour autant. Pluralités multiples : de langue, certes, mais aussi de confessions (en 1981, en millions de personnes : hindous 550, musulmans 75, chrétiens 16, sikhs 13, autres 11) et bien sûr de niveaux de développement. S'y ajoutent dans le cadre d'un régime parlementaire, et par suite d'une certaine dégradation du climat politique, les conflits dans lesquels se sont affrontés le parti du Congrès, presque continuellement au pouvoir à New Delhi de 1947 à 1989, et les partis d'opposition qui, après les années soixante, ont gouverné un certain nombre d'États. Ce complexe faisceau de relations, par lequel s'expriment sentiments d'identité, frustrations socio-économiques et luttes de partis, rend compte de nombre de crises régionales ayant marqué l'histoire récente, ou marquant encore le présent. Dans les années 1953-1972, le gouvernement central a tenté de calmer le jeu en concédant, en plusieurs phases, une très large réorganisation de la carte administrative : émergence des grands États linguistiques, puis prudent morcellement des zones frontalières stratégiques, tant à l'Est (balkanisation de l'Assam) qu'à l'Ouest (nouveau partage du Pendjab). Depuis, New Delhi s'oppose à tout nouveau redécoupage, alors que s'expriment, surtout en Inde du Nord-Nord-Est, trois revendications actives, pour que soient reconnus un Gorkhaland autour de Darjeeling, un Jarkhand autour des grands centres miniers et industriels établis en bastion tribal au nord-est du Deccan, et un État bodo sur les marges sous-himalayennes de l'Assam.

Ces revendications témoignent du malaise persistant de communautés ethniques, souvent tribales, s'estimant frustrées par l'organisation des pouvoirs et par le mirage d'un développement élusif ou par trop inégal. Mais il ne s'agit là, pour l'heure, que de tensions de second ordre et qui mettent en cause l'organisation de la nation, non son intégrité territoriale. Beaucoup plus graves sont les crises témoignant de mouvements ouvertement centrifuges. Celle ayant agité l'Assam de 1979 à 1985 s'est résorbée quant le Congrès a cédé la place à l'Assam Gana Parishad, parti régionaliste, vite confronté du reste — régionalismes emboîtés ! — aux revendications bodo. La crise du Pendjab, à l'inverse, aura tragiquement marqué toute la décennie quatre-vingt. Écrasés en 1984 lors de l'entrée de l'armée au Temple d'Or d'Amritsar, les partisans sikhs d'un Khalistan indépendant ont sans conteste perdu la partie politique, mais le terrorisme demeure à leurs yeux un recours ultime, quoique sans issue en réalité : l'assassinat d'Indira Gandhi le 31 octobre 1984 n'ébranla pas le régime. Le gouvernement de son fils Rajiv ne put trouver au Pendjab le compromis politique obtenu en Assam, le parti régionaliste Akali Dal étant trop partagé en un État où, par son biais, politique et religion sont étroitement imbriquées. L'impasse perdure donc, avec son cortège de violences continues.

Une résurgence : la question du Cachemire

Alors qu'arrive au pouvoir à New Delhi, fin 1989, un parti non congressiste, le Janata Dal mené par V.P. Singh, la décennie qui commence voit resurgir l'épineuse question du Cachemire, dont la population est musulmane dans sa très large majorité. Attentats, exode d'hindous, montée d'un islam militant qui appelle à la sécession, soit pour rejoindre le Pakistan, soit pour l'indépendance, la crise rouvre à vif les plaies laissées par la partition de 1947 et par la première guerre avec le Pakistan.

L'Inde n'a jamais reconnu la souveraineté du Pakistan sur l'Azad Kashmir, au nord de la ligne de cessez-le-feu fixée en 1949, et s'est toujours refusée à organiser un référendum dans la part du Cachemire qui lui est échue. Reconnaissant dans le mal-développement et dans les fraudes électorales passées l'une des raisons de la crise, New Delhi accuse aussi le Pakistan de jeter de l'huile sur le feu. Plus encore qu'au Pendjab, la crise du Cachemire mêle ainsi les problèmes de gestion politique des régionalismes frontaliers, et ceux, internationaux, des relations tendues avec le Pakistan, car cette fois l'identité islamique conforte aussi les mécontentements.

Tensions et stabilité

Au-delà des tensions aiguës qui l'agitent, l'Inde doit donc plus que jamais équilibrer les relations entre le Centre et les États. Nul ne peut dire si la poudrière du Cachemire finira par éclater, mais force est de constater que l'Inde, en dépit des crises, a toujours tenu bon face aux Cassandre qui prédisaient son démembrement. Reste que les insuffisances du développement, multipliant disparités sociales et régionales, nourriront encore longtemps les soubresauts d'une complexe géopolitique interne, dont certains points chauds posent encore et toujours le difficile problème des relations de voisinage entre pays de l'Asie du Sud.

Jean Racine

BIBLIOGRAPHIE

Brass P., *The Politics of India since Independence*, Cambridge University Press, Cambridge, 1990.

« Géopolitique en Asie des moussons », *Hérodote*, n° 49, La Découverte, Paris, 1988.

Le Journal des élections (Paris), n° 10 (1989) et n° 11 (1990).

« L'Inde : libéralisation et enjeux sociaux », *Revue Tiers-Monde*, Tome XXX, n° 119, juill.-sept. 1989.

« L'Inde. Grande puissance de l'océan Indien », CHEAM, Paris, 1988.

« L'Inde, puissance régionale » (dossier constitué par C. Hurtig), *Problèmes politiques et sociaux*, n° 602, La Documentation française, Paris, 1989.

Racine J., « Civilisation, culture et géopolitique : à propos de l'Inde », *Hérodote*, n° 49, La Découverte, Paris, 1988.

et qui imposèrent l'investiture de 80 % des députés sortants en dépit, souvent, de pratiques de corruption de plus en plus insupportables aux électeurs. En face, l'opposition, résolue à exploiter cette exaspération populaire, joua la carte de l'intégrité morale et de l'unité : pour éviter des « triangulaires », rédhibitoires dans le cadre d'un système électoral à un tour, le Front national conclut des accords électoraux non seulement avec les communistes — dans lesquels V.P. Singh voyait ses « alliés naturels » — mais aussi avec le Bharatiya Janata Party (BJP), le parti nationaliste hindou, dont il ne pouvait ignorer la montée en puissance dans l'Inde du Nord.

Celle-ci était liée au mouvement de la Vishva Hindu Parishad (une association proche du BJP) pour la restitution aux hindous d'un site identifié à Ayodhya (Uttar Pradesh) comme le lieu de naissance du dieu Ram sur lequel les conquérants musulmans avaient édifié une mosquée au XVIe siècle. En février 1989, la VHP avait annoncé qu'elle y poserait la première pierre d'un temple dédié à Ram le 9 novembre ; puis elle avait lancé une grande campagne de collecte des briques et des fonds nécessaires à la construction. En septembre, les processions de briques consacrées ont commencé à dégénérer en une série d'émeutes entre hindous et musulmans qui ont ensanglanté le nord du pays. Soucieux de protéger les musulmans dont le vote est traditionnellement acquis au Congrès, le gouvernement a d'abord tenté de dissuader la VHP de poser la première pierre du temple, puis s'y est assez volontiers résigné dans l'espoir d'apparaître comme patronnant la cérémonie. Ce faisant, le parti au pouvoir a perdu le soutien de certains musulmans qui ont reporté leurs voix sur le Janta Dal comme les y appela dès le 10 novembre l'imam de la Grande Mosquée de Delhi. Quant au sentiment nationaliste hindou avivé par la campagne, il renforça d'abord le BJP, dont le score de 88 sièges représenta la véritable surprise du scrutin.

Ces élections privaient finalement le Congrès du pouvoir (193 sièges sur 524) pour la seconde fois depuis 1947, mais sans lui désigner de véritable successeur puisque le Front national (143 sièges dont 141 au Janta Dal) avait besoin du soutien des partis de gauche (52 sièges) et du BJP pour gouverner. Ces deux pôles opposés du jeu politique choisirent le soutien sans participation pour permettre l'intronisation de V.P. Singh comme Premier ministre. Les partis de la coalition au pouvoir renforcèrent leur assise lors des élections du 27 février pour le renouvellement des assemblées de huit États fédérés : le Congrès, toujours divisé sous le leadership de plus en plus contesté de Rajiv Gandhi, perdit le Bihar et l'Orissa au profit du Janta Dal, l'Himachal Pradesh et le Madhya

Pradesh au profit du BJP et le Rajasthan ainsi que le Goudjerat au profit d'une coalition des deux partis.

Persistance des problèmes

Une fois installé au pouvoir, la stratégie de V.P. Singh a consisté à mettre en œuvre le programme anti-Congrès sur lequel les partenaires de sa coalition hétéroclite se retrouvaient : d'où le projet de loi sur l'autonomie de l'audiovisuel, l'annulation des petites dettes paysannes et le budget de mars 1990 qui pénalisait plutôt les milieux urbains par de nouvelles taxes sur les biens de consommation destinées à réduire le déficit (estimé à 4 milliards de dollars pour 1990-1991) ; en fait, faute d'avoir pris le risque de l'austérité budgétaire que l'incompressibilité des dépenses militaires contribuait à rendre difficile, V.P. Singh ne s'est sans doute pas donné les moyens de résoudre ce problème. Ce raisonnement vaut aussi pour la question des séparatismes, restée très vivace au cours de l'année.

L'agitation des aborigènes du Jharkhand (Bihar) a repris après que le gouvernement eut de nouveau refusé de leur concéder un État propre, le 21 mai 1989 ; dans le Nord-Est, après le règlement du problème Gorkha, le séparatisme de la tribu Bodo (Assam) a pris une tournure violente en août 1989. Au Pendjab, Rajiv Gandhi, après les efforts d'ouverture de mars 1989 (libération de prisonniers sikhs, annonce d'un plan de développement économique), avait opté pour la répression anti-terroriste. Dans ce contexte, V.P. Singh a cherché à renouer le dialogue avec les sikhs, début janvier, par de nouvelles offres (réhabilitation des sikhs ayant déserté lors des opérations armées contre le Temple d'or en 1984, châtiment des personnes impliquées dans les émeutes anti-sikhs de 1984). Mais ces mesures ayant provoqué une recrudescence du terrorisme, V.P. Singh a renoncé à approfondir cette stratégie d'ouverture faute d'interlocuteurs.

Le séparatisme cachemiri est apparu toutefois plus inquiétant. Les indépendantistes islamistes, révoltés par l'alliance de la Conférence nationale de Farooq Abdullah (à la tête du gouvernement de l'État depuis 1987) avec le pouvoir central, avaient déjà provoqué de graves troubles en avril-mai 1989. Fin décembre, l'agitation a repris avec une violence telle que V.P. Singh a suspendu le gouvernement de F. Abdullah pour confier l'administration de l'État au pouvoir central et nommer un gouverneur « à poigne » en la personne de Jagmohan. Ces mesures ont permis de lever le couvre-feu fin février, mais envenimé les relations indo-pakistanaises.

La retraite du « grand frère » ?

La qualité des relations de l'Inde avec ses partenaires étrangers a beaucoup varié en 1989-1990. L'alternance de novembre 1989 a expliqué en partie ce phénomène, le nouveau gouvernement se révélant soucieux d'améliorer ses rapports avec ses voisins, par contraste avec la politique de domination régionale poursuivie par le Congrès. Ce fut le cas pour le Népal qui, à partir du printemps, eut à souffrir d'un refus indien de renouveler les accords de commerce et de transit datant de 1972 ; par cette décision qui revenait à soumettre le Népal à un blocus économique, New Delhi entendait notamment marquer sa désapprobation de l'achat par Katmandou d'armes chinoises. L'amorce d'une détente survint seulement le 2 janvier lors d'un entretien du ministre des Affaires étrangères népalais avec son nouvel homologue indien, Inder Kumar Gujral. Les relations avec le Bangladesh, médiocres depuis 1988, ne se sont elles aussi améliorées qu'avec l'avènement du nouveau gouvernement qui, le 24 février, a renoué le dialogue, notamment pour régler la question du partage des eaux du Gange.

S'agissant des relations avec Sri Lanka, la tension avait atteint un point critique après que Ranasinghe Premadasa, le président de l'île, eut accepté de négocier directement avec la guérilla tamoule à la mi-avril 1989. Les deux parties partageaient le souci de voir la Force indienne de maintien de la paix (IPKF) installée depuis 1987 quitter Sri Lanka ; chose que refusa tout d'abord Rajiv Gandhi. Mais l'IPKF avait visiblement échoué dans sa mission tout en subissant de lourdes pertes. Le sommet des pays non-alignés de Belgrade, début septembre, fut l'occasion d'une programmation conjointe du retrait de l'IPKF. En janvier 1990, I.K. Gujral confirma que celui-ci serait achevé pour la fin mars et proposa la signature d'un traité d'amitié, en soulignant néanmoins, comme l'avait fait jusque-là Rajiv Gandhi, la nécessité de respecter les conseils régionaux du nord-est de l'île. Des voisins plus modestes comme les Maldives (auxquelles I.K. Gujral a réservé son premier voyage à l'étranger le 12 janvier 1990) et le Bhoutan ont fait l'objet d'une attention révélatrice des craintes de New Delhi de se trouver isolé dans la région au moment où les relations avec le Pakistan se détérioraient.

Le problème de la souveraineté sur la zone stratégique du glacier Siachen avait donné lieu, peu après les escarmouches du 10 mai 1990 autour de ce site, à un dialogue vain mais prolongé : l'esprit qui avait présidé au rapprochement de Benazir Bhutto et de Rajiv Gandhi à la fin de 1988 semblait encore prévaloir ; mais la volonté du Pakistan, réaffirmée le 20 octobre, de conclure un traité de non-prolifération nucléaire à l'échelle du sous-continent restait inacceptable pour l'Inde. La dégradation des relations entre les deux pays résulta toutefois surtout des sympathies pakistanaises manifestées envers les séparatistes cachemiri : après les violences du début de l'année 1990, le ministre des Affaires étrangères pakistanais Sahibzada Yakub Khan se rendit à Delhi le 22 janvier pour protester contre la répression indienne. Les risques de guerre semblèrent réels après que B. Bhutto eut adopté elle aussi un ton militant le 10 février au Parlement.

Prioritaires en raison de leur dimension internationale, les mouvements séparatistes (au Cachemire mais aussi au Pendjab) ne représentent qu'un des types de conflits internes qui ont éclaté au grand jour en 1989-1990 : l'antagonisme hindou-musulman en est un autre et l'exaspération des hautes castes contre la « discrimination positive » en faveur des basses castes au sein de l'Université et des assemblées électives n'est pas moins grave (elle s'est traduite par des violences dans tout le nord de l'Inde début février 1990, lorsque le nouveau gouvernement a annoncé la reconduction pour dix ans de certains quotas). Le traitement de ces questions risque toutefois d'être compliqué par les divergences de vues des partis au pouvoir, voire mettre à mal la coalition gouvernementale.

Si la situation géopolitique régionale a donc été marquée par une certaine volatilité, la poursuite des tendances antérieures a prévalu pour ce qui concerne les relations indo-soviétiques : Rajiv Gandhi avait été chaleureusement reçu en juillet 1989 par Mikhaïl Gorbatchev et celui-ci envoya une délégation spéciale auprès de V.P. Singh dès le 23 décembre 1989 pour lui signifier son désir d'approfondir la coopération économique entre les deux États. La normalisation des relations sino-indiennes s'est aussi poursuivie puisque les premières discussions techniques sur le contentieux frontalier, en juillet 1989, ont été suivies en octobre par la visite d'un des Vice-Premiers ministres chinois, Wu Xuequian, qui s'est voulu conciliant pour trouver une issue à ce problème. De fait, la Chine a allégé sa présence militaire aux frontières avant de se refuser à servir de médiateur entre le Pakistan et l'Inde, au bord du conflit armé.

Christophe Jaffrelot

Japon. La valse des premiers ministres

Trois premiers ministres se sont succédé en 1989. Cet événement ne trouve son pendant qu'en 1948, durant l'occupation américaine lorsque des oppositions politiques entre la gauche et la droite avaient accéléré la rotation des chefs de gouvernement. Mais cette fois, les raisons ont été bien différentes : ce n'étaient plus des alternances de partis, ni même des rivalités entre les diverses factions du puissant parti conservateur au pouvoir (P L D, Parti libéral démocrate) qui ont été en cause, mais plus simplement le mal chronique de la politique (japonaise), l'argent, indispensable à tout élu, s'il veut pouvoir « tenir la route » jusqu'aux élections suivantes. Au Japon, comme ailleurs, le financement des partis politiques implique des dons intéressés de la part des entreprises qui, en contrepartie, demandent aux hommes du gouvernement des facilités pour se développer.

Le scandale Recruit, du nom de l'entreprise « numéro un » des petites annonces pour les étudiants et du travail temporaire, a conduit son patron Ezoe Hiromasa sous les verrous. Ce dernier en offrant, avant cotation, des actions qui allaient presque doubler après leur entrée sur le marché s'était concilié les bonnes grâces d'un grand nombre de leaders politiques conservateurs. En échange, il ne fait guère de doute qu'il a pu bénéficier de l'aide de membres du gouvernement, au plus haut niveau, comme les deux Premiers ministres Nakasone Yasuhiro et Takeshita Noboru pour entrer en force sur le marché des banques de données et acquérir à bas prix des ordinateurs étrangers de grande puissance. Il escomptait bien également devenir sénateur pour le camp conservateur. Après la publication de preuves et les révélations de la presse, le 27 mai 1989, Takeshita Noboru dut céder son poste à son ministre des Affaires étrangères, Uno Sosuke. Les barons du P L D attendaient de ce dernier qu'il reste à ce poste au moins pendant la durée « médiatique » du

JAPON

Japon.
Capitale : Tokyo.
Superficie : 372 313 km² (0,68 fois la France).
Monnaie : yen (100 yens = 3,65 FF ou 0,64 dollar au 21.6.90).
Langue : japonais.
Chef de l'État : Akihito, empereur, successeur de Hirohito (mort le 7.1.89).
Chef du gouvernement : depuis le 9.8.89, Kaifu Toshiki, successeur de Sosuke Uno (démission le 24.7.89), lui-même successeur de Noboru Takeshita (démission le 27.5.89).
Nature de l'État : empire (l'empereur n'a aucun pouvoir pour gouverner).
Nature du régime : monarchie parlementaire. L'empereur demeure constitutionnellement le symbole de l'État et le garant de l'unité de la nation. Le pouvoir est détenu par un gouvernement investi par la Diète (Parlement).
Principaux partis politiques : Jiminto (conservateur) ; Mushozoku (indépendants, droite) ; Komeito (bouddhiste, centriste) ; Minshato (Parti social-démocrate) ; Shakaito (Parti socialiste) ; Parti communiste japonais.
Carte : p. 359.
Statistiques : voir aussi p. 356.

JAPON

1. DÉMOGRAPHIE, CULTURE, ARMÉE

	Indicateur	Unité	1970	1980	1989
Démographie	Population	million	104,3	116,8	123,1
	Densité	hab./km²	277,7	313,7	330,7
	Croissance annuelle	%	1,2[a]	0,8[b]	0,4[c]
	Mortalité infantile	‰	13,1	7,5	5[c]
	Espérance de vie	année	72,3	76,0	78,1[c]
	Population urbaine	%	71,2	76,2	76,9
Culture	Nombre de médecins	‰ hab.	1,13	1,31	1,6[d]
	Scolarisation 2e *degré*[f]	%	86,0	93,0	96[d]
	3e degré	%	17,0	30,5	28,3[d]
	Postes tv	‰	••	539	587
	Livres publiés	titre	31 249	45 596	44 686[e]
Armée	Marine	millier d'h.	38	42	44
	Aviation	millier d'h.	42	44	46
	Armée de terre	millier d'h.	179	155	156

a. 1965-75; b. 1975-85; c. 1985-90; d. 1987; e. 1986; f. 12-17 ans.

2. COMMERCE EXTÉRIEUR[a]

Indicateur	Unité	1970	1980	1989
Commerce extérieur	% PNB	9,4	12,8	8,5
Total imports	milliard $	18,9	141,3	209,7
Produits agricoles	%	33,1	20,7	21,6[b]
Produits énergétiques	%	20,7	49,9	20,7[b]
Autres produits miniers	%	16,8	7,7	4,6[b]
Total exports	milliard $	19,3	130,4	273,9
Produits industriels	%	77,8	82,8	97,4[b]
Machines et équipements	%	40,6	54,9	69,3[b]
Produits agricoles	%	5,1	2,3	1,3[b]
Principaux fournisseurs	% imports			
États-Unis		29,5	17,4	23,0
CEE		8,5	5,9	13,4
PVD		39,3	63,0	48,1
Principaux clients	% exports			
États-Unis		31,1	24,5	34,0
CEE		12,1	14,0	17,5
PVD		36,8	45,8	38,2

a. Marchandises; b. 1988.

scandale et qu'il le « réserve » pour une « personnalité » (ils pensaient vraisemblablement à Abe Shintaro) qui soit à la tête d'une faction.

La voix des femmes

S'il pouvait passer pour irréprochable au plan financier, ce Mon-

3. ÉCONOMIE

Indicateur	Unité		1970	1980	1989
PNB	milliard $		201,8	1 152,6	2 929,3
Croissance annuelle	%		7,6[a]	4,5[b]	4,8
Par habitant	$		1 940	9 870	23 796
Structure du PIB					
Agriculture	%	100 %	6,1	3,7	2,8[c]
Industrie	%		46,7	41,9	40,6[c]
Services	%		47,2	54,4	56,7[c]
Taux d'inflation	%		7,6	7,7	2,6[e]
Population active	million		51,5	56,5	62,7
Agriculture	%	100 %	17,4	10,4	7,6
Industrie	%		35,7	35,3	34,3
Services	%		46,9	54,2	58,2
Chômage	%		1,1	2,0	2,1[f]
Dépenses publiques					
Éducation	% PNB		3,9	5,8	5,0[d]
Défense	% PNB		0,8	0,9	1,0
Recherche et Développement	% PNB		1,5	2,2	2,87[c]
Aide au développement	% PIB		0,23	0,30	0,31[g]
Production d'énergie	million TEC		36,3	42,3	49,1[c]
Consommation d'énergie	million TEC		394,9	434,8	452,9[c]

a. 1965-75 ; b. 1975-85 ; c. 1987 ; d. 1986 ; e. Décembre à décembre ; f. En fin d'année ; g. 1988.

sieur Propre allait cependant rapidement être au centre d'un autre scandale : l'une de ses maîtresses, une geisha, en révélant jusque dans leur intimité les relations qu'elle avait entretenues avec le nouveau Premier ministre, allait contribuer à aliéner le vote féminin au parti conservateur lors des élections sénatoriales du 23 juillet 1989. Le lendemain, Uno Sosuke démissionnait et un autre « second couteau » du monde politique, Kaifu Toshiki, était choisi. Une situation intérieure difficile l'attendait : outre la gronde des femmes, entretenue par Doi Takako, première femme leader d'un parti au Japon, et qui plus est, du plus grand de l'opposition, le Parti socialiste, le nouveau Premier ministre allait affronter les revendications des citoyens qui exigeaient la suppression de la réforme sur la taxe à la consommation de 3 %. De plus, pendant une grande partie de l'année 1989, les partis de l'opposition allaient réclamer des élections générales.

Le PLD s'y est résolu le plus tard possible.

Faute d'un réel programme d'alternance constructif, les électeurs ont redonné une confortable majorité au PLD le 18 février 1990, avec 275 sièges sur 512 (il en avait 300) que compte la Chambre (les indépendants pro-PLD enlevant pour leur part 15 sièges). Si le Parti socialiste a bondi de 85 sièges à 136 (24 % des votants), il a surtout contribué à laminer ses partenaires qui ont été les grands perdants : le Parti bouddhiste (Komeito) est passé de 56 à 45 sièges, le Parti démocrate socialiste (Minshato) de 26 à 16. Le Parti communiste a subi, quant à lui, les conséquences de la faillite des régimes socialistes des pays de l'Est et a regressé de 26 sièges à 16. Bien qu'il ait permis au PLD de remporter une victoire, Kaifu Toshiki, faute d'être à la tête d'une faction, allait vraisemblablement devoir laisser le poste sinon à l'automne 1990 du moins probablement au début de l'année 1991.

Néanmoins, un phénomène est à noter, que l'on peut qualifier à la fois de politique et de société et qui est lié à la montée des femmes sur la scène politique japonaise, montée dont la figure emblématique est Doi Takako, avocate et leader du Parti socialiste. Les affaires d'alcôve du Premier ministre Uno ont servi de détonateur à l'expression d'une profonde frustration féminine, ressentie à la fois dans le vécu familial et professionnel. Les femmes veulent, à qualités égales, tenir des rôles équivalents à ceux des hommes quand elles estiment leurs ambitions fondées. Au moment des élections sénatoriales, elles ont rappelé au parti au pouvoir qu'elles représentent 46,7 millions de voix, alors que les hommes n'en comptabilisent que 43,9. La pénurie de main-d'œuvre sert d'ailleurs les revendications des femmes. On préfère quand même, pour un emploi, une Japonaise parlant la langue et diplômée, à un étranger sans formation linguistique et n'ayant qu'une scolarité moyenne. Il est certain que des femmes qui auparavant votaient conservateur ont choisi cette fois de voter socialiste parce que c'était une femme qui incarnait ce parti.

Dépréciation du yen

Mais plus encore que par la vie politique, cette période a été marquée par la forte dépréciation du yen (plus de 20 % par rapport au franc français). Le dollar s'échangeait à 122 yens au début de 1989, contre 160 en avril 1990, son taux le plus bas depuis trois ans. L'indice Nikkei de la Bourse a chuté de 22 % entre janvier et avril 1990. Le 21 février, il a perdu 3,1 % en un seul jour, puis encore 4,5 % le 26. Le Japon doit donc payer plus cher sa facture pétrolière mais il espère compenser cela en exportant davantage, ce qui crée toujours de grandes tensions avec les États-Unis et la CEE. Cependant, alors qu'il était le pays champion des excédents commerciaux depuis 1976, le Japon a été en 1989 dépassé par la RFA (75,08 milliards de dollars d'excédents contre 72,13 au Japon) et, parmi les 182 000 voitures étrangères importées en 1989 au Japon (35 % d'augmentation par rapport à l'année précédente), 120 000 ont été allemandes. L'automobile et le voyage à l'étranger représentent pour le Japonais moyen — qui peut de moins en moins prétendre depuis le début des années quatre-vingt accéder à la propriété du fait de la flambée du marché immobilier — les marques certaines d'un style de vie en progression. Sur plus de 40 millions de foyers que compte le pays, 30,5 millions, en 1989, possédaient déjà une voiture, un boom bien encombrant pour le très modeste réseau routier national. Le gouvernement a décidé de satisfaire enfin ses citoyens/consommateurs pour les années à venir et a permis d'augmenter grandement la qualité de la vie, dans les transports et l'habitat.

En revanche, le tribut de plus en plus lourd que les parents doivent payer à l'éducation entrave beaucoup le budget et la vie familiale. Alors que l'indice des prix, en 1989, n'a progressé en moyenne que de 100 à 103, le poste éducation a bondi de 100 à 115. Les effets du *baby-boom*, qui s'est développé dans les années soixante-dix et qui doit culminer en 1992, rend la compétition de plus en plus acharnée parce que les universités ne veulent pas accepter davantage d'élèves, ce qui entraînerait des recrutements de professeurs pour une durée de quatre à cinq ans seulement. Les jeunes collégiens de cette tranche d'âge travaillent donc encore plus dur, passent davantage de concours d'entrée (huit en moyenne), ce qui accroît encore les dépenses éducatives des familles (220 000 yens par enfant, soit 1 375 dollars pour les seuls frais d'inscription c'est-à-dire avant l'entrée effective à l'école). La

TOKYO, MOSCOU, PÉKIN, WASHINGTON...

Le PNB des trois régions les plus avancées du globe (États-Unis, CEE et Japon) représente aujourd'hui les deux tiers de celui du monde. Cinq milliards de dollars pour les deux premiers et trois pour le Japon. Ce rapport dit des 5-5-3 rappelle étrangement aux Japonais les termes du traité naval de Washington de 1922 qui limitait le tonnage des flottes américaine, britannique et japonaise à un rapport de 5-5-3. Le Japon avait voulu changer ce rapport par la force. Son choix militariste a mené à la guerre. Aujourd'hui, il affirme vouloir simplement jouer son rôle à l'intérieur des échanges pacifiques avec ses partenaires traditionnels, mais le jouer pleinement. Les bouleversements mondiaux de l'année 1989-1990 ont permis de préciser les options internationales de Tokyo, souvent perçu à l'étranger comme un nain politique.

Les changements en Europe de l'Est sont apparus comme une opportunité : le passage à l'économie de marché étant de nature à faire de ces pays des partenaires de choix pour le Japon : l'appareil économique y est certes obsolète, mais le niveau culturel et scientifique est assez élevé et la main-d'œuvre bon marché. Des produits nippons fabriqués en Pologne ou en Hongrie peuvent jouer un rôle de pénétration des marchés ouest-européens. Ils peuvent aussi montrer aux Soviétiques que la mutation économique ne peut réussir sans la technologie et la finance nippones. L'accès à celles-ci est en revanche assorti d'une condition : renégocier la souveraineté des îles Kouriles annexées par l'URSS au moment de la défaite de 1945 et signer enfin un traité de paix avec leur plus proche voisin.

Par l'intermédiaire du nouvel empereur Akihito et de son Premier ministre Toshiki Kaifu, le Japon a présenté ses excuses au président sud-coréen Roe Tae Woo pour l'invasion et la colonisation japonaises de la péninsule coréenne (1910-1945). Cette difficile démarche devrait marquer le début d'une nouvelle ère dans les relations nippo-coréennes.

La région de la mer du Japon connaît désormais des échanges accrus entre l'URSS, le Japon et la Corée du Sud. En Chine même, après l'écrasement du mouvement démocratique du printemps 1989, les investissements étrangers ont connu une pause. Le Japon, qui était partie prenante des décisions prises par le sommet des sept pays occidentaux les plus industrialisés en juillet 1989 à l'encontre de la Chine, s'est efforcé de convaincre les autres « grands » que la mise à l'index de la Chine ne résolvait rien, montrant ainsi à Pékin qu'il restait son allié et partenaire attentif. Tokyo a d'ailleurs annoncé le 10 juillet 1990 la levée de son embargo financier.

*Pour leur part, les relations avec Washington ont été principalement marquées par l'évolution du contentieux commercial. Les rapports entre les deux capitales avaient atteint un point critique. Soumis aux pressions de Washington et soucieux de débloquer la situation (rencontre T. Kaifu-G. Bush à Palm Springs le 3 mars 1990), Tokyo a accepté (5 avril 1990) de conclure un accord levant les « obstacles structurels » aux ventes américaines de superordinateurs, de satellites et matériels de télécommunications et à d'autres échanges. Le 28 avril, le gouvernement américain retirait le Japon de la « liste noire » des pays ayant des pratiques commerciales déloyales (*unfair*) à son égard.*

J.-F. S.

BIBLIOGRAPHIE

BERNIER B., *Capitalisme, société et culture au Japon*, Presses de l'université de Montréal/POF, Montréal-Paris, 1988.

CONDOMINAS C., *Japon, l'enjeu de la formation continue*, Éd. Sudestasie, Paris, 1989.

HÉRAIL F. (sous la dir. de), *Histoire du Japon*, Éd. Howarth, Paris, 1990.

« Le grand triangle Europe-États-Unis-Japon », *L'Événement européen*, n° 9/10, Paris, 1990.

SABOURET J.-F. (sous la dir. de), *L'état du Japon*, La Découverte, coll. « L'état du monde », Paris, 1988.

VAN WOLFEREN K., *L'Énigme de la puissance japonaise*, Robert Laffont, Paris, 1990.

quasi-gratuité de certains systèmes éducatifs étrangers, comme en France par exemple, fait rêver plus d'un Japonais.

Les émigrants chinois, un péril « jaune » ?

Les salaires ont progressé en moyenne de 5 % en 1989 et l'épargne des ménages a été en moyenne de 15 %. L'importation de produits étrangers, liée à une très forte demande intérieure, a eu pour conséquence une augmentation du taux d'inflation qui est passé de 0,8 % à 2,9 % ; mais l'excellente tenue de l'industrie nipponne a permis d'enregistrer une baisse du taux de chômage (2,2 % en 1989 contre 2,3 % en 1988). Le problème de l'emploi est d'ailleurs au centre d'une vive polémique de société : si le Japon a besoin de main-d'œuvre, pourquoi, disent certains, ne pas faire appel aux ressortissants des pays asiatiques voisins qui, après une courte formation, pourraient satisfaire la demande. C'est justement là où le bât blesse car, de la Chine proche, le Japon a vu débarquer des immigrants à la recherche de travail déguisés en faux *boat-people* vietnamiens. Le Japon, qui se veut « occidental », se sent quelque peu assiégé par le tiers monde asiatique. Selon le professeur Miyajima Takashi, le Japon compte actuellement 200 000 travailleurs étrangers (réguliers et irréguliers). Les illégaux, dont le nombre s'accroît à un rythme annuel de 30 %, se répartissent de la façon suivante : Philippines 38 %, Bangladesh 21 %, Pakistan 17 %, Thaïlande 10 %, Corée du Sud 7 %, Taïwan 4 %. Mais c'est le « péril chinois » qui inquiète le plus les Japonais, bien qu'il y ait dans l'archipel un manque de main-d'œuvre estimé à environ 4 %.

Le Japon qui fabrique et exporte en série des dessins animés et des séries TV où la violence tient le premier rôle a vécu en direct de ces scénarios qui étonnent plus d'un Occidental : Miyazaki Tsutomu, un homme de vingt-sept ans abreuvé de vidéo sado-maso, a mis le pays en émoi pendant plusieurs mois pour avoir kidnappé et tué dans des conditions atroces quatre petites filles de la région de Tokyo. La police japonaise est d'ailleurs inquiète de l'augmentation des délits : durant l'année 1989, les cas recensés comme tels ont augmenté de 4,6 % par rapport à 1988. L'efficacité de la police japonaise, tant vantée, n'est-elle pas un peu surfaite puisqu'elle n'annonce l'arrestation des coupables que dans 46,5 % des cas (le taux le plus bas depuis la Seconde Guerre mondiale) ? Certes, les délits les plus nombreux sont des vols à l'étalage, de bicyclettes ou de voitures, mais le nombre d'assassinat ou de tentatives d'assassinats a atteint 5 000 en 1989.

Il faudra attendre de fêter le 57e anniversaire de l'empereur Akihito (le 23 décembre 1990), préoccupé par le mariage de son second fils le prince Aya et par les coûteuses cérémonies shinto de son couronnement, pour savoir si les Japonais pourront compter sur un (peut-être deux) jour de congé supplémentaire vers la fin de l'année, vacances officielles, qui feraient pendant avec celles de printemps (*golden week*), lesquelles marquent notamment l'anniversaire de l'empereur défunt Shôwa (mort le 7 janvier 1989). Les partenaires économiques occidentaux des Japonais, qui demandent régulièrement que se traduisent dans les actes les promesses de réduire la masse annuelle des heures de travail, seraient satisfaits de constater que les styles de vie occidental et japonais se rapprochent un peu grâce à cette pause hivernale. Bientôt une *silver week* pour la saison de neige?

Jean-François Sabouret

Brésil. La «reconstruction nationale»

En prêtant serment, le jeune président Fernando Collor de Mello, le 15 mars 1990, a clos la transition vers un régime civil et démocratique (les militaires avaient cédé le pouvoir en 1985). L'année politique a été dominée par une longue campagne électorale riche en surprises. La crise économique avait pris des proportions alarmantes, l'inflation multipliant les records, alors que la dette externe continuait de drainer vers l'extérieur les capitaux indispensables à la croissance. La dette sociale et son palmarès de misère, d'analphabétisme et de mortalité témoignaient de l'échec du gouvernement Sarney (1985-1990).

Pour la première fois depuis 1960, l'élection présidentielle allait s'effectuer au suffrage universel direct (deux tours, les 15 novembre et 17 décembre 1989); les jeunes de plus de seize ans et les analphabètes, selon les dispositions de la Constitution de 1988, bénéficiant du droit de vote. Tous les vieux politiciens allaient être balayés, un nouveau Brésil politique allait s'affirmer au cours de la campagne présidentielle, annonçant la fin des dinosaures.

Le carnaval des présidentielles

Malgré une opinion publique défavorable et un PMDB (Parti du mouvement démocratique brésilien)

BRÉSIL

États-Unis du Brésil.
Capitale : Brasilia.
Superficie : 8 511 965 km² (15,6 fois la France).
Monnaie : cruzeiro (au taux officiel, 1 cruzeiro = 0,13 FF au 30.4.90).
Langue : portugais.
Chef de l'État : José Sarney puis Fernando Collor de Mello (depuis le 15.3.90).
Nature de l'État : république fédérale (23 États et 3 territoires fédéraux).
Nature du régime : démocratie présidentielle.
Échéances électorales : législatives (Congrès et tiers du Sénat) et gouvernements des États en octobre 1990.
Principaux partis politiques : *Gouvernement :* Parti du mouvement démocratique brésilien (PMDB); Parti de la reconstruction nationale (PRN); Parti du front libéral (PFL); Parti social-démocrate brésilien (PSDB); Parti des travailleurs (PT); Parti démocratique travailliste (PDT); Parti communiste brésilien (PCB); Parti libéral (PL); Parti démocratique social (PDS); Parti social-chrétien (PSC).
Carte : p. 93.

divisé, son chef Ulysses Guimarães, qui symbolisait l'opposition aux militaires, et le soutien indéfectible à la transition démocratique, se présentait. Affaibli par les dissensions, et terni par son appui au gouvernement impopulaire de José Sarney, le PMDB, parti de gouvernement, qui formait la majorité au Congrès et au Sénat, subira une défaite majeure. La candidature de Guimarães échouera au premier tour avec 4,4 % des voix.

Ancien gouverneur du Rio Grande do Sul, exilé politique, ex-gouverneur de Rio de Janeiro et chef incontesté du Parti démocratique travailliste (PDT), Leonel Brizola menait campagne depuis son retour d'exil en 1979. Caudillo à l'ancienne, grand maître du jeu politique, Brizola s'adressait au peuple, usant du discours nationaliste et interventionniste propre au populisme traditionnel. Il ne cédera la deuxième place que de 454 000 voix à Luís Ignacio « Lula » da Silva, le candidat du Parti des travailleurs (PT), lequel recueillera 16 % des suffrages. L'enjeu pour Lula, le « Walesa tropical », était de se distancier de son image de chef syndical et de rallier les paysans et surtout les employés et la classe moyenne urbaine. Fort de la poussée de son parti aux élections municipales de novembre 1988, soutenu par la Centrale unique des travailleurs (CUT), par l'Église catholique et tout le réseau des communautés de base, la candidature de Lula prenait rapidement une envergure nationale.

Mário Covas était le candidat du PSDB (Parti social-démocrate brésilien), dissident du PMDB. Il se voulait le représentant de la gauche modérée, associant capitalisme et nationalisme, modérant le libéralisme ambiant par un programme social généreux. Si son programme attirait la classe moyenne urbaine, la compétence du candidat et de son équipe rassurait la bourgeoisie. Mais il manquait à Covas l'appui populaire sans lequel toute élection demeure improbable. Signe des temps, le néo-libéralisme faisait son entrée sur la scène électorale avec la candidature de Guilherme Afif Domingos. Dirigeant patronal connu, sa percée dans l'opinion publique ne se concrétisera pas au moment du vote.

Collor vainqueur

Fernando Collor de Mello s'était illustré dès l'âge de vingt-neuf ans en tant que maire de Maceió, puis en

1982 comme député fédéral du Parti démocratique social (PDS), enfin en 1986 il avait été élu sous la bannière du PMDB au poste de gouverneur du petit État d'Alagoas. Considéré comme candidat marginal par la classe politique, il a tout de suite été projeté en tête des sondages. Soutenu par un petit groupe de députés réunis au sein du Parti de la reconstruction nationale (PRN) créé pour la circonstance, c'est plus à son image qu'à son programme que Collor devait son avance. Il dénonçait la corruption et affirmait la nécessité de réduire les dépenses publiques, ce qui ne l'empêchait pas de promettre un soutien accru aux plus démunis. Bien qu'il se soit affiché comme un homme du centre dont les politiques « indigneront la droite et étonneront la gauche », le Brésil traditionnel n'a pas hésité à reconnaître en Collor de Mello l'un des siens. La bourgeoisie, les militaires, des politiciens aussi marqués à droite qu'Antonio Carlos Magalhaes et surtout l'empire Globo (télévision, radio, journaux) de Roberto Marinho ont très tôt soutenu sa candidature.

Mécontents de la tournure de la campagne, des éléments proches du président Sarney ont suscité, quelques jours avant le scrutin, la candidature du fort populaire animateur de télévision Silvio Santos. Mais le Tribunal supérieur électoral

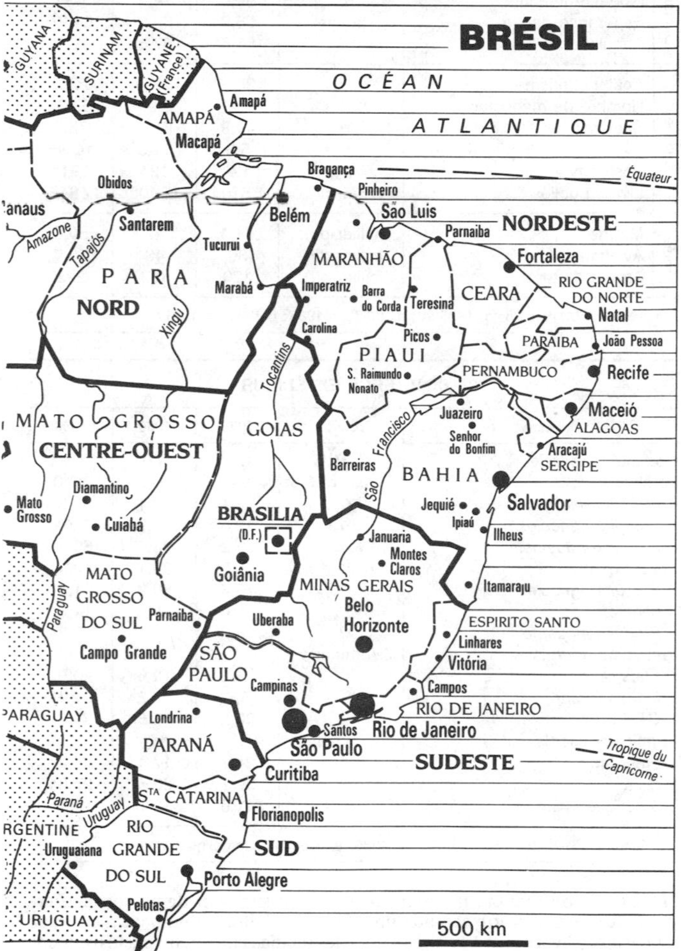

BRÉSIL

1. DÉMOGRAPHIE, CULTURE, ARMÉE

	Indicateur	Unité	1970	1980	1989
Démographie	Population	million	95,85	121,3	147,4
	Densité	hab./km²	11,3	14,3	17,3
	Croissance annuelle	%	2,5 [a]	2,3 [b]	2,1 [c]
	Mortalité infantile	‰	94,6	74,2	63 [c]
	Espérance de vie	année	58,9	62,6	64,9 [c]
	Population urbaine	%	55,8	67,5	76,0
Culture	Analphabétisme	%	33,8	25,5	22,2
	Nombre de médecins	‰ hab.	0,51	0,96	0,93 [f]
	Scolarisation *12-17 ans*	%	49,9	61,7	73,8
	3e degré	%	5,3	11,9	10,9 [d]
	Postes tv	‰	64	124	191 [d]
	Livres publiés	titre	8579 [g]	18102	17648 [e]
Armée	Marine	millier d'h.	44,4	47	50,3
	Aviation	millier d'h.	30	43	50,7
	Armée de terre	millier d'h.	120	183	223

a. 1965-75; b. 1975-85; c. 1985-90; d. 1987; e. 1985; f. 1984; g. 1971.

2. COMMERCE EXTÉRIEUR [a]

Indicateur	Unité	1970	1980	1989
Commerce extérieur	% PIB	6,1	9,0	7,5 [b]
Total imports	milliard $	2,8	25,0	20,0
Produits énergétiques	%	12,4	43,1	32,5 [c]
Produits agricoles	%	12,5	10,9	9,6 [b]
Produits industriels	%	63,2	38,5	50,4 [c]
Total exports	milliard $	2,7	20,1	34,4
Produits agricoles	%	73,3	50,2	31,9 [b]
Minerais [e]	%	9,9	9,9	14,6 [d]
Produits industriels	%	16,2	38,1	49,7 [c]
Principaux fournisseurs	% imports			
États-Unis		32,2	18,6	20,9 [b]
Moyen-Orient		5,9	33,2	21,4 [b]
CEE		30,2	16,5	20,6 [b]
Principaux clients	% exports			
États-Unis		24,7	17,4	26,2 [b]
CEE		39,7	30,5	27,8 [b]
Amérique latine		11,6	18,1	11,1 [b]

a. Marchandises; b. 1988; c. 1987; d. 1986; e. Produits énergétiques non compris.

(TSE), démontrant par là son indépendance, écartait cette candidature de dernière heure.

Il est simpliste de ne voir en Fernando Collor qu'un pantin créé par les médias et soutenu exclusivement

3. ÉCONOMIE

Indicateur	Unité	1970	1980	1989
PIB	milliard $	43,1	252,3	390,4
Croissance annuelle	%	8,2[a]	4,4[b]	3,6
Par habitant	$	450	2 080	2 649
Structure du PIB				
Agriculture	% } 100 %	11,5	10,5	8,9[d]
Industrie	% } 100 %	35,6	41,2	44,3[d]
Services	% } 100 %	52,9	48,2	46,8[d]
Dette extérieure	milliard $	5,1	70,8	111,1
Taux d'inflation	%	22,3	82,8	1 759,2[f]
Population active	million	31,54	44,24	53,91
Agriculture	% } 100 %	44,9	30,9	25,9[d]
Industrie	% } 100 %	21,8	26,3	24,2[d]
Services	% } 100 %	33,3	42,8	50,0[d]
Dépenses publiques				
Éducation	% PIB	2,9	3,5	4,5[e]
Défense	% PIB	2,0	0,8	0,4[c]
Production d'énergie	million TEC	18,7	34,5	73,4[d]
Consommation d'énergie	million TEC	41,7	92,5	108,5[d]

a. 1965-75; b. 1975-85; c. 1988; d. 1987; e. 1986; f. Décembre à décembre.

par la droite traditionnelle. Plus que les clivages idéologiques, c'est plutôt l'ambition personnelle, avec son lot d'alliances déconcertances, qui permet d'apprécier la complexité du jeu politique. Le PMDB n'a-t-il pas offert au présomptueux gouverneur de l'Alagoas la candidature à la vice-présidence ? Le phénomène Collor illustre la faiblesse des partis et l'efficacité d'une campagne menée « à l'américaine », dont le message s'adressait en priorité aux médias avec un œil constamment tourné vers les sondages.

Avec un avantage de près de 4 millions de voix, F. Collor l'a emporté avec 53 % des suffrages. Les résultats ont interdit de voir, dans le face à face Lula contre Collor, un affrontement entre la droite et la gauche. Au second tour, Collor l'a emporté dans quatre des cinq grandes régions électorales du pays, le report massif des voies du PDT sur le candidat du PT donnant un mince avantage de 2 % à Lula dans le Sud. La population de l'État de São Paulo, à l'exception de la ceinture ouvrière qui entoure la capitale, a donné une nette majorité de 12 % à Collor. Les plus démunis de l'ensemble du pays ont donc voté dans une large proportion pour le candidat le plus conservateur.

Économie : la décennie perdue

Malgré la profonde désorganisation des marchés provoquée par un taux d'inflation de 1 765 % en 1989, l'économie a connu sa meilleure année depuis 1980, enregistrant une croissance du produit estimée à près de 3 %. L'activité a été forte dans la construction civile et l'industrie alors que la production agricole est restée stagnante. En dix ans, la dette externe est passée de 64 à 107 milliards de dollars. Bien que le produit national ait augmenté de 68 %, passant de 235 à 396 milliards, le revenu *per capita* n'a été en 1989 que de

GÉOPOLITIQUE INTERNE DU BRÉSIL

Les États-Unis du Brésil, constitués de vingt-trois États, de trois territoires et du district fédéral de Brasilia, occupent près de la moitié du continent sud-américain. Avec une superficie de 8 511 000 kilomètres carrés, il possède une frontière commune avec tous les pays d'Amérique du Sud à l'exception du Chili et de l'Équateur.

C'est le pays le plus peuplé d'Amérique du Sud, avec 145 millions d'habitants. Même s'il a beaucoup baissé, le taux de natalité de 29 pour 1 000 est au moins deux fois plus élevé que celui des pays industriels avancés, alors que le taux de mortalité y est comparable. La population est pour moitié constituée de Blancs d'origine européenne, de 10 % de Noirs et de moins de 2 % d'Indiens, le reste étant composé d'une infinie variété de mulâtres et de métis. Malgré l'extrême diversité initiale des vagues d'immigration et des différences régionales sensibles, le Brésil est remarquable par le caractère homogène de sa population, résultat de plusieurs siècles de mélanges raciaux, de l'usage généralisé du portugais et de la pratique répandue de la religion catholique.

Dans ce vaste pays sous-peuplé, la population, urbanisée à 73 %, se trouve surtout dans les très grandes villes de la côte.

Diversité : quatre grandes régions

La plus grande région, au nord, représente 42 % de la superficie du pays et ne compte que 15 millions d'habitants. Couverte de forêt tropicale, elle s'inscrit dans la partie centrale du bassin de l'Amazone. Le sol pauvre, parce que trop souvent lavé par les fortes pluies, ne convient pas à l'agriculture extensive pratiquée par les petits occupants qui détruisent par le feu des pans entiers de la forêt amazonienne. Les cultures commerciales sont encore peu abondantes, alors que la cueillette (des noix de coco pour l'extraction de l'huile de palmier) demeure une activité économique significative.

Le climat humide et chaud joint aux difficultés de transport — les routes sont souvent inutilisables à cause des pluies — rendent coûteuse l'exploitation des ressources minières. L'équilibre écologique de la région est menacé par d'importants projets de construction de barrages hydroélectriques que les Indiens ont entrepris de combattre en alertant l'opinion publique brésilienne et mondiale. Les grandes villes sont Belém et Manaus. Cette dernière est devenue une zone franche où se sont implantées de nombreuses entreprises de montage de produits électriques et électroniques.

Le Nord-Est est constitué d'une étroite zone côtière fertile, qui s'étend de Bahia au sud à Natal au nord. A l'intérieur domine un climat semiaride connu pour ses sécheresses. Première zone d'implantation coloniale, la région a été prospère au XVIe siècle alors que les Portugais exploitaient, grâce aux esclaves venus d'Afrique, de larges plantations de canne à sucre. A la production de sucre se sont ajoutés le coton, le sisal et le café. La plus grande partie du territoire est consacrée à l'élevage extensif du bétail. Lié par l'histoire, une longue tradition culturelle et par une misère endémique, le Nord-Est forme un ensemble politique solidaire à l'échelle nationale, dominé par une élite conservatrice.

Le Sud-Est, qui comprend le triangle Belo Horizonte - Rio de Janeiro -

São Paulo, constitue le cœur économique et politique du pays. Sa mise en valeur a débuté au XVIIe siècle. Rio de Janeiro est le deuxième centre manufacturier du pays après São Paulo.

S'étendant à l'est et au nord de l'État de Rio de Janeiro, le Minas Gerais est un État industriel important. A la transformation traditionnelle des matières premières se sont ajoutées des industries mécaniques et textiles. Point de convergence des sertanejos, *paysans qui fuient la misère du Nord-Est, le Minas Gerais est le lieu de partage entre le Nord pauvre et le Sud riche, la côte peuplée et l'intérieur inexploité.*

São Paulo, première ville d'Amérique du Sud, est située à l'intérieur des terres. Elle est peuplée principalement de descendants de souche européenne et moyen-orientale, alors que dans la ceinture verte de la métropole se trouve une large communauté d'origine japonaise. Capitale économique du pays, sa prospérité est venue après 1930 quand l'industrie a pris la relève de la production de café. São Paulo et les villes ouvrières satellites de l'A B C (Santo André, Santo Bernardo et Santo Caetano) contribuent aux quatre cinquièmes de la production industrielle du pays.

Quatrième grande région, le Sud comprend les États du Paraná, de Santa Catarina et du Rio Grande do Sul. Elle est caractérisée par un climat tempéré et un relief vallonné couvert au nord d'une forêt de pins et au sud de savane annonçant la pampa argentine. Abandonnée par les Portugais aux Indiens, elle a été colonisée au XIXe siècle par des immigrants allemands suivis de ressortissants venus d'Italie, de Pologne et d'autres pays d'Europe. Le Sud s'est consacré aux cultures vivrières (viande de bœuf et de porc, riz et vin).

Malgré sa grande diversité, le Brésil présente une homogénéité de sociétés et une unité politique et économique étonnante. La domination économique de São Paulo est contrôlée par le jeu politique qui, au niveau fédéral, laisse une large place aux coalitions régionales.

Des voisins distants

L'immensité géographique, la large fenêtre déployée sur l'Atlantique sud, l'usage du portugais, et sa force militaire ont contribué à isoler le Brésil de ses voisins latino-américains. La frontière intérieure, peu peuplée de part et d'autre, n'est pas un lieu propice aux affrontements. Dans quelques rares cas, le tracé des frontières a fait l'objet de contestations.

C'est surtout à cause de sa puissance économique que l'on prête au Brésil des visées expansionnistes. Seule l'Argentine peut prétendre au titre de concurrent sérieux. La rivalité traditionnelle qui opposa ces deux pays a fait place à une collaboration économique et politique croissante.

Doublement isolé du reste du continent par l'Amazone et par les petits États tampons des Guyanes, du Paraguay et de l'Uruguay, le Brésil s'est tourné vers le monde développé, essentiellement les États-Unis et l'Europe.

La sévérité de la crise économique que traverse le pays depuis le début des années quatre-vingt, et les changements politiques importants qu'il a subis n'ont, à aucun moment, incité ses dirigeants en mal de solutions à rejeter sur les nations voisines la responsabilité d'une situation qu'ils ne parviennent pas encore à maîtriser.

Philippe Faucher

BIBLIOGRAPHIE

AMNESTY INTERNATIONAL, *Brésil : assassinats et complicités*, AEFAI, Diff. La Découverte, Paris, 1988.

CORTEN A., *Les Peuples de Dieu et de la forêt : à propos de la « nouvelle gauche » brésilienne*, VLB/L'Harmattan, Montréal-Paris, 1990.

« Le Brésil au pluriel » (dossier), *Vingtième siècle*, n° 25, Paris, janv.-mars 1990.

« Le géant brésilien encore loin du futur » (articles de I. Ramonet, I. Sachs, H. Raillard, A. Sirkis), *Le Monde Diplomatique*, n° 428, Paris, nov. 1989.

MENDES C., *Mon combat pour la forêt*, Le Seuil, Paris, 1990.

Problèmes d'Amérique latine, n° 93 (articles de O. Brasil de Lima Jr, L. Martins Rodrigues, A. de Medeiros et J.-G. Moreira Vasconcellos, C. Bresser Pereira, J. Trotignon), La Documentation française, Paris, 1989.

RUELLAN D. et A., *Le Brésil*, Karthala, Paris, 1989.

SACHS I., « Le Brésil dans le corset du plan Collor », *Le Monde Diplomatique*, n° 435, Paris, juin 1990.

SALAMA P., *La Dollarisation*, La Découverte, Paris, 1989.

SALAMA P., VALIER J., *L'Économie gangrenée*, La Découverte, Paris, 1990 (à paraître).

THÉRY H., *Le Brésil*, Masson, Paris, 1989, 2e éd.

VALLADÃO A., « Le Brésil : l'adieu à la geopolitica », *Hérodote*, n° 53, La Découverte, Paris, 1990.

32 % supérieur à son niveau de 1980. Dès le mois de juin 1989, le ministre des Finances, Maílson da Nóbrega a dû admettre publiquement que le « plan d'été » inauguré en janvier 1989 était un échec. Déjà en avril, le gouvernement avait été contraint de réintroduire la pleine indexation de l'économie dans l'espoir de contenir l'inflation mensuelle à un niveau inférieur à 30 % par mois. De mars à juin, les entrepreneurs ont réagi en accélérant la hausse des prix dans l'attente d'un nouveau gel. En trois mois, l'inflation est passée de 6 % à 29 %, elle a poursuivi sa progression, frisant les 75 % en février 1990.

Invoquant la nécessité de maintenir un niveau adéquat de réserves, la Banque centrale a suspendu en septembre le remboursement de la dette, portant à plus de trois milliards le montant des arrérages dus aux banques commerciales et aux créanciers du Club de Paris.

Le choc du programme de stabilisation

Le programme de stabilisation économique annoncé par le président Collor, le 16 mars 1990, a fait l'effet d'un coup de tonnerre. La mesure qui causa le plus d'émoi fut le gel de l'ensemble de l'épargne et des dépôts à vue des particuliers et des entreprises pour une période de dix-huit mois. Seul un montant d'une valeur équivalant à 1 100 dollars demeura accessible pour les paiements courants. En confisquant les moyens de paiement, la mesure visait à anéantir la demande dans le but de foudroyer l'inflation. Selon les estimations, c'est entre 56 et 85 milliards de dollars qui furent ainsi saisis (plus de 15 % de la valeur du produit national). Comme dans les plans antérieurs, le gel des prix et des salaires fut imposé, mais pour une période limitée, afin d'éviter d'accentuer les distorsions dans les prix et de provoquer des pénuries.

Le programme de stabilisation a également prévu un nouveau changement de devise (le retour du cruzeiro), la libéralisation du contrôle des changes, et l'abolition des stimulants fiscaux aux entreprises. L'assainissement des finances publiques a été amorcé par la réduction du nombre de ministères, l'annonce de nombreuses privatisations, l'élimination de milliers de postes de la fonction publique fédérale, la fermeture de délégations à l'étranger, la vente de résidences officielles et, surtout, par des augmentations substantielles (de 32 à 72 %) des tarifs des services publics.

A son annonce, la population a, dans une proportion de plus de 80 %, accordé son appui au plan économique. Le Congrès, mis une fois de plus devant le fait accompli, a approuvé le train de mesures dans le délai prescrit de trente jours. Mais la brutalité du choc a paralysé les marchés, provoquant la mise à pied immédiate de milliers de travailleurs.

L'épreuve de force était amorcée, et les élections législatives du 3 octobre 1990 devraient sanctionner très vite le succès ou l'échec du nouveau gouvernement.

Philippe Faucher

Nigéria. L'année des dérapages

Pour le général Ibrahim Babangida et le Conseil de gouvernement des forces armées (A F R C) qu'il préside, l'année 1989 aura été celle des dérapages politiques : à peine les difficultés liées à la révision de la future Constitution étaient-elles résolues que de graves émeutes ont éclaté dans plusieurs grandes villes du pays. Quelques mois plus tard, une dissolution de toutes les formations politiques a été décidée par l'A F R C qui a considéré que les formations constituées manquaient de représentativité. Enfin, au début de l'année 1990, de substantiels remaniements dans les échelons supérieurs de l'armée et du gouvernement ont suscité un malaise suivi, quelques mois plus tard, d'une tentative de putsch.

Une agitation sociale endémique

Fin mai 1989, une vague de manifestations estudiantines contre la dégradation de leurs conditions de vie et les effets du programme d'ajustement structurel a pris l'allure d'émeutes à Lagos (22-23 mai), Benin City (25 mai), Ibadan (29 mai) et Nsukka. Contrairement à ce qui s'était passé en 1988, les contestataires ont fréquemment reçu un soutien populaire, ce qui s'est traduit par l'attaque de véhicules et bâtiments gouvernementaux ainsi que par de violents affrontements avec l'armée et les forces de police. Non moins de 43 morts ont été officiellement annoncées et six universités ont été fermées sur ordre de l'A F R C. Elles ont été autorisées à rouvrir leur portes le 30 octobre 1989, moyennant la signature d'un engagement de bonne conduite par les étudiants et leur

NIGÉRIA

République fédérale du Nigéria.
Capitale : Lagos.
Superficie : 923 768 km² (1,7 fois la France).
Monnaie : naira (au taux officiel, 1 naira = 0,71 FF au 30.4.90).
Langues : anglais (officiel, utilisé dans tous les documents administratifs) ; 200 langues dont le housa (Nord), l'igbo (Est), le yoruba (Ouest).
Chef de l'État : général Ibrahim Babangida, président (depuis le 27.8.85).
Prochaine échéance institutionnelle : élections à l'échelon local.
Nature de l'État : république fédérale (21 États).
Nature du régime : militaire.
Partis politiques : évolution vers un bipartisme institutionnalisé.
Carte : p. 259.
Statistiques : voir aussi p. 260.

NIGÉRIA

1. DÉMOGRAPHIE, CULTURE, ARMÉE

	Indicateur	Unité	1970	1980	1989
Démographie	Population	million	57,22	80,56	109,2
	Densité	hab./km²	61,9	87,2	118,2
	Croissance annuelle	%	3,3[a]	3,5[b]	3,4[c]
	Mortalité infantile	‰	157,6	118,0	105[c]
	Espérance de vie	année	43,5	47,5	50,5[c]
	Population urbaine	%	20,0	27,1	34,3
Culture	Analphabétisme	%	85[h]	66	52[d]
	Nombre de médecins	‰ hab.	0,05	0,10	0,12[f]
	Scolarisation *12-17 ans*	%	13,9	39,2	44,8
	3e degré	%	0,5	2,2	2,9[e]
	Postes tv	‰	1,3	5,6	5,9[d]
	Livres publiés	titre	1 219[g]	2 316	2 352[d]
Armée	Marine	millier d'h.	2	8	5,0
	Aviation	millier d'h.	3	8	9,5
	Armée de terre	millier d'h.	180	130	80

a. 1965-75; b. 1975-85; c. 1985-90; d. 1987; e. 1984; f. 1983; g. 1971; h. 1965.

2. COMMERCE EXTÉRIEUR[a]

Indicateur	Unité	1970	1980	1989
Commerce extérieur	% PIB	14,6	23,4	34,0
Total imports	milliard $	1,1	16,7	6,0
Produits agricoles	%	9,1	17,6	13,7[b]
Produits miniers	%	1,5	1,8	2,0[c]
Produits industriels	%	85,6	78,3	81,8[b]
Total exports	milliard $	1,2	25,9	8,6
Pétrole	%	58,2	96,9	83,6[b]
Cacao	%	16,9	1,7	3,6[b]
Autres produits agricoles	%	19,6	0,6	1,0[b]
Principaux fournisseurs	% imports			
CEE		58,9	57,9	52,0[b]
— dont Royaume-Uni		30,7	18,7	14,5[b]
PVD		7,4	15,0	25,6[b]
Principaux clients	% exports			
États-Unis		11,5	38,8	36,2[b]
CEE		70,1	38,0	35,0[b]
— dont Royaume-Uni		28,3	1,2	2,3[b]

a. Marchandises; b. 1988; c. 1987.

prise en charge du coût financier des dégâts commis.

Fin mars 1990, l'annonce d'un prêt de la Banque mondiale de 140 millions de dollars destiné aux universités fédérales a suscité une nouvelle vague d'agitation, motivée par les compressions d'effectifs et

3. ÉCONOMIE

Indicateur	Unité	1970	1980	1989
PIB	milliard $	9,93	84,43	27,69
Croissance annuelle	%	6,8[a]	0,3[b]	4,0
Par habitant	$	150	1 020	254
Structure du PIB				
Agriculture	% } 100 %	40,1	26,1	34,4[c]
Industrie	% } 100 %	14,6	41,8	36,4[c]
Services	% } 100 %	45,4	32,0	29,2[c]
Dette extérieure	milliard $	0,6	8,9	30,7[c]
Taux d'inflation	%	13,7	10,0	27,9[g]
Population active	million	23,64	32,09	40,74
Agriculture	% } 100 %	71,0	68,2	65,5[c]
Industrie	% } 100 %	10,5	11,6	••
Services	% } 100 %	18,5	20,2	••
Dépenses publiques				
Éducation	% PNB	3,9	6,5[f]	1,4[e]
Défense	% PNB	9,3	2,0	0,8[c]
Production d'énergie	million TEC	79,2	153,8	94,1[d]
Consommation d'énergie	million TEC	2,7	11,0	16,9[d]

a. 1965-75 ; b. 1975-85 ; c. 1988 ; d. 1987 ; e. 1986 ; f. 1981 ; g. Décembre à décembre.

diverses mesures d'austérité annoncées dans le même temps. Le mouvement de protestation a, cette fois, débuté dans le Nord, sur le campus de l'université Ahmadu Bello à Zaria, puis s'est étendu à Jos et à Ife.

La nouvelle Constitution

Le texte final de la Constitution révisée de 1979 a été rendu public début mai 1979, après que l'AFRC y eut introduit diverses modifications. L'entrée en vigueur de la Constitution est prévue pour aller de pair avec le transfert du pouvoir à un régime civil élu, le 1er octobre 1992. Les innovations ont été peu nombreuses par rapport au texte antérieur : le Nigéria demeure une fédération dotée d'un régime présidentiel évocateur de celui des États-Unis. Le président reste élu pour quatre ans, mais doit désormais obtenir 50 % des voix dans les deux tiers des États lors du premier tour du scrutin. Les principales nouveautés par rapport à la Constitution de 1979 ont résulté de décisions de l'AFRC plus que d'initiatives des constituants dont la marge de manœuvre aura été extrêmement limitée. L'AFRC a innové sur la question du statut de la *charia* (loi islamique) qui avait conduit au blocage des travaux de l'Assemblée constituante fin 1988 : les États de la fédération qui le désirent conservent le droit de mettre en place des tribunaux de la *charia* : toutefois, une affaire ne pourra plus être portée devant de telles juridictions si les parties ne sont pas toutes musulmanes. Principales concernées, les minorités chrétiennes du Nord peuvent ainsi espérer voir cesser les pressions qui visaient à leur imposer des juridictions de droit islamique. Deuxième changement notable, les collectivités locales bénéficient d'une autonomie et de ressources accrues qui auront pour effet de consolider leur indépendance face aux États. Il

BIBLIOGRAPHIE

BACH D.C., « Unité nationale et société plurale au Nigéria : les effets boomerang du fédéralisme », *Afrique contemporaine*, n° 150, Paris, 2e trim. 1989.

BASSEY C.O., « Retrospects and Prospects of Political Stability in Nigeria », *African Studies Review*, vol. XXXII, avr. 1989.

JOSEPH R., *Democracy and Prebendal Politics in Nigeria*, Cambridge University Press, Cambridge, 1987.

« Nigéria : le fédéralisme dans tous ses États », *Politique africaine*, n° 32, Karthala, Paris, 1989.

OYEWOLE A., *Historical Dictionary of Nigeria*, The Scarecrow Press, Metuchen, 1987.

ne faut toutefois pas se méprendre sur cette évolution qui s'inscrit dans un mouvement de centralisation du pouvoir au profit de Lagos. La dernière innovation d'importance qui figure dans la Constitution concerne l'adoption d'un système bipartite, recommandé par le Bureau politique dès 1988.

Personnalisation du pouvoir

Levée le 3 mai 1989, l'interdiction qui pesait sur les formations politiques depuis le coup d'État de décembre 1983 leur a donné dix semaines pour préparer le dépôt de leurs candidatures. Pour qu'elles soient déclarées recevables par la Commission nationale électorale, les formations devaient pouvoir faire état d'une assise nationale — c'est-à-dire de l'ouverture d'un bureau dans chacune des collectivités locales — sans parler de l'emploi de « procédures démocratiques » lors de la définition de leur programme et pour la nomination de leurs responsables. Les dispositions de la Constitution de 1979 destinées à prévenir toute polarisation selon des clivages religieux ou régionaux étant demeurées en vigueur, il était exclu que les manifestes, sigles, emblèmes et slogans contiennent la moindre connotation ethnique, religieuse ou régionale.

Sur les treize formations qui ont finalement déposé leur candidature, seules six ont été retenues par la Commission qui a alors transmis leurs dossiers aux militaires de l'AFRC à qui revenait le choix final des deux partis autorisés à présenter des candidats aux élections. En fait, le 7 octobre 1989, à la surprise de tous, le général Babangida a proclamé au nom de l'AFRC la dissolution de toutes les formations existantes : aucune d'entre elles n'avait été considérée comme suffisamment représentative ou indépendante des forces politiques de la IIe République (1979-1983) pour assurer l'émergence d'un « nouvel ordre socio-politique ». A cette fin, le chef de l'État nigérian a annoncé la création de deux partis politiques, baptisés Parti social-démocrate (SDP) et Convention nationale républicaine (NRC), conçus, financés et organisés par le gouvernement militaire. L'élaboration des programmes de ces partis politiques a d'abord été confiée à la Commission nationale électorale qui a été chargée de réaliser, en octobre-novembre 1989, une synthèse des manifestes des treize formations politiques dissoutes. On en a extrait les éléments constitutifs d'un programme pour chacun des deux futurs partis. Conformément aux directives de l'AFRC, le programme électoral du SDP a été conçu « un peu à gauche », celui du NRC étant « un peu à droite du centre ». Ces tâches achevées, des bureaux destinés au SDP et à la NRC ont été mis en place sur tout le territoire de la Fédération ; des fonctionnaires ont également été nommés pour en assurer le fonctionnement à titre intérimaire. Le 26 mars 1990, les adhésions ont été déclarées ouvertes à tous les Nigérians disposant du droit de vote, à savoir les citoyens âgés de plus de dix-huit ans, non employés dans le secteur public et n'ayant exercé aucune activité politique par le passé.

En décembre 1989, un vaste mouvement de personnel a affecté les échelons supérieurs des forces armées, les postes de gouverneurs dans cinq des États, ainsi que le cabinet et l'entourage immédiat du président Babangida. Ce dernier, qui était le commandant en chef des forces armées, est devenu en sus ministre de la Défense. Un tel renforcement de son contrôle sur les rouages administratifs et la sécurité du pays a confirmé une évolution autoritaire du régime déjà sensible en février 1989, lorsque l'AFRC avait vu le nombre de ses membres diminuer d'un tiers. En janvier 1990, l'importance des remaniements annoncés a engendré des accusations provenant de certains militaires évincés, mais aussi un malaise plus diffus du fait de nominations interprétées comme défavorables aux chrétiens.

Le 22 avril 1990, le commandant Gideon Orkar, originaire du Benue State, a pris le contrôle de la radio nigériane « au nom » des populations du Sud et du *Middle Belt*. Mais l'action des mutins est restée confinée à Lagos et a échoué dans sa tentative de prendre le contrôle de la caserne Doddan où réside le chef de l'État. Quelques heures plus tard l'ordre était rétabli à Lagos, non sans qu'une dizaine de morts aient été annoncés.

Daniel C. Bach

Indonésie. Contestation et libéralisation économique

Bien que le cinquième mandat du président Suharto ne prenne fin qu'en 1993, son autobiographie, publiée en janvier 1989, dans laquelle — sincère ou habile — il a laissé entendre qu'il s'agissait de son dernier quinquennat, a relancé la polémique sur sa succession. A cette occasion ont resurgi les vieux problèmes du rôle de l'armée dans l'État et de l'urgence d'une démocratisation, à l'heure où, à l'Est, tombaient les dictatures. Au plan économique, l'Indonésie, malgré le poids de sa dette étrangère, a commencé à recueillir les fruits de la libéralisation.

L'opposition au régime s'est marquée de plusieurs manières détournées. La distance entre le président et l'armée, manifeste depuis 1988, s'est confirmée. Ainsi les manifestations étudiantes, qui ont repris début 1989 pour soutenir les revendications de plus en plus nombreuses de paysans injustement expulsés de leur terre au nom du développement ou d'intérêts privés, ont bénéficié de la compréhension de l'autorité militaire, qui donnait ainsi sa caution à une critique sociale du régime. Il en a été de même pour la déclaration rendue publique en avril 1989 en Belgique par les organisations non gouvernementales indonésiennes, à la veille de la réunion du consortium d'aide à l'Indonésie, l'IGGI (Groupe intergouvernemental sur l'Indonésie).

Une vie politique plus transparente ?

Au Parlement, en juin 1989, c'est le groupe des Forces armées qui a lancé une polémique sur la nécessité d'introduire la « transparence » dans la vie politique indonésienne.

Les déclarations se sont multipliées sur la manière de démocratiser la

INDONÉSIE

1. DÉMOGRAPHIE, CULTURE, ARMÉE

	Indicateur	Unité	1970	1980	1989
Démographie	Population	million	120,3	151,0	179,1
	Densité	hab./km²	62,9	78,9	93,6
	Croissance annuelle	%	2,4 [a]	2,1 [b]	1,6 [c]
	Mortalité infantile	‰	119	105,0	84 [c]
	Espérance de vie	année	47,0	52,5	56,0 [c]
	Population urbaine	%	17,1	22,2	28,1
Culture	Analphabétisme	%	43,4 [h]	32,7	25,7 [e]
	Nombre de médecins	‰ hab.	0,04	0,09 [g]	0,13
	Scolarisation *12-17 ans*	%	33,1	51,3	64,1
	3e degré	%	2,8	3,9 [i]	6,5 [f]
	Postes tv	‰	0,7	20	40 [d]
	Livres publiés	titre	1 424 [h]	2 322	2 052 [d]
Armée	Marine	millier d'h.	40	35,8	43
	Aviation	millier d'h.	50	25	24
	Armée de terre	millier d'h.	275	181	215

a. 1965-75 ; b. 1975-85 ; c. 1985-90 ; d. 1987 ; e. 1985 ; f. 1984 ; g. 1979 ; h. 1971 ; i. 1981.

2. COMMERCE EXTÉRIEUR [a]

Indicateur	Unité	1970	1980	1989
Commerce extérieur	% PIB	11,5	22,6	17,9
Total imports	milliard $	1,0	10,8	16,1
Produits agricoles	%	15,8	16,1	12,3 [b]
Produits miniers [d]	%	2,0	1,7	1,7 [c]
Produits industriels	%	82,2	66,0	72,2 [c]
Total exports	milliard $	1,1	21,9	21,0
Produits énergétiques	%	32,8	71,9	40 [b]
Caoutchouc	%	19,3	4,9	4,3 [b]
Autres produits agricoles	%	35,0	16,9	30,2 [b]
Principaux fournisseurs	% imports			
Japon		29,4	31,5	25,4 [b]
États-Unis		17,8	13,0	12,9 [b]
Singapour		5,7	8,6	6,6 [b]
Principaux clients	% exports			
Japon		39,0	49,3	41,7 [b]
États-Unis		12,4	19,6	16,2 [b]
Singapour		14,8	11,3	8,5 [b]

a. Marchandises ; b. 1988 ; c. 1987 ; d. Hors produits pétroliers.

désignation du président de la République (abandon de la candidature unique, campagne sur programme, vote à bulletins secrets, limitation du nombre des mandats, élargissement de l'initiative du Parlement). Est-ce

3. ÉCONOMIE

Indicateur	Unité	1970	1980	1989
PIB	milliard $	9,44	69,56	95,0
Croissance annuelle	%	6,9[a]	6,2[b]	6,0
Par habitant	$	80	490	530
Structure du PIB				
Agriculture	% } 100 %	44,9	24,0	24,1[c]
Industrie	% } 100 %	18,7	41,7	35,1[c]
Services	% } 100 %	36,4	34,3	40,8[c]
Dette extérieure	milliard $	3,0	20,9	52,6[c]
Taux d'inflation	%	12,3	18,5	6,1[f]
Population active	million	45,6	56,3	69,7
Agriculture	% } 100 %	66,3	57,2	54,6[e]
Industrie	% } 100 %	10,3	13,1	13,4[e]
Services	% } 100 %	23,4	29,7	32,0[e]
Dépenses publiques				
Éducation	% PIB	2,8	1,7	0,8[c]
Défense	% PIB	3,1	2,9	1,7[c]
Production d'énergie	million TEC	63,9	134,0	131,8[d]
Consommation d'énergie	million TEC	13,9	34,7	47,2[d]

a. 1965-75; b. 1975-85; c. 1988; d. 1987; e. 1985; f. Décembre à décembre.

là la revendication d'une classe d'affaires en pleine expansion qui voudrait être mieux représentée?

La réunion annuelle des dirigeants militaires (août 1989) n'a apporté qu'un soutien ambigu à la « direction nationale » (c'est-à-dire Suharto). Même le parti gouvernemental, Golkar, a développé l'idée d'une « opposition loyale » en critiquant une hausse brutale des tarifs de l'électricité (plus 25 % en mai 1989).

Le président Suharto fin mai, puis au début juin, a demandé qu'il soit mis fin aux spéculations sur sa succession et a rappelé les mécanismes fixés par la Constitution : recours à l'Assemblée consultative du peuple (MPR) qui se réunit onze jours une fois tous les cinq ans pour désigner le président, le vice-président et approuver les grandes orientations du régime. Il a dû revenir sur la question à plusieurs reprises et, en septembre 1989, il a menacé : « Si l'on sort du processus constitutionnel, je frapperai, qu'il s'agisse d'un homme politique ou d'un général. » Enjeu politique, les manifestations étudiantes ont parfois été durement réprimées à Jakarta (juin 1989) et à Bandung (août 1989). Plusieurs étudiants ont été arrêtés. Leur procès (novembre 1989-février 1990), qui s'est conclu par des peines de trois ans de prison, a été l'occasion de dénoncer l'autoritarisme du régime.

Au deuxième congrès du parti musulman, Partai Persatuan Pembangunan (PPP), en août 1989, l'ancien président John Naro, critiqué pour son autoritarisme et son népotisme, a été évincé par Ismaïl Hasan Metareum. Le fait que le gouvernement se soit abstenu d'intervenir dans les affaires du PPP a été salué dans la presse.

Le 28e congrès de l'importante organisation musulmane, en théorie apolitique, Nahdatul Ulama (20 millions de membres), qui a conservé sa direction moderniste malgré des dissensions, s'est ouvert sur un discours laudateur de Suharto. L'islam reste en majorité modéré en Indonésie, la

BIBLIOGRAPHIE

HILL H., *Foreign Investment and Industrialization in Indonesia*, Oxford University Press, Singapour, 1989.

LEVANG P., SEVIN O., « 80 ans de transmigration en Indonésie », *Annales de géographie*, n° 549, Paris, oct. 1989.

LOROT P., « Indonésie : stratégies japonaises », *Hérodote*, n° 52, La Découverte, Paris, 1989.

RAILLON F., « Le système politique indonésien : quel devenir ? », *Hérodote*, n° 52, La Découverte, Paris, 1989.

réaction à l'affaire des *Versets sataniques* (1989) l'a montré.

En revanche, les procès intentés aux musulmans accusés d'avoir comploté pour instaurer un État musulman à la suite d'affrontements sanglants à Sumatra Sud (février 1989) se sont soldés par de lourdes peines allant de quinze ans de prison à la détention à vie. L'exécution, en février 1990, après vingt ans de prison, de quatre prisonniers politiques, condamnés à mort pour leur participation à la tentative de putsch procommuniste de 1965 dont l'écrasement a permis à Suharto de prendre le pouvoir, a suscité des réactions internationales, notamment de l'ancienne puissance coloniale, les Pays-Bas, qui lie l'aide économique au respect des droits de l'homme.

Succès de la déréglementation

La libéralisation économique lancée en octobre 1988, en particulier dans le secteur bancaire, s'est poursuivie, insufflant à ce dernier un essor dont l'ampleur et le dynamisme ont surpris. Les banques privées et étrangères ont accru leur champ d'action, rivalisant pour attirer épargnants et investisseurs. L'activité du marché boursier s'est trouvée rapidement décuplée. Malgré des résistances, on a reparlé de la privatisation de quelques-unes des deux cents entreprises d'État (dix ont été déclarées d'intérêt stratégique et confiées par Suharto au puissant ministre de la Recherche Bacharuddin Jusuf Habibie). Les investissements étrangers, battant leur record, ont triplé en 1988 par rapport à 1987, atteignant 4,4 milliards de dollars, venant surtout du Japon, de Taïwan et de la Corée du Sud. La tendance s'est confirmée en 1989 (4,7 milliards de dollars). Ils ont bénéficié de facilités accrues, notamment sur l'île de Batam, à la suite de la visite du chef de gouvernement de Singapour, Lee Kuan Yew (octobre 1989). On projette de faire de cette île une zone de développement privilégiée.

Le secteur industriel est devenu celui où la croissance est la plus forte. Les exportations non pétrolières ont continué de se développer, atteignant 61 % des exportations totales en 1989. Le déficit de la balance des paiements a diminué de moitié. Le taux de croissance a été corrigé à la hausse (5,7 en 1988, plus de 6 % en 1989). L'IGGI a accordé, en juin 1989, 4,3 milliards de dollars d'aide. Mais la dette extérieure est lourde (52 milliards de dollars), son service atteignant la proportion inquiétante de 37 % de la valeur des recettes d'exportations.

Le redressement économique s'est marqué par une expansion du budget adopté en janvier 1990 (+ 17 %). La prudence est restée de mise, mais les fonctionnaires ont été augmentés de 10 %. L'accent a été mis sur les dépenses sociales. En effet, de fortes inégalités et les risques de troubles qu'elles engendrent sont désignés comme le premier danger menaçant le régime. Une véritable campagne s'est développée contre les « conglomérats » d'affaires, dirigés par des Indonésiens d'origine chinoise, souvent liés au pouvoir, et grands bénéficiaires des déréglementations. La Chambre de commerce et de l'industrie a réclamé une loi antitrust. Ainsi s'est trouvé reposé le problème du rôle de l'État vis-à-vis d'un secteur privé de plus en plus chargé d'impulser le développement et celui de la domination économique des Chinois indonésiens, cible privilégiée de la vindicte populaire.

Répondant à cette double préoccupation, le président Suharto a demandé à une trentaine d'hommes d'affaires chinois — dont son associé Liem Sioe Liong, l'homme le plus riche d'Indonésie — de céder à prix réduit 25 % de leur capital aux coopératives (janvier et avril 1990). La proportion a été ramenée à 1 %, mais ces entreprises ont dû accepter cette concession.

Ouverture à l'Est et renforcement régional

Après être allé à l'ONU (juin 89) recevoir la distinction *Population Award* pour la politique de contrôle des naissances menée par l'Indonésie, le président Suharto s'est rendu d'abord au sommet des non-alignés à Belgrade, le 7 septembre 1989, au cours duquel l'Indonésie, représentant des modérés, a brigué officiellement la présidence du mouvement pour 1992, puis à Moscou (12-18 septembre 1989). Cette première visite d'un chef d'État indonésien depuis vingt-cinq ans s'est déroulée « sous le signe de l'amitié et de la coopération ». La venue en Indonésie du président de la République d'Ouzbekistan (janvier 1990) a confirmé un dégel qui a suscité la méfiance des militaires indonésiens. La normalisation entamée avec la Chine en février 1989 s'est, quant à elle, poursuivie à très petite vitesse. Cette ouverture marque le désir de l'Indonésie de trouver des marchés économiques alternatifs alors que le protectionnisme des États-Unis et leur souci de défendre les droits de l'homme irritent Jakarta.

Les relations avec l'Australie, tendues depuis 1986 se sont réchauffées. La coopération militaire a repris. Un accord bilatéral a été signé (décembre 1989) sur l'exploitation pétrolière dans la fosse de Timor. Toujours active dans la recherche d'une solution au Cambodge, l'Indonésie a soutenu le plan australien faisant appel à l'ONU lors de la réunion informelle des quatre factions cambodgiennes à Jakarta (février 1990). Cette réunion est restée sans résultats.

Si les autorités indonésiennes n'ont guère apprécié l'offre de Singapour (août 1989) proposant une base militaire aux États-Unis, la coopération militaire des pays de l'ANSEA

INDONÉSIE

République d'Indonésie.
Capitale : Jakarta.
Superficie : 1913000 km² (3,7 fois la France).
Monnaie : roupie (au taux officiel, 1 roupie = 0,003 FF au 30.4.90).
Langues : Bahasa Indonesia (officielle) ; 200 langues et dialectes régionaux.
Chef de l'État : général Suharto, président (depuis mars 1967).
Échéances institutionnelles : élections générales en 1992 ; présidentielles en 1993.
Nature de l'État : république.
Nature du régime : régime présidentiel autoritaire dominé par l'armée de terre.
Principaux partis politiques : *Gouvernement :* Golkar (Golongan Karya, fédération de « groupes fonctionnels » où les militaires occupent une grande place). *Opposition légale :* Partai Persatuan Pembangunan (PPP, parti du développement uni, coalition musulmane) ; Parti démocratique indonésien (PDI, chrétien-nationaliste).
Carte : p. 348.
Statistiques : voir aussi p. 350.

(Association des nations du Sud-Est asiatique) s'est renforcée au cours de l'année 1989 (manœuvres et entraînement de haut niveau en commun), montrant par là les doutes de ces pays quant à l'engagement futur des États-Unis dans la région et leur inquiétude quant aux intentions des puissances régionales que sont le Japon, la Chine et l'Inde.

La visite du Pape en Indonésie et surtout à Timor, en octobre 1989, n'a pas apporté à Jakarta la caution espérée quant à l'annexion de ce territoire par l'Indonésie en 1976. Jean-Paul II a appelé à la réconciliation et au respect des droits de l'homme. Une manifestation du FRELITIN (Front révolutionnaire pour l'indépendance de Timor est) a été durement réprimée. Ce fut aussi le cas de celle qui a marqué la visite de l'ambassadeur américain, en janvier 1990.

Françoise Cayrac-Blanchard

Australie. La fin d'un certain rêve

Les élections fédérales du 24 mars 1990 ont apporté une quatrième victoire consécutive au Premier ministre Robert Hawke et au Parti travailliste australien, au pouvoir depuis 1983. Cette réélection, acquise avec seulement huit sièges de majorité à la Chambre des représentants, a comporté un triple enseignement : les électeurs australiens n'ont plus pour les travaillistes les yeux de Chimène ; le Parti libéral, et son leader Andrew Peacock démissionnaire après la défaite de mars, n'a pas constitué une alternative crédible ; le redressement de la compétitivité extérieure de l'économie australienne demeure une nécessité. Chacun se demandait, au printemps 1990, qui opérerait ce redressement. Et comment ?

Car, malgré un taux de croissance de 3,3 % en 1989 — et la prouesse du gouvernement Hawke de transformer le déficit fédéral hérité en 1983 en un surplus se montant à 9 milliards de dollars australiens en 1990 —, l'année 1989 a confirmé les faiblesses structurelles de l'économie du pays. Le déficit des comptes courants s'est en effet élevé à 20 milliards de dollars australiens, soit 5 % du PIB, ce qui ne pouvait plus s'expliquer par la seule baisse des prix des matières premières. Les causes, désormais, devaient être reconnues comme endogènes : augmentation excessive des importations, alimentée par une forte demande intérieure passée de 4,9 % en 1988 à 7,7 % en 1989 ; une dette extérieure nette se montant à 110 milliards de dollars australiens — soit 32 % du PIB, alors que ce taux était que de 6 % en 1981 —, son service ayant représenté 20 % de la valeur des recettes d'exportation en 1989. Seule note autorisant une pointe d'optimisme : avec une large proportion de ces emprunts consacrée aux investissements, le gouvernement espérait que de telles dépenses allaient accroître la productivité de l'économie et réduire à terme sa dépendance vis-à-vis des importations.

Déréglementation

De tels indicateurs ont désigné d'eux-mêmes l'assainissement des finances extérieures comme priorité. Dès sa réélection, Bob Hawke a donc annoncé qu'il allait consacrer son quatrième mandat à des « réformes micro-économiques » afin d'améliorer la compétitivité extérieure de l'économie du pays. Une large déréglementation devrait toucher de nombreuses entreprises du secteur public — lignes aériennes, transport maritime et ferroviaire, télécommunications, production d'électricité — pour tenter d'augmenter la productivité de celles-ci. Inconvénients attendus de cette politique : l'introduction de capitaux privés, nationaux et étrangers, impliquera la poursuite des investissements japonais dans le pays, lesquels, comme c'est le cas aux États-Unis, sont de plus en plus critiqués.

Par ailleurs, le niveau de l'inflation s'est maintenu en 1989 à 8,6 %. Et ni ces réformes micro-économiques, ni la reconduction de l'accord, vieux de sept ans, entre le gouvernement et la Confédération australienne des syndicats (ACTU) ne constituent une réelle garantie de maintien du pouvoir d'achat face à une inflation perçue comme élevée par les salariés du secteur public. Un tel niveau d'inflation affecte évidemment bien plus les classes moyennes que les grands propriétaires des *stations* d'élevage ou les *raiders* et hommes d'affaires mondialement connus tels que John Fairfax, Alan Bond ou Kerry Packer.

De la même manière, la relance du débat sur l'immigration a été certes le fait d'hommes politiques conservateurs en campagne, mais qui n'ont fait qu'utiliser un filon d'inquiétude existant chez les catégories sociales peu favorisées, souvent immigrées elles-mêmes, voyant chez les nouveaux arrivants une menace pour leur emploi ou pour la réussite scolaire de leurs enfants.

Le débat sur l'immigration

En ce domaine de l'immigration, l'argumentaire avancé à l'automne 1989 par le physicien australien Mark Oliphant s'est appuyé non plus sur une volonté d'« Australie blanche », mais sur l'annonce d'une Australie... pauvre : le pays, grand en superficie, serait en fait « petit » quant à ses ressources en eau et à la capacité productive de ses sols. La production agricole serait déjà proche de son rendement maximum, et la terre ne serait donc plus en mesure d'accueillir de nouveaux venus. De tels arguments ont été versés au dossier des partisans d'une plus stricte limitation des entrées, allant ainsi à l'encontre des décisions du gouvernement de faire passer, à la suite des recommandations de la commission Fitzgerald formulées en 1988, le nombre d'immigrants de 120000 à 150000 chaque année. Le problème de l'immigration en Australie — pays qui ne compte que 16,5 millions d'habitants pour 7,6 millions de kilomètres carrés — touche à la fois aux inégalités, à la représentation collective, et... à la localisation.

AUSTRALIE

Commonwealth d'Australie.
Capitale : Canberra.
Superficie : 7682300 km² (14 fois la France).
Monnaie : dollar australien (1 dollar australien = 4,84 FF au 30.4.90).
Langue : anglais (officielle).
Chef de l'État : William (Bill) Hayden, gouverneur général représentant la reine Elizabeth II.
Chef du gouvernement : Robert (Bob) Hawke, Premier ministre, depuis 1983 (nouveau mandat de trois ans depuis le 25.3.90).
Nature de l'État : fédération de 6 États et 2 territoires.
Nature du régime : démocratie parlementaire de type britannique.
Principaux partis politiques : *Gouvernement :* Parti travailliste australien (ALP). *Opposition :* Parti libéral d'Australie; Parti national d'Australie; Parti des démocrates australiens. *Parti extra-parlementaire :* Parti pour le désarmement nucléaire (NDP).
Territoires sous administration : île de Norfolk, Territoire de la mer de Corail; îles Cocos; îles Heard et Mac Donald; île Christmas; île du détroit de Torres; île Maquerie.
Carte : p. 366.
Statistiques : voir aussi p. 368.

AUSTRALIE

1. DÉMOGRAPHIE, CULTURE, ARMÉE

	Indicateur	Unité	1970	1980	1989
Démographie	Population	million	12,6	14,7	16,8
	Densité	hab./km²	1,6	1,9	2,2
	Croissance annuelle	%	1,8 [a]	1,5 [b]	1,2 [c]
	Mortalité infantile	‰	17,9	10,7	8 [c]
	Espérance de vie	année	71,3	74,6	76,1 [c]
	Population urbaine	%	85,2	85,8	85,5
Culture	Nombre de médecins	‰ hab.	1,20	1,80	2,25 [d]
	Scolarisation 2e *degré* [g]	%	82	84	98 [e]
	3e *degré*	%	16,6	25,4	28,8 [f]
	Postes tv	‰	220	381	483 [e]
	Livres publiés	titre	4 935	9 386	7 460 [f]
Armée	Marine	millier d'h.	17,4	16,9	15,7
	Aviation	millier d'h.	22,7	22,1	22,6
	Armée de terre	millier d'h.	45	32	31,3

a. 1965-75 ; b. 1975-85 ; c. 1985-90 ; d. 1988 ; e. 1987 ; f. 1986 ; g. 12-16 ans.

2. COMMERCE EXTÉRIEUR [a]

Indicateur	Unité	1970	1980	1989
Commerce extérieur	% PIB	11,5	15,0	14,7
Total imports	milliard $	5,06	22,40	44,6 [b]
Produits agricoles	%	9,9	8,0	8,0 [c]
Produits énergétiques	%	5,5	13,8	5,1
Autres produits miniers	%	1,4	3,3	1,1 [c]
Total exports	milliard $	4,77	22,03	37,80
Produits agricoles	%	56,3	45,1	37,4 [c]
Produits miniers [b]	%	14,8	28,0	29,6 [c]
Produits industriels	%	28,3	26,1	33,0 [c]
Principaux fournisseurs	% imports			
PVD		12,0	24,7	18,8 [c]
Japon		12,7	17,1	20,1 [c]
CEE		37,3	22,7	22,9 [c]
Principaux clients	% exports			
PVD		22,0	31,4	32,8 [c]
Japon		26,2	26,6	27,0 [c]
CEE		21,7	13,9	15,2 [c]

a. Marchandises ; b. Y compris produits énergétiques ; c. 1988.

Les immigrants des première, deuxième et troisième générations — Italiens, Yougoslaves, Libanais — ont formé, dans la seconde moitié du XXe siècle, les couches populaires et comptent souvent parmi les moins favorisés. L'arrivée de nouveaux immigrants risque-t-elle d'accroître

3. ÉCONOMIE

Indicateur	Unité	1970	1980	1989
PIB	milliard $	37,1	143,0	258,0
Croissance annuelle	%	4,3[a]	2,9[b]	4,9
Par habitant	$	2970	9730	15360
Structure du PIB				
Agriculture	% } 100 %	5,8	5,5	4,5[d]
Industrie	% } 100 %	39,0	35,6	32,7[d]
Services	% } 100 %	55,1	58,9	62,8[d]
Taux d'inflation	%	3,9	10,1	7,8[f]
Population active	million	5,6	6,7	8,3
Agriculture	% } 100 %	8,0	6,5	5,5
Industrie	% } 100 %	36,4	30,9	26,5
Services	% } 100 %	55,6	62,6	68,0
Chômage	%	1,6	6,0	5,8[g]
Dépenses publiques				
Éducation	% PIB	4,2	5,6	5,8[e]
Défense	% PIB	3,4	2,8	2,4
Recherche et Développement	% PIB	1,3[g]	1,1	1,2[d]
Aide au développement	% PIB	0,59	0,46	0,41[c]
Production d'énergie	million TEC	59,6	113,0	193,5[d]
Consommation d'énergie	million TEC	60,6	91,2	110,6[d]

a. 1965-75 ; b. 1975-85 ; c. 1988 ; d. 1987 ; e. 1986 ; f. Décembre à décembre ; g. En fin d'année.

les inégalités et les clivages entre une Australie blanche, en moyenne plus riche ; et une Australie plus pauvre, immigrée, relativement bien intégrée, et... blanche elle aussi ?

Par ailleurs, l'Australie est passée, depuis le début des années soixante-dix, du statut d'« avant-poste de l'Europe », fille du Royaume-Uni, à celui de pays multiculturel avec le dynamisme mais aussi les tensions que cela peut induire.

Enfin, avec la prédominance — relative et contrôlée — de l'immigration asiatique (34 % des 144 000 immigrants en 1989), l'Australie s'est contentée de s'adapter à l'Histoire et à sa localisation géographique : guerre du Vietnam, exode des Khmers, demande d'immigration des Chinois de Hong Kong... A cela s'ajoute le fait que 25 % des échanges commerciaux du pays se font désormais avec le Japon, que les investissements d'origine asiatique viennent en tête, soit 35 milliards de dollars australiens, que les pays d'Asie écoulent 50 % des exportations australiennes, soit 17 milliards de dollars australiens, et que la nouvelle doctrine stratégique australienne et les repositionnements qu'elle implique prennent en compte les facteurs de progression démographique asiatique, et non plus la seule défense des villes de la côte Est. On mesure ainsi que l'ancrage de l'Australie dans la zone Asie-Pacifique présente un caractère presque volontariste.

S'ancrer dans la région Asie-Pacifique

C'est précisément en direction de cette région que la diplomatie de Canberra s'est montrée la plus soutenue et la plus inventive. L'une des orientations de la politique étrangère s'est traduite par la présentation, en

BIBLIOGRAPHIE

Asia Pacific Year Book (annuaire), publié en janv. par la *Far Eastern Economic Review*, Hong Kong.

Far East and Australia Year Book (annuaire), Europa publications, Londres.

« Preserving Paradise. A Survey of Australia », *The Economist*, Londres, mai 1989.

Pons X., *Le Géant du Pacifique*, Économica, Paris, 1988.

States Man Yearbook (annuaire), McMillan Press, Londres.

Victor J.-C., « Où est l'Australie ? », *Hérodote*, n° 52, La Découverte, Paris, 1989.

novembre 1989, d'un projet de règlement de la crise cambodgienne. L'idée de la mise en place d'une administration transitoire des Nations unies à Pnom Penh permettant la tenue d'élections « libres » a été soutenue, pendant le premier semestre de 1990, par une diplomatie de la navette conduite entre Hanoï, Pnom Penh et Bangkok, par le secrétaire adjoint aux Affaires étrangères, Michael Costello.

L'Australie a par ailleurs pris l'initiative de structurer la coopération économique régionale dans la zone en invitant à Canberra, en décembre 1989, les États-membres fondateurs de l'APEC (Conseil économique de la zone Asie-Pacifique). Une deuxième réunion s'est tenue en juillet 1990 à Singapour pour tenter d'identifier les objectifs du nouvel organisme — organisation de réseaux, zone de libre-échange, marché commun asiatique ? — sans pour autant parvenir à rassurer tout à fait ni les États membres de l'ANSEA (Association des nations du Sud-Est asiatique), ni le Japon, ni les États-Unis [*voir article au chapitre « Organisations internationales »*].

Enfin, lors de la conférence internationale sur l'Antarctique qui s'est tenue à Paris en octobre 1989, une initiative conjointe franco-australienne a proposé la transformation de ce continent en « parc naturel, terre de science » [*voir article au chapitre « Environnement »*]. Agissant plus en fonction de ses convictions environnementalistes que de ses intérêts miniers — la part revendiquée par l'Australie représente 42 % de la superficie de l'Antarctique —, le gouvernement a fait d'une pierre deux coups : il a tenté de rassurer son électorat vert ; il a confirmé publiquement la nouvelle entente franco-australienne. Celle-ci, devenue possible depuis les accords de Matignon (28 juin 1988) sur la Nouvelle-Calédonie — à deux heures de vol de Sydney —, s'est concrétisée en 1989 par de très nombreux programmes d'échanges scientifiques entre les deux pays, la création d'une fondation France-Australie, et les visites de Bob Hawke à Paris en juin 1989 et de Michel Rocard à Canberra en août 1989.

Jean-Christophe Victor

Pakistan. Paralysie politique

Le 23 mars 1990, jour de la fête nationale pakistanaise, le Premier ministre, Benazir Bhutto, le président, Ghulam Ishaq Khan, et le chef d'état-major de l'armée, le général Mirza Aslam Beg, assistaient côte à côte au défilé militaire. Ce spectacle tendait à convaincre les observateurs politiques qu'un *new deal* était intervenu entre les responsables de la troïka qui dirige le Pakistan. Non que la confiance régnait totalement, mais chacun avait sans doute réalisé que la vie commune suppose des concessions.

Depuis son accession au pouvoir, en novembre 1988, B. Bhutto, en effet, n'a cessé de batailler, à la fois contre un président à qui la Constitution accorde d'importants pouvoirs, et contre le chef de l'opposition (l'Alliance démocratique islamique, IDA), Nawaz Sharif. De plus, elle a été obligée de ménager l'armée et les ulémas, ces derniers continuant à enflammer les mosquées avec une idée simple : un gouvernement dirigé par une femme est anti-islamique.

Un an avant, une trêve politique était intervenue. Le Premier ministre et Nawaz Sharif, qui est aussi chef-ministre de la puissante province du Pendjab (60 % de la population), étaient tombés d'accord pour « coopérer » et éviter les « provocations ». Mais l'accord ne fut qu'un feu de paille. La « guérilla » devint multiforme. Le chef de l'opposition n'hésita pas à faire arrêter des fonctionnaires fédéraux, le gouvernement du PPP (Parti du peuple pakistanais) répliquant par des mesures de rétorsion contre les intérêts financiers privés de N. Sharif. Celui-ci multiplia les manœuvres pour laminer l'assise parlementaire du Premier ministre. Cette tactique faillit être la bonne, puisque les quatorze députés du MOM, ce mouvement qui regroupe les Mohadjirs (anciens immigrés de l'Inde, de langue ourdou), quittèrent le PPP pour rejoindre l'IDA. Le 1er novembre 1989, une motion de censure recueillit 107 voix lors d'un vote de confiance à l'Assemblée nationale. La majorité de B. Bhutto passa de 148 à 128 députés, une marge très courte au Pakistan, où un siège parlementaire s'achète aisément.

Dans plusieurs régions du pays, le PPP s'est, par ailleurs, fait tailler des croupières. Dans la province du Nord-Ouest (NWFP), un autre mouvement, l'ANP (Parti national awami) de Wali Khan, est passé à l'opposition, rendant vulnérable le gouvernement local du PPP. Dans le Balouchistan, la coalition dirigée

PAKISTAN

République islamique du Pakistan.

Capitale : Islamabad.

Superficie : 803 943 km² (1,47 fois la France).

Monnaie : roupie (au taux officiel, 1 roupie = 0,258 FF au 30.4.90).

Langues : ourdou (officielle) ; pendjabi, sindhi, pashtou et anglais.

Chef de l'État et du gouvernement : Ghulam Ishaq Khan (depuis le 17.8.88).

Premier ministre : Benazir Bhutto, démise de ses fonctions le 6.8.90.

Nature de l'État : république islamique.

Nature du régime : semi-présidentiel.

Principaux partis politiques : *Majorité :* Parti du peuple pakistanais (PPP), dirigé par Bénazir Bhutto. *Opposition :* Alliance démocratique islamique (IDA), dirigée par Nawaz Sharif, et qui regroupe huit formations politiques, notamment : la Ligue musulmane, dirigée par Mohammad Khan Junejo ; le Parti national du peuple (NPP), créé par Ghulam Mustapha Jatoi ; le Jamaat-e-Islami, dirigé par l'Amir Qazi Hussain Ahmed ; le Parti national Awami (ANP), dirigé par Abdul Wali Khan. Parmi les autres partis d'opposition : le MQM (qui regroupe les Mohajirs), dirigé par Altaf Hussein ; l'Alliance nationale baloutche (BNA), dirigée par Mir Nawab Akbar Bugti ; le Parti national du Pakistan (PNP), dirigé par Ghous Bakhsh Bizenjo. L'échiquier politique pakistanais comprend aussi plusieurs formations islamiques.

Carte : p. 327.

Statistiques : voir aussi p. 326.

PAKISTAN

1. DÉMOGRAPHIE, CULTURE, ARMÉE

	Indicateur	Unité	1970	1980	1989
Démographie	Population	million	65,7	85,3	108,7
	Densité	hab./km²	81,7	106,1	135,2
	Croissance annuelle	%	2,7 [a]	3,3 [b]	3,5 [c]
	Mortalité infantile	‰	142,4	124,5	109 [c]
	Espérance de vie	année	46,0	49,0	56,5
	Population urbaine	%	24,9	28,1	31,6
Culture	Analphabétisme	%	79,3 [h]	73,8 [g]	66,4 [f]
	Nombre de médecins	‰ hab.	0,26	0,29	0,52
	Scolarisation *12-17 ans*	%	10,2	11,2	17,8
	3e degré	%	2,3	••	5,0 [e]
	Postes tv	‰	1,5	11	14 [d]
	Livres publiés	titre	1 744	1 279	••
Armée	Marine	millier d'h.	10	13	15,0
	Aviation	millier d'h.	17	17,6	25,0
	Armée de terre	millier d'h.	278	408	480

a. 1965-75 ; b. 1975-85 ; c. 1985-90 ; d. 1987 ; e. 1986 ; f. 1985 ; g. 1981 ; h. 1972.

2. COMMERCE EXTÉRIEUR [a]

Indicateur	Unité	1970	1980	1989
Commerce extérieur	% PIB	10,8	16,8	16,7
Total imports	milliard $	0,68	5,35	7,09
Produits agricoles	%	34,5	16,3	19,1 [b]
Produits énergétiques	%	7,8	27,0	14,2 [c]
Produits industriels	%	56,9	53,9	57,2 [c]
Total exports	milliard $	0,69	2,62	4,69
Produits agricoles	%	41,7	43,5	30,2 [b]
Produits miniers	%	2,1	7,6	2,4 [c]
Produits industriels	%	56,2	48,9	65,5 [c]
Principaux fournisseurs	% imports			
États-Unis		28,4	14,1	13,0 [b]
PVD		10,6	46,6	37,6 [b]
CEE		29,9	21,9	25,9 [b]
Japon		10,9	10,3	14,7 [b]
Principaux clients	% exports			
Japon		5,9	7,8	11,4 [b]
CEE		25,6	19,8	30,2 [b]
PVD		31,5	59,3	39,3 [b]

a. Marchandises ; b. 1988 ; c. 1986.

3. ÉCONOMIE

Indicateur	Unité		1970	1980	1989
PIB	milliard $		10,30	23,95	41,08
Croissance annuelle	%		3,6[a]	6,3[b]	5,6[e]
Par habitant	$		170	290	378
Structure du PIB					
Agriculture	%	100 %	36,8	29,5	26,0
Industrie	%	100 %	22,3	24,9	22,0
Services	%	100 %	40,8	45,6	52,0
Dette extérieure	milliard $		3,1	9,9	17,0[c]
Taux d'inflation	%		5,2	11,9	5,5[f]
Population active	million		19,3	25,4	32,9
Agriculture	%	100 %	58,9	54,6	51,2[c]
Industrie	%	100 %	18,7	15,7	19,2[c]
Services	%	100 %	22,4	29,7	29,6[c]
Dépenses publiques					
Éducation	% PIB		1,7	2,0	2,1[d]
Défense	% PIB		6,3	6,4	6,9
Production d'énergie	million TEC		7,6[e]	11,3	18,5[d]
Consommation d'énergie	million TEC		12,2[e]	16,6	27,8[d]

a. 1970-75 ; b. 1975-85 ; c. 1988 ; d. 1987 ; e. Année se terminant au 30 juin ; f. Décembre à décembre.

par Nawab Bugti lui est devenue résolument hostile, depuis que le Premier ministre a vainement tenté de provoquer une crise en dissolvant l'assemblée locale.

Épreuve de force avec le président

Parallèlement, l'épreuve de force institutionnelle entre B. Bhutto et le président, qui s'est développée tout au long de l'année 1989, n'a pas tourné à l'avantage de celle-ci. Grâce au huitième amendement de la Constitution, Ghulam Ishaq Khan peut procéder à des nominations militaires et judiciaires, voire même démettre le Premier ministre. A plusieurs reprises, le chef de l'État a montré qu'il entendait profiter de ses prérogatives. Celles-ci résultent de dispositions constitutionnelles qui ne peuvent être annulées que par une majorité des deux tiers des deux chambres du Parlement. Or le Sénat, en 1989-1990, était majoritairement favorable à l'opposition. Cette paralysie politique de B. Bhutto explique en partie pourquoi le bilan législatif du gouvernement, pendant cette période, était quasi inexistant. Compte tenu d'une situation économique qui est demeurée difficile, ce blocage a peut-être permis de justifier l'absence de réformes (notamment fiscale et foncière) mais, à terme, le risque est grand de provoquer des mécontents au sein de la majorité populaire qui soutient B. Bhutto, et qui attend toujours plus de justice sociale.

Sur le plan social et ethnique, le bilan n'est pas franchement positif. La condition des plus pauvres et celle des femmes n'a été que faiblement améliorée. Dans le Sind, région du sud du pays qui est le fief du PPP et celui de la famille Bhutto, les troubles n'ont cessé de se multiplier, une situation anarchique prévalant au

BIBLIOGRAPHIE

BHUTTO B., *Une autobiographie*, Stock, Paris, 1989.

DASTARAC A., LEVENT M., « Le Pakistan à hue et à dia, *Le Monde Diplomatique*, n° 432, Paris, mars 1990.

DASTARAC A., LEVENT M., « Mme Bhutto dans un champ de mines », *Le Monde Diplomatique*, n° 428, Paris, nov. 1989.

ÉTIENNE G., *Le Pakistan, don de l'Indus : économie et politique*, PUF, Paris, 1989.

début de l'année 1990. Sindhi, Mohadjirs, Pendjabi, Baloutch et Pathan forment un véritable « bouillon de culture » ethnique et les affrontements meurtriers sont devenus cycliques. La situation s'est détériorée avec l'apparition d'un terrorisme quotidien qui désorganise l'activité du port de Karachi, capitale du Sind et véritable « poumon économique » du Pakistan. En avril 1990, le général M. A. Beg lançait un avertissement solennel : si le gouvernement n'est pas capable de rétablir l'ordre, l'armée ne restera pas inactive.

Le poids de l'armée

Jusque-là, les relations avec les chefs militaires sont restées bonnes, le rapport de forces ne jouant pas en faveur de B. Bhutto, qui l'a compris. Le Premier ministre a bien tenté d'imposer sa volonté, notamment en remplaçant le chef de l'ISI (Inter-Services Intelligence), le tout-puissant général Hamid Gul, patron des services secrets, par le général Rehman Kallue, mais ce fut une victoire à la Pyrrhus. Promu lieutenant-général, Hamid Gul a continué de tirer les ficelles de la politique afghane — toujours très interventionniste — du Pakistan. L'armée pakistanaise n'est plus directement au pouvoir, comme elle le fut pendant onze ans, mais dans les faits elle reste l'arbitre du jeu démocratique, ainsi que le principal bénéficiaire des ressources budgétaires (35 à 40 % des dépenses). Son rôle s'est confirmé, en même temps que les relations régionales du Pakistan s'assombrissaient, pour cause de tension grandissante avec l'Inde.

Le bilan diplomatique de B. Bhutto est pourtant le moins contestable. Par un choix qui s'est révélé payant, le Premier ministre a très vite cherché à acquérir une reconnaissance sur le plan extérieur, sachant que, sur le plan intérieur, elle aurait à mener une bataille de longue haleine. Cette légitimité lui fut largement accordée par les pays qui sont les alliés traditionnels du Pakistan, les États-Unis, la Chine, l'Arabie saoudite et la Turquie notamment. A Washington, B. Bhutto réussit une nouvelle fois à faire tomber les préventions américaines concernant le programme de recherches nucléaires de son pays, et les États-Unis, outre une aide annuelle de plus de 620 millions de dollars, acceptèrent de livrer à Islamabad soixante nouveaux chasseurs F-16. Ces succès diplomatiques furent notamment sanctionnés par le retour du Pakistan au sein du Commonwealth. Devenue une sorte de symbole de la démocratie et des droits de l'homme, B. Bhutto a obtenu des concessions, notamment sur le plan nucléaire, que son prédécesseur, le général Zia, avait toujours recherchées. Ainsi, à l'occasion de sa visite officielle au Pakistan, en février 1990, François Mitterrand a-t-il accepté de vendre à Islamabad une centrale nucléaire, réglant du même coup un vieux contentieux financier entre les deux pays. Sans doute justifiée sur le plan bilatéral, cette décision (contestée par Washington au nom des risques de prolifération nucléaire) a suscité des réactions négatives en Inde.

Le Cachemire et les relations avec l'Inde

Un moment caractérisées par un net réchauffement lors de la rencontre, à Islamabad, en juillet 1989, entre Rajiv Gandhi et Benazir Bhutto, les relations indo-pakistanaises n'ont ensuite cessé de s'envenimer à propos de l'éternelle question du Cachemire, et aussi de celle du terrorisme sikh au Pendjab. D'abord soucieuse d'améliorer le climat entre les deux capitales, dans l'« esprit de Simla », c'est-à-dire du sommet au cours duquel son père, Ali Bhutto, et Indira Gandhi, alors Premier ministre de l'Inde, avaient conclu un code de bonne conduite régionale, B. Bhutto a approuvé d'abord prudemment les revendications indépendantistes des Cachemiri qui, à Srinagar (capitale de l'État indien du Jammu et du Cachemire), se heurtaient à une forte répression de l'armée indienne. Puis, accusée par l'opposition, Nawaz Sharif en tête, de brader la souveraineté nationale au profit de l'Inde, le Premier ministre pakistanais s'est laissé entraîner dans une escalade verbale dangereuse avec New Delhi. Le Pakistan, accusé par l'Inde d'armer et d'entraîner les « terroristes » de la vallée du Cachemire, revendique le droit à l'autodétermination de la population de cette région, comme le prévoit une résolution de 1949 des Nations unies. L'Inde, pour sa part, considère ce problème comme relevant strictement de ses affaires intérieures. Alors que B. Bhutto était brusquement destituée par le chef de l'État le 6 août 1990 et que l'état d'urgence était proclamé, les bruits de bottes à la frontière indo-pakistanaise n'inclinaient pas à l'optimisme.

Laurent Zecchini

Canada. Le désaccord du lac Meech

Rien ne va plus au Canada. L'accord du lac Meech a sombré le 22 juin 1990. Cet accord, signé le 3 juin 1987, visait à réintégrer politiquement le Québec dans la Constitution canadienne qui lui avait été imposée en 1982 par Pierre Elliott Trudeau et les neuf autres provinces et qu'il avait refusé d'entériner. Cet accord concédait certains pouvoirs aux provinces et accordait au Québec le statut de société distincte, sans qu'en soient vraiment précisées les conséquences juridiques. Il étendait également le droit de veto des provinces à toute modification des institutions fédérales.

Pour entrer en vigueur, cet accord devait être ratifié par toutes les provinces avant le 23 juin 1990. Mais en mars 1990, trois provinces, le Nouveau-Brunswick, le Manitoba et Terre-Neuve, réclamaient toujours des modifications majeures. Elles pouvaient d'ailleurs s'appuyer sur l'opinion publique au Canada anglais, devenue majoritairement hostile à un accord accusé de favoriser le Québec et qui engagerait le pays sur la voie de la décentralisation. Jean Chrétien lui-même, issu du Québec et grand espoir du Parti libéral fédéral, dont il est devenu le chef le 23 juin 1990, s'est longtemps opposé au libellé de l'Accord.

Une difficile gestion économique

Mais ce n'était pas le seul motif d'insatisfaction à l'égard du gouver-

CANADA

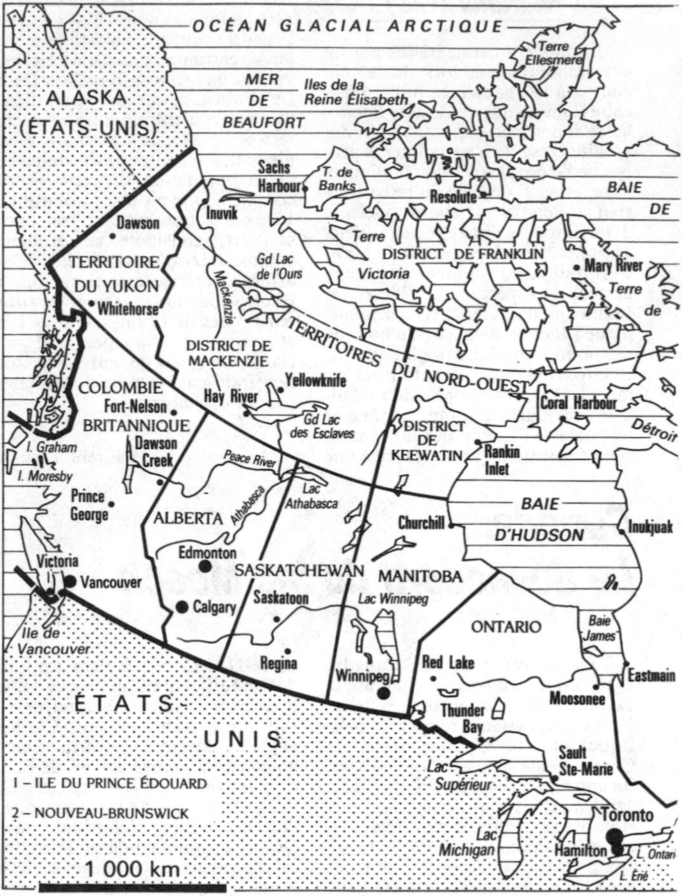

nement de Brian Mulroney, au plus bas dans les sondages au printemps 1990. Au reniement des promesses électorales de novembre 1988 sont venus se greffer des restrictions budgétaires (dont l'élimination de la moitié des trains de passagers) et le projet d'introduire, au début de 1991, une taxe de 7 % sur les produits et services, sorte de taxe à la valeur ajoutée ; celle-ci n'épargnerait que les produits alimentaires, les loyers et la vente de logements usagés. L'on se doute bien que cette taxe sera également mise à contribution dans la lutte contre le déficit budgétaire du gouvernement central, qui est resté, à 4,6 % du PIB, l'un des

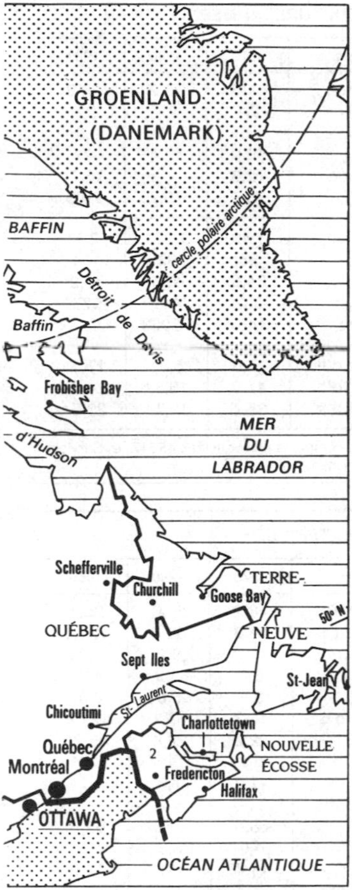

plus élevés d'Occident. Le financement de l'imposante dette publique résultant de cette accumulation de déficits devait absorber, en 1990, 35 % des recettes budgétaires.

Cette situation financière fédérale hypothèque grandement la conduite de la politique macro-économique : ne pouvant réduire suffisamment ses dépenses pour des raisons politiques, le gouvernement est contraint, face aux pressions inflationnistes, à ne jouer que de la politique monétaire, c'est-à-dire hausser encore et toujours les taux d'intérêt. En juin 1990, ceux-ci non seulement avaient retrouvé, compte tenu de l'inflation, les sommets qui avaient provoqué la dure récession de 1981-1982, mais dépassaient également de cinq points les taux américains, ce qu'on n'avait jamais vu.

Ces taux d'intérêt attirent les liquidités étrangères et gonflent artificiellement la valeur de la devise canadienne, au désespoir des exportateurs. Cela accentue les risques de récession : le tassement de la croissance économique en 1989 (2,6 %) s'est prolongé au cours du premier semestre de 1990.

La question de l'avortement est demeurée d'actualité. L'absence de loi à ce propos n'a fait qu'enflammer le débat. On a même vu à l'été 1989 un amant éconduit obtenir une injonction pour interdire le recours à l'avortement à son ancienne compagne. La Cour suprême finit par éliminer l'injonction. Cette affaire incita le gouvernement à présenter une nouvelle loi qui permettrait l'avortement *si* un médecin le juge nécessaire. Le débat n'a certes pas été clos.

La saga constitutionnelle

Mais au printemps 1990 il n'y en avait que pour la saga constitutionnelle, fertile en rebondissements. Le Québec ne voulait accepter aucune modification substantielle à l'Accord. La situation semblait figée. Un échec constitutionnel pouvait pousser le gouvernement québécois à réviser en profondeur son option fédéraliste, et à lorgner du côté de la souveraineté politique doublée d'une association économique avec le Canada anglais.

Le climat politique s'était d'autant plus détérioré qu'une vague d'antibilinguisme venait de secouer plu-

CANADA

1. DÉMOGRAPHIE, CULTURE, ARMÉE

	Indicateur	Unité	1970	1980	1989
Démographie	Population	million	21,3	23,9	26,3
	Densité	hab./km²	2,1	2,4	2,6
	Croissance annuelle	%	1,5 [a]	1,1 [b]	0,9 [c]
	Mortalité infantile	‰	19,0	10,4	7 [c]
	Espérance de vie	année	72,6	••	76,7 [c]
	Population urbaine	%	75,7	75,7	76,3
Culture	Nombre de médecins	‰ hab.	1,46	1,82 [g]	2,1 [f]
	Scolarisation 2e *degré* [h]	%	65	93	104 [f]
	3e *degré*	%	34,6	42,1	58,2 [f]
	Postes tv	‰	332	441	577 [f]
	Livres publiés	titre	3457	19063	••
Armée	Marine	millier d'h.	17,0	5,3 [d]	17,1 [e]
	Aviation	millier d'h.	41,0	15,3 [d]	24,2 [e]
	Armée de terre	millier d'h.	35,4	12,7 [d]	23,5 [e]

a. 1965-75; b. 1975-85; c. 1985-90; d. Services communs non ventilés : 45317; e. Services communs non ventilés : 24200; f. 1987; g. 1979; h. 12-17 ans.

2. COMMERCE EXTÉRIEUR [a]

Indicateur	Unité	1970	1980	1989
Commerce extérieur	% PIB	18,2	24,6	22,1
Total imports	milliard $	14,3	62,5	121,2
Produits agricoles	%	11,0	9,2	7,0 [b]
Produits énergétiques	%	5,6	12,1	4,2 [b]
Autres produits miniers	%	3,8	5,0	2,0 [b]
Total exports	milliard $	16,7	67,7	121,4
Produits agricoles	%	22,2	22,8	25,2 [b]
Produits énergétiques	%	6,0	14,5	8,6 [b]
Autres produits miniers	%	11,2	7,8	4,7 [b]
Principaux fournisseurs	% imports			
États-Unis		68,6	67,5	65,5
Japon		4,0	3,9	7,1
CEE		11,4	8,1	11,0
Principaux clients	% exports			
États-Unis		62,3	60,6	73,7
Japon		4,6	5,5	6,4
CEE		16,1	12,4	8,4

a. Marchandises; b. 1988.

sieurs régions du Canada anglais, amenant plusieurs municipalités ontariennes, déjà unilingues, à décréter l'anglais seule langue officielle sur leur territoire.

Le maintien de la majorité parle-

3. ÉCONOMIE

Indicateur	Unité		1970	1980	1989
PNB	milliard $		82,7	257,5	516,4
Croissance annuelle	%		4,8[a]	3,1[b]	2,9
Par habitant	$		3880	10710	19633
Structure du PIB					
Agriculture	%	100 %	4,4	4,1	2,7[e]
Industrie	%		36,5	36,2	32,7[e]
Services	%		59,1	59,6	64,6[e]
Taux d'inflation	%		3,3	10,2	5,1[f]
Population active	million		8,5	11,6	13,6
Agriculture	%	100 %	7,6	5,4	4,3
Industrie	%		30,9	28,5	25,7
Services	%		61,4	66,0	70,0
Chômage	%		5,6	7,4	7,7[g]
Dépenses publiques					
Éducation	% PIB		8,9	7,4	7,2[d]
Défense	% PIB		2,4	1,9	1,7
Recherche et Développement	% PIB		1,2	1,2	1,38[c]
Aide au développement	% PIB		0,41	0,50	0,48[c]
Production d'énergie	million TEC		205,0	281,0	332,8[d]
Consommation d'énergie	million TEC		188,8	254,2	256,5[d]

a. 1965-75 ; b. 1975-85 ; c. 1988 ; d. 1987 ; e. 1986 ; f. Décembre à décembre ; g. En fin d'année.

mentaire et l'avenir politique même de Brian Mulroney, le Premier ministre conservateur, apparaissaient directement liés au sort de l'Accord. Il se devait donc de tenter de réconcilier les extrêmes.

Le 22 mars, il modifia sa stratégie. Un comité parlementaire ferait le tour du pays pour recueillir les avis des Canadiens sur l'Accord : ils n'avaient pas été vraiment consultés jusqu'à ce jour. Le rapport de ce comité, déposé le 17 mai, prit la forme d'une liste de vingt-deux clauses qui pourraient être ajoutées à l'Accord, pour satisfaire les principales revendications des provinces récalcitrantes. Ainsi, la préséance de la Charte des droits et libertés sur la clause de la société distincte serait assurée et le droit de veto des provinces sur la future réforme du Sénat (chère aux petites provinces), limité.

Lucien Bouchard, le lieutenant québécois de Brian Mulroney, refusa tout amendement à l'Accord de 1987. Il décida de siéger comme simple député indépendant. Ce coup d'éclat limita encore plus la marge de manœuvre de Robert Bourassa, Premier ministre du Québec, que l'opinion publique appelait à une fermeté sans équivoque.

La pression montait, les investisseurs étrangers tendaient l'oreille et les marchés financiers accusaient le coup. Le gouvernement et le *big business* canadiens se mirent à agiter le spectre de l'éclatement. Et pour accroître la pression, Brian Mulroney retarda le plus possible la convocation des Premiers ministres provinciaux à une conférence de la dernière chance qui se déroula à huis clos. Le Nouveau-Brunswick s'étant rallié rapidement, les deux récalcitrants furent soumis à une pression constante des neuf autres participants : « Désirez-vous vraiment passer à l'Histoire comme les fossoyeurs du Canada ? » Le Québec fit quel-

BIBLIOGRAPHIE

LATOUCHE D., *Le Bazar - Des anciens Canadiens aux nouveaux Québécois*, Boréal, Montréal, 1990.

MATHEWS G., *L'Accord. Comment Robert Bourassa fera l'indépendance*, Éditions Le Jour, Montréal, 1990.

TRUDEAU P.-E., AXWORTHY S. (sous la dir. de), *Les Années Trudeau - la recherche d'une société juste*, Le Jour, Montréal, 1990.

VALASKAKIS K., *Le Canada des années 90 - Effondrement ou renaissance ?*, Publications Transcontinental, Montréal, 1990.

Voir aussi la bibliographie sélective « Amérique du Nord » dans la section « 33 ensembles géopolitiques ».

ques concessions mineures mais l'essentiel de l'Accord de 1987 était maintenu.

Gary Filmon, Premier ministre (minoritaire) du Manitoba, finit par céder. Mais Clyde Wells, Premier ministre de Terre-Neuve, la plus pauvre des provinces, ne signa qu'une promesse de soumettre le « paquet » final au vote de sa Législature, sans imposer de ligne de parti. L'affaire semblait tout de même bien engagée. C'était compter sans les règles de procédure de la Législature manitobaine, qui permettaient à tout député de ralentir considérablement le processus de ratification. Le député amérindien Elijah Harper, porté par l'insatisfaction profonde des autochtones canadiens et appuyé par l'opinion publique manitobaine, décida de tuer l'Accord. Voyant cela, Clyde Wells renonça le 22 juin à soumettre la résolution au vote de sa Législature. La saga constitutionnelle se terminait dans l'acrimonie.

Accès de fièvre nationaliste au Québec

En juin 1989, très peu de gens étaient préoccupés par l'indépendance politique du Québec. Un an plus tard, le Canada tout entier en discutait... posément ou en tremblant. Que s'est-il passé dans ce bref intervalle ?

D'abord les élections provinciales de septembre 1989. Le Parti québécois (souverainiste) ne semblait pas en bonne posture au début de la campagne, et certains craignaient qu'il y « laisse sa chemise ». Mais son chef Jacques Parizeau fit une bonne campagne et réussit, en parlant de la sou-

CANADA

Canada.
Capitale : Ottawa.
Superficie : 9 976 139 km² (18,2 fois la France).
Monnaie : dollar canadien (1 dollar canadien = 4,80 FF ou 0,85 dollar des États-Unis au 21.6.90).
Langues : anglais et français.
Chef de l'État : reine Elizabeth II.
Chef du gouvernement : Brian Mulroney, Premier ministre.
Nature de l'État : État fédéral (10 provinces et 2 territoires). Au gouvernement fédéral existent deux chambres (Chambre des Communes, élective ; Sénat dont les membres sont nommés par le gouvernement). Les deux provinces les plus importantes, l'Ontario et le Québec, regroupent 63 % de la population canadienne.
Nature du régime : démocratie parlementaire.
Principaux partis politiques : *Au niveau fédéral et provincial :* Parti progressiste-conservateur (conservateur) ; Parti libéral ; Nouveau parti démocratique (social-démocrate). *Au niveau provincial seulement :* Parti du crédit social (Colombie britannique), Parti québécois (Québec).
Carte : p. 118.

L'ACCORD DU LAC MEECH

La Constitution du Canada, pays formellement indépendant depuis 1931, est demeurée sous l'autorité du Parlement de Londres jusqu'en 1982, à cause du désaccord entre le gouvernement fédéral et les provinces sur les modalités de son rapatriement : quelles seraient la nouvelle répartition des pouvoirs et la formule d'amendement ? En 1982, le Premier ministre du Canada, Pierre Elliott Trudeau, s'entendit avec toutes les provinces sauf le Québec pour rapatrier la Constitution en y ajoutant une Charte des droits et libertés et une formule d'amendement qui n'accordait de droit de veto à aucune province. La répartition des champs de compétence entre le fédéral et les provinces demeurait à peu près la même. Le Québec était perdant sur ces trois plans, et refusa de signer, ce qui ne l'empêchait pas d'être assujetti à la Loi suprême du pays.

En 1986, le Québec posa cinq conditions pour adhérer à la Constitution : sa reconnaissance formelle comme société distincte, des pouvoirs accrus en matière d'immigration, la mise à l'abri des incursions fédérales dans ses champs de compétence, un droit de veto sur toute modification future des institutions fédérales et un droit de regard sur la nomination des juges de la Cour suprême du Canada provenant du Québec. L'accord du lac Meech promettait d'amender la Constitution de 1982 dans le sens des revendications québécoises. Mais l'unanimité ne dura pas... et le Québec refuse dorénavant de jouer ce jeu.

G. M.

veraineté, à ramener au bercail plusieurs anciens militants. Et obtint contre toute attente 40 % des suffrages et 29 sièges sur 125, un gain de six sièges. Qui plus est, les sondages révélaient l'émergence d'une nouvelle catégorie électorale, celle des libéraux souverainistes, des électeurs qui préféraient en somme une « indépendance » réalisée par Robert Bourassa plutôt que par Jacques Parizeau !

Celui-là gagna facilement ces élections, avec 50 % des suffrages et 92 sièges. Mais pour la première fois les anglophones de Montréal fondèrent leur propre parti, l'Equality Party, pour signifier leur refus de la politique libérale en matière de langue d'affichage. A Montréal, il recueillit plus de 65 % des voix anglophones et remporta quatre sièges.

Par ailleurs, la perspective d'un échec de l'Accord constitutionnel et le ressac antibilinguisme au Canada anglais amenèrent plusieurs personnalités à remettre en question leur allégeance au fédéralisme. Certaines appartenaient au nouvel *establishment* économique francophone. L'infériorité économique des francophones cédait peu à peu la place à une nouvelle assurance — dont prenaient acte des analystes canadiens et américains — que fortifiaient les perspectives ouvertes par le traité de libre-échange canado-américain entré en vigueur le 1er janvier 1989 : l'expansion des marchés est au sud, beaucoup plus qu'à l'ouest. Et puis une indépendance « bourgeoise » n'avait pas de quoi effrayer les Américains !

Le fait que la manne fédérale s'était muée depuis peu en ponction nette du gouvernement fédéral n'a pas été non plus étranger à l'effervescence nationaliste. Au printemps 1990, plus de 60 % des Québécois se montraient favorables à la souveraineté-association en cas d'échec constitutionnel. Celui-ci ne pourra que fouetter cette ardeur. Dès le lendemain de l'échec, R. Bourassa indiquait que son parti se donnait quelques mois pour adopter un projet de rechange. Le fédéralisme canadien tel qu'on l'avait connu avait pour ainsi dire vécu.

Georges Mathews

Argentine. Un pays à la dérive

Le développement et le bien-être promis au peuple argentin, début 1989, par le candidat populiste Carlos Menem lors de sa campagne électorale n'étaient toujours pas au rendez-vous un an plus tard. Pire : la crise économique et sociale a atteint en quelques mois un niveau insupportable. A peine installé au gouvernement — le 8 juillet, cinq mois avant la date prévue à cause de la gravité de la situation laissée par le gouvernement radical de Raúl Alfonsín —, C. Menem a mis en place, à la surprise de ses amis et de ses adversaires, un plan d'austérité particulièrement sévère pour les salariés. Alors qu'il avait fondé toute sa campagne sur la promesse d'une augmentation massive et immédiate des salaires, ce péroniste n'a pas hésité à adopter un plan économique ultralibéral inspiré des thèses du prix Nobel d'économie nord-américain Laurence Klein. Il a par ailleurs augmenté les tarifs des services publics — parfois jusqu'à 500 % — et la plupart des produits de consommation courante. Enfin, il a annoncé un plan drastique de privatisation des entreprises publiques et de réduction des dépenses de l'État.

Le nouveau chef de l'État a décidé et organisé son spectaculaire revirement dans les trois mois qui ont séparé sa victoire électorale de l'investiture. La puissante multinationale argentine Bunge y Born (essentiellement consacrée à la production agricole et à sa commercialisation) lui avait présenté un plan économique à ce point élaboré et précis qu'il proposait même le nom du ministre de l'Économie : Miguel Roig, vice-président de... Bunge y Born. Ayant été incapable d'élaborer son propre plan économique et ne pouvant tenir ses engagements électoraux, C. Menem a immédiatement accepté. Mais sa décision n'avait rien d'irréfléchi : elle relevait du pragmatisme le plus élémentaire. De fait, ce plan économique impliquait une alliance automatique, au plan politique, avec les principaux agents de pouvoir du pays : l'oligarchie agricole (le seul secteur qui fasse rentrer des devises), les multinationales exportatrices de produits agricoles, la finance internationale, la branche libérale des forces armées et l'Église catholique. L'apport de C. Menem dans cette alliance était tout sauf négligeable : le péronisme est le seul parti qui puisse garantir un certain contrôle et une certaine influence sur la classe ouvrière. Traditionnellement bien organisée et turbulente, aucun plan d'austérité n'a en effet pu être appliqué sans son appui — ou du moins sa passivité.

L'illusion avant la déception

Dès leur mise en application, en juillet 1989, les brutales mesures de choc décidées par Miguel Roig (décédé une semaine après sa nomination et remplacé par un autre vice-président de Bunge y Born, Nestor Rapanelli) semblèrent produire leur effet. Le taux d'inflation commença à baisser, provoquant une euphorie qui conduisit le président Menem à annoncer l'« inflation zéro » pour le mois de décembre. Mais les effets politiques de l'austérité ne tardèrent pas eux non plus à apparaître. Dans les rangs de la Confédération générale du travail (CGT), le puissant syndicat des travailleurs argentins, la division s'installa entre les dirigeants qui appuyaient la politique officielle et ceux qui préféraient continuer à défendre les intérêts des adhérents. Au sein même du Parti justicialiste (péroniste), des voix s'élevèrent, de plus en plus nombreuses, pour protester contre le non-respect du programme électoral. Peu à peu,

C. Menem devint « le traître » pour beaucoup de péronistes. D'autres, plus pragmatiques, se rangèrent derrière les arguments du président : la voie choisie, disaient-ils, est la plus responsable, la seule possible et celle qui bénéficie du soutien de l'opinion internationale.

Pourtant, l'illusion d'une économie saine et équilibrée s'est rapidement dissipée. L'année 1989 s'est achevée sur une débâcle aussi grave, si ce n'est pire, que celle des derniers temps du gouvernement Alfonsín. Les premiers mois de 1990 n'ont pas vu la situation s'améliorer. L'inflation a atteint 100 % pour chacun des mois de février et mars, le taux de change du dollar, fixé à 650 australs au début du gouvernement Menem, a atteint les 6 000 australs, et le pouvoir d'achat des salariés est descendu au niveau le plus bas de son histoire. Le spectre des émeutes populaires qui avaient endeuillé les derniers mois du gouvernement radical — pillages de grands magasins et de boutiques, vivement réprimés — a recommencé à hanter l'Argentine. Croyant prendre les devants, C. Menem a multiplié les accusations contre l'« extrême gauche » tandis que la classe moyenne et les secteurs politiques qui l'avaient appuyé se montraient déçus et désorientés.

Pourquoi ce dérapage ? Les chefs d'entreprise ont continué à spéculer sur le dollar. La réforme de l'État a tardé à se matérialiser à cause de la pression des syndicats et même du parti péroniste. Pendant ce temps, la spéculation était encouragée par les taux d'intérêt très élevés qu'offrait l'État lui-même pour financer son déficit. Le Fonds monétaire international (FMI), aussi peu confiant que les chefs d'entreprise, n'a pas renouvelé ses crédits à la hauteur des besoins de l'économie argentine. Comble de malchance, l'alliance entre le gouvernement et Bunge y Born s'est brisée début 1990, en plein chaos, à la suite de divergences sur le régime fiscal : l'entreprise, qui avait apporté rien de moins qu'un plan économique, ne voulait pas que son secteur soit affecté par des majorations d'impôts. Neuf mois après son entrée en fonction, C. Menem se retrouvait dans la même situation qu'au départ, mais cette fois avec une popularité en baisse.

Opération sans anesthésie

Erman González, un homme de l'équipe de C. Menem, fut appelé à succéder à N. Rapanelli à la tête de l'économie. Son diagnostic : le projet original était bon mais réclamait une pression fiscale beaucoup plus stricte et, surtout, une réduction

ARGENTINE

République d'Argentine.
Capitale : Buenos Aires.
Superficie : 2 766 889 km² (5,1 fois la France).
Monnaie : austral (au taux officiel, 1 austral = 0,009 FF au 28.2.90).
Langue : espagnol.
Chef de l'État et du gouvernement : Raúl Alfonsín, président de la République, remplacé par Carlos Saúl Menem le 8.7.89.
Nature de l'État : république fédérale (22 provinces, un territoire national et un district fédéral). Chaque province est administrée par un gouvernement élu au suffrage direct.
Nature du régime : démocratie présidentielle.
Principaux partis politiques : Parti justicialiste (PJ, péroniste) ; Union civique radicale (UCR) ; Partido intransigente (gauche non marxiste) ; Mouvement d'affirmation socialiste (MAS) ; Parti communiste ; Mouvement intégration et développement (MID, droite) ; Union du centre démocratique (UCD, droite libérale) ; Démocratie chrétienne ; plusieurs partis socialistes.
Carte : p. 423.
Statistiques : voir aussi p. 424.

ARGENTINE

1. DÉMOGRAPHIE, CULTURE, ARMÉE

	Indicateur	Unité	1970	1980	1989
Démographie	Population	million	23,96	28,24	32,42
	Densité	hab./km²	8,7	10,2	11,7
	Croissance annuelle	%	1,6[a]	1,5[b]	1,3[c]
	Mortalité infantile	‰	51,8	38,0	32[c]
	Espérance de vie	année	66,6	69,2	70,6[c]
	Population urbaine	%	78,4	82,7	85,9
Culture	Analphabétisme	%	7,4	6,1	4,5[f]
	Nombre de médecins	‰ hab.	1,89	2,6	2,70[g]
	Scolarisation *12-17 ans*	%	57,0	67,7	80,1
	3e degré	%	14,2	21,6	38,7[e]
	Postes tv	‰	146	182	217[d]
	Livres publiés	titre	4627	4698	4836[d]
Armée	Marine	millier d'h.	28,5	35	25,0
	Aviation	millier d'h.	17	19,5	15,0
	Armée de terre	millier d'h.	85	85	55,0

a. 1965-75 ; b. 1975-85 ; c. 1985-90 ; d. 1987 ; e. 1986 ; f. 1985 ; g. 1984.

2. COMMERCE EXTÉRIEUR[a]

Indicateur	Unité	1970	1980	1989
Commerce extérieur	% PIB	6,4	6,2	9,1[b]
Total imports	milliard $	1,7	10,5	4,2
Produits agricoles	%	14,6	9,3	8,1[b]
Produits miniers et métaux	%	21,9	8,6	11,3[c]
Produits industriels	%	58,6	71,7	68,4[c]
Total exports	milliard $	1,8	8,0	9,2
Produits agricoles	%	85,6	71,2	65,1[b]
dont céréales	%	29,2	20,7	10,4[b]
Produits industriels	%	13,9	23,1	31,4[b]
Principaux fournisseurs	% imports			
États-Unis		24,8	22,6	18,8[b]
CEE		32,9	29,7	27,5[b]
Amérique latine		22,7	21,4	33,4[b]
Principaux clients	% exports			
CEE		53,3	30,4	30,5[b]
CAEM		4,2	23,2	12,4[b]
Amérique latine		21,1	23,8	18,2[b]

a. Marchandises ; b. 1988 ; c. 1987.

immédiate du poids de l'État. Sans mâcher ses mots, il affirma que la situation de l'économie argentine était à ce point désespérée qu'il fallait pratiquer une « opération chirurgicale sans anesthésie ». C'est-à-dire

3. ÉCONOMIE

Indicateur	Unité	1970	1980	1989
PNB	milliard $	21,8	55,3	79,4[c]
Croissance annuelle	%	4,2[a]	0,0[b]	– 6,0
Par habitant	$	910	1 960	2 520[c]
Structure du PIB				
Agriculture	% } 100 %	13,2	8,3	12,7[c]
Industrie	% } 100 %	38,1	37,5	43,5[c]
Services	% } 100 %	48,7	54,2	43,8[c]
Dette extérieure	milliard $	5,2	27,2	61,1
Taux d'inflation	%	13,6	100,8	4 923,3[e]
Population active	million	9,34	10,30	11,41
Agriculture	% } 100 %	16,0	13,1	10,9[c]
Industrie	% } 100 %	34,3	33,8	..
Services	% } 100 %	49,7	53,1	..
Dépenses publiques				
Éducation	% PIB	1,7	3,6	1,9[d]
Défense	% PIB	2,0	2,6	1,5[c]
Production d'énergie	million TEC	37,3	51,1	59,2[d]
Consommation d'énergie	million TEC	37,9	49,3	59,5[d]

a. 1965-75 ; b. 1975-85 ; c. 1988 ; d. 1987 ; e. Décembre à décembre.

refaire la même chose mais, cette fois, de façon beaucoup plus rapide, simultanée et avec un objectif à moyen terme : la « dollarisation » de l'économie. Il s'agirait (c'était tout du moins la volonté des autorités argentines à la fin du premier semestre de 1990) d'une forte dévaluation qui placerait l'austral à une parité avec le dollar de 10 000 pour 1. On étudiait même la création d'une nouvelle monnaie. Les avantages d'une telle politique sont évidents : forte incitation à l'exportation, découragement parallèle des importations, appel aux investisseurs étrangers qui pourraient acheter à des prix de liquidation des entreprises privées ou publiques, diminution, grâce à la dévaluation, de la dette extérieure.

Toutefois, la réaction prévisible de la population faisait se dresser les cheveux sur la tête de plus d'un analyste. Déjà, les mesures prises, extrêmement récessives, ont fait l'effet d'une bombe explosant dans les fondations d'un édifice lézardé. La classe moyenne, affolée, a commencé à vouloir quitter le pays. De longues files d'attente se sont formées devant les ambassades d'Italie, d'Espagne, des États-Unis et du Canada et la Police fédérale ne disposait plus de passeports. Les travailleurs ont organisé des grèves à l'échelle nationale et même les retraités se sont mobilisés. En avril, une foule fantomatique de 10 000 septuagénaires s'est rassemblée devant la résidence du chef de l'État pour lui réclamer une amélioration de leurs pensions. Un retraité des services publics, par exemple, recevait alors 40 dollars par mois, dans un pays où les prix ne sont que légèrement inférieurs à ceux de l'Europe.

Une alliance patriotique ?

Après avoir accordé au secteur libéral toutes les concessions économiques et politiques possibles (y

BIBLIOGRAPHIE

BARKI I., *Pour ces yeux-là. La face cachée du drame argentin. Les enfants disparus*, La Découverte, Paris, 1988.

GUILLERM G., *Le Péronisme. Histoire de l'exil et du retour*, Publications de la Sorbonne, Éditions et matériels scientifiques, Paris, 1989.

SCHVARZER J., « L'économie argentine à l'horizon 2000 », *Problèmes d'Amérique latine*, n° 92, La Documentation française, Paris, 2e trim. 1989.

« Spécial Argentine », *Problèmes d'Amérique latine*, n° 95, La Documentation française, Paris, 1er trim. 1990.

SUKUP V., « Argentine : retour du péronisme ? », *Études*, fév. 1989.

compris une remise de peine pour tous les militaires condamnés pour violations graves des droits de l'homme au cours de la dernière dictature), C. Menem a tenté d'impliquer ses rivaux du radicalisme dans ce qu'il a appelé un « grand projet national ». Il a d'abord proposé une alliance à Eduardo Angeloz, son adversaire malheureux aux élections et l'ennemi de Raúl Alfonsín au sein de l'Union civique radicale. Ensuite, les deux grands partis ont entamé des pourparlers, dans un climat de scepticisme général, pour jeter les bases d'une « alliance patriotique » destinée à sortir le pays de la crise et à réformer la Constitution pour instaurer une alternance tous les quatre ans.

Au-delà des choix économiques et politiques pour sortir de la crise, l'élément le plus préoccupant concerne la situation sociale et les difficultés croissantes à consolider rapidement la démocratie. D'un côté, un tiers de la population vivait déjà, à l'ouverture de la décennie, au-dessous du seuil de pauvreté, ce qui donne lieu à des spéculations messianiques et populistes effrénées. De l'autre, les plus grands bénéficiaires de la situation sont les protagonistes des trois soulèvements militaires enregistrés sous le gouvernement Alfonsín, les fameux *carapintada* (littéralement les « visages peints », ainsi appelés parce qu'ils enduisaient leur visage de noir pendant l'action). Il s'agit d'un secteur de l'armée, composé de militants d'extrême droite et de catholiques intégristes, dirigé par le colonel Mohamed Ali Seineldin, déplacé de ses fonctions mais d'une grande influence sur les officiers et très écouté parmi les couches les plus pauvres de la population. Pour les démocrates argentins, le plus grand danger de cette étape apparaissait dans une éventuelle conjonction dans le temps entre une grande explosion sociale et un soulèvement de ces groupes d'extrême droite.

Carlos Gabetta

RFA. Vers une grande Allemagne

En 1989, l'Histoire a rattrapé à grands pas la République fédérale d'Allemagne. Début janvier, l'éditorialiste du *New York Times*, William Safire, avec son article « Auschwitz in the sand » (« Auschwitz dans les sables »), attirait tous les regards vers la bourgade libyenne de Rabta où une entreprise chimique de RFA participait très activement au développement d'armes chimiques. La grande nation exportatrice était-elle devenue si gourmande qu'elle ne respectait plus la morale qu'elle-même s'était imposée au lendemain de la dernière guerre ?

Un autre retour soudain de l'Histoire est arrivé avec les célébrations du 40e anniversaire de l'existence de la RFA. Pour une fois, gauche et droite, intellectuels et politiques étaient d'accord : le provisoire de l'année 1949 avait gagné en 1989 le profil du durable. Le chancelier chrétien-démocrate, Helmut Kohl, œuvrait même en faveur du premier musée de l'histoire de la RFA. A quelques semaines près, ces célébrations coïncidaient avec les commémorations du déclenchement de la Seconde Guerre mondiale par le IIIe Reich, considéré comme la raison profonde de la division de l'Allemagne. Ironie de l'actualité, ces deux commémorations ne précédaient que de peu la révolution qui, en RDA, devait marquer le début de la fin de cette division en deux États.

Peu de gens avaient prévu l'ampleur de ces bouleversements. Quand, début janvier 1989, une vingtaine de citoyens est-allemands avaient investi les bureaux de la représentation officielle de la RFA à Berlin-Est, les observateurs ne se doutaient guère qu'ils anticipaient une lame de fond. Leur attention restait encore fixée sur les mesures de détente et la « normalisation » entre les deux Allemagnes qui, à travers un rapprochement général entre Est et Ouest, affirmaient leurs autonomies respectives. Une « normalisation » rythmée à la fois par l'espoir — Erich Honecker, le chef de l'État est-allemand promettait en janvier au ministre-président suédois Ingvar Carlsson un désarmement unilatéral — et par le retour du pire des cauchemars de la guerre froide quand, début février, les gardes-frontière est-allemands abattaient un jeune au Mur de Berlin, lors d'une tentative d'évasion (un événement semblable eut lieu en mars).

La politique de détente vis-à-vis du régime réformateur de Mikhaïl Gorbatchev était alors dominée par le débat entre alliés de l'OTAN (Organisation du traité de l'Atlantique nord) concernant la modernisation des missiles nucléaires à courte portée (SNF). Le gouvernement Kohl refusait leur installation prévue et provoquait une querelle entre Allemands et Anglo-Saxons. Cette fois, à l'inverse du débat sur les missiles nucléaires intermédiaires Pershing-2 en 1982-1983, l'opinion publique était en harmonie avec l'attitude de H. Kohl. Déjà imprégnés de fortes

RFA

République fédérale d'Allemagne.
Capitale : Bonn.
Superficie : 249 147 km², y compris Berlin-Ouest (0,45 fois la France).
Monnaie : mark (1 mark = 0,48 écu ou 0,51 dollar des États-Unis ou 3,36 FF au 21.6.90).
Langue : allemand.
Chef de l'État : Richard von Weizsäcker, président réélu le 23.5.89 pour un mandat de 5 ans.
Chef du gouvernement : Helmut Kohl, chancelier fédéral (depuis oct. 1982).
Échéances institutionnelles : processus de réunification engagé avec la RDA à la suite du changement de régime intervenu à l'Est; l'union économique et monétaire devant précéder l'unification politique.
Nature de l'État : république fédérale (10 *Länder*, statut séparé pour Berlin-Ouest). La Constitution de l'État (Grundgesetz) est provisoire.
Nature du régime : démocratie parlementaire.
Principaux partis politiques : *Gouvernement :* Union démocrate chrétienne (CDU); Union sociale chrétienne (CSU); Parti libéral (FDP). *Opposition* : Parti social-démocrate (SPD); Die Grünen (les Verts); Die Republikaner (extrême droite); Parti communiste allemand (DKP). Un processus d'intégration des partis de RFA et de RDA a été engagé en 1990.
Carte : p. 435.
Statistiques : voir aussi p. 436.

RFA

1. DÉMOGRAPHIE, CULTURE, ARMÉE

	Indicateur	Unité	1970	1980	1989
Démographie	Population	million	60,7	61,6	60,6
	Densité	hab./km²	244	247	243
	Croissance annuelle	%	0,5 [a]	– 0,1 [b]	– 0,2 [c]
	Mortalité infantile	‰	23,4	12,7	9 [c]
	Espérance de vie	année	70,5	73,2	74,8 [c]
	Population urbaine	%	81,3	84,4	86,2
Culture	Nombre de médecins	‰ hab.	1,72	2,26	2,8 [d]
	Scolarisation *2e degré* [g]	%	71 [f]	94	94 [e]
	3e degré	%	24,5 [f]	26,2	30,1 [e]
	Postes tv (L)	‰	275	337	385 [d]
	Livres publiés	titre	45 369	64 761	65 670 [d]
Armée	Marine	millier d'h.	36,0	36,5	36,0
	Aviation	millier d'h.	104	106	106
	Armée de terre	millier d'h.	326	335	340,7

a. 1965-75; b. 1975-85; c. 1985-90; d. 1987; e. 1986; f. 1975; g. 10-18 ans.

2. COMMERCE EXTÉRIEUR [c]

Indicateur	Unité	1970	1980	1989
Commerce extérieur	% PIB	17,4	23,4	25,4
Total imports [a]	milliard $	29,9	188,0	269,8
Produits agricoles	%	25,1	16,3	15,4 [d]
Produits énergétiques	%	8,8	22,5	7,6 [d]
Autres produits miniers	%	6,7	4,6	4,9 [d]
Total exports [a]	milliard $	34,2	192,9	341,4
Produits agricoles	%	5,0	6,8	6,3 [d]
Produits industriels	%	89,2	87,0	90,7 [d]
Mach. et matériel de transport	%	46,5	44,9	48,2 [d]
Principaux fournisseurs	% imports			
CEE		51,6	48,6	51,1
CAEM [a]		3,7	4,6	3,8
PVD		16,1	22,1	15,4
Principaux clients	% exports			
CEE		49,9	51,2	55,1
CAEM [a]		3,9	5,0	3,9
PVD		11,7	18,3	12,6
États-Unis		9,1	6,1	7,3

a. RDA non comprise; b. Produits énergétiques non compris; c. Marchandises; d. 1988.

sympathies pour le leader soviétique, lors de sa visite en juin, les Allemands réservaient un accueil triomphal à M. Gorbatchev, qui contrastait avec les sentiments plus réservés avec lesquels ils avaient reçu un mois

3. ÉCONOMIE

Indicateur	Unité	1970	1980	1989
PNB	milliard $	173,5	821,3	1 268,6
Croissance annuelle	%	3,1[a]	2,3[b]	4,0
Par habitant	$	2 860	13 340	20 934
Structure du PIB				
Agriculture	%	3,2	2,1	1,8[e]
Industrie	% } 100 %	49,4	42,7	40,9[e]
Services	%	47,4	55,2	57,3[e]
Taux d'inflation	%	3,4	5,4	3,0[f]
Population active	million	26,8	27,2	29,8
Agriculture	%	8,6	5,6	3,9
Industrie	% } 100 %	49,3	44,1	39,7
Services	%	42,1	50,3	56,4
Chômage	%	0,6	3,0	5,4[g]
Dépenses publiques				
Éducation	% PIB	3,5	4,7	4,4[e]
Défense	% PIB	3,3	3,3	2,4
Recherche et Développement	% PIB	1,9	2,4	2,85[d]
Aide au développement	% PIB	0,33	0,45	0,39[c]
Production d'énergie	million TEC	174,2	163,4	151,4[d]
Consommation d'énergie	million TEC	313,9	359,4	342,0[d]

a. 1965-75 ; b. 1975-85 ; c. 1988 ; d. 1987 ; e. 1986 ; f. Décembre à décembre ; g. En fin d'année.

plus tôt, en plein débat sur les missiles Lance, le président George Bush.

Revers électoraux pour Helmut Kohl

Même si le chancelier se trouvait cette fois en plein accord avec l'opinion, sa politique ne fut guère couronnée de succès électoral en 1989 et en 1990. Son parti, le CDU (Union démocrate-chrétienne), est allé de défaite en défaite dans tous les scrutins généraux et municipaux. Fin janvier 1989, les sociaux-démocrates du SPD remportaient les élections à Berlin. Le nouveau bourgmestre-gouvernant, Walter Momper, formait en mars une coalition rouge-verte, huit des treize postes clefs étant occupés par des femmes. Aux élections municipales en Hesse, le CDU perdait en moyenne 7 %. Cette baisse ne fut pas stoppée par le remaniement ministériel qui, à la mi-avril, fit de Theo Waigel, chef de la CSU (Union social-chrétienne) bavaroise et successeur de Franz Josef Strauss, le nouveau ministre des Finances.

Les élections européennes préparaient à H. Kohl et à la majorité des Allemands une mauvaise surprise. L'extrême droite des *Republikaner* de l'ancien Waffen-SS Schönhuber devait dépasser le score de 7 %. Pour tenter de regagner les voix des électeurs perdues au profit de ce nouveau parti, H. Kohl allait sacrifier peu après son compagnon de route de longue date, et secrétaire très contesté du parti, Heiner Geissler. Néanmoins la CDU continua à faire pâle figure, même dans son fief du Bade-Wurtemberg. En mars 1990, le parti dut s'incliner dans la Sarre devant le social-démocrate Oskar Lafontaine, le challenger charismatique du chancelier pour les élections au Bundestag prévues fin 1990 et qui,

BIBLIOGRAPHIE

ARDAGH J., *Les Allemands*, Belfond, Paris, 1988.

« L'Allemagne unie, une chance pour l'Europe », *Documents*, n° 1/90.

DESMOTES-MAINARD M., *L'Économie de la RFA*, La Découverte, « Repères », Paris, 1989.

FRITSCH-BOURNAZEL R., *L'Allemagne, un enjeu pour l'Europe*, Complexe, Bruxelles, 1987.

KORINMAN M., *Quand l'Allemagne pensait le monde. Grandeur et décadence d'une géopolitique*, Fayard, Paris, 1990.

LE GLOANNEC A.-M., *La Nation orpheline, les Allemagnes en Europe*, Calmann-Lévy, Paris, 1989.

« Les Deux Allemagne 1984-1989 », *Notes et études documentaires*, n° 4903-4904, La Documentation française, Paris, 1990.

MARSH D., *The Germans : Rich, Bothered and Divided*, Century, Londres, 1989.

MENUDIER H. (sous la dir. de), *La République fédérale d'Allemagne dans les relations internationales*, Complexe, Bruxelles, 1990.

« Vers l'unité allemande » (dossier constitué par F. Guérard), *Problèmes politiques et sociaux*, n° 637, La Documentation française, Paris, août 1990.

Voir aussi la bibliographie « RDA ».

en mai 1990, fut grièvement blessé dans un attentat perpétré par une déséquilibrée. La seule consolation des amis de H. Kohl vint de la réélection triomphale du président fédéral Richard von Weizsäcker, reconduit dans ses fonctions le 23 mai avec 86,2 % des voix des grands électeurs.

L'exode, avant la chute du Mur

Mais, dans la seconde moitié de 1989, une nouvelle hiérarchie s'établit dans l'actualité politique, qui fit passer au deuxième rang l'abandon du projet d'usine de retraitement nucléaire de Wackersdorf — objet d'une âpre bataille entre écologistes et industriels du nucléaire au cours des années précédentes — et même l'attentat meurtrier commis le 11 décembre contre Alfred Herrhausen, « numéro un » de la Deutsche Bank. Désormais, tout le monde allait vivre sous le choc d'ondes venant de la RDA. Déjà en 1988 on avait enregistré à Bonn environ 19000 *Übersiedler*, transfuges légaux de la RDA, qui venaient s'ajouter aux 78000 *Aussiedler*, rapatriés des pays de l'Est. A partir de juillet 1989, une trentaine de personnes occupèrent l'ambassade de la RFA à Budapest, laquelle sera fermée le mois suivant. Pendant leurs vacances en Hongrie, 660 citoyens est-allemands profitèrent d'une manifestation à la frontière austro-hongroise pour prendre la fuite. Environ 4000 personnes gagnèrent l'Autriche pendant l'été. C'est le début d'un véritable exode vers l'Ouest. Hans Dietrich Genscher, ministre des Affaires étrangères de RFA, négocie avec les autorités à Budapest, Prague et Berlin-Est un départ de tous ceux qui se sont réfugiés dans les diverses ambassades de son pays.

Or, même après ces événements, peu d'hommes politiques à Bonn et ailleurs veulent croire à une unification allemande imminente. Et pourtant, le 9 novembre 1989, le Mur de Berlin, symbole s'il en était de la partition, est ouvert à l'initiative des autorités de RDA [*voir article RDA suivant*].

Trois semaines plus tard, le 28 novembre, quand H. Kohl annonce par surprise devant le Bundestag son plan en dix points pour le rétablissement de l'unité allemande, son projet d'« union contractuelle » (*Vertragsgemeinschaff*) n'est assorti ni d'un calendrier ni d'une définition précise de la forme de cette unité. Les « structures confédératives » dont il parle choquent quand même ses partenaires. Le 11 décembre, pour la première fois depuis 1972, les ambassadeurs des anciens alliés se réunissent à Berlin soulignant ainsi leurs droits sur Berlin et l'Allemagne entière. H. Kohl n'avait informé personne de son projet, ni son partenaire du Parti libéral (FDP) dans la coalition, H.D. Genscher, ni ses alliés et amis à Paris, Londres ou Washington.

La brouille qui s'ensuivra dominera les relations bilatérales pendant l'hiver et se nourrira du débat sur la frontière ouest de la Pologne, la « ligne Oder-Neisse ». En effet, H. Kohl n'avait rien dit de précis à ce sujet sensible dans ses « dix points ». A ses yeux, un règlement définitif de cette question relevait d'un traité de paix entre les vainqueurs de la Seconde Guerre mondiale et une future Allemagne unifiée. Ce « juridisme », soupçonné de viser à séduire les électeurs de l'extrême droite, fut vivement critiqué et se révéla vite comme une opération à haut risque. Sous la pression intérieure (et internationale), H.D. Genscher menaça de quitter la coalition — la France se fit l'avocat de la Pologne auprès de Bonn —, H. Kohl céda et accepta au printemps 1990 un accord à l'amiable entre la RFA et la Pologne dans le cadre des négociations « 2 + 4 » qui ont réuni les pays vainqueurs et les deux Allemagnes.

Le choix d'une unification rapide

Sous la pression du flux continuel des ressortissants de la RDA et de la dégradation de la situation interne en RDA, H. Kohl abandonna vite son projet en dix points et misa ouvertement sur une unification rapide. Quand il rencontra à Bonn, le 13 février 1990, le ministre-président de la RDA, Hans Modrow [*voir article RDA*], sa stratégie d'unification accélérée fut vivement critiquée en RDA et aussi, en RFA, par une partie de l'opinion. Helmut Kohl trouva cependant un certain réconfort quand, le 18 mars 1990, les premières élections libres en RDA conduisirent au pouvoir l'Alliance pour l'Allemagne (droite) du futur ministre-président, Lothar de Maizière. Ce dernier prônait comme H. Kohl une unification rapide.

Fin avril, le gouvernement ouest-allemand proposa à Berlin-Est de procéder à l'union économique, monétaire et sociale à partir de juillet. Quoique négocié avec le gouvernement de Maizière, le traité ne reprit pour l'essentiel que les propositions de Bonn : taux d'échanges de un pour un entre mark-Est et mark-Ouest pour la petite épargne, les salaires et les retraites, ce qui devait faire vite disparaître le mark-Est. L'unité allemande est d'abord économique, la Bundesbank de Francfort sera la première institution de la nouvelle Allemagne.

Les conséquences internationales allaient être traitées au niveau de la CEE — qui devait ouvrir ses portes aux dix-sept millions d'Allemands de l'Est — et surtout dans le cadre des négociations « 2 + 4 » qui devaient mener au rétablissement complet de la souveraineté allemande et donner une réponse claire à la question du statut militaire de l'Allemagne unifiée.

Au moment de l'union monétaire et économique entre les deux Allemagnes (2 juillet 1990), une grande partie des Allemands de l'Ouest n'accordaient pas beaucoup de crédit aux promesses de Helmut Kohl sur la stabilité de l'impôt et du système social après l'unification. Le chancelier voulait financer la vaste opération de renflouement de l'économie est-allemande par le seul biais de l'emprunt et de la politique monétaire. Son concurrent dans la course aux premières élections interallemandes, Oskar Lafontaine, misait en revanche sur l'échec d'une telle politique qui offrait le mark à la RDA en contrepartie d'un passage accéléré à l'économie du marché. Pour ce dernier, les Allemands de l'Ouest était plus attachés à leur bien-être qu'à l'enthousiasme patriotique.

A Berlin-Ouest, les queues interminables des ressortissants de l'Est devant les supermarchés et grands magasins provoquaient déjà la colère des habitants de la ville. Cela préfigurait-il les futures relations sociales entre Allemands ?

Joachim Fritz-Vannahme

RDA. Quand un État disparaît

Son 40ᵉ anniversaire, célébré le 7 octobre 1989, aura été, pour la RDA, son dernier en tant qu'État souverain.

Au commencement de cette année 1989, les relations interallemandes avaient fort ressemblé à une douche écossaise. Le 6 janvier, les gardes-frontière abattaient un jeune au Mur de Berlin, déclenchant de vives protestations à Bonn, mais un mois plus tard, les villes de Bonn et de Potsdam signaient un accord de jumelage. En mars, la délégation ministérielle ouest-allemande annulait sa participation à la foire de Leipzig à cause de tirs au Mur de Berlin mais, le même mois, quatre hauts officiers de la Volksarmee est-allemande se retrouvaient à Hambourg pour discuter avec quatre de leurs homologues ouest-allemands. En plein débat sur les missiles Lance [*voir article RFA précédent*], le chef de l'État est-allemand, Erich Honecker, annonçait en avril une réduction des troupes est-allemandes. Fidèle à la ligne de Mikhaïl Gorbatchev sur les questions de désarmement, le régime reculait néanmoins devant toute réforme interne, s'isolant ainsi parmi ses voisins du pacte de Varsovie.

A partir de mai 1989, tout allait s'accélérer. Le 2, la Hongrie ouvre ses frontières avec l'Autriche ; le 7, les partis du régime, tous sous tutelle du très communiste Parti socialiste unitaire d'Allemagne (SED), « gagnent » les élections communales avec 98,8 % des voix, aussitôt accusés de fraude électorale par les groupes d'opposition qui ont commencé à se former à l'intérieur même ou dans l'ombre des Églises protestantes.

Mais c'est l'exode à travers la Hongrie tout au long de l'été qui marque le début de la fin du régime Honecker, lorsque des centaines de « vacanciers » gagnent l'Ouest *via* Budapest. Des groupes qui jusqu'ici ont travaillé plutôt discrètement se transforment en vraie opposition et même — à partir d'octobre — en partis, préparant ainsi les élections générales pour 1991. C'est le cas du Parti social-démocrate (SDP, rebaptisé plus tard SPD), de Démocratie maintenant ou du Nouveau forum.

Le régime ne fait aucune concession, l'opposition non plus. Le 25 septembre devant l'église Saint-Nicolas, à Leipzig, environ 7000 manifestants réclament la légalisation du Nouveau forum. C'est le plus gros rassemblement depuis la révolte de 1953. Le lundi suivant, ils sont déjà 20000. Pour sauver les célébrations du 40ᵉ anniversaire en octobre, E. Honecker laisse faire, pour une fois. Il négocie en secret le départ de quelque 7000 citoyens qui se sont enfermés à Prague ou Budapest dans les représentations ouest-allemandes. Egon Krenz, futur successeur de E. Honecker, transmet au même moment un message de félicitations aux responsables du massacre de la place Tian An Men pour le 40e anniversaire de la République populaire de Chine. A peine voilé par la courtoisie diplomatique, M. Gorbatchev signale, le 7 octobre à Berlin, que le temps des réformes est venu. L'opposition continue ses manifestations aux portes des églises, ignorant que, le 9 octobre, E. Honecker a donné ordre de tirer sur la foule à Leipzig. Un bain de sang fut évité à la dernière minute par l'appel au dialogue lancé par un petit groupe autour du très respecté chef d'orchestre, Kurt Masur, et de trois secrétaires régionaux du SED. Deux jours plus tard, le Bureau politique convoque une première réunion de crise; le 18 octobre, H. Honecker est invité par ses pairs à abandonner le pouvoir. Egon Krenz, ancien responsable des organisations de jeunesse du pays, lui succède. Le timide dialogue qu'il cherche à nouer avec l'opposition n'arrive pas à faire oublier son impopularité. Il n'ose pas toucher au monopole du Parti.

« Nous sommes le peuple », « Nous sommes un peuple »

Début novembre, la RDA autorise à nouveau les voyages à Prague, et l'exode reprend de vive allure. Le 4 novembre, un demi-million de citoyens se rassemblent sur l'Alexanderplatz à Berlin, les représentants du SED sont sifflés et hués. Le 8, E. Krenz forme, sous la pression, un gouvernement avec des réformateurs comme Hans Modrow, chef du Parti à Dresde — qui lui succédera — et des hommes de l'ancien régime. A 19 h 07, le 9 novembre, le régime annonce pour le lendemain l'ouverture du Mur, mais la foule ne veut plus attendre et franchit pacifiquement les barrières la nuit même. Dans les heures qui suivent, les Allemands fêtent leurs retrouvailles des deux côtés du Mur. Le 13 novembre, Hans Modrow prend les affaires de l'État en main. Dans les manifestations du lundi, le cri « Nous sommes le peuple » est de plus en plus souvent accompagné par « Nous sommes un peuple ». Pendant que le

RDA

République démocratique allemande.
Capitale : Berlin-Est.
Superficie : 108 333 km² y compris Berlin-Est (0,2 fois la France).
Monnaie : mark (au printemps 1989, la parité du mark de RDA a été alignée sur celle du mark de RFA et l'union monétaire a été réalisée le 2.7.89).
Langue : allemand.
Chef de l'État : Erich Honecker jusqu'au 24.10.89, « démissionné » et remplacé par Egon Krenz, lui-même poussé à la démission le 6.12.89. Sabine Bergmann Pohl, présidente de la Chambre du peuple, nommée à titre intérimaire le 1.1.90.
Chef du gouvernement : Willi Stoph, puis Hans Modrow, à partir du 8.11.89, puis Lothar de Maizière à partir des élections libres du 18.3.90 (ministre-président).
Nature de l'État : transitoire. Passage d'un État de « démocratie populaire » dirigé par le Parti communiste SED à une république fédérale parlementaire, dans le cadre d'une réunification engagée avec la RFA.
Principaux partis politiques : Union chrétienne-démocrate (CDU); Parti social-démocrate d'Allemagne (SPD); Union sociale allemande (DSU); Parti du socialisme démocratique (PDS, nouveau nom de l'ancien parti communiste SED — Parti socialiste unitaire d'Allemagne); Alliance 90. Un processus d'intégration des partis de RDA et de RFA a été engagé en 1990.
Carte : p. 435.
Statistiques : voir aussi p. 436.

RDA

1. DÉMOGRAPHIE, CULTURE, ARMÉE

	Indicateur	Unité	1970	1980	1989
Démographie	Population	million	17,07	16,74	16,65
	Densité	hab./km²	157,8	154,7	153,9
	Croissance annuelle	%	– 0,1 [a]	– 0,1 [b]	0,0 [c]
	Mortalité infantile	‰	18,5	12,1	8,1 [f]
	Espérance de vie	année	71,2 [d]	72,1 [e]	73,2 [c]
	Population urbaine	%	73,7	76,2	77,8
Culture	Nombre de médecins	‰ hab.	2,03	2,61	3,27 [f]
	Scolarisation 2e *degré* [i]	%	81 [h]	80	77 [g]
	3e *degré*	%	32,8	30,3	32,0 [g]
	Postes tv	‰	••	••	372,5
	Livres publiés	titre	6851	7544	7908 [f]
Armée	Marine	millier d'h.	16	16	16
	Aviation	millier d'h.	21	38	37,1
	Armée de terre	millier d'h.	92	108	120

a. 1965-75; b. 1975-85; c. 1985-90; d. 1970-75; e. 1980-85; f. 1988; g. 1987; h. 1975; i. 10-18 ans.

2. COMMERCE EXTÉRIEUR [a]

Indicateur	Unité	1970	1980	1989
Total imports	milliard $	4,92	20,29	17,33
Produits agricoles	%	28,1	18,9	14,1 [b]
Métaux et prod. miniers [c]	%	27,6	36,7	33,5 [b]
Machines et équipements	%	34,2	30,8	37,0 [b]
Total exports	milliard $	4,65	18,59	17,33
Produits agricoles	%	7,4	6,4	7,0 [b]
Métaux et prod. miniers [c]	%	10,1	14,8	15,1 [b]
Machines et équipements	%	51,7	51,3	47,6 [b]
Principaux fournisseurs	% imports			
CAEM		66,1	60,2	65,7 [b]
PCD		26,7	30,5	28,6 [b]
PVD		3,9	6,2	2,9 [b]
Principaux clients	% exports			
CAEM		68,6	65,4	67,0 [b]
PCD		21,9	24,1	26,6 [b]
PVD		4,2	7,2	4,1 [b]

a. Marchandises; b. 1988; c. Y compris produits énergétiques.

gouvernement se transforme — E. Krenz quitte le pouvoir au début décembre — et que l'opposition s'organise, plus de 2000 Allemands de l'Est quittent chaque jour leur pays.

Les contacts interallemands se multiplient, le 19 décembre Helmut Kohl est accueilli à Dresde par une foule demandant l'unification. Le chancelier de RFA et H. Modrow

3. ÉCONOMIE

Indicateur	Unité	1970	1980	1989
PMN	milliard $	29,8	101,7	111,6[f]
Croissance annuelle	%	5,3[a]	2,4[b]	2,0
Par habitant	$	1 746	6076	6715[f]
Structure du PMN				
Agriculture	% } 100 %	12,6	8,3	10,4[c]
Industrie	% } 100 %	65,9	73,9	71,3[c]
Services	% } 100 %	21,5	17,8	18,3[c]
Dette extérieure brute	milliard $	1,1	13,6	20,6
Taux d'inflation	%	− 0,1	0,4	2,0
Population active	million	8,55	9,12	9,64
Agriculture	% } 100 %	13,0	10,5	10,6[c]
Industrie	% } 100 %	49,6	50,9	49,6[c]
Services	% } 100 %	37,4	38,6	39,8[c]
Dépenses publiques				
Éducation[e]	% PMN	4,9	5,3	5,1[d]
Défense	% PMN	6,2	7,1	8,3[c]
Recherche et Développement	% PMN	••	4,1	4,6[d]
Production d'énergie	million TEC	81,0	83,6	95,9[d]
Consommation d'énergie	million TEC	104,5	121,8	131,3[d]

a. 1965-75; b. 1975-85; c. 1988; d. 1987; e. Dépenses courantes seulement; f. 1986.

publient conjointement une « déclaration d'intention d'une communauté contractuelle ». Le jour de Noël, la porte de Brandebourg, symbole de la séparation allemande, est ouverte. H. Modrow dresse, fin janvier, un tableau noir de la situation économique, sociale et politique devant la Chambre du peuple. Le lendemain, il rencontre à Moscou M. Gorbatchev qui lui explique que l'unité allemande « ne sera mise en doute par personne ». Le 1er février, H. Modrow présente à la Chambre un projet pour l'unité sous le titre *Allemagne, patrie unie* qui prévoit l'unification par étapes sans calendrier fixe et la neutralité de la future Allemagne. Le dernier point est vite relativisé comme n'étant qu'une simple proposition.

De la révolution à l'unification

A Berlin-Ouest les alliés du chancelier fondent en sa présence, le 5 février, l'Alliance pour l'Allemagne, réunissant la CDU de RDA (Union chrétienne-démocrate) et diverses autres petites formations qui s'engagent sur la voie d'une unification rapide. Le gouvernement de Bonn propose à Berlin-Est des négociations sur une union monétaire, justifiant son initiative par le constat que 114000 *Übersiedler* ont quitté leur pays dans les semaines précédentes. L'accueil que H. Kohl réserve à H. Modrow lors de sa visite du 13 février 1990 à Bonn est plutôt froid, la « table ronde », instaurée en janvier avec la participation de l'opposition et du gouvernement de la RDA, se montre choquée. Cette institution publie en mars une charte sociale défendant quelques acquis de l'ancien système comme le droit au travail ou le contrôle des loyers. Mais sa position est affaiblie par le résultat des premières élections libres, le 18 mars. L'Alliance pour l'Allemagne obtient presque la majorité absolue (40,8 % des voix pour la seule

BIBLIOGRAPHIE

BARY N. *et alii*, *Chroniques d'un automne allemand*, J.-C. Lattès, Paris, 1990.

« La RDA entre la liberté et le non-être » (dossier), *Documents*, n° 2, Paris, juin 1990.

LE GLOANNEC A.-M., « La nation retrouvée. De la RDA à l'Allemagne », *Politique étrangère*, IFRI, n° 1, Paris, print. 1990.

« Les Deux Allemagne 1984-1989 », *Notes et études documentaires*, n° 4903-4904, La Documentation française, Paris, 1990.

MÉNUDIER H. (sous la dir. de), *La RDA 1949-1990. Du stalinisme à la liberté*, Publ. de l'Institut d'allemand d'Asnières, Université de la Sorbonne Nouvelle - Paris III.

« Vers l'unité allemande » (dossier constitué par F. Guérard), *Problèmes politiques et sociaux*, n° 637, La Documentation française, Paris, août 1990.

Voir aussi la bibliographie « RFA ».

CDU du futur ministre-président Lothar de Maizière) ; le SPD, donné légèrement favori, ne capte que 21,8 % des voix et les groupes comme Nouveau forum qui, six mois plus tôt, étaient leaders de l'opposition n'enregistrent que 2,9 %. Des deux côtés du Mur le résultat est interprété comme un vote en faveur d'une unification rapide. A partir du 18 mars, on ne parlera plus que de la meilleure manière d'accomplir cette unification. Les questions économiques sont abordées en mai dans un traité d'État définissant l'union économique et monétaire [*voir article RFA*]. Les conséquences internationales sont discutées dans les négociations « 2 + 4 » qui doivent restituer à une Allemagne unie sa souveraineté et définir son statut militaire [*voir article p. 20*]. Ce dernier point donne de suite matière à discussion entre les deux Allemagnes et les trois alliés de l'Ouest d'un côté, l'Union soviétique de l'autre. A la mi-1990, Moscou entretenait toujours 380000 soldats sur le sol est-allemand, retranchés dans leurs casernes pendant l'automne chaud et impossibles à rapatrier dans de brefs délais. Mais l'inquiétude qu'on a vue grandir dans les deux Allemagnes n'a pas tant tenu à la présence de ces soldats qu'aux difficultés qu'allait susciter cette unification entre faible et fort. L'intégration rapide du territoire est-allemand au fédéralisme ouest-allemand et à la Communauté européenne ne pouvait pas résoudre immédiatement cette confrontation entre voisins qui ont vécu pendant plus d'une génération dans des systèmes opposés et à niveaux inégaux.

La date fatidique du 1er juillet (l'union économique et monétaire) inspirait aux Allemands de l'Est à la fois de l'espoir et de l'angoisse. De l'union monétaire, ils attendaient l'accès facile à cette société de consommation qui faisait cruellement défaut chez eux. En revanche, de l'union économique, ils craignaient l'importation du chômage et d'une concurrence forcée sur leurs lieux de travail. La nouvelle définition de la propriété — foncière et industrielle — provoquait les plus grandes inquiétudes parmi les petits propriétaires en RDA. L'apprentissage de l'économie de marché s'annonçait pénible et laborieux.

Joachim Fritz-Vannahme

France. Un pays sans boussole

S'il fallait ne se fier qu'aux taux de croissance économique, la France s'est « bien portée » en 1989 et 1990.

La reprise de l'activité, très soutenue depuis 1987, s'est confirmée, la croissance est restée forte (3,4 % en 1989). Dans une conjoncture occidentale favorable, la stabilité du franc s'est confirmée, répondant en cela à un objectif majeur des politiques menées depuis plusieurs années : maintenir la parité avec le mark allemand et maîtriser l'inflation. L'emploi a lui aussi poursuivi sa reprise, la demande dans certaines catégories techniciennes étant même difficilement satisfaite. Tout irait donc pour le mieux dans le meilleur des mondes ? Pas véritablement. Outre la persistance d'un déficit commercial conséquent (successivement 31,6, 32,8 et 45,7 milliards FF en 1987, 1988, 1989...), on ne saurait en effet sous-estimer les revers sociaux de cette évolution économique.

Chômage persistant, inégalités aggravées

Si l'emploi a repris, le chômage, bien qu'en légère diminution, est demeuré à un niveau très élevé. En fin d'année 1989, il représentait encore 9,4 % de la population active (10,2 % en 1988). La situation des moins de vingt-cinq ans s'est en moyenne améliorée mais on a constaté pour les autres catégories d'âge que les emplois créés ne bénéficiaient que très marginalement aux chômeurs inscrits depuis déjà longtemps : le ralentissement des licenciements ne suffit pas à résorber le chômage structurel.

Autre revers : les inégalités se sont sensiblement creusées, comme diverses études l'ont démontré, notamment le rapport du Centre d'études des revenus et des coûts (CERC) portant sur les années quatre-vingt. Il y apparaît que la reprise n'a pas eu de fortes répercussions sur les évolutions salariales. Le pouvoir d'achat des salariés a diminué de 0,2 % de 1982 à 1988, effet de la politique d'austérité appliquée depuis 1982, laquelle s'est efforcée de casser la spirale prix-salaire considérée comme cause principale de l'inflation. L'éventail des salaires s'est réouvert « par le haut ». Aux inégalités dans l'entreprise se sont ajoutées les inégalités entre régions et entre générations (au détriment des jeunes). Par ailleurs, contrastant avec ceux du travail, les revenus du patrimoine ont connu une évolution « très dynamique » et la pauvreté et l'exclusion sociale se sont étendues et aggravées.

Le débat sur l'aggravation des inégalités — résultat d'une politique économique d'essence libérale — a

FRANCE

République française.
Capitale : Paris.
Superficie : 547 026 km².
Monnaie : franc (1 écu = 6,94 FF et 1 dollar des États-Unis = 5,65 FF au 21.6.90).
Langues : français; langues régionales : breton, catalan, occitan, basque, alsacien, flamand.
Chef de l'État : François Mitterrand, président de la République (depuis mai 1981).
Chef du gouvernement : Michel Rocard (depuis le 8.5.88).
Échéances électorales : législatives (1993), présidentielles (1995).
Nature de l'État : république.
Nature du régime : démocratie parlementaire.
Principaux partis politiques : *Gouvernement :* Parti socialiste (PS, social-démocrate). *Opposition :* Centre des démocrates sociaux (CDS, démocrate-chrétien), Rassemblement pour la République (RPR, droite); Union pour la démocratie française (UDF, droite), comprenant notamment le Parti républicain (PR); les Verts; Parti communiste français (PCF); Front national (FN, extrême droite).
DOM, TOM et CT : *Départements d'outre-mer* (DOM) : Guadeloupe, Martinique, Guyane [Amérique], Réunion [océan Indien]. *Territoires d'outre-mer* (TOM) : Nouvelle-Calédonie, Wallis et Futuna, Polynésie française [Océanie], Terres australes et antarctiques. *Collectivités territoriales* (CT) : Saint-Pierre-et-Miquelon [Amérique], Mayotte [océan Indien].
Carte : p. 455.
Statistiques : voir aussi p. 456.

FRANCE

1. DÉMOGRAPHIE, CULTURE, ARMÉE

	Indicateur	Unité	1970	1980	1989
Démographie	Population	million	50,8	53,9	56,2
	Densité	hab./km²	92,8	100,9	102,7
	Croissance annuelle	%	0,8 [a]	0,5 [b]	0,4 [c]
	Mortalité infantile	‰	18,2	10,0	8 [c]
	Espérance de vie	année	71,9	74,8	75,6 [c]
	Population urbaine	%	71,0	73,2	74,0
Culture	Nombre de médecins	‰ hab.	1,34	2,00	3,19 [d]
	Scolarisation 2[e] *degré* [f]	%	74	85	92 [e]
	3[e] degré	%	19,5	25,5	30,9 [e]
	Postes tv	‰	••	354	396 [e]
	Livres publiés	titre	22 935	32 318	43 505 [e]
Armée	Marine	millier d'h.	72	69,9	65,5
	Aviation	millier d'h.	106	103,5	94,1
	Armée de terre	millier d'h.	328	321,0	292,5

a. 1965-75 ; b. 1975-85 ; c. 1985-90 ; d. 1988 ; e. 1987 ; f. 11-17 ans.

2. COMMERCE EXTÉRIEUR [a]

Indicateur	Unité	1970	1980	1989
Commerce extérieur	% PIB	13,2	18,8	19,6
Total imports	milliard $	19,1	134,9	193,0
Produits agricoles	%	21,6	14,0	11,6
Produits énergétiques	%	12,1	26,6	8,8
Autres produits miniers	%	4,8	3,8	1,5
Total exports	milliard $	18,1	116,0	179,4
Produits agricoles	%	18,9	18,2	17,2
Produits miniers [b]	%	2,6	1,4	0,4
Produits industriels	%	74,8	78,3	80,2
Principaux fournisseurs	% imports			
CEE		56,0	48,1	60,0
PVD		20,8	26,7	15,8
États-Unis		9,9	7,7	7,7
Principaux clients	% exports			
CEE		57,0	53,3	61,2
Afrique		10,9	11,0	7,4
Autres PVD		9,4	13,7	11,9

a. Marchandises ; b. Produits énergétiques non compris.

rendu le gouvernement socialiste nerveux. Pourtant, hormis la longue grève des ouvriers des usines automobiles Peugeot commencée en septembre 1989 et celle des employés des impôts (d'une durée de cinq mois), les mouvements sociaux sont demeurés limités et catégoriels, malgré la

3. ÉCONOMIE

Indicateur	Unité	1970	1980	1989
PIB	milliard $	151,8	639,2	994,3
Croissance annuelle	%	4,7[a]	2,5[b]	3,4
Par habitant	$	2 990	11 900	17 693
Structure du PIB				
Agriculture	% } 100 %	6,3	4,2	3,5[d]
Industrie	% } 100 %	38,1	33,7	30,0[d]
Services	% } 100 %	55,5	62,0	66,4[d]
Taux d'inflation	%	5,9	13,3	3,6[f]
Population active	million	21,4	23,4	24,2[c]
Agriculture	% } 100 %	13,5	8,7	6,8[c]
Industrie	% } 100 %	39,2	35,9	30,3[c]
Services	% } 100 %	47,2	55,4	62,9[c]
Chômage	%	2,4	6,3	9,4[g]
Dépenses publiques				
Éducation	% PIB	4,9	5,0	5,7[e]
Défense	% PIB	4,2	4,0	3,0
Recherche et Développement	% PIB	1,9	1,8	2,33[c]
Aide au développement	% PIB	0,46	0,31	0,51[c]
Production d'énergie	million TEC	60,8	50,3	67,1[d]
Consommation d'énergie	million TEC	194,5	237,3	206,9[d]

a. 1965-75 ; b. 1975-85 ; c. 1988 ; d. 1987 ; e. 1986 ; f. Décembre à décembre ; g. En fin d'année.

montée des revendications. Il est vrai que les organisations syndicales ont beaucoup perdu de leurs forces et capacités depuis la fin des années soixante-dix.

La question sociale a pris d'autant plus de relief qu'ont éclaté diverses affaires : inculpation pour délit d'initié dans des opérations boursières de plusieurs hiérarques ou proches du pouvoir (affaires Pechiney et Société générale), amendement parlementaire amnistiant les délits politico-financiers commis avant l'adoption de deux lois sur le financement des partis et des campagnes électorales (22 décembre 1989). Ces affaires ont accrédité l'idée de deux France : celle qui doit subir la « rigueur » (l'austérité) et celle qui peut spéculer en toute impunité. Cette conviction a pu d'ailleurs se nourrir d'autres constats, notamment en matière immobilière : en région parisienne, pour la seconde année consécutive, les loyers ont augmenté de plus de 7 % en 1989 et la spéculation foncière n'a fait que s'aggraver.

Crise de la société politique

Dans ce contexte général, les choix du gouvernement Rocard — qui, en règle générale, n'ont pas cédé aux facilités des effets d'annonce et ont plutôt été présentés sur un mode gestionnaire — ont souvent été perçus comme prudents, mesurés, adaptés au long terme plutôt qu'aux situations d'urgence. Mais l'atmosphère politique n'a fait que se dégrader, rendant la relation gouvernants/gouvernés de plus en plus difficile.

Cette crise, outre le désintérêt de plus en plus manifeste des citoyens pour les élections (52 % d'abstentions et de suffrages non exprimés aux « européennes » de juin 1989...), a été illustrée par la poursuite du « mouvement brownien » de la droite, plus que jamais divisée malgré la décision prise le 26 juin 1990 de réunir le Rassemblement pour la République (RPR) et l'Union pour la démocratie française (UDF) dans une confédération. Le Parti socialiste a pour sa part donné le spectacle insolite d'un congrès (Rennes, 15-18 mars) d'où le débat d'orientation a été totalement absent, remplacé par les luttes de pouvoir ouvertes des courants et prétendants. Quant au Parti communiste, en déclin et incapable de prendre la mesure des changements opérés à l'Est, il a vu se développer en son sein une nouvelle contestation interne.

Mais le symbole le plus évident de la crise est bien sûr l'inscription durable de l'extrême droite dans le paysage politique. Dans plusieurs élections législatives partielles, le Front national (FN) de Jean-Marie Le Pen est parvenu à précéder les candidats de la droite traditionnelle au premier tour, gagnant même celle de Dreux le 3 décembre 1989. Visant un jour à donner des gages de respectabilité et, le lendemain, s'appuyant sur les positions acquises, à pourrir le jeu démocratique, ses dirigeants, depuis le printemps 1990, affichent publiquement des ambitions de conquête du pouvoir. La droite traditionnelle, exposée à leurs appétits, est apparue totalement désorientée. Certes les états-majors ont formellement condamné toute compromission avec le FN, mais plusieurs assemblées régionales sont demeurées dirigées par des alliances droite-extrême droite. J.-M. Le Pen a réussi à amener la classe politique sur ses terrains de prédilection : l'immigration qui serait responsable de tous les maux, et l'identité nationale, qui demanderait à être réhabilitée. Le tout sur

BIBLIOGRAPHIE

ADDA J., SMOUTS M.-C., *La France face au Sud*, Karthala, Paris, 1989.

CERC, *Les Français et leurs revenus. Le tournant des années 80*, La Découverte/La Documentation française, Paris, 1989.

CLUB VAUBAN, *Les Inégalités des années 90*, Le Monde éditions, Paris, 1990 (à paraître).

DELORME C., *Demain l'immigration*, La Découverte, Paris, 1990 (à paraître).

DÉPARTEMENT DES ÉTUDES ET DE LA PROSPECTIVE AU MINISTÈRE DE LA CULTURE ET DE LA COMMUNICATION, *Les Pratiques culturelles des Français : 1973-1989*, La Découverte/La Documentation française, Paris, 1990.

FOUQUET A. (sous la dir. de), *Données sociales 90*, INSEE, Paris, 1989.

GIUDICE F., *Têtes de Turc en France*, préf. de G. Wallraf, La Découverte, Paris, 1989.

LENOIR R., *Les Exclus. Un Français sur dix*, Seuil, Paris, 1989.

LE ROY LADURIE E. (sous la dir. de), *Entrer dans le XXIe siècle. Essai sur l'avenir de l'identité française*, La Découverte/La Documentation française, Paris.

« La France, une nation, des citoyens », *Hérodote*, n° 50-51, La Découverte, Paris, 1989.

LIPIETZ A., *Choisir l'audace : une alternative pour le XXIe siècle*, La Découverte, Paris, 1989.

MAYER N., PERRINEAU P. (sous la dir. de), *Le Front national à découvert*, Presses de la FNSP, Paris, 1989.

ORFALI B., *L'Adhésion au Front national*, Éd. Kimé, Paris, 1990.

« Peugeot-Sochaux, le sens d'une grève », *Collectif*, n° 9, Paris, nov. 1989.

PRÉEL B., *La Société des enfants gâtés*, La Découverte, Paris, 1989.

VERDIÉ M. (sous la dir. de), *L'état de la France et de ses habitants*, La Découverte, coll. « L'état du monde », Paris, 1989.

FICHUS ISLAMISTES

Tout a commencé à Creil, ville ouvrière de l'Oise. Au début d'octobre 1989, un événement va déchaîner les passions françaises pendant plusieurs semaines et mobiliser la totalité des médias, la classe politique, les autorités morales du pays, et même les intellectuels, que l'on croyait disparus du paysage. A Creil, donc, trois adolescentes scolarisées dans un collège public refusent d'ôter le fichu dont elles se couvrent les cheveux, le cou et les épaules, arguant qu'il s'agit d'une prescription religieuse. Le proviseur exige qu'elles y renoncent au nom du principe de laïcité de l'école publique. Le débat devient vite national : faut-il exclure ou non les adolescentes se présentant la tête couverte ? Le ministre de l'Éducation, Lionel Jospin, adopte une position très nuancée, faisant valoir que la mission de l'école est d'intégrer et non d'exclure. Sa position est vivement critiquée, y compris au sein du Parti socialiste. Reflet de la virulence des débats, cinq intellectuels de renom écrivent que « l'avenir dira si l'année du Bicentenaire [de la Révolution française] aura vu le Munich de l'école républicaine ». Finalement, l'autorité du Conseil d'État est requise pour juger du bon droit des uns et des autres. Son avis sera fort balancé : le port des insignes religieux n'est pas en soi incompatible avec le principe de laïcité de l'école, mais ces insignes ne doivent pas être des instruments de provocation ou de prosélytisme. Il appartient aux chefs d'établissement d'en juger...

Peu à peu le débat a évolué. Centré dans un premier temps sur l'intégrisme et la laïcité, il a bientôt posé le problème de l'organisation et de la représentation de la communauté musulmane de France — qui ne saurait être confondue avec la poignée d'activistes intégristes qui prétendent parler en son nom —, et celui, plus global, de l'intégration des immigrés dans la société française.

S.C.

fond d'intolérance et de xénophobie rampante.

En mai, la profanation de trente-quatre sépultures du cimetière juif de Carpentras allait dans ce contexte susciter une immense émotion dans le pays. La conviction était largement partagée que de tels actes se nourrissent de l'antisémitisme distillé par l'extrême droite. Bien sûr, le FN ne s'associa pas aux manifestations de solidarité envers la communauté juive. Cherchant à isoler l'extrême droite, M. Rocard, en avril 1990, avait proposé aux autres partis une approche consensuelle sur le racisme. En vain : l'opposition reprochant au gouvernement son inaction en matière de contrôle de l'immigration.

La fin d'un cycle

Cette France, où le débat politique, jadis vif, semble avoir disparu, où les passions ne trouvent plus à s'exprimer qu'au travers de fantasmes et de peurs, devra pourtant faire face à de nouveaux défis, nés du bouleversement de son environnement international. La réunification de l'Allemagne impose en effet nombre de révisions politiques et stratégiques. De par son statut d'« allié-vainqueur » de la Seconde Guerre mondiale, renforcé par la disposition de la force de frappe, ce pays avait pu jouer jusqu'alors un rôle remarqué dans la politique intra-européenne et dans les relations internationales. Une situation qui devra être redéfinie et renégociée, posant en termes renouvelés la question de la défense française et de sa place dans les alliances.

François Mitterrand s'est efforcé de faire face à cette nouvelle donne, proposant (le 18 novembre 1989) la création d'une Banque européenne pour la reconstruction et le développement des pays de l'Est (BERD), lançant l'idée d'une « confédération européenne (le 19 janvier suivant) et contribuant à l'accélération de l'union économique et monétaire de la CEE. Mais ces initiatives n'ont pas suffi à dissiper l'impression d'une soudaine relativisation de la maîtrise par la France de ses options diplomatiques et stratégiques.

Au-delà de sa politique européenne, c'est d'ailleurs l'ensemble de ses relations extérieures que Paris allait devoir recadrer, deux axes traditionnels de celles-ci étant l'objet de « turbulences ». Dans ce qu'il est convenu d'appeler le pré carré africain de la France, un vaste mouvement de contestation des régimes et des partis uniques au pouvoir s'est exprimé au printemps 1990, notamment au Gabon et en Côte d'Ivoire, deux piliers de la présence française sur le continent noir [*voir article au chapitre « Mouvements sociaux »*]. Au Maghreb, la victoire des islamistes aux élections locales algériennes, le 12 juin 1990, a ouvert un autre chapitre d'interrogations et de redéfinitions.

Curieusement, la commémoration du centenaire de la naissance de De Gaulle aura ainsi coïncidé avec la fin d'un cycle dans les relations extérieures de la France. Un cycle qui avait été profondément marqué par les choix du Général.

Serge Cordellier

Royaume-Uni. L'avenir incertain du thatchérisme

Onze ans après l'accession à la tête de l'État de la « dame de fer » (1979), les signes de mécontentement se sont multipliés. Démissions ministérielles, remontée des travaillistes, protestations sociales : l'avenir du thatchérisme est devenu l'objet de spéculations.

Le chancelier de l'Échiquier, Nigel Lawson, a démissionné le 26 octobre 1989. Celui que l'on présentait volontiers comme l'artisan du « miracle » économique britannique était depuis longtemps en désaccord avec le Premier ministre sur la question de l'intégration de la livre sterling au Système monétaire européen (SME). Margaret Thatcher et son conseiller économique privé, sir Alan Walters, y étaient farouchement opposés, à la différence de N. Lawson.

Ce dernier a engagé l'épreuve de force le jour où le quotidien *The Independent* publiait un article critique de sir Walters. Le chancelier a d'abord réclamé la démission de A. Walters. Ne l'obtenant pas de M. Thatcher, il s'est lui-même démis de ses fonctions. Une heure plus tard, A. Walters lui emboîtait le pas. M. Thatcher perdait dans la même journée deux de ses plus précieux collaborateurs. Elle allait en perdre d'autres : en janvier 1990, Norman Fowler quittait le ministère de l'Emploi et en mars Peter Walker, homme politique de grand talent, ancien ministre de l'Énergie devenu secrétaire d'État chargé du pays de Galles, annonçait lui aussi son départ. Ces deux démissions, motivées officiellement par des considérations d'ordre privé, sont intervenues dans une conjoncture économique, politique et sociale dégradée.

Le temps des inquiétudes

Sur le plan économique, à l'euphorie des années quatre-vingt a succédé le temps des inquiétudes. Certaines recettes jusqu'ici salutaires ont commencé à se tarir : la production pétrolière en mer du Nord se réduit tandis que les dénationalisations n'ont plus rencontré le succès des premières grandes opérations du genre. Aussi les excédents budgétaires dont N. Lawson s'était fait le champion ont-ils diminué au moment même où les difficultés économiques semblaient s'accroître : croissance ralentie (estimée à 1 % pour 1990), chute de la livre sterling à partir de 1989, surchauffe de la consommation, taux d'inflation (8 %) parmi les plus élevés d'Europe et progression des salaires de 9,25 % en moyenne annuelle. Cette dernière a surtout témoigné de la pénurie de main-d'œuvre qualifiée.

Au printemps 1990, le budget présenté par le nouveau chancelier de l'Échiquier, John Major, s'est inscrit dans la continuité des politiques de son prédécesseur : pas d'augmentations de l'impôt sur le revenu ni de diminution des taux d'intérêt, lutte prioritaire contre l'inflation et probablement aussi intégration à terme de la livre sterling au SME. Mais la City a jugé sévèrement ces mesures qu'elle aurait souhaité plus radicales. J. Major s'y est refusé car les remèdes préconisés par les milieux financiers auraient risqué d'accroître l'irritation d'une frange non négligeable de l'électorat. Beaucoup de Britanniques se sont lancés dans l'achat de leur logement au cours des années quatre-vingt et doivent faire face à des taux de prêts hypothécaires exorbitants. Dans l'ensemble, les classes moyennes, qui ont profité de l'expansion de la décennie passée et s'étaient ralliées au thatchérisme, bénéficient de moins d'aisance qu'auparavant. Or c'est parmi elles que les défaillances de l'électorat sont les plus dangereuses pour les conservateurs.

Remontée électorale des travaillistes

Les *tories* (conservateurs) ont précisément essuyé plusieurs défaites électorales au scrutin pour le Parlement européen de juin 1989, aux partielles du 3 mars 1990 (dans un tiers

ROYAUME-UNI

Royaume-Uni de Grande-Bretagne et d'Irlande du Nord.
Capitale : Londres.
Superficie : 244 046 km² (0,45 fois la France).
Monnaie : livre sterling (1 livre = 1,40 écu ou 9,72 FF au 21.6.90).
Langues : anglais (officielle); gallois.
Chef de l'État : reine Elizabeth II.
Chef du gouvernement : Margaret Thatcher, Premier ministre (depuis 1979).
Échéances électorales : 1992.
Nature de l'État : monarchie constitutionnelle.
Nature du régime : démocratie parlementaire.
Principaux partis politiques : *Gouvernement :* Parti conservateur et unioniste. *Opposition :* Parti travailliste; Parti des démocrates sociaux et libéraux (SLD); Parti social-démocrate « maintenu »; Parti unioniste (Irlande du Nord); Parti démocrate unioniste (Irlande du Nord); Parti social-démocrate et travailliste (Irlande du Nord); Sinn Féin officiel (Irlande du Nord); Sinn Féin provisoire (Irlande du Nord); Parti communiste de Grande-Bretagne; Parti socialiste des travailleurs (SWP); Front national (extrême droite); les Verts.
Possessions, territoires, et États associés : Gibraltar [Europe], îles Bermudes [Atlantique nord], îles Falkland, Sainte-Hélène [Atlantique sud], Anguilla, Cayman, Montserrat, Turks et Caïcos, îles Vierges [Caraïbe], Hong Kong [Asie], Pitcairn [Océanie].
Carte : p. 451.
Statistiques : voir aussi p. 452.

ROYAUME-UNI

1. DÉMOGRAPHIE, CULTURE, ARMÉE

	Indicateur	Unité	1970	1980	1989
Démographie	Population	million	55,63	56,33	56,86
	Densité	hab./km²	227,9	230,8	233,0
	Croissance annuelle	%	0,3[a]	0,1[b]	0,1[c]
	Mortalité infantile	‰	18,5	12,1	9[c]
	Espérance de vie	année	71,7	73,8	75,2[c]
	Population urbaine	%	88,5	90,8	92,3
Culture	Nombre de médecins	‰ hab.	••	1,3	1,4[d]
	Scolarisation 2e *degré*[g]	%	73	83	83[e]
	3e degré	%	14,1	20,1	22,3[e]
	Postes tv	‰	••	404	434[d]
	Livres publiés	titre	33441	48069	52861[f]
Armée	Marine	millier d'h.	87	72,2	64,65
	Aviation	millier d'h.	113	89,7	91,45
	Armée de terre	millier d'h.	190	167,3	155,5

a. 1965-75; b. 1975-85; c. 1985-90; d. 1987; e. 1986; f. 1985; g. 11-17 ans.

2. COMMERCE EXTÉRIEUR[a]

Indicateur	Unité	1970	1980	1989
Commerce extérieur	% PIB	16,7	21,1	21,1
Total imports	milliard $	21,9	115,5	197,7
Produits agricoles	%	33,2	10,7	13,2
Produits énergétiques	%	10,4	7,7	5,2
Autres produits miniers	%	4,5	2,4	1,8
Total exports	milliard $	19,4	110,2	152,3
Produits agricoles	%	8,7	8,0	8,4
Produits énergétiques	%	2,6	13,0	6,2
Autres produits miniers	%	0,4	1,1	1,3
Principaux fournisseurs	% imports			
CEE		29,5	43,7	52,6
PVD		23,5	21,6	13,3
États-Unis		13,0	12,1	10,8
Principaux clients	% exports			
CEE		32,8	46,7	50,7
PVD		22,1	26,0	18,6
États-Unis		11,7	9,6	13,1

a. Marchandises.

des circonscriptions) et surtout à l'élection locale du 22 mars dans le Mid-Staffordshire, un des plus solides bastions des conservateurs depuis la guerre. En progressant de 24 points par rapport aux élections de juin 1987, le Labour (travaillistes) y a réussi le plus important transfert

3. ÉCONOMIE

Indicateur	Unité		1970	1980	1989
PIB	milliard $		124,9	447,5	830,0
Croissance annuelle	%		2,3[a]	1,8[b]	2,2
Par habitant	$		2250	7940	14597
Structure du PIB					
Agriculture	%	100 %	2,4	1,8	1,6[c]
Industrie	%		38,7	37,5	35,0[c]
Services	%		58,9	60,7	63,4[c]
Taux d'inflation	%		6,4	18,0	8,0[f]
Population active	million		25,3	26,8	28,1
Agriculture	%	100 %	3,2	2,6	2,2
Industrie	%		44,8	37,7	29,3
Services	%		52,0	59,7	68,5
Chômage	%		2,2	6,4	5,8[g]
Dépenses publiques					
Éducation	% PIB		5,3	5,6	5,0[d]
Défense	% PIB		4,7	5,0	4,0
Recherche et Développement	% PIB		2,0[e]	2,1	2,29[c]
Aide au développement	% PIB		0,42	0,39	0,30[h]
Production d'énergie	million TEC		144,5	280,2	332,1[c]
Consommation d'énergie	million TEC		271,3	271,0	290,8[c]

a. 1965-75 ; b. 1975-85 ; c. 1987 ; d. 1986 ; e. 1975 ; f. Décembre à décembre ; g. En fin d'année ; h. 1988.

de voix entre les deux partis depuis 1935. Ce résultat a confirmé la remontée du Labour, constatée dans tous les sondages : l'écart entre les deux partis a dépassé 20 %.

Ce succès a aussi encouragé le dirigeant travailliste, Neil Kinnock, à poursuivre avec obstination la « rénovation » de son parti. Au congrès de l'automne 1989, on a ratifié le rejet de la politique de désarmement nucléaire unilatéral et réaffirmé le tournant résolument pro-européen. Un programme économique entérinant les principaux acquis du néo-libéralisme a été présenté : pas de bouleversement du système fiscal ; pas de dépenses budgétaires excessives ; pas d'interventions étatiques, sinon ponctuelles, dans les entreprises en difficulté ; des renationalisations envisageables exclusivement pour l'eau, l'électricité et les télécommunications.

Avec quelques nuances — salaire minimum horaire de 2,80 livres ; indexation des retraites sur le coût de la vie —, les politiques sociales préconisées elles-mêmes s'inscrivent dans la continuité du thatchérisme. En particulier, il n'est plus question de revenir sur l'essentiel des lois antisyndicales. Une orientation justifiée en faisant de la « légalité » le maître-mot et en invoquant la charte sociale de Bruxelles à l'appui d'une argumentation sur la nécessité de garantir les droits individuels, fût-ce contre une organisation professionnelle. Pour Neil Kinnock, la prochaine étape allait consister à réduire l'influence des syndicats sur le parti grâce à une réforme du système de sélection des candidats aux fonctions parlementaires, réforme qui, dans l'idéal, supprimerait à tous les niveaux le vote bloqué des syndicats.

Comme si ces avertissements ne suffisaient pas, M. Thatcher s'est entêtée à rendre effective la réforme

BIBLIOGRAPHIE

Charlot M., *L'Effet Thatcher*, Économica, Paris, 1989.

De la Serre F., Leruez J., Wallace H. (sous la dir. de), *Les Politiques étrangères de la France et la Grande-Bretagne depuis 1945*, Presses de la FNSP, Paris, 1990.

Leruez J., *Gouvernement et Politique en Grande-Bretagne*, Presses de la FNSP, Paris, 1989.

Santini J., « L'économie britannique : le choix libéral », *Notes et études documentaires*, n° 4853, La Documentation française, Paris, 1988.

extrêmement impopulaire de l'impôt local (*poll tax*) entrée en vigueur le 1er avril 1990 en Angleterre et au pays de Galles (l'Écosse y a été soumise dès 1989). Jusqu'ici, l'impôt local était prélevé par unité d'habitation et modulé selon des critères liés au niveau de vie. Désormais, la *poll tax* frappe d'une somme égale, indépendante de leurs revenus, tous les individus d'une collectivité âgés de plus de dix-huit ans. Au prétexte que chaque citoyen doit participer aux dépenses de la collectivité, la *poll tax* est d'une injustice criante car elle « ponctionne » infiniment plus les pauvres que les riches. Les plus touchés sont évidemment les vieilles personnes domiciliées chez leurs enfants, les chômeurs et les familles modestes dont les enfants restent à la maison jusqu'au mariage.

Le scandale de la « poll tax »

Il est possible qu'un calcul politique ait motivé l'intransigeance, perçue par certains comme « bornée », de Margaret Thatcher devant les nombreuses voix qui se sont élevées à droite comme à gauche pour réclamer jusqu'à l'abolition pure et simple de cet impôt. En effet, il appartient aux autorités locales d'en fixer le montant en fonction de leurs besoins de financement, un montant qui varie donc selon les municipalités, la différence entre elles pouvant aller du simple au double. Au nom de la « saine » gestion des deniers publics, la réforme pénalise au premier chef les collectivités dirigées par le Labour, beaucoup moins économes en services sociaux que les bourgs conservateurs (généralement plus riches et moins dépensiers).

Dans l'immédiat, la *poll tax* a provoqué pendant plusieurs semaines une véritable révolte des contribuables, qui a coïncidé par hasard avec la mutinerie de la prison de Strangeways, la plus longue révolte de l'histoire pénitentiaire britannique (1er au 25 avril). Les manifestations contre l'impôt local ont quelquefois dégénéré en émeutes dans les quartiers déshérités et même au centre de Londres le 31 mars, lorsque, à l'issue d'un rassemblement de 200 000 personnes venues de tout le pays, la violence a fait irruption, avec pillages et affrontements entre policiers à cheval et manifestants (132 blessés et 341 arrestations).

Margaret Thatcher, accusant la « poignée d'extrémistes » selon elle responsable des troubles, a laissé entendre que le Parti travailliste était lié aux scènes d'émeutes amplement retransmises à la télévision. Mais le Labour s'est réfugié derrière une position « légaliste » : invitant ses concitoyens à respecter la loi votée par le Parlement, il a promis de la supprimer en cas de victoire lors du prochain scrutin général prévu au plus tard pour 1992. Bien des choses sont ainsi restées suspendues aux prochaines élections, que Margaret Thatcher n'est plus apparue sûre de gagner. Son leadership à la tête du Parti conservateur a commencé à être remis en cause : en décembre 1989, lors des élections pour la direction du

La tapisserie de la reine Margaret
SILENCE, LES GUEUX !
POLL TAX
PLANTU

parti, soixante parlementaires (sur 374) ont exprimé à bulletins secrets leur défiance à son égard. Il est peut-être également révélateur qu'après les élections du Mid-Staffordshire, l'ancien ministre de la Défense, Michael Heseltine, qui avait démissionné avec éclat en 1986 au moment de l'affaire Westland, a publiquement dénoncé la *poll tax* dans un article publié par le *Times*, en profitant pour développer un point de vue ressemblant étrangement à un programme électoral. Margaret Thatcher, bien sûr, prétend ne pas vouloir se mêler de sa propre succession ni croire aux rumeurs. Mais elle ferait bien d'y prendre garde. Déjà à l'automne 1989, lors du dernier congrès de son Parti, elle avait donné l'impression de mieux savoir célébrer le passé que préparer l'avenir.

Noëlle Burgi

Italie. Signaux d'alarme pour le système politique

Telle l'oscillation d'un pendule, on assistait, le 23 juillet 1989, au sixième retour à la tête du gouvernement de Giulio Andreotti, l'inoxydable homme politique démocrate-chrétien (DC). Fort de ses quarante-cinq ans de vie politique, il allait marquer de son indiscutable talent de tisseur patient et infatigable la nouvelle saison politique. Après la chute de Ciriaco De Mita, le leader de la gauche du parti catholique, qui occupa le poste de Premier ministre jusqu'en juillet 1989, c'était la consécration de l'aile modérée de ce parti.

Cette nouvelle phase allait être caractérisée par le renforcement de la cohésion à l'intérieur de la coalition gouvernementale, en particulier entre les deux principaux partis qui la composent, la DC et le Parti socialiste (PSI). Fini le temps des bagarres sans fin entre Ciriaco De Mita et Bettino Craxi, l'incontournable secrétaire du PSI. Ce dernier apportait sa caution à la direction modérée issue du congrès de la DC de février 1989. Il en résultait un climat si idyllique que l'on arrivait à baptiser le moment politique des initiales — CAF — de ses inspirateurs (Craxi, Andreotti et Arnaldo Forlani, le secrétaire DC).

Maigre bilan pour l'« entente cordiale »

Toutefois cette entente sous l'enseigne modérée n'allait pas fournir les résultats escomptés. A part

ITALIE

1. DÉMOGRAPHIE, CULTURE, ARMÉE

	Indicateur	Unité	1970	1980	1989
Démographie	Population	million	53,82	56,4	57,5
	Densité	hab./km²	178,7	187,3	191,0
	Croissance annuelle	%	0,6[a]	0,3[b]	0,1[c]
	Mortalité infantile	‰	29,6	14,3	11[c]
	Espérance de vie	année	71,6	74,5	75,6[c]
	Population urbaine	%	64,3	66,5	68,3
Culture	Nombre de médecins	‰ hab.	1,81	2,90	4,24[e]
	Scolarisation *2e degré*[f]	%	61	72	75[d]
	3e degré	%	16,7	27,7	24,3[e]
	Postes tv (L)	‰	183	234	257[d]
	Livres publiés	titre	8615	12029	17109[d]
Armée	Marine	millier d'h.	45	42	52
	Aviation	millier d'h.	73	71	73
	Armée de terre	millier d'h.	295	253	265

a. 1965-75; b. 1975-85; c. 1985-90; d. 1987; e. 1986; f. 11-18 ans.

2. COMMERCE EXTÉRIEUR[a]

Indicateur	Unité	1970	1980	1989
Commerce extérieur	% PIB	14,0	19,6	17,0
Total imports	milliard $	15,0	100,7	153,0
Produits agricoles	%	29,2	19,6	6,9[c]
Produits énergétiques	%	14,0	27,6	8,5[c]
Autres produits miniers	%	5,9	4,2	1,7[c]
Total exports	milliard $	13,2	77,9	140,7
Produits agricoles	%	10,1	8,0	6,9[c]
Produits miniers[b]	%	3,2	4,6	0,6[c]
Produits industriels	%	81,6	81,7	85,1[c]
Principaux fournisseurs	% imports			
CEE		47,3	46,2	56,7
PVD		22,9	31,6	19,9
États-Unis		10,3	7,0	5,5
Principaux clients	% exports			
CEE		51,6	51,8	56,5
PVD		14,0	28,0	16,9
États-Unis		10,3	5,3	8,6

a. Marchandises; b. Produits énergétiques non compris; c. 1988.

une législation restrictive dans le domaine de l'usage de drogues (approuvée en mai 1990), on ne trouve guère d'achèvements à mettre à son crédit. On a même rangé au tiroir le grand dessein des réformes institutionnelles chères à l'aile gauche de la DC, mais le PSI ne se

3. ÉCONOMIE

Indicateur	Unité		1970	1980	1989
PIB	milliard $		107,3	422,0	877,3
Croissance annuelle	%		4,5 [a]	2,7 [b]	3,4
Par habitant	$		2 000	7 480	15 257
Structure du PIB					
Agriculture	%	100 %	7,8	5,8	4,1 [d]
Industrie	%	100 %	41,3	39,0	33,8 [d]
Services	%	100 %	50,9	55,2	62,1 [d]
Taux d'inflation	%		5,0	21,3	6,3 [f]
Population active	million		20,9	22,6	24,3
Agriculture	%	100 %	20,2	14,3	9,3
Industrie	%	100 %	39,5	37,9	32,4
Services	%	100 %	40,3	47,8	58,2
Chômage	%		5,3	7,5	10,5 [g]
Dépenses publiques					
Éducation	% PIB		4,0	5,0	4,0 [e]
Défense	% PIB		2,5	2,4	1,9
Recherche et Développement	% PIB		0,9	0,9	1,32 [c]
Aide au développement	% PIB		0,17	0,16	0,37 [c]
Production d'énergie	million TEC		25,8	26,3	30,3 [d]
Consommation d'énergie	million TEC		142,0	174,9	204,4 [d]

a. 1965-75 ; b. 1975-85 ; c. 1988 ; d. 1987 ; e. 1986 ; f. Décembre à décembre ; g. En fin d'année.

prive pas de les ressortir selon ses exigences tactiques. Deux réalisations importantes en matière de législation n'ont résulté que de facteurs contingents. Ainsi l'introduction du nouveau code pénal (octobre 1989), qui a remplacé celui hérité du fascisme, est un vieux projet arrivé enfin à bon port. Et ce n'est que sur la poussée des événements que le gouvernement, en février 1990, a fait adopter, pour la première fois en Italie, une législation en matière d'immigration.

Le faible bilan de la saison politique d'« entente cordiale », auquel s'est ajoutée la cure de jouvence lancée au sein du Parti communiste (PCI), a semblé toutefois — à partir du mois de mars 1990 — faire grincer les rouages de la coalition gouvernementale qui commença à montrer des signes d'affaiblissement. Le socialiste Bettino Craxi a ainsi recommencé à jouer sur un autre tableau, celui d'une alliance alternative avec le PCI qui poursuit sa marche forcée vers le changement. L'année 1989 ne pouvait manquer en effet d'être aussi pour le PCI une année charnière. Après avoir lancé, en juillet, son cabinet fantôme de tradition britannique qui lui faisait parcourir encore du chemin dans le sillon politique des social-démocraties occidentales, le parti a dû accélérer son processus de changement. Au lendemain de l'effondrement du Mur de Berlin (9 novembre 1989) le secrétaire général, Achille Occhetto, reconnaissait l'irréversibilité de la crise du système communiste et annonçait — non sans contrastes — l'amorce d'une phase de refonte du PCI.

Au cours du congrès extraordinaire de Bologne (7-11 mars 1990) celui-ci décidait ainsi de larguer les amarres et d'abandonner non seulement l'identité communiste, mais aussi le nom et le symbole du parti. Tout ceci devait être approuvé au cours de l'année et déboucher sur la

BIBLIOGRAPHIE

DALLA CHIESA N., *Storie*, Einaudi, Turin, 1990.

« Italie », *Problèmes politiques et sociaux*, n° 624, La Documentation française, Paris, janv. 1990.

MARTINET G., *Les Italiens*, Grasset, Paris, 1990.

MARUANI M., REYNAUD E., ROMANI C., *La Flexibilité en Italie*, Syros/Alternatives, Paris, 1989.

« Mutations socio-économiques en Italie » (dossier constitué par E. Dalmasso et A. Delamarre), *Problèmes politiques et sociaux*, n° 624, La Documentation française, Paris, 1990.

ORLANDO L., *Palermo*, Mondadori, Milan, 1989.

PANSA G., *Il Maallopo*, Rizzoli, Milan, 1989.

SCHIFFANO J.-N., *Désir d'Italie*, Gallimard, Paris, 1990.

constitution d'une nouvelle formation politique. Les électeurs et militants communistes sont loin d'être unanimes et beaucoup ont du mal à accepter ce nouveau cours. Aux élections administratives du 6-7 mai 1990, les résultats ont été mauvais, le parti poursuivant son déclin, ne rassemblant plus qu'un quart de l'électorat (24 %).

La question de l'immigration

Toutefois, les mêmes élections ont constitué un signal d'alarme pour le système politique italien. On a assisté en effet à une formidable affirmation au nord de la péninsule de mouvements — les ligues — qui refusent l'idée d'État centralisé et rejettent sur les « partis de Rome » la responsabilité des malaises sociaux auxquels la péninsule italienne n'échappe pas. Le niveau de dégénération qu'a atteint la vie politique dans le sud du pays est un autre signal d'alarme. Au cours de la campagne électorale pour ces élections administratives, 10 hommes politiques parmi candidats et élus locaux ont été abattus. C'est la preuve que la mafia attache une importance capitale au contrôle des collectivités locales. En effet, c'est de l'adjudication de travaux publics par tous les moyens de pression — y compris le meurtre — que l'organisation criminelle se ménage d'importants financements. Le haut-commissaire à la lutte contre la mafia Domenico Sica a pu ainsi affirmer que l'autorité de l'État dans les régions du sud comme la Calabre, la Sicile et la Campanie est sérieusement mise en doute. La criminalité généralisée dans ces régions (963 meurtres commis par la mafia en 1989) n'est pas une nouveauté pour l'Italie, mais le phénomène risque de freiner le pays dans ses ambitions de démocratie moderne qui regarde vers l'Europe.

Autre grande question sociale qui a émergé dans la même période, celle de l'immigration et de l'explosion du phénomène de l'intolérance raciale. Le 25 août 1989, un jeune réfugié africain était abattu dans l'arrière-pays napolitain au cours d'un raid mené par un groupe de voyous contre des travailleurs immigrés travaillant à la récolte des tomates. Un épisode révélateur qui fit découvrir qu'un malaise profond couvait sous les cendres de la traditionnelle tolérance italienne. Le pays compte 700 à 800 000 immigrés extra-communautaires, dont 300 à 400 000 en situation irrégulière. En février 1990, le Parlement a introduit des normes visant à la régularisation des présences illégales et à la réglementation de l'entrée pour raison de travail dans le pays. Le phénomène a toutefois continué à tenir l'opinion publique en émoi. S'il n'y a que 7,2 % des Italiens à vouloir la fermeture totale des frontières aux travailleurs étrangers,

51 % d'entre eux estiment que les autorités ne devraient pas favoriser l'immigration. Ce renversement de la vocation de pays traditionnellement voué à l'émigration à celle de pays d'accueil, malgré les implications sociales évidentes, est un autre signe de la poursuite de l'assainissement de l'économie italienne.

Dans ce domaine, la bonne santé de la monnaie nationale et la vitalité du secteur privé ont fait pendant aux traditionnelles difficultés structurelles : le déficit budgétaire et l'incapacité de pourvoir le pays de services publics à la hauteur des besoins. Deux grands rendez-vous, en juin-juillet 1990 — le semestre de présidence du Conseil des Communautés européennes et le *Mondiale* de football —, devaient constituer à ce propos un énième test de la crédibilité de l'appareil national.

Bonne santé de la lire

Les indicateurs économiques, pour la cinquième année de suite, ont encore été positifs en 1989. Croissance du PNB de 3,2 % (4,2 % en 1988), de la consommation des ménages de 3,1 % (3,8 % en 1988) et des investissements privés de 5,1 % (8,7 % en 1988). Le taux du chômage est resté quasiment stable (12 %), alors que le taux d'inflation a amorcé un reflux : 5,8 % au mois d'avril 1990 pour les douze mois précédents contre 6,1 % en mars et 6,6 % pour 1989. Les mauvaises notes ont concerné le déficit budgétaire (avec 135 600 milliards de lires prévus pour l'année 1990, c'est-à-dire environ 10,7 % du PNB) et la dette publique qui représente désormais l'équivalent du produit national d'une année. Le facteur le plus encourageant à signaler a été toutefois la bonne santé de la lire. Le 5 janvier 1990, les autorités monétaires ont pu décider d'abandonner la dérogation spéciale qui les autorisait à des oscillations de parité plus larges que celle des devises des autres partenaires dans le cadre du Système monétaire européen.

Dans le secteur privé, à côté du solide réseau de moyennes entreprises à dimension familiale, les *condottieri*, les grands entrepreneurs, continuent à faire parler d'eux. Que ce soit pour leurs résultats spectaculaires ou par leurs éclats stratégiques. Ainsi Carlo de Benedetti, le président d'Olivetti, et Silvio Berlusconi, le magnat des télévisions privées, se sont retrouvés au centre de

ITALIE

République italienne.
Capitale : Rome.
Superficie : 301 225 km² (0,55 fois la France).
Monnaie : lire (1 000 lires = 0,66 écu ou 4,58 FF au 21.6.90).
Langues : italien (officielle); allemand, albanais, ladin, grec, français, frioulan, sarde.
Chef de l'État : Francesco Cossiga (depuis juin 1985, élu pour 7 ans).
Chef du gouvernement : Giulio Andreotti depuis le 23.7.89.
Échéances électorales : législatives prévues pour 1992.
Nature de l'État : république accordant une certaine autonomie aux régions.
Nature du régime : démocratie parlementaire.
Principaux partis politiques : Parti de la démocratie chrétienne (DC, participe au pouvoir depuis 1945); Parti communiste italien (PCI); Parti socialiste italien (PSI); Parti socialiste démocratique italien (PSDI); Parti libéral (PLI); Parti républicain (PRI); Parti radical (PR); Démocratie prolétaire (DP); Mouvement social italien-droite nationale (MSI-DN); Verts-Arcobaleno (arc-en-ciel); Südtiroler Volkspartei (SVP); Parti sarde d'action; Union valdotaine, Ligues autonomistes.
Carte : p. 455.
Statistiques : voir aussi p. 456.

l'« affaire » de l'année quand leurs expansions respectives sont entrées en collision. A coups de renversements d'alliances et de décisions de tribunaux, ils ont engagé une véritable bataille pour le contrôle du premier groupe de presse de la péninsule, la Mondadori de Milan. Un enjeu de taille : il s'agit ni plus ni moins que de la conquête d'une part essentielle de l'information et du marché publicitaire en Italie, un secteur sensible où manque une législation efficace pour écarter les risques de monopole.

Salvatore Aloise

Espagne. Tempête politique et détente sociale

Pour l'homme de la rue, 1989 a été avant tout l'année où les trois premières chaînes privées de télévision ont vu le jour, apportant une bouffée d'air pur dans le monde étriqué du cathodique public. Mais pour les analystes, deux scrutins ont prouvé qu'en dépit d'un essoufflement certain, la popularité des socialistes ne se portait pas si mal. Les élections européennes du 8 juin indiquaient déjà cette tendance : avec près de 40 % des voix, le PSOE (Parti socialiste ouvrier espagnol) se situait encore à 18 points devant son principal concurrent, le conservateur Parti populaire (PP).

Fort de ce résultat, rassurant pour un gouvernement qui avait essuyé six mois auparavant la première grève générale de la démocratie, le Premier ministre Felipe Gonzalez convoquait pour octobre des élections anticipées de huit mois, surprenant le PP en pleine crise. A soixante-cinq ans, son fondateur Manuel Fraga pariait sur une nouvelle génération après un énième échec électoral et passait la main à un inconnu, Jose Maria Aznar. Cet homme de trente-cinq ans, ancien inspecteur des finances, n'avait pour expérience que deux ans de terne pouvoir à la tête du gouvernement régional de Castille-Léon, et les sondages lui étaient franchement défavorables.

Le 30 octobre, les socialistes gagnaient encore leur pari, mais de peu : 176 sièges, réduits à 175 après une série de contestations pour irrégularités — 9 sièges de moins qu'en 1986, mais autant que toute l'opposition réunie, et suffisamment pour gouverner sans maux de tête, au prix de quelques concessions aux nationalistes modérés basques et catalans. Première surprise, J.M. Aznar, malgré son inexpérience, remportait 107 sièges (deux de plus que M. Fraga en 1986) et amorçait la renaissance de la droite. Une droite enfin débarrassée de son lourd passé, et qui ne désespère plus de gagner un jour. Deuxième surprise, la Gauche unie était sans doute le seul Parti communiste au monde à ne pas s'effondrer avec les retombées de la *perestroïka*, au contraire ! Elle doublait le nombre de ses voix et de ses sièges (17), aux dépens du Centre démocratique et social (CDS) d'Adolfo Suarez qui, en perdant 5 de ses 19 députés, payait cher une alliance passée l'été précédent avec la droite pour débouter les socialistes de la mairie de Madrid.

Scandale dans la famille

Après avoir fêté le soir des élections ses sept ans de pouvoir, F. Gonzalez a mal entamé son troisième mandat. Aux contestations électorales est venu se greffer, fin 1989, un scandale trivial qui a contribué à ternir son image. Le frère de son inséparable bras droit, le vice-président Alfonso Guerra, a été accusé d'avoir, pendant sept ans, utilisé ses contacts avec le pouvoir pour passer du statut de chômeur à celui de multimillionnaire. Que A. Guerra ait affirmé au Parlement ne rien savoir des activités de son frère, que l'enquête judiciaire n'ait débouché sur aucune inculpation, n'ont pas empêché le scandale d'éclabousser le tandem de Séville Gonzalez-Guerra. L'opinion publique y a cru, et l'impact des nouvelles options politiques du gouvernement en a été assourdi. Celles-ci étaient pourtant porteuses. Car si la première législature socialiste avait privilégié l'assainissement économique, et la deuxième la relance, la troisième annonçait la détente sociale tant souhaitée par le pays. Felipe Gonzalez est passé aux actes en janvier 1990 en chargeant Carlos Solchaga, son ministre de l'Économie, de reprendre le dialogue avec les syndicats, après deux ans de brouille. Dès février, une série d'accords permettait à la fonction publique de rattraper deux ans de retard de pouvoir d'achat, et aux syndicats d'être désormais habilités à contrôler l'embauche.

Inflation et déficit de la balance commerciale

Le gouvernement a présenté en outre un budget modérément restrictif pour 1990, tout en privilégiant des secteurs jusqu'alors oubliés comme la justice et l'éducation, et en poursuivant un programme d'investissements pharaonique destiné à aligner les archaïques infrastructures espagnoles sur celles des partenaires européens. L'accent a encore été mis sur 1992, année des Jeux olympiques de Barcelone et de l'Exposition universelle de Séville, laquelle coïncidera avec les festivités du cinquième centenaire de la « découverte » de l'Amérique par Christophe Colomb. Pour cette date, F. Gonzalez voulait voir Madrid reliée à Barcelone, Séville et la frontière d'Irun par des autoroutes ou des voies rapides. Le premier train à grande vitesse espagnol allait unir Madrid à Séville, condition *sine qua non* du succès de l'Expo 92.

ESPAGNE

Espagne.
Capitale : Madrid.
Superficie : 504782 km² (0,92 fois la France).
Monnaie : peseta (100 pesetas = 0,79 écu ou 5,30 FF au 22.6.89).
Langues : officielle nationale : espagnol (ou castillan); officielles régionales : basque (euskerra); catalan; galicien; valencien.
Chef de l'État : Juan Carlos Ier de Bourbon (roi).
Chef du gouvernement : Felipe Gonzalez (depuis déc. 1982, réélu le 30.10.89).
Nature de l'État : 17 régions autonomes dans une Espagne « unie et indissoluble ».
Nature du régime : monarchie parlementaire.
Principaux partis politiques : Parti socialiste ouvrier espagnol (PSOE, gauche, au pouvoir); Parti populaire (PP, droite), Gauche unie (IU, coalition à majorité communiste); Centre démocratique et social (CDS, populiste). *Nationalistes* : Parti nationaliste basque (PNV, droite); Eusko-Alkartasuna (dissident du PNV); Euskadiko Eskerra (EA, gauche basque); Herri Batasuna (coalition séparatiste basque); Convergencia i Uniô (CiU, droite, au pouvoir en Catalogne); Iniciativa per Catalunya (IC, fédération des communistes catalans, à tendance socialiste); Union do Povo Galego (gauche galicienne).
Territoires outre-mer : Ceuta et Melilla [Afrique du Nord].
Carte : p. 455.
Statistiques : voir aussi p. 456.

ESPAGNE

1. DÉMOGRAPHIE, CULTURE, ARMÉE

	Indicateur	Unité	1970	1980	1989
Démographie	Population	million	33,8	37,5	38,81
	Densité	hab./km²	66,9	74,4	76,9
	Croissance annuelle	%	1,1 [a]	0,8 [b]	0,4 [c]
	Mortalité infantile	‰	28,1	11,1	10 [c]
	Espérance de vie	année	72,2	74,5	76,5 [c]
	Population urbaine	%	66,0	72,8	77,9
Culture	Analphabétisme	%	9,8	6,8	5,6 [f]
	Nombre de médecins	‰ hab.	1,34	2,30	3,30 [f]
	Scolarisation *2e degré* [g]	%	56	87	102 [e]
	3e degré	%	8,9	24,2	30,0 [e]
	Postes tv	‰	122	252	368 [d]
	Livres publiés	titre	19717	28195	38302 [d]
Armée	Marine	millier d'h.	39,4	49	39
	Aviation	millier d'h.	32,6	38	36
	Armée de terre	millier d'h.	210	255	210

a. 1965-75; b. 1975-85; c. 1985-90; d. 1987; e. 1986; f. 1985; g. 11-17 ans.

2. COMMERCE EXTÉRIEUR [a]

Indicateur	Unité	1970	1980	1989
Commerce extérieur	% PIB	9,7	13,0	15,8
Total imports	milliard $	4,7	34,1	71,5
Produits agricoles	%	23,6	21,3	15,8 [c]
Produits énergétiques	%	13,3	38,5	11,4 [c]
Autres produits miniers	%	7,0	6,1	3,0 [c]
Total exports	milliard $	2,4	20,7	44,5
Produits agricoles	%	37,0	19,9	20,1 [c]
Produits miniers [b]	%	3,5	5,6	1,4 [c]
Produits industriels	%	54,0	70,5	74,1 [c]
Principaux fournisseurs	% imports			
CEE		41,3	31,4	57,1
Moyen-Orient		9,6	26,0	3,5
États-Unis		18,9	13,1	9,0
Principaux clients	% exports			
CEE		49,6	52,4	66,8
Afrique		5,9	8,4	4,6
Amérique latine		11,6	9,5	4,0

a. Marchandises; b. Produits énergétiques non compris; c. 1988.

Toutefois, l'objectif principal de C. Solchaga a été de refroidir en douceur une économie emballée, sans provoquer pour autant une récession ni la remontée du chômage. Une tâche ardue s'il en fut : pour la troi-

3. ÉCONOMIE

Indicateur	Unité	1970	1980	1989
PIB	milliard $	37,2	198,1	362,8
Croissance annuelle	%	5,9 [a]	1,7 [b]	4,9
Par habitant	$	1 100	5 300	9 261
Structure du PIB				
Agriculture	% } 100 %	11,3	7,1	5,1 [d]
Industrie	% } 100 %	39,9	38,6	37,0 [d]
Services	% } 100 %	48,8	54,3	57,9 [d]
Taux d'inflation	%	5,7	15,6	6,9 [e]
Population active	million	13,0	13,3	15,2
Agriculture	% } 100 %	29,5	18,9	13,0
Industrie	% } 100 %	37,2	36,1	32,9
Services	% } 100 %	33,3	45,1	54,0
Chômage	%	2,5	11,2	16,6 [f]
Dépenses publiques				
Éducation	% PIB	2,1	2,3	3,2 [d]
Défense	% PIB	1,6	2,3	1,8
Aide au développement	% PIB	0,01	0,11	0,07 [c]
Production d'énergie	million TEC	14,1	21,2	26,2 [d]
Consommation d'énergie	million TEC	49,6	88,4	81,9 [d]

a. 1965-75 ; b. 1975-85 ; c. 1988 ; d. 1987 ; e. Décembre à décembre ; f. En fin d'année.

sième année consécutive, le PIB avait augmenté de 5 % en 1989, et la surchauffe causé une reprise de l'inflation (6,9 %). Plus grave encore, le déficit de la balance commerciale a atteint des sommets inconnus (3 200 milliards de pesetas, une augmentation de 38 % par rapport à 1988). Trois raisons à cela : d'abord la nécessité de bien équiper l'industrie nationale pour la rendre compétitive dès l'ouverture du Marché unique européen. Ensuite, le boom de la consommation, provoqué par la hausse du niveau de vie : avant même les élections, C. Solchaga a ordonné aux banques de freiner brutalement le crédit privé. Cette mesure a frappé de plein fouet la spéculation immobilière et le marché de l'automobile, laissant entrevoir un certain ralentissement de la croissance en 1990. Enfin, la force de la peseta, entrée dans le serpent monétaire européen en juin 1989, a également contribué au déficit de la balance commerciale en handicapant les exportations espagnoles.

Tout cela n'a pas empêché l'Espagne de se confirmer comme un pays d'avenir : les capitaux étrangers ont plus que jamais continué à affluer, en particulier dans le secteur des assurances.

Pour augmenter les ressources de l'État sans aggraver la fiscalité, le gouvernement est en outre parti en guerre contre le phénomène — très répandu en Espagne — de la fraude fiscale, en instituant en avril 1990 l'impopulaire NIF. Ce « numéro d'identification fiscale », véritable carte d'identité économique des particuliers comme des entreprises, allait être désormais exigé pour toute démarche administrative.

La crainte d'un rééquilibrage de la CEE

Les événements d'Europe de l'Est ont bien sûr influencé la politique espagnole. Madrid, qui boudait anté-

BIBLIOGRAPHIE

ARQUES R., MIRAILLES M., AMEDO : *El Estado contre E T A*, Plaza y Janes, Barcelone, 1989.

DAGUZAN J.-F., *L'Espagne à la croisée des chemins*, Publisud, Paris, 1988.

DE MIGUEL A., GUTTIEREZ J.-L., *La Ambicion del Cesar*, Temas de hoy, Barcelone, 1989.

IFRI, « La nouvelle Espagne » (dossier) *in Ramses 90*, Dunod, Paris, 1989.

MALINIAK T., *Les Espagnols*, Le Centurion, Paris, 1990.

O'REILLY G., « Gibraltar et le détroit. Colonie britannique et passage géostratégique », *Hérodote*, n° 57, La Découverte, Paris, 1990.

rieurement le marché du CAEM (Conseil d'assistance économique mutuelle, ou COMECON) y a entrepris une offensive commerciale. Mais pour de multiples raisons, la démocratisation des « démocraties populaires » n'a pas été perçue comme une manne. A cause d'elle, en effet, la période d'or de l'Espagne dans la CEE semblait avoir vécu : le centre de gravité du club des Douze, qui avec l'entrée de la Grèce (1981) et des pays de la péninsule ibérique (1986) s'était rapproché de la Méditerranée, se déplaçait à nouveau vers le Nord. Outre le fait que les fonds communautaires risquaient de ne plus arriver aussi facilement, il fallait s'assurer à Bruxelles que l'aide à l'Europe de l'Est ne se fasse pas au détriment de celle que la CEE accordait auparavant aux amis traditionnels de l'Espagne, comme l'Amérique latine et les pays du Maghreb. La diplomatie de Felipe Gonzalez s'est donc davantage centrée sur une possible réduction des dégâts que sur de nouvelles initiatives.

Pendant ce temps, le Pays basque a continué à attendre une paix vainement espérée depuis vingt ans. Après la rupture en mars 1989 de négociations entre le gouvernement et le mouvement nationaliste ETA qui avaient soulevé un immense espoir, le *statu quo*, c'est-à-dire la violence, a repris le dessus. D'un côté, les *muchachos* séparatistes ont multiplié les sanglantes campagnes de bombes et lettres piégées, et abattu en septembre Carmen Tagle, procureur de l'unique tribunal espagnol habilité en matière de terrorisme. De l'autre, des jeunes non identifiés ont tué en novembre à Madrid un député fraîchement élu de l'organisation Herri Batasuna (bras politique de l'ETA) et grièvement blessé un autre. L'organisation armée a en outre subi un grand revers en avril 1990, quand les polices française et espagnole ont démantelé la *French Connexion* de l'ETA, un groupe d'élite exclusivement français, opérationnel depuis douze ans, et responsable de la plupart des attentats d'envergure des dernières années.

Enfin, 1989 a été un grand cru en Espagne dans un domaine où elle ne brille pas souvent. Pour la première fois depuis longtemps, un de ses écrivains, l'octogénaire Camilo Jose Cela, s'est vu décerner le prix Nobel de littérature. Le pays tout entier a vibré aux côtés de ce truculent romancier, qui jouit d'une immense popularité auprès des Espagnols — notamment pour la verdeur de son langage.

Marie-Christine Aymé

Pologne. Liberté acquise, démocratie incertaine

Entre l'élection semi-démocratique à la Diète et au Sénat de juin 1989 et les élections territoriales, entièrement démocratiques, de mai 1990 qui ont confirmé la prédominance de Solidarité sur l'échiquier politique, le rythme de l'avancée démocratique polonaise, comparé à celui de pays voisins (Hongrie, RDA...) est devenu le principal sujet des débats politiques dans le pays. Cela n'a pas manqué d'avoir un effet déstabilisateur sur le mécanisme de « démocratisation rampante » qui avait été parcimonieusement élaboré dans le cadre des négociations de la « table ronde ». Celle-ci, dont les réunions avaient commencé en février 1989, avait représenté un compromis entre les communistes et les dirigeants de Solidarité, jetant les bases d'une profonde refonte du système institutionnel.

« A vous le président, à nous le gouvernement »

La stratégie évolutionniste de la « table ronde » s'avéra vite insuffisante. Solidarité, s'il ne voulait pas être débordé par ses troupes, ne devait plus se contenter du législatif mais exiger le pouvoir exécutif sans pour autant provoquer son partenaire communiste qui semblait encore puissant. Le 2 juillet 1989, Adam Michnik, rédacteur en chef de *Gazeta*, le quotidien électoral transformé en organe permanent de Solidarité, énonça la règle de la « cohabitation » : « A vous le président, à nous le gouvernement. »

L'argument était simple : seul un gouvernement légitimé par Solidarité pouvait mobiliser les Polonais et ouvrir l'accès aux crédits occidentaux. Pour mettre en œuvre une véritable rupture du système économique au prix d'une récession économique, d'une politique d'austérité draconienne, seul le mouvement Solidarité pouvait convertir la mobilisation révolutionnaire des Polonais en un contrat de stabilité politique. Lech Walesa se rallia à l'idée de la cohabitation : « La situation internationale réclame que soit élu président de la République un homme du sérail communiste. » Aussi l'élection du général Wojciech Jaruzelski fut assurée, semble-t-il, grâce à un discret « coup de pouce » de Solidarité, avec une voix de majorité. Mais déjà, une trentaine de députés du Parti paysan unifié (ZSL) et du Parti démocrate (SD), alliés traditionnels du POUP (Parti ouvrier unifié polonais, communiste), s'abstinrent.

Le 7 août, Lech Walesa se déclara prêt à diriger une coalition Solidarité-ZSL-SD, sans les communistes. Mikhaïl Gorbatchev réagit le 11 août par un spectaculaire coup de téléphone, rendu aussitôt public, à Mieczyslaw Rakowski (Premier ministre communiste démissionnaire) au cours duquel il évoqua les « risques de déstabilisation ». Bronislaw Geremek, de Solidarité, bloqua la parade en souhaitant une coalition qui soit même ouverte aux réformateurs communistes. Finalement, il restera à L. Walesa à offrir aux communistes des postes stratégiques pour garantir la stabilité du régime et la pérennité des alliances internationales. Une fois le suspense sur sa propre candidature au poste de Premier ministre levé, Lech Walesa obtint que soit entérinée la candidature de Tadeusz Mazowiecki, intellectuel catholique en renom, conseiller du président de Solidarité et rédacteur en chef du mensuel *Znak* (« Le Lien »).

Il fallait au nouveau gouvernement agir vite et fort afin de profi-

POLOGNE

1. DÉMOGRAPHIE, CULTURE, ARMÉE

	Indicateur	Unité	1970	1980	1989
Démographie	Population	million	32,5	35,6	37,9
	Densité	hab./km²	104,0	113,8	121,2
	Croissance annuelle	%	0,8 [a]	0,9 [b]	0,7 [c]
	Mortalité infantile	‰	33,4	21,3	18 [c]
	Espérance de vie	année	70,2	71,0	71,4 [c]
	Population urbaine	%	52,3	58,2	62,8
Culture	Nombre de médecins	‰ hab.	1,93	2,25	2,56 [d]
	Scolarisation 2e *degré* [f]	%	62	77	80 [e]
	3e degré	%	14,0	17,6	17,8 [e]
	Postes tv (L)	‰	129,3	222,6	265,5 [d]
	Livres publiés	titre	10 038	11 919	10 728 [d]
Armée	Marine	millier d'h.	22	22,5	25
	Aviation	millier d'h.	25	85	105
	Armée de terre	millier d'h.	195	210	217

a. 1965-75; b. 1975-85; c. 1985-90; d. 1988; e. 1987; f. 15-18 ans.

2. COMMERCE EXTÉRIEUR [a]

Indicateur	Unité	1970	1980	1989
Total imports	milliard $	3,61	16,69	10,46
Machines et biens d'équipement	%	36,2	32,7	36,9 [b]
Produits agricoles	%	19,4	19,4	16,8 [b]
Produits énergétiques	%	8,1	18,2	17,4 [c]
Total exports	milliard $	3,55	14,19	13,16
Produits énergétiques	%	12,4	14,2	11,2 [c]
Produits agricoles	%	13,0	9,4	12,1 [b]
Produits industriels	%	57,0	60,0	69,9 [c]
Principaux fournisseurs	% imports			
URSS		37,7	33,2	36,3 [b]
PCD		27,4	35,1	29,1 [b]
PVD		6,8	12,1	16,8 [b]
Principaux clients	% exports			
URSS		35,3	31,2	32,1 [b]
PCD		29,9	34,4	29,7 [b]
PVD		9,2	13,3	18,7 [b]

a. Marchandises; b. 1988; c. 1987.

ter du formidable capital de confiance des Polonais pour changer radicalement les règles du jeu et neutraliser la nomenklatura. L'application des mesures de rééquilibrage financier a été effective au 1er janvier 1990. Le plan Balcerowicz, du nom du ministre des Finances qui en a été

3. ÉCONOMIE

Indicateur	Unité		1970	1980	1989
PIB	milliard $		..	54,4	70,4 [c]
Croissance annuelle	%		7,6 [a]	2,6 [b]	4,9 [c]
Par habitant	$		..	1 527	1 860 [c]
Structure du PMN					
Agriculture	%	100 %	17,3	15,4	14,0 [c]
Industrie	%		64,4	64,1	61,1 [c]
Services	%		18,3	20,5	24,9 [c]
Dette extérieure brute	milliard $		1,2	24,1	40,0
Taux d'inflation	%		1,1	9,4	639,6 [e]
Population active	million		17,3	18,5	19,6
Agriculture	%	100 %	34,6	29,7	27,7 [c]
Industrie	%		37,6	38,9	37,4 [c]
Services	%		27,8	31,4	34,9 [c]
Dépenses publiques					
Éducation	% PIB		..	..	4,4 [d]
Défense	% PIB		..	2,8	1,8 [c]
Recherche et Développement	% PIB		..	2,1	1,5 [d]
Production d'énergie	million TEC		130,6	173,8	180,4 [d]
Consommation d'énergie	million TEC		116,3	176,8	181,5 [d]

a. 1965-75, concerne le PMN ; b. 1980-87 ; c. 1988 ; d. 1987 ; e. Décembre à décembre.

l'auteur, a été conforté par quelques signaux positifs : la hausse des prix, qui avait atteint 78 % en janvier 1990, a été ramenée à 23 % en février et 47 % en mars, ce qui a permis d'abaisser rapidement les taux d'intérêt (44 % en janvier, 20 % en février, 8 % en mars) ; la spirale salaire-prix a été cassée ; le commerce extérieur a connu un excédent de près d'un milliard de dollars au premier trimestre 1990 (meilleur solde jamais obtenu), et un rééquilibrage du budget a été engagé. Plus généralement, la croissance de la masse monétaire a été bien contenue. Un nombre croissant de paysans ont pratiqué l'approvisionnement direct de la population et le pouvoir a semblé encourager la multiplication des points de vente « sauvages ». La réussite d'une sorte de convertibilité interne du zloty par une forte dévaluation de la monnaie nationale a été l'un des succès les plus visibles du gouvernement. Quatre mois après la mise en œuvre du programme économique, le cours du dollar ne variait plus entre les guichets de la Banque nationale et les comptoirs privés que dans une fourchette de 9 500 à 9 700 zlotys.

Ces résultats ont été obtenus au prix d'une baisse du pouvoir d'achat et d'une récession d'environ 30 % au premier trimestre 1990. Mais, plutôt que de rationaliser la production à cette occasion, les entreprises polonaises ont pratiqué à grande échelle ce que l'on pourrait appeler « l'adaptation passive » (chômage technique, mise en congé, etc.). Quel sera le prix social du passage du Plan au marché ? A la mi-1990, quelque 400 000 chômeurs s'étaient déclarés, incluant probablement des chômeurs chroniques d'« avant » qui ont décidé de profiter des nouvelles mesures d'encadrement. Ces mesures de stabilisation économique devaient être accompagnées, à partir de la fin de 1990, par des mesures de « commercialisation » et de « privatisation » de l'industrie.

BIBLIOGRAPHIE

« Europe de l'Est : la transition » (dossier constitué par G. Mink), *Problème politiques et sociaux*, n° 636, La Documentation française, Paris, juil. 1990.

FRANÇOIS-PONCET J., « L'évolution économique de la Tchécoslovaquie, de la Pologne et de la Hongrie », *Rapport d'information*, n° 285, Sénat, Paris, 1990.

HASSNER P., GREMION P., *Vents d'Est. Vers l'Europe des États de droit ?*, PUF, Paris, 1990.

MINK G., « La dernière victoire électorale de Solidarité ? », *Le Journal des élections*, n° 12, Paris, juin 1990.

MINK G., *La Force ou la Raison : histoire sociale et politique de la Pologne, 1980-1989*, La Découverte, Paris, 1989.

MOLNAR M., *La Démocratie se lève à l'Est. Société civile et communisme en Europe de l'Est*, PUF, Paris, 1990.

« Où va l'Est ? Les actes du colloque de la Sorbonne 20.2.90 », *Le Journal des élections/Libération*, Paris, 1990.

RUPNIK J., *L'Autre Europe*, Odile Jacob, Paris, 1990.

Neutraliser et/ou naturaliser la nomenklatura ?

Conséquence attendue : l'apparition d'un groupe d'actionnaires et de propriétaires, des fortunes rapidement bâties, l'accroissement des inégalités. Risque prévisible : la réactivation possible d'un des avatars de la soviétisation enraciné dans les mentalités de la population : l'égalitarisme plébéien qui pourrait donner prise à des manipulations populistes. Une nouvelle carte des conflits sociaux et politiques a commencé à se dessiner. On aurait pu croire au début que les facteurs déstabilisateurs du nouveau régime se situeraient dans la dynamique de double pouvoir du système (Mazowiecki-Jaruzelski) mais il n'en a rien été. La loyauté du comportement du général Jaruzelski fut non seulement louée par Solidarité mais les sondages en ont donné acte. Les instruments de coercition restés entre les mains des ministres communistes, l'armée et l'intérieur ont commencé à passer lentement sous contrôle social. La nomenklatura, privée de son centre de commandement, opposa aux changements une résistance passive ou, s'agissant des cadres administratifs de l'économie, profita du flou juridique passager pour s'approprier à bon prix des installations, des équipements, des machines. Que faire des cadres d'État promus par l'ancien régime compte tenu du manque de cadres politiques dont souffre le nouveau ? Peut-on « naturaliser » au moins une partie de cette nomenklatura, celle qui comme le pense B. Geremek est prête à servir l'État, quel qu'il soit, avec la même loyauté ?

Malgré la liberté politique acquise, malgré la création d'un ministère chargé de l'élaboration d'une loi sur les partis politiques, le multipartisme n'a eu, dans un premier temps, qu'une forme de multigroupuscularisation. Plusieurs groupes se réclament d'un « parti socialiste », plusieurs éclatements du ZSL prétendent à l'héritage du grand parti agrarien d'avant-guerre, des dizaines de groupuscules nationalistes, des plus conservateurs aux socialistes animent une scène politique qui a quelques difficultés à voir renaître de grands partis, traditionnels ou nouveaux. Comme s'il fallait que de réels problèmes sociaux apparaissent auxquels ni Solidarité ni son gouvernement ne sauraient répondre pour que vienne l'ère du politique, après quarante ans de monopole communiste qui ont souillé l'image du métier politique. Un tel contexte est propice au populisme, à l'éviction du débat démocratique au profit d'un autoritarisme nationaliste et xénophobe. A moyen terme, l'objectif de Leszek Balcerowicz est d'éliminer les petites exploitations agricoles, à peine autosuffisantes, ce qui aura pour effet un chômage additionnel important et une nouvelle migration vers les villes. La menace, encore diffuse, a suffi à angoisser l'ensemble du monde rural. Là comme ailleurs un démagogue pourrait jouer une carte personnelle déstabilisatrice.

Les ambitions de Lech Walesa

Que fera Lech Walesa ? On le dit non dépourvu d'ambition nationale, frustré par le nouvel agencement institutionnel où il est resté à l'écart des affaires, devant se contenter d'un rôle d'observateur engagé. Il est parfois descendu précipitamment dans l'arène politique, sans tenir compte des conséquences à court terme de ses dires. Ce fut le cas lorsqu'il a demandé le retrait immédiat et absolu des troupes soviétiques. Que fera le général Jaruzelski ? Curieusement, dans la controverse germano-polonaise qui s'est développée au printemps 1990 concernant la frontière « Oder-Neisser », il peut trouver une nouvelle source de légitimité et faire oublier, du moins en partie, le 13 décembre 1981 (le coup d'État qui décréta Solidarité illégal). Le général patriote a été le premier à dénoncer les ambiguïtés du discours du chancelier allemand Kohl, et il est le chef suprême de l'armée. Il n'est pas à exclure qu'il saisisse cette chance historique.

Les Polonais ont su ajuster à temps la barre du consensus à la hauteur des difficultés à résoudre. C'est la raison pour laquelle ils ont réalisé un véritable « big bang » économique dans des conditions de relative stabilité politique. Mais les périls nouveaux se sont dessinés qui contraindront peut-être à des accélérations moins contrôlées et plus déstabilisatrices. C'est en songeant à ces risques que Bronislaw Geremek, lors d'une rencontre d'intellectuels en mai 1990, a utilisé une formule significative : « La liberté est acquise, la démocratie reste incertaine. »

Georges Mink

POLOGNE

République populaire de Pologne.
Capitale : Varsovie.
Superficie : 312 677 km² (0,57 fois la France).
Monnaie : zloty (au taux officiel, 100 zlotys = 0,2 FF au 30.3.90).
Langue : polonais.
Chef de l'État : général Wojcieh Jaruzelski, président de la République (depuis le 19.7.89).
Premier ministre : Mieczylaw F. Rakowski ; puis Tadeusz Mazowiecki (à partir du 19.8.89).
Nature de l'État : transition vers une république démocratique avec affirmation du pouvoir régional.
Nature du régime : construction d'une démocratie pluraliste (élection semi-démocratique à la Diète en juin 1989, puis élections libres depuis les municipales de mai 1990). Forme transitoire de cohabitation entre le chef de l'État issu des rangs communistes et le Premier ministre issu de Solidarité.
Principaux partis politiques : *Anciens partis :* POUP (Parti ouvrier unifié polonais, communiste) devenu ZDRP (Parti social-démocrate de Pologne) ; Parti agrarien (ZSL, ayant repris son sigle historique PSL) ; SD (Parti démocrate). *Nouveaux partis :* pour les élections municipales de mai 1990, 85 partis ont été enregistrés : KPN (Confédération pour la Pologne indépendante) ; SP (Union pour le travail) ; SCHD (Union des chrétiens-démocrates) ; UPR (Union de politique réelle), Parti de l'entente du centre (créé pour soutenir la candidature de L. Walesa à l'élection présidentielle), ROAD (Mouvement de citoyens - Action démocratique). *Structures parapolitiques représentant Solidarité :* comités civiques.
Cartes : p. 471.
Statistiques : voir aussi p. 472.

Iran. Vers la normalisation ?

L'année 1989 a été dominée par la mort de l'imam Khomeyni (3 juin 1989) et le début d'une lente transition vers la normalisation et l'ouverture sur l'étranger. Mais cette évolution s'est faite, sous la direction de Ali Akbar Hashemi Rafsandjani, dans le cadre des institutions de la République islamique, amendées par référendum, et grâce à la marginalisation progressive des radicaux.

La mort de l'imam n'a pas déclenché de crise institutionnelle, bien que le successeur désigné depuis 1985, l'ayatollah Montazéri, ait été contraint de démissionner le 28 avril 1989, deux mois avant la disparition de Khomeyni. Pour éviter la vacance du pouvoir, le président de la République, l'hodjatolestam Ali Khameneï fut nommé, dès le 4 juin, « Guide de la révolution » par le Conseil des experts, qui lui accorda le titre d'ayatollah. Mais l'homme fort du régime restait Hashemi Rafsandjani, président du Parlement au moment de la mort de l'imam.

La fin de la période révolutionnaire

La sortie de la période révolutionnaire et la mise en place d'une équipe dirigeante plus pragmatique ont été rendues possibles par le vote du 28 juillet 1989 au cours duquel les électeurs ont, d'une part, élu comme président de la République Hashemi Rafsandjani, officiellement intronisé par l'ensemble des forces soutenant la révolution islamique, et d'autre part approuvé une réforme constitutionnelle qui renforce la présidence et supprime le poste de Premier ministre, qui était tenu depuis 1982 par Mir Husseyn Moussavi, un radical. Le 19 août le nouveau président présentait son cabinet d'où se trouvaient exclus les radicaux, menés par l'ex-ministre de l'Intérieur Ali Akbar Mohtashemi.

Mais H. Rafsandjani rencontra des difficultés pour normaliser la vie politique en Iran et ouvrir le pays sur l'étranger. D'une part, l'Assemblée (le *majlis*), qui a porté à sa présidence le radical Mehdi Karroubi, a tenté de freiner l'ouverture et d'imposer une pratique constitutionnelle qui soumettrait à son contrôle les actes de chacun des ministres. D'autre part, les éléments radicaux ont dénoncé avec virulence toute faiblesse face à l'« ennemi américain ». H. Rafsandjani fut contraint aux concessions ; les radicaux éliminés du gouvernement obtinrent des postes de consolation dans les instances du régime : ainsi Ahmad Khomeyni, le fils de l'iman, Mir Husseyn Moussavi et Mohammad Khoeyniha, ancien procureur, ont été nommés au « Conseil de discernement », chargé d'aplanir les oppositions entre l'Assemblée, le Conseil des experts et le gouvernement. Cependant les radicaux ont mené un combat d'arrière-garde, faute de trouver un chef de file incontesté. Le nouveau Guide Khameneï, tout en se voulant au-dessus des fractions, a en fait constamment soutenu H. Rafsandjani. Bien qu'il ait été nommé, en septembre 1989, commandant en chef des forces armées, il n'a jamais assumé la totalité des prérogatives qui étaient celles de l'imam Khomeyni. Avec la mort de ce dernier, c'est la clé de voûte de la révolution islamique, incarnée par un chef charismatique, qui a disparu. Pour bien illustrer ce fait, les grands dignitaires religieux ont élu, le 12 juin, comme « source d'imitation », c'est-à-dire comme plus haute autorité religieuse, le grand ayatollah Mohammad Ali Araki. Pour la première fois depuis le début de la révolution la fonction politique suprême était dissociée de l'autorité religieuse suprême.

C'était bien la fin de la période révolutionnaire.

Dégradation de l'économie et des conditions de vie

Après l'intronisation du nouveau cabinet, la question clé qui domina toute la vie politique de l'Iran fut la reconstruction économique, qui présupposait l'ouverture aux capitaux étrangers et donc la normalisation politique avec l'Occident. Problèmes économiques et évolution politique furent donc intimement liés. Mais au lieu d'une spectaculaire *perestroïka* (restructuration) à l'iranienne attendue et souhaitée par l'opinion, Rafsandjani, harcelé par les radicaux, entreprit une politique des petits pas, invitant de nombreuses délégations économiques étrangères (par exemple une délégation du patronat français en décembre 1989) et faisant des déclarations conciliantes sur la question des otages étrangers détenus au Liban (mars 1990). Si la production pétrolière a pu être relancée plus vite que prévu, les choix économiques fondamentaux ont été esquivés, à savoir le rôle des capitaux étrangers dans la reconstruction et la libéralisation du commerce extérieur. Les radicaux, s'appuyant sur la Constitution iranienne, se sont opposés à toute participation étrangère dans la reconstruction. De même, le plan quinquennal, élaboré en janvier 1990, a laissé de côté les questions sensibles, comme l'origine du financement, le rôle respectif des secteurs privé et public, et la libéralisation du commerce extérieur. Une timide tentative de rapprocher, en octobre, le taux du rial au marché libre avec celui du taux officiel (dont la différence était de 1 à 20) échoua. Le manque de devises paralyse la vie économique. La situation est d'autant plus bloquée que les institutions qui encadrent la base sociale du régime (les fondations, comme celle des *mostazafin* et des martyrs) jouent sur leur accès aux devises au taux officiel pour faire bénéficier leurs adhérents de produits de consommation à des prix nettement plus bas que ceux du marché libre. La corruption s'étend, alors que le Bazar joue la spéculation, toujours grâce à l'énorme différentiel des taux. Une réforme monétaire toucherait aux avantages acquis des bénéficiaires de la révolution.

Mais la dégradation de l'économie et des conditions de vie entraîne plus d'apathie que de révoltes. Aucune

IRAN

République islamique d'Iran.
Capitale : Téhéran.
Superficie : 1 648 000 km² (3 fois la France).
Monnaie : rial (au taux officiel, 1 rial = 0,08 FF au 30.4.90. Le taux réel est quinze fois supérieur).
Langues : farsi (officielle), kurde, azeri, baloutch, turkmène, etc.
Chef de l'État : ayatollah Khomeyni (mort le 4 juin 1989), remplacé par Ali Khameneï. Le nouvel « homme fort » du régime est Hashemi Rafsandjani.
Président de la République : Hashemi Rafsandjani, élu le 28.7.89.
Nature de l'État : république islamique.
Nature du régime : fondé sur les principes et l'éthique de l'islam, combiné à quelques éléments de démocratie parlementaire.
Principaux partis politiques : *Légaux :* Parti de la république islamique (l'iman Khomeyni a mis fin aux activités du parti le 3.6.87) ; Mouvement de libération de l'Iran. *Illégaux :* Parti démocrate du Kurdistan ; Mouvement de la résistance d'Iran ; Organisation des *moudjahidin* du peuple d'Iran ; Toudeh (parti communiste prosoviétique).
Carte : p. 327.
Statistiques : voir aussi p. 326.

IRAN

1. DÉMOGRAPHIE, CULTURE, ARMÉE

	Indicateur	Unité	1970	1980	1989
Démographie	Population	million	28,4	38,9	54,9
	Densité	hab./km²	17,4	23,8	33,3
	Croissance annuelle	%	3,3 [a]	3,6 [b]	3,5 [c]
	Mortalité infantile	‰	122 [e]	78 [f]	63 [c]
	Espérance de vie	année	55,9 [e]	60,6 [f]	65,2 [c]
	Population urbaine	%	41,0	49,1	54,3
Culture	Analphabétisme	%	63,5 [j]	57,2	49,2 [i]
	Nombre de médecins	‰ hab.	0,30	0,17	0,33 [h]
	Scolarisation *12-17 ans*	%	35,9	45,7	62,3
	3e degré	%	3,1	4,9	4,9 [h]
	Postes tv	‰	19	..	53 [g]
	Livres publiés	titre	..	3027	2996 [g]
Armée	Marine	millier d'h.	9	22	14,5
	Aviation	millier d'h.	17	100	35,0
	Armée de terre	millier d'h.	135	220	305 [d]

a. 1965-75; b. 1975-85; c. 1985-90; d. Gardiens de la révolution (*pasdarans*), 250 000, non compris; e. 1970-75; f. 1980-85; g. 1987; h. 1986; i. 1985; j. 1975.

2. COMMERCE EXTÉRIEUR [a]

Indicateur	Unité	1970	1980	1989
Commerce extérieur	% PIB	21,1	15,6	6,7 [d]
Total imports	milliard $	1,7	12,2	9,5
Produits agricoles	%	12,2	15,4	22,3 [c]
Produits miniers	%	0,2	4,7	..
Produits industriels	%	87,6	79,9	78,0 [e]
Total exports	milliard $	2,6	14,1	12,5
Produits agricoles	%	6,0	1,6	4,4 [c]
Pétrole et gaz	%	88,6	97,6	94,6 [c]
Tapis	%	2,2	0,3	0,2 [c]
Principaux fournisseurs	% imports			
CEE		41,6	42,8 [b]	39,4 [c]
États-Unis		17,6	20,2 [b]	0,9 [c]
Japon		10,5	14,9 [b]	9,6 [c]
Principaux clients	% exports			
CEE		32,2	37,2 [b]	40,8 [c]
États-Unis		2,4	18,7 [b]	0,1 [c]
Japon		36,0	16,7 [b]	12,7 [c]

a. Marchandises; b. 1978; c. 1988; d. 1987; e. 1986.

3. ÉCONOMIE

Indicateur	Unité		1970	1980	1989
PIB	milliard $		10,18	84,2	167,3[d]
Croissance annuelle	%		9,8[a]	– 12,0[b]	– 1,0
Par habitant	$		355	2428	3264[d]
Structure du PIB					
Agriculture	%	100 %	16,3	8,2	21,0[d]
Industrie	%	100 %	35,6	49,8	31,0[d]
Services	%	100 %	48,1	42,3	48,0[d]
Dette extérieure	milliard $		3,5[f]	6,2	5,0
Taux d'inflation	%		1,6	27,2	14,4[g]
Population active	million		8,11	11,07	14,78
Agriculture	%	100 %	43,8	36,4	30,6[c]
Industrie	%	100 %	29,2	32,8	35,6[c]
Services	%	100 %	27,0	30,8	33,8[c]
Dépenses publiques					
Éducation	% PIB		2,9	7,2	3,4[d]
Défense	% PIB		7,6	9,5	3,0
Production d'énergie	million TEC		295,2	284,2[e]	186,4[d]
Consommation d'énergie	million TEC		27,2	31,5[e]	65,9[d]

a. 1965-75; b. 1975-85; c. 1988; d. 1987; e. 1978; f. 1972; g. Décembre à décembre.

force politique extérieure à la révolution islamique n'a pu capitaliser le mécontentement populaire.

Rapprochement avec Moscou

En politique extérieure, les négociations avec l'Irak, par l'intermédiaire des Nations unies, qui devaient porter sur l'échange des dizaines de milliers de prisonniers de guerre avant toute discussion sur le conflit frontalier, sont restées au point mort. Après la crise due à l'affaire des *Versets sataniques* en 1989, l'Iran a amélioré ses relations avec la plupart des États européens, sauf le Royaume-Uni. Si les réseaux Hezbollah sont restés actifs à l'étranger et malgré les déclarations combatives de l'ancien ministre de l'Intérieur, Mohtashémi, qui voyagea fréquemment au Liban, il semble que l'État iranien n'ait pas été impliqué dans des actions terroristes dans l'année qui a suivi la mort de l'imam Khomeyni.

L'événement le plus spectaculaire de la période, en politique extérieure, a sans doute été le rapprochement avec l'URSS. En février 1989, l'imam Khomeyni reçut le ministre des Affaires étrangères soviétique Edouard Chevardnadzé à Téhéran. En juin, c'est H. Rafsandjani qui visita Moscou et prononça à Bakou un discours très conciliant pour Mikhaïl Gorbatchev. Sur l'Afghanistan, l'Iran poussa ouvertement à la mise en place d'un gouvernement de coalition entre les *moujahidin* afghans et le régime de Mohammed Najibullah. Lors des événements du Caucase, pendant l'hiver 1989-1990, l'Iran s'abstint de jeter de l'huile sur le feu et se prononça clairement en faveur de l'intangibilité des frontiè-

BIBLIOGRAPHIE

ARJOMAND S.A., *The Turban for the Crown*, Oxford University Press, New York, 1988.

BALTA P. (sous la dir. de), « Le conflit Irak-Iran 1979-1989 », *Notes et études documentaires*, n° 4889, La Documentation française, Paris.

BALTA P., *Iran-Irak, une guerre de 5 000 ans*, Anthropos, Paris, 1987.

BANI SADR A.-H., *Le Complot des ayatollahs*, La Découverte, Paris, 1989.

DIGARD J.-P., *Le Fait ethnique en Iran et Afghanistan*, Éditions du CNRS, Paris, 1988.

DJALILI M., *Diplomatie islamique : stratégie internationale du khomeynisme*, Genève, Institut universitaire des hautes études internationales, PUF, Paris, 1989.

« Le Golfe au sortir de la guerre » (dossier constitué par E. Longuenesse), *Problèmes politiques et sociaux*, n° 594, La Documentation française, Paris, oct. 1988.

res, c'est-à-dire contre l'indépendance de l'Azerbaïjan. En revanche, la tension est demeurée vive entre l'Iran et l'Arabie saoudite à la suite de l'exécution par les autorités de Riyad de seize Koweïtiens pro-Iraniens.

Olivier Roy

Afrique du Sud. Mandela libre...

L'Afrique du Sud a basculé le 2 février 1990 dans une nouvelle ère, celle de la recherche d'une solution négociée. Devant un Parlement sud-africain abasourdi, au Cap, le président Frederik de Klerk a annonçé ce jour-là la prochaine libération « sans conditions » de Nelson Mandela, et la légalisation de plusieurs organisations interdites, dont le Congrès national africain (ANC), le Congrès panafricain (PAC), et le Parti communiste sud-africain (SACP).

Neuf jours plus tard, après vingt-sept années de captivité, Nelson Mandela quittait en homme libre sa prison près du Cap, saluant du poing levé, au côté de son épouse Winnie, la foule de partisans venue l'acclamer.

Les Sud-Africains, blancs ou noirs, ont alors découvert cet homme aux cheveux gris, âgé de soixante et onze ans, dont le visage et les écrits leur ont été cachés pendant plus d'un quart de siècle, et qui a été érigé au rang de demi-Dieu par ses partisans dans les ghettos noirs. Dès ses premières déclarations, tant à la presse qu'à la foule qui l'accueille dans le grand stade de Soweto, la ville noire de Johannesburg, le leader nationaliste affiche à la fois une grande fermeté sur les principes qui ont guidé son action, et une réelle modération.

« Le gouvernement a pris note qu'il est désireux d'apporter une contribution au processus de paix », avait déclaré Frederik de Klerk en annonçant la libération de Mandela. Ce dernier lui a renvoyé le compliment, en qualifiant le chef de l'État sud-africain d'« homme intègre », et en estimant qu'il était allé plus loin que tout autre Blanc en Afrique du Sud pour répondre aux aspirations de la majorité noire.

Dans la partie politique engagée le 2 février, Frederik de Klerk et Nelson Mandela ont pris tous les deux des risques. Le président sud-africain, qui avait succédé six mois plus tôt à Pieter Botha, a voulu sortir son pays d'un isolement international de plus en plus coûteux en termes d'investissements et de sanctions économiques. Il savait que la libération de N. Mandela était le prix à payer pour y parvenir, au risque de s'engager sur la voie, jusque-là inconnue, de la négociation. Il courait aussi le risque immédiat de mécontenter une fraction non négligeable de son électorat afrikaner, prête à considérer, au côté d'une extrême droite virulente, qu'il s'est agi d'une véritable « trahison ».

Pour N. Mandela, c'est avant tout une victoire. A plusieurs reprises, les prédécesseurs de De Klerk avaient tenté de lui offrir des libérations conditionnelles. Il les avait toujours refusées. La période précédant sa libération a même donné l'impression qu'il dictait lui-même ses propres conditions pour sa libération, consultant ses alliés directement ou à l'aide d'un... téléfax installé dans sa prison.

Sa modération et son engagement en faveur d'une négociation avec le pouvoir blanc ne sont pas du goût de tous les opposants noirs à l'apartheid. Très vite, ses rivaux traditionnels du PAC se sont démarqués de son approche, et ont estimé, début mars 1990, que « les conditions [n'étaient] pas réunies pour des négociations », appelant au contraire à « intensifier le combat en général ».

Mais Nelson Mandela a obtenu le soutien de son organisation, l'ANC, dont il a rencontré la direction exilée à Lusaka (Zambie). Il en a été élu vice-président, c'est-à-dire dans les faits le « numéro un », en raison de la maladie du président du mouvement, Oliver Tambo, hospitalisé en Suède, où Mandela lui a d'ailleurs rendu visite.

Si les apparitions publiques de Nelson Mandela en Afrique du Sud se sont généralement déroulées dans le calme, la violence n'a pas pour autant disparu après sa libération. Celle de la police d'une part, qui s'est manifestée dans les cités noires à plusieurs occasions, sévèrement condamnée par l'ANC, mais surtout celle, particulièrement meurtrière, qui s'est développée au Natal entre partisans de l'ANC et ceux du chef zoulou Gatsha Buthelezi. Cette lutte pour le pouvoir au sein de la communauté noire a fait plus de 2000 morts en deux ans, dont plusieurs dizaines dans les semaines qui ont suivi la libération de N. Mandela.

AFRIQUE DU SUD

République sud-africaine.
Capitale : Prétoria.
Superficie : 1 221 037 km² (2,2 fois la France).
Monnaie : rand (1 rand = 2,12 FF au 30.4.90).
Langues : afrikaans et anglais (officielles) ; xhosa, zoulou, sesotho, etc. (langues africaines).
Chef de l'État : Frederik de Klerk, président de la République (par intérim entre le 15.8 et le 14.9.89), élu le 14.9.89.
Échéance institutionnelle : négociations en vue d'une réforme constitutionnelle (au 30.6.90, le calendrier n'en était pas encore fixé).
Nature de l'État : république centralisée. L'État central domine en outre des bantoustans noirs « indépendants ».
Nature du régime : parlementaire : la législation électorale est soumise à des critères raciaux (apartheid).
Principaux partis politiques : *Blancs :* Parti national (au pouvoir) ; Parti démocratique (libéral) ; Parti conservateur (extrême droite) ; Herstigte Nasionale Party (extrême droite afrikaner). *Noirs :* Congrès national africain (ANC) ; Inkatha Yenkululeko Yesizwve (zoulou) ; Congrès panafricaniste (PAC) ; Organisation du peuple d'Azanie (AZAPO, Conscience noire). *Métis :* Parti travailliste d'Afrique du Sud. *Indien :* Congrès indien ; Parti indien de la réforme. *Non racial :* Front démocratique uni (UDF) ; Parti communiste sud-africain (SACP).
Carte : p. 299.
Statistiques : voir aussi p. 300.

AFRIQUE DU SUD

1. DÉMOGRAPHIE, CULTURE, ARMÉE

	Indicateur	Unité	1970	1980	1989
Démographie	Population	million	22,5	28,3	34,5
	Densité	hab./km²	18,4	23,2	28,2
	Croissance annuelle	%	2,2[a]	2,4[b]	2,2[c]
	Mortalité infantile	‰	114,0	87,8	72[c]
	Espérance de vie	année	48,5	52,5	60,4[c]
	Population urbaine	%	47,9	53,2	58,3
Culture	Analphabétisme	%	..	..	50[fg]
	Nombre de médecins	‰ hab.	0,6[j]	0,52[k]	0,70[i]
	Scolarisation *2e degré*[h]	%	24,8	32,4	49,7[e]
	3e degré	%	5,5	7,3	9,6[e]
	Postes tv	‰	..	70	97[e]
	Livres publiés	titre	2649[l]	3849[j]	..
Armée	Marine	millier d'h.	3,5	4,7	6,5
	Aviation	millier d'h.	8	10,3	11,0
	Armée de terre	millier d'h.	32,3	71	77,5

a. 1965-75; b. 1975-85; c. 1985-90; d. 1988; e. 1987; f. 1983; g. Blancs : 3 %, Métis : 31,5 %: Asiatiques : 20,5 %, Noirs : 54,5 %; h. 13-17 ans; i. 1986; j. 1975; k. 1978; l. 1971.

2. COMMERCE EXTÉRIEUR[a]

Indicateur	Unité	1970	1980	1989
Commerce extérieur	% PIB	19,9	28,1	20,6
Total imports	milliard $	3,8	19,2	18,5
Produits agricoles	%	9,3	5,4	6,7[h]
Produits pétroliers	%	5,0	..[b]	..[d]
Produits industriels	%	83,1	62,3	80,9[g]
Total exports	milliard $	3,4	25,7	22,2
Or	%	34,3	50,7	38,8
Autres produits miniers	%	25,8	11,2	17,4[g]
Produits agricoles	%	20,4	11,0	8,9[h]
Principaux fournisseurs	% imports			
Japon		8,7	9,1	11,8[c]
Europe occidentale		54,4	40,0	44,6[c]
États-Unis		16,6	13,8	9,8[c]
Confidentiel[f]		1,3	28,6	20,2[c]
Principaux pays clients[e]	% exports			
Europe occidentale		50,8	48,4	52,7[c]
États-Unis et Japon		20,0	27,3	22,3[c]
Afrique		17,0	10,5	8,0[c]

a. Les chiffres concernent l'Union douanière d'Afrique australe; b. Confidentiel; c. 1987; d. Confidentiel, entre 8 et 10 %; e. Exportations d'or non comprises; f. Origine gardée secrète; g. 1986; h. 1988.

3. ÉCONOMIE

Indicateur	Unité		1970	1980	1989
PIB	milliard $		17,1	61,4	93,1
Croissance annuelle	%		4,7[a]	1,9[b]	2,1
Par habitant	$		760	2170	2699
Structure du PIB					
Agriculture	%	100 %	8,1	7,0	5,8
Industrie	%	100 %	40,1	50,6	44,9
Services	%	100 %	51,8	42,4	49,3
Dette extérieure publique	milliard $		13,8[f]	..	21,5[c]
Taux d'inflation	%		4,2	13,8	15,3[g]
Population active	million		8,33	9,45	12,10
Agriculture	%	100 %	32,9	16,5	15,7[e]
Industrie	%	100 %	29,4	35,0	31,1[e]
Services	%	100 %	37,7	48,5	53,2[e]
Dépenses publiques					
Éducation	% PIB		..	..	2,6[f]
Défense	% PIB		2,0	3,3	4,0
Production d'énergie	million TEC		48,5	93,5	135,0[d]
Consommation d'énergie	million TEC		56,9	90,2	107,6[d]

a. 1965-75; b. 1975-85; c. 1988; d. 1987; e. 1985; f. 1984-85; g. Décembre à décembre.

Ce dernier a lancé des appels au calme à ses partisans, mais la poursuite des affrontements a constitué le premier test sérieux de son autorité. Selon une commission d'enquête privée sur ces affrontements, « la rivalité politique, l'activité criminelle, et des conditions socio-économiques choquantes s'entremêlent dans un tout très compliqué. Il n'existe pas de solution facile à ce problème ».

Une fois passée la période d'émotion et d'adaptation à la nouvelle donne, chacun s'est préoccupé de préparer la suite d'un processus long et périlleux. Les premières « négociations sur la négociation » ont débuté le 2 mai entre le gouvernement et une délégation de l'ANC conduite par Mandela et comprenant le leader communiste Joe Slovo, rentré d'exil. Des entretiens marqués, selon un communiqué commun, par « l'ouverture et la franchise ». Chacun entendait cependant les aborder avec le maximum d'atouts, car s'ils s'entendent pour mettre fin à l'engrenage de la violence, leur vision de la société sud-africaine de demain est loin d'être identique.

D'un côté, l'ANC s'en tient au principe d'une Afrique du Sud unitaire et non raciale, régie par la règle du *one man, one vote*, le suffrage universel. Mandela n'a cependant pas fermé la porte à des aménagements, en soulignant que si l'on acceptait de négocier, il fallait accepter les « compromis ». Le leader de l'ANC a comme alliés les groupes antiapartheid de l'intérieur, comme le Front démocratique uni (UDF) ou le Congrès des syndicats d'Afrique du Sud (COSATU), qui se rangent sous sa bannière.

De l'autre, le chef de l'État reste attaché à la logique des « groupes » ethniques ou raciaux, afin de préserver l'identité collective des Afrikaners. Il refuse dès lors le suffrage universel dans un État unitaire, et cite en exemple les constitutions fédérales comme celles de la Suisse ou des États-Unis. Il tente d'arriver à la table de négociations comme chef de file des « minorités » ayant à redouter la règle de la majorité chère à l'ANC : les Blancs, les Métis, les Indiens, les bantoustans... Ces derniers, territoires semi-autonomes créés par l'apartheid, ont été l'objet de vives tensions : dans la foulée de la libération de N. Mandela, le Ciskei et le Venda ont connu des changements d'équipes dirigeantes qui les ont rapproché des positions de l'ANC...

En s'engageant sur la voie des négociations, le président de Klerk a inversé la stratégie de son prédécesseur qui estimait qu'en réformant l'apartheid il pourrait faire l'économie d'un accord politique. Malgré les changements politiques en juillet 1990, les lois fondamentales de l'apartheid restaient en vigueur, en particulier la loi sur la population qui définit les quatre groupes raciaux, et l'apartheid résidentiel. Le chef de l'État s'est toutefois engagé à les abroger. En juin, il a aboli la ségrégation dans tous les lieux publics et levé l'état d'urgence, sauf dans le Natal.

Le bras de fer se déroule également à l'extérieur de l'Afrique du Sud. Frederik de Klerk espérait obtenir en échange de son geste une levée des sanctions en vigueur en Europe et aux États-Unis. Margaret Thatcher, au Royaume-Uni, s'y est déclarée prête ; mais la communauté internationale a cependant écouté les appels de N. Mandela, lors de ses voyages en Europe et aux États-Unis, à maintenir les sanctions. La CEE a promis, en juin, de les lever progressivement, si le changement engagé se poursuivait. F. de Klerk a cependant obtenu que l'étau se desserre, et a été reçu en mai dans les grandes capitales occidentales, dont, pour la première fois, Paris. Pour les États adversaires de l'apartheid, en effet, il s'agit désormais d'encourager l'évolution amorcée le 2 février, sans pour autant donner un blanc-seing au pouvoir blanc.

Pierre Haski

BIBLIOGRAPHIE

BOULAY S., *Desmond Tutu*, Le Centurion, Paris, 1989.

« Dossier Afrique du Sud », *Politique internationale*, n° 46, Paris, hiv. 1989/90.

GUILOINEAU J., *Nelson Mandela*, Plon, Paris, 1990.

GORDIMER N., *Le Geste essentiel*, Plon, Paris, 1989.

GROUPE DES SAGES DU COMMONWEALTH, *Vers une solution négociée en Afrique du Sud*, L'Harmattan, Paris, 1989.

HASKI P., *L'Afrique blanche, histoire et enjeux de l'apartheid*, Seuil, Paris, 1987.

LORY G. (sous la dir. de), *Afrique australe. L'Afrique du Sud et ses neuf voisins : « laboratoires » du continent africain*, Autrement, Paris, 1990.

SANTOS A., « Afrique du Sud : une stratégie dans l'impasse », *Cahiers d'études stratégiques*, CIRPES, Paris, 1989.

LE DEMANTÈLEMENT JURIDIQUE DE L'APARTHEID

Par pans entiers, l'apartheid est démantelé. Après sa minutieuse mise en place consécutive à la victoire du Parti national en 1948, après sa lente érosion depuis la fin des années soixante-dix, en particulier dans la vie quotidienne et le monde du travail, les choses se sont accélérées depuis l'élection de Fréderik de Klerk. Le nouveau chef de l'État sud-africain a commencé à s'attaquer aux piliers de l'apartheid, à ses « vaches sacrées » qu'il était hors de question de toucher jusque-là, même si on acceptait de « gommer » les aspects les plus voyants de la ségrégation. En juin 1990, le Parlement a, en particulier, voté pour abolir le Separate Amenities Act, *la loi qui régissait la ségrégation des lieux publics. A compter du 15 octobre 1990, l'apartheid ne devait ainsi plus exister dans les transports, les parcs, sur les plages, etc. Dans les hôpitaux, la règle était déjà en vigueur depuis le mois de mai. Le* Separate Amenities Act *était l'une des lois fondamentales de l'apartheid, avec le* Population Registration Act *qui définit les quatre groupes raciaux (Blancs, Noirs, Métis, Indiens), le* Group Areas Act, *l'apartheid résidentiel, et le* Land Act, *qui attribue aux Noirs 13 % des terres du pays et conditionne l'existence des bantoustans.*

Le nouveau président avait déjà fait voter une première entorse au Group Areas Act, *en décidant en novembre 1989 d'ouvrir à toutes les races quatre zones résidentielles, dont le très symbolique* District Six *du Cap, qui avait été rasé dans les années soixante et dont les habitants métis avaient été chassés. Le président de Klerk s'est engagé à démanteler le reste du la masse de lois frappées au sceau de la ségrégation raciale sans qu'un calendrier précis ait été annoncé. Lorsque le* Population Registration Act *aura disparu, on pourra dire que l'apartheid a véritablement disparu. Du moins dans les lois...*

P.H.

Mexique. Les sirènes du Nord

Dès sa prise de fonctions, le 1er décembre 1988, Carlos Salinas de Gortari avait su créer la surprise dans la plupart des domaines, bousculant nombre de tabous et de structures sur lesquels s'appuyait depuis un demi-siècle le régime le plus stable d'Amérique latine. Certes, pour beaucoup de changements, l'impulsion avait été donnée par l'administration précédente, où il occupait le poste de ministre des Finances. Mais l'accélération a été brutale, et les mutations enclenchées paraissent souvent irréversibles.

C'est le cas tout d'abord de l'économie, dont l'ouverture, la dérégulation et l'intégration progressive au marché nord-américain ont été menées avec détermination. D'importantes barrières douanières demeuraient malgré l'adhésion au GATT (Accord général sur les tarifs douaniers et le commerce) en 1986. Elles ont été démantelées, et la plupart des réglementations tatillonnes qui freinaient l'activité économique ont été abolies. La stratégie de retour à la confiance a porté ses fruits. Les investissements nationaux ont forte-

MEXIQUE

1. DÉMOGRAPHIE, CULTURE, ARMÉE

	Indicateur	Unité	1970	1980	1989
Démographie	Population	million	52,8	70,4	84,27
	Densité	hab./km²	26,8	35,8	42,8
	Croissance annuelle	%	3,3[a]	2,5[b]	2,2[c]
	Mortalité infantile	‰	73,0	55,8	47[c]
	Espérance de vie	année	61,3	64,9	68,9[c]
	Population urbaine	%	59,0	66,4	72,0
Culture	Analphabétisme	%	25,8	17,0	9,7[f]
	Nombre de médecins	‰ hab.	0,69	0,96	0,97[e]
	Scolarisation *12-17 ans*	%	46,2	63,8	66,1
	3ᵉ degré	%	6,1	14,4	15,7[d]
	Postes tv	‰	••	55	120[d]
	Livres publiés	titre	4 812	1 629	7 725[d]
Armée	Marine	millier d'h.	7,6	20	28
	Aviation	millier d'h.	6	4	8
	Armée de terre	millier d'h.	54	72	105,5

a. 1965-75; b. 1975-85; c. 1985-90; d. 1987; e. 1986; f. 1985.

2. COMMERCE EXTÉRIEUR[a]

Indicateur	Unité	1970	1980	1989
Commerce extérieur	% PIB	5,4	9,4	11,8
Total imports	milliard $	2,5	19,5	25,0
Produits agricoles	%	14,0	15,8	16,7[b]
Métaux et produits miniers	%	7,6	12,8	4,5[c]
Produits industriels	%	77,3	68,9	81,9[c]
Total exports	milliard $	1,4	15,6	22,4
Produits agricoles	%	48,6	14,2	13,9[b]
Pétrole et gaz	%	3,2	67,3	41,8[c]
Métaux et produits miniers	%	18,0	6,9	2,8[c]
Principaux fournisseurs	% imports			
États-Unis		63,6	61,6	74,9[b]
CEE		20,0	14,9	9,7[b]
Japon		3,5	5,1	6,4[b]
Principaux clients	% exports			
États-Unis		59,8	64,7	72,9[b]
CEE		6,9	15,3	9,1[b]
PVD		10,5	12,6	8,0[b]

a. Marchandises; b. 1988; c. 1987.

ment progressé (+10,7 % en 1989) principalement dans les *maquiladoras* (sous-traitance) et dans les secteurs tournés vers l'exportation. Le programme de privatisation a changé de dimension. Après les quelque 800

3. ÉCONOMIE

INDICATEUR	UNITÉ	1970	1980	1989
PIB	milliard $	37,5	163,4	180,9
Croissance annuelle	%	6,7 [a]	4,1 [b]	3,2
Par habitant	$	710	2320	2147
Structure du PIB				
Agriculture	% } 100 %	11,7	8,2	9,0 [c]
Industrie	% } 100 %	29,4	32,8	35,4 [c]
Services	% } 100 %	58,9	59,0	55,5 [c]
Dette extérieure	milliard $	5,97	57,5	99,9
Taux d'inflation	%	5,2	26,4	19,7 [f]
Population active	million	12,96	22,25	29,55
Agriculture	% } 100 %	39,4	25,8	23,7 [c]
Industrie	% } 100 %	22,9	20,2	21,0 [c]
Services	% } 100 %	37,7	53,9	55,4 [c]
Dépenses publiques				
Éducation	% PIB	2,4	4,4 [e]	3,4 [d]
Défense	% PIB	0,6	0,6	0,3
Production d'énergie	million TEC	53,8	198,1	249,6 [d]
Consommation d'énergie	million TEC	53,1	118,6	140,9 [d]

a. 1965-75; b. 1975-85; c. 1988; d. 1987; e. 1981; f. Décembre à décembre.

(sur un total de 1 155) petites entreprises publiques retournées au privé sous l'administration De la Madrid (1982-1988), ce sont des fleurons du secteur étatique qui ont été concernés : téléphone, compagnies d'aviation, industrie hôtelière, une grande partie de la pétrochimie, autoroutes, la sidérurgie annoncée pour la fin de l'année 1990...

Retour à la confiance économique

Le capitalisme mexicain, hier surtout financier et spéculatif, devient industriel et expansif : CEMEX (ciment) et VITRO (verre) ont racheté des entreprises nord-américaines, devenant ainsi respectivement les quatrième et troisième producteurs mondiaux de leur secteur, PEMEX (pétrole) a acquis un réseau de distribution en Espagne... La confiance des entrepreneurs mexicains semble donc être réelle, même si le retour des capitaux expatriés (estimés à 84 milliards de dollars, dont 3 seraient revenus) a été moins rapide qu'espéré.

La plupart des grands indicateurs ont été en 1989 positifs : croissance de 2,5 % (1,1 % en 1988, 4 % espérés en 1990), inflation maîtrisée (19,7 % contre 51,7 % en 1988, 159,2 % en 1987), grâce surtout à la reconduction régulière du « pacte de solidarité économique » (gouvernement-patronat-syndicats) d'autocontrôle des prix et des salaires. Seule la balance commerciale est restée préoccupante. Après plusieurs années de solde largement positif, elle a été légèrement déficitaire (0,7 milliard de dollars), malgré la reprise des cours du pétrole et la croissance des exportations non pétrolières, insuffisantes cependant pour couvrir l'explosion des importations de biens de consommation. Par ailleurs, la croissance rapide des importations agricoles a souligné la

BIBLIOGRAPHIE

BATAILLON C., PANABIERE L., *Mexico aujourd'hui, la plus grande ville du monde*, Publisud, Paris, 1988.

COUFFIGNAL G., « La Grande faiblesse du syndicalisme mexicain », *La Revue de l'IRES*, 2 (hiver 1990), Paris, 161-180.

FAVRE H. *et alii*, « Mexique : à l'aube du nouveau sextennat », *Problèmes d'Amérique latine*, n° 92, La Documentation française, Paris, 1989.

crise d'un secteur aux structures obsolètes, déficitaire depuis de nombreuses années, et que le pouvoir, par crainte des conséquences politiques, ne semblait pas vouloir aborder de front.

Le gouvernement, régulièrement cité en exemple par le FMI et George Bush, espérait beaucoup du « plan Brady » pour alléger le poids de la dette. Le Mexique fut le premier (juillet 1989) bénéficiaire de ce plan, et le premier déçu. Il n'y a eu ni allégement significatif ni réouverture de crédits bancaires. Tout s'est passé comme si la confiance externe, elle, n'était pas encore revenue. En a témoigné la faiblesse des investissements étrangers, malgré la réglementation très libérale en vigueur depuis mai 1989. Fin 1989, l'endettement externe n'avait que légèrement diminué (95,1 milliards de dollars contre 96,7 fin 1988). L'équipe Salinas semblait plus que jamais convaincue que la solution à ce problème, comme à celui d'une reprise durable de la croissance, passait par l'accélération du processus d'intégration du Mexique au grand marché de libre-échange nord-américain, avec qui sont réalisés plus des deux tiers des échanges commerciaux. Tout au long de l'année 1989, une série d'accords produit par produit ont été signés, et, en mars 1990, des négociations se sont ouvertes à Washington pour élargir le cadre de ces accords.

Subordination du politique à l'économique ? Le changement majeur dans la politique extérieure mexicaine a été l'abandon du multilatéralisme qui l'avait caractérisée depuis vingt ans. L'absence du président mexicain a été remarquée lors des prises de fonctions de Carlos Andres Perez au Vénézuela et de Fernando Collor au Brésil. On sait combien ces cérémonies d'investiture sont l'occasion d'échanges informels pour les chefs d'État d'Amérique latine.

Abandon du latino-américanisme

A plusieurs reprises, Carlos Salinas a répété à ses homologues que le latino-américanisme était une voie sans issue à laquelle il fallait substituer des accords bilatéraux avec les divers partenaires, au premier rang desquels les États-Unis. Le Mexique n'a désormais plus de politique étrangère latino-américaine. Il a certes condamné l'invasion de Panama par les États-Unis en décembre 1989, mais avec beaucoup de mesure et en soulignant que Manuel Antonio Noriega était décidément peu fréquentable.

Ces réorientations sont exploitées par l'opposition de gauche. On se souvient de l'élection contestée en 1988 du président actuel, face à une droite stable (PAN - Parti d'action nationale, 17,07 %) et une surprenante percée de la gauche (31,12 %), emmenée par Cuauhtemoc Cárdenas, ancien gouverneur de l'État du Michoacan et fils du légendaire général Cárdenas qui avait nationalisé le pétrole et réalisé la réforme agraire en 1938. Après les élections qu'il affirmait avoir gagnées, il a créé un nouveau parti, le Parti révolutionnaire démocratique (PRD), dans lequel sont venues se fondre diverses formations hétéroclites. L'idéologie de ce parti demeure très floue, souvent passéiste, et, à la mi-90, il n'avait pu encore se structurer en parti de masse discipliné. Mais le PRI a néanmoins dû lui reconnaître, comme au PAN, plusieurs succès électoraux lors de scrutins locaux âprement disputés. L'État de Basse-Californie a été concédé au PAN en juillet 1989 (jamais un gouvernorat n'y avait échappé au PRI - Parti révolutionnaire institutionnel) et les élections municipales du Michoacan ont accordé au PRD 57 municipalités sur 113, dont les villes de Morelia et Lazaro Cardenas. Des élections limpides auraient probablement donné des résultats bien supérieurs pour les oppositions. La violence politique, plaie traditionnelle du Mexique, a réapparu, malgré une liberté d'expression — presse, manifestation — qui n'a jamais été aussi grande, et qui a probablement empêché l'éclosion de la violence sociale. Le gouvernement a montré à plusieurs reprises qu'il était très attentif aux mouvements sociaux et qu'il savait au besoin reculer dans ses projets. En 1990, l'embellie économique ne s'est guère encore traduite en termes d'emplois et de pouvoir d'achat pour des salariés qui subissent depuis dix ans une cure d'austérité sans précédents. On considère que la moitié de la population souffre de malnutrition grave. Elle survit grâce aux solidarités familiales et au développement vertigineux de l'économie informelle (28 % de la population active et 16 % du PIB en 1988). Mais la misère et les bas salaires pourront-ils être indéfiniment supportés quand les gains des couches aisées s'envolent? Carlos Salinas se méfie des corps intermédiaires (Parlement, syndicats...) dont il rabaisse les fonctions. Il méprise les partis, à commencer par le sien, et recherche un rapport direct entre la présidence et le peuple. C'est se priver de tout « fusible ». Une telle attitude impose de ne jamais se tromper, ni de voir l'environnement économique redevenir défavorable.

MEXIQUE

États unis du Mexique.
Capitale : Mexico.
Superficie : 1 967 183 km² (3,6 fois la France).
Monnaie : peso (au taux officiel, 1 peso = 0,0003 FF au 30.4.90).
Langues : espagnol (officielle), 19 langues indiennes (nahuatl, otomi, maya, etc.).
Chef de l'État et du gouvernement : Carlos Salinas de Gortari, entré en fonction le 1.12.88, pour six ans.
Échéance électorale : législatives en juil. 91.
Nature de l'État : république fédérale (31 États et un district fédéral, la ville de Mexico).
Nature du régime : présidentiel.
Principaux partis politiques : *Gouvernement :* Parti révolutionnaire institutionnel (PRI, au pouvoir, sous différents noms, depuis 1929). *Opposition* : Parti d'action nationale (PAN, droite libérale) ; Parti de la révolution démocratique (PRD, gauche nationaliste).
Territoires outre-mer : îles Gigedo [Pacifique].
Carte : p. 395.

Georges Couffignal

Philippines. De crises en crises

Depuis le début de l'année 1989, on se demandait si le gouvernement laisserait rentrer au pays, mort ou vif, l'ancien président de la République, Ferdinand Marcos. Déposé en février 1986 et hospitalisé depuis neuf mois, c'est en exil, à Honolulu, qu'il est mort le 28 septembre 1989 à l'âge de soixante-douze ans. La nouvelle, qui n'a surpris personne, a été

PHILIPPINES

1. DÉMOGRAPHIE, CULTURE, ARMÉE

	Indicateur	Unité	1970	1980	1989
Démographie	Population	million	37,5	48,3	60,1
	Densité	hab./km²	125,0	161,1	200,3
	Croissance annuelle	%	2,9 [a]	2,6 [b]	2,5 [c]
	Mortalité infantile	‰	66,4	52,2	45 [c]
	Espérance de vie	année	57,0	60,9	63,5 [c]
	Population urbaine	%	33,0	37,4	41,8
Culture	Analphabétisme	%	17,4	16,7	14,3 [e]
	Nombre de médecins	‰ hab.	0,11	0,13	0,15
	Scolarisation *12-17 ans*	%	55,6	74,6	71,9
	3e degré	%	19,8	27,7	38,0 [e]
	Postes tv	‰	11	21	36 [d]
	Livres publiés	titre	706 [f]	1 254	1 768 [d]
Armée	Marine	millier d'h.	6	26	28
	Aviation	millier d'h.	9	16,8	16
	Armée de terre	millier d'h.	18	70	68

a. 1965-75; b. 1975-85; c. 1985-90; d. 1987; e. 1985; f. 1971.

2. COMMERCE EXTÉRIEUR [a]

Indicateur	Unité	1970	1980	1989
Commerce extérieur	% PIB	15,9	19,9	21,5
Total imports	milliard $	1,2	8,3	11,2
Produits agricoles	%	16,2	10,0	8,3 [b]
Produits énergétiques	%	12,0	28,4	13,3 [b]
Produits industriels	%	57,7	42,4	50,3 [b]
Total exports	milliard $	1,0	5,7	7,8
Sucre et produits du coco	%	37,4	24,9	7,8
Autres produits agricoles	%	32,5	16,9	20,1 [b]
Produits miniers	%	22,7	21,4	8,9 [b]
Principaux fournisseurs	% imports			
Japon		30,6	19,9	17,2 [b]
États-Unis		29,4	23,5	20,9 [b]
Moyen-Orient		6,0	20,5	9,5 [b]
Principaux clients	% exports			
États-Unis		41,6	27,5	35,7 [b]
Japon		40,1	26,6	20,1 [b]
CEE		8,0	17,5	17,7 [b]

a. Marchandises; b. 1988.

connue quasi immédiatement dans tout le pays et n'a pas suscité, pour autant, des réactions particulières. La présidente Corazon Aquino a demandé néanmoins que le drapeau fût mis en berne, à mi-mât, et a

3. ÉCONOMIE

Indicateur	Unité		1970	1980	1989
PNB	milliard $		8,63	33,49	42,71
Croissance annuelle	%		5,6[a]	2,5[b]	5,6
Par habitant	$		230	680	711
Structure du PIB					
Agriculture	%	100 %	27,8	23,3	23,0[c]
Industrie	%		29,6	36,6	33,5[c]
Services	%		42,6	40,1	43,5[c]
Dette extérieure	milliard $		1,6	17,4	28,7
Taux d'inflation	%		15,3	18,2	14,1[e]
Population active	million		13,75	17,53	21,93
Agriculture	%	100 %	54,8	51,8	47,8[d]
Industrie	%		16,5	15,6	14,6[d]
Services	%		28,7	32,6	37,6[d]
Dépenses publiques					
Éducation	% PIB		2,6	1,6	2,0[d]
Défense	% PIB		1,1	2,2	2,9
Production d'énergie	million TEC		0,29	1,7	2,4[d]
Consommation d'énergie	million TEC		10,03	16,7	15,4[d]

a. 1965-75; b. 1975-85; c. 1988; d. 1987; e. Décembre à décembre.

envoyé à la famille un message de condoléances. Sa disparition n'a pas entravé le processus judiciaire en cours contre ses héritiers et qui vise à récupérer entre 3,5 et 10 milliards de dollars détournés sur les fonds publics. Que ce soit devant la justice helvétique ou américaine, Imelda Marcos, l'épouse du président disparu, va comparaître (dès mars 1990 à New York) pour expliquer les origines de cette fortune. On estimait à Manille que cet argent pourrait servir à fomenter de nouvelles actions visant à déstabiliser le pouvoir. C'est pourquoi, pour des raisons de sécurité, C. Aquino et le gouvernement américain n'ont pas cru bon d'autoriser le retour au pays de la dépouille de F. Marcos, estimant que les passions étaient encore trop exacerbées.

Le cadavre de Marcos

Cette décision fut le départ d'un véritable bras de fer entre la présidente et l'opposition de droite qui exigeait l'inhumation de l'ancien président dans sa ville natale de Batac. Les partisans de Marcos décidèrent de faire appel contre cette décision devant la Cour suprême, pour excès de pouvoir. Déboutée de son action, l'opposition changeait alors de tactique, en organisant des manifestations de rue. Face à tout ce « remue-ménage », Cory Aquino n'a pas cru bon de mettre l'armée en état d'alerte, se contentant de dire que les militaires devraient être vigilants. De même, elle n'a pas renoncé à son voyage au Canada et aux États-Unis (novembre 1989), alors que 50 000 personnes manifestaient, la veille de son départ, pour le rapatriement du corps de F. Marcos — parmi elles, le vice-président Salvador Laurel y faisait une brève apparition.

La « dame en jaune » a dû encore faire face à d'autres forces antidémocratiques, quoique la guérilla communiste ait connu une perte de capacité depuis deux ans. En avril

BIBLIOGRAPHIE

Boisseau du Rocher S., « Le Pari des Philippines », *Études*, n° 371/1-2, Paris, juil.-août 1989.

Burton S., *Impossible Dream*, Warner, New York, 1989.

Gomane J.-P., « Où en sont les Philippines », *Défense nationale*, Paris, juil. 1989.

Jones G.R., *Red Revolution inside the Philippine Guerrilla Mouvement*, Westview Press, Boulder (Col.), 1989.

Koninck R. de, « Où sont les Philippines ? », *Hérodote*, n° 52, La Découverte, Paris, 1989.

Lewis Young P., « After the Coup : a Report on the Philippines », *Asian Defense Journal*, n° 3, Kuala Lumpur, mars 1990.

Michel S., « Philippines : Incertitude sur l'avenir des bases américaines », *Défense et armement*, n° 92, Paris, févr. 1990.

Rousset P., « La crise des Philippines », *Hérodote*, n° 52, La Découverte, Paris, 1989.

1990, le commandant en chef-adjoint Antonio Cabardo était intercepté tout comme l'ont été deux des leaders historiques, Satur Ocampo et Carolina Malay en septembre 1989. La violence sur le territoire n'en a pas moins été forte en 1989 : pendant le seul premier semestre, soixante personnes ont été tuées et, pour la première fois, un membre de la Chambre des représentants a été assassiné par des guérilleros communistes. Ces derniers s'en sont pris également à des citoyens américains : un colonel tué, en avril, et deux autres civils, le jour même de l'arrivée du vice-président américain Dan Quayle (26 septembre).

Face à l'opposition musulmane, C. Aquino a également rencontré de nouvelles difficultés et elle a dû subir son premier échec électoral, en trois ans de pouvoir. En effet, les 3,7 millions d'électeurs du Sud, appelés aux urnes le 18 novembre dernier, ont rejeté massivement (neuf provinces sur treize) le premier projet de loi organisant une autonomie régionale et une protection des droits religieux et éducatifs des musulmans. Crise gouvernementale aussi puisque, de mars à juin 1989, quatre membres du Cabinet ont dû quitter leurs fonctions. A cela se sont ajoutées les difficultés rencontrées au Sénat : successivement, deux ministres de la Réforme agraire, nommés par la présidente, n'ont pu être confirmés par le pouvoir législatif et s'atteler à l'application de la loi de 1988 prévoyant une redistribution partielle des terres.

La question des bases américaines

Cette année 1989 aura encore montré toute la fragilité du pouvoir de C. Aquino, alors que devait s'entamer la phase délicate des négociations avec les États-Unis pour le renouvellement, en septembre 1991, du bail de leurs bases militaires. La majorité des pays de la région souhaite un maintien de celles-ci, mais il apparaît de plus en plus dans la classe politique philippine un consensus pour leur démantèlement. Dans l'entourage de la présidente, conscient de leur rôle économique et des 68 000 emplois qu'elles représentent, on propose d'étaler le repli américain sur neuf ans. Même le Parti nationaliste de l'ancien président Marcos a fini par demander leur fermeture et souhaiter l'abrogation immédiate du traité de défense mutuel du 3 août 1951. Chaque clan politique s'est montré prêt à surenchérir face « aux impérialistes américains ». Si, de surcroît, Washington cherche à réduire, pour des raisons budgétaires, les fonds alloués aux installations américaines à l'étranger, la marge de manœuvre de C. Aquino, avec qui ils souhaitent arriver à un compromis au cours de l'année 1990, en serait réduite d'autant.

Dans cette phase délicate de la vie politique du pays et alors que près de cent personnes proches de F. Marcos seraient selon le gouvernement encore interdites de séjour aux Philippines, la plus puissante d'entre elles, Edouardo Cojuangco — un cousin éloigné de la « Dame en jaune » —, est retourné, en toute impunité, au pays secrètement. Moins d'une semaine après, éclatait (1er décembre 1989) à Manille la plus violente des six tentatives de coup d'État perpétrée contre C. Aquino depuis son accès au pouvoir (119 morts et 418 blessés, 1,3 milliard de dégâts). Cette opération préparée depuis de longs mois a réuni des moyens financiers loin d'être négligeables (3 millions de dollars). Si les mutins ont profité d'une baisse de popularité de la présidente, notamment à cause des récentes augmentations des tarifs des transports et de l'essence, ils n'ont pas bénéficié pour autant d'un élan de sympathie. Les Américains, par des mouvements aériens aux côtés des troupes loyalistes, et l'Église, par l'entremise du cardinal Sin, ont par ailleurs contribué à l'isolement des rebelles. Décidée à ce que cette tentative soit bien la dernière, la présidente y a réagi plus brutalement que les fois précédentes. Outre le renouvellement du quart des officiers généraux, elle s'est attaquée au sénateur Juan Ponce Enrile que beaucoup soupçonnent d'être l'instigateur de toutes les tentatives de coup d'État depuis 1986, mais aussi un concurrent sérieux pour la prochaine élection présidentielle de 1992. Cet ancien militaire, ministre de la Défense de F. Marcos pendant quatorze ans, a donc été inculpé de rébellion et de meurtre pour son rôle dans les événements de décembre 1989. Toutefois, il fut libéré sous caution une semaine après son arrestation (6 mars 1990).

Investissements étrangers

L'image économique du pays a également souffert de cette tentative. Pendant douze jours, le cœur financier de la capitale a été paralysé et les deux Bourses ont dû être fermées. Mais la situation n'en a pas pour autant été catastrophique. Les cours

PHILIPPINES

République des Philippines.
Capitale : Manille.
Superficie : 300 000 km², répartis en 7 606 îles (0,55 fois la France).
Monnaie : peso (au taux officiel, 1 peso = 0,25 FF au 30.4.90).
Langues : tagalog, anglais.
Chef de l'État : Corazon Aquino, présidente (depuis le 25 février 1986).
Échéance électorale : présidentielle en mai 1992.
Nature de l'État : république.
Nature du régime : démocratie parlementaire.
Principaux partis politiques : *Directement affilié au gouvernement :* Combat pour la démocratie aux Philippines (LPD, Laban ng Democratikong Pilipino). *Solidaire critique :* Parti libéral-Salonga ; Parti démocratique des Philippines-Combat (PDP-Laban, Pimentel). *Opposition parlementaire :* Parti nationaliste (PN) ; Mouvement pour la société nouvelle (KBL). *Autres partis :* Alliance socialiste démocratique ; Parti communiste des Philippines (PKP, prosoviétique). *Illégaux :* Parti communiste des Philippines (marxiste-léniniste) ; Front de libération nationale moro ; Front de libération islamique moro.
Carte : p. 348.
Statistiques : voir aussi p. 350.

de la Bourse ne se sont pas effondrés. Plus important encore pour les investisseurs potentiels, le nombre de grèves a continué à baisser en 1989 (–26,7 %). Les investissements étrangers ont également fortement progressé par rapport à l'année précédente (+182 %) tout comme l'excédent de la balance des paiements (+47 %). Les voyages successifs de Cory Aquino auront ainsi, eux aussi, servi à stabiliser l'économie qui reste surtout alimentée par l'aide extérieure. En moins de sept mois elle s'est rendue en RFA, France, Belgique (juillet), Brunei (août), Amérique du Nord (novembre), et a reçu le Premier ministre japonais (mai). Au-delà de ces résultats encourageants, le pays reste toujours surendetté — 27,62 milliards de dollars — et cela bien qu'il soit l'un des seuls États du tiers monde à avoir obtenu un programme international combinant des allégements de dette et une reprise des crédits privés venant des banques commerciales. Cela lui a permis de réduire le volume de son endettement de 1 % en un an. Le PNB par habitant a certes lui aussi crû de 10,7 % alors que la population dépassait le seuil des 60 millions, mais le niveau du PNB demeure inférieur à ce qu'il était en 1981. Plus grave, 1989 a été une année de surchauffe économique où le taux d'inflation a atteint pour la première fois depuis 1986 un résultat à deux chiffres et où le déficit commercial a plus que doublé. Certes, le Japon, qui est devenu le premier investisseur aux Philippines, souhaite y intensifier son intervention, mais le gouvernement devra prendre des mesures particulièrement impopulaires pour réduire le déficit budgétaire : hausse des impôts, des tarifs publics et privatisation de certaines sociétés.

François Guilbert

Turquie. Dissensions dans la majorité parlementaire

La légitimité de l'élection de l'ancien Premier ministre Turgut Özal à la présidence de la République, le 31 octobre 1989, a été vivement contestée par les partis d'opposition. Boycottée par l'opposition, elle a été assurée par les suffrages (263 sur 450) des députés du Parti de la mère-patrie (PMP), lequel était sorti considérablement affaibli lors des élections locales du 26 mars 1989 (21,9 % des voix) et était considéré comme minoritaire.

Nommé par T. Özal au poste de Premier ministre, Yildirim Akbulut, personnalité effacée, est resté très impopulaire. Une semaine après sa nomination, le nouveau Premier ministre a été élu président du PMP par un congrès extraordinaire, le 17 novembre 1989. Toutefois, il n'est pas parvenu à maîtriser les tiraillements au sein de son parti, divisé plus que jamais entre les tendances nationaliste, islamique et libérale, ni empêcher les démissions du ministre des Affaires étrangères, Mesut Yilmaz, le 20 février 1990, ni celle du ministre des Finances, Ekrem Pakdemirli, le 28 mars. Ces démissions ont été motivées par des désaccords, mais aussi par des ambitions politiques. Aussi ont-ils milité, avec Hasan Celâl Güzel, autre homme fort du parti, pour faire avancer, de nouveau, la date du congrès du PMP, escomptant s'y imposer.

Mais les yeux sont restés fixés sur une autre échéance, celle des élections législatives prévues pour novembre 1992 par le calendrier parlementaire. La tournure particulièrement meurtrière prise par la guérilla kurde en 1990 a incité les commentateurs à réclamer un pouvoir fort et légitime pour affronter la situation.

Les milieux d'affaires, qui avaient été d'ardents supporters de T. Özal depuis 1983, ont semblé rechercher des formules alternatives afin de restaurer une certaine « stabilité politique », éventuellement autour du Parti de la juste voie de Süleyman Demirel qui a su préserver la cohésion de sa formation. Cette dernière et le Parti social-démocrate du peuple (PSDP) ont augmenté leurs pressions pour que l'on organise des élections législatives anticipées, ce qui les ferait bénéficier de la faiblesse du PMP, crédité de seulement 10 à 15 % des intentions de votes à la mi-1990.

Le PSDP, le parti le plus puissant du pays, a cependant connu lui aussi une crise interne, opposant ses dirigeants à son aile gauche. La Cour de sûreté de l'État d'Ankara a engagé des poursuites légales contre huit députés kurdes de gauche, accusés d'avoir participé à la Conférence de Paris sur la question kurde (14-15 octobre 1989, sous l'égide de l'Institut culturel kurde et la Fondation France-Libertés présidée par Danielle Mitterrand). Sept d'entre eux ont, pour cette raison, été expulsés du PSDP; le huitième avait déjà été exclu du parti.

Climat politique alourdi

Par ailleurs, les assassinats, le 31 janvier 1990, du professeur Muammer Aksoy, défenseur acharné du laïcisme, et, le 7 mars de la même année, du journaliste Cetin Emeç, connu pour ses idées démocrates, ont fait craindre une escalade du terrorisme dans les grandes villes. Avec les violents affrontements entre les forces de l'État et les nationalistes kurdes et les mesures d'urgence décrétées dans onze agglomérations des provinces de Mardin et de Siirt, ces assassinats ont contribué à alourdir le climat politique. D'une manière générale et comme les années précédentes, en dépit d'indéniables ouvertures sur le plan économique, la société turque a continué à subir les contradictions et les blocages sur le plan politique avec le maintien d'une certaine répression (morts de personnes des suites de mauvais traitements confirmées par le rapport d'Amnesty International, grèves de la faim dans certaines prisons, pour protester contre les conditions d'incarcération des prisonniers politiques, etc.).

En 1989 encore, le problème majeur de l'économie turque est resté l'inflation. D'après l'Institut étatique de statistiques, les prix de détail ont augmenté de 68,8 % en 1989, contre 72,2 % en 1988. Par ailleurs, les exportations ont stagné en 1989 (– 0,3 %) tandis que les importations progressaient de 9,9 %. Les ventes de produits agricoles, très affectées par la sécheresse, ont baissé

TURQUIE

République de Turquie.
Capitale : Ankara.
Superficie : 780 576 km² (1,4 fois la France).
Monnaie : livre (au taux officiel, 1 livre = 0,002 FF au 30.4.90).
Langues : turc (officielle), kurde.
Chef de l'État : général Kenan Evren, puis Turgut Özal, président de la République depuis le 31.10.89.
Chef du gouvernement : Turgut Özal, puis Yildirim Akbulut (depuis le 9.11.89).
Nature de l'État : république centralisée.
Nature du régime : démocratie limitée.
Principaux partis politiques : *Représentés au Parlement :* Parti de la mère patrie (PMP, conservateur); Parti social-démocrate du peuple (PSD); Parti de la juste voie (conservateur). *Extra-parlementaires :* Parti de la gauche démocratique (centre gauche); Parti de la prospérité (islamiste); Parti du travail nationaliste (extrême droite).
Carte : p. 461.
Statistiques : voir aussi p. 462.

TURQUIE

1. DÉMOGRAPHIE, CULTURE, ARMÉE

	Indicateur	Unité	1970	1980	1989
Démographie	Population	million	35,3	44,4	56,7
	Densité	hab./km²	45,2	56,9	72,7
	Croissance annuelle	%	2,5 [a]	2,3 [b]	2,0 [c]
	Mortalité infantile	‰	133,6	92 [g]	76 [c]
	Espérance de vie	année	55,9	61,7	64,1 [c]
	Population urbaine	%	38,4	43,8	47,9
Culture	Analphabétisme	%	48,7	34,4	25,8 [f]
	Nombre de médecins	‰ hab.	0,45	0,7	0,7 [d]
	Scolarisation *12-17 ans*	%	42,6	46,9	63,3
	3e degré	%	6,0	6,1	10,4 [d]
	Postes tv (L)	‰	••	79	172 [d]
	Livres publiés	titre	5854	3396	6685 [e]
Armée	Marine	millier d'h.	37,5	45	55
	Aviation	millier d'h.	50	52	67,4
	Armée de terre	millier d'h.	390	470	528,5

a. 1965-75; b. 1975-85; c. 1985-90; d. 1987; e. 1985; f. 1984; g. 1980-85; (L). Licences.

2. COMMERCE EXTÉRIEUR [a]

Indicateur	Unité	1970	1980	1989
Commerce extérieur	% PIB	5,8	9,6	15,6
Total imports	milliard $	0,9	7,9	14,8
Produits énergétiques	%	7,5	48,4	21,4 [d]
Autres produits miniers	%	0,9	2,8	5,9 [d]
Produits agricoles	%	13,0	3,8	8,3 [d]
Total exports	milliard $	0,6	2,9	10,6
Produits agricoles	%	82,8	64,7	27,0 [d]
Produits industriels	%	10,3	24,9	66,0 [d]
Produits miniers [b]	%	6,2	9,0	5,4 [d]
Principaux fournisseurs	% imports			
CEE		45,4	30,8	41,2 [d]
États-Unis		19,4	5,8	10,6 [d]
Moyen-Orient		6,3	38,1	17,5 [d]
Principaux clients	% exports			
CEE		50,0	44,6	43,7 [d]
Moyen-Orient		9,1	21,5	22,3 [d]
États-Unis		9,6	4,4	6,5 [d]

a. Marchandises; b. Produits énergétiques non compris; c. 1987; d. 1988.

de 9,2 %, ralentissant la croissance (+1,7 % seulement). Les exportations agricoles, qui pesaient pour 44,5 % dans les exportations totales en 1983, n'en ont représenté que 26,1 % en 1989. Gestion sociale et

3. ÉCONOMIE

Indicateur	Unité	1970	1980	1989
PNB	milliard $	14,1	62,3	77,8
Croissance annuelle	%	7,2[a]	3,8[b]	1,8
Par habitant	$	400	1 390	1 454
Structure du PIB				
Agriculture	% } 100 %	29,5	22,6	17,3[c]
Industrie	% } 100 %	27,3	30,2	36,5[c]
Services	% } 100 %	43,2	47,2	46,3[c]
Dette extérieure	milliard $	1,96	19,1	39,6[c]
Taux d'inflation	%	6,9	110,2	68,8[e]
Population active	million	16,1	19,1	23,2
Agriculture	% } 100 %	67,6	60,7	50,6[c]
Industrie	% } 100 %	14,5	16,2	20,4[c]
Services	% } 100 %	17,9	23,1	29,0[c]
Dépenses publiques				
Éducation	% PIB	2,9	2,8	1,7[d]
Défense	% PIB	4,4	4,7	3,4
Production d'énergie	million TEC	12,0	14,4	28,1[d]
Consommation d'énergie	million TEC	16,8	31,9	52,4[d]

a. 1965-75; b. 1975-85; c. 1988; d. 1987; e. Décembre à décembre.

gestion financière et monétaire n'ont pas fait bon ménage dans un contexte de stagflation relative posant le problème de dévaluation de la livre. L'ampleur du déficit public est restée l'un des principaux problèmes économiques du pays. Point positif : la balance des paiements courants a été bénéficiaire, grâce notamment aux revenus du tourisme (2 milliards de dollars) et aux envois de fonds des travailleurs émigrés en Europe occidentale (3 milliards de dollars). La dette extérieure a pour sa part diminué, mais son montant, environ 36 milliards de dollars, est resté néanmoins considérable.

Échec à Bruxelles, sourires avec l'URSS

Dans un avis du 17 décembre 1989, la Commission de Bruxelles a déconseillé aux gouvernements des États membres d'entamer des négociations au sujet de l'entrée de la Turquie dans la CEE, au moins jusqu'à l'établissement du « marché unique », en 1993. Ce « non » implicite s'appuyant sur des arguments politiques, économiques et sociaux a été considéré par beaucoup d'observateurs comme un rejet effectif de la candidature turque.

Les relations de la Turquie avec le monde occidental ont été aussi quelque peu envenimées par l'aval donné par le Comité judiciaire du Sénat des États-Unis, le 16 octobre 1989, à un texte instituant le 24 avril comme jour « commémoratif du génocide arménien ». Ankara considérait l'Accord de coopération militaire et économique (DECA), régissant les installations et les bases militaires américaines en Turquie, et arrivant à expiration à l'automne 1990, comme sa carte maîtresse pour influencer Washington sur ce dossier.

En revanche, on a assisté, en

BIBLIOGRAPHIE

AMNESTY INTERNATIONAL, *Turquie. Dénis de justice*, AEFAI, Diff. La Découverte, Paris, 1988.

« Ankara : l'ambition européenne. Entretien avec Turgut Özal », *Politique internationale*, n° 47, Paris, print. 1990.

KAZANCIGIL A., « De la modernité octroyée par l'État à la modernité engendrée par la société en Turquie », *Cahiers d'études sur la Méditerranée orientale et le monde turco-iranien* (CEMOTI), n° 9, Paris, janv. 1990.

« La Communauté européenne et la Turquie devant la question de l'adhésion : approche culturelle d'une relation politique », n° spécial, *Cahiers d'études sur la Méditerranée orientale et le monde turco-iranien* (CEMOTI), n° 8, Paris, juin 1989.

MANTRAN R. (sous la dir. de), *Histoire de l'Empire ottoman*, Fayard, Paris, 1989.

OCDE, *Études économiques : Turquie - 1989/1990*, Paris, 1990.

THOBIE H., KANCAL S. (sous la dir. de), *Turquie, Moyen-Orient et Communauté européenne*, L'Harmattan, Paris, 1989.

« Turquie : la croisée des chemins », *Revue du monde musulman et de la Méditerranée*, n° 50, spéc. Edisud, Aix-en-Provence, 1989.

VANER S. (sous la dir. de), *Le Différend gréco-turc*, L'Harmattan, Paris, 1988.

automne 1989, à un resserrement spectaculaire des rapports turco-soviétiques, avec la signature d'un traité de protection et de promotion mutuelle des investissements ; celle d'un protocole d'accord commercial fixant le volume des échanges bilatéraux pour 1990 à 4 milliards de dollars ; et un accord concernant les trafics frontaliers et littoraux de marchandises (juillet 1989). Les échanges soviéto-turcs se sont établis à environ 1 milliard de dollars en 1989, avec une plus forte croissance des exportations turques. Sur le plan politique, l'opinion publique turque, a observé, avec un grand intérêt, la situation en Azerbaïdjan (république soviétique turcophone), notamment depuis le début du conflit du Haut-Karabakh (février 1988).

L'année 1989 et le premier semestre 1990 ont également mis en lumière contentieux et tensions entre la Turquie et deux de ses voisins arabes : l'Irak et plus encore la Syrie, avec le conflit concernant les ressources de l'Euphrate et le problème du contrôle des activités du PKK (Parti des travailleurs kurdes, d'obédience marxiste-léniniste). Depuis que le barrage a été installé dans le Sud-Est de la Turquie, le débit de l'Euphrate s'est établi à la frontière syro-turque à la moitié de son débit naturel. Alors que la Turquie a brandi la menace de l'eau, la Syrie, elle, a manipulé visiblement la filière « terroriste kurde ».

Semih Vaner

Corée du Sud. L'optimisme estompé

La transition de l'autoritarisme à la démocratie s'est révélée plus difficile que prévu. L'optimisme né de la croissance économique et du succès des Jeux olympiques de Séoul s'est largement estompé, depuis le printemps 1989, devant l'aggravation de la situation politique et économique.

Confronté, en mai 1989, à une

contestation croissante d'une opposition déçue par le manque de progrès dans la liquidation de l'héritage de la Ve République (1980-1988) de Chun Doo Hwan (notamment la corruption, les appareils répressifs et le massacre de Kwangju perpétré par l'armée en mai 1980), le président Roh Tae Woo a abandonné la méthode libérale qui était la sienne depuis son avènement au pouvoir en février 1988 au profit de manières fortes. Ainsi, l'arrestation en juin 1989 de Suh Kyong Won, député du Parti pour la paix et la démocratie (PPD), accusé d'espionnage au profit de la Corée du Nord, a-t-elle été le signal d'une répression systématique des opposants durant tout l'été 1989, au nom de la sécurité nationale. Mais la cible principale était Kim Dae Jung, leader du PPD, accusé d'avoir reçu des fonds de Corée du Nord par l'intermédiaire de Suh. Finalement, Kim a été inculpé en août, mais pour le simple crime de non-dénonciation de malfaiteur, puni par la loi sur la sécurité nationale. En septembre, le ministère de la Justice admettait l'existence de 560 prisonniers politiques. Ce retour brutal du vieux démon qu'est l'utilisation de l'idéologie anticommuniste pour réprimer les opposants au régime a considérablement aggravé la situation politique.

Manœuvres des conservateurs

Néanmoins, le gouvernement et trois partis d'opposition, pour éviter une crise politique ouverte, sont parvenus le 16 décembre à un compromis. C'est ainsi que l'ancien président, Chun Doo Hwan, a comparu le 31 décembre 1989 devant l'Assemblée nationale pour répondre à 125 questions posées par deux comités spéciaux. Chun a nié tous les faits qui lui étaient reprochés suscitant la colère de parlementaires. Finalement, le « témoignage » tant attendu n'a pas apaisé, par manque de sincérité, les blessures profondes causées par son règne implacable.

Mais le 22 janvier 1990, une nouvelle a fait l'effet d'une bombe : la fusion du Parti de la justice et de la démocratie du président, Roh Tae Woo, avec deux partis d'opposition, le Parti démocrate de Kim Young Sam et le Parti républicain de Kim Jong Pil, assortie d'un projet de réforme de la Constitution afin de transformer le régime présidentiel en un régime parlementaire. Ainsi est né, le 9 février, un grand parti conservateur baptisé Parti démocrate libéral, réunissant la majorité des deux tiers à l'Assemblée nationale. Chacun a compris qu'il s'agissait d'isoler Kim Dae Jung bien que la raison invoquée ait été la stabilisa-

CORÉE DU SUD

République de Corée.
Capitale : Séoul.
Superficie : 99 484 km² (0,18 fois la France).
Monnaie : won (1 won = 0,08 FF au 30.4.90).
Langue : coréen.
Chef de l'État : Roh Tae Woo, président (depuis le 25.2.88).
Premier ministre : Kang Young Hoon (depuis décembre 1988).
Nature de l'État : république centralisée.
Nature du régime : régime militaire combiné avec des éléments de démocratie parlementaire.
Principaux partis politiques : *Gouvernement :* Parti démocrate-libéral, né en février 1990 d'une fusion du Parti de la justice et de la démocratie (parti de Roh Tae Woo), du Parti pour la démocratie et la réunification (dit Parti démocrate, de Kim Young Sam) et du Parti républicain (de Kim Jong Pil). *Opposition :* Parti pour la paix et la démocratie (de Kim Dae Jung).
Carte : p. 359.
Statistiques : voir aussi p. 356.

CORÉE DU SUD

1. DÉMOGRAPHIE, CULTURE, ARMÉE

	Indicateur	Unité	1970	1980	1989
Démographie	Population	million	31,9	38,1	42,4
	Densité	hab./km²	320,7	383,2	426,0
	Croissance annuelle	%	2,1 [a]	1,5 [b]	1,2 [c]
	Mortalité infantile	‰	51,4	32,0	25 [c]
	Espérance de vie	année	59,5	66,6	69,3 [c]
	Population urbaine	%	40,7	56,9	70,6
Culture	Analphabétisme	%	12,4	8,3	2,0
	Nombre de médecins	‰ hab.	0,45	0,59	1,00
	Scolarisation *12-17 ans*	%	48,8	74,2	84,9
	3e degré	%	7,9	15,8	36,5 [d]
	Postes tv	‰	13	••	194 [e]
	Livres publiés	titre	4207	20978	44288 [e]
Armée	Marine	millier d'h.	13	48	60
	Aviation	millier d'h.	30	32,6	40
	Armée de terre	millier d'h.	570	520	550

a. 1965-75; b. 1975-85; c. 1985-90; d. 1988; e. 1987.

2. COMMERCE EXTÉRIEUR [a]

Indicateur	Unité	1970	1980	1989
Commerce extérieur	% PIB	16,1	31,9	30,1
Total imports	milliard $	2,0	22,3	61,3
Produits agricoles	%	32,6	24,3	12,1 [c]
Produits énergétiques	%	6,9	29,9	11,6 [c]
Autres produits miniers	%	5,2	4,8	2,6 [c]
Total exports	milliard $	0,8	17,5	62,3
Produits agricoles	%	16,6	8,9	6,8 [c]
Produits miniers [b]	%	5,7	2,8	0,2 [c]
Produits industriels	%	76,7	88,0	89,1 [c]
Principaux fournisseurs	% imports			
Japon		40,8	26,6	30,7 [c]
États-Unis		29,5	22,2	24,6 [c]
PVD		15,4	34,4	25,0 [c]
Principaux clients	% exports			
États-Unis		47,3	26,5	35,3 [c]
Japon		28,1	17,4	19,8 [c]
PVD		10,0	31,2	24,6 [c]

a. Marchandises; b. Produits énergétiques non compris; c. 1988.

tion politique nécessaire au développement économique ainsi que la lutte contre le régionalisme, devenu un véritable fléau national. Kim Dae Jung a aussitôt qualifié cette opération de coup d'État déguisé.

3. ÉCONOMIE

Indicateur	Unité	1970	1980	1989
PIB	milliard $	8,62	62,14	185,1
Croissance annuelle	%	10,6[a]	7,7[b]	5,5
Par habitant	$	270	1 630	4 365
Structure du PIB				
Agriculture	% (100 %)	26,0	14,9	10,8[c]
Industrie	% (100 %)	29,2	41,3	43,3[c]
Services	% (100 %)	44,8	43,7	45,9[c]
Dette extérieure	milliard $	2,0	29,5	37,2[c]
Taux d'inflation	%	16,1	28,7	5,1[e]
Population active	million	11,41	14,73	18,27
Agriculture	% (100 %)	50,4	38,6	20,6[c]
Industrie	% (100 %)	21,8	28,0	34,5[c]
Services	% (100 %)	27,8	33,4	44,9[c]
Dépenses publiques				
Éducation	% PIB	3,5	3,7	4,2[d]
Défense	% PIB	3,7	4,3	5,0[c]
Recherche et Développement	% PIB	0,48	0,57	2,2[d]
Production d'énergie	million TEC	9,5	12,9	21,4[d]
Consommation d'énergie	million TEC	20,9	52,3	74,2[d]

a. 1965-75; b. 1975-85; c. 1988; d. 1987; e. Décembre à décembre.

Cependant, la fusion ne fait pas nécessairement l'union. Les trois partis ainsi réunis ont constitué aussitôt trois factions au sein du nouveau parti, et une sérieuse lutte pour le pouvoir n'a pas tardé à éclater, en avril 1990, opposant Kim Young Sam et Park Chul Un, protégé du président Roh. Elle s'est soldée par une éviction, probablement provisoire, de Park des responsabilités du parti. Au premier congrès en mai, Kim Young Sam a été élu responsable suprême pour préserver une apparence de cohésion et de pouvoir.

Face à cette situation, l'opposition a tenté de s'unir. Le parti de Kim Dae Jung et les dissidents du Parti démocrate ont mené, en mai 1990, de difficiles négociations de fusion. Quant à l'opposition extra-parlementaire, elle s'est dotée, le 26 janvier, d'une structure appelée Coalition nationale pour le mouvement démocratique, à l'issue d'un congrès réunissant environ deux cents groupes. Cette nouvelle organisation a souhaité participer à la création d'un grand parti d'opposition. En attendant, elle a fait démonstration de sa capacité de mobilisation lors du dixième anniversaire du massacre de Kwangju en mai 1990.

Chute des exportations

L'économie sud-coréenne a traversé une période difficile en 1989-1990 : son taux de croissance a chuté de 12,2 % en 1988 à 6,7 % en 1989, niveau le plus bas depuis 1981. Les excédents commerciaux, qui étaient de 14 milliards de dollars en 1988, sont tombés à 4,9 milliards. Pendant les quatre premiers mois de 1990, la balance commerciale est même devenue déficitaire. L'appréciation du won, monnaie nationale, la hausse des salaires, et la baisse des

BIBLIOGRAPHIE

Asia Yearbook 1990, annuaire publié par la *Far Eastern Economic Review*, Hong Kong, 1990.

CHAPONNIERE J.-R., « Bilan des économies du Sud-Est et de l'Est asiatiques en 1988 », *Industrie & développement international*, vol. XXXVII, n° 421, 1989.

CHOURAK M., « La Corée du Sud à la conquête de l'URSS et de l'Europe centrale », *Le Courrier des pays de l'Est*, n° 347, La Documentation française, Paris, févr. 1990.

REVET R., « Un regard sur la Corée », *Le Courrier de l'ACAT*, n° 97, Paris, 1989.

« South Korea », *Financial Times Survey*, Londres, 16 mai 1990.

YOUNG WHAN KIHL , « South Korea in 1989 », *Asian Survey*, Berkeley, janv. 1990.

investissements manufacturiers ont certes été autant de facteurs de diminution des exportations, moteur de la croissance de l'économie sud-coréenne, mais s'y est aussi ajoutée une certaine démoralisation de la population face aux spéculations foncières, à l'inflation et à la mauvaise gestion des conflits du travail. Le gouvernement a réagi en adoptant, le 4 avril 1990, un plan de relance de l'économie axé sur l'aide à l'investissement et sur le soutien aux petites et moyennes entreprises, assouplissant les conditions de crédit et d'exonération fiscale. Il a également décidé le doublement du fonds de promotion des investissements de technologie dans l'industrie manufacturière.

Sur le plan diplomatique, les relations avec la Corée du Nord ont enregistré peu de progrès notables. Roh a annoncé, le 11 septembre 1989, une nouvelle politique d'unification, proposant l'établissement d'une « communauté nationale coréenne » fondée sur une représentation égale entre les deux pays avec un conseil des ministres de vingt membres, un conseil des représentants de cent membres et un secrétariat conjoint. Kim Yong Nam, ministre des Affaires étrangères de la Corée du Nord, tout en soulignant que le système « confédéral » que celle-ci a proposé était meilleur, s'est déclaré prêt à discuter avec Séoul à ce sujet.

Les relations avec les États-Unis sont restées dominées par les conflits commerciaux. Le gouvernement sud-coréen a été soumis à la pression américaine pour ouvrir son marché aux produits américains. En avril 1989, Séoul a publié une liste de 243 produits agricoles « libéralisables » avant 1991, mais la viande bovine n'y figurait pas. En octobre 1989, le président Roh a effectué sa deuxième visite officielle aux États-Unis et, devant le Congrès, il s'est déclaré prêt à tout faire pour accélérer l'ouverture du marché coréen aux produits américains. Le sentiment anti-américain reste néanmoins vif en Corée du Sud. Lors de la visite du vice-président, Dan Quayle, le 20 septembre 1989 à Séoul, les étudiants radicaux ont brûlé le drapeau américain. Le 13 octobre, la résidence du nouvel ambassadeur à Séoul, Donald Gregg, a été occupée par les étudiants. D'autre part, les États-Unis ont déclaré qu'ils envisageaient le retrait de 5 000 militaires de la Corée du Sud avant 1993.

Quant aux relations avec le Japon, elles restent caractérisées par le rapprochement au niveau des gouvernements en l'absence de réconciliation au niveau des peuples, comme en a témoigné la solennité donnée à la visite officielle de Roh Tae Woo au Japon, en mai 1990, qui a provoqué la contestation d'un large secteur de l'opinion sud-coréenne.

C'est dans le domaine de la *Nordpolitik* que le gouvernement Roh a le mieux réussi, en améliorant substantiellement ses relations avec l'URSS et les pays d'Europe de l'Est. Moscou et Séoul ont échangé l'installation d'un bureau commercial et d'un bureau consulaire, en attendant l'établissement de relations diplomatiques, probablement avant 1992. Concernant l'Europe de l'Est, la normalisation des relations avec la Hongrie a été suivie par celle avec la Pologne (novembre 1989), la Yougoslavie (décembre 1989) et la Tchécoslovaquie (février 1990). On estimait à la mi-1990, à Séoul, que la RDA et la Roumanie suivraient l'exemple assez rapidement. S'agissant de la Chine, la tragédie de la place Tian An Men, en juin 1989, n'a pas empêché le développement des relations entre les deux pays. Enfin, Séoul a réalisé une percée dans des pays du tiers monde, jusqu'à présent « réservés » à la Corée du Nord. C'est ainsi que l'Algérie a reconnu la Corée du Sud, le 15 janvier 1990, et devrait être suivie par le Mozambique.

Bertrand Chung

Vietnam. Reprise des affaires

Comme la Chine, la Corée du Nord et Cuba, le Vietnam est l'un des États communistes qui ont refusé les changements de la *perestroïka* (restructuration) soviétique : pour les dirigeants vietnamiens, ce sont des « complots impérialistes et réactionnaires » qui ont provoqué l'effondrement des partis communistes en Europe de l'Est en 1989-1990. Les dirigeants communistes vietnamiens ont été plus discrets que Fidel Castro dans leur opposition à Mikhaïl Gorbatchev, mais ils ont été tout autant soumis à une importante réduction de l'aide soviétique. C'est ce qui les a conduits à retirer enfin leurs troupes du Cambodge, ce que Moscou leur conseillait de faire depuis plusieurs années (opération commencée en 1988 et « terminée » en septembre 1989).

Les rapports avec les États-Unis ont connu un spectaculaire tournant lorsque, le 18 juillet 1990, Washington a annoncé qu'il retirait le soutien diplomatique jusqu'alors apporté à l'ONU à la coalition des oppositions cambodgiennes (présidée par Norodom Sihanouk et comprenant les Khmers rouges) et qu'il allait ouvrir un dialogue avec Hanoi.

Faute de moyens financiers et pour marquer la détente avec les États-Unis, la flotte soviétique a par ailleurs abandonné la célèbre base navale de Cam Ranh qu'elle utilisait depuis 1979, date du conflit sino-vietnamien.

Autre conséquence des effets de la *perestroïka*, le retour précipité de dizaines de milliers de travailleurs vietnamiens qui avaient été envoyés en URSS et dans certaines « démocraties populaires » (RDA, Tchécoslovaquie, Hongrie...). Leur rapa-

VIETNAM

République socialiste du Vietnam.

Capitale : Hanoi.

Superficie : 333 000 km² (0,6 fois la France).

Monnaie : dong (au taux officiel, 1 dong = 0,001 FF au 30.10.89).

Langues : vietnamien, français, russe.

Chef de l'État : Vo Chi Cong, président du Conseil d'État depuis le 18.6.87.

Premier ministre : Do Muoi, depuis le 22.6.88.

Secrétaire général du Parti : Nguyen Van Linh.

Nature de l'État : socialiste, fondé le 2.7.76.

Nature du régime : communiste, parti unique (Parti communiste vietnamien, PCV).

Carte : p. 341.

Statistiques : voir aussi p. 342.

VIETNAM

1. DÉMOGRAPHIE, CULTURE, ARMÉE

	Indicateur	Unité	1970	1980	1989
Démographie	Population	million	42,7	53,7	65,7
	Densité	hab./km²	129,6	162,9	199,3
	Croissance annuelle	%	2,3 [a]	2,3 [b]	2,2 [c]
	Mortalité infantile	‰	120 [e]	76 [f]	64 [c]
	Espérance de vie	année	50,3 [e]	58,8 [f]	61,3 [c]
	Population urbaine	%	18,3	19,3	21,6
Culture	Analphabétisme	%	..	16,0	..
	Nombre de médecins	‰ hab.	0,18 [h]	0,24	0,30
	Scolarisation *12-17 ans*	%	45,6 [d]	47,4	46,9
	3e degré	%	2,1 [g]	2,3	..
	Postes tv	‰	..	..	34 [j]
	Livres publiés	titre	1 974 [h]	1 524	1 930 [i]
Armée	Marine	millier d'h.	3,25 [d]	4	37
	Aviation	millier d'h.	4,5 [d]	25	100
	Armée de terre	millier d'h.	425 [d]	1 000	1 100

a. 1965-75; b. 1975-85; c. 1985-90; d. Nord seulement; e. 1970-75; f. 1980-85; g. 1975; h. 1976; i. 1988; j. 1987.

2. COMMERCE EXTÉRIEUR [a]

Indicateur	Unité	1976	1980	1988
Total imports	million $	826	1 577	3 415
Produits agricoles	%	53,0	18,5 [d]	9,8
Dont prod. alimentaires [c]	%	..	14,8 [d]	4,0
Produits manufacturés	%	..	..	..
Total exports	million $	215	399	1 465
Produits agricoles	%	37,7	28,0 [d]	31,2
Dont prod. alimentaires [c]	%	..	10,0 [d]	9,2
Produits manufacturés	%	..	..	..
Principaux fournisseurs	% imports			
URSS		37,3	44,4	67,2
PCD		41,4	29,1	17,4
PVD		15,9	25,4	8,1
Principaux clients	% exports			
URSS		39,3	60,8	43,8
PCD		26,9	15,6	17,0
PVD		27,4	20,3	25,7

a. Marchandises; b. 1987; c. Poisson non compris; d. 1981.

triement a été provoqué par les changements politiques intervenus, le chaos économique et la montée de la xénophobie chez les « camarades de travail européens ». Ces Vietnamiens rapatriés ont donc une opinion assez

3. ÉCONOMIE

Indicateur	Unité	1970	1980	1989
PMN	million $	5200	4891	7630[f]
Croissance annuelle	%	2,6[a]	6,4[b]	3,2
Par habitant	$	122	91	124
Structure du PMN				
Agriculture	% } 100 %	50,3[e]	51,3	56,0[c]
Industrie	% } 100 %	30,1[e]	29,7	21,7[c]
Services	% } 100 %	19,6[e]	19,0	22,3[c]
Dette extérieure	milliard $	..	..	7,7[f]
Taux d'inflation	%	..	..	39,3
Population active	million	20,27	24,93	32,04
Agriculture	% } 100 %	68,6	70,5	73,0[c]
Industrie	% } 100 %	15,2	15,1	13,8[c]
Services	% } 100 %	16,2	14,4	13,2[c]
Dépenses publiques				
Éducation	% PMN	..	..	..
Défense	% PMN	..	..	..
Production d'énergie	million TEC	3,07	5,35	5,85[d]
Consommation d'énergie	million TEC	12,58	6,56	7,40[d]

a. 1975-80; b. 1980-85; c. 1988; d. 1987; e. 1976; f. 1986.

mitigée sur les changements survenus dans les ex-pays socialistes d'Europe.

En dépit de la censure officielle, la *perestroïka* soviétique suscite de nombreux mais discrets commentaires, et ce d'autant plus que les tares du Parti communiste soviétique révélées par la *glasnost* (transparence) — incurie, clientélisme et corruption — peuvent aussi bien s'appliquer au Parti communiste vietnamien. Cependant, à la différence de l'URSS où les mesures de « libéralisation économique » n'ont guère eu d'effets positifs, faute d'entrepreneurs et d'esprit d'entreprise, au Vietnam, même strictement contenues par vigilance idéologique, elles ont eu des effets considérables, notamment dans la partie méridionale (le Sud Vietnam d'avant 1975) : on compte des centaines de milliers de commerçants et d'hommes d'affaires — grands et petits —, des centaines de milliers d'artisans industrieux, des millions de paysans efficaces...

Renforcement de la prééminence du Sud

L'abandon progressif de la collectivisation dans l'agriculture et le rétablissement des exploitations familiales, décidés au milieu des années quatre-vingt, ont entraîné des résultats spectaculaires, surtout sur les riches terres du delta du Mékong, au sud du pays, lorsqu'une certaine liberté des prix, des transactions et des exportations a été autorisée. Alors que depuis des années le Vietnam était cruellement déficitaire et devait même faire appel à l'aide internationale pour faire face aux risques de famine dans certaines de ses provinces, en 1989, il est devenu exportateur de riz (environ 1,4 million de tonnes).

Cette évolution est venue encore renforcer la prééminence économique du Sud sur le Nord. Selon diverses évaluations, la partie sud du

BIBLIOGRAPHIE

AMNESTY INTERNATIONAL, *Viet-Nam. Les droits de l'homme dans les années 80*, AEFAI, Diff. La Découverte, Paris, 1990.

Asia Yearbook 1990, annuaire publié par la *Far Eastern Economic Review*, Hong-Kong, 1990.

CHAPONNIÈRE J.-R., « Bilan des économies du Sud-Est et de l'Est asiatiques en 1988 », *Industrie & développement international*, vol. XXXVII, n° 421, 1989.

Vietnam, avec la moitié de la population totale, compterait pour 70 à 80 % dans le produit national, l'agglomération d'Ho Chi Minh Ville (de plus en plus appelée de son ancien nom, Saïgon) est incontestablement la capitale économique du pays : avec 4,5 millions d'habitants sur un total de 68 millions, elle réalise à elle seule près de 40 % du PNB total du Vietnam.

Non seulement le grand quartier chinois de Cholon a retrouvé ses capitalistes sino-vietnamiens qui avaient dû fuir en 1975-1976, et surtout en 1979, mais les hôtels de l'ex-ville coloniale ont commencé à voir affluer les hommes d'affaires japonais, ou chinois, ces derniers venant de Thaïlande, Taïwan ou Hong Kong. Il s'agit pour eux de commencer à nouer des contacts dans la perspective du démarrage économique qui se produira tôt ou tard et qui fera peut-être du Vietnam un « nouveau dragon industriel » du Sud-Est asiatique.

C'est aussi à Saïgon que reviennent, avec leurs dollars, les *Viet Kieu*, les Vietnamiens de l'étranger, y compris ceux qui avaient pu fuir depuis les années 1978-1979 et qui ont eu la chance d'échapper à la mort qu'ont rencontrée tant de *boat people*. Nombre de ces exilés, grâce à leur acharnement et leur savoir-faire, ont plus ou moins fait fortune à l'étranger et sont accueillis avec intérêt et même une certaine sympathie lorsqu'ils reviennent « en vacances » au pays, pour y consolider des liens familliaux et apporter quelque argent à leurs parents. Toutefois, dans un contexte resté difficile, ces réussites alimentent l'exode de nouveaux *boat people* qui risquent leur vie, espérant être finalement admis dans un pays occidental. Mais pour eux les difficultés sont de plus en plus grandes, c'est ainsi que les autorités britanniques de Hong Kong ont entrepris le rapatriement forcé des réfugiés qui avaient été parqués dans des camps.

Réaction conservatrice

Cet exode ne doit pas conduire à sous-estimer les considérables potentialités économiques du Vietnam comme le prouve indirectement la présence d'hommes d'affaires étrangers à Saïgon. Les affaires et les trafics ont redémarré et beaucoup d'argent circule, d'origines diverses. Les mesures de « libéralisation économique » se seraient davantage développées et le contrôle de l'État et du Parti sur les affaires se serait desserré si l'écrasement des manifestations démocratiques sur la place Tien An Men, à Pékin, en juin 1989, n'avaient pas fourni des arguments aux conservateurs du Parti communiste vietnamien. Ceux-ci ont pu encore une fois l'emporter sur les réformateurs, en brandissant la menace de la subversion et du chaos. Ces conservateurs sont d'autant plus puissants qu'ils s'appuient sur un véritable clan politique dirigé par Le Duc Tho, le célèbre négociateur avec Kissinger des accords qui mirent fin, en 1972, à l'intervention américaine au Vietnam. Mais Le Duc Tho, fort âgé, n'est pas éternel, et les échos de la *perestroïka* parviennent au Vietnam, y compris dans l'armée et dans l'Association des vétérans de la guerre patriotique...

Yves Lacoste

Égypte. Stabilisation ou stagnation?

En 1989, l'Égypte s'est retrouvée confrontée aux mêmes difficultés économiques et financières qui l'avaient poussée en 1986-1987 sous les fourches caudines du FMI pour obtenir un premier rééchelonnement de sa dette. On a enregistré une nouvelle dégradation de la balance des paiements, dont le déficit évalué par le FMI à près de 8 milliards de dollars pour 1989 a porté la dette extérieure à près de 50 milliards de dollars. Un certain nombre de facteurs expliquent cette nouvelle dégradation. Alors même que les autorités annoncent une reprise de la croissance à 5,6 % pour 1989-1990, celle-ci a été contestée par le FMI qui considérait qu'elle était restée négative. L'évolution des principaux secteurs productifs est demeurée décevante, et la « tertiarisation » de l'économie égyptienne (52,1 % du PIB en 1988-1989) s'est confirmée. Dans le secteur agricole, malgré de substantielles augmentations des prix d'achat aux paysans (+40 % pour le coton, +50 % pour le blé), la production n'a progressé que de 2,4 % en 1988-1989. Dans l'industrie, où les autorités ont annoncé une croissance de 7 %, seuls le textile et l'habillement ont fait preuve d'un véritable dynamisme. Stagnation également dans le secteur pétrolier où la décroissance de la production s'est accusée (42,8 millions de tonnes en 1988-1989, soit 755 millions de dollars de recettes), et pour les recettes du canal de Suez qui semblent avoir atteint un plafond (1,4 milliard de dollars en 1989). Seul le tourisme a continué à enregistrer des résultats satisfaisants (+13,2 % pour le premier semestre de 1989 par rapport à la même période de l'année précédente).

« Réajustements » de l'économie

Confronté à l'effritement de son crédit international — pour la première fois, en juin 1989, l'Égypte a été contrainte de procéder à des

ÉGYPTE

République arabe d'Égypte.
Capitale : Le Caire.
Superficie : 1 001 449 km² (1,8 fois la France).
Monnaie : livre (au taux officiel, 1 livre = 5,13 FF au 30.4.90).
Langue : arabe.
Chef de l'État : Hosni Moubarak, président de la République (depuis le 6.10.81).
Premier ministre : Atef Sidki (depuis le 11.11.87).
Nature de l'État : république.
Nature du régime : présidentiel.
Principaux partis politiques : *Gouvernement :* Parti national démocratique. *Opposition légale :* Néo-Wafd (libéral); Parti socialiste du travail (populiste); Rassemblement progressiste unioniste (marxistes et nassériens de gauche). *Tolérés :* Parti nassérien « en voie de constitution »; les Frères musulmans non autorisés à constituer un parti politique, ni à se reconstituer comme association, participent à la vie politique formelle sous le couvert du Parti du travail. *Illégaux :* Parti communiste égyptien; al-Jihad (islamiste).
Carte : p. 287.
Statistiques : voir aussi p. 288.

ÉGYPTE

1. DÉMOGRAPHIE, CULTURE, ARMÉE

	Indicateur	Unité	1970	1980	1989
Démographie	Population	million	33,05	41,52	53,08
	Densité	hab./km²	33,0	41,5	53,0
	Croissance annuelle	%	2,1 [a]	2,7 [b]	2,6 [c]
	Mortalité infantile	‰	158	108	85 [c]
	Espérance de vie	année	50,9	56,9	60,6 [c]
	Population urbaine	%	42,2	44,7	48,3
Culture	Analphabétisme	%	56,5 [f]	..	53 [d]
	Nombre de médecins	‰ hab.	..	..	0,20 [e]
	Scolarisation *12-17 ans*	%	32,7	44,2	61,0
	3e degré	%	11,0	17,6	20,0 [d]
	Postes tv	‰	16	34	83 [d]
	Livres publiés	titre	2 142	1 680	1 276 [d]
Armée	Marine	millier d'h.	14	20	18
	Aviation	millier d'h.	20	27	30
	Armée de terre	millier d'h.	250	320	320

a. 1965-75; b. 1975-85; c. 1985-90; d. 1987; e. 1985; f. 1976.

2. COMMERCE EXTÉRIEUR [a]

Indicateur	Unité	1970	1980	1989
Commerce extérieur	% PIB	11,0	17,9	18,2 [b]
Total imports	milliard $	0,8	4,9	7,4
Produits agricoles	%	31,5	38,8	26,2 [b]
Métaux et produits miniers [d]	%	9,1	9,2	7,5 [c]
Produits manufacturés	%	49,9	51,1	57,0 [c]
Total exports	milliard $	0,8	3,0	2,6
Pétrole	%	4,8	64,2	32,0 [b]
Coton	%	44,7	13,9	8,0 [b]
Autres produits agricoles	%	22,9	8,5	24,7 [b]
Principaux fournisseurs	% imports			
États-Unis		5,8	19,3	18,9 [b]
CEE		32,9	42,0	34,9 [b]
CAEM		29,4	8,9	15,3 [b]
Principaux clients	% exports			
États-Unis et Japon		4,0	10,1	10,1 [b]
CEE		14,0	47,4	43,0 [b]
CAEM		57,0	11,2	22,7 [b]

a. Marchandises; b. 1988; c. 1987; d. Produits énergétiques non compris.

achats de blé au comptant —, le gouvernement a adressé au FMI, en juillet 1989, un mémorandum sur sa politique et a mis en œuvre un certain nombre de mesures allant dans le sens des exigences de cette institu-

3. ÉCONOMIE

Indicateur	Unité	1970	1980	1989
PNB	milliard $	7,60	20,72	32,93 [c]
Croissance annuelle	%	4,9 [a]	6,9 [b]	5,0
Par habitant	$	230	490	640 [c]
Structure du PIB				
Agriculture	% } 100 %	29,4	18,2	21,1 [c]
Industrie	% } 100 %	28,2	36,8	24,9 [c]
Services	% } 100 %	42,4	44,9	54,0 [c]
Dette extérieure	milliard $	1,7	21,0	50,0 [c]
Taux d'inflation	%	3,8	20,7	28,5 [f]
Population active	million	9,17	11,30	14,21
Agriculture	% } 100 %	52,0	45,7	36,3 [d]
Industrie	% } 100 %	16,4	20,2	20,4 [d]
Services	% } 100 %	31,6	34,1	43,3 [d]
Dépenses publiques				
Éducation	% PIB	4,8	4,9 [e]	5,5 [d]
Défense	% PIB	18,1	7,2	9,8 [c]
Production d'énergie	million TEC	24,5	46,0	72,7 [d]
Consommation d'énergie	million TEC	8,7	20,1	33,8 [d]

a. 1965-75; b. 1975-85; c. 1988; d. 1987; e. 1981; f. Décembre à décembre.

tion : doublement des tarifs ferroviaires, augmentation de 40 % des produits pétroliers (sauf l'essence, majorée de 33 % en mai 1988), de 30 % de l'électricité, augmentation des taxes sur les cigarettes et doublement des droits de timbrage, ajustement sur le taux du marché des taux de change utilisés pour le calcul des droits de douane, retrait du thé de la liste des produits subventionnés et abandon du pain à 2 piastres, son prix passant à 5 piastres. Surtout, le taux de change pratiqué par la Banque centrale pour calculer les recettes du Canal et les exportations de coton et de pétrole et financer les importations de produits alimentaires a été dévalué de 70 à 110 piastres pour un dollar (256 sur le marché « libre »). Par ailleurs, le budget 1989-1990 a prévu une réduction de près de moitié du déficit qui avait atteint, selon le FMI, 13,4 milliards de dollars au cours de l'exercice précédent. Un tel résultat, au printemps 1990, semblait déjà irréaliste. Le principal conflit avec le FMI est resté la question des taux d'intérêt : légèrement majorés en mai 1989 (+2 % pour les taux débiteurs, entre 0,5 et 3 % pour les taux créditeurs), ils sont restés très largement inférieurs à l'inflation (21 % en 1988-1989).

Après la promulgation de la *loi 146* de juin 1988, le gouvernement a largement remporté la partie de « bras de fer » engagée avec les sociétés islamiques d'investissement. Celles-ci ont, pour la plupart, choisi de rentrer dans le rang, à l'exception notable d'al-Rayyan qui, ayant refusé de rapatrier ses considérables avoirs à l'étranger, fait figure de bouc émissaire pour toutes les irrégularités accumulées par ces sociétés. Cette remise en ordre s'est traduite, pour des milliers de petits épargnants, par la perte de leurs avoirs et par le fait que le problème de la mobilisation de l'épargne flottante, en particulier celle des travailleurs émigrés, est resté entier. Les avoirs

BIBLIOGRAPHIE

AMNESTY INTERNATIONAL, *Égypte. État d'urgence : le droit et le fait*, AEFAI, Diff. La Découverte, Paris, 1989.

CHEVALLIER A., KESSLER V., *Économies en développement et défis démographiques*, Algérie-Égypte-Maroc-Tunisie, La Documentation française, Paris, 1989.

« Égypte, Recompositions », *Peuples méditerranéens*, n° 41-42, Paris, oct. 1987.

« Égypte : Années 80. Éléments pour un bilan de l'"ouverture" », *Revue Tiers-Monde*, t. XXXI, n° 21, Paris, janv. 1990.

« Égypte 1990 : enjeux de société », *Maghreb-Machrek*, n° 127, La Documentation française, Paris, 1er trim. 1990.

HINNEBUSH R.A., *Egyptian Politics under Sadate. The Post-Populist Development of an Authoritarian Modernizing State*, Cambridge, 1985.

« Islam et institutions au Maghreb et en Égypte », *Maghreb-Machrek*, n° 126, La Documentation française, Paris, 3e trim. 1989. *Revue de Presse Hebdomadaire*, CEDEJ, Le Caire.

RUF T., *Histoire contemporaine de l'agriculture égyptienne : essai de synthèse*, ORSTOM, Paris, 1988.

des Égyptiens à l'étranger auraient ainsi dépassé 4 milliards de dollars, et près de 56 % des dépôts en devises reçus par les banques commerciales auraient été placés à l'étranger, privant le marché des changes et l'économie égyptienne de milliards de dollars. A cela s'ajoute le fait que la nouvelle loi sur les investissements, annoncée comme un pas décisif pour la « libéralisation » de l'économie, maintient dans toute leur pesanteur l'essentiel des contrôles bureaucratiques.

En définitive, les autorités égyptiennes ne peuvent que se féliciter de la patience avec laquelle la population a semblé supporter les « réajustements » de l'économie et la dégradation de son pouvoir d'achat, non compensée par les augmentations salariales (environ 15 % en 1989) : l'année 1989 a été exceptionnellement « calme » et n'a pas connu les grèves et autres soubresauts sociaux qui avaient émaillé les années précédentes.

Après la création, en février 1989, du Conseil de coopération arabe (CCA), regroupant l'Égypte, l'Irak, la Jordanie et le Yémen du Nord ; après sa réintégration dans la Ligue arabe, lors du sommet réuni à Casablanca en 1989 ; après sa « réconciliation » avec la Libye et la Syrie, avec laquelle des relations diplomatiques ont été renouées en janvier 1990, et alors que l'Égypte exerce la présidence de l'OUA (Organisation de l'unité africaine), l'année 1989 aurait pu être une année faste pour la diplomatie du Caire, n'était l'intransigeance d'Israël qui a continué à faire la sourde oreille à toutes ses propositions de règlement de la question palestinienne. Si l'évacuation de l'enclave de Taba, en mars 1989, est apparue comme un incontestable succès pour sa politique étrangère, le président Hosni Moubarak n'a pas réussi à faire avancer le projet de convocation d'une conférence internationale sur le Proche-Orient et a dû se replier sur le soutien au « plan Baker » prévoyant des élections dans les territoires occupés, ce qui réduisait, de fait, le rôle de l'Égype à tenter de jouer les « bons offices » entre Palestiniens et Israéliens.

Signes inquiétants pour le système politique

Au plan intérieur, l'année 1989 est apparue comme celle d'une tentative de « normalisation » politique. Alors que l'agitation islamiste a semblé marquer le pas et que l'affaire des sociétés islamiques d'investissement a — gravement ? — déconsidéré l'ensemble du courant islamique, le président Moubarak s'est successivement « débarrassé » des deux principaux « hommes forts » de son régime : le maréchal Abou Ghazala, ministre de la Défense, « promu » en avril 1989 conseiller présidentiel, dont le rôle présumé dans une affaire d'acquisition illégale d'éléments de missiles américains par l'Égypte avait vivement irrité les États-Unis et qui faisait obstacle à toute tentative de reprise de contrôle de l'armée par l'État ; et le général Zaki Badr, ministre de l'Intérieur, limogé en janvier 1990, qui, par ses excès langagiers et répressifs — on a continué à parler de torture dans les prisons égyptiennes —, était devenu la « bête noire » de toute l'opposition égyptienne, pour laquelle la principale revendication demeure, plus que jamais, la levée de l'état d'urgence.

Le système politique égyptien continue de présenter d'inquiétants « dysfonctionnements ». A la suite d'un jugement déclarant inconstitutionnel le mode d'élection du Conseil consultatif (*majlis al-choura*), celui-ci a été dissous le 23 mars et de nouvelles élections, boycottées par les partis du Wafd et du Rassemblement progressiste unioniste, ont donné le 8 juin 142 sièges sur 153 au PND (Parti national démocratique). Taux officiel de participation : 59,7 % — en fait sans doute trois fois moins. Entre-temps, l'annulation par le tribunal administratif de l'élection de 39 députés de l'Assemblée du peuple pour d'obscures raisons constitutionnelles — annulation rejetée par l'Assemblée elle-même au nom de sa souveraineté — a traduit d'étranges interactions entre le judiciaire et le politique. Le paradoxe est que toute cette agitation institutionnelle et partisane n'a guère concerné la population, peu sensible au spectacle donné par ceux qui prétendent la représenter.

Alain Roussillon

Algérie. Succès électoral des islamistes

Le succès électoral des intégristes du Front islamique du salut (FIS) et l'effondrement du Front de libération nationale (FLN) sont les deux événements politiques qui, l'un découlant de l'autre, ont marqué l'année 1990. La révolte de la jeunesse en octobre 1988 avait dynamité près de trente ans de dictature du parti unique, contraignant le chef de l'État Chadli Bendjedid à promettre des « réformes » qui allaient changer le paysage politique algérien. En février 1989, une nouvelle Constitution entérinait ainsi le multipartisme.

Seize mois plus tard, le 12 juin 1990, les premières élections libres de l'Algérie indépendante faisaient l'effet d'un coup de tonnerre. Sauf dans les grandes villes, la bipolarisation aura été la règle compte tenu de l'appel au boycottage lancé par le FFS (Front des forces socialistes) de Hocine Aït-Ahmed et par le MDA (Mouvement pour la démocratie en Algérie) d'Ahmed Ben Bella. Le FIS s'est emparé de toutes les grosses concentrations urbaines, parvenant aussi à s'implanter dans les villes moyennes et dans les campagnes. Les islamistes ont ainsi obtenu 54,25 % des voix des votants pour les municipales et 57,44 % pour les assemblées de willayas contre 28,13 % et 27,53 % au FLN. Le nombre important des abstentions — officiellement 35,86 % — a notamment souligné que cette bipolarisation a été vécue comme un choix impossible entre la peste et le choléra. Les

ALGÉRIE

1. DÉMOGRAPHIE, CULTURE, ARMÉE

	Indicateur	Unité	1970	1980	1989
Démographie	Population	million	13,75	18,67	24,60
	Densité	hab./km²	5,8	7,8	10,3
	Croissance annuelle	%	3,0 [a]	3,1 [b]	3,1 [c]
	Mortalité infantile	‰	139,2	97,6	74 [c]
	Espérance de vie	année	52,4	58,0	62,5 [c]
	Population urbaine	%	39,5	41,2	44,3
Culture	Analphabétisme	%	73,6 [g]	55,3 [h]	46 [d]
	Nombre de médecins	‰ hab.	0,13	0,36	0,43 [e]
	Scolarisation *12-17 ans*	%	30,8	47,7	62,3
	3e degré	%	1,9	6,2	9,4 [d]
	Postes tv	‰	31 [i]	52	70 [d]
	Livres publiés	titre	289 [f]	275	718 [e]
Armée	Marine	millier d'h.	2	4	6,5
	Aviation	millier d'h.	2	7	12,0
	Armée de terre	millier d'h.	53	90	120,0

a. 1965-75; b. 1975-85; c. 1985-90; d. 1987; e. 1984; f. 1968; g. 1971; h. 1982; i. 1975.

2. COMMERCE EXTÉRIEUR [a]

Indicateur	Unité	1970	1980	1989
Commerce extérieur	% PIB	24,4	29,1	19,2
Total imports	milliard $	1,3	10,8	8,6
Produits agricoles	%	16,6	24,2	33,7 [b]
Produits miniers et métaux	%	7,9	9,5	8,9 [c]
Produits industriels	%	73,3	63,9	57,8 [c]
Total exports	milliard $	1,0	13,9	8,9
Produits agricoles	%	20,5	0,9	0,4 [b]
Pétrole et gaz	%	70,5	98,5	94,7 [b]
Autres produits miniers	%	2,5	0,2	1,7 [b]
Principaux fournisseurs	% imports			
CEE		72,0	67,9	59,0 [b]
— dont France		42,4	23,2	21,4 [b]
États-Unis		8,0	7,1	10,0 [b]
Principaux clients	% exports			
CEE		80,2	43,4	62,0 [b]
— dont France		53,5	13,4	13,8 [b]
États-Unis		0,8	48,1	21,8 [b]

a. Marchandises; b. 1988; c. 1987.

« indépendants » ont remporté pour leur part 11,66 % des voix, le Rassemblement pour la culture et la démocratie (RCD) 2,08 % et le Parti national de la solidarité et du développement (PNSD),

3. ÉCONOMIE

Indicateur	Unité	1970	1980	1989
PIB	milliard $	4,9	36,2	55,9
Croissance annuelle	%	4,4[a]	6,2[b]	2,8
Par habitant	$	360	1 940	2 273
Structure du PIB				
Agriculture	% } 100 %	10,1	8,0	11,3[c]
Industrie	% } 100 %	38,5	53,8	42,3[c]
Services	% } 100 %	51,4	38,3	46,3[c]
Dette extérieure	milliard $	0,9	19,2	24,9[c]
Taux d'inflation	%	6,6	9,5	9,2[f]
Population active	million	2,95	4,05	5,61
Agriculture	% } 100 %	47,4	31,2	26,9[e]
Industrie	% } 100 %	21,3	26,8	32,1[e]
Services	% } 100 %	31,3	42,0	41,0[e]
Dépenses publiques				
Éducation	% PIB	7,8	7,8	9,8[d]
Défense	% PIB	7,0	2,8	1,9
Production d'énergie	million TEC	72,5	102,1	123,8[d]
Consommation d'énergie	million TEC	5,1	24,8	33,3[d]

a. 1965-75; b. 1975-85; c. 1988; d. 1987; e. 1985; f. Décembre à décembre.

1,64 %. La participation a été très faible en Kabylie (20 %).

Le rejet plus fort que la peur

L'Algérie n'a pas pour autant sombré dans l'intégrisme. En raison de son caractère local ce scrutin ne remettait pas immédiatement en cause l'équilibre institutionnel du pays. On a assisté avant tout à un vote-sanction contre le FLN, symbole d'un pouvoir et d'un régime usés jusqu'à la corde. Le vote FIS a exprimé le comportement oppositionnel de toute la rue algérienne. Celle-ci n'a pas tant opté *pour* un projet religieux, que *contre* un système jugé « illégitime », « corrompu » et indifférent aux préoccupations quotidiennes de la population. Bénéficiant d'un vide politique de trois décennies qui les a fait apparaître comme les « repreneurs » d'un pouvoir déliquescent, les islamistes étaient devenus en effet les seuls dépositaires d'un discours politique et social contestataire et radical, voire d'une certaine utopie solidariste et du populisme véhiculé hier par l'ex-parti unique.

Le FLN, en fermant les yeux sur les actes d'intolérance et les exactions des islamistes, voire en les manipulant, croyait tirer profit de la peur qu'ils inspiraient. C'est le contraire qui s'est produit, le rejet de la politique menée depuis l'indépendance se révélant plus fort encore que cette peur.

Les dissensions internes qui ont continué à miner l'ex-parti unique ne l'ont par ailleurs pas aidé à affronter le FIS. En septembre 1989, le chef de l'État, Chadli Bendjedid limogeait le Premier ministre Kasdi Merbah qui fut pendant quatorze ans le chef de la redoutable Sécurité militaire, et était accusé de ralentir l'application des réformes. Mais la

BIBLIOGRAPHIE

AÏT-AHMED H., *L'Affaire Mécili*, La Découverte, Paris, 1989.

« Algérie 89 », *Économie et Humanisme*, n° 309, Lyon, sept.-oct. 1989.

BALTA P., *Le Grand Maghreb. Des indépendances à l'an 2000*. La Découverte, Paris, 1990.

BURGAT F., *L'Islamisme au Maghreb. La Voix du Sud*, Karthala, Paris, 1988.

CHEVALIER A., KESSLER V., *Économies en développement et défis démographiques, Algérie-Égypte-Maroc-Tunisie*, La Documentation française, Paris, 1989.

EVENO P., PLANCHAIS J., *La Guerre d'Algérie*, La Découverte-Le Monde, Paris, 1989.

« France-Algérie, les blessures de l'histoire » (dossier), *Esprit*, n° 5, Paris, mai 1990.

« L'Algérie à l'heure des choix » (dossier constitué par M.-C. Cosse et Z. Daoud), *Maghreb-Machrek*, n° 124, La Documentation française, Paris, 2e trim. 1989.

LAMCHICHI A., *Islam et contestations au Maghreb*, L'Harmattan, Paris, 1990.

RADIO BEUR, *Octobre à Alger*, Le Seuil, Paris, 1988.

ROUADJIA A., *Les Frères et la Mosquée. Enquête sur le mouvement islamiste en Algérie*, Karthala, Paris, 1990.

Voir aussi la bibliographie « Afrique du Nord » dans la section « 33 ensembles géopolitiques ».

nomination pour lui succéder de Mouloud Hamrouche, un technocrate compétent, fidèle de Chadli, ayant joué un rôle de premier plan dans l'élaboration des réformes mais ne possédant pas l'autorité nécessaire pour les faire appliquer, n'a pas suffi à rompre avec la logique d'un FLN parti hégémonique, sinon unique.

Les grandes marches du printemps

Cette nomination n'a pas empêché davantage la poursuite des sempiternelles luttes de pouvoir. De retour au Comité central du parti, à l'occasion de son VIe congrès en novembre 1989, les « barons » de l'ère boumediéniste ont mené la vie dure à Chadli et à son gouvernement, contestant un Bureau politique dont ils étaient exclus, et réclamant pour certains le retour de l'ancien président Ahmed Ben Bella. Un débat souvent dérisoire car se déroulant entre des hommes totalement coupés de la masse de ceux qui peuvent voter, se mobiliser ou provoquer une explosion dans le pays.

Le succès d'une marche du FLN, le 17 mai, qui réunit quelque 200 000 personnes ramenées de tout le pays par trains, bus, avions et même bateaux, a pu abuser ses responsables. Cette marche était l'avant-dernière d'une série qui a marqué le premier semestre de 1990 ; la rue devenant en quelque sorte un institut de sondage grandeur nature. En effet, le 8 mars, 5 à 6 000 femmes manifestaient dans les rues d'Alger pour réclamer l'abrogation du code de la famille et l'égalité des droits avec les hommes. Le 20 avril, le FIS organisait une démonstration de force devant la présidence de la République, exigeant la dissolution de l'Assemblée nationale populaire et des élections législatives dans les trois mois. Ce rassemblement impressionna plus par sa discipline paramilitaire et son silence mortuaire que par son nombre (de 60 000 à 70 000 personnes). Le FLN y perdait encore de son crédit en annulant, par crainte de ne pas tenir la comparaison, la manifestation qu'il avait convoquée le même jour. Le 10 mai, 80 000 personnes — dont plus d'un tiers de femmes — marchaient à Alger contre la violence, l'intolérance et pour la démocratie, à l'appel de quatre partis dont le RCD et le PAGS (Parti de l'avant-garde socialiste). Aidée par un soutien médiatique considérable, cette marche a en tout état de cause marqué l'éveil de la société civile algérienne et sa volonté de ne pas laisser les intégristes décider à sa place. Le 31 mai enfin, Hocine Aït-Ahmed, un des neuf « chefs historiques » de la révolution algérienne, rentré en Algérie après 23 ans d'exil le 15 décembre 1989, organisait la plus grande de ces démonstrations. Plus de 400 000 personnes défilaient dans la capitale réclamant l'élection d'une Assemblée nationale constituante, l'abrogation du code de la famille et la dissolution de la police politique.

Vide du pouvoir

Au début de l'été 1990, la situation demeurait encore très incertaine. Le vide du pouvoir semblait total : il avait fallu attendre six jours la première réaction officielle — celle du Bureau politique du FLN — au succès électoral du FIS, dans des termes montrant le désarroi du pouvoir et l'atmosphère de règlements de compte régnant au sommet de l'État. Jusqu'à quand Chadli pourrait-il repousser les élections législatives anticipées exigées par le FIS? Jusqu'à quand le leader de ce mouvement, Abassi Madani, tiendrait-il ses troupes chauffées à blanc par le discours enflammé du « numéro deux » du parti, le jeune et très radical Ali Bel Hadj ?

Le sort du FLN apparaissait problématique. Devenu une lourde machine bureaucratique sans militants dont les dirigeants ont été éclaboussés par de multiples scandales financiers, il a montré son incapacité à se rénover (selon l'ancien Premier ministre Abdelhamid Brahimi, les pots-de-vin liés aux opérations économiques ont atteint 26 milliards de dollars au cours des années quatre-vingt).

ALGÉRIE

République algérienne démocratique et populaire.

Capitale : Alger.

Superficie : 2 381 741 km² (4,4 fois la France).

Monnaie : dinar (au taux officiel, 1 dinar = 0,70 FF au 30.4.90).

Langues : arabe (langue nationale), berbère, français.

Chef de l'État : Chadli Bendjedid, président, réélu le 22 décembre 1988 pour un mandat de 5 ans.

Premier ministre (au 5.7.90) : Mouloud Hamrouche, qui a remplacé Kasdi Merbah le 10.9.89.

Nature de l'État : république démocratique et populaire; l'islam est religion d'État.

Échéances institutionnelles : l'échéance normale du mandat législatif est fixée à avril 1992.

Nature du régime : présidentiel. La nouvelle Constitution adoptée le 4.2.89, qui prévoit le multipartisme, a supprimé toute référence au socialisme.

Principaux partis politiques : *Gouvernement* : Front de libération nationale (FLN), parti unique de 1962 à 1989. *Nouveaux partis* : à la suite de la loi instaurant le multipartisme, plus de vingt partis ont été agréés : Front islamique de salut (FIS); Front des forces socialistes (FFS), animé par H. Aït-Ahmed; Mouvement pour la démocratie en Algérie (MDA), animé par A. Ben Bella; Rassemblement pour la culture et la démocratie (RCD); Parti de l'avant-garde socialiste (PAGS, communiste); Parti national de la solidarité et de développement (PNSD); Parti du renouveau algérien (PRA)...

Carte : p. 241.

Statistiques : voir aussi p. 242.

Quelle allait être enfin l'attitude de l'armée qui, en mars 1989, s'était « retirée de la scène politique » ? Le 4 février 1990, elle est sortie une première fois de son mutisme pour dire sa détermination à « intervenir pour défendre la démocratie naissante » si besoin en était. Prise à partie par les islamistes en mai 1990, elle a mis en garde les autorités contre toute tentation de partager le pouvoir avec le FIS et s'est posée comme l'ultime recours de la démocratie « face aux menaces des intégristes ». Mais quelle est l'influence de ces derniers chez les sous-officiers et dans le contingent ?

Deux autres paris d'importance ont par ailleurs été lancés : la mobilisation de la majorité silencieuse et la création d'un pôle susceptible de reprendre au FIS ses électeurs occasionnels et de contester à ce dernier le monopole de l'opposition qui lui permettait de rallier tous les mécontents.

Engagement dans le libéralisme économique

La victoire électorale des islamistes aura presque fait oublier que, dans le domaine économique, l'année 1989 et le premier trimestre 1990 ont été la période où l'Algérie s'est engagée dans la voie du libéralisme, après trois décennies de socialisme étatique. Le 26 mars 1990, l'Assemblée nationale populaire adoptait la fameuse « loi sur la monnaie et le crédit » qui ouvrait l'Algérie aux capitaux étrangers. Pièce maîtresse d'une réforme économique à long terme, cette loi complétait tout un dispositif légal prévoyant l'autonomie des entreprises publiques, la levée des monopoles d'importation, la libération partielle des prix, la privatisation de l'agriculture et la « loi sur les relations de travail » qui autorise les licenciements.

Constituant un bouleversement radical, ces lois, peu en prise sur la réalité, n'ont cependant pas apporté d'amélioration tangible pour la population, en même temps qu'elles ont désorganisé le système en place. Leur application technocratique trop rigide, le fait que l'équipe de la réforme se compose plus de technocrates croyant avant tout à la vertu du texte que de managers ou de politiques ont même provoqué de sérieux dysfonctionnements. La lutte contre le *trabendo* — marché parallèle — déclenchée en mai 1989 pour « assainir le marché » en a constitué probablement l'exemple le plus caricatural : son application sans nuances a fait des ravages — sans doute aussi électoraux — dans un pays où les pénuries contraignent *tous* les Algériens à recourir à ce trafic qui pallie les faiblesses et les carences de l'économie. Le pays est en effet plongé dans une crise économique sans précédent : le taux de chômage a dépassé les 22 % en 1989, le service de la dette extérieure, évaluée à 23 milliards de dollars, a absorbé les trois quarts de la valeur des recettes d'exportation. Par ailleurs, le système éducatif génère 200 000 à 300 000 exclus par an et l'instabilité politique risque de décourager les investisseurs étrangers et de fournir un argument supplémentaire aux banques étrangères pour ne pas concéder les prêts supplémentaires nécessaires au remboursement de la dette.

Face à des islamistes qui prospèrent sur la crise économique et sociale et recrutent en palliant matériellement les carences de l'État et des services publics, le vide du pouvoir, son incapacité à redonner confiance à la population et les incessantes luttes d'appareil demeuraient, après le coup de semonce électoral, le danger le plus grave qui menaçait l'Algérie.

José Garçon

Maroc.
L'enjeu des droits de l'homme

En participant à la création de l'Union du Maghreb arabe (UMA), le 17 février 1989, le Maroc donnait le sentiment de pouvoir dépasser ses problèmes internes et régionaux. Ensuite, ceux-ci ont repris de l'ampleur. La consolidation de l'UMA a été rendue difficile, notamment par la résurgence du problème du Sahara occidental. Mécontent de n'avoir pu continuer les négociations directes avec le roi Hassan II, le Front Polisario a déclenché, de septembre à novembre 1989, cinq attaques meurtrières. Malgré une trêve de fait et deux missions de l'ONU, en mars 1990, le problème est revenu au point mort. Néanmoins, une relance maghrébine a été timidement opérée par le sommet de janvier 1990 à Tunis, durant lequel les différends algéro-marocains ont été à nouveau aplanis : on a reparlé du gazoduc algéro-marocain vers l'Espagne, de la circulation des personnes et des biens (800 000 Algériens se sont rendus au Maroc en 1989), des transports, des échanges et de la parité des monnaies. Mais l'édification d'un ensemble régional reste dépendante des situations intérieures, en particulier de la conquête des pouvoirs locaux par les islamistes (élections du 12 juin 1990) en Algérie qui suscite l'inquiétude du Maroc.

Si, en 1988, les équilibres économiques avaient été rétablis et la croissance satisfaisante, ils se sont dégradés en 1989. La Loi de finances 1990 a dû être révisée à la baisse, du fait d'un déficit budgétaire de 600 millions de dollars, d'un doublement du déficit de la balance des paiements (18 milliards de dirhams au lieu de 9) et d'une chute de la croissance de 8,5 % (2 % en 1989 au lieu des 10,5 % prévus). Une loi rectificative a été adoptée en avril 1990 qui a introduit une réduction de 15 % des dépenses d'investissement, une baisse des dépenses de fonctionnement et, surtout, une nouvelle dévaluation de 9,25 % du dirham.

MAROC

Royaume du Maroc.
Capitale : Rabat.
Superficie : 450 000 km², sans le Sahara occidental (0,82 fois la France).
Monnaie : dirham (au taux officiel, 1 dirham = 0,70 FF au 30.4.90).
Langues : arabe (dialectal) et berbère (trois dialectes différents).
Chef de l'État : Hassan II (roi depuis le 10.2.61).
Premier ministre : Azzedine Laraki (depuis le 12.3.86).
Échéance électorale : le Parlement, qui devait être renouvelé en 1990, a été reconduit jusqu'en 1992.
Nature de l'État : monarchie absolue de droit divin.
Nature du régime : monarchie constitutionnelle.
Principaux partis politiques : *Gouvernement :* Union constitutionnelle; Rassemblement national des indépendants; Parti national démocratique; Mouvement populaire. *Opposition légale :* Istiqlal; Union socialiste des forces populaires (USFP); Parti du progrès et du socialisme; Organisation de l'action démocratique et populaire (OADP). *Opposition clandestine :* Ilal Amam (En avant), organisations marxistes-léninistes; différents mouvements islamiques dont Adl Walihsan et le Mouvement des *moudjahidin* du Maroc (MMM).
Carte : p. 241.
Statistiques : voir aussi p. 242.

MAROC

1. DÉMOGRAPHIE, CULTURE, ARMÉE

	Indicateur	Unité	1970	1980	1989
Démographie	Population	million	15,3	19,4	24,5
	Densité	hab./km²	34,0	44,6	54,5
	Croissance annuelle	%	2,6 [a]	2,5 [b]	2,6 [c]
	Mortalité infantile	‰	128,4	102,2	82 [c]
	Espérance de vie	année	51,6	57,0	60,7 [c]
	Population urbaine	%	34,6	41,3	47,8
Culture	Analphabétisme	%	78,6 [e]	70,7	64,0 [d]
	Nombre de médecins	‰ hab.	0,08	••	0,21 [d]
	Scolarisation *12-17 ans*	%	24,2	38,9	38,0
	3e degré	%	1,5	6,0	9,8 [d]
	Postes tv (L)	‰	11	39	56 [d]
Armée	Marine	millier d'h.	1,0	4,5	6,5
	Aviation	millier d'h.	4,0	7,0	16
	Armée de terre	millier d'h.	45	105	170

a. 1965-75; b. 1975-85; c. 1985-90; d. 1987; e. 1971.

2. COMMERCE EXTÉRIEUR [a]

Indicateur	Unité	1970	1980	1989
Commerce extérieur	% PIB	15,3	18,8	19,1
Total imports	milliard $	0,68	4,25	5,10
Produits énergétiques	%	5,5	23,6	13,8 [c]
Produits agricoles	%	28,8	26,3	17,7 [c]
Produits industriels	%	55,7	40,7	61,3 [c]
Total exports	milliard $	0,49	2,44	3,70
Engrais [b]	%	24,5	32,8	47,3 [c]
Agrumes	%	14,4	10,6	5,5 [c]
Produits industriels	%	11,9	20,6	36,2 [c]
Principaux fournisseurs	% imports			
CEE		60,2	53,7	51,8 [c]
— dont France		31,0	25,0	22,4 [c]
États-Unis		11,3	6,5	7,0 [c]
Principaux clients	% exports			
CEE		73,2	63,8	55,0 [c]
— dont France		37,0	25,6	26,4 [c]
CAEM		8,5	11,7	3,4 [c]

a. Marchandises; b. Y compris matières premières; c. 1988.

N'était l'accord passé, pour la réduction de sa dette extérieure, avec les banques créancières dans le cadre du plan Brady, des coupes financières plus importantes auraient dû être envisagées, qui auraient encore aggravé une situation sociale tendue.

3. ÉCONOMIE

Indicateur	Unité	1970	1980	1989
PIB	milliard $	3,98	18,03	23,25
Croissance annuelle	%	4,8[a]	3,9[b]	3,0
Par habitant	$	260	930	950
Structure du PIB				
Agriculture	% } 100 %	19,9	18,4	17,1[c]
Industrie	% } 100 %	27,0	30,9	34,1[c]
Services	% } 100 %	53,1	50,6	48,8[c]
Dette extérieure	milliard $	0,75	9,7	20,8
Taux d'inflation	%	1,3	9,4	4,7[f]
Population active	million	4,05	5,69	7,58
Agriculture	% } 100 %	57,7	45,6	41,1[e]
Industrie	% } 100 %	17,0	25,0	25,7[e]
Services	% } 100 %	25,3	29,4	33,2[e]
Dépenses publiques				
Éducation	% PIB	3,6	6,4	8,3[d]
Défense	% PIB	2,1	7,0	5,2
Production d'énergie	million TEC	0,7	1,0	1,0[d]
Consommation d'énergie	million TEC	2,9	6,4	7,8[d]

a. 1965-75; b. 1975-85; c. 1988; d. 1987; e. 1985; f. Décembre à décembre.

La « subversion » d'Amnesty International

Sur le plan politique, la stabilité du régime de Hassan II, au pouvoir depuis 1961, demeure certaine. Pourtant, des mouvements estudiantins, dans les facultés de Casablanca, Fès et Marrakech, en mai 1989 et en février 1990, des arrestations d'islamistes de la tendance *al Adl wal ihsan* (Justice et bienfaisance) de Abdallah Yacine, en décembre 1989 et janvier 1990, et le problème des droits de l'homme ont montré que certains feux continuaient de couver sous la cendre.

Dans son rapport annuel sur le respect des droits de l'homme dans le monde, le département d'État américain a estimé qu'au Maroc « la situation ne s'est pas améliorée de manière significative et semble même s'être détériorée ». Cette constatation a été confirmée par le rapport d'Amnesty International sur la torture et la garde à vue, publié en février 1990. Il a entraîné une polémique avec Hassan II, qui a reçu l'organisation à Marrakech avant de dénoncer, dans une campagne de presse internationale, l'entreprise de « subversion et de déstabilisation », et d'expulser deux délégués d'Amnesty International en mars 1990. Ces critiques sont survenues au moment où le Maroc et la France annonçaient l'organisation d'une série de manifestations culturelles dans le cadre de « L'année du Maroc en France », à partir de septembre 1990.

Pourtant, et malgré ce qu'on a tenté d'accréditer au Maroc, la pression extérieure sur les droits de l'homme a eu des effets. En mai 1989, Hassan II a gracié 50 détenus politiques de Kénitra (sans toutefois libérer le plus connu d'entre eux, Abraham Serfaty, emprisonné depuis 1971) et a amnistié 178 fonctionnaires, arrêtés pour troubles de

BIBLIOGRAPHIE

ALAOUI M.-A., *La Colline de Moïse*, Le Fennec, Casablanca, 1990.

ARIAM C., *Rencontres avec le Maroc*, La Découverte, Paris, 1989.

BALTA P., *Le Grand Maghreb. Des indépendances à l'an 2000*, La Découverte, Paris, 1990.

CHEVALLIER A., KESSLER V., *Économies en développement et défis démographiques, Algérie-Égypte-Maroc-Tunisie*, La Documentation française, Paris, 1989.

CLAISSE A., CONAC G., *Le Grand Maghreb*, Économica, Paris, 1988.

DAOUD Z., « La création de l'Union du Maghreb arabe », *Maghreb-Machrek*, n° 124, La Documentation française, Paris, 1989.

MERNISSI F., *Sultanes oubliées*, Albin Michel, Paris, 1990.

TOZY M., « Islam et État au Maghreb », *Maghreb-Machrek*, n° 126, La Documentation française, Paris, 1989.

Voir aussi la bibliographie « Afrique du Nord » dans la section « 33 ensembles géopolitiques ».

l'ordre public en 1984, lesquels sont restés privés de leur emploi. Mais la famille du général Oufkir — deuxième personnage de l'État, mort le 16 août 1972 après l'annonce d'un attentat perpétré contre Hassan II — est restée emprisonnée. La mort d'un gréviste de la faim, le 22 août 1989, aboutissait à la condamnation, puis à la grâce du directeur du quotidien *l'Opinion*, organe en français du parti de l'Istiqlal, lequel a été poursuivi pour avoir publié un communiqué sur ce décès et d'autres atteintes aux droits de l'homme. Par la suite, le statut de prisonnier politique a été accordé aux grévistes de la faim de Rabat, trois policiers ont été condamnés à Marrakech, le 10 février 1990, pour meurtre, certaines conditions de détention auraient été améliorées, la torture aurait été proscrite et trois organisations marocaines de défense des droits de l'homme auxquelles se sont adjointes des associations de juristes et de magistrats ont préparé un « code national des droits de l'homme ». Il a abouti à la création, le 9 mai, d'un conseil consultatif des droits de l'homme, où siègent quatre ministres, qui a été chargé par le roi de « montrer l'image pure » du Maroc « excédé » par les revendications internationales sur cette question.

Stabilité interne et fragilité externe

Le Maroc sait qu'il a besoin d'une image internationale mieux assise, et a pensé jouer sur le consensus national. La résurgence de l'affaire du Sahara occidental a été mise à profit par le roi pour organiser un référendum qui, le 1er décembre 1989, avec 99,95 % de « oui », a retardé de deux ans les élections législatives, soit le délai donné aux organisations internationales pour mener à bien l'opération « référendum au Sahara ». L'union sacrée autour du Trône s'en est trouvée reconstituée, éloignant les différends politiques qui auraient pu surgir d'une bataille électorale. Cependant, l'opposition s'est défendue d'avoir donné un chèque en blanc au gouvernement et elle a périodiquement reposé la question du coût de la vie. L'Istiqlal n'a pas appelé à voter « oui » au référendum et, dès l'été 1989, a mené une campagne contre les hausses des prix. Cependant, la stabilité du paysage politique s'est trouvée renforcée par la reconduction à leurs postes de tous les vieux leaders lors des congrès de 1989 : Union socialiste des forces populaires (USFP) en avril, Istiqlal en mai, Union constitutionnelle (UC) en juin et Union marocaine du travail (UMT) en décembre.

En politique étrangère, le Maroc a connu d'incontestables succès, le plus notable ayant été le sommet arabe de Casablanca, en mai 1989. Le comité tripartite sur le Liban, où le Maroc a siégé aux côtés de l'Algérie et de l'Arabie saoudite, n'a pas réussi, malgré les accords de Taef, à régler la question libanaise. La visite officielle de Hassan II en Espagne, du 25 au 27 septembre 1989, s'est conclue par des accords en matière de défense et d'investissements, la mise en place d'une liaison maritime permanente sur le détroit et la décision de rencontres annuelles, mais elle n'a pas constitué un tournant décisif. Toute l'année 1989, Hassan II a retardé la visite qu'il devait faire en France, laquelle a finalement eu lieu le 23 décembre pour le sommet euro-arabe (à défaut d'un rencontre UMA-CEE qui avait été un temps espérée). Mais déçu par la France qui ne lui a pas apporté l'aide attendue, et par les Américains qui ont gardé une attitude assez distante, Hassan II a conclu deux gros contrats de vente de phosphates (800000 tonnes et 1 million de tonnes) avec l'URSS et a multiplié les compliments pour Mikhaïl Gorbatchev. Il a resserré ses liens avec les pays arabes (Égypte, Yémen, Irak, Syrie) et a continué à en nouer avec les pays africains (Mozambique, Niger, Mali et Gabon, notamment), tandis que les relations avec la Mauritanie demeuraient tendues. Cependant, la stratégie diplomatique marocaine est restée fondée sur un dialogue privilégié avec les Occidentaux, notamment les Européens. Or cette position s'est trouvée fragilisée, en 1989-1990, par les problèmes internes, par la dégradation de l'image extérieure du royaume et par la marginalisation relative de la région consécutive aux nouvelles priorités internationales nées des révolutions en Europe de l'Est. Le Maroc, conscient que la nouvelle donne diplomatique impose un *aggiornamento*, semble hésiter en ce début de décennie, tant au point de vue politique qu'économique et social, sur les choix à faire.

Zakya Daoud

Hongrie. Une transition maîtrisée

La Hongrie a rejoint en douceur le camp des démocraties parlementaires à l'issue des élections législatives des 25 mars et 8 avril 1990, les premières élections libres depuis 1947. Doté d'un gouvernement de centre droit dominé par le Forum démocratique hongrois (MDF), le pays, qui fut le premier à « l'Est » à s'engager sur la voie du multipartisme, apparaît comme l'un des mieux placés pour réussir sa transition à la démocratie. Il dispose d'une relative confiance à l'Ouest pour redresser son économie et le jeu politique s'est sensiblement clarifié après le scrutin « historique » du printemps 1990.

Les élections hongroises ont donné une nette victoire au MDF qui a frôlé la majorité absolue au Parlement avec 43 % des voix contre 24 % à son grand rival, l'Alliance des démocrates libres (SzDZs, social-libéral). Alors que les deux formations étaient au coude à coude à l'issue du premier tour, les électeurs ont, à la surprise générale, plébiscité le MDF au second. Un événement survenu dans la dernière semaine de campagne a probablement pesé dans ce retournement : les affrontements sanglants de Tirgu Mures, en Transylvanie (Roumanie), entre Magyars (Hongrois de souche) et Roumains ont sans doute poussé les électeurs vers la formation qui apparaissait le mieux symboliser les valeurs nationales.

HONGRIE

1. DÉMOGRAPHIE, CULTURE, ARMÉE

	Indicateur	Unité	1970	1980	1989
Démographie	Population	million	10,35	10,71	10,58
	Densité	hab./km²	111,3	115,1	113,7
	Croissance annuelle	%	0,4 [a]	0,1 [b]	−0,2 [c]
	Mortalité infantile	‰	35,9	23,2	15,8 [d]
	Espérance de vie	année	69,6	69,5	70,1 [c]
	Population urbaine	%	45,6	53,5	59,6
Culture	Analphabétisme	%	2,0	1,1	••
	Nombre de médecins	‰ hab.	2,20	2,81	3,32 [d]
	Scolarisation *2e degré* [f]	%	63	69	70 [e]
	3e degré	%	10,1	12,9	15,2 [e]
	Postes tv	‰	••	••	402 [e]
	Livres publiés	titre	5238	9254	8621 [d]
Armée	Marine	millier d'h.	1,5	••	••
	Aviation	millier d'h.	10,0	21,0	23,0
	Armée de terre	millier d'h.	90,0	72,0	68,0

a. 1965-75; b. 1975-85; c. 1985-90; d. 1988; e. 1987; f. 14-17 ans.

2. COMMERCE EXTÉRIEUR [a]

Indicateur	Unité	1970	1980	1989
Total imports	milliard $	1,88	9,25	9,08
Produits agricoles	%	21,1	15,4	13,4 [b]
Produits énergétiques	%	8,8	16,4	17,0 [c]
Produits manufacturés	%	55,8	58,0	62,5 [c]
Total exports	milliard $	1,73	8,67	9,83
Produits agricoles	%	25,6	25,2	22,9 [b]
Métaux et produits miniers	%	11,6	8,7	6,4 [c]
Produits manufacturés	%	61,6	60,2	65,7 [c]
Principaux fournisseurs	% imports			
CAEM		62,3	47,8	44,5 [b]
PCD		28,8	39,4	43,4 [b]
PVD		6,2	9,5	7,3 [b]
Principaux clients	% exports			
CAEM		61,8	51,5	45,5 [b]
PCD		28,0	33,9	39,3 [b]
PVD		6,4	11,0	10,1 [b]

a. Marchandises; b. 1988; c. 1987.

Inconnu du grand public encore un an auparavant, Jozsef Antall, cinquante-huit ans, président du MDF, a formé le premier gouvernement non communiste depuis 1947. Cet historien aux allures austères, fils d'un ancien dirigeant du Parti des petits propriétaires indépendants, se définit comme « patriote, libéral et démocrate-chrétien ». Lors du con-

3. ÉCONOMIE

Indicateur	Unité		1970	1980	1989
PIB	milliard $		••	20,7	28,8
Croissance annuelle	%		6,3[a]	2,3[b]	0,5
Par habitant	$		••	1 930	2 720
Structure du PMN					
Agriculture	%	100 %	18,2	17,1	14,4[c]
Industrie	%		45,2	41,2	36,9[c]
Services	%		36,5	41,7	48,7[c]
Dette extérieure	milliard $		••	9,8	20,7
Taux d'inflation	%		1,3	9,1	17,0[f]
Population active	million		5,50	5,22	5,26
Agriculture	%	100 %	35,8	24,6	19,2[c]
Industrie	%		38,8	43,2	46,7[c]
Services	%		25,4	32,2	34,1[c]
Dépenses publiques					
Éducation	% PIB		4,1[e]	4,7	5,6[d]
Défense	% PIB		2,7	2,3	3,3[c]
Recherche et Développement	% PIB		2,3	2,9	2,6[d]
Production d'énergie	million TEC		20,7	22,0	22,0[d]
Consommation d'énergie	million TEC		29,1	40,6	40,5[d]

a. 1966-75; b. 1975-85; c. 1988; d. 1987; e. 1975; f. Décembre à décembre.

grès du MDF d'octobre 1989, il avait été l'artisan du recentrage de son parti, un mouvement créé par des intellectuels en septembre 1987 à Lakitelek, et qui rassemblait au départ aussi bien des communistes réformateurs que des nationalistes.

Victoire du Forum démocratique

Le scrutin, où douze partis concouraient selon un mode très complexe (combinant la règle majoritaire et la proportionnelle), a vu émerger un Parlement assez proche des Assemblées occidentales. Avec ses « alliés naturels », le Parti des petits propriétaires et les chrétiens-démocrates, le MDF a formé une coalition relativement homogène tandis que l'opposition s'est structurée autour du SzDSz, parti créé par le noyau des anciens dissidents et qui a effectué une remarquable percée. Les nouvelles forces politiques ont fait preuve de leur maturité en concluant un accord lors de l'inauguration du Parlement, le 2 mai 1990, sur la nomination du président de la République, Arpad Göncz, soixante-huit ans, un dramaturge membre du SzDSz, qui fut emprisonné de 1957 à 1963.

L'année 1990 restera dans l'histoire hongroise comme celle de l'effondrement communiste. Les deux partis qui se disent les héritiers de l'ex-PSOH (Parti socialiste ouvrier hongrois, communiste) ont été les grands perdants de la transition : le Parti socialiste hongrois (PSH), issu des décombres du PSOH, le 7 octobre 1989, n'a obtenu que 33 sièges sur 386 et la plupart des ténors réformateurs, comme Imre Pozsgay, ont été « recalés » dans leurs circonscriptions. Quant à « l'ancien nouveau PSOH », reconstitué en décembre 1989 par les communistes orthodoxes, il a été laminé, n'obtenant aucun siège.

Le processus hongrois, remarquablement maîtrisé, a tout de même été

BIBLIOGRAPHIE

« Europe de l'Est : la transition » (dossier constitué par G. Mink), *Problèmes politiques et sociaux*, n° 636, La Documentation française, Paris, juil. 1990.

FRANÇOIS-PONCET J., « L'évolution économique de la Tchécoslovaquie, de la Pologne et de la Hongrie », *Rapport d'information*, n° 285, Sénat, Paris, 1990.

KENDE P., « Hongrie : de la réforme à la transformation », *Politique étrangère*, IFRI, n° 1, Paris, print. 1990.

« La formation d'une nouvelle classe dirigeante en Hongrie » (interview d'Elemer Hankiss), *Cosmopolitiques*, n° 11, Paris, 1989.

MOLNAR M., *La Démocratie se lève à l'Est. Société civile et communisme en Europe de l'Est*, PUF, Paris, 1990.

« Où va l'Est ? Les actes du colloque de la Sorbonne 20.2.90 », Le *Journal des élections/Libération*, Paris, 1990.

SCHREIBER T., BARRY F. (sous la dir. de), « L'URSS et l'Europe de l'Est », *Notes et études documentaires*, n° 4891-4892, La Documentation française, Paris, 1990.

SOULÉ V., *Avoir vingt ans à l'Est*, Le Seuil, Paris, 1989.

marqué par le scandale du Dunagate (de *Duna*, Danube en hongrois), une affaire d'écoutes téléphoniques d'opposants par les services secrets, révélée en janvier 1990 par le SzDSz et le FIDESz (Fédération des jeunes démocrates). Le scandale s'est soldé par la démission du ministre de l'Intérieur et par la suppression du fameux Département 3 des services de renseignements.

Accord sur le retrait soviétique

Rattrapée, parfois même dépassée dans la déferlante qui a emporté « l'Est », la Hongrie l'a précédée dans bien des domaines. Le 10 septembre 1989, elle a ouvert ses frontières avec l'Autriche laissant partir le flot d'Allemands de l'Est qui attendaient de gagner la RFA. Lors de son congrès extraordinaire d'octobre 1989, le PSOH, le premier, a abandonné le principe du « rôle dirigeant du Parti » avant de se saborder. Le 23 octobre 1989, jour anniversaire du déclenchement de l'insurrection de 1956, la République populaire de Hongrie est devenue la *République de Hongrie*.

Le pays a également été pionnier sur le plan extérieur. Le 15 novembre 1989, la Hongrie a été la première à l'« Est » à demander son adhésion au Conseil de l'Europe, une candidature susceptible d'aboutir avant la fin 1990. Les premiers gestes du Parlement démocratique ont ensuite été, outre de voter un texte qualifiant 1956 de « révolution », de se prononcer solennellement en faveur de l'entrée de la Hongrie au sein du Conseil et du Parlement européens. La Hongrie a par ailleurs renoué avec Israël, la Corée du Sud et le Vatican.

Dans la foulée de la Tchécoslovaquie, la Hongrie a, le 10 mars 1990, signé un accord avec l'Union soviétique, prévoyant le retrait des troupes soviétiques stationnées dans le pays (52000 hommes) avant le 30 juin 1991. L'accord, annoncé à la veille des élections législatives par le Premier ministre Miklos Nemeth, n'a toutefois pas permis au PSH d'éviter la débâcle. La Hongrie, où le débat sur la neutralité avait débuté dès 1989, a activement participé à la remise en cause des institutions communautaires, le CAEM, Conseil d'assistance économique mutuelle ou COMECON, et le pacte de Varsovie. Contrairement aux espoirs suscités par la chute du dictateur roumain Nicolae Ceausescu, ses relations ne se sont guère améliorées avec Bucarest, en raison de la controverse persistante sur les droits de la minorité magyare de Transylvanie.

La question de la réforme agraire

Conformément aux conditions mises par le F M I à l'octroi de nouveaux crédits, la Hongrie a adopté un programme d'austérité en novembre 1989, prévoyant de sévères coupes budgétaires notamment dans l'administration, la défense et les investissements. Un train de hausses de prix des produits alimentaires (32 % en moyenne) est entré en vigueur le 8 janvier 1990. D'autres ont suivi, touchant les services et les articles de base. Pour la première fois, Budapest a connu une grève des transports publics, le 23 janvier 1990.

Le gouvernement Antall, pour relever l'économie, se heurte à trois grands problèmes : la persistance de l'inflation (17 % en 1989), une lourde dette extérieure (21 milliards de dollars), et l'appauvrissement de certaines couches de la population susceptible d'alimenter des mouvements sociaux. Le chômage, qui a été limité à moins de 1 % de la population active (50 000 personnes), risque de s'étendre avec les restructurations industrielles. En février 1990, on estimait que près d'un Hongrois sur dix vivait en dessous du seuil minimum vital et que 40 000 à 45 000 étaient « sans logis ».

Les dirigeants comptent sur l'Ouest pour les aider à moderniser une industrie passablement obsolète et une agriculture qui a accumulé les contre-performances. Fin 1989, on dénombrait plus d'un millier de *joint ventures*, essentiellement avec des entreprises d'Autriche et de R F A ; au début 1990, les capitaux occidentaux commençaient à répondre aux appels de Budapest. Moins thatchérien que le SzDSz, le M D F prône une transition contrôlée vers l'économie de marché et le soutien de secteurs déficitaires afin d'éviter un chômage massif. Mais la grande question reste celle de la réforme agraire. L'allié clef du M D F, le Parti des petits propriétaires, a axé toute sa campagne sur la restitution des terres collectivisées à leurs anciens propriétaires selon le cadastre de 1947, un projet qui paraît difficilement réalisable.

Véronique Soulé

HONGRIE

République de Hongrie (depuis le 23.10.89 à la suite d'une modification de la Constitution de 1949 qui qualifiait la Hongrie de République populaire).

Capitale : Budapest.

Superficie : 93 036 km² (0,16 fois la France).

Monnaie : forint (1 forint = 0,09 FF au 30.4.90).

Langue : hongrois.

Chef de l'État : Arpad Göncz, président de la République qui a succédé à Matyas Szuros le 2 mai 1990. A. Goncz a été nommé président par intérim jusqu'à ce qu'un nouveau chef de l'État soit élu (soit par les députés, soit au suffrage universel) dans la seconde moitié de 1990.

Chef du gouvernement : Jozsef Antall, président du Conseil des ministres, qui a remplacé Miklos Nemeth le 3 mai 1990.

Échéances électorales : un référendum sur le mode d'élection du président de la République était prévu pour le 29.7.90 ; des élections présidentielles devant suivre dans l'année 1990 ; des élections locales étant par ailleurs prévues pour le 30.9.90.

Nature de l'État : république démocratique (qui a succédé à une « démocratie populaire »).

Nature du régime : démocratie parlementaire. Le chef de l'État désigne un Premier ministre chargé de former le gouvernement.

Principaux partis politiques : Forum démocratique hongrois (M D F), Alliance des démocrates libres (SzDSz), Parti des petits propriétaires (P P P), Fédération des jeunes démocrates (F I D E S z), Parti chrétien démocrate (P C D). L'ancien parti unique (Parti socialiste ouvrier hongrois, P S O H) a donné naissance à deux partis devenus minoritaires, le Parti socialiste hongrois (P S H) et le P S O H « maintenu ».

Cartes : p. 471.
Statistiques : voir aussi p. 472.

Israël. A droite toute ?

La crise politique ouverte le 15 mars 1990 par la chute du gouvernement Shamir a abouti près de trois mois plus tard à la formation d'un nouveau gouvernement par ce même Itzhak Shamir et à la victoire du camp des « durs » du Likoud (droite nationaliste). Ce gouvernement est apparu comme étant le plus à droite, le plus extrémiste et le plus religieux de l'histoire d'Israël, comptant la participation de deux formations d'extrême droite fascisantes et l'appui d'une troisième.

Pour la première fois depuis dix ans, Israël n'allait plus être dirigé par un gouvernement d'union nationale travailliste/Likoud. Des divergences essentielles sur la réponse à donner au plan du secrétaire d'État américain James Baker, prévoyant l'ouverture d'un dialogue israélo-palestinien au Caire pour préparer des élections en Cisjordanie et à Gaza qui désigneraient les Palestiniens appelés à négocier avec Israël de l'avenir des Territoires occupés, avaient entraîné, en mars, la rupture entre les deux grands blocs. Le Premier ministre s'était rallié aux « durs » de son parti, hostiles au plan Baker auquel les travaillistes, eux, étaient favorables. Le 13 mars, I. Shamir démettait Shimon Pérès de ses fonctions, ce qui provoquait la démission des autres ministres travaillistes.

Après que le travailliste Shimon Pérès eut échoué dans sa tentative de former un nouveau gouvernement, I. Shamir, après six semaines de tractations, réussissait. Son gouvernement pléthorique ne disposait que de deux voix de majorité, obligeant les nouveaux ministres à être en permanence joignables en cas de vote décisif ou de motion de censure.

Les tractations successives des travaillistes et du Likoud pour tenter de former un gouvernement ont suscité un vaste mouvement de remise en cause des institutions. Des centaines de milliers d'Israéliens ont manifesté et signé des pétitions en faveur d'un changement du système électoral, jusqu'alors à la proportionnelle intégrale.

L'intifada, encore et toujours

Avec la crise gouvernementale, deux autres événements ont dominé la scène politique : l'*intifida* des Territoires occupés, entrée, en décembre 1989, dans sa troisième année, et l'immigration massive des Juifs soviétiques. La célèbre obstination du chef du Likoud est parvenue à faire échouer toutes les tentatives de faire progresser le processus de paix au Proche-Orient. Le programme d'action du nouveau gouvernement a d'ailleurs représenté une véritable charte coloniale, proclamant « le droit éternel du peuple juif sur la terre d'Israël [terme désignant à la fois Israël et les Territoires occupés]. Environ 90 000 colons regroupés vivent dans les Territoires occupés (Cisjordanie, bande de Gaza et Golan), dans près de 300 sites d'implantation.

L'*intifada* a continué sans répit et, parallèlement, la répression est devenue de plus en plus brutale. Depuis le début du soulèvement, les tirs des soldats et des colons et les diverses actions de maintien de l'ordre avaient déjà fait, en juin 1990, plus de 700 victimes palestiniennes, dont un cinquième de jeunes de moins de dix-huit ans. A la même date, on dénombrait quelque 70 000 blessés (pour moitié touchés par balles), dont 4 000 handicapés à vie. Quelque 1 000 maisons avaient déjà été détruites ou murées à titre de représailles. En outre, le couvre-feu a continué a être couramment appliqué, de même que la fermeture des établissements d'enseignement, les punitions collectives, les bannissements, la torture.

Le 20 mai — dimanche noir — a été la journée la plus terrible de la période : huit ouvriers palestiniens travaillant en Israël ont été tués à Rishon-le-Zion par un Israélien et sept autres par l'armée lors des manifestations qui ont été aussitôt déclenchées dans les Territoires.

Nombre d'Israéliens, dont des militaires de haut rang ainsi que l'ex-ministre de la Défense, le général Itzhak Rabin, ont reconnu à plusieurs reprises qu'Israël avait échoué dans sa tentative de mettre fin par la force à l'*intifada*. Effets de l'*intifada*, on a assisté à une banalisation de la violence et à une montée de la criminalité. Deux ans après le début du soulèvement, les sondages indiquaient que près de la moitié de la population israélienne se déclarait favorable à la mise en place d'un « pouvoir fort non élu pour ramener l'ordre ».

L'arrivée des Juifs d'Union soviétique

Vers la fin de l'année 1989, l'immigration de Juifs en provenance d'URSS est devenue de plus en plus importante. 12 900 entrées ont été enregistrées en 1989 (54 % du total des immigrants), contre 2 300 seulement en 1988. Au premier semestre 1990, le nombre de ces entrées s'est élevé à 48 276 (9 302 pour le seul mois de juin). Les prévisions tablaient sur quelque 100 000 immigrants Juifs d'origine soviétique pour 1990.

A la mi-janvier, le Premier ministre Itzhak Shamir a, dans un discours, établi un lien entre l'immigration et l'annexion des Territoires occupés : « Une migration massive nécessite également un Grand Israël. » Aussitôt, les protestations arabes se sont multipliées et les Soviétiques, embarrassés par cette « provocation » ont fini par faire savoir, en juin 1990, qu'ils reconsidéreraient leur politique d'émigra-

ISRAËL

Israël.
Capitale : Jérusalem.
Superficie : 20 325 km² (0,04 fois la France) ; territoires occupés : Golan (1 150 km²), Cisjordanie (5 879 km²), Gaza (378 km²).
Monnaie : nouveau shekel (1 nouveau shekel = 2,81 FF au 21.6.90).
Langues : hébreu et arabe (officielles) ; anglais, français.
Chef de l'État : Chaïm Herzog, président.
Premier ministre : Itzhak Shamir (nouveau gouvernement formé le 11.6.90).
Nature de l'État : Israël n'a pas de Constitution écrite, mais plusieurs « lois constitutionnelles » (dites fondamentales) devant évoluer vers une Constitution. Le pays est divisé en six districts administratifs.
Nature du régime : démocratie parlementaire combinée à une administration militaire dans les territoires occupés (Cisjordanie, bande de Gaza).
Principaux partis politiques : *Gouvernement :* Likoud (bloc parlementaire de deux partis de la droite nationaliste sioniste, le Herout et les libéraux) ; Parti national religieux (droite religieuse, sioniste) ; Tehiya (extrême droite) ; Chass (orthodoxes sépharades, non sionistes). *Opposition :* Parti travailliste israélien (social-démocrate, sioniste) ; Agoudat Israël (orthodoxes ashkenazes, non sionistes) ; Ratz (Liste des droits civiques, gauche libérale, sioniste) ; Parti communiste israélien (Rakah) ; Mapam (sioniste, socialiste) ; Liste progressiste pour la paix (pacifiste). *Mouvements extra-parlementaires :* Shalom Akhshav (La Paix maintenant) ; Goush Emounim (Bloc de la foi, extrémiste-nationaliste religieux) ; Kakh (fasciste).
Carte : p. 314 et 315.
Statistiques : voir aussi p. 316.

ISRAËL

1. DÉMOGRAPHIE, CULTURE, ARMÉE

	Indicateur	Unité	1970	1980	1989
Démographie	Population	million	2,97	3,88	4,51
	Densité	hab./km²	146,1	190,4	222,0
	Croissance annuelle	%	3,0 [a]	2,1 [b]	1,6 [c]
	Mortalité infantile	‰	25,3	24,3	12 [c]
	Espérance de vie	année	71,3	72,8	75,4 [c]
	Population urbaine	%	84,2	88,6	91,3
Culture	Analphabétisme	%	12,1 [h]	••	4,9 [f]
	Nombre de médecins	‰ hab.	2,5	2,50	2,90 [g]
	Scolarisation 2[e] *degré*	%	57	73	83 [d]
	3[e] *degré*	%	20	29,3	34,3 [e]
	Postes tv	‰	••	232	264 [d]
	Livres publiés	titre	2072	2397	2214 [f]
Armée	Marine	millier d'h.	8	6,6	9,0
	Aviation	millier d'h.	17	28	28
	Armée de terre	millier d'h.	275	135	104

a. 1965-75; b. 1975-85; c. 1985-90; d. 1987; e. 1986; f. 1985; g. 1983; h. 1972; i. 14-17 ans.

2. COMMERCE EXTÉRIEUR [a]

Indicateur	Unité	1970	1980	1989
Commerce extérieur	% PIB	26,9	35,1	33,5 [b]
Total imports	milliard $	2,12	9,69	13,05
Produits agricoles	%	18,7	13,3	11,0 [b]
Produits énergétiques	%	4,9	26,5	7,3 [b]
Diamants	%	8,3	12,3	18,8 [b]
Total exports	milliard $	0,78	5,54	10,74
Produits agricoles	%	27,1	15,6	11,6 [b]
Diamants	%	31,4	29,2	29,0
Produits manufacturés [c]	%	39,7	53,2	58,7 [b]
Principaux fournisseurs	% imports			
États-Unis		15,5	16,0	18,1
CEE		33,1	28,5	51,1
Confidentiel		35,5	39,7	9,2
Principaux clients	% exports			
États-Unis		19,1	16,0	29,8
CEE		41,7	41,0	29,8
PVD		15,9	14,7	13,4
Confidentiel		3,1	13,1	14,4

a. Marchandises; b. 1988; c. Diamants non compris.

tion libre vers Israël s'ils n'obtenaient pas de garanties que les émigrants juifs soviétiques ne s'installeraient plus dans ces territoires. Les Israéliens, défendant le principe que les immigrants ont le libre choix de s'installer dans tout

3. ÉCONOMIE

Indicateur	Unité	1970	1980	1989
PIB	milliard $	5,4	20,6	38,4 [c]
Croissance annuelle	%	7,2 [a]	2,5 [b]	1,0
Par habitant	$	1 830	5 320	8 650 [c]
Structure du PIB				
Agriculture	% } 100 %	7,6	5,7	3,5 [c]
Industrie	% } 100 %	43,7	41,0	28,6 [c]
Services	% } 100 %	48,7	53,3	67,9 [c]
Dette extérieure	milliard $	2,6	17,5	26,3 [d]
Taux d'inflation	%	6,1	131,0	20,7 [f]
Population active	million	1,09	1,45	1,77
Agriculture	% } 100 %	9,7	6,2	5,2 [d]
Industrie	% } 100 %	35,6	32,0	29,4 [d]
Services	% } 100 %	54,7	61,8	65,5 [d]
Dépenses publiques				
Éducation	% PIB	5,5	8,0	6,8 [e]
Défense	% PIB	19,9	19,6	13,4 [c]
Recherche et Développement	% PIB	1,2	2,5	1,1 [d]
Production d'énergie	million TEC	7,5	0,2	0,08 [d]
Consommation d'énergie	million TEC	6,4	8,8	12,22 [d]

a. 1965-75; b. 1975-85; c. 1988; d. 1987; e. 1985; f. Décembre à décembre.

Eretz Israël, ont fait valoir que le nombre d'installations dans les Territoires occupés a été très faible ; mais, parmi ceux-ci, ils ne comptaient pas la partie arabe de Jérusalem où les installations ont été significatives.

La crise suscitée par cette question a nui au processus de normalisation engagé entre l'URSS et Israël qui n'entretiennent plus de relations diplomatiques depuis juin 1967. Les changements en Europe de l'Est ont eu en revanche pour résultat le rétablissement des relations diplomatiques avec ces pays. La RDA elle-même a fait un pas vers la normalisation en reconnaissant la « responsabilité de l'ensemble du peuple allemand » dans l'Holocauste et en décidant d'accorder des réparations aux victimes survivantes. Les relations avec les États-Unis ont connu des hauts et des bas, l'opposition israélienne au plan Baker ayant provoqué de l'amertume à Washington et une critique envers la politique de I. Shamir. Et des Juifs américains ont menacé de retirer leur soutien à Israël si son gouvernement maintenait son refus de faire de réels pas vers la paix.

Des signes de récession économique ont été signalés en 1989. La croissance n'a pas dépassé 1 %, le chômage touchant 9 % de la population active et le taux d'inflation atteignant 20,7 %, plus mauvais résultat depuis 1986-1987. La dette extérieure s'est chiffrée, en fin d'exercice (avril 1990), à 24,1 milliards de dollars. Enfin, le déficit budgétaire annoncé de l'exercice 1990-1991 devrait être de l'ordre de 2 milliards de dollars (contre 1,5 milliard pour l'exercice précédent). Israël allait devoir consentir un très important effort financier, estimé à plusieurs centaines de millions de dollars, pour créer des logements et des emplois pour la masse des nouveaux immigrants d'origine soviétique.

Amnon Kapeliouk

BIBLIOGRAPHIE

CHAGNOLLAUD A., GRESH A. (sous la dir. de), *L'Europe et le conflit israélo-palestinien. Débat à trois voix*, L'Harmattan, Paris, 1989.

COHEN M., *Du rêve sioniste à la réalité israélienne*, La Découverte, Paris, 1990.

COHEN S., *Dieu est un baril de poudre. Israël et ses intégristes*, Calmann-Lévy, Paris, 1989.

DIECKHOFF A., *Les Espaces d'Israël*, 2e éd., Presses de la FNSP, Paris, 1989.

GRESH A., « Le soulèvement des territoires occupés », *Études polémologiques*, n° 50, Paris.

« Israël-Palestine. De l'affrontement à la coexistence », *GRIP-information*, Bruxelles, 1988.

HENTSCH T., HEACOCK R., « L'Intifada dans la longue durée », *Le Monde Diplomatique*, n° 429, Paris, déc. 1989.

MANSOUR C., *Les Palestiniens de l'intérieur*, Les livres de la Revue d'études palestiniennes, Paris, 1989.

SOLIMAN L., *Pour une histoire profane de la Palestine*, La Découverte, Paris, 1988.

Chili. Restauration de la démocratie

Le 11 mars 1990, seize ans après avoir instauré la plus longue dictature de l'histoire du Chili, le général Auguste Pinochet cédait la présidence à Patricio Aylwin, vainqueur des élections de décembre 1989 sous la bannière de la Concertation des partis pour la démocratie (CPD) regroupant parmi d'autres la Démocratie chrétienne (PDC), le Parti pour la démocratie (PPD), le Parti humaniste (PH) et différentes factions du Parti socialiste (Nuñez et Almeyda).

Lors d'un plébiscite, en 1980, Pinochet avait invité les Chiliens à se prononcer sur une nouvelle Constitution qui contenait un calendrier politique permettant le passage du régime *de facto* à un gouvernement élu, ainsi que des réformes politiques. A. Pinochet ayant gagné le plébiscite, le calendrier fut soigneusement respecté et, le 5 octobre 1988, les Chiliens étaient donc convoqués à un second référendum pour se prononcer sur un candidat à la Présidence choisi par la junte militaire, en l'occurrence le général Pinochet lui-même. Cette fois-ci, l'opposition l'emportait, faisant échec aux efforts du régime pour se donner une légitimité démocratique et l'obligeant à mettre en œuvre la dernière étape du calendrier prévu par la Constitution de 1980 : l'organisation d'élections pluralistes. Il y eut cependant un troisième plébiscite en juillet 1989, portant sur la réforme de la Constitution de 1980 : réclamé à la fois par l'opposition de centre gauche et par celle de droite, il soutira au régime la réduction du mandat présidentiel (de six à quatre ans) et l'augmentation du nombre des sénateurs élus.

La Concertation nationale pour la démocratie (CPD) désignait à l'unanimité Patricio Aylwin, chef du Parti démocrate-chrétien, comme candidat à la présidence. Le Parti communiste, seul parti d'opposition d'importance à ne pas faire partie de la CPD, lui apporta aussi son soutien. Le 14 décembre 1989, Patricio

Aylwin obtenait 55,2 % des votes exprimés, tandis que son principal rival, Hernán Búchi, ex-ministre des Finances de Pinochet et artisan du « miracle économique » chilien, n'en obtenait que 28,9 %. Le nouveau gouvernement allait disposer d'une majorité de 24 sièges dans la Chambre des députés (72 contre 48 pour l'ensemble des partis de droite), tandis qu'il devait faire face à une tout autre situation au Sénat. En effet, si les partis de la coalition ont conquis 22 sièges de sénateurs, contre 16 au total à la Rénovation nationale (RN) et à l'Union démocratique indépendante (UDI), les deux plus importantes formations de droite, l'opposition peut aussi compter sur les voix des neuf sénateurs non élus (dont A. Pinochet) prévus par la Constitution de 1980, ce qui lui donne une majorité confortable.

P. Aylwin préside donc, depuis le 11 mars 1990 et pour quatre ans, un gouvernement de coalition comprenant dix ministres démocrates-chrétiens, six socialistes, deux radicaux, un social-démocrate, un membre de l'Alliance du centre et un indépendant.

Les conditions politiques et économiques de retour à la démocratie au Chili se distinguent de celles des autres pays d'Amérique qui ont mis fin à la dictature dans la décennie précédente.

Parmi les conditions politiques favorables, il faut souligner l'entente entre les partis de la Concertation qui couvre tout le spectre du centre gauche ; la réunification du Parti socialiste après dix ans d'émiettement, sur des thèses qui le rapprochent de la social-démocratie européenne ; le soutien du Parti communiste et du mouvement syndical. Autre fait significatif, le démocrate-chrétien Gabriel Valdés a été élu président du Sénat grâce à l'appui de l'UDI, droite pinochetiste, en échange de la présidence de quelques commissions parlementaires.

C'est à l'extérieur du Congrès, dans ses relations avec les forces armées, que le nouveau gouvernement s'attendait à trouver les obstacles les plus importants à sa gestion. En effet, A. Pinochet interprète la paix sociale et la croissance économique comme les preuves de l'efficacité de sa gestion. Cette conception ne sert pas seulement à justifier les seize ans d'autoritarisme, mais est inscrite dans la loi d'amnistie de 1978, dans la Constitution de 1980 et dans nombre de lois et de règlements, hâtivement approuvés par la junte, qui renforcent les prérogatives des forces armées et limitent l'action des autorités démocratiquement élues. La mise en cause des militaires pour les crimes commis sous leur gouvernement impliquerait

CHILI

République du Chili.
Capitale : Santiago.
Superficie : 756 945 km² (1,4 fois la France).
Monnaie : peso (1 peso = 0,02 FF au 30.4.90).
Langues : espagnol, mapuche.
Chef de l'État et du gouvernement : Augusto Pinochet, remplacé par Patricio Aylwin le 11 mars 1990.
Nature de l'État : République centralisée, formée de 25 provinces. Chaque province est gouvernée par un *intendente* nommé par le président de la République.
Nature du régime : autoritaire jusqu'au 11.3.90 ; démocratie présidentielle ensuite.
Principaux partis politiques : *Membres de la* Concertation de partis pour la démocratie (CPD) : Parti démocrate-chrétien, Parti socialiste (réunifié), Parti pour la démocratie, Parti radical. *Autres partis* : Parti communiste, Rénovation nationale (RN, droite). Union démocratique indépendante (UDI, droite).
Territoires outre-mer : île de Pâques (Rapanui).
Carte : p. 423.
Statistiques : voir aussi p. 424.

CHILI

1. DÉMOGRAPHIE, CULTURE, ARMÉE

	Indicateur	Unité	1970	1980	1989
Démographie	Population	million	9,5	11,1	13,0
	Densité	hab./km²	12,6	14,7	17,2
	Croissance annuelle	%	1,9 [a]	1,6 [b]	1,7 [c]
	Mortalité infantile	‰	80,0	32,2	20 [c]
	Espérance de vie	année	62,4	69,5	71,5 [c]
	Population urbaine	%	75,2	81,1	85,2
Culture	Analphabétisme	%	11,0	8,9 [f]	5,6 [e]
	Nombre de médecins	‰ hab.	0,47	..	0,46 [d]
	Scolarisation *12-17 ans*	%	74,5	80,0	89,4 [d]
	3ᵉ degré	%	9,4	13,2	17,8 [d]
	Postes tv	‰	53	110	163 [d]
	Livres publiés	titre	1 370	1 109	1 654 [d]
Armée	Marine	millier d'h.	15,0	24,0	29,0
	Aviation	millier d'h.	8,0	11,0	15,0
	Armée de terre	millier d'h.	38,0	53,0	57,0

a. 1965-75; b. 1975-85; c. 1985-90; d. 1987; e. 1985; f. 1982.

2. COMMERCE EXTÉRIEUR [a]

Indicateur	Unité	1970	1980	1989
Commerce extérieur	% PIB	17,2	17,8	28,1
Total imports	milliard $	1,2	4,7	6,5
Produits agricoles	%	19,4	16,8	6,2 [b]
Produits énergétiques	%	9,1	18,4	5,6 [b]
Produits manufacturés	%	65,1	63,1	89,8 [b]
Total exports	milliard $	0,9	5,1	8,2
Produits agricoles	%	7,5	24,9	12,9 [b]
Métaux et prod. miniers	%	88,3	64,5	53,8 [c]
Produits manufacturés	%	4,4	9,5	15,0 [b]
Principaux fournisseurs	% imports			
Japon		3,0	7,2	7,7 [b]
États-Unis		36,9	28,6	19,7 [b]
CEE		29,8	19,9	19,5 [b]
Principaux clients	% exports			
Japon		12,1	10,8	12,5 [b]
États-Unis		14,4	12,6	19,7 [b]
CEE		57,3	30,9	36,1 [b]

a. Marchandises; b. 1988; c. 1986.

nécessairement l'annulation de la loi d'amnistie. Quelques mois avant les élections, le général Fernando Matthei annonçait un coup d'État si cette éventualité se confirmait, et A. Pinochet d'ajouter que ce serait la fin de

3. ÉCONOMIE

Indicateur	Unité	1970	1980	1989
PIB	milliard $	8,08	23,40	25,08
Croissance annuelle	%	1,6[a]	3,1[b]	10,0
Par habitant	$	840	2100	1929
Structure du PIB				
Agriculture	% } 100 %	7,4	7,2	9,4[c]
Industrie	% } 100 %	47,3	37,3	37,1[c]
Services	% } 100 %	45,3	55,5	53,5[c]
Dette extérieure	milliard $	2,57	12,08	17,61
Taux d'inflation	%	33,0	35,1	21,4[f]
Population active	million	2956	3,77	4,65
Agriculture	% } 100 %	23,2	16,5	19,5[c]
Industrie	% } 100 %	28,6	25,1	24,4[c]
Services	% } 100 %	48,1	58,4	56,1
Dépenses publiques				
Éducation	% PIB	5,1	4,6	3,6[d]
Défense	% PIB	1,7	3,3[e]	2,3
Production d'énergie	million TEC	6,11	5,77	6,74[d]
Consommation d'énergie	million TEC	10,79	11,36	11,76[d]

a. 1965-75; b. 1975-85; c. 1988; d. 1987; e. 1979; f. Décembre à décembre.

l'État de droit si l'on touchait à ses hommes. La Constitution de 1980 fait notamment des militaires les garants de l'ordre institutionnel et interdit au nouveau gouvernement de remplacer les chefs des forces armées jusqu'en 1997. Les « lois organiques des forces armées » permettent à ces dernières d'acheter et de vendre des armes, des bâtiments ou des propriétés, sans passer par l'approbation des autorités civiles.

La situation économique du Chili tranche sans conteste avec celle des autres pays latino-américains. Le taux de croissance a été de 8,5 % en 1989 : pour la première fois, le produit brut *per capita* a dépassé les niveaux antérieurs à la crise de 1982-1983. La croissance touche tous les secteurs de l'économie — la production industrielle a augmenté de 10 % — et elle a été stimulée aussi bien par l'augmentation de la demande interne que par celle des revenus des exportations, lesquelles ont été favorisées par les prix mondiaux. Les dépenses du secteur privé ont sensiblement augmenté, aussi bien en ce qui concerne la consommation que l'investissement : plusieurs projets dans le secteur minier et dans celui du papier et de la cellulose en ont bénéficié. Comme résultat d'une croissance soutenue tout au long des six années précédentes, le taux de chômage est passé dans le grand Santiago de 10,2 % en 1988 à 7,5 % en 1989. Cependant, l'incidence de la prospérité au niveau salarial a été faible, à cause principalement de l'augmentation du taux d'inflation qui a été de 21,1 %, chiffre encore dérisoire si on le compare à celui de la majorité des pays du continent, mais qui a marqué quand même une augmentation de presque 9 points par rapport à 1988. Autre fait significatif : la réduction de la dette externe qui est passée de 20000 milliards de dollars en 1985 à 17610 milliards en 1989 : le service de la dette est passé de 43,5 % de la valeur des exportations en 1985 à

BIBLIOGRAPHIE

DUBET F., *Pobladores : luttes sociales et démocratie au Chili*, L'Harmattan, Paris, 1989.

MUNOZ O., « Crisis y reorganizacion industrial en Chile », *Notas tecnicas*, n° 123, Cieplan, Santiago, 1988.

« Spécial Chili », *Problèmes d'Amérique latine*, n° 94, La Documentation française, Paris, 4e trim. 1989. Voir notamment les articles de M.A. Garreton (« Les partis politiques chiliens face à la transition démocratique ») et de E. Tironi (« Révolution à la Pinochet. Le régime militaire chilien en perspective »).

TOURAINE A., *La Parole et le Sang : politique et société en Amérique latine*, Odile Jacob, Paris, 1988.

19,1 % en 1989. Cette croissance a eu ses laissés-pour-compte, les pauvres, dont la satisfaction des attentes pourrait mettre en péril les résultats de l'expérience néolibérale mais dont l'insatisfaction risquerait de produire des explosions dangereuses pour la jeune démocratie. Contre ce danger, le ministre des Finances Alejandro Foxley a prévu une série de mesures urgentes : un programme d'emploi pour les jeunes, un programme de construction de logements à Santiago et une augmentation des crédits aux hôpitaux. Le nouveau gouvernement demande cette fois-ci des sacrifices au patronat et ce dernier a semblé prêt à en accepter.

La tâche la plus importante de la jeune démocratie chilienne sera d'assurer la subordination des forces armées à l'autorité civile et ceci ne sera possible que dans la mesure où tous les secteurs de la société, et non seulement la coalition au pouvoir, auront pris parti pour la démocratie.

Graciela Ducatenzeiler

Roumanie. Une transition cahotique

La Roumanie a été, en décembre 1989, le théâtre de la « révolution » à la fois la plus médiatisée et la plus controversée de l'ex-bloc socialiste. Après la chute de l'ancien régime marquée par l'exécution des époux Elena et Nicolae Ceausescu à l'issue d'une parodie de procès, le pays est entré dans une période de turbulences qui s'est poursuivie malgré la tenue d'élections libres en mai 1990. Traumatisée par l'« ère Ceausescu », la Roumanie s'est ainsi embarquée dans une transition qui s'annonce de loin comme la plus chaotique à « l'Est ».

Le chef de l'État et du Parti communiste roumain (PCR), Nicolae Ceausescu, au pouvoir depuis 1965, a tenu bon jusqu'au dernier moment. Ultime dirigeant de l'époque brejnévienne encore en place après la chute des régimes est-allemand, bulgare et tchécoslovaque, le *Conducator* s'était fait réélire à l'unanimité secrétaire général du PCR le 24 novembre 1989. Certainement inquiet devant le risque de contagion, il avait une dernière fois fait vibrer la corde nationaliste à la tribune du XIVe congrès, dénonçant l'annexion par l'URSS de la Bessarabie incorporée dans la République de Moldavie en 1940.

Seul désormais à « l'Est » en Europe à brandir la bannière du dogme, le régime roumain ne pouvait survivre longtemps. Le

16 décembre 1989, la ville de Timisoara donnait le signal de l'agonie de la dictature. Environ 5 000 personnes manifestaient alors pour empêcher la déportation dans le village de Mineu, en Transylvanie du Nord, du pasteur protestant de souche hongroise Laszlo Tökes, défenseur des droits de la minorité magyare et à ce titre bête noire des autorités. Le lendemain, la manifestation tournait au soulèvement, tandis que des incidents éclataient dans d'autres villes.

Le rôle de la télévision

Rentré d'Iran où il effectuait un voyage officiel, le « Génie des Carpates » fit convoquer le 21 décembre une manifestation dans le centre de Bucarest. Mais alors que d'habitude la foule, encadrée par les agents de la Securitate (la police politique), ponctuait le discours du *Conducator* d'applaudissements dociles, Nicolae Ceausescu se fit huer, en direct à la télévision. Il tenta de reprendre son discours. En vain. Le 25 décembre, le couple Ceausescu sera exécuté dans le plus grand secret ; les deux cadavres ainsi que des bribes de leur procès seront montrés à la télévision roumaine dans la nuit du 26 au 27.

Jamais dans le passé la télévision n'avait joué un tel rôle. Minute par minute, à partir du moment où les « révolutionnaires » ont pris le siège de la télévision roumaine le 22 décembre à 13 heures, le monde entier a pu suivre l'insurrection : les affrontements armés dans le centre de Bucarest, les communiqués lus devant les caméras du Conseil du Front de salut national (CFSN), le nouveau pouvoir constitué le 26 décembre, et les bouleversantes images du « charnier de Timisoara », une dizaine de corps mutilés dont celui d'une femme tenant un nouveau-né dans les bras. On parle alors de 4 500 insurgés assassinés par la Securitate et jetés dans des charniers. En janvier 1990, des médecins de Timisoara révèleront que les « suppliciés » étaient décédés de mort

ROUMANIE

République de Roumanie depuis le 28.12.1989 (auparavant République socialiste de Roumanie).
Capitale : Bucarest.
Superficie : 237 500 km² (0,43 fois la France).
Monnaie : leu (pluriel : lei). Au taux officiel, 1 leu = 0,27 FF au 30.4.90.
Langues : roumain. Les différentes minorités parlent également le hongrois, l'allemand et le rom.
Chef de l'État : Ion Iliescu, élu président de la République le 20.5.1990 et investi par le Parlement le 20.6. Il exerçait déjà cette fonction à titre transitoire depuis la « révolution » de décembre 1989 qui a mis fin au régime de Nicolae Ceausescu (exécuté le 25.12).
Chef du gouvernement : Petre Roman, nommé le 20.6.90 par le président de la République (à titre transitoire depuis le 26.12.1989).
Échéances institutionnelles : L'Assemblée constituante élue le 20 mai 1990 avait 18 mois pour préparer une nouvelle Constitution. Sa tâche terminée, de nouvelles élections devaient avoir lieu.
Nature de l'État : socialiste jusqu'à la « révolution » de décembre 1989, la Roumanie est entrée dans une phase de transition avec pour objectif l'instauration d'un « État de droit, de type démocratique ».
Nature du régime : présidentiel, avec une Assemblée constituante. Le chef de l'État nomme le Premier ministre.
Principaux partis politiques : Front de salut national (au pouvoir), Union démocratique hongroise, Parti national libéral, Mouvement écologiste roumain, Parti national paysan, Alliance pour l'unité des Roumains. L'ancien parti unique au pouvoir, le Parti communiste roumain (PCR) a cessé d'exister au lendemain de la « révolution » de décembre 1989.
Carte : p. 465.
Statistiques : voir aussi p. 466.

ROUMANIE

1. DÉMOGRAPHIE, CULTURE, ARMÉE

	Indicateur	Unité	1970	1980	1989
Démographie	Population	million	20,4	22,2	23,2
	Densité	hab./km²	85,3	93,5	97,5
	Croissance annuelle	%	1,1 [a]	0,7 [b]	0,5 [c]
	Mortalité infantile	‰	49,4	29,3	22 [c]
	Espérance de vie	année	69 [d]	69,6 [e]	70,1 [c]
	Population urbaine	%	41,8	48,1	50,1
Culture	Nombre de médecins	‰ hab.	1,47	1,79	2,11 [f]
	Scolarisation 2e *degré* [i]	%	44	71	79 [g]
	3e degré	%	10,1	11,0	9,8 [g]
	Postes tv (L)	‰	73,3	167,3	165,7 [g]
	Livres publiés	titre	7681	7350	5276 [h]
Armée	Marine	millier d'h.	8,0	10,5	9,0
	Aviation	millier d'h.	8,0	34	34
	Armée de terre	millier d'h.	165	140	128

a. 1965-75; b. 1975-85; c. 1985-90; d. 1970-75; e. 1980-85; f. 1988; g. 1987; h. 1985; i. 14-17 ans; (L). Licences.

2. COMMERCE EXTÉRIEUR [c]

Indicateur	Unité	1970	1980	1989
Total imports	milliard $	1,96	13,20	8,39
Produits agricoles	%	11,2	12,0	8,1 [c]
Biens d'équip. et transports	%	40,3	24,6	28,4 [c]
Métaux et prod. miniers [d]	%	30,4	50,3	53,5 [c]
Total exports	milliard $	1,85	11,40	11,34
Produits agricoles	%	17,0	16,1	10,1 [c]
Biens d'équip. et transports	%	22,8	24,9	37,6 [c]
Métaux et prod. miniers [d]	%	22,7	29,5	23,2 [c]
Principaux fournisseurs	% imports			
URSS		25,6	15,6	38,5 [b]
PCD		41,4	31,2	10,2 [b]
PVD		37,8	38,1	28,9 [b]
Principaux clients	% exports			
URSS		28,6	19,6	26,0 [b]
PCD		35,2	34,8	25,0 [b]
PVD		13,9	27,9	29,5 [b]

a. Marchandises; b. 1988; c. 1987; d. Y compris produits énergétiques.

naturelle et n'avaient rien à voir avec les manifestants de décembre.

Révolution ou manipulation ? Les images grossièrement coupées et montées du simulacre de procès réservé aux époux Ceausescu ont semé le doute. Pourquoi avoir ainsi escamoté un procès, comme si l'on

3. ÉCONOMIE

Indicateur	Unité	1970	1980	1989
PNB	milliard $	••	33,97	59,90 c
Croissance annuelle	%	9,5 af	5,8 bf	••
Par habitant	$	••	1 530	2 599 c
Structure du PMN				
Agriculture	% } 100 %	19,5	15,2	18,3 d
Industrie	% } 100 %	69,5	68,6	69,8 d
Services	% } 100 %	11,0	16,2	11,9 d
Dette extérieure	milliard $	1,0	9,6	1,4
Taux d'inflation	%	0,1	2,1	••
Population active	million	11,0	11,0	11,7
Agriculture	% } 100 %	49,3	29,8	28,5 d
Industrie	% } 100 %	30,8	43,8	44,8 d
Services	% } 100 %	19,9	26,4	26,7 d
Dépenses publiques				
Éducation	% PNB	3,0	3,3	2,1 e
Défense	% PNB	2,0	2,0	1,3 c
Production d'énergie	million TEC	64,8	85,7	91,3 d
Consommation d'énergie	million TEC	61,0	100,0	106,1 d

a. 1965-75 ; b. 1975-85 ; c. 1988 ; d. 1987 ; e. 1985 ; f. Produit matériel net.

avait cherché à tout prix à éluder les questions de fond ? Puis, ce fut la mise en scène du « charnier de Timisoara », les interrogations sur le rôle joué par l'armée et la Securitate, enfin la surenchère sur le nombre des morts. En décembre 1989, on annonça jusqu'à 60 000 morts ; en juin 1990, le procureur général de Roumanie devait faire état de 1 033 morts et de 2 198 blessés.

Un scénario sur mesure

Six mois après la chute du régime, la plupart des questions restaient sans réponse : en particulier, quel a été le jeu exact de l'armée dans la « révolution » ? Et que sont devenues les troupes de la Securitate, officiellement dissoute ? Une chose en revanche semblait sûre : le rôle démesuré et déformant joué par la télévision a mystifié la presse internationale et l'opinion mondiale, fascinées par un scénario sur mesure, mettant aux prises les « méchants » sbires de la Securitate et le « bon » peuple insurgé. La vérité se situe probablement entre les deux hypothèses extrêmes, celle d'une mise en scène dont certains fils remonteraient jusqu'à Moscou et celle d'un héroïque soulèvement populaire.

L'apparition sur le devant de la scène d'hommes de l'ancien régime a renforcé les soupçons pesant sur la spontanéité de la « révolution » roumaine. Deux hommes notamment ont joué un rôle clé dès les premiers instants du soulèvement : Ion Iliescu, ancien secrétaire du comité central tombé en disgrâce, et Petre Roman, directeur de l'Institut polytechnique de Bucarest et membre du PCR, qui furent parmi les premiers à se présenter devant les caméras de la télévision roumaine « libérée ». A leur côté, un troisième homme, Silviu Brucan, ancien théoricien du PC passé à l'opposition à Ceausescu, est vite apparu comme l'éminence grise du nouveau pouvoir.

BIBLIOGRAPHIE

CASTEX M., *Un mensonge gros comme le siècle. Roumanie, histoire d'une manipulation*, Albin Michel, Paris, 1990.

DURANDIN C., *Nicolae Ceausescu. Vérités et mensonges d'un roi communiste*, Albin Michel, Paris, 1990.

« Roumanie. Pour servir à l'histoire d'une libération », *Les Temps Modernes*, n° 522 (spécial), Paris, janv. 1990.

Au lendemain de la chute du régime, le CFSN, réunissant d'anciens membres du PC, des militaires, des intellectuels et les rares dissidents connus, comme Mircea Dinescu ou Doïna Cornea, prenait la direction du pays et lançait un processus de démocratisation. Le 28 décembre 1989, le rôle dirigeant du Parti était aboli. Puis l'avortement était à nouveau autorisé; la peine de mort et la censure étaient abolies; les restrictions de chauffage et d'électricité supprimées, comme le programme de « systématisation rurale » qui prévoyait la disparition de la moitié des villages.

Mais le fragile consensus s'est très vite effrité. Face à la contestation de la rue, le nouvel homme fort — Ion Iliescu — et son équipe, adoptant une position défensive, ont multiplié les volte-face. Le 12 janvier 1990, face à quelques milliers de manifestants anticommunistes, ils ont ainsi annoncé l'interdiction du PC et un référendum sur la réintroduction de la peine de mort, deux mesures sur lesquelles ils devaient revenir huit jours plus tard.

Iliescu légitimé par les urnes, mais...

Le 1er février 1990, le CSFN, accusé par les partis nouvellement créés (ou recréés) de vouloir monopoliser la « révolution », acceptait de partager le pouvoir au sein d'un Comité provisoire d'union nationale (CPUN), sorte de Parlement transitoire réunissant 54 organisations politiques et chargé de mener le pays jusqu'aux élections. Le 20 mai 1990, les Roumains plébiscitaient le président du Front de salut national (FSN) Ion Iliescu, élu président de la République avec 85 % des voix, et donnaient la majorité absolue au FSN dans les deux chambres (66,3 % des voix à l'Assemblée des députés, 67 % au Sénat). Les deux partis historiques — le Parti national libéral et le Parti national paysan — étaient devancés par l'Union démocratique hongroise de Roumanie (émanation de la minorité magyare), devenue la première force d'opposition au Parlement.

Formellement légitimé par les urnes, le président Iliescu n'a pas réussi à stabiliser la situation et a même opéré un brusque virage, lourd de menaces. Le 13 juin 1990, il envoyait les forces de l'ordre disperser les derniers « *golans* » (voyous, le terme employé par Iliescu à leur encontre) qui occupaient depuis le 22 avril la place de l'Université, au centre de Bucarest, baptisée « zone libérée du communisme ». Puis, le 14 juin, plus de 10 000 mineurs, répondant à l'appel du président Iliescu, venaient faire de l'ordre à Bucarest où ils semèrent la terreur durant deux jours. Les sièges des deux partis « historiques » ont été saccagés, comme les locaux du journal d'opposition *Romania Libera*. Les affrontements ont fait officiellement six morts et 502 blessés et plus de 1 000 personnes ont été arrêtées.

La Roumanie semblait au milieu de l'année 1990 cumuler tous les handicaps que l'on retrouvait ici et là dans les autres anciens pays satellites de l'URSS : un vide politique qui sera long à combler, une grave crise économique et des risques d'explosion nationaliste visant essentiellement les Tsiganes et les

Magyars. Le 20 mars 1990, des affrontements à Tirgu Mures, en Transylvanie, opposant des nationalistes roumains à des membres de la minorité magyare ont fait officiellement cinq morts et plus de deux cents blessés. Enfin, six mois après le renversement du régime, le pouvoir ne semblait toujours pas avoir une idée claire de la politique économique qu'il allait suivre pour redresser le pays. Les Occidentaux, appelés à la rescousse, ne cachaient pas leur réserve, voire leur méfiance, à l'égard d'une transition lourde d'incertitudes.

Véronique Soulé

Liban.
La destruction du « pays chrétien »

Dans l'histoire de la guerre du Liban, l'année 1989 restera comme celle de la destruction du « pays chrétien » (10 % du pays environ), relativement épargné depuis le début du conflit (13 avril 1975). Elle fut aussi marquée par l'émergence d'un consensus arabe et international sans précédent (accord de Taef le 22 octobre 1989), visant à mettre un terme à la guerre en reconnaissant à la Syrie une relative tutelle sur le pays.

Le 14 mars, le général chrétien Michel Aoun, chef de l'un des deux gouvernements libanais rivaux, se considérant comme seule autorité légitime de la République, proclama la « guerre de libération nationale » contre l'armée syrienne, dont 35 000 hommes occupent les deux tiers du pays. Le 22 septembre 1988, arrivé à la fin de son mandat sans que le Parlement ait pu lui élire un successeur, le président Amine Gémayel avait en effet nommé M. Aoun chef du gouvernement, fonction qui confère, selon la Constitution, les pouvoirs d'un président par intérim. Mais un autre cabinet, présidé par Selim el-Hoss et soutenu par la Syrie, s'était constitué à Beyrouth-Ouest. L'armée libanaise était elle aussi divisée, une partie étant fidèle au gouvernement Hoss.

Les forces obéissant au général Aoun et la milice de Samir Geagea suspendirent la bataille qu'elles se livraient pour le contrôle du « pays

LIBAN

République libanaise.

Capitale : Beyrouth.

Superficie : 10 400 km² (0,19 fois la France).

Monnaie : livre libanaise (1 livre = 0,01 FF au 30.3.90).

Langues : arabe, français, anglais.

Chef de l'État : vide institutionnel créé à la fin du mandat d'Amine Gemayel (22.9.88). A la suite de l'accord de Taef (22.10.89), René Moawad est élu président. Assassiné le 22, il est remplacé par Elias Hraoui (le 24).

Premier ministre : Selim el-Hoss.

Nature de l'État : la légitimité des institutions est l'objet de conflits, sur fond de guerre civile et de présences militaires étrangères.

Nature du régime : en théorie démocratie parlementaire; *de facto*, dictature des milices en raison de la guerre civile.

Principales milices : Amal (chiites pro-syriens), Parti socialiste progressiste (PSP, druzes), Forces libanaises de Samir Geagea (chrétiennes), Hezbollah (chiites pro-iraniens), Armée du Liban-Sud (ALS, pro-israélienne). Une partie de l'armée libanaise soutient le général chrétien Michel Aoun.

Carte : p. 314 et 315.

Statistiques : voir aussi p. 316.

LIBAN

1. DÉMOGRAPHIE, CULTURE, ARMÉE

	Indicateur	Unité	1970	1980	1989
Démographie	Population	million	2,47	2,67	2,90
	Densité	hab./km²	237,5	256,7	278,6
	Croissance annuelle	%	2,6 [a]	– 0,4 [b]	2,1 [c]
	Mortalité infantile	‰	48 [e]	48 [f]	40 [c]
	Espérance de vie	année	65,0 [e]	65,0 [f]	67,0 [c]
	Population urbaine	%	59,4	75,5	83,0
Culture	Analphabétisme	%	34,0	..	23,0 [h]
	Nombre de médecins	‰ hab.	0,68	..	1,50 [j]
	Scolarisation *12-17 ans*	%	55,4	67,4	65,1
	3e degré	%	23,6	33,8	27,4 [i]
	Postes tv	‰	105	281	302 [g]
	Livres publiés	titre	594	..	..
Armée	Marine	millier d'h.	0,25	0,25	0,5 [d]
	Aviation	millier d'h.	1,0	0,5	0,8 [d]
	Armée de terre	millier d'h.	15,0	22,3	21,0 [d]

a. 1965-75; b. 1975-85; c. 1985-90; d. Forces armées nationales seulement, sans compter les milices; e. 1970-75; f. 1980-85; g. 1987; h. 1985; i. 1984; j. 1983.

2. COMMERCE EXTÉRIEUR [a]

Indicateur	Unité	1970	1980	1989
Commerce extérieur	% PIB	29,1	55,4	137,0 [d]
Total imports	million $	677	3650	2220
Produits agricoles	%	31,4	24,4 [c]	36,7 [b]
Produits énergétiques	%	5,9	7,6 [c]	..
Produits manufacturés	%	54,3	53,0 [c]	..
Total exports	million $	190	868	500
Produits agricoles	%	36,0	20,0 [c]	24,2 [b]
Métaux et prod. miniers	%	6,9	7,3 [c]	..
Produits manufacturés	%	57,0	72,5 [c]	..
Principaux fournisseurs	% imports			
PCD		62,8	65,9	61,5 [b]
CEE		42,5	45,6	46,7 [b]
PVD		21,0	33,4	38,5 [b]
Principaux clients	% exports			
PCD		16,1	14,8	28,9 [b]
PVD		65,8	72,6	44,5 [b]
Arabie saoudite		15,7	33,0	10,3 [b]

a. Marchandises; b. 1988; c. 1977; d. 1986.

chrétien » au moment du déclenchement de la guerre contre l'« occupant syrien ». Aux salves d'artillerie partant du « pays chrétien » répondaient celles de l'armée syrienne et de ses alliés libanais. Un blocus fut imposé

3. ÉCONOMIE

Indicateur	Unité	1970	1980	1989
PIB	million $	1 489	4 075	949 [e]
Croissance annuelle	%	3,2 [a]	– 14,4 [b]	..
Par habitant	$	603	1 526	327 [e]
Structure du PIB				
Agriculture	% } 100 %	9,0	8,5 [f]	..
Industrie	% } 100 %	20,0	21,9 [f]	..
Services	% } 100 %	71,0	69,6 [f]	..
Dette extérieure	million $	360	491	499 [c]
Taux d'inflation	%	..	..	50,0 [i]
Population active	million	0,65	0,74	0,88
Agriculture	% } 100 %	19,8	14,3	9,7 [c]
Industrie	% } 100 %	25,2	27,3	..
Services	% } 100 %	55,0	58,4	..
Dépenses publiques				
Éducation	% PIB	3,5 [g]	3,6	3,4 [h]
Défense	% PIB	2,1	..	..
Production d'énergie	million TEC	0,108	0,105	0,075 [d]
Consommation d'énergie	million TEC	1,67	2,54	3,71 [d]

a. 1970-80 ; b. 1980-86 ; c. 1988 ; d. 1987 ; e. 1986 ; f. 1977 ; g. 1975 ; h. 1985 ; i. Décembre à décembre.

au « pays chrétien ». Au fil du temps, les bombardements gagnèrent en intensité, en particulier en « pays chrétien »; détruisant son infrastructure et écroulant les maisons... En ayant terminé dans sa guerre avec l'Iran, l'Irak, adversaire traditionnel de la Syrie, aida le général Aoun. Dirigés en principe contre l'armée syrienne, les obus tirés à partir du pays chrétien » tombaient eux aussi ır des quartiers résidentiels. De part d'autre, les Libanais retrouvèrent hemin des abris. Mais jamais les bardements n'avaient été aussi nts ni aussi longs.

l'opposition de droite et un groupe d'intellectuels, le gouvernement français mena une politique délicate : aider toutes les communautés du Liban et soulager en même temps le « pays chrétien ». Aux États-Unis, l'administration Bush était convaincue qu'une tutelle syrienne sur le Liban était la seule solution et considérait M. Aoun comme un dangereux aventurier. L'Union soviétique poussa à l'apaisement. De leur côté, les pays arabes déléguèrent à un triumvirat (Arabie saoudite, Algéri Maroc) une mission de bons off

Cette convergence aboutit nion de Taef, en Arabie les députés libanais, s sion de la com mondiale, s un « docu qui réaffirn et de l'indépe lignait l'appai au monde arabe et s l'occupation israélienne contrôle une bande frontaliè qui représente

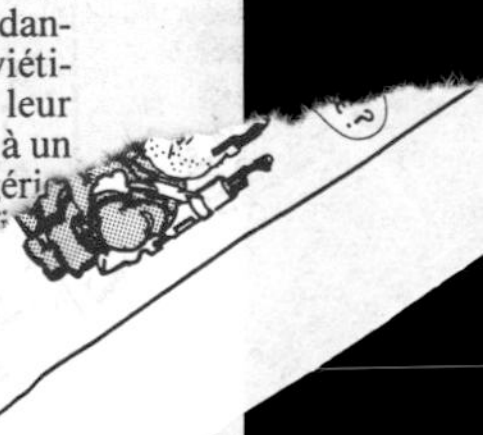

BIBLIOGRAPHIE

CORM G., « La diaspora libanaise », *Hérodote*, n° 53, La Découverte, Paris, 1989.

GRESH A., « Le Liban au miroir des déchirements arabes », *Le Monde Diplomatique*, n° 430, Paris, janv. 1990.

LECERF M.-A., *Comprendre le Liban*, Karthala, Paris, 1988.

« Liban. Les défis du quotidien », *Maghreb-Machrek*, n° 125, La Documentation française, Paris, 3e trim. 1989.

PICARD E., *Liban, État de discorde*, Flammarion, Paris, 1988.

PICAUDOU N., *La Déchirure libanaise*, Complexe, Bruxelles, 1988.

SÉGUIN J., *Le Liban-Sud*, L'Harmattan, Paris, 1989.

10 % du territoire environ) ; stipulait un élargissement du Parlement et un rééquilibrage du pouvoir institutionnel au profit des musulmans. Mais surtout, ce document légitimait la présence, qualifiée de « fraternelle », des forces syriennes, se bornant à prévoir leur redéploiement au terme d'un délai de deux ans. Le général Aoun rejeta aussitôt cet accord et accusa de trahison ceux qui l'avaient signé.

Ses promoteurs essayèrent de donner à ce « document d'entente nationale » une concrétisation immédiate, en organisant l'élection d'un nouveau président de la République. Réunis à Qleiat, au nord du pays, dans une caserne contrôlée par l'armée syrienne, les députés votèrent, le 5 novembre, pour René Moawad, député de Zghorta (Nord). Mais celui-ci fut assassiné le 22. Le 24, Elias Hraoui, député de Zahlé (plaine centrale de la Békaa), fut élu à son tour.

Le général Aoun dénonça ces élections. A son appel, des dizaines de milliers de manifestants campèrent autour du palais présidentiel de Baabda pour lui apporter leur soutien. Isolé sur le plan international, M. Aoun est apparu comme le symbole populiste de l'irrédentisme chrétien. Soutenu par les Syriens, le nouveau président Hraoui menaça de réduire la « rébellion » par la force des armes. Mais cette entreprise mili-

tairement hasardeuse fut contrecarrée par des pressions internationales, notamment françaises. La situation pourrissait.

La « guerre des chrétiens »

Le 31 janvier, le conflit latent entre l'armée du général Aoun et les Forces libanaises de Samir Geagea rebondissait. La « guerre des chrétiens » démarra sur une large échelle, M. Aoun, décidé à devenir le seul maître du « pays chrétien », réussit (6 février) à enfoncer le front de ses adversaires et à diviser le « pays chrétiens » en deux, le Nord restant entre les mains des miliciens, qui gardèrent aussi des poches importantes à Beyrouth-Est et dans sa banlieue. Deux mois durant, les trêves fragiles alternèrent avec les déluges de feu. La guerre fit près de 900 victimes. L'armée du général Aoun était plus puissante, mais elle allait s'affaiblir progressivement. La résistance de la milice était telle que le général finit par réaliser qu'une victoire militaire totale était impossible.

Le 3 avril, Samir Geagea annonça son acceptation de l'accord de Taef. Dans la foulée, il se rangea sous la bannière de la « légalité » incarnée par le président Hraoui et invita ce dernier à venir prendre possession des casernes situées dans le territoire contrôlé par les Forces libanaises. Hraoui accepta. Le général Aoun se retrouva plus isolé que jamais. La « guerre des chrétiens » a poussé quelque 150 000 d'entre eux à trouver refuge — et bon accueil — à Beyrouth-Ouest. L'irrédentisme chrétien avait perdu idéologiquement la bataille.

Mais ce n'était pas la fin de la guerre pour autant. Satisfaite de l'affaiblissement général du « pays chrétien », la Syrie ne vit pas d'un très bon œil le ralliement de Samir Geagea, qui donnait quelque consistance à la « légalité » du président Hraoui. Dans un de ces retournements d'alliances dont elle est coutumière, la Syrie fit donc en sorte que le conflit puisse se poursuivre en fournissant carburants et munitions à son ennemi juré d'hier, le général Aoun.

Néanmoins, la plupart des forces qui contrôlent le territoire libanais semblaient d'accord pour la première fois sur une solution qui devait pouvoir assurer la paix, au prix d'une tutelle syrienne quelque peu contrebalancée par la communauté arabe et internationale. Sur le plan régional, Israël combat cette issue, mais ses possibilités d'intervention sont plus limitées qu'avant. Sur le plan intérieur, les seuls opposants sont le général Aoun et, dans le camp d'en face, le Hezbollah pro-iranien.

Selim Nassib

33 ENSEMBLES GÉOPOLITIQUES

AFRIQUE

Les « plans d'urgence » se succèdent, des conférences internationales se réunissent à grand renfort de publicité, les déclarations d'intention généreuses sont légion... Mais rien n'y fait, le continent africain continue de s'enfoncer dans la crise. Une crise à plusieurs dimensions, économique bien sûr, mais aussi politique, sociale, et peut-être surtout humaine.

De ce fait, l'image du continent africain dans les pays occidentaux est devenue désastreuse : sécheresse et famines à répétition, fardeau de la dette extérieure avec des rééchelonnements sans fin devant le Club de Paris (réunissant certains États créanciers), instabilité politique chronique, guerres civiles ou frontalières, SIDA...

Pour partiale qu'elle soit, cette image accompagne un phénomène inquiétant pour l'Afrique, et que relèvent de nombreux responsables politiques locaux ou européens : le continent noir est en voie de marginalisation croissante sur la scène internationale. Symbole de cette évolution : la part de l'Afrique dans le commerce mondial ne cesse de reculer, représentant en 1990 à peine 3 % des échanges totaux, contre plus de 4 % dix ans plus tôt.

Cette crise ne laisse pas l'Afrique sans réponse : si les années quatre-vingt ont été marquées par des révisions déchirantes des politiques économiques, la décennie suivante s'est engagée sur la contestation des modèles politiques. Sous la double influence du « vent d'Est » et des événements d'Afrique du Sud, une vague de revendication démocratique secoue une bonne partie du continent, singulièrement en Afrique francophone. Une contestation qui s'en prend au règne des partis uniques et des « pères de la nation » qui, quelle que soit leur idéologie, ont constitué le modèle de référence durant trois décennies d'indépendance.

Après avoir tenté diverses expériences, du socialisme scientifique en faillite au Bénin ou au Congo, à la « démocratie directe » de Thomas Sankara au Burkina Faso qui s'est achevée dans le sang, en passant par l'autocratie ivoirienne à bout de souffle, les Africains se tournent désormais vers le multipartisme. Sous la pression de la rue, plusieurs États (Bénin, Côte d'Ivoire, Gabon...) ont décidé en 1990 de s'engager sur cette voie. Modifiant sa politique africaine, la France a choisi, à son tour, d'appuyer cette évolution, en annonçant son intention de lier progressivement son aide aux efforts de démocratisation.

Démocratie et développement sont enfin devenus les deux volets de la crise. Les difficultés du Sénégal ont montré que le pluralisme politique, seul, ne constitue pas la panacée. Or jusqu'ici, les remèdes économiques imposés dans les années quatre-vingt n'ont pas permis de décollage.

Les conditions du FMI

Sous l'impulsion du Fonds monétaire international (FMI) et de la Banque mondiale, les États africains se sont pliés, les uns après les autres, à la dure loi des « plans d'ajustement structurel » et de l'orthodoxie économique. La plupart des pays occidentaux ont conditionné leur aide financière, de plus en plus vitale pour ces États, à un accord avec le FMI — et à ses contraintes draconiennes.

En combattant l'omniprésence des États dans la machine économique — un héritage désastreux des choix initiaux —, les institutions internationales se sont certes attaquées à un des blocages actuels, mais elles ont en même temps déstabilisé des structures fragiles. On ne compte plus les capitales touchées par les « émeutes de la faim » au lendemain d'une hausse de prix dictée par le FMI, ou les protestations d'étudiants se voyant privés de leur débouché traditionnel dans la fonction publique. Les capitales africaines recensent de plus en plus de diplômés de l'enseignement supérieur désormais au chômage...

La remise en ordre des économies africaines se paie au prix fort sur le plan social, contraignant une proportion croissante de la population à la débrouillardise. Dans une capitale comme Dakar, plus de la moitié de la population active opère dans le secteur informel. Le secteur privé africain, tant vanté par les apôtres du libéralisme, a du mal à émerger.

La réponse du monde extérieur à cette amorce de réforme sur le continent a déçu les Africains. La conférence de l'ONU de 1986 n'a pas tenu ses promesses, au point que le secrétaire général des Nations unies, Javier Perez de Cuellar, a été amené, depuis, à tirer la sonnette d'alarme, en raison de la chute des prix des matières premières de base, l'alourdissement du fardeau de la dette, et l'insuffisance du volume d'aide. Difficile à croire, mais l'Afrique connaît, depuis le milieu des années quatre-vingt, des flux financiers négatifs : elle rembourse plus qu'elle ne reçoit...

La dette provoque bien des grincements de dents. Si elle est, en valeur absolue, bien moindre que celle de l'Amérique latine, la dette africaine est, dans les faits, bien plus lourde pour les États concernés. Le service de la dette est en moyenne supérieur à 30 % des recettes d'exportation, un niveau intolérable pour les économies. L'annulation de la dette des « pays les moins avancés » a été annoncée par plusieurs créanciers de l'Afrique, dont le Canada et la France. Cette dernière a décidé en 1990 de ne plus faire que des dons aux PMA. Reste la dette des pays dits « intermédiaires » qui demeure entière.

De même, la célèbre « détérioration des termes de l'échange », c'est-à-dire le rapport entre les prix des produits exportés et ceux des biens importés, un concept contesté par les adeptes du libéralisme à tout crin, frappe durement les pays africains exportateurs de produits de base. Selon la Banque mondiale, en prenant pour indice 100 en 1980, on se trouvait au niveau 63,2 en 1986...

Tous les pays ne vivent pas la crise de la même façon. Les anciennes colonies françaises, par exemple, continuent à bénéficier de la garantie monétaire de Paris, dans le cadre de la zone franc. Un avantage appréciable qui a permis d'amortir la crise, même s'il manifeste lui aussi des signes d'essoufflement. Signe des temps : le « nationalisme monétaire » qui avait poussé, dans les années soixante-dix, certains pays à créer leur propre monnaie n'a plus cours. La Guinée équatoriale est même devenue le premier pays non francophone à adhérer à la zone franc.

AFRIQUE/BIBLIOGRAPHIE SÉLECTIVE

ADDA J., SMOUTS M.-C., *La France face au Sud. Le miroir brisé*, Karthala, Paris, 1989.

Africa Confidential (bimensuel), Londres.

Afrique contemporaine (trimestriel), La Documentation française, Paris.

BANQUE MONDIALE, *L'Afrique sub-saharienne. Étude de prospective à long terme*, Washington, 1989.

BAYART J.-F., *L'État en Afrique*, Fayard, Paris, 1989.

COQUERY-VIDROVITCH C., *Afrique noire. Permanence et ruptures*, Payot, Paris, 1985.

DURRUFLÉ G., *L'Ajustement structurel en Afrique noire (Sénégal, Côte d'Ivoire, Madagascar)*, Karthala, Paris, 1988.

HUGON P. (sous la dir. de), « Les Afriques en l'an 2000 : perspectives économiques », *Afrique contemporaine*, n° 146, avr. 1988.

MOKHTAR G. (sous la dir. de), *Histoire générale de l'Afrique*, Présence africaine, EDICEF-UNESCO, Paris, 1987.

Politique africaine (trimestriel), Éditions Karthala, Paris.

« PMA. 42 pays au ralenti », *Faim-Développement Magazine*, hors série n° 3, CCFD, Paris, 1990.

TERRAY E. (sous la dir. de), *L'État contemporain en Afrique*, L'Harmattan, Paris, 1987.

Regroupements régionaux

De nombreux États africains réalisent qu'ils n'ont d'autre issue que de constituer des ensembles régionaux cohérents. C'est ainsi que plusieurs regroupements économiques régionaux tentent de s'organiser, dans l'Ouest, le Centre et l'Est de l'Afrique. Cette évolution reste toutefois lente, et se heurte aux égoïsmes et aux rivalités. L'Afrique reste l'un des continents les plus touchés par des conflits armés, et elle détient le triste record mondial du nombre de réfugiés. Outre les conflits de l'Afrique australe (Angola, Mozambique), d'autres régions restent des foyers de tension qui obligent les États à investir lourdement dans l'armement. La Corne de l'Afrique, avec les guerres indépendantistes d'Éthiopie et les rivalités entre États, le Tchad et la Libye, le Sahara occidental, l'Ouganda et ses rébellions sans fin sont autant d'entraves au développement. Seule l'évolution interne en Afrique du Sud, malgré ses incertitudes et ses dangers, est venue inverser cette tendance.

La marginalisation de l'Afrique se ressent au niveau des enjeux internationaux. Les affrontements Est-Ouest qui se faisaient de plus en plus courants sur le continent sont en régression, même en Afrique australe où la détente américano-soviétique a permis l'accord sur les conflits d'Angola et de Namibie ; l'heure n'est plus aux aventures : on se contente d'être présent pour empêcher l'autre de prendre pied, au moindre coût d'ailleurs.

En revanche, la France et d'autres puissances moyennes (RFA, Italie, Royaume-Uni, Israël...) restent très présentes. La crise économique a même renforcé les liens de dépendance entre Paris et ses anciennes colonies, tous clivages idéologiques confondus. La présence économique, militaire et humaine de la France est considérable, sans équivalent pour d'autres pays occidentaux, même si le secteur privé français a amorcé un repli relatif. Elle est parfois considérée comme pesante, mais ce n'est pas au milieu de la tornade que l'on change de « parrain ».

Pierre Haski

AFRIQUE / JOURNAL DE L'ANNÉE

- 1989 -

30 juin. **Soudan.** Un coup d'État conduit par l'armée dépose le Premier ministre, Sadiq el-Mahdi, au profit d'un Conseil révolutionnaire de salut national dirigé par Omar Hassan Ahmed al-Bechir.

2 juillet. **Algérie.** Le principe du multipartisme est officiellement adopté. De nombreuses formations demandent leur agrément.

9 juillet. **Afrique du Sud.** Le président Pieter Botha rencontre Nelson Mandela dans sa prison du Cap.

25 juillet. **OUA.** Ouverture du 25e sommet de l'organisation. L'Égyptien Hosni Moubarak est nommé président en exercice.

10-14 août. **Mozambique.** Des négociations de paix ont lieu au Kénya entre représentants de la RENAMO et responsables religieux mandatés par le gouvernement mozambicain.

21 août. **Sénégal - Mauritanie.** Suite aux affrontements du mois d'avril sur les berges du fleuve Sénégal et aux émeutes qui ont suivi, le Sénégal rompt ses relations diplomatiques avec la Mauritanie [*voir article au chapitre « Conflits et tensions »*].

22 août. **Soudan.** Des discussions de paix entre le gouvernement et l'Armée populaire de libération du Soudan (APLS) échouent, notamment sur la question de la *charia*.

31 août. **Tchad - Libye.** Signature à Alger d'un accord de principe pour trouver une solution politique et juridique au conflit de la bande d'Aozou.

7 septembre. **Éthiopie.** Après la prise de Massawa par le Front populaire de libération de l'Erythrée (FPLE), des représentants des autorités et du FPLE entament des discussions sous l'égide de Jimmy Carter, ancien président des États-Unis.

7 septembre. **Afrique du Sud.** Victoire électorale du Parti national et progression du Parti conservateur aux élections législatives. Le 14, F. de Klerk qui exerçait déjà l'intérim depuis le 14 août est officiellement élu chef de l'État.

24 septembre. **Niger.** Le projet de Constitution est approuvé massivement.

30 septembre. **Sénégambie.** Suite à l'accord du 18 septembre, la confédération est dissoute.

7 octobre. **Nigéria.** Le président Ibrahim Babangida annonce qu'aucun des six partis politiques proposés pour l'officialisation dans le cadre du programme de transition à un régime civil n'est retenu et qu'ils sont tous dissous.

13 octobre. **Malawi.** Assassinat d'un responsable d'une organisation d'opposition réfugié à Lusaka (Zambie).

13 octobre. **Sahara occidental.** Reprise des combats avec le Front polisario après près d'une année de trêve et un début de négociations.

15 octobre. **Afrique du Sud.** Libération de sept leaders historiques des mouvements de libération (Walter Sisulu, Ahmed Kathrada, Elias Motsoaledi, Andrew Mlangeni, Raymond Mhlaba, Oscar Mpetha et Wilton Mkwayi).

7 novembre. **Namibie.** Les élections législatives organisées sous le contrôle de l'ONU donnent 41 sièges (sur 72) à la SWAPO, 21 à la DTA et 10 aux autres formations. Elles montrent la forte régionalisation de l'implantation des partis.

Novembre. **Comores.** Après un référendum présidentiel agité (le 5 novembre), le président Ahmed Abdallah est assassiné le 26. Le 29 novembre, un coup d'État organisé par le chef de la garde prétorienne, le mercenaire français Bob Denard, conduit ce dernier au pouvoir. Il devra le quitter sur pression conjointe de la France et de l'Afrique du Sud.

1er décembre. **Maroc.** Un référendum repousse les élections générales à 1992, pour permettre éventuellement aux populations sahraouies de participer à cette consultation.

7 décembre. **Bénin.** Le pays renonce officiellement au marxisme-léninisme alors que se développent de nombreuses manifestations d'opposition.

10 décembre. **Niger.** Les élections présidentielle et législative contrôlées par le MNSD (parti unique) donnent une victoire massive à ce mouvement.

24 décembre. **Libéria.** Un complot visant à renverser le président Samuel Kaneyon Doe avorte et est suivi d'une violente répression qui se poursuit pendant plusieurs mois.

- 1990 -

6 janvier. **Sénégal - Mauritanie.** Duel d'artillerie au-dessus de la frontière.

17 janvier. **Gabon.** Des manifestations contre le pouvoir éclatent à Libreville.

27 janvier. **Maroc - Algérie.** Le roi Hassan II et le président Chadli Bendjedid se rencontrent pour resserrer les relations diplomatiques entre leurs deux pays.

2 février. **Afrique du Sud.** Frederik de Klerk annonce la légalisation de l'ANC, du PAC et du SACP et la levée des restrictions sur trente-trois organisations.

9 février. **Namibie.** Les membres de l'Assemblée constituante adoptent par consensus la Constitution (multipartisme).

11 février. **Afrique du Sud.** Nelson Mandela est libéré après vingt-sept ans de détention.

19 février. **Lésotho.** Le roi Moshoeshoe II est déposé par le général Lekhanya.

19-24 février. **Bénin.** Une « conférence nationale » décide de la suspension de la loi fondamentale de 1977, la réduction des pouvoirs du président et la création d'un poste de Premier ministre.

21 février. **Gabon.** Pour désamorcer la crise sociale et politique, le président Omar Bongo annonce la constitution d'un nouveau gouvernement et la suppression du Parti démocratique gabonais (PDG) au profit d'un « Rassemblement social démocratique gabonais ».

20-22 février. **Tunisie.** Les militants islamistes organisent grèves et manifestations dans tout le pays.

2 mars. **Côte d'Ivoire.** Violentes manifestations pour protester contre le plan d'austérité de Félix Houphouët-Boigny.

21 mars. **Namibie.** Accession à l'indépendance de ce pays annexé par l'Afrique du Sud en 1946.

26 mars. **Algérie.** L'adoption par l'Assemblée nationale populaire d'un code de la monnaie et du crédit marque les débuts de la libéralisation économique.

27 mars. **Sénégal.** Jean Colin, secrétaire général de la présidence de la République et ministre d'État, quitte le gouvernement sénégalais.

28-30 mars. **Zimbabwé.** Les élections législative et présidentielle marquent la victoire de la ZANU et se caractérisent par un fort taux d'abstention (45 %).

20 avril. **Algérie.** Une marche, à l'appel du Front islamique de salut (FIS), rassemble des dizaines de milliers de manifestants. Dans les semaines qui suivent plusieurs rassemblements mobilisent successivement les « démocrates » (coalition de partis laïcs), les partisans de l'ancien parti unique FLN (Front de libération nationale) et ceux du FFS (Front des forces socialistes de Hocine Aït-Ahmed). Les foules, à chaque fois, sont imposantes.

24 avril. **Zaïre.** La IIIe République est proclamée tandis que le « tripartisme » est annoncé.

30 avril. **Bénin.** La dissolution du parti unique est décidée.

3 mai. **Côte d'Ivoire.** Après accord du Bureau du parti unique PDCI, le multipartisme est légalisé.

11 mai. **Zaïre.** Une cinquantaine d'étudiants réclamant de meilleures conditions de travail sont tués par les troupes d'élite du gouvernement à Lubumbashi.

14 mai. **Côte d'Ivoire.** Manifestation de militaires à Abidjan et persistance de l'instabilité politique et sociale.

15 mai. **Gabon.** De nombreux troubles se développent dans tout le pays, notamment à Port-Gentil, et conduisent à une intervention des troupes françaises « pour protéger les ressortissants français ».

20 mai. **Libéria.** La rébellion du Front national patriotique du Libéria (NPFL) dirigé par Charles Taylor se trouve aux portes de la capitale, Monrovia.

21 mai. **Togo.** Annonce de l'introduction du multipartisme.

26 mai. **Cameroun.** Six personnes sont tuées par les forces de l'ordre lors d'une manifestation à l'appel du Front social démocratique, non légalisé, à Bamenda.

Dominique Darbon

Afrique du Nord

ALGÉRIE • LIBYE • MAROC • TUNISIE

(L'Algérie est traitée p. 199. Le Maroc est traité p. 205. Voir aussi p. 508 et 524.)

Libye

Pour les médias occidentaux — dont on ne soulignera jamais assez l'importance aux yeux du colonel Kadhafi, ainsi que dans la fabrication du mythe qui l'entoure — la Libye de 1989-1990 a tenu tout entière dans le nom d'une localité de Tripolitaine jusque-là inconnue : Rabta. L'accusation par les États-Unis de fabrication de gaz de combat dans une usine théoriquement destinée à produire des médicaments, puis l'incendie mystérieux, en février 1990, d'une partie de ce complexe chimique érigé grâce à la technologie allemande et à la main-d'œuvre pakistanaise, ont une nouvelle fois propulsé Mouamar Kadhafi au rang d'ennemi public du monde occidental. Une place qu'il ne déteste pas.

Jamahirya arabe libyenne populaire et socialiste
Nature du régime : militaire.
Chef de l'État : colonel Mouamar Kadhafi (depuis le 1.9.69).
Monnaie : dinar libyen.
Langue : arabe.

L'affaire de Rabta est demeurée, sous bien des aspects, étrange. S'il semble acquis que l'usine fabriquait des armes chimiques, la réalité et l'origine de sa destruction sont beaucoup plus aléatoires, puisque les services de renseignement américains et européens ont paru convaincus de l'hypothèse d'un « maquillage » qui n'aurait eu pour conséquence que de suspendre la production du complexe de Rabta. Quoi qu'il en soit, l'orchestration psychodramatique menée autour de cet incident — tandis que d'autres États, dans la région, produisent depuis longtemps les mêmes armes sans émouvoir personne — a permis au colonel Kadhafi de ressouder quelque peu ses troupes, face à la dégradation de la situation intérieure.

L'amorce de libéralisation économique tentée en 1988 s'est en effet limitée au transfert de quelques dizaines d'entreprises du secteur public au secteur coopératif. Le maintien de l'interdiction de l'initiative privée et l'incapacité du régime à s'engager sur une voie contraire aux enseignements du « petit livre vert » rédigé par le colonel ont entretenu l'anachronisme libyen. L'augmentation du prix des denrées alimentaires, le licenciement de fonctionnaires et la baisse du seuil de revenu garanti ont nourri, en 1989-1990, un malaise social grandissant. Principale force de contestation interne, la mouvance islamiste s'est faite plus pressante. M. Kadhafi a réagi vivement : vidées en avril 1988 à grand renfort de mobilisation médiatique, les prisons ont été à nouveau remplies et des rumeurs, difficiles à contrôler, ont fait état de plusieurs dizaines d'exécutions de « frères musulmans » et de membres du Parti de la libération islamique.

Sur le plan extérieur, en dépit de l'affaire de Rabta, la recherche de nouveaux soutiens politiques et économiques — le déficit budgétaire prévu pour 1990 va sans doute conduire la Libye à entrer pour la première fois ouvertement sur le marché financier international — a obligé M. Kadhafi à multiplier les gages de modération et d'ouverture :

BIBLIOGRAPHIE

Annuaire de l'Afrique du Nord, CRESM-CNRS, Aix-en-Provence-Paris.

BADUEL P.-R. (sous la dir. de), *Habitat, État et société au Maghreb*, Éd. du CNRS, Paris, 1988.

BALTA P., *Le Grand Maghreb. Des indépendances à l'an 2000*, La Découverte, Paris, 1990.

CHEVALLIER A., KESSLER V., *Économies en développement et défis démographiques, Algérie-Égypte-Maroc-Tunisie*, La Documentation française, Paris, 1989.

« Islam et institutions au Maghreb et en Égypte », *Maghreb-Machrek*, n° 126, La Documentation française, Paris, 4e trim. 1989.

KODMANI-DARWISH B. (sous la dir. de), *Le Maghreb, les années transition*, IFRI, Paris, 1990.

LACOSTE C. et Y. (sous la dir. de), *L'état du Maghreb*, La Découverte, coll. « L'état du monde », Paris, à paraître.

LAMCHICHI A., *Islam et contestation au Maghreb*, L'Harmattan, Paris, 1990.

LEVEAU R., « La Tunisie du président Ben Ali. Équilibre interne et environnement arabe », *Maghreb-Machrek*, n° 123, La Documentation française, Paris, 1re trim. 1989.

Maghreb-Machrek (trimestriel), La Documentation française, Paris.

ROMM (*Revue de l'Occident musulman et de la Méditerranée*, semestrielle), Édisud, Aix-en-Provence.

TOZY M., « Islam et État au Maghreb », *Maghreb-Machrek*, n° 126, La Documentation française, Paris, 4e trim. 1989.

Voir aussi les bibliographies « Algérie » et « Maroc » dans la section « 34 États ».

spectaculaire réconciliation avec l'Égypte et avec l'OLP (Organisation de libération de la Palestine), la manipulation diplomatique de quelques libérations d'otages, lors du passage des concurrents du rallye Paris-Dakar, et le maintien vis-à-vis du Tchad d'un profil bas qui n'exclut pas l'interventionnisme indirect... Reste que tout cela n'a pas suffi à assurer un sursaut de popularité à un leader de plus en plus rigide et obsédé par sa propre sécurité.

Tunisie

Après le choc des élections législatives d'avril 1989 qui ont rendu évidente la bipolarisation du paysage politique partagé entre le parti au pouvoir, le RCD (Rassemblement constitutionnel démocratique), et les islamistes du Hezb Ennahda, la chronique tunisienne s'est comme figée sur les termes de cet affrontement. Le départ du Premier ministre, Hedi Baccouche, et son remplacement par Hamed Karoui, personnalité plus effacée et moins « politicienne », puis le nouveau remaniement ministériel du début de 1990 se sont inscrits en effet dans une perspective unique : combattre la poussée islamiste.

République tunisienne

Nature du régime : présidentiel, civil.
Chef de l'État : Zine el-Abidine Ben Ali (depuis le 7.11.87).
Premier ministre : Hedi Baccouche, remplacé par Hamed Karoui depuis le 27.9.89.
Monnaie : dinar (1 dinar = 6,28 FF au 30.4.90).
Langues : arabe (off.), français.

Toujours officiellement non reconnu, le Hezb Ennahda de Rached Ghannouchi — qui a cependant reçu du pouvoir l'autorisation d'éditer un journal — a déplacé ses terrains de lutte. Il a opéré une tentative de percée au sein des syndicats ouvriers et, surtout, il a favorisé l'instauration, fin 1989 et début 1990, d'une forte agitation estudian-

AFRIQUE DU NORD

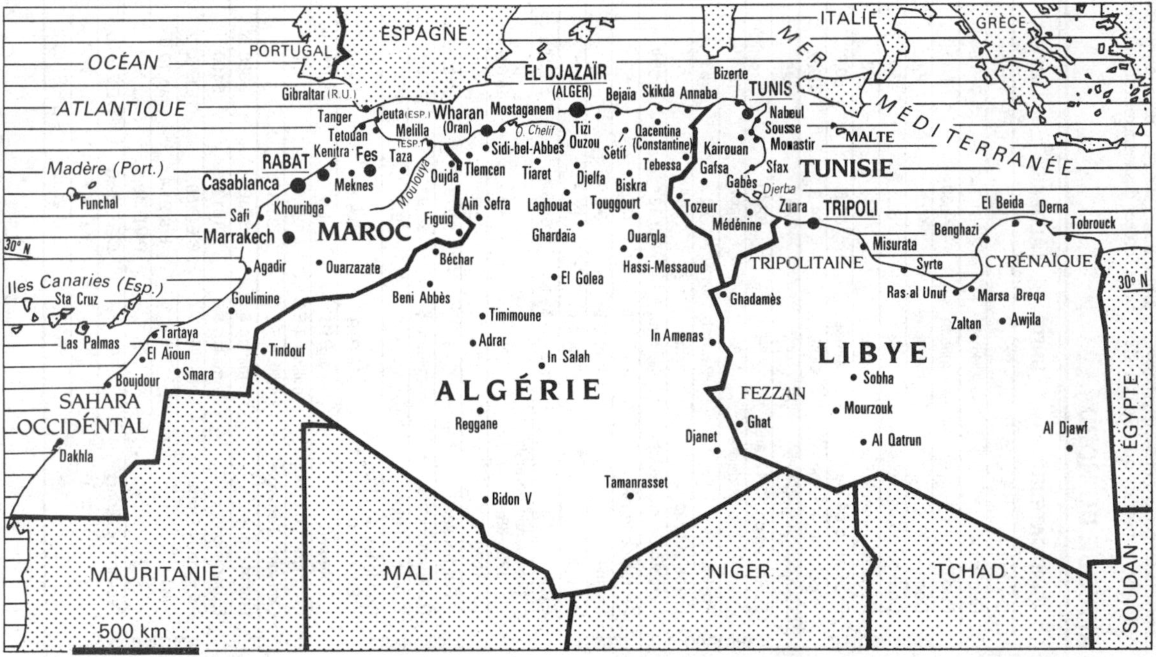

tine dirigée contre le ministre de l'Éducation nationale, Mohamed Charfi, dénoncé comme « laïcisant ». Après deux mois de quasi-paralysie des universités, le pouvoir a réagi brusquement, renouant avec la tradition bourguibienne des incorporations forcées des leaders étudiants au

AFRIQUE DU NORD

	INDICATEUR	UNITÉ	ALGÉRIE	LIBYE
	Capitale		Alger	Tripoli
	Superficie	km^2	2 381 741	1 759 540
DÉMOGRAPHIE	Population (*)	million	24,60	4,39
	Densité	hab./km^2	10,3	2,5
	Croissance annuelle [d]	%	3,1	3,7
	Mortalité infantile [d]	‰	74	82
	Espérance de vie [d]	année	62,5	60,7
	Population urbaine	%	44,3	69,0
CULTURE	Analphabétisme [b]	%	46	25
	Scolarisation 12-17 ans	%	62,3	••
	3e degré	%	9,4 [b]	10,1 [f]
	Postes tv [b]	‰ hab.	70	63
	Livres publiés	titre	718 [e]	••
	Nombre de médecins	‰ hab.	0,43 [e]	1,38 [g]
ARMÉE	Armée de terre	millier d'h.	120	55
	Marine	millier d'h.	6,5	8
	Aviation	millier d'h.	12	22
ÉCONOMIE	PIB	milliard $	55,9	23,0 [a]
	Croissance annuelle 1980-88	%	3,0	– 6,0
	1989	%	2,8	••
	Par habitant	$	2 273	5 439 [a]
	Dette extérieure	milliard $	24,9 [a]	3,3 [a]
	Taux d'inflation	%	9,2	••
	Dépenses de l'État Éducation	% PIB	9,8 [b]	10,1 [c]
	Défense	% PIB	1,9	6,8 [a]
	Production d'énergie [b]	million TEC	123,8	74,4
	Consom. d'énergie [b]	million TEC	33,3	11,6
COMMERCE	Importations	million $	8 610	6 880
	Exportations	million $	8 813	6 100
	Principaux fournis. [a]	%	CEE 59,0	CEE 52,9
		%	Fra 21,4	Jap 10,0
		%	PVD 16,5	CAEM 11,3
	Principaux clients [a]	%	CEE 62,0	CEE 74,0
		%	Ita 17,7	Ita 31,0
		%	E-U 21,8	URSS 9,2

sein de l'armée. Arrestations, tracasseries, intimidations, privations de passeports : les milieux islamistes se sont également plaints — non sans raison — du regain d'activisme policier à leur encontre. Plus que jamais, la situation paraissait bloquée à la mi-1990 : arguant des « dérapages » algériens en ce domaine, les autorités tunisiennes semblaient en effet décidées à maintenir le Hezb Ennahda dans l'illégalité.

MAROC	TUNISIE
Rabat	Tunis
450 000	163 610
24,5	7,99
54,5	48,8
2,6	2,4
82	59
60,7	65,3
47,8	54,0
64	41
38,0	65,3
9,8 [b]	5,7 [b]
56	68
••	1 160 [b]
0,21 [b]	0,46 [c]
170	30
6,5	4,5
16	3,5
23,25	10,51
3,5	3,2
3,0	3,1
950	1 315
20,8	5,6
4,7	6,3
8,3 [b]	6,3 [c]
5,2	5,0 [a]
0,99	7,7
7,8	5,0
5 100	4 310
3 700	2 930
CEE	PCD 78,9
Fra 22,4	Fra 24,8
E-U 7,0	PVD 18,1
CEE 55,0	PCD 74,1
Fra 26,4	Fra 25,4
CAEM 3,4	PVD 19,8

Le gouvernement comptait, pour ce faire, bénéficier du soutien de la « société civile » — en fait, la bourgeoisie et la classe moyenne urbanisée — effrayée par l'exemple de l'Algérie et qui, pour la première fois, s'est manifestée comme groupe de pression en soutenant la « bête noire » des islamistes, Mohamed Charfi. Les partis de gauche et du centre, qui forment une force-tampon souhaitée par le président Zine el-Abidine Ben Ali entre le RCD au pouvoir et la formation religieuse, ne s'étaient cependant toujours pas remis de leur échec aux élections législatives d'avril 1989. Écrasé par la bipolarisation, le Mouvement des démocrates socialistes (MDS) a ainsi changé de leader — Mohamed Moadda remplaçant Ahmed Mestiri — mais sans retrouver son électorat. La décision de ces partis de boycotter les élections municipales de juin 1990 est donc apparue comme une prudente mesure conservatoire.

La solitude du président Ben Ali a accentué le caractère centralisé et parfois autoritaire de son pouvoir qui, par plusieurs traits, s'est rapproché de celui qu'exerçait Habib Bourguiba. Un Bourguiba enfin libéré le 13 mai 1990 de sa résidence surveillée de Monastir, où il avait été maintenu pendant deux ans et demi malgré ses multiples protestations verbales et écrites.

Le demi-succès du sommet maghrébin de Tunis, tenu en janvier 1990 sous une pluie battante qui a provoqué dans le centre et le sud du pays de meurtrières inondations, n'a

Chiffres 1989, sauf notes : a. 1988 ; b. 1987 ; c. 1986 ; d. 1985-90 ; e. 1984 ; f. 1985 ; g. 1983.

(*) Dernier recensement utilisable : Algérie, 1987 ; Libye, 1984 ; Maroc, 1982 ; Tunisie, 1984.

guère permis de sortir de la morosité ambiante. Alors que la situation économique est devenue critique, les écarts de revenus, la corruption et les luttes intestines au sein de l'équipe dirigeante ont creusé chaque mois un peu plus le fossé qui sépare l'opinion de la classe dirigeante. La paralysie qui touche le domaine de l'information — l'un des grands échecs du « benalisme » — a joué un rôle non négligeable dans cette passivité générale. Les Tunisiens, qui avaient beaucoup espéré après la chute de Bourguiba, s'ennuient désormais. Et cette situation ne profite à personne, sauf sans doute aux islamistes considérablement revigorés par la victoire électorale, le 12 juin, de leurs homologues algériens.

François Soudan

Afrique sahélienne

BURKINA FASO • MALI • MAURITANIE • NIGER • TCHAD

(Mauritanie : voir aussi p. 485.)

Burkina Faso

Le Burkina Faso, engagé depuis le 4 août 1983 par l'aile radicale de l'armée dans la Révolution démocratique et populaire (RDP), a connu une année politique agitée et parfois dramatique. Le chef de l'État, le capitaine Blaise Compaoré, porté en juin 1989 à la présidence de la Communauté économique des États de l'Afrique de l'Ouest (CEDEAO) et pratiquant une certaine ouverture politique, a imposé une image nouvelle au « processus de rectification » initié par le coup d'État du 15 octobre 1987 qui avait brutalement éliminé son prédécesseur, le capitaine Thomas Sankara. Mais décidée par les seuls militaires, l'exécution immédiate du commandant Lingani et du capitaine Zongo (compagnons historiques des capitaines Sankara et Compaoré), à la suite d'un coup d'État déjoué le 18 septembre 1989, a jeté le discrédit sur le régime burkinabé. Le malaise, apparemment peu sensible à l'intérieur du pays, s'est confirmé à l'extérieur — où des éléments du Mouvement sankariste sont particulièrement actifs — à l'annonce de la découverte d'un nouveau complot le 23 décembre 1989 et de l'arrestation de 31 personnes.

République démocratique populaire de Burkina Faso

Nature du régime : présidentiel.
Chef de l'État et du gouvernement : capitaine Blaise Compaoré, président du Front populaire (depuis le 15.10.87).
Monnaie : franc CFA (1 FCFA = 0,02 FF).
Langues : français (off.), moré, dioula, gourmantché.

Après la réunion, en janvier 1990, à Ouagadougou, de la Commission mixte franco-burkinabé, en présence du ministre français de la Coopération, Jacques Pelletier, et la visite du pape Jean-Paul II, le congrès constitutif du Front populaire (FP) a conforté la position de B. Compaoré reconduit, en mars 1990, à la présidence, et a marqué une volonté de recentrage politique avec l'intégration de deux nouvelles organisations de tendance libérale. Désignée en avril 1990, une commission constitutionnelle devait remettre ses travaux en novembre. Référendum sur la Constitution et élection du président du pays ont été prévus pour 1991. Cela enlèvera-t-il à l'armée la réalité du pouvoir et autorisera-t-il

AFRIQUE SAHÉLIENNE

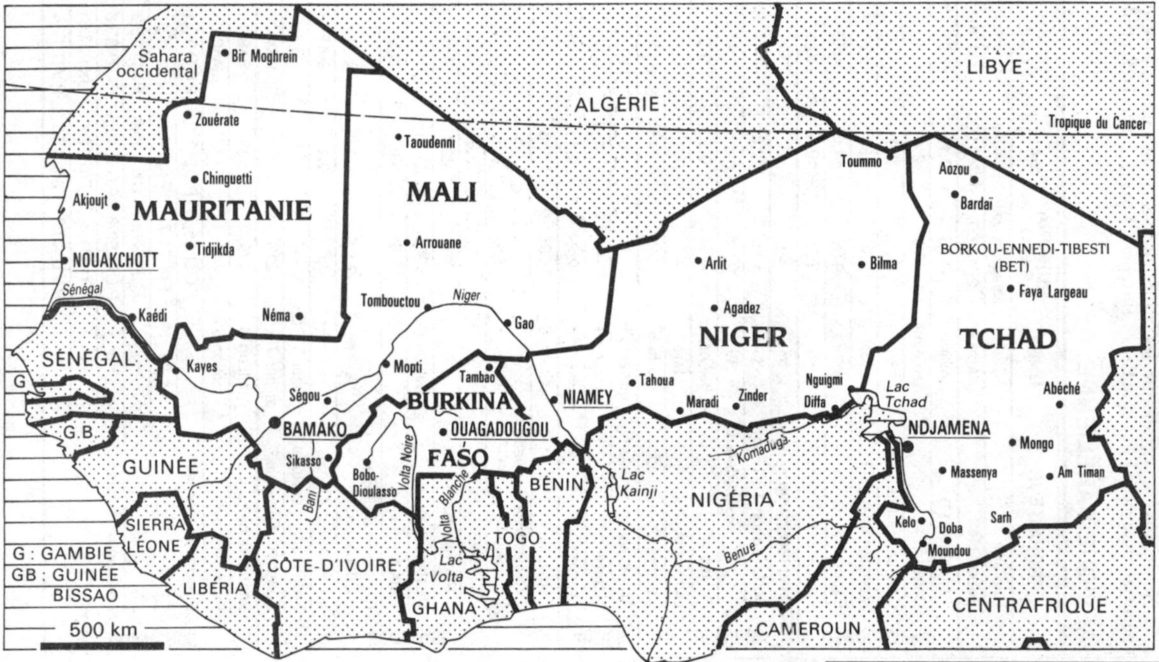

les activités des partis non membres du FP?

L'année 1989 a vu aboutir les négociations avec le FMI et la Banque mondiale pour l'élaboration d'un programme d'ajustement structurel officiellement annoncé en octobre 1989. Les principaux bailleurs de

AFRIQUE SAHÉLIENNE

	INDICATEUR	UNITÉ	BURKINA FASO	MALI	MAURITANIE
	Capitale		Ouagadougou	Bamako	Nouakchott
	Superficie	km^2	274 200	1 240 000	1 030 700
DÉMOGRAPHIE	Population (*)	million	8,76	9,16	1,97
DÉMOGRAPHIE	Densité	hab./km^2	32,0	7,4	1,9
DÉMOGRAPHIE	Croissance annuelle[g]	%	2,7	2,9	2,7
DÉMOGRAPHIE	Mortalité infantile[g]	‰	138	169	127
DÉMOGRAPHIE	Espérance de vie[g]	année	47,2	44,0	46,0
DÉMOGRAPHIE	Population urbaine	%	8,8	19,0	40,5
CULTURE	Analphabétisme[b]	%	84	81	69
CULTURE	Scolarisation 12-17 ans	%	14,0	12,8	31,7
CULTURE	3e degré	%	0,6[c]	0,8[c]	3,4[b]
CULTURE	Postes tv[b]	‰ hab.	4,8	0,2	0,8
CULTURE	Livres publiés	titre	4[d]	160[h]	••
CULTURE	Nombre de médecins	‰ hab.	0,02[e]	0,04[e]	0,08[h]
ARMÉE	Armée de terre	millier d'h.	7,0	6,9	10,4
ARMÉE	Marine	millier d'h.	—	0,05	0,35
ARMÉE	Aviation	millier d'h.	0,2	0,4	0,25
ÉCONOMIE	PIB[a]	million $	1 795	1 758	915
ÉCONOMIE	Croissance annuelle 1980-88	%	5,1	2,9	1,3
ÉCONOMIE	1989	%	••	9,9	3,5
ÉCONOMIE	Par habitant[a]	$	210	220	480
ÉCONOMIE	Dette extérieure	million $	866[a]	2 105	2 076[a]
ÉCONOMIE	Taux d'inflation	%	1,6	− 0,1	5,5
ÉCONOMIE	Dépenses de l'État Éducation	% PIB	2,5[d]	3,2[b]	4,9[b]
ÉCONOMIE	Défense	% PIB	3,0[b]	3,1[b]	9,8[h]
ÉCONOMIE	Production d'énergie[b]	millier TEC	—	20	3
ÉCONOMIE	Consom. d'énergie[b]	millier TEC	219	198	1 438
COMMERCE	Importations[a]	million $	479	523	518
COMMERCE	Exportations[a]	million $	148	138	456
COMMERCE	Principaux fournis.[a]	%	PCD 55,7	PCD 57,1	PCD 70,1
COMMERCE		%	Fra 31,7	Fra 24,6	Fra 26,1
COMMERCE		%	Cd'I 29,5	Cd'I 26,9	PVD 29,9
COMMERCE	Principaux clients[a]	%	PCD 50,6	PCD 49,5	PCD 82,6
COMMERCE		%	Fra 34,3	Fra 12,4	Jap 37,2
COMMERCE		%	PVD 49,3	Alg 18,2	PVD 17,4

fonds occidentaux, dont la France (près de 30 milliards FCFA par an), satisfaits de cette décision, se sont plus nettement engagés dans le développement rural, l'hydraulique et les infrastructures qui, avec le secteur minier, sont les priorités de l'État. Le déficit de la balance commerciale et des finances publiques et la croissance de l'endettement liée au non-paiement d'arriérés ont traduit une relative dégradation de l'économie du pays qui reste pourtant, grâce à une gestion rigoureuse, l'une des plus saines du Sahel.

NIGER	TCHAD
Niamey	Ndjamena
1 267 000	1 284 000
6,89	5,54
5,4	4,3
3,0	2,5
135	132
44,5	45,5
18,8	32,0
82	74
12,4	23,3
0,6 c	0,4 c
2,6	0,9
..	..
0,03 h	0,02 i
3,2	17
—	—
0,1	0,2
2 169	864
−1,3	−3,2 f
..	..
310	160
1 742 a	346 a
0,3	1,3
..	1,9 e
0,8 b	5,2 a
65	—
343	99
401	196
376	343
PCD 65,1	E-U 18,3
Fra 32,3	Fra 29,6
PVD 25,6	PVD 30,4
PCD 88,9	PCD 53,0
Fra 80,1	PVD 47,0
PVD 10,8	Por 25,0

Mali

C'est en juillet 1989 que le chef de l'État, le général Moussa Traoré, a achevé son mandat à la tête de l'Organisation de l'unité africaine (OUA). Dirigeant le pays depuis le coup d'État militaire de 1968, il s'est entouré de proches lors du dernier et important remaniement ministériel de juin 1989 qui a consacré un resserrement du pouvoir autour de sa personne. Encore peu sensible aux évolutions vers le multipartisme dans certains pays africains, le Conseil national de l'Union démocratique du peuple malien (UDPM) a confirmé, en décembre 1989, le rôle dirigeant du parti unique, l'opposition restant réduite à la clandestinité.

République du Mali

Nature du régime : présidentiel, parti unique (Union démocratique du peuple malien, UDPM).
Chef de l'État : général Moussa Traoré (depuis nov. 68).
Monnaie : franc CFA (1 FCFA = 0,02 FF).
Langues : français (off.), bambara, senoufo, sarakolé, dogon, touareg, arabe.

Bien que les autorités se soient réjouies des résultats économiques de 1989, les fonctionnaires et étudiants ont continué de percevoir salaires et

Chiffres 1989, sauf notes : a. 1988; b. 1987; c. 1986; d. 1985; e. 1983; f. 1980-86; g. 1985-90; h. 1984; i. 1980.
(*) Dernier recensement utilisable : Burkina Faso, 1985; Mali, 1987; Mauritanie, 1977; Niger, 1988; Tchad, 1964.

bourses avec retard (grève et fermeture de l'École nationale d'administration en novembre 1989). Les condamnations spectaculaires de 1989 pour détournements de fonds n'ont pas troublé le scepticisme d'une opinion publique malienne sensible à la persistance de la fraude et de la corruption dans le pays. Le FMI guide la politique économique du général Traoré depuis 1982, sans que soit sérieusement pris en compte son coût social : pouvoir d'achat réduit et chômage accru en particulier, dans un contexte d'urbanisation accélérée. La privatisation, à partir d'août 1989, de quatorze importantes sociétés et entreprises d'État dont la Banque de développement du Mali s'est inscrite dans un plan notamment marqué par la restructuration du secteur agricole, la libéralisation des marchés céréaliers et la liquidation d'Air Mali et de la SOMIEX (monopole du commerce). Ces mesures ont été soutenues par les bailleurs de fonds (CEE, France, Pays-Bas, États-Unis et pays arabes) qui, en retour, se sont engagés, en 1989, de façon très significative. La dette publique (125 % du PIB) a été réaménagée au Club de Paris en novembre 1989. A ces retombées financières, également liées à l'exercice de la présidence de l'OUA, se sont ajoutées une campagne agricole satisfaisante en 1989-1990, dégageant un léger excédent céréalier et une bonne production de coton. Les gisements d'or de Loulo et de Syama, mis en service en 1990, font des mines un secteur d'avenir. Le déficit budgétaire était pourtant de 57 milliards FCFA en 1989 et le budget 1990, arrêté à 245 milliards FCFA, a prévu un déficit de 15 milliards qui devrait être, comme les années précédentes, largement dépassé.

Guy Labertit

Mauritanie

La Mauritanie a connu en avril-mai 1989 la plus violente tension ethnique de son histoire et une épreuve de force sans précédent avec le Sénégal. Des heurts, traditionnels, entre pasteurs et cultivateurs des deux rives du fleuve Sénégal ont fait des morts au début avril. Ils ont été prolongés par des affrontements sanglants entre Mauritaniens et Sénégalais, Maures (arabo-berbères) et Négro-Africains, à partir du 23 avril, quand les commerces maures ont été pillés sur le territoire sénégalais, faisant de nombreuses victimes. Le 25 avril, des Sénégalais connaissaient le même sort en Mauritanie, à Nouakchott et à Nouadhibou. Les bilans sont difficiles à chiffrer et sujets à controverses. Selon le président Maawiya Ould Sid Ahmed Taya, sur 350 000 à 500 000 Maures installés de longue date au Sénégal, il y aurait eu 10 000 tués et le nombre des morts sénégalais ou négro-africains en Mauritanie n'aurait pas dépassé 35 (mais d'après la presse internationale, il aurait été de 200 à 400).

République islamique de Mauritanie
Nature du régime : militaire, dirigé par le Comité militaire de salut national (CMSN).
Chef de l'État et du gouvernement : colonel Maaouya Ould Sid'Ahmed Taya (depuis le 12.12.84).
Monnaie : ouguiya (1 ouguiya = 0,06 FF au 30.4.90).
Langues : arabe, français (off.), hassaniya, peul, soninké, ouolof.

Les deux pays ont procédé à des transferts de population. Quelque 230 000 Maures, selon Nouakchott, ont fui le Sénégal ou ont été expulsés. Les autorités mauritaniennes ont, de leur côté, expulsé 100 000 « vrais Sénégalais » et 40 000 « faux Mauritaniens » (Sénégalais ayant acquis la nationalité mauritanienne dans des conditions contestées *a posteriori* par Nouakchott). Les relations diplomatiques ont été rompues par le Sénégal le 21 août et le chef de l'État égyptien, Hosni Moubarak, président en exercice de l'OUA (Organisation de l'unité africaine) a entrepris une mission de médiation qui n'avait toujours pas abouti à une réconciliation des deux pays en avril 1990.

En raison de la crise structurelle, aggravée par l'invasion des criquets en 1989, et de l'affrontement avec le Sénégal, la situation économique est demeurée précaire. On a noté toutefois un accroissement des superficies irriguées le long du fleuve grâce aux barrages de Diama et de Manantali, une remontée des cours du fer (+8 %) et des quantités exportées (12 millions de tonnes, +20 %), une gestion plus rigoureuse bien qu'insuffisante des richesses halieutiques et une légère amélioration des recettes fiscales.

Le président Taya, au pouvoir depuis le 12 décembre 1984, s'est efforcé, malgré les difficultés, d'accélérer la modernisation du pays : depuis l'automne 1989, le port du costume européen a remplacé celui du boubou dans les activités professionnelles ; un Code civil ou Code des obligations et des contrats a été adopté fin 1989 ; un Code de la famille ou de statut personnel et un Code du commerce devaient entrer en vigueur avant la fin de 1990. Enfin, prévue pour la fin 1989, dans le cadre de la décentralisation et du processus de démocratisation, l'élection des maires pour cinq ans a été ajournée d'un an en raison des tensions ethniques.

Paul Balta

Niger

1989 a été pour le Niger l'année de la mise en place des institutions de la IIe République ; une nouvelle Constitution, adoptée le 24 septembre (99,28 % de « oui »), régit une société nigérienne dominée par une alliance entre l'armée et les grands commerçants. Le général Ali Saïbou, désigné en novembre 1987 pour succéder, à sa mort, au général Seyni Kountché — au pouvoir depuis 1974 —, a été élu président du Conseil supérieur d'orientation nationale (CSON), fort de 67 membres, civils et militaires, organe directeur du Mouvement national pour la société de développement (MNSD), parti unique, qui a tenu son congrès constitutif en mai 1989. Candidat unique, le général Saïbou a été élu le 10 décembre 1989 président de la République pour sept ans (99,65 %), la liste unique des 93 députés civils désignés par le CSON étant plébiscitée (99,52 %) le même jour pour former l'Assemblée nationale présidée par Moussa Moutari. Ces nouvelles institutions ont consacré un large maintien au pouvoir des militaires qui restent à la tête de la plupart des préfectures et conservent au gré des remaniements (trois en moins d'un an) une dizaine de portefeuilles ministériels.

République du Niger
Nature du régime : présidentiel, parti unique (Mouvement national pour la société de développement, MNSD).
Chef de l'État : général Ali Saïbou (depuis le 16.11.87), président du parti unique (depuis le 17.5.89).
Chef du gouvernement : Oumarou Mamane, remplacé le 2.3.90 par Alio Mahamidou.
Monnaie : franc CFA (1 FCFA = 0,02 FF).
Langues : français (off.), haoussa, peul, zarma, kanuri.

La tragique répression, le 9 février 1990, des étudiants en grève de l'université de Niamey (une dizaine de morts) a jeté le discrédit sur un régime secoué par une grave crise de confiance et a souligné le caractère artificiel de ce retour à une « vie constitutionnelle normale ». La démission, en mars 1990, du général Amadou Seyni Maïga, secrétaire politique du CSON et « numéro deux » du régime, l'instabilité ministérielle (nombreux limogeages successifs) et des revers diplomatiques (non-réélection de Ide Oumarou au secrétariat général de l'OUA) ont reflété les difficultés du président à asseoir son pouvoir.

Elles se sont aggravées avec la très sévère répression des Touaregs (63 morts officiellements) à la suite de l'attaque qu'ils avaient menée

BIBLIOGRAPHIE

AMNESTY INTERNATIONAL, *Mauritanie. 1986-1989, contexte d'une crise*, AEFAI, Diff. La Découverte, Paris, 1989.

BALTA P., « Le président Ould Taya : 10 000 Maures ont été massacrés au Sénégal », *Arabies*, n° 36, Paris, déc. 1989.

BESSIS S., « Le Sénégal, la Mauritanie et leurs boucs émissaires », *Le Monde Diplomatique*, n° 424, Paris, juil. 1989.

DADI A., *Tchad : l'État retrouvé*, L'Harmattan, Paris, 1990.

DIARRAH Cheikh O., *Le Mali en détresse*, L'Harmattan, Paris, 1990, à paraître.

GIRI J., *Le Sahel au XXIe siècle*, Karthala, Paris, 1989.

JAFFRÉ B., *Les Années Sankara*, L'Harmattan, Paris, 1989.

« Le Niger : chronique d'un État », *Politique africaine*, n° 38, Karthala, Paris, juin 1990.

MONIMART M., *Femmes du Sahel*, Karthala, Paris, 1989.

« Retour au Burkina », *Politique africaine*, n° 33, Karthala, Paris, 1989.

contre le poste de Tchin-Tabaraden en mai 1990. Les quelque 20 000 Touaregs expulsés d'Algérie et de Libye en 1989-1990 n'avaient alors pas reçu des autorités nigériennes l'aide à la réinstallation qui leur avait été promise.

La crise économique et sociale est profonde : perte de 20 000 des 60 000 emplois déclarés en cinq ans (le FMI intervient depuis 1983), marasme de l'uranium (le Niger tente de limiter à 25 % la baisse de ses prix de vente à la France), déficit céréalier (90 000 tonnes pour une production de 1,5 million de tonnes) et lourd service de la dette (45 % du montant du budget avant la remise de la dette publique de la France). La relance du projet du barrage de Kandadji sur un dossier technique et des coûts de réalisation nouveaux semblait, en 1990, en bonne voie. Ce barrage permettrait une autosuffisance énergétique à l'horizon 2000 et, au-delà, un espoir d'équilibre alimentaire durable dans ce pays marqué par l'avancée du désert et une très forte croissance démographique.

Le gouvernement pourra-t-il répondre aux besoins sociaux des plus démunis et aux nouvelles exigences d'une élite intellectuelle que tente de regrouper le journal *Haské* ?

Tchad

Le 10 décembre 1989, le Tchad a adopté une nouvelle Constitution et maintenu à la tête de l'État pour sept ans de plus Hissène Habré, qui s'était militairement imposé en juin 1982. Le score (99,96 %) et la tenue d'élections législatives en juillet 1990 n'autorisent pas à croire à l'établissement d'un véritable État de droit

République du Tchad

Nature du régime : présidentiel, parti unique (Union nationale pour l'indépendance et la révolution, UNIR).

Chef de l'État et du gouvernement : Hissène Habré (depuis le 7.6.82), président du parti unique (depuis juin 84).

Monnaie : franc CFA (1 FCFA = 0,02 FF).

Langues : arabe, français (off.), sara, baguirmi, boulala, etc.

dans ce pays marqué par le parti unique (UNIR, Union nationale pour l'indépendance et la révolution), la Sécurité présidentielle, l'omniprésente police politique (DDS, Direction de la documentation et de la sécurité) et les violations permanentes des droits de l'homme, si longtemps ignorées de l'opinion internationale et dont Amnesty International a dressé un bilan partiel en mars 1990 (des milliers de victimes les années précédentes dans les prisons et villages incendiés des provinces du Sud, du Guéra et du Biltine).

Ayant rétabli ses relations diplomatiques avec la Libye en octobre 1988, le Tchad a signé à Alger, le 31 août 1989, un accord-cadre avec Tripoli sur le règlement politique du différend frontalier de la bande d'Aozou (114000 kilomètres carrés à l'extrême nord du Tchad revendiqués par M. Kadhafi), accord prévoyant aussi la libération des prisonniers de guerre (plus de 2000 Libyens). Mais en mai 1990, les négociations étaient dans l'impasse, les deux États devant soumettre leur conflit à la Cour internationale de justice de La Haye un an après l'accord.

H. Habré n'a pas retiré le bénéfice politique attendu de la visite du pape (Ier février 1990) et les ralliements d'opposants ont été contrebalancés par d'importantes défections liées à une gestion tribale de l'« État gorane » qu'il a institué depuis 1982. S'appuyant sur le dispositif militaire français *Épervier* en place depuis février 1986, H. Habré a dû faire face à la forte opposition armée du Mouvement patriotique du salut dirigé par Idriss Deby, son ancien chef d'état-major et conseiller, et par Maldoum Bada. Elle opère depuis le Darfour au Soudan et a fait subir de lourdes pertes à l'armée gouvernementale en octobre 1989 et mars-avril 1990 à l'est du pays (Biltine). Cette alliance militaire est courtisée par une opposition politique surtout basée en Libye et déchirée par des querelles de leadership (Goukouni Weddeye et Adoum Togoï).

La France et la Banque mondiale assurent l'essentiel de la reconstruction économique du pays dévasté par vingt-cinq ans de guerre civile : plan de redressement de la Cotontchad, infrastructures (télécommunications, routes, aéroport de Faya), raffinerie et projet d'une nouvelle centrale thermique alimentée par le pétrole tchadien. Des aides budgétaires extérieures ont permis en 1989 le rétablissement des pleins salaires lourdement ponctionnés par des contributions obligatoires (effort de guerre, reconstruction, parti unique). Le budget 1990 devait rester très déficitaire.

Guy Labertit

Afrique extrême-occidentale

CAP-VERT • GAMBIE • GUINÉE • GUINÉE-BISSAO • LIBÉRIA • SÉNÉGAL • SIERRA LÉONE

(Sénégal : voir aussi p. 485.)

Cap-Vert

Après la tenue, en 1988, du troisième congrès du PAICV (Parti africain de l'indépendance du Cap-Vert), un processus d'ouverture démocratique a été annoncé en 1990. Celui-ci prévoit une révision de la Constitution devant aboutir à limiter le rôle dirigeant du parti au pouvoir, ainsi que des élections

République du Cap-Vert

Nature du régime : parti unique (Parti africain de l'indépendance du Cap-Vert, PAICV).
Chef de l'État : Aristides Maria Pereira (depuis le 22.7.75).
Chef du gouvernement : Pedro Pires (depuis le 22.7.75).
Monnaie : escudo capverdien (1 escudo = 0,07 FF au 30.4.90).
Langues : portugais (off.), créole.

législatives qui renouvelleront l'Assemblée nationale populaire; celle-ci, à son tour, élira le président de la République et désignera un Premier ministre.

Parallèlement à ses efforts pour attirer les investissements extérieurs, le pays a continué de bénéficier de l'aide internationale : américaine au plan alimentaire (maïs, riz) pour une valeur de 3,5 millions de dollars, et française (adduction d'eau potable pour la capitale), pour une valeur de 10 millions de francs. La Chine a entamé la construction d'un palais du gouvernement dans une zone nouvelle de Praia.

Enfin, le Cap-Vert a annoncé qu'il était disposé à nouer des relations diplomatiques avec l'Afrique du Sud si des changements démocratiques s'y confirmaient.

Gambie

La situation politique a été profondément marquée par la remise en cause puis par l'abolition de la Confédération sénégambienne. Instituée à une époque où le pouvoir du chef de l'État, Sir Dawda Jawara, était contesté et soumis à une pression libyenne, l'union entre la Gambie et le Sénégal était en butte à l'hostilité des milieux d'affaires gambiens. Dakar en a pris acte : la Confédération a été gelée avant qu'un protocole d'accord sur sa dissolution ne fût signé entre les deux États. Les trois cents hommes de troupe sénégalais présents en Gambie depuis la tentative de coup d'État de 1981 ont été rapatriés quelque temps plus tard.

République de Gambie

Nature du régime : parlementaire.
Chef de l'État et du gouvernement : Sir Dawda Jawara (depuis le 24.4.74).
Monnaie : dalasi (1 dalasi = 0,66 FF au 30.4.90).
Langues : anglais (off.), ouolof, malinké, peul, etc.

L'assainissement de la situation économique s'est poursuivi avec le soutien des bailleurs de fonds internationaux. Le plus important est sans doute celui de l'USAID (Agence des États-Unis pour le développement international) concernant plusieurs projets de développement, suivi par l'aide de la CEE en faveur de l'agriculture, de l'hydraulique, des routes, de l'éducation sanitaire et de la condition féminine. La production cotonnière a progressé, les prix d'achat consentis aux producteurs étant plus attrayants que ceux de l'arachide.

Guinée

La Guinée est sans conteste le « bon élève » francophone du FMI. Alors que la purge libérale administrée aux États africains par les institutions de Bretton Woods suscite la critique, c'est à un véritable *satisfecit* que la Guinée a eu droit pour la réforme de son système bancaire et la libéralisation des prix et du commerce extérieur. Le Club de Paris a d'ailleurs accepté l'allégement de la dette guinéenne.

Il est vrai que le gouvernement guinéen et ses bailleurs de fonds internationaux peuvent se vanter de résultats économiques relativement bons. Ainsi en est-il en particulier de la croissance — de l'ordre de 5 % en moyenne de 1986 à 1988 — et de la lutte contre l'inflation, passée pour la même période de 78 % à 28 %. Le général Lansana Conté, chef de l'État, ne s'est pas fait faute de souligner les efforts entrepris par son gouvernement. L'option libérale choisie après la mort de Sékou Touré en 1984 s'est donc trouvée confortée.

République de Guinée

Nature du régime : présidentiel, militaire.
Chef de l'État et du gouvernement : Lansana Conté (depuis le 5.4.84).
Monnaie : franc guinéen (1 franc = 0,009 FF au 30.3.90).
Langues : français (off.), malinké, peul, soussou, etc.

AFRIQUE EXTRÊME-OCCIDENTALE

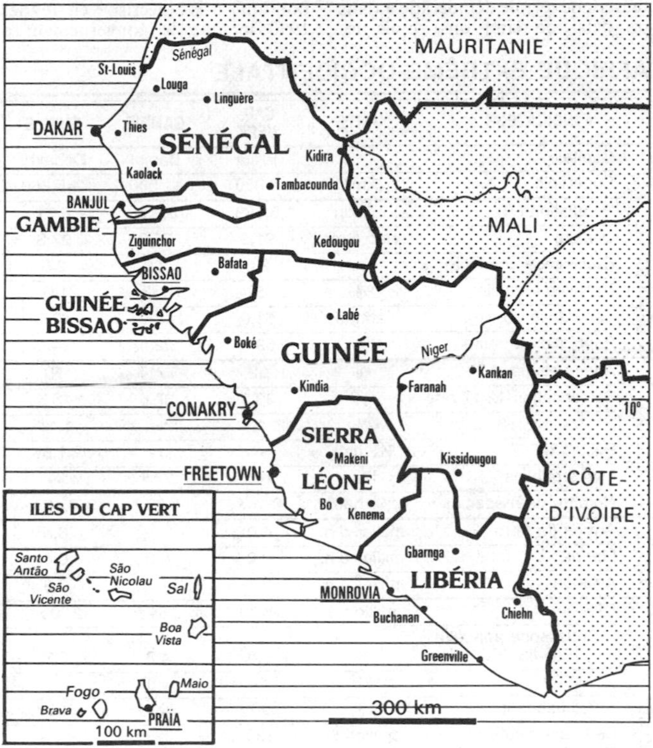

Le secteur privé est fermement encouragé à investir dans l'économie et le caractère pléthorique des effectifs de la fonction publique est vertement critiqué. Le budget de l'exercice 1989 a persévéré dans la voie de l'austérité. Pour 1989-1991, les autorités guinéennes ont élaboré un PIP (Programme d'investissements publics) de 644 milliards de francs guinéens concernant 379 projets d'infrastructures, de développement rural et de promotion des secteurs sociaux ; ce PIP repose à 85 % sur les ressources extérieures. Fort d'une certaine crédibilité, L. Conté a effectué une visite officielle fructueuse en France en mai 1989, visite au cours de laquelle il a multiplié les rencontres avec les milieux d'affaires.

La situation est cependant moins sereine au plan politique. La mise en œuvre du plan d'ajustement structurel suscite en effet de nombreuses tensions sociales. Les étudiants s'en sont fait l'écho en avril 1989 ; ils ont notamment protesté contre l'arrêt des recrutements dans la fonction publique depuis l'arrivée du CMRN (Comité militaire de redressement national) en 1984.

L'avenir apparaît dans ce contexte incertain et dépend pour une large part de l'attitude des militaires. Le général Conté a certes promis d'instaurer une « vraie démocratie » dans un délai de cinq ans, mais les contours de ce projet restent flous. Il n'en reste pas moins que le climat politique a été décrispé en février 1990 lorsque le gouvernement a

AFRIQUE EXTRÊME-OCCIDENTALE

	INDICATEUR	UNITÉ	CAP-VERT	GAMBIE	GUINÉE
	Capitale		Praïa	Banjul	Conakry
	Superficie	km²	4 030	11 300	245 860
DÉMOGRAPHIE	Population (*)	million	0,368	0,835	6,71
DÉMOGRAPHIE	Densité	hab./km²	91,3	73,9	27,3
DÉMOGRAPHIE	Croissance annuelle [j]	%	2,8	2,8	2,5
DÉMOGRAPHIE	Mortalité infantile [j]	‰	66	143	147
DÉMOGRAPHIE	Espérance de vie [j]	année	61,0	43,0	42,2
DÉMOGRAPHIE	Population urbaine	%	59,8	22,0	24,9
CULTURE	Analphabétisme [b]	%	52	71	70
CULTURE	Scolarisation 12-17 ans	%	39,3	37,6	15,5
CULTURE	3e degré	%	..	..	1,1 [b]
CULTURE	Postes tv [b]	‰ hab.	..	..	1,6
CULTURE	Livres publiés	titre	10 [d]	74 [b]	..
CULTURE	Nombre de médecins	‰ hab.	0,19 [e]	0,08 [g]	0,06 [g]
ARMÉE	Armée de terre	millier d'h.	1,0	0,9	8,5
ARMÉE	Marine	millier d'h.	0,2		0,4
ARMÉE	Aviation	millier d'h.	0,1		0,8
ÉCONOMIE	PIB	million $	242 [a]	164 [a]	2 300 [a]
ÉCONOMIE	Croissance annuelle 1980-88	%	9,8	4,2	2,7
ÉCONOMIE	1989	%	..	4,0	4,1
ÉCONOMIE	Par habitant	$	690 [a]	200 [a]	350 [a]
ÉCONOMIE	Dette extérieure [a]	million $	133	327	2 563
ÉCONOMIE	Taux d'inflation	%	..	8,6	30,0
ÉCONOMIE	Dépenses de l'État Éducation	% PIB	3,2 [b]	3,8 [d]	3,3 [e]
ÉCONOMIE	Défense	% PIB	3,5 [f]	0,9 [c]	5,2 [h]
ÉCONOMIE	Production d'énergie [b]	millier TEC	—	—	21
ÉCONOMIE	Consom. d'énergie [b]	millier TEC	16	87	474
COMMERCE	Importations	million $	115 [a]	140	594
COMMERCE	Exportations	million $	6 [a]	38	625
COMMERCE	Principaux fournis. [a]	%	PCD 7,9	PCD 65,3	E-U 7,9
COMMERCE		%	PVD 47,1	RFA 10,3	CEE 62,9
COMMERCE		%	Por 33,9	PVD 27,9	URSS 6,9
COMMERCE	Principaux clients [a]	%	PCD 26,7	Jap 41,7	E-U 21,9
COMMERCE		%	Ang 40,0	CEE 43,2	CEE 46,1
COMMERCE		%	Por 21,7	Bel 26,1	URSS 15,4

décrété l'amnistie pour tous les Guinéens, de l'intérieur et de l'extérieur, condamnés pour délits politiques; cette mesure concernait notamment les auteurs de la tentative de coup d'État de l'ancien Premier ministre Diarra Conté, qui avaient été condamnés en mai 1987.

GUINÉE BISSAO	LIBÉRIA	SÉNÉGAL	SIERRA LÉONE
Bissao	Monrovia	Dakar	Freetown
36 120	111 370	196 200	71 740
0,966	2,51	7,17	4,05
26,7	22,5	36,5	56,4
2,1	3,2	2,7	2,5
132	87	128	154
45,0	54,5	45,8	41,0
30,0	43,1	38,0	31,4
64	63	68	67
24,4	28,1	28,1	36,8
••	2,6[b]	2,9[b]	••
••	18	32	8,6
••	••	42[e]	16[e]
0,14[d]	0,11[i]	0,08[f]	0,07[e]
6,8	5,3	8,5	3,0
0,3	0,5	0,7	0,15
0,1	—	0,5	—
179[a]	1 046[b]	4 507[a]	1 114[b]
3,9	−2,0	3,2	0,3
••	••	0,5	−2,5
190[a]	450[b]	630[a]	290[b]
423	1 632	3 617	727
••	4,7	0,8	••
3,7[b]	••	••	••
6,7[b]	2,3[a]	2,1	0,4[c]
—	39	—	—
57	339	952	283
99	2 515[a]	1 200	183
10	1 386[a]	700	137
PCD 56,2	Jap 24,4	CEE 58,9	PCD 69,8
Ita 20,9	Cor 17,5	Fra 36,4	CEE 48,5
Por 17,8	CEE 23,1	PVD 26,5	PVD 26,8
CEE 69,7	PCD 92,3	CEE 49,0	PCD 70,9
Chi 28,6	CEE 49,2	Fra 28,5	E-U 15,9
Por 16,0	PVD 7,7	PVD 32,9	Bel 16,5

Guinée-Bissao

Les élections régionales de juin 1989 ont vu le triomphe de la liste unique du PAIGC, Parti africain de l'indépendance de Guinée-Bissao au pouvoir. Parmi les conseillers régionaux désignés par le suffrage populaire, 60 % ont été de nouveaux élus, 30 % des femmes et 40 % des paysans.

République de Guinée-Bissao
Nature du régime : parti unique (Parti africain de l'indépendance de la Guinée-Bissao, PAIGC).
Chef de l'État et du gouvernement : João Bernardo Vieira (depuis le 14.11.80).
Monnaie : peso guinéen (1 peso = 0,003 FF au 30.3.90).
Langues : portugais (off.), créole, mandé, etc.

La situation économique est restée difficile, imposant la poursuite du plan d'ajustement structurel et l'intervention de la Banque mondiale pour équilibrer la balance des paiements. Les bailleurs de fonds internationaux sont convenus d'une action spéciale pour régler le problème de la dette et assurer la poursuite du plan d'assainissement engagé. Dans le cadre de la politique de libéralisation économique, les taxes douanières affectant plusieurs produits ont été diminuées. Un moment envisagée, l'adhésion à la zone franc a été abandonnée, comme suite à un accord monétaire avec le Portugal.

Chiffres 1989, sauf notes : a. 1988; b. 1987; c. 1986; d. 1985; e. 1984; f. 1981; g. 1980; h. 1982; i. 1983; j. 1985-90.

(*) Dernier recensement utilisable : Cap-Vert, 1980; Gambie, 1983; Guinée, 1983; Guinée-Bissao, 1979; Libéria, 1984; Sénégal, 1988; Sierra Léone, 1985.

Alors que la situation alimentaire demeurait marquée par un important déficit céréalier, une certaine décrispation politique s'est affirmée avec la libération des vingt-deux personnes détenues depuis 1985 sous l'inculpation de tentative de coup d'État.

Libéria

Sur le plan économique, le Libéria a repris des contacts, rompus depuis plusieurs années, avec le FMI. Extrêmement difficiles, les négociations concernent le remboursement de la dette libérienne, soit 1,3 milliard de dollars, dont 650 millions pour le FMI et plus de 180 millions pour les États-Unis. Une épreuve de force a d'ailleurs opposé à ce sujet Washington à Monrovia, l'USAID (Agence des États-Unis pour le développement international) menaçant de fermer ses bureaux dans la capitale libérienne si le Libéria ne remboursait pas douze mois d'arriérés (7,2 millions de dollars) de sa dette envers les États-Unis. Fait original, le gouvernement libérien a lancé une souscription nationale qui lui a permis de s'exécuter. Dans l'ensemble, la conjoncture économique est demeurée cependant chaotique et la corruption frénétique. De plus, la LAMCO (Liberian-American-Swedish Mineral Company) qui exploitait le minerai de fer (70 % des recettes d'exportation de l'État) a notablement réduit ses activités.

République du Libéria
Nature du régime : présidentiel, autoritaire.
Chef de l'État et du gouvernement : (au 10.7.90) Samuel Kaneyon Doe (depuis le 13.4.80).
Monnaie : dollar libérien (1 dollar = 5,64 FF au 30.4.90).
Langue : anglais.

Au plan politique, le président Samuel Doe avait déjoué une nouvelle tentative de coup d'État, la dixième depuis son accession au pouvoir. Les prolongements en ont cependant été dramatiques puisqu'elle a entraîné une rébellion dans le comté de Nimba (Nord-Est) et de violents affrontements entre le NPLF (Front national patriotique du Libéria) de Charles Taylor et l'armée. Les massacres de villageois ont poussé à l'exode vers la Côte d'Ivoire et la Guinée plusieurs milliers de personnes. Les combats se sont poursuivis tout au long de l'année, amenant le NPLF aux portes de Monrovia. Les pourparlers pour un cessez-le-feu ont achoppé sur la question de la démission de S. Doe, réclamée par le NPLF. A la mi-1990, S. Doe était retranché dans le palais présidentiel et Monrovia se trouvait en état de siège.

Sénégal

Le Sénégal indépendant a sans doute vécu les heures les plus tragiques de son histoire avec le conflit qui l'a opposé à la Mauritanie. Tout a démarré par des incidents localisés à la frontière, sur fond de crise politique et économique de part et d'autre. Mais les choses ont rapidement dégénéré et les troubles se sont très vite étendus à diverses localités dans les deux pays. A Nouakchott et Nouadhibou, on a dénombré près de 150 victimes d'origine sénégalaise, cependant qu'à Dakar les émeutiers se livraient à la chasse au *nar* (commerçant maure) et menaçaient les commerces tenus par les Libanais. Il fallut l'intervention de l'armée pour transférer les quelque 20 000 Mauritaniens vivant dans la capitale sénégalaise sur le site de la foire

République du Sénégal
Nature du régime : présidentiel, pluraliste.
Chef de l'État et du gouvernement : Abdou Diouf (depuis le 1.1.81).
Monnaie : franc CFA (1 FCFA = 0,02 FF).
Langues : français (off.), ouolof, etc.

internationale et, ultérieurement, celle de plusieurs puissances, dont la France, pour mettre en place le pont aérien destiné à rapatrier dans son pays d'origine chacune des deux communautés. En dépit de plusieurs médiations multilatérales (Nations unies, Organisation de l'unité africaine - OUA) et bilatérale (Mali), aucune solution définitive n'a pu être trouvée.

Le gouvernement sénégalais a par ailleurs été confronté à la continuation de l'agitation en Casamance, plus ou moins active depuis 1982, et qui se manifeste rituellement les derniers jours du mois de décembre qui marquent la fin des récoltes et la période d'initiation traditionnelle dans les « bois sacrés ».

L'opposition politique a continué à se manifester, sans toutefois présenter un front très uni. Ainsi, l'alliance de trois formations autour de Me Abdoulaye Wade a-t-elle volé en éclats quand l'une d'entre elles a ouvert des négociations avec le pouvoir. Un meeting unitaire de toute l'opposition qui devait couronner une campagne réclamant le départ du président Diouf a été interdit le 3 mars 1990. Dans l'enseignement, élèves et étudiants ont déclenché de nombreux mouvements de grève pour protester contre le manque de moyens. C'est dans ce contexte que le président Abdou Diouf a procédé, le 27 mars 1990, à un profond remaniement ministériel marqué surtout par le départ, longtemps réclamé par l'opposition, de Jean Colin, secrétaire général de la présidence de la République et ministre d'État. Sans que cette mesure puisse être attribuée uniquement à la pression de l'opposition — au sein du Parti socialiste au pouvoir, certains la souhaitaient aussi —, il n'en reste pas moins qu'elle a représenté un tournant majeur dans la vie politique sénégalaise.

A cette situation politique délicate s'est greffée une conjoncture économique pour le moins difficile. La réalisation du plan d'ajustement structurel s'est poursuivie, avec des résultats mitigés. Les résultats macro-économiques ont certes été satisfaisants (augmentation du PIB en termes réels de 4,2 % en 1985-1986 et 1987-1988, inflation annuelle de 2,5 %, déficit du compte courant tombé de 22 % du PIB en 1983 à 10 % en 1987), mais la dette sénégalaise a dû être rééchelonnée en février 1990 par le Club de Paris. L'aide extérieure, dans ce contexte, reste déterminante.

Au plan religieux, l'islam sénégalais a été endeuillé par la mort du khalife général des mourides, serigne Abdoul Ahad Mbacké; c'est son demi-frère, serigne Abdoul Khadre Mbacké qui lui a succédé. Les mourides forment l'une des plus importantes confréries islamiques du Sénégal. Forte de plus d'un million d'adeptes, elle joue un rôle politique et économique de premier plan.

Sierra Léone

Inéligible comme le Libéria à l'aide du FMI, et ce depuis 1988, la Sierra Léone a réussi à renouer le contact avec l'institution internationale. Signe de leur bonne volonté, les autorités sierra-léonaises ont accepté de dévaluer la monnaie nationale. La situation dramatique de l'économie n'autorisait aucune autre échappatoire. L'État s'avérait dans l'incapacité de payer ses agents, notamment les fonctionnaires du ministère du Travail, contraints de se mettre en grève pour réclamer deux mois de traitement impayés. Le général Momoh, chef de l'État, a pris acte de cette situation. Reconnaissant officiellement que l'état d'urgence

République de Sierra Léone
Nature du régime : présidentiel, parti unique.
Chef de l'État et du gouvernement : général Joseph Saidu Momoh (depuis le 3.10.85).
Monnaie : leone (1 leone = 0,047 FF au 30.4.90).
Langues : anglais (off.), krio, mende, temne, etc.

BIBLIOGRAPHIE

ASSIDON E., *Les Sociétés commerciales françaises de l'Afrique noire*, L'Harmattan, Paris, 1988.

BESSIS S., « Le Sénégal, la Mauritanie et leurs boucs émissaires », *Le Monde Diplomatique*, n° 424, Paris, juil. 1989.

DARBON D., *L'Administration et le paysan de Casamance : essai d'anthropologie administrative*, Pedone, Paris, 1988.

DURUFLÉ G., *L'Ajustement structurel en Afrique : Sénégal, Côte d'Ivoire, Madagascar*, Karthala, Paris, 1988.

« Guinée : l'après-Sekou Touré », *Politique africaine*, n° 36, Karthala, Paris, 1989.

« Guinée », *Marchés tropicaux*, n° 2275 (spéc.), Paris, juin 1989.

PÉLISSIER R., *Naissance de la Guinée - Portugais et Africains en Sénégambie* (1841-1936), Éd. Pélissier, Orgeval, 1989.

PINA M.-P., *Les Iles du Cap-Vert*, Karthala, « Méridiens », 2e éd., Paris, 1989.

économique — destiné à lutter contre les fraudes, la corruption et la spéculation —, décrété en 1987, n'avait donné que des résultats mitigés, il en a proclamé l'abolition en juin 1989. Les efforts du gouvernement pour enrayer les pénuries endémiques de produits pétroliers sont restés vains, et ce en dépit d'une augmentation de 100 % des prix. A l'issue d'une rupture d'approvisionnement de trois semaines en mai 1989, l'État a entièrement nationalisé la compagnie de raffinage dont il détenait déjà une part majoritaire, suite au rachat des actions d'Agip et de British Petroleum lors de leur retrait du pays. Le secteur privé a en revanche été autorisé à importer du riz. Cette céréale est la nourriture de base des Sierra-Léonais et ses importations s'élèvent annuellement à 35 millions de dollars.

Au plan politique, des rumeurs non confirmées ont fait état d'une tentative de coup d'État appuyée par la Libye.

René Otayek

Golfe de Guinée

BÉNIN • CÔTE D'IVOIRE • GHANA • NIGÉRIA • TOGO

(Le Nigéria est traité p. 99. Bénin et Côte d'Ivoire : voir aussi p. 519.)

Bénin

République populaire du Bénin

Nature du régime : présidentiel à parti unique jusqu'en fév. 90; parlementaire depuis.
Chef de l'État : général Mathieu Kérékou (depuis le 26.10.72).
Premier ministre : Nicéphore Soglo (depuis le 28.2.90).
Monnaie : franc CFA (1 FCFA = 0,02 FF).
Langues : français (off.), fon (47 %), yorouba, mina, dendi, bariba, goun, adja, somba, pila-pila.

Au Bénin, où le marxisme-léninisme qui régnait depuis 1974 avait été, selon une expression du général Mathieu Kérékou, « mis dans la poche », c'est-à-dire en veilleuse, en 1990 il a été carrément jeté aux orties. Du 19 au 28 février 1990, près de 500 représentants de toutes les couches sociales et de toutes sensibilités, réunis pour une conférence dite

GOLFE DE GUINÉE

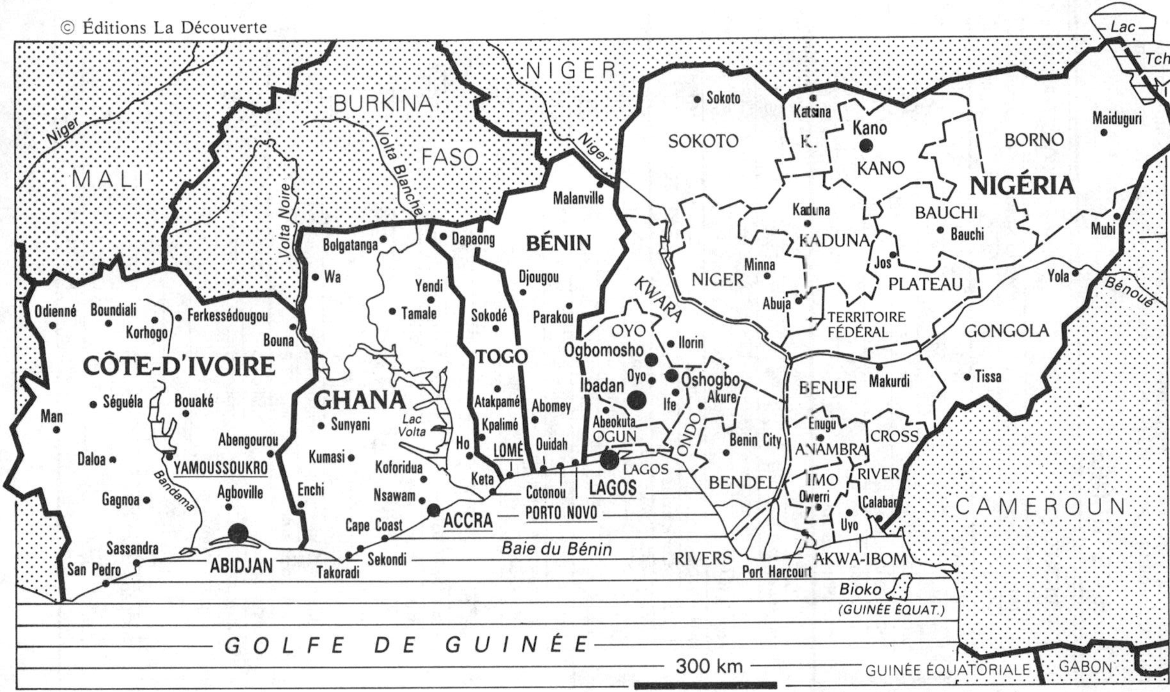

des « forces vives de la nation », se sont mis d'accord pour démettre l'ancien gouvernement « révolutionnaire », dissoudre l'Assemblée nationale et élire un nouveau Premier ministre, Nicéphore Soglo, ancien administrateur de la Banque mondiale. Le général Kérékou, resté

GOLFE DE GUINÉE

	INDICATEUR	UNITÉ	BÉNIN	CÔTE D'IVOIRE
	Capitale		Porto Novo	Yamoussoukro
	Superficie	km²	112 622	322 462
DÉMOGRAPHIE	Population (*)	million	4,59	12,10
DÉMOGRAPHIE	Densité	hab./km²	40,8	37,5
DÉMOGRAPHIE	Croissance annuelle [g]	%	3,2	4,1
DÉMOGRAPHIE	Mortalité infantile [g]	‰	110	96
DÉMOGRAPHIE	Espérance de vie [g]	année	46,5	52,5
DÉMOGRAPHIE	Population urbaine	%	40,6	45,6
CULTURE	Analphabétisme [b]	%	73	63
CULTURE	Scolarisation 12-17 ans	%	28,2	35,5
CULTURE	3e degré	%	2,5 [c]	2,4 [e]
CULTURE	Postes tv [b]	‰ hab.	3,9	54
CULTURE	Livres publiés	titre	••	46 [e]
CULTURE	Nombre de médecins	‰ hab.	0,06 [f]	••
ARMÉE	Armée de terre	millier d'h.	3,8	5,5
ARMÉE	Marine	millier d'h.	0,2	0,7
ARMÉE	Aviation	millier d'h.	0,35	0,9
ÉCONOMIE	PIB	milliard $	1,74 [a]	9,72
ÉCONOMIE	Croissance annuelle 1980-88	%	1,5	0,4
ÉCONOMIE	1989	%	••	– 6,0
ÉCONOMIE	Par habitant	$	390 [a]	804
ÉCONOMIE	Dette extérieure [a]	million $	1 055	14 125
ÉCONOMIE	Taux d'inflation	%	••	6,0
ÉCONOMIE	Dépenses de l'État Éducation	% PIB	••	••
ÉCONOMIE	Défense	% PIB	1,8 [d]	1,0 [c]
ÉCONOMIE	Production d'énergie [b]	million TEC	0,50	1,4
ÉCONOMIE	Consom. d'énergie [b]	million TEC	0,19	2,4
COMMERCE	Importations	million $	531 [a]	1 781
COMMERCE	Exportations	million $	77	2 588
COMMERCE	Principaux fournis. [a]	%	PCD 53,0	PCD 70,1
COMMERCE		%	Fra 21,3	Fra 34,8
COMMERCE		%	PVD 44,8	PVD 27,6
COMMERCE	Principaux clients [a]	%	E-U 20,1	PCD 60,7
COMMERCE		%	CEE 49,5	Fra 16,3
COMMERCE		%	PVD 28,4	PVD 27,7

président de la République et chef de l'État, n'est en revanche pas demeuré chef de gouvernement ni chef de l'armée. En d'autres termes, il ne dispose plus d'un pouvoir réel.

GHANA	NIGERIA	TOGO
Accra	Lagos	Lomé
238 537	923 768	56 000
14,57	109,2	3,35
61,1	118,2	59,8
3,1	3,4	3,1
90	105	94
54,0	50,5	53,0
32,7	34,3	24,9
44	52	51
53,0	44,8	50,9
1,5 [c]	2,9 [e]	2,7 [a]
13	5,9	5,4
350 [e]	2 352 [b]	..
0,06 [e]	0,12 [f]	0,08 [e]
10	80	4
0,8	5	0,1
0,8	9,5	0,25
5,58	27,69	1,24 [a]
2,0	– 1,0	0,5
6,1	4,0	..
383	254	370 [a]
3 099	30 718	1 210
30,5	27,9	– 3,2
3,4 [b]	1,4 [c]	5,1 [c]
0,9 [b]	0,8 [a]	2,9 [c]
0,57	94,1	—
1,86	16,9	164
1 299	5 994	650 [a]
1 036	8 630	266 [a]
PCD 72,3	PCD 71,7	PCD 65,9
R-U 22,6	CEE 52,0	Fra 24,8
PVD 27,7	PVD 25,6	PVD 33,7
E-U 19,8	E-U 36,2	PCD 64,6
R-U 18,0	CEE 35,0	CEE 54,2
RFA 14,0	PVD 27,3	PVD 25,2

La nouvelle équipe doit, dans un délai d'un an, faire voter une Constitution garantissant les libertés d'association, d'opinion et de presse ainsi qu'une réelle séparation des pouvoirs. Elle doit aussi organiser, sur la base de cette Constitution nouvelle, des élections libres et démocratiques, et faire passer dans les faits un discours généreux de lutte contre la torture et la violation des droits de l'homme. Tous les détenus politiques ont été libérés, les exilés sont rentrés au Bénin et la langue de bois a disparu des journaux et de la télévision. Le 26 mars 1990, les écoles ont rouvert après plus d'un an de fermeture et les fonctionnaires en grève ont repris le travail. Il ne leur restait plus qu'à avaler de plein gré la pilule de l'ajustement structurel.

Autre institution sortie de la conférence nationale, le Haut conseil de la République, sorte d'assemblée constituante et législative provisoire. Il est présidé par Mgr Isidore de Souza, évêque coadjuteur de Cotonou, et comprend, outre d'anciens présidents de la République tel Émile Derlin Zinsou, des représentants syndicaux, Timothée Adanlin et Léopold Dossou, ainsi que des représentants d'associations locales de développement.

Une seule ombre au tableau : le Parti communiste du Dahomey (PCD), actif dans l'opposition au régime du général Kérékou, n'a pas participé à la conférence nationale. Mais il semble fortement implanté dans le centre et le sud-ouest du pays. Un test important pour la démocratie naissante au Bénin : le PCD sera-t-il intégré dans le nouveau jeu démocratique ?

Bernard Diallo

Chiffres 1989, sauf notes : a. 1988 ; b. 1987 ; c. 1986 ; d. 1985 ; e. 1984 ; f. 1983 ; g. 1985-90

(*) Dernier recensement utilisable : Côte d'Ivoire, 1975 ; Ghana, 1984 ; Togo, 1981 ; Bénin, 1979 ; Nigeria, 1963.

Côte d'Ivoire

Pour la Côte d'Ivoire, pendant trois décennies l'un des pays les plus prospères et stables sur le continent africain, l'année 1989-1990 a été le temps des ruptures. La « vitrine de la France en Afrique » a volé en éclats. Le 2 mars 1990, le président Félix Houphouët-Boigny, âgé de 84 ans, a été conspué dans les rues d'Abidjan comme « voleur » et « dictateur ». La mévente du cacao, une corruption ubuesque et une fin de règne interminable ont fait apparaître le « vieux sage de l'Afrique » comme un satrape. L'indépendance « confisquée » et les libertés bafouées ont été revendiquées par un large mouvement contestataire. Sous la pression de la rue et des bailleurs de fonds étrangers, Félix Houphouët-Boigny a finalement renié, le 3 mai 1990, trente ans de pouvoir sans partage. En légalisant les partis d'opposition, le « héros de l'indépendance » s'est fait le héraut d'un avenir « démocratique et pluraliste ». Pour partir, selon ses propres dires, « la tête haute, en beauté »...

République de Côte d'Ivoire

Nature du régime : présidentiel, parti unique jusqu'au 3.5.90 (Parti démocratique de Côte d'Ivoire, PDCI); multipartisme autorisé depuis.
Chef de l'État : (au 10.7.90) Félix Houphouët-Boigny (depuis 1960).
Premier ministre : Alassane Ouattara (depuis avril 90).
Monnaie : franc CFA (1 FCFA = 0,02 FF).
Langues : français (off.), baoulé, bété, dioula, sénoufo.

Au cœur du « miracle ivoirien », l'économie, fondée sur la vente de matières premières et, notamment, de café et de cacao, a flanché sous le poids de la dette : plus de 14 milliards de dollars. Avec ses quelque 10 millions d'habitants, dont tout un chacun — du vieillard au village, au fonctionnaire en ville en passant par une jeunesse majoritaire — doit théoriquement 7 000 francs français à l'étranger, la Côte d'Ivoire est le pays le plus endetté d'Afrique. Sommé par les organismes financiers internationaux de contribuer aux efforts de redressement, le président Félix Houphouët-Boigny a annoncé *ex abrupto*, le 26 février 1990, des coupes salariales de 10 à 40 %. L'agitation a aussitôt gagné les rues d'Abidjan. Déjà passablement « fatiguée du Vieux », au pouvoir depuis l'indépendance, la population a refusé de faire des sacrifices pour sauver le régime. La « moralisation de la vie publique en Côte d'Ivoire » est devenue le pôle de ralliement d'une poussée contestataire.

« Le cacao nous a tous perdus », a finalement avoué Félix Houphouët-Boigny, bâtisseur — sur sa « cassette personnelle » — du plus grand édifice chrétien au monde, la basilique Notre-Dame de la Paix à Yamoussoukro. Pendant plus de deux ans, de juillet 1987 jusqu'en novembre 1989, le président ivoirien a imposé un « embargo » sur l'exportation du cacao. Cette stratégie visait à peser sur l'évolution d'un marché mondial tombé à son plus bas niveau depuis quatorze ans. En 1989, cette « bouderie » du marché s'est retournée contre le premier producteur mondial. Assis sur une montagne de fèves invendues, le « vieux roi du cacao » a été obligé de conclure des *block-deals* avec les plus grands négociants internationaux, seuls capables d'enlever et de placer des tonnages gigantesques. Manipulé par un entourage soudoyé, Félix Houphouët-Boigny a signé des contrats fabuleux avec les « spéculateurs », qu'il n'avait cessé de pourfendre. Après avoir payé le prix fort pour sa « grève de la vente », la Côte d'Ivoire a bradé son cacao aux géants du négoce (Sucres et Denrées, Phillip Brothers).

Dès juin 1989, le prix garanti aux producteurs de café et de cacao a été baissé de moitié. Mais lorsque, au printemps 1990, les salariés des villes ont dû à leur tour être mis à contribution, leur front du refus a fait reculer le gouvernement. L'unité syndicale et le monopole politique du Parti démocratique de Côte d'Ivoire

(PDCI) ont éclaté. Une demi-douzaine de partis d'opposition, dont le Front populaire ivoirien (FPI) du professeur Laurent Gbagbo, ont engagé la préparation des échéances électorales de la fin 1990. Dernière hypothèque : le départ du « Vieux »...

Stephen Smith

Ghana

Le 11 janvier 1990, le ministre ghanéen des Finances et du Plan, Kwesi Botchwey, a annoncé que le budget de l'État ghanéen serait, en 1990, excédentaire pour la cinquième année consécutive, avec un solde de 52 millions de dollars. En 1989, l'excédent avait été de 30 millions de dollars. Les statistiques officielles ont donc continué d'être positives. En 1989, le taux de croissance annuel a atteint le chiffre record de 6,1 %. Le gouvernement en a profité pour fixer un objectif de croissance de 5 % pour chacune des trois années à venir.

République du Ghana
Nature du régime : « révolutionnaire ».
Chef de l'État et du gouvernement : Jerry Rawlings (depuis déc. 81).
Monnaie : cedi (1 cedi = 0,018 FF au 30.4.90).
Langues : anglais (off.), ewe, gaadanghe, akan, dagbandi, mamprusi.

En réalité, au-delà des chiffres, la situation n'est pas si positive. L'apparente santé de l'économie ghanéenne repose sur une injection massive de capitaux étrangers, ce qui la rend particulièrement vulnérable. En 1989, par exemple, la balance des paiements courants a été excédentaire de 90 millions de dollars tandis que le déficit commercial frôlait 300 millions de dollars, soit à peu près le tiers de la valeur totale des exportations. De plus, le montant de la dette extérieure est passé de 1 400 millions de dollars en 1983 (année de démarrage du programme d'ajustement structurel) à 3 600 millions de dollars à la mi-1989. Elle a donc presque triplé en six ans. La moitié des recettes d'exportation sert au remboursement de cette dette.

Conforté par l'embellie du taux de croissance, le gouvernement s'est accroché à sa politique d'ajustement. Pour l'année 1990, la priorité a été donnée au développement des routes. Un plan de 828 millions de dollars a été établi pour les quatre années 1988-1992. Autre cheval de bataille du gouvernement, la diversification des exportations. Beaucoup d'espoirs ont été fondés sur l'or, dont la production devait doubler d'ici 1991 et atteindre 420 000 onces. Les produits d'exportation non traditionnels, tels que les fruits, le maïs, l'aluminium et le bois représentent désormais 20 % des exportations totales. En 1989, le Ghana a produit 715 000 tonnes de maïs, soit 50 000 tonnes d'excédents. Elles ont été en partie exportées en 1990, vers l'Angola et la Guinée ; 17 000 tonnes ont été vendues au Programme alimentaire mondial en vue d'une redistribution dans les écoles primaires dans le cadre du PAMSCAD (Programme d'action en vue de réduire le coût social de l'ajustement structurel).

Quelques points noirs subsistent. Les privatisations sont lentes : trente-deux sociétés d'État attendaient toujours, en mai 1990, leurs repreneurs. A la même date, la légalisation des partis politiques n'était pas à l'ordre du jour. De plus, les témoins de Jéhovah et l'Église de Jésus-Christ des saints des derniers jours (mormons) ont été interdits. Enfin, pour tenter de juguler les tentatives répétées de coups d'État, le président Jerry Rawlings a assumé les fonctions de chef de l'armée.

Togo

La stabilisation des cours du phosphate ainsi que l'autosuffisance alimentaire ont permis à l'économie d'être gérée sans trop d'à-coups mais avec un faible taux de croissance. Le

BIBLIOGRAPHIE

ASSIDON E., *Les Sociétés commerciales françaises de l'Afrique noire*, L'Harmattan, Paris, 1988.

AMONDJI M., *La Dépendance et l'épreuve des faits*, Khartala, Paris, 1988.

BIGO D., « La succession en Côte d'Ivoire : une transition politique stable ? », *Revue juridique et politique*, janv.-mars 1989.

GBAGBO L., *Histoire d'un retour*, L'Harmattan, Paris, 1990.

GOMBAUD J.-L., MOUTOUT C., SMITH S., *La Guerre du Cacao, histoire secrète d'un embargo*, Calmann-Lévy, Paris, 1990.

« Togo », *Marchés tropicaux*, n° spécial 2265, Paris, avr. 1989.

Voir aussi la bibliographie « Nigéria » dans la section « 34 États ».

gouvernement a évoqué, depuis 1988, l'éventualité de la création d'une zone franche, à l'image de celles de l'île Maurice, de la Tunisie et du Sénégal. Il a proposé un mélange attrayant : dix ans d'exonérations fiscales et des franchises douanières en échange d'une production prioritairement orientée vers l'exportation et d'un emploi très majoritaire de travailleurs togolais (80 % des effectifs ou 60 % de la masse salariale).

République du Togo

Nature du régime : présidentiel, parti unique (Rassemblement du peuple togolais).
Chef de l'État et du gouvernement : Gnassingbé Eyadéma (depuis le 13.1.67).
Monnaie : franc CFA (1 FCFA = 0,02 FF).
Langues : français (off.), ewe, mina, kabié.

Sur le plan politique, le Togo veut présenter une façade de démocratie. Les prisonniers politiques ont été apparemment libérés. Le président de la Ligue des droits de l'homme, Me Gayibor, se fait omniprésent. Sa ligue a fêté solennellement le premier anniversaire de son installation. Mais, à la mi-1990, le Rassemblement du peuple togolais était toujours le parti unique. Et si les 4 et 18 mars 1990 des élections pour le renouvellement de la chambre des députés ont eu lieu, le tout s'est déroulé dans le cadre de ce parti. Seule innovation : la fin des candidatures uniques. Le résultat ne s'est pas fait attendre puisque 69 députés sur les 87 élus sont nouveaux (parmi eux trois femmes). Le gouvernement suit de très près les réformes démocratiques qui se déroulent au Bénin voisin. Un jour ou l'autre se posera au Togo la question du multipartisme et d'une vraie vie démocratique.

Bernard Diallo

Afrique centrale

CAMEROUN • CENTRAFRIQUE • CONGO • GABON • GUINÉE ÉQUATORIALE • SÃO TOMÉ ET PRINCIPE • ZAÏRE

(Gabon : voir aussi p. 519; Zaïre : voir aussi p. 519.)

Cameroun

Les difficultés économiques et financières de l'État ont persisté en 1989 et 1990. Le gouvernement a poursuivi sa politique de rigueur, réduisant les dépenses publiques et essayant de relancer l'activité économique. La fraude fiscale et douanière a, de nouveau, été dénoncée. Le budget, en 1989-1990, est resté fixé à 600 milliards de FCFA, comme l'année précédente. Son maintien a été possible grâce au rééchelonnement d'une partie de la dette publique, obtenu en mai 1989, et à la mise en œuvre, depuis 1988, d'un programme de stabilisation des finances publiques et d'ajustement structurel.

République du Cameroun

Nature du régime : présidentiel, parti unique (Rassemblement démocratique du peuple camerounais, RDPC).
Chef de l'État et du gouvernement : Paul Biya (depuis le 6.11.82).
Monnaie : franc CFA (1 FCFA = 0,02 FF).
Langues : français, anglais (off.), diverses langues bantoïdes, bantu et autres.

Le secteur cacao, qui représente 40 % des exportations agricoles, a fait l'objet d'une réforme, avec notamment la baisse de 40 % des prix d'achat aux planteurs (septembre 1989). De même, les prix d'achat du café et du coton ont été abaissés respectivement de 60 % et de 32 % (novembre 1989). La réforme des entreprises publiques s'est poursuivie et plusieurs contrats ont été signés entre l'État et certaines d'entre elles pour parvenir à l'amélioration de leurs performances et à l'assainissement de leur situation financière. Mais en dépit de ces mesures, la reprise n'a pas eu lieu.

Sur le plan politique, une certaine agitation s'est manifestée à la suite de l'arrestation, en février 1990, de Me Yondo Black et d'une dizaine d'autres personnes, accusées d'avoir incité la population à la révolte. Lors de l'assemblée extraordinaire des avocats réunie en mars 1990 à ce sujet, le bâtonnier du barreau camerounais, Me Bernard Muna, a dénoncé les violations des droits de l'homme dans le pays et réclamé le multipartisme. Me Yondo Black a été condamné, au début avril 1990, à une peine de trois ans de prison. Me B. Muna soutenait un nouveau parti, le Front social démocratique, qui n'était pas encore légalisé et qui a appelé à une manifestation le 26 mai à Bamenda. Les manifestants se sont heurtés aux forces de sécurité et six personnes ont été tuées. Après la réunion, en juin 1990, du congrès du Rassemblement démocratique du peuple camerounais (RDPC), parti unique, une évolution vers une libéralisation du régime et le multipartisme a été décidée. L'abolition des lois sur la subversion et la censure de la presse a été annoncée. D'autre part, l'ancien président camerounais, Ahmadou Ahidjo, est décédé le 20 novembre 1989, sans avoir pu rentrer dans son pays depuis la tentative de coup d'État de 1984, dans laquelle il avait été impliqué.

Sur le plan international, le Cameroun, pays bilingue, devrait devenir prochainement membre du Commonwealth et de la Francophonie. De plus, l'équipe de football camerounaise, les « Lions indomptables », s'est qualifiée pour les quarts de finale de la Coupe du monde en juin 1990; c'est la première équipe africaine à réaliser une telle performance.

Centrafrique

En janvier 1989, la République centrafricaine (RCA), comme sept autres pays africains, a renoué ses relations diplomatiques avec Israël, rompues depuis 1973. Elle les a suspendues avec le Soudan qui avait interdit le survol de son territoire à l'avion du chef d'État centrafricain, le général André Kolingba, alors qu'il se rendait en visite officielle en

> **République centrafricaine**
> **Nature du régime :** présidentiel, parti unique (Rassemblement démocratique centrafricain, RDC).
> **Chef de l'État et du gouvernement :** général André Kolingba (depuis le 1.9.81).
> **Monnaie :** franc CFA (1 FCFA = 0,02 FF).
> **Langues :** français, sango.

Israël, en mai 1989. Cette décision a été accompagnée de la fermeture des frontières entre les deux États. Les relations entre la RCA et le Soudan étaient étroites et de nombreux Soudanais résident en Centrafrique. La visite en Israël du général A. Kolingba a néanmoins eu lieu en juillet 1989. Cet incident s'est terminé avec le rétablissement des relations diplomatiques avec Khartoum en septembre 1989.

Sur le plan économique, la restructuration de la fonction publique a été lancée avec comme objectif la diminution de 10 % des effectifs (2000 postes sur un total de 20000). Des aides au départ volontaire de fonctionnaires ont été instaurées afin d'encourager leur reconversion dans la création de PME. Le budget pour 1990 s'est élevé à 103,3 milliards de francs CFA, contre 100 milliards

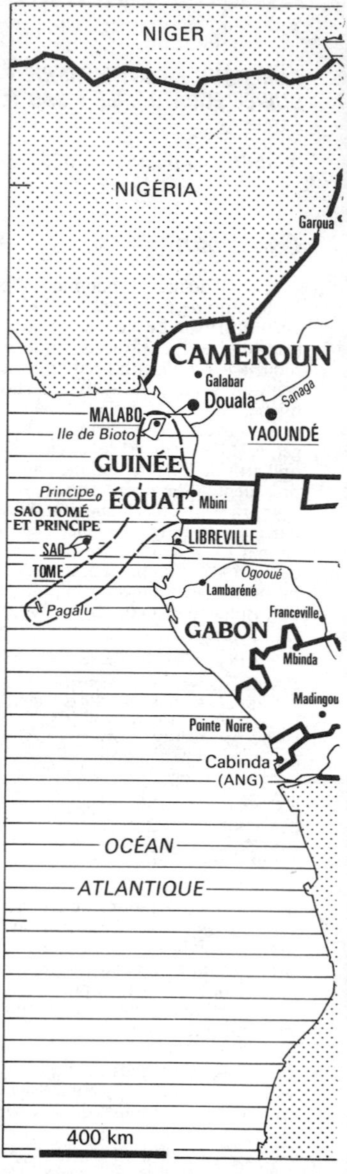

AFRIQUE CENTRALE

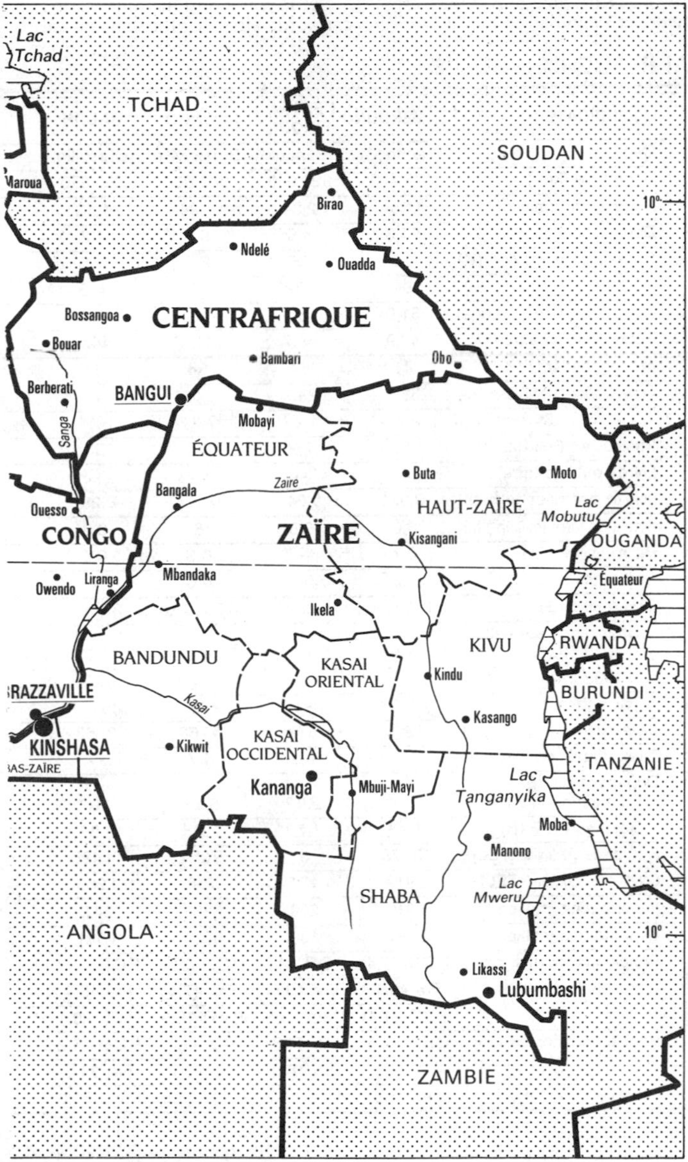
Lac
Tchad
TCHAD
SOUDAN
Maroua
Birao
10°
Ndelé
Ouadda
Bossangoa
CENTRAFRIQUE
Bouar
Bambari
Obo
Berberati
BANGUI
Sanga
Mobayi
ÉQUATEUR
Buta
Moto
Zaïre
Bangala
HAUT-ZAÏRE
Lac
Mobutu
Ouesso
CONGO
ZAÏRE
Kisangani
OUGANDA
Owendo
Liranga
Mbandaka
Équateur
Ikela
KIVU
RWANDA
BANDUNDU
KASAI
ORIENTAL
Kindu
BRAZZAVILLE
BURUNDI
Kasai
Kasango
KASAI
OCCIDENTAL
KINSHASA
Kikwit
TANZANIE
BAS-ZAÏRE
Kananga
Mbuji-Mayi
Lac
Tanganyika
Moba
Manono
Lac
Mweru
SHABA
ANGOLA
10°
Likassi
Lubumbashi
ZAMBIE

l'année précédente. La santé et l'éducation ont bénéficié d'une hausse de 10 % de leurs dotations. L'aide extérieure et l'annulation par la France de la dette publique devaient permettre de couvrir le déficit budgétaire.

Sur le plan politique, une session extraordinaire du Rassemblement

AFRIQUE CENTRALE

	INDICATEUR	CAMEROUN	CENTRAFRIQUE	CONGO	GABON
	Capitale	Yaoundé	Bangui	Brazzaville	Libreville
	Superficie (km²)	475 440	622 980	342 000	267 670
DÉMOGRAPHIE	Population* (million)	11,54	2,84	1,94	1,13
	Densité (hab./km²)	24,3	4,6	5,7	4,2
	Croissance annuelle [g] (%)	2,6	2,5	2,7	3,5
	Mortalité infantile [g] (‰)	94	132	73	103
	Espérance de vie [g] (année)	51,0	45,5	48,5	51,5
	Population urbaine (%)	47,9	45,7	41,6	44,7
CULTURE	Analphabétisme (%) [b]	41	57	34	31
	Scolarisation 12-17 ans (%)	56,1	29,7	••	••
	3e degré (%)	2,7 [c]	1,2 [b]	7,2 [c]	5,1 [c]
	Postes tv [b] (‰ hab.)	12	2,2	3,3	23
	Livres publiés (titre)	••	••	••	••
	Nbre de médecins (‰ hab.)	0,07 [i]	0,04 [i]	0,13 [f]	0,29 [j]
ARMÉE	Armée de terre (millier d'h.)	6,6	3,5	8	3,2
	Marine (millier d'h.)	0,7	—	0,3	0,5
	Aviation (millier d'h.)	0,3	0,3	0,5	1
ÉCONOMIE	PIB (million $)	11 325 [a]	1 090 [a]	1 953 [a]	3 200 [a]
	Croissance annuelle 1980-88 (%)	6,4	1,8	4,6	0,7
	1989 (%)	••	2,0	••	5,0
	Par habitant ($)	1 010 [a]	390 [a]	930 [a]	2 970 [a]
	Dette extérieure [a] (million $)	4 229	673	4 763	2 663
	Taux d'inflation (%)	••	0,3	4,7	••
	Dépenses de l'État Éducation (% PIB)	2,7 [b]	2,9 [b]	5,1 [e]	7,0 [b]
	Défense (% PIB)	1,2 [a]	1,7 [b]	2,6 [d]	2,8 [b]
	Prod. d'énergie (millier TEC) [b]	12 575	9	9 054	11 428
	Consom. d'éner. (mil. TEC) [b]	2 913	134	756	1 236
COMMERCE	Importations (million $)	1 310	250	538 [a]	841
	Exportations (million $)	1 910	130	882 [a]	1 541
	Principaux fournis. [a] (%)	PCD 77,4	PCD 64,5	PCD 82,9	PCD 79,7
		Fra 40,1	Fra 40,8	Fra 47,4	Fra 45,4
		PVD 21,1	Cam 10,4	PVD 15,9	PVD 20,1
	Principaux clients [a] (%)	CEE 69,6	Bel 44,8	E-U 41,7	PCD 76,2
		Fra 28,2	Fra 18,9	Fra 23,7	Fra 35,9
		E-U 13,3	PVD 11,2	PVD 11,5	PVD 23,0

démocratique centrafricain (RDC, parti unique), réunie en mai 1990, a rejeté l'idée du multipartisme mais a décidé une révision de la Constitution en vue de la nomination d'un Premier ministre. Un remaniement du gouvernement, le 5 juin 1990, a créé le poste de ministre d'État chargé de la coordination de l'équipe ministérielle. D'autre part, les professeurs de l'université de Bangui ont été en grève du 20 avril 1990 au 16 mai. Ils réclamaient le rétablissement d'indemnités supprimées par le gouvernement ainsi que des primes de logement.

GUINÉE ÉQUATOR.	SÃO TOMÉ & PRINCIPE	ZAÏRE
Malabo	São Tomé	Kinshasa
28 050	960	2 345 410
0,430	0,109	34,49
15,3	113,5	14,7
2,3	2,8	3,2
127	70	98
46,5	62	52,5
63,5	41,3	38,9
60	38	35
45,4	..	44,3
..	..	1,5 [d]
5,9	..	0,6
..	..	..
..	0,39 [b]	0,07 [i]
1,1	..	22
0,1	..	1,5
0,1	..	2,5
140 [a]	32 [b]	5715 [a]
2,5 [h]	−3,9	0,9
..	5,9	2,6
333 [a]	280 [b]	170 [a]
200	99	8475
−8,7	..	56,1
..	6,4 [f]	..
..	..	1,6 [b]
—	1	2578
34	17	2089
65	40 [a]	1776
41	12,5	2250
Esp 24,5	Por 25,8	PCD 48,1
Fra 18,4	RDA 12,1	Bel 13,5
PVD 21,8	Ang 8,8	Chi 42,8
PCD 87,3	RFA 52,3	E-U 19,3
Esp 42,0	RDA 20,2	Bel 42,6
PVD 12,7	P-B 12,7	RFA 11,4

Congo

Le chef de l'État, le général Denis Sassou Nguesso, a été reconduit en juillet 1989 à la tête du Parti congolais du travail (PCT, parti unique) et de l'État pour un troisième mandat. La composition du Bureau politique et du Comité central a été profondément modifiée, traduisant une certaine volonté de changement. Un nouveau Premier ministre, Alphonse Poaty-Souchalaty, a été désigné en remplacement de Ange-Edouard Poungui et un nouveau gouvernement a été formé en août 1989. Des détenus politiques ont été libérés en novembre 1989. Le chef de l'État, dans ses déclarations d'avril 1990, n'a pas exclu la remise en cause

République populaire du Congo
Nature du régime : présidentiel, parti unique (Parti congolais du travail, PCT).
Chef de l'État : général Denis Sassou Nguesso (depuis le 31.3.79).
Premier ministre : Alphonse Poaty-Souchalaty (depuis le 5.8.89).
Monnaie : franc CFA (1 FCFA = 0,02 FF).
Langues : français (off.), langues du groupe bantu.

Chiffres 1989, sauf notes : a. 1988; b. 1987; c. 1986; d. 1985; e. 1984; f. 1982; g. 1985-90; h. 1980-86; i. 1981; j. 1983.

(*) Dernier recensement utilisable : Cameroun, 1976; Congo, 1984; Gabon, 1961; Guinée équatoriale, 1983; São Tomé et Principe, 1981; Zaïre, 1984; Rép. Centrafricaine, 1975.

du rôle dirigeant du Parti. Enfin, le Comité central du PCT s'est réuni fin juin 1990 et a annoncé des mesures de démocratisation en vue de l'instauration du multipartisme.

Le gouvernement a mis en place des mesures de libéralisation économique (relance des investissements privés). De plus, l'ouverture économique du pays s'est concrétisée par la visite officielle aux États-Unis du président Sassou Nguesso, en février 1990, qui devrait déboucher sur un accroissement de l'aide et des investissements américains. Les États-Unis sont un partenaire économique important du Congo : ils importent du pétrole (400 millions de dollars par an), du bois et des pierres précieuses. Plusieurs compagnies pétrolières américaines y sont implantées. En mars 1990, le Congo et le FMI sont parvenus à un accord pour un deuxième programme d'ajustement structurel qui prévoit la réduction des dépenses publiques et la recherche de recettes hors secteur pétrolier. Le Congo affronte en effet une situation économique difficile avec notamment une dette extérieure évaluée à plus de 4 milliards de dollars.

Des étudiants ont tenté, en février 1990, d'organiser des marches pour protester contre le gel des recrutements dans la fonction publique, mais elles ont été empêchées par la police.

Marie-Hélène Deval

Gabon

Depuis le contre-choc pétrolier de 1986, le Gabon a vu se tarir ses recettes pétrolières. Les problèmes économiques ont fait place à une tension politique grandissante. En 1990, avec une violence allant *crescendo*, la démocratie a frappé ses trois coups d'entrée en scène au Gabon. Mais en intervenant — après la remise en selle du président Léon Mba en 1964 — l'armée française a sauvé le régime d'Omar Bongo.

Sous la pression des manifestations populaires du 17 janvier et du 25 février 1990, le président gabonais avait convoqué une « Conférence nationale » et concédé la dissolution du parti unique, l'instauration du multipartisme et la nomination d'un « gouvernement de transition ». 22 des 28 ministres sortaient des rangs du Parti démocratique gabonais, l'ancienne formation unique dont le sigle — PDG — résumait parfaitement la dévotion au chef de l'État. Celui-ci, en reprenant à son compte les « suggestions » de la Conférence nationale, avait préservé l'essentiel de son pouvoir.

République gabonaise

Nature du régime : présidentiel, parti unique (Parti démocratique gabonais, PDG) jusqu'au 23.4.90; multipartisme autorisé depuis.
Chef de l'État : Omar Bongo (depuis le 28.11.67).
Premier ministre : Léon Mebiame, remplacé par Casimir Oyé Mba le 27.4.90.
Monnaie : franc CFA (1 FCFA = 0,02 FF).
Langues : français (off.), langues du groupe bantu.

Lorsque, le 23 mai 1990, l'un des protagonistes de l'opposition qui avait dénoncé cette « récupération », le secrétaire général du Parti gabonais du progrès (PGP), Joseph Rendjambé, fut trouvé mort dans des circonstances suspectes, la population de la capitale est descendue spontanément dans la rue. L'éruption contestataire à Libreville, accompagnée de pillages et d'incendies, a été suivie d'une insurrection à Port-Gentil. Base à terre de l'exploitation pétrolière et fief traditionnel des Myéné, l'ethnie aliénée du pouvoir, Port-Gentil explose de contradictions. La prise d'otage d'un vice-consul, puis de huit cadres d'Elf-Gabon a justifié l'envoi par les autorités françaises, le 24 mai 1990, de renforts militaires « pour protéger la vie des ressortissants français ». Plusieurs milliers d'entre eux ont été évacués. Sommée par le président O. Bongo de reprendre ses activités,

Elf a rouvert le robinet pétrolier. L'état de siège décrété, l'armée gabonaise a rétabli l'ordre à Port-Gentil au prix de plusieurs morts et de nombreux blessés.

Stephen Smith

Guinée équatoriale

Candidat unique du Parti démocratique de Guinée équatoriale, le chef de l'État, Teodoro Obiang Nguema Mbasogo, a été réélu au suffrage universel avec 99,96 % des voix, lors des élections présidentielles de juin 1989. Le président T. Obiang a déclaré que ces élections, les premières du pays, constituaient un début de démocratisation, mais que le multipartisme n'était pas souhaitable.

République de Guinée équatoriale

Nature du régime : présidentiel, parti unique (Parti démocratique de Guinée équatoriale, PDGE).
Chef de l'État et du gouvernement : Teodoro Obiang Nguema Mbasogo (depuis le 3.8.79).
Monnaie : franc CFA (1 FCFA = 0,02 FF).
Langues : espagnol (off.), langues du groupe bantu, créole.

La situation économique n'a pas connu d'amélioration sensible en 1989. Les productions de cacao, de café et de bois (principaux produits d'exportation) ont stagné tandis que les importations ne cessaient d'augmenter. Le pays fait face à une grave crise économique et financière et a conclu, en juillet 1988, un programme d'ajustement structurel avec le FMI. En décembre 1989, les mesures prises n'ayant pas produit les résultats escomptés, le FMI a retardé l'octroi de nouveaux crédits à mai 1990. De plus, le pays souffre de son isolement depuis la liquidation de la compagnie aérienne EGA à la fin de 1989. Les liaisons routières sur la partie continentale du pays sont mauvaises et les communications entre la capitale Malabo et le reste du pays sont très insuffisantes.

São Tomé et Principe

Poursuivant des réformes commencées en 1988, le chef de l'État, Manuel Pinto da Costa, s'est prononcé en faveur du multipartisme, en décembre 1989, lors du Comité central du Mouvement de libération de São Tomé et Principe (MLSTP), le parti unique au pouvoir. Le texte d'une nouvelle Constitution prévoyant l'instauration du multipartisme et la séparation des pouvoirs exécutif, législatif et judiciaire devait être approuvé par le Comité central du Parti et le Parlement, puis par référendum. Les élections présidentielles étaient prévues pour juin ou juillet 1990 avec, pour la première fois, plusieurs candidats.

République démocratique de São Tomé et Principe

Nature du régime : présidentiel, parti unique (Mouvement de libération de São Tomé et Principe, MLSTP).
Chef de l'État : Manuel Pinto da Costa (depuis le 17.7.75).
Premier ministre : Celestino Rocha da Costa (depuis le 8.1.88).
Monnaie : dobra (1 dobra = 0,04 FF au 30.4.90).
Langues : portugais (off.), créole, ngola.

Sur le plan économique, le gouvernement a annoncé, en novembre 1989, la privatisation de plusieurs entreprises publiques. D'autre part, la baisse importante des récoltes et des prix du cacao et des céréales depuis plusieurs années a entraîné un déséquilibre de la balance commerciale, une dépendance croissante vis-à-vis de l'aide alimentaire extérieure et un endettement accru (140 millions de dollars fin 1988). L'objectif essentiel du programme d'ajustement structurel engagé concerne la modernisation de l'agriculture. Le FMI a accordé à cet effet un prêt de 2,8 millions de DTS (23,8 millions FF) en juin 1989. Le pays a été victime de deux épidémies de choléra, en juillet et septembre 1989.

BIBLIOGRAPHIE

Assidon E., *Les Sociétés commerciales françaises de l'Afrique noire*, L'Harmattan, Paris, 1988.

Gaillard P., *Le Cameroun*, L'Harmattan, Paris, 1989, 2 tomes.

Gaulme F., *Le Gabon et son ombre*, Karthala, Paris, 1988.

« Congo Zaïre. La colonisation, l'indépendance, le régime Mobutu. Et demain ? », *GRIP-information*, Bruxelles, 1990.

Guichaoua A., *Destins paysans et politiques agraires en Afrique centrale : la liquidation du « monde paysan » congolais*, L'Harmattan, Paris, 1989.

« Le Cameroun de Paul Biya », *Peuples noirs-peuples africains*, n° spécial 1988.

« Le Congo, banlieue de Brazzaville », *Politique africaine*, n° 31, Karthala, Paris, 1988.

Liniger-Goumaz M., *Brève Histoire de la Guinée équatoriale*, L'Harmattan, Paris, 1988.

Pourtier R., *Le Gabon*, L'Harmattan, Paris, 1989, 2 tomes.

« Spécial Gabon », *Marchés tropicaux*, n° 2301, Paris, déc. 1989.

Zaïre

Peu après la conclusion d'un accord de confirmation en juin 1989 avec le FMI, le Zaïre a bénéficié d'un réaménagement de sa dette extérieure par le Club de Paris. Les principaux créanciers du Zaïre ont en effet été sensibles aux efforts de redressement engagés par le gouvernement et aux résultats encourageants enregistrés au cours du premier semestre 1989 (stabilisation du zaïre, maîtrise de l'inflation et des dépenses publiques, relance de la production). En février 1990, le président Mobutu Sese Seko a annoncé de nouvelles mesures d'austérité en réduisant de moitié les salaires et les avantages des hauts dirigeants, révisant ainsi à la baisse le budget de l'année. Des économies importantes doivent être réalisées du fait de la détérioration des cours des produits d'exportation. Les résultats des entreprises publiques en 1989 ont été insuffisants et le pays a souffert de problèmes de transport et d'approvisionnement en produits pétroliers. De plus, en 1989, les principales productions ont connu une baisse en volume : 3 % pour le cuivre, 12 % pour les diamants, 47 % pour l'or, ainsi qu'en valeur.

> **République du Zaïre**
> **Nature du régime :** présidentiel, trois partis autorisés le 24.4.90.
> **Chef de l'État :** Mobutu Sese Seko (depuis le 24.11.65).
> **Premier ministre :** Kengowa Dondo, remplacé par Lunda Bululu le 25.4.90.
> **Monnaie :** zaïre (1 zaïre = 0,011 FF au 30.4.90).
> **Langues :** français (off.), lingala, swahili (véhiculaires), diverses langues locales.

Alors que plus de 400 communautés et sectes religieuses non reconnues par le gouvernement ont été obligées de cesser leurs activités en juillet 1989, le chef de l'État, Mobutu Sese Seko, a effectué une tournée dans le pays, au début 1990, afin d'engager un dialogue avec la population sur le fonctionnement des institutions. A la mi-avril, le parti unique zaïrois, le Mouvement populaire de la révolution (MPR), devait analyser les revendications des opposants au régime « afin d'engager une *perestroïka* à la zaïroise ».

Le 24 avril 1990, le président Mobutu a annoncé l'instauration d'un multipartisme à trois et la naissance de la IIIe République avec une révision de la Constitution qui doit entrer en vigueur avant mai 1991. Un nouveau Premier ministre, Lunda Bululu, a été nommé le 25 avril et a formé un gouvernement de transition plus ouvert aux milieux d'affaires et universitaires. Le principal mouvement d'opposition, l'Union pour la démocratie et le progrès social (UDPS) d'Étienne Tshisekedi, pourrait être l'un des trois partis officiels. Le chef de l'État a annoncé, le 30 juin, que ces trois partis seraient choisis au suffrage universel en janvier 1991.

Les grèves des enseignants et des médecins se sont poursuivies, en juin 1990, et se sont étendues notamment à Gécamines, principale entreprise qui exploite et commercialise le cuivre. En ce qui concerne les étudiants, des manifestatons ont eu lieu, début mai, dans la capitale pour réclamer de meilleures conditions. Elles se sont étendues à Kisangani et à Lubumbashi. A l'annonce du massacre d'une cinquantaine d'étudiants de Lubumbashi par les troupes d'élite du gouvernement les 11 et 12 mai, le gouvernement belge a réagi fermement en gelant les prêts destinés au Zaïre, provoquant une nouvelle crise dans les relations entre les deux pays. Le président a répliqué en renvoyant 700 coopérants belges et en fermant trois consulats au Zaïre. Le différend avec l'ancienne métropole, commencé en novembre 1988, s'était apaisé en juillet 1989 avec la décision de la Belgique d'annuler la moitié de ses créances publiques et commerciales (280 millions de dollars) sur le Zaïre. La visite au Zaïre du ministre belge des Affaires étrangères, Mark Eyskens, en mars 1990, avait marqué la réconciliation effective des deux pays.

Sur le plan diplomatique, le Zaïre a poursuivi son action de médiation en faveur de la paix en Angola, en rencontrant différents interlocuteurs. Le président Mobutu s'est entretenu au Zaïre, en août 1989, avec le nouveau président sud-africain Frederik de Klerk sur la question angolaise et l'indépendance de la Namibie. Le sommet de Kinshasa consacré à l'Angola a réuni, en juin 1989, dix-huit chefs d'État et de gouvernement africains, dont le président angolais José Eduardo Dos Santos et Jonas Savimbi, le chef de l'UNITA (Union nationale pour l'indépendance totale de l'Angola). Mais en septembre 1989, J. Savimbi refusa de se rendre au Zaïre pour y rencontrer le président Dos Santos. Une autre rencontre des chefs d'État africains a eu lieu en février 1990 afin d'analyser la situation en Angola où les combats entre l'UNITA et les forces gouvernementales ont repris.

En 1989-1990, enfin, le problème du SIDA s'est aggravé, notamment dans les grandes villes où les cas de séropositivité ont dramatiquement augmenté.

Marie-Hélène Deval

Afrique de l'Est

BURUNDI • KÉNYA • OUGANDA • RWANDA • TANZANIE

Burundi

En 1989-1990, les autorités de la IIIe République — le chef de l'État, le major Pierre Buyoya, le Comité militaire pour le salut national et son deuxième gouvernement, dirigé par un Premier ministre hutu, Adrien Sibomana — se sont attachées à réaliser les priorités fixées au lendemain de leur arrivée au pouvoir et des affrontements interethniques d'août

République du Burundi

Nature du régime : présidentiel, parti unique (Union pour le progrès national, UPRONA).
Chef de l'État, président du Comité militaire pour le salut national (CMSN) : major Pierre Buyoya (depuis le 3.9.88).
Premier ministre : Adrien Sibomana.
Monnaie : franc burundais (1 franc = 0,032 FF au 30.4.90).
Langues : kirundi, français, swahili.

1988. Ces massacres avaient opposé des groupes appartenant aux ethnies hutu — majoritaire — et tutsi — minoritaire (15 % de la population) mais qui détenait le pouvoir politique. Les autorités ont prôné la consolidation de l'unité nationale, le respect des droits de l'homme et la restauration de l'autorité morale de l'État. Alors que les travaux de la Commission pour l'unité nationale ont débouché, en mai 1990, sur une charte des droits et des libertés, la redistribution des pouvoirs à l'échelle des provinces et des administrations et la mise en place d'une Cour des comptes visant à moraliser la vie publique ont été instituées. Ces mesures, ainsi que les orientations budgétaires privilégiant l'éducation, la santé et l'habitat, et la réinstallation des réfugiés de retour du Rwanda, ont marqué une volonté d'apaisement social et d'ouverture politique.

Pourtant, la situation économique se prêtait mal à de telles mesures. En 1989, le service de la dette a atteint 45 millions de dollars et la chute du cours du café a amputé de 40 % les recettes en devises. De plus, la libéralisation du marché a relancé l'inflation (13 % en 1989), contraignant à la poursuite de la politique d'ajustement structurel dont les effets ont été en partie amortis par un traitement social sélectif et par la stabilisation du prix du café payé aux paysans. Néanmoins le régime, qui a rétabli sa crédibilité internationale, semblait assuré de la sympathie de l'opinion publique, la population ayant retrouvé certains espaces de liberté (réapparition de journaux d'opinion et multiplication des associations). Mais la recherche d'un compromis et la mise en cause de certaines situations acquises ont entraîné des mécontentements. Ainsi, le 3 novembre 1989, une tentative de coup d'État contre le président, fomentée par des proches d'un ancien ministre de la IIe République, a-t-elle été déjouée.

Christian Thibon

Kénya

L'opposition au régime n'a cessé de s'amplifier en 1989-1990. Les luttes de factions combinées à l'action des défenseurs des droits de l'homme, des étudiants et même des écologistes ont contribué à isoler encore plus le président Daniel Arap Moi. La libération de prisonniers politiques, au mois de juin 1989, s'est accompagnée d'une répression diffuse et multiforme. Ainsi, 27 500 personnes ont été arrêtées dans le cadre de la campagne anti-*changaa* qui, derrière la mise en cause des méfaits sur la santé de cet alcool populaire, visait à déstabiliser les lieux de consommation où s'exprime la contestation. Les assassinats non éclaircis de George Adamson, figure nationale de la conservation de la faune, en août 1989 puis du ministre des Affaires étrangères, Robert Ouko, en février 1990, ont symbolisé l'éclosion d'une violence sociale et politique qui s'est étendue aux trafiquants d'ivoire et, accessoirement, aux touristes. Les circonstances étranges de la disparition de Robert Ouko ont déclenché des scènes d'émeute tant à Nairobi qu'à Kisumu, faisant plusieurs morts. La perte de ce diplomate de talent a affaibli le réseau d'alliances que Daniel Arap Moi avait tissé en direction de la communauté luo, et l'incapacité du régime à faire la lumière sur le meurtre a concentré les soupçons sur les plus hauts responsables de l'État.

La situation intérieure a été aggravée par la dégradation des relations

République du Kénya

Nature du régime : présidentiel, parti unique (Union nationale africaine du Kénya, KANU) élections semi-compétitives.
Chef de l'État et du gouvernement : Daniel Arap Moi (depuis le 22.8.78).
Monnaie : shilling kényan (1 shilling = 0,24 FF au 30.4.90).
Langues : swahili, anglais, kikuyu, luo.

AFRIQUE DE L'EST

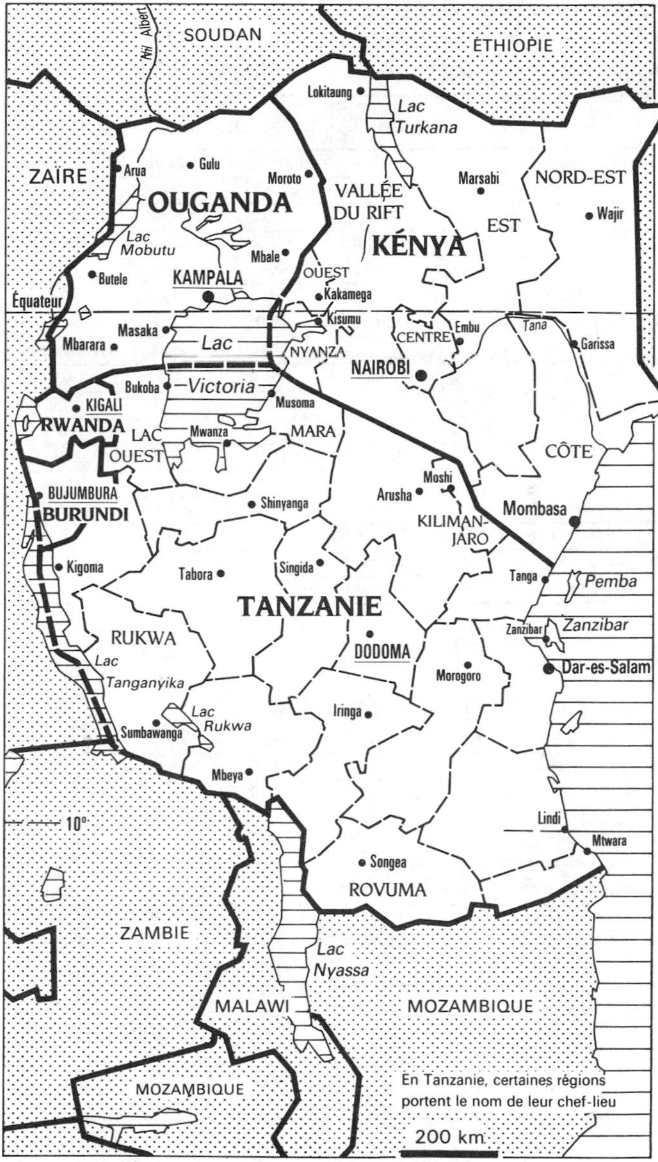

avec les proches voisins. La lutte pour le pouvoir à Mogadiscio a précipité sur le territoire kényan plusieurs milliers de Somaliens. Le gouvernement a procédé à des rafles puis a organisé un recensement des populations d'ethnie somali, tandis que des incidents mettaient aux pri-

AFRIQUE DE L'EST

	INDICATEUR	UNITÉ	BURUNDI	KÉNYA	OUGANDA
	Capitale		Bujumbura	Nairobi	Kampala
	Superficie	km²	27 830	582 640	236 040
DÉMOGRAPHIE	Population (*)	million	5,30	24,87	17,80
	Densité	hab./km²	190,4	42,7	75,4
	Croissance annuelle [f]	%	2,9	4,2	3,5
	Mortalité infantile [f]	‰	112	72	103
	Espérance de vie [f]	année	49,0	58,4	51,0
	Population urbaine	%	6,9	22,8	10,2
CULTURE	Analphabétisme [b]	%	64	32	40
	Scolarisation 12-17 ans	%	29,1	58,3	43,0
	3e degré	%	0,8 [b]	1,3 [d]	0,8 [c]
	Postes tv [b]	‰ hab.	0,2	5,7	6,3
	Livres publiés	titre	54 [c]	933 [c]	••
	Nombre de médecins	‰ hab.	0,05 [e]	0,12 [g]	0,05 [h]
ARMÉE	Armée de terre	millier d'h.	5,5	19	70
	Marine	millier d'h.	0,05	1,1	
	Aviation	millier d'h.	0,15	3,5	
ÉCONOMIE	PIB [a]	million $	1 184	8 288	4 535
	Croissance annuelle 1980-88	%	2,9	3,9	0,6
	1989	%	••	••	2,0
	Par habitant [a]	$	230	360	280
	Dette extérieure [a]	million $	793	5 888	1 925
	Taux d'inflation	%	12,0	14,8	67,0
	Dépenses de l'État Éducation [b]	% PIB	2,9	7,0	3,9
	Défense	% PIB	2,7 [b]	3,9 [c]	2,4 [a]
	Production d'énergie [b]	millier TEC	11	279	79
	Consom. d'énergie [b]	millier TEC	92	2 267	405
COMMERCE	Importations	million $	187	2 686	521 [a]
	Exportations	million $	78	1 090	328 [a]
	Principaux fournis. [a]	%	PCD 61,9	CEE 47,2	PCD 44,5
		%	CEE 48,9	Jap 11,4	CEE 33,8
		%	PVD 34,3	PVD 27,8	Ken 31,6
	Principaux clients [a]	%	PCD 95,0	PCD 53,2	PCD 86,2
		%	CEE 79,7	CEE 41,1	CEE 65,3
		%	PVD 5,0	PVD 36,1	PVD 13,8

ses des militaires des deux pays. De multiples voix se sont élevées dans le pays et à l'étranger pour critiquer ce racisme officiel. Les relations avec le

RWANDA	TANZANIE
Kigali	Dodoma
26 340	945 090
6,99	24,80
265,3	26,2
3,4	3,7
122	106
48,5	53,0
7,4	31,0
53	6
33,5	51,0
0,4 [c]	0,2 [b]
..	0,6
207 [b]	363 [e]
0,03 [i]	0,06 [h]
5	45
—	0,7
0,2	1
2 138	3 958
1,7	2,2
..	3,8
320	160
632	4 729
0,7	28,0
3,5	4,1
1,7 [a]	3,4 [b]
22	78
195	935
171	1 388
49	360
Jap 14,6	CEE 43,1
CEE 45,2	Jap 9,1
PVD 34,5	PVD 33,8
PCD 8,7	PCD 64,8
Ken 89,0	RFA 17,1
..	PVD 31,7

Canada et la Suède en ont été affectées.

L'instabilité des régimes éthiopien, soudanais et ougandais voisins et la perméabilité des frontières kényanes ont contraint Daniel Arap Moi à jouer les médiateurs entre groupes rivaux pour enrayer les risques de contamination.

La situation économique a présenté un tableau contrasté. La progression continue du tourisme a favorisé une croissance supérieure à 5 %. Mais la chute des exportations et la détérioration de la balance des paiements ont créé une véritable « détresse financière » selon les termes du FMI. L'octroi d'une facilité d'ajustement structurel de 306,1 millions de dollars a obligé en contrepartie les autorités à adopter des mesures draconiennes : réduction du déficit budgétaire de 4,5 %, baisse de l'impôt sur les hauts revenus pour favoriser l'investissement et réduire la fuite des capitaux, suppression de la gratuité totale des soins et de la scolarité. L'austérité a été allégée avec l'annulation de la dette publique par la France et l'Allemagne fédérale à hauteur de 3,7 milliards de francs. De plus, l'annonce, pour la première fois, d'une baisse du taux de natalité a quelque peu atténué le pessimisme traditionnel en matière démographique. Mais la progression du SIDA (le taux de séropositivité atteint 2 % de la population totale) a confirmé les craintes pour l'avenir.

Daniel Bourmaud

Ouganda

A la suite des élections des « conseils de résistance », en février 1989, le chef de l'État, Yoweri Museveni, a ouvert, le 11 avril 1989, la

Chiffres 1989, sauf notes : a. 1988 ; b. 1987 ; c. 1986 ; d. 1985 ; e. 1984 ; f. 1985-90 ; g. 1982 ; h. 1981 ; i. 1983.

(*) Dernier recensement utilisable : Burundi, 1979 ; Kénya, 1979 ; Ouganda, 1969 ; Rwanda, 1978 ; Tanzanie, 1978.

première session du nouveau Conseil national de la résistance (CNR) qui comprend 270 membres. Le Conseil des ministres a été remanié : quinze ministres ont perdu leur poste, dont treize battus aux élections, et vingt-deux nouveaux ont été nommés, ce qui a porté le nombre des ministres à quarante-huit et celui des vice-ministres à quatorze. Onze ministres seulement sont originaires des régions en dissidence du Nord et de l'Est. Au début d'octobre 1989, le mandat du président Yoweri Museveni qui devait expirer à la fin janvier 1991, après la fin du « moratoire sur la vie politique », a été prorogé de cinq ans, ce qui a suspendu le processus de démocratisation et devrait retarder d'autant la normalisation constitutionnelle du régime. D'autre part, le gouvernement a dû faire face en mai 1989 à une grève des professeurs de l'université de Makerere et, en novembre, à une grève des étudiants. Suite aux travaux de la commission d'enquête du CNR, une campagne de lutte contre la corruption a abouti à la révocation de dizaines de hauts fonctionnaires.

République d'Ouganda
Nature du régime : révolutionnaire, tendance populiste.
Chef de l'État : Yoweri Museveni (depuis le 29.1.86).
Chef du gouvernement : Simon Kisseka (depuis le 1.12.86).
Monnaie : shilling ougandais (1 shilling = 0,015 FF au 30.3.90).
Langues : kiganda, anglais, swahili (off.).

Sur le plan militaire intérieur, dans le Nord et l'Est, la situation est restée confuse. Après quelques mois de tranquillité, les troubles ont repris dans la région de Kitgum à l'initiative de la fraction de l'Armée démocratique du peuple ougandais (UPDA) qui n'avait pas rallié le pouvoir en juin 1988. En juillet et août 1989, ces éléments ont lancé des attaques dans la région d'Arua (Nil-Ouest). Les « restes » de la secte du Saint-Esprit ont déployé leur activité rebelle dans le district de Gulu. En juillet-août 1989, une offensive de l'Armée de résistance nationale (NRA, gouvernementale) les a affaiblis sans les anéantir. Dans l'Est, l'Armée populaire unie (UPA) n'a pas désarmé, ce qui a provoqué une offensive de la NRA dans les districts de Soroti et de Kumi. Cette offensive a été interrompue à la suite de la découverte d'exactions qui ont abouti à la mort de 69 jeunes gens, étouffés dans un wagon. Cet incident a déclenché une émotion considérable. L'offensive de la NRA a repris en septembre 1989 et a entraîné, en janvier 1990, d'importants déplacements et internements de population. La discipline s'étant dégradée et la corruption ayant augmenté dans l'armée, sa direction a été renouvelée en décembre 1989.

La tension avec le Kénya, après une grave crise en mars 1990, est retombée ensuite. D'autre part, on a noté quelques incidents de frontière avec le Zaïre.

Sur le plan économique, malgré l'augmentation de la production de café, la chute des cours a entraîné une diminution des ressources. Cela a aggravé la situation de la balance des comptes et compromis les remboursements des emprunts. La monnaie a été dévaluée le 8 mars 1989 (la valeur du dollar est passée de 165 à 200 shillings), puis à nouveau le 24 octobre 1989 (la valeur du dollar est passée à 240 shillings). Cependant, la récolte de maïs a été excellente et l'aide internationale soutenue, ce qui a permis un certaine croissance économique et la poursuite de la réhabilitation des infrastructures.

Jean-François Médard

Rwanda

Pays surpeuplé (avec une densité de 256,5 habitants au km²) mais autosuffisant sur le plan alimentaire, le Rwanda s'est trouvé confronté à de nouveaux problèmes. La situation économique et financière s'est dégradée en 1989-1990. L'endettement extérieur, beaucoup moins élevé que dans la majorité des pays africains, pèse néanmoins d'une façon quasi structurelle (le service de la dette était de 24 millions de dollars en 1989, soit 11 % de la valeur des recettes d'exportations) sur une économie pénalisée par la chute des cours des produits primaires, dont celui du café, principale source d'entrée de devises. Ce retournement de tendance a contribué à entretenir un climat de défiance économique attisé par les rumeurs de dévaluations et d'ajustement structurel. Aussi, la marge de manœuvre du gouvernement s'est réduite. Il en est résulté une érosion du pouvoir, expliquée en partie par le mauvais fonctionnement des institutions, l'âge du personnel politique et les rivalités entre équipes concurrentes.

République rwandaise

Nature du régime : présidentiel, parti unique (Mouvement national révolutionnaire pour le développement, MNRD).
Chef de l'État et du gouvernement : Juvénal Habyarimana (depuis le 5.7.73).
Monnaie : franc rwandais (1 franc = 0,071 FF au 30.4.90).
Langues : kinyarwanda, français, swahili.

Néanmoins, le Rwanda possède une bonne réputation de gestion économique et compte sur la coopération internationale. De plus, le pouvoir a tenté de mobiliser la population sur les problèmes fondamentaux : l'autosuffisance alimentaire, la croissance démographique et la santé publique. Il compte sur le dynamisme du marché en sollicitant les investissements privés et sur les initiatives locales des institutions communales ou décentralisées dont l'intervention en matière de développement rural s'est accrue. Enfin, il espère toujours trouver, dans le cadre de la Communauté des grands lacs (CPGL), avec le Zaïre et le Rwanda, des solutions régionales aux questions en suspens concernant les réfugiés ougandais et burundais et le peuplement de nouvelles terres inexistantes au Rwanda.

Christian Thibon

Tanzanie

Les équilibres subtils animant la vie politique en Tanzanie ont été menacés non seulement par les problèmes posés par la reconstruction économique et l'avenir de l'union avec Zanzibar, mais aussi par les perspectives électorales (élections présidentielle et générales en octobre 1990). Le soudain renvoi du gouvernement par le président Ali Hassan Mwinyi en mars 1990, suivi de la formation d'un gouvernement presque identique, peut être interprété comme un signe des rivalités entre factions en son sein et dans le parti unique (CCM, Chama Cha Mapinduzi). Ajoutant au trouble, la libéralisation des pays d'Europe de l'Est a suscité, chez Julius K. Nyerere, président sortant du CCM, des réflexions sur le passage au pluripartisme, avant qu'il n'annonce, en mai 1990, sa décision d'abandonner la direction du parti.

République unie de Tanzanie

Nature du régime : présidentiel, parti unique (Chama Cha Mapinduzi, CCM).
Chef de l'État : Ali Hassan Mwinyi (depuis le 27.10.85).
Chef du gouvernement : Joseph Warioba (depuis le 6.11.85).
Monnaie : shilling tanzanien (1 shilling = 0,029 FF au 30.4.90).
Langues officielles : swahili, anglais.

L'opinion a été moins attentive à la relance officielle de la lutte contre la corruption qu'aux performances des appareils productifs, au début de la deuxième phase du Programme de reconstruction économique placé sous la surveillance du FMI. Soumises à des pressions internes et externes contradictoires, les autorités ont eu du mal à atteindre les objectifs, malgré certains progrès en matière

BIBLIOGRAPHIE

AMNESTY INTERNATIONAL, *Ouganda. Droits de l'homme : les premiers pas. 1986-1989*, AEFAI, Diff. La Découverte, Paris, 1989.

BOURMAUD D., *Histoire politique du Kénya : État et pouvoir local*, Karthala, Paris, 1988.

BRISSET C., « Course à la réconciliation au Burundi », *Le Monde Diplomatique*, n° 430, Paris, janv. 1990.

CONSTANTIN F. (sous la dir. de), *Les Voies de l'Islam en Afrique orientale*, Karthala, Paris, 1987.

COUGHLIN P., IKIARA G.K., *Industrialization in Kenya*, J. Currey, Londres, 1989.

HANSEN H.-B., TWADDLE M. (sous la dir. de), *Uganda Now. Between Decay and Development*, J. Currey, Londres, 1988.

MALIYAMKONO T.L., BAGACHWA M. S. D., « The Second Economy in Tanzania », *Géo*, 130, 1989.

MARTIN D.-C., *Tanzanie : l'invention d'une culture politique*, Karthala/Presses de la FNSP, Paris, 1989.

MARTIN D., BATIBO H., *Tanzanie. L'Ujamaa face aux réalités*, Ed. Recherches et civilisations, Paris, 1989.

RUPESINGHE K. (sous la dir. de), *Conflict Resolution in Uganda*, IPRI, Oslo, 1989.

THIBON C., « Les luttes politiques au Burundi, 1987-1988 », *Année africaine 1987-1988*, CEAN/CREPAO/Pédone, Bordeaux, 1990.

VERIN P., *Madagascar*, Karthala, Paris, 1990.

agricole. L'inflation n'est pas descendue au-dessous de 30 % en 1989, les réserves en devises ont stagné, la dette extérieure a frôlé les 5 milliards de dollars et le shilling a été périodiquement dévalué. Plus que jamais, la remise en état d'un réseau routier délabré et d'un parc de poids lourds insuffisant pour commercialiser les surplus agricoles est apparue urgente. La privatisation des entreprises d'État peu performantes est restée timide et les capitaux privés — souvent étrangers — se sont heurtés aux politiques contradictoires du CCM et du gouvernement. Enfin, les frontières sont restées très perméables.

L'épreuve de force entre les partisans de la libéralisation et les tenants de la tradition socialisante a aussi alimenté la contestation à Zanzibar où l'ex-*Chief Minister*, Seif Hamad, a été emprisonné. Son long procès, s'ajoutant à la question de l'avenir de l'union entre les îles (Pemba et Zanzibar) et le continent, a entretenu le débat entre « technocrates » libéraux et « militants », mais aussi entre partisans d'un référendum sur l'union (comme Issa Shivji, « radical » du continent) et partisans d'une intégration plus poussée des îles (notamment les « durs » du CCM, utilisant parfois la démagogie anti-arabe). Le débat public, refusé par le CCM, s'est partiellement transposé sur le terrain religieux. Toutefois, l'action de groupes se réclamant de l'islam pour contester l'union est restée confuse, leur représentativité n'étant pas clairement établie. Le président A.H. Mwinyi s'est lui-même appliqué à montrer sa fidélité à l'islam en s'entourant de conseillers musulmans (mai 1989), ce qui a provoqué des critiques.

Dans cette situation complexe, l'élection en septembre 1989 de Salim A. Salim comme secrétaire général de l'Organisation de l'unité africaine (OUA) a été perçue moins comme un succès de la diplomatie tanzanienne que comme un moyen d'éloigner un élément supplémentaire de confusion dans les jeux politiques entre Dar es-Salaam (siège du gouvernement), Dodoma (siège du CCM) et Zanzibar (siège de la contestation).

François Constantin

Afrique du Nord-Est

DJIBOUTI • ÉTHIOPIE • SOMALIE

Djibouti

Les pluies diluviennes d'avril 1989 et de l'hiver 1989-1990 ont noyé les « quartiers », les vastes bidonvilles au sud de Djibouti où se pressent les réfugiés éthiopiens et somaliens qui fuient leurs pays touchés par des guerres civiles. A cause de ces intempéries, le port de Djibouti, doté d'un terminal ultra-moderne de conteneurs, n'a pas pu assumer son rôle dans le transit régional. D'autre part, Djibouti n'a pu prendre la relève du port éthiopien d'Assab pour ravitailler Addis-Abéba, coupé de son accès à la mer suite à un séisme, car le chemin de fer est devenu trop vétuste.

République de Djibouti

Nature du régime : présidentiel.
Chef de l'État : Hassan Gouled Aptidon (depuis le 12.7.77).
Chef du gouvernement : Hamadou Barkat Gourad (depuis le 21.9.78).
Monnaie : franc Djibouti (rattaché au dollar, 1 franc = 0,032 FF au 30.4.90).
Langues : arabe, français, afar et issa (ces deux dernières appartiennent au groupe des langues conchitiques).

Pour valoriser sa position, Djibouti doit se doter de services de haut niveau, financés par des prêts de la CEE et des États arabes. Les investissements seront concentrés dans la capitale qui regroupe près des quatre cinquièmes de la population. Le président Hassan Gouled Aptidon, au pouvoir depuis plus de vingt ans, a maintenu un équilibre interne délicat entre les Afar et les Somali, de même qu'entre ses bailleurs de fonds arabes et européens. La France, dont les militaires assurent la sécurité du pays, contribue pour 40 % aux recettes du budget.

Éthiopie

Le 5 mars 1990, toute l'Éthiopie écoutait Mengistu Haïlé Mariam, au pouvoir depuis 1977, proclamer l'adoption de l'économie mixte et l'abandon du socialisme et du monopole du Parti des travailleurs éthiopiens. La nuit, les portraits de Marx, Engels et Lénine, les slogans martiaux et les drapeaux rouges disparaissaient. Tournant historique ou mesure de circonstance ? Le paysan, maintenant maître de sa terre, peut la transmettre par héritage, la vendre et commercialiser sa récolte sans passer par les circuits étatiques. Le commerce libre a réapparu et le prix du *téf*, la céréale de base, et de la tôle ondulée a baissé de 50 %. Les capitaux étrangers peuvent s'investir dans toutes les entreprises. La collectivisation sera désormais volontaire : les coopératives survivront-elles à cette libéralisation ? Les 2 700 000 familles regroupées dans les « nouveaux villages » y resteront-elles ? Mais la méfiance vis-à-vis d'un régime identifié au socialisme militaire est demeurée : aucun signe d'approba-

République populaire et démocratique d'Éthiopie

Nature du régime : République à parti unique (Parti des travailleurs éthiopiens) avec un Parlement national (le Shängo) et des shängo locaux dans cinq régions autonomes.
Chef de l'État : lieutenant-colonel Mengistu Haïlé Mariam (depuis le 3.2.77).
Vice-président : Fesseha Dästa (depuis le 12.9.87).
Monnaie : berr (1 berr = 2,72 FF au 30.4.90).
Langues : amharique (off.), oromo, tigrinya, guragé, afar, somali, wälayta, etc.

BIBLIOGRAPHIE

AMNESTY INTERNATIONAL, *Somalie. Droits de l'homme, une longue crise*, AEFAI, Diff. La Découverte, 1988.

ÉLOURIMI S., « L'Éthiopie saignée par ses « petites guerres », *Le Monde Diplomatique*, n° 429, Paris, déc. 1989.

GALLAIS J., *Une géographie politique de l'Éthiopie, le poids de l'État*, Économica, Paris, 1989.

GASCON A., « Les mouvements armés dans la Corne de l'Afrique et au Soudan : l'éclatement des États centraux », *Études polémologiques*, n° 51, Paris (dans ce même n°, du même auteur : « Journée de dupes : les putschs en Éthiopie et au Soudan »).

GAULME F., « Le monde instable de la Corne de l'Afrique », *Études*, n° 371/5, Paris, nov. 1989.

LAUDOUZE A., *Djibouti*, Karthala, « Méridiens », 2e éd., Paris, 1989.

« La Somalie », *Mondes en développement*, n° 66, tome XVII, Paris et Bruxelles, 1989.

« Somalia », *Ufuhamu. Journal of the African Activist Association*, n° spéc. 11, vol. XVII, Los Angeles, print. 1989.

tion populaire hormis les manifestations officielles de soutien.

Ce soudain revirement du régime est lié à la dégradation de la situation en Érythrée où les sécessionnistes combattent depuis trente ans, et au Tigré où le Front populaire de libération (FPLT) lutte depuis quinze ans contre le pouvoir central. Au moment où Mengistu brûlait ce qu'il adorait depuis quinze ans, la ville de Massawa passait, en février 1990, au Front populaire de libération de l'Érythrée (FPLE) et Baher Dar était détruit par le FPLT. L'armée éthiopienne a perdu sa pugnacité après les revers subis au nord depuis 1988. Elle a aussi dû faire face à une tentative de putsch, le 16 mai 1989, déjouée à l'aide des Allemands de l'Est : 200 officiers furent tués ou arrêtés. L'URSS n'a continué à soutenir Mengistu qu'en le pressant d'accepter la médiation de Jimmy Carter dans le conflit qui l'oppose au FPLE. Des négociations avec les Érythréens se sont ouvertes à Atlanta en septembre 1989 et se sont poursuivies à Nairobi en décembre 1989, sans d'autres résultats que de ralentir l'activité du FPLE. D'autre part, le FPLT a pris le Wallo et est parvenu à 150 kilomètres au nord de la capitale, tandis que les maquis se sont réveillés au Gojjam et au Gondär. Mengistu a été abandonné par les Cubains et privé du soutien de la RDA. On pouvait s'attendre à sa chute prochaine.

Mais le régime se raidit, décréta la mobilisation et rafla des jeunes pour les envoyer au front. Le Premier ministre, Feqrä Sellasé, fut « démissionné » sans explication. On supprima le rationnement de l'essence et on permit de rouler le dimanche. Mengistu distribua les armes livrées par les Soviétiques aux *qäbälé* (comités de quartiers) : « Je vous donne les armes, donnez-moi les rebelles. » La propagande surnomma les Tigréens du FPLT *wâyyané*, d'après une révolte survenue au Tigré en 1943, et *shabiya*, « peuple » en arabe, pour insister sur leurs relations avec les musulmans afin de susciter la résistance des chrétiens. Les Wâyyané battus se replièrent sur le Tigré et rencontrèrent les Éthiopiens à Rome en janvier 1990. Le FPLE prit le relais et envoya, par le Soudan, des prisonniers oromo libérés renforcer le Front de libération des Oromo qui enleva Asosa à l'ouest. Le Nord étant dégarni, les fronts de libération repartirent à l'assaut du Wallo et du Gojjam, accusèrent Israël, qui a repris ses relations avec l'Éthio-

AFRIQUE DU NORD-EST

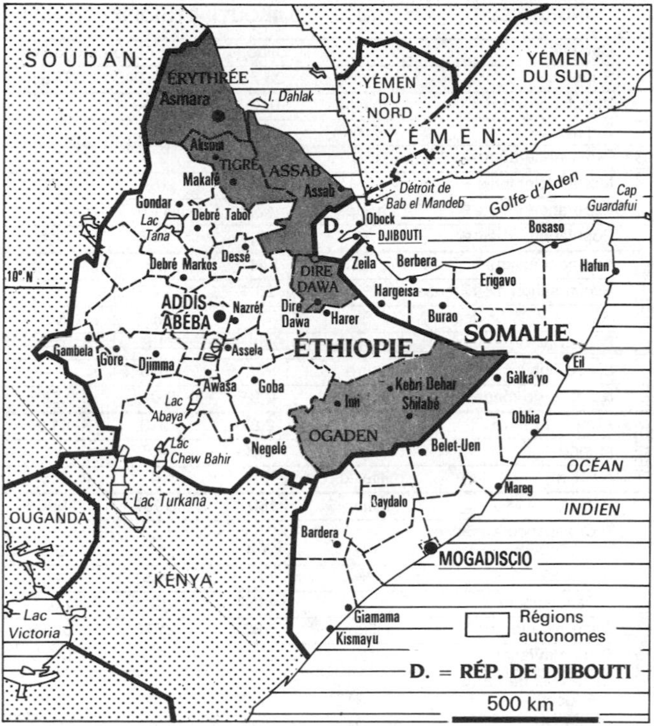

pie, d'entraîner l'armée, et réclamèrent l'aide des pays arabes.

L'économie a été désorganisée par l'effort de guerre qui absorbe 75 % du budget et produit son cortège de réfugiés qui affluent à Addis-Abéba. Au début 1990, les chantiers étaient en panne et les routes détériorées, faute d'entretien. Alors que les pluies de printemps ont été abondantes, la famine menace le Nord, ravagé par les combats et interdit par les fronts de libération aux organisations d'aide installées en Éthiopie car elles reconnaissent l'autorité gouvernementale. Le président a dû se rallier, en mai 1990, à l'accord soviéto-américain de ravitaillement par avion des région sinistrées.

Le régime, désavoué par l'URSS à cause de son immobilisme, a recherché une crédibilité nationale et internationale et multiplié les ouvertures vers les États-Unis, en vain, surtout depuis l'exécution, annoncée en mai 1990, de douze généraux impliqués dans le putsch manqué de mai 1989. Le pouvoir, à la mi-1990, s'enfonçait dans la guerre à outrance.

AFRIQUE DU NORD-EST

	INDICATEUR	UNITÉ	DJIBOUTI	ÉTHIOPIE	SOMALIE
	Capitale		Djibouti	Addis-Abéba	Mogadiscio
	Superficie	km²	23 200	1 221 000	637 660
DÉMOGRAPHIE	Population (*)	million	0,394	45,69	7,34
	Densité	hab./km²	17,0	37,4	11,5
	Croissance annuelle [d]	%	3,0	2,0	3,3
	Mortalité infantile [d]	‰	122	154	132
	Espérance de vie [d]	année	47,0	41,0	45,0
	Population urbaine	%	80,1	12,6	35,6
CULTURE	Analphabétisme [b]	%	41	33	80
	Scolarisation 12-17 ans	%	26,1	27,2	19,8
	3e degré	%	••	0,9 [b]	2,9 [c]
	Postes tv [b]	‰ hab.	48	1,6	0,4
	Livres publiés [b]	titre	••	335	••
	Nombre de médecins	‰ hab.	0,2 [c]	0,01 [f]	0,08 [g]
ARMÉE	Armée de terre	millier d'h.	2,87	313	61,3
	Marine	millier d'h.	0,06	1,8	1,2
	Aviation	millier d'h.	0,1	4	2,5
ÉCONOMIE	PIB	million $	180 [h]	5969	1000 [a]
	Croissance annuelle 1980-88	%	1,4	1,1	0,6
	1989	%	••	4,5	••
	Par habitant	$	486 [h]	131	170 [a]
	Dette extérieure [a]	million $	183	2978	2035
	Taux d'inflation	%	••	9,0	120,0
	Dépenses de l'État Éducation	% PIB	3,9 [h]	4,2 [c]	0,9
	Défense	% PIB	6,8 [c]	8,5 [a]	11,0 [c]
	Production d'énergie [b]	millier TEC	—	80	—
	Consom. d'énergie [b]	millier TEC	124	1243	411
COMMERCE	Importations [a]	million $	350	1129	300
	Exportations [a]	million $	49	429	55
	Principaux fournis. [a]	%	PCD 44,1	E-U 12,3	PCD 65,2
		%	Fra 18,4	CEE 44,5	Ita 27,1
		%	PVD 55,9	URSS 16,2	PVD 33,6
	Principaux clients [a]	%	PCD 8,3	PCD 68,0	Ita 25,3
		%	Som 32,5	CEE 41,3	PVD 67,8
		%	Y-N 36,3	PVD 21,8	Ar S 44,5

Chiffres 1989, sauf notes : a. 1988; b. 1987; c. 1986; d. 1985-90; f. 1984; g. 1980; h. 1982.

(*) Dernier recensement utilisable : Djibouti, 1961; Éthiopie, 1984; Somalie, 1975.

Somalie

L'armée régulière a ravagé les villes du Nord, Hargeysa par exemple, pour détruire le Mouvement national somalien (MNS), dirigé depuis Londres par Maxamed Silanyo, un ancien ministre. Appuyé par le clan isaaq, il revendique l'indépendance du Nord. Le MNS a attaqué Seylac dans la région des Dir, ses adversaires traditionnels, enrôlés dans des milices anti-MNS par le gouvernement qui joue des rivalités des clans pour régner en divisant. Cette tactique a entraîné la rupture de l'équilibre entre les Marehan, les Ogaden et les Dhulbanhante, soutiens claniques du président, le général Siyad Barre.

République démocratique de Somalie

Nature du régime : république à parti unique (Parti socialiste révolutionnaire somalien).
Chef de l'État : général Siyad Barre (depuis le 21.10.69).
Chef du gouvernement : général Mohamed Ali Samätar (depuis le 1.7.76).
Monnaie : shilling (1 shilling = 0,005 FF au 30.4.90).
Langue : somali.

Le chef de l'État s'est aliéné les Ogaden, qui représentent la majorité de l'armée, en arrêtant le général ogadeni Aadan Cabdulhalli Nur dont le gendre a rallié le Mouvement patriotique somalien (MPS), à la tête des garnisons de Kismayo et du Sud. Les troupes régulières, dirigées par le fils de Siyad Barre, ont franchi la frontière à la suite des rebelles et tué des soldats kényans.

L'assassinat de l'évêque catholique de Mogadiscio, Mgr Colombo, attribué d'emblée à des « intégristes » musulmans, est resté inexpliqué. Trois imams qui protestaient contre cet amalgame furent arrêtés à la suite d'émeutes brutalement réprimées par l'exécution de quarante jeunes Isaaq. Les miliciens, « les briseurs de nuque », recrutés parmi les Marehan, se sont livrés à des pogroms contre les Isaaq et les Hawiya de la capitale et ont confisqué leurs biens. Ces derniers, issus du centre du pays, ont fondé le Congrès de la Somalie unifiée (CSU) et le Groupe d'action somali (GAS), appuyé sur la garnison de Beled-Weyn.

Siyad et sa parentèle contrôlaient, au début 1990, en dehors de Mogadiscio, un archipel de garnisons qui ont rançonné la population et ont volé de l'ivoire et des bovins jusqu'au Kénya. La famille du président s'est octroyé le monopole du ravitaillement. Abandonné par les Anglo-Saxons choqués par les trafics et par l'expulsion du Haut-Commissariat aux réfugiés de l'ONU, et pressé par les Italiens, ses derniers bailleurs de fonds, le président a décrété le multipartisme et invité l'opposition à partager le pouvoir. Divisés sur l'avenir de la Somalie, les opposants ont décliné l'offre. Après des semaines de conversations, l'ancien Premier ministre, Mohamed Ali Samätar, a formé un gouvernement d'hommes du président. Si les relations avec le Kénya sont détestables, l'Éthiopie représente un havre pour des milliers de réfugiés, à l'abri de la frontière reconnue par le traité de paix somalo-éthiopien de 1988.

Alain Gascon

Vallée du Nil

ÉGYPTE • SOUDAN

(L'Égypte est traitée p. 195.)

Soudan

Un coup d'État militaire mettait fin, le 30 juin 1989, au gouvernement civil de Sadiq al-Mahdi. La nature du nouveau régime suscitait encore, au début 1990, de nombreux débats. Pour certains, malgré un soutien égyptien immédiat, il s'agissait d'un putsch des « frères musulmans » inquiets des compromis de Khartoum qui négociait enfin avec le Mouvement/Armée populaire de libération du Soudan (MPLS-APLS) dirigé par John Garang. Pour d'autres, le retour des militaires au pouvoir marquait d'abord l'incapacité des partis politiques traditionnels à répondre aux aspirations élémentaires d'une population affectée par la guerre, les crises écologiques et l'effondrement de l'économie ; les islamistes n'auraient acquis le contrôle réel de l'État soudanais que dans les semaines qui ont suivi l'éviction de Sadiq al-Mahdi.

République du Soudan

Nature du régime : dictature militaire.
Chef de l'État et du gouvernement : Omar Hassan Ahmed-el-Bechir (depuis le coup d'État du 30.6.89 qui a renversé Ahmed Ali el-Mirghani).
Monnaie : livre soudanaise (1 livre = 1,25 FF au 30.4.90).
Langues : arabe (off.), anglais, dinka, nuer, shilluck, etc.

Les nouvelles discussions entre le gouvernement du général Omar Hassan Ahmed el-Bechir et le MPLS n'ont pas donné de résultats tangibles en dépit de la médiation égyptienne et zaïroise. Le MPLS demandait la levée de l'état d'urgence, la restauration des libertés démocratiques et le gel de la *charia* (loi islamique). C'en était trop pour un régime militaire où la présence et l'influence de nombreux cadres islamistes devenaient rapidement importantes. Sur le terrain, la situation de ni guerre ni paix a permis un réarmement des deux camps, puis la reprise d'affrontements limités mais violents dans la province du Nil bleu et à proximité de la frontière ougandaise. Les populations sont, plus que jamais, les otages de ce conflit : bombardements aveugles de Juba par l'APLS, massacres de déplacés dans le Darfour, le Kordofan ou la province du Nil blanc sous contrôle gouvernemental.

Une des évolutions majeures de la guerre a été l'implication plus grande des acteurs régionaux. J. Garang a réussi une véritable percée diplomatique (notamment en Afrique australe), succès que n'a guère remporté Khartoum. Les appuis militaires se sont renforcés derrière chacune des parties : Israël et l'Éthiopie du côté du MPLS, l'Irak et la Libye du côté du régime militaire (avec un projet de fusion entre la Libye et le Soudan). Pour l'Égypte, la question est délicate : comment aider un régime très favorable aux thèses islamistes à ses frontières alors que ces idées sont combattues à l'intérieur ? Pourtant, le soutien égyptien demeure important pour la survie du pouvoir des militaires à Khartoum. Les États occidentaux ont durci leur attitude autant à cause de la prolongation de la guerre que par hostilité aux nouvelles orientations du Soudan, et se sont cantonnés à la seule aide humanitaire.

Sur le plan économique, la dette totale du Soudan était évaluée à

VALLÉE DU NIL

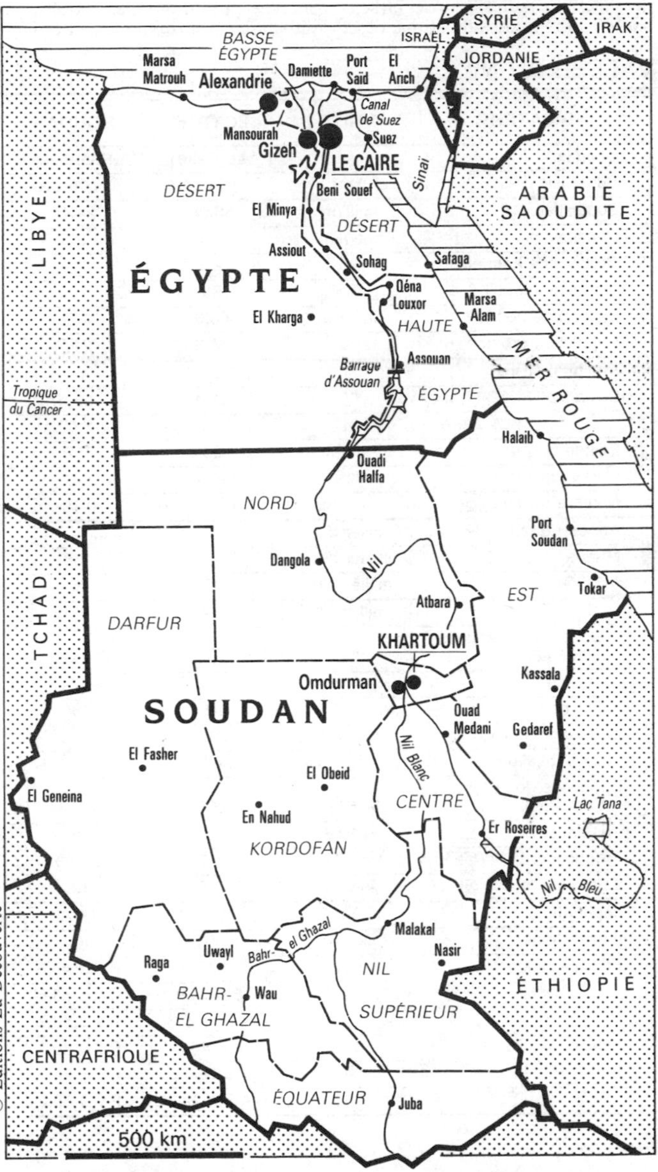

12 milliards de dollars en décembre 1989, soit 140 % du PNB. Les quelques mesures radicales prises en septembre 1989 (baisse drastique de la subvention aux denrées de première nécessité) et la réelle diminution du marché noir n'ont pas modifié la situation catastrophique de l'écono-

VALLÉE DU NIL

	INDICATEUR	UNITÉ	ÉGYPTE	SOUDAN
	Capitale		Le Caire	Khartoum
	Superficie	km²	1 001 449	2 505 810
DÉMOGRAPHIE	Population (*)	million	53,08	24,48
	Densité	hab./km²	53,0	9,8
	Croissance annuelle [e]	%	2,6	2,9
	Mortalité infantile [e]	‰	85	108
	Espérance de vie [e]	année	60,6	49,8
	Population urbaine	%	48,3	21,7
CULTURE	Analphabétisme [b]	%	53	64
	Scolarisation 12-17 ans	%	61,0	28,6
	3e degré	%	20,0 [b]	2,0 [c]
	Postes tv [b]	‰ hab.	83	52
	Livres publiés	titre	1 276 [b]	138 [d]
	Nombre de médecins	‰ hab.	0,20 [c]	0,10 [f]
ARMÉE	Armée de terre	millier d'h.	320	65
	Marine	millier d'h.	18	1,8
	Aviation	millier d'h.	30	6
ÉCONOMIE	PIB [a]	milliard $	32,93	11,41
	Croissance annuelle 1980-88	%	5,6	−1,3
	1989	%	5,0	−2,0
	Par habitant [a]	$	640	480
	Dette extérieure	milliard $	50,0 [a]	13,0
	Taux d'inflation	%	28,5	80,0
	Dépenses de l'État Éducation	% PIB	5,5 [b]	4,8 [d]
	Défense [a]	% PIB	9,8	6,9
	Production d'énergie [b]	million TEC	72,7	0,063
	Consomm. d'énergie [b]	million TEC	33,8	1,5
COMMERCE	Importations	million $	7 378	1 400
	Exportations	million $	2 634	450
	Principaux fournis. [a]	%	E-U 18,9	PCD 49,5
		%	CEE 34,9	CEE 33,6
		%	CAEM 15,3	PVD 48,7
	Principaux clients [a]	%	CEE 43,0	PCD 40,4
		%	Ita 21,4	CEE 29,9
		%	CAEM 22,7	PVD 50,0

BIBLIOGRAPHIE

AMNESTY INTERNATIONAL, *Soudan. Violations des droits de l'homme dans le contexte de la guerre civile*, AEFAI, Diff. La Découverte, Paris, 1989.

LAVERGNE M. (sous la dir. de), *Le Soudan contemporain*, Karthala, Paris, 1989.

LAVERGNE M., « L'économie soudanaise en désarroi », *Maghreb-Machrek*, n° 124, La Documentation française, Paris, 2e trim. 1989.

MARCHAL R., « Le conflit au Soudan hier et aujourd'hui », *Afrique contemporaine*, n° 153, Paris, 1er trim. 1990.

PRUNIER G., « Les partis politiques soudanais "africains" depuis la chute de Nemeiry », *Maghreb-Machrek*, n° 124, La Documentation française, Paris, 2e trim. 1989.

mie. Les pénuries (sucre, essence, pain, etc.) n'ont pas cessé, mais elles ont plus affecté la province que la capitale. Les maigres ressources du pays demeurent consacrées à l'effort de guerre.

L'organisation par le gouvernement de « comités populaires » (structures de base d'un futur parti unique) a vite été ressentie comme un quadrillage policier du pays. Les partis politiques traditionnels et les syndicats se sont alliés avec le MPLS pour renverser le pouvoir militaire mais la désaffection de la population à leur égard est grande et, surtout, les services de sécurité sont très efficaces. Les mouvements de grève des médecins et des universitaires à la fin 1989 ont échoué à cause d'une répression sélective et brutale. Plusieurs tentatives de coup d'État — réelles ou fabriquées — ont échoué, notamment celle d'avril 1990 qui a été réprimée de façon sanglante par le pouvoir. Elles ont fourni l'occasion d'épurer les secteurs de l'armée hostiles aux islamistes.

Le regain d'instabilité aux frontières du Soudan (Tchad, Ouganda, Éthiopie), et les rumeurs de partition du pays illustrent l'impasse politique. La sécheresse devrait, une nouvelle fois, frapper l'ouest du pays en 1990.

Roland Marchal

Afrique sud-tropicale

ANGOLA • MALAWI • MOZAMBIQUE • ZAMBIE • ZIMBABWÉ

(Angola : voir aussi p. 478.)

Angola

La photo a fait le tour du monde : le président angolais Eduardo Dos Santos et le guérillero Jonas Savimbi réunis pour une poignée de main « historique » en présence de dix-huit chefs d'État et de gouvernement africains. C'était le 22 juin 1989 à Gbadolite au Zaïre. Après quatorze années de guerre civile, depuis l'indépendance de l'ancienne colonie portugaise en 1975, la réconciliation nationale en Angola semblait entérinée : un cessez-le-feu dans les quarante-huit heures, l'intégration dans le pays des cadres du mouvement rebelle UNITA (Union pour

Chiffres 1989, sauf notes : a. 1988 ; b. 1987 ; c. 1985 ; d. 1980 ; e. 1985-90 ; f. 1984.
(*) Dernier recensement utilisable : Égypte, 1986 ; Soudan, 1983.

l'indépendance totale de l'Angola), la formation d'un « gouvernement de transition », puis des élections libres devaient être les étapes du retour à la paix civile. Au nom de 70 000 morts, de 400 000 réfugiés à l'étranger et d'au moins 600 000 *dislocados* à l'intérieur du pays, les armes devaient se taire. Il n'en a rien été. Entre août 1989 et mars 1990, la guerre en Angola a été plus meurtrière que jamais auparavant.

République populaire d'Angola
Nature du régime : marxiste-léniniste, parti unique (Mouvement populaire de libération de l'Angola, MPLA).
Chef de l'État et du gouvernement : José Eduardo Dos Santos (depuis le 20.9.79).
Monnaie : kwanza.
Langues : portugais, langues du groupe bantu.

« Il est faux de prétendre que j'ai pris l'engagement verbal de quitter temporairement l'Angola », a déclaré Jonas Savimbi, le chef de l'UNITA, dès le mois de juillet 1989. Au président Dos Santos, le président du Zaïre, Mobutu Sese Seko, a assuré le contraire. Le chef de l'État zaïrois, pour se rendre indispensable à Washington, a-t-il réellement été « l'honnête courtier » des retrouvailles angolaises ? Au fil des mois, toutes les parties ont publiquement exprimé leur doute. En octobre 1989, sur la côte d'Azur, l'ultime tentative de sauver l'« accord de Gbadolite » a échoué. Jonas Savimbi a quitté précipitamment la France. Il a repris le maquis dans le sud-est de l'Angola où a débuté, à la fin de l'année 1989, une vaste offensive de l'armée régulière. Tout au long du premier trimestre 1990, les combats ont fait rage autour de Mavinga, le « verrou défensif » du territoire contrôlé par l'UNITA (150 000 habitants pour une superficie grande comme les Pays-Bas). En février 1990, chaque partie a affirmé « tenir » la ville. Mavinga, quelques cases autour d'une piste d'atterrissage, est devenue un symbole comme l'avait été, deux ans plus tôt, Cuito Cuanevale. Après cette bataille, les Sud-Africains s'étaient définitivement retirés. Et après Mavinga ?

Sans soutien sud-africain et sans sanctuaire dans le nord de la Namibie, désormais indépendante, Jonas Savimbi est d'autant plus vulnérable que l'administration Bush lui mesure son soutien (50 millions de dollars en 1989). Mais sans l'appui des soldats cubains et l'aide militaire soviétique, le régime « marxiste » de Luanda, qui a fait adhérer l'Angola au FMI en septembre 1989, semblait tirer ses dernières cartouches. En attendant, la famine rôde dans le pays, potentiellement l'un des plus riches d'Afrique.

Stephen Smith

Malawi

Après le tremblement de terre de mars 1989 dans la région centrale, qui a détruit la première récolte de maïs, le Malawi a souffert de pluies et d'inondations d'une ampleur inhabituelle. Une aide de 30 millions de dollars de l'USAID (Agence des États-Unis pour le développement international) a été sollicitée pour faire face aux effets du désastre (routes, ponts et habitations détruites) qui n'ont fait qu'ajouter aux problèmes alimentaires du pays. Malgré l'aide internationale, la présence de près de 900 000 réfugiés mozambicains a aggravé les difficultés. La trêve entre le gouvernement du Mozambique et la guérilla de la RENAMO (Résistance nationale du Mozambique), en août 1989, a

République du Malawi
Nature du régime : présidentiel, parti unique (Parti du Congrès du Malawi).
Chef de l'État et du gouvernement : Kamuzu Hastings Banda (depuis le 6.7.66).
Monnaie : kwacha (1 kwacha = 1,93 FF au 30.4.90).
Langues : anglais, chichewa.

AFRIQUE SUD-TROPICALE

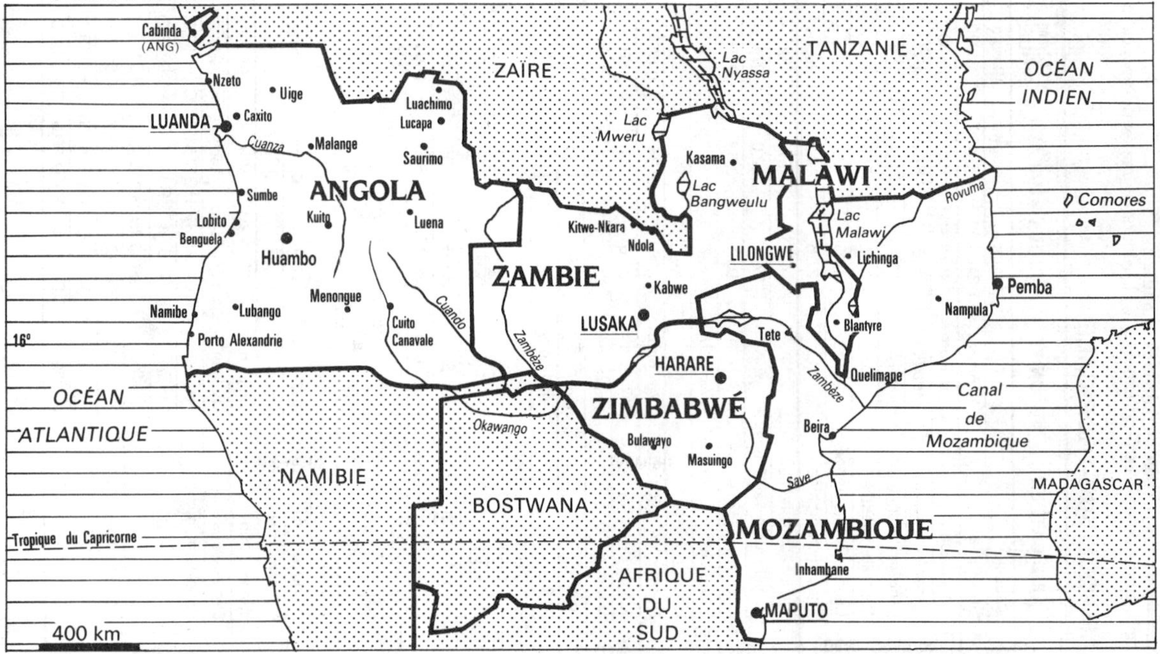

certes permis de réouvrir la voie ferrée du Malawi à Nacala. Sa fermeture depuis 1986 a coûté au pays près de la moitié de ses recettes d'exportations agricoles (celles-ci devant transiter par Durban, en Afrique du Sud).

L'économie malawite a vécu à

AFRIQUE SUD-TROPICALE

	INDICATEUR	UNITÉ	ANGOLA	MALAWI	MOZAMBIQUE
	Capitale		Luanda	Lilongwé	Maputo
	Superficie	km^2	1 246 700	118 480	783 080
DÉMOGRAPHIE	Population (*)	million	9,75	8,02	15,33
	Densité	hab./km^2	7,8	67,7	19,6
	Croissance annuelle [e]	%	2,7	3,3	2,7
	Mortalité infantile [e]	‰	137	150	141
	Espérance de vie [e]	année	44,5	47,0	46,5
	Population urbaine	%	27,5	14,2	25,2
CULTURE	Analphabétisme [b]	%	47	57	52
	Scolarisation 12-17 ans	%	37,9 [f]	52,0	27,7
	3e degré	%	0,6 [f]	0,6 [c]	0,2 [b]
	Postes tv [b]	‰ hab.	5,4	••	0,9
	Livres publiés	titre	14 [c]	99 [b]	66 [f]
	Nombre de médecins	‰ hab.	0,06 [f]	0,04 [f]	0,03 [g]
ARMÉE	Armée de terre	millier d'h.	91,5	70	60
	Marine	millier d'h.	1,5	0,1	0,75
	Aviation	millier d'h.	7	0,15	4,25
ÉCONOMIE	PIB	million $	4 900 [b]	1 505	1 497 [a]
	Croissance annuelle 1980-88	%	5,4	3,1	– 5,0
	1989	%	••	4,3	3,2
	Par habitant	$	530 [b]	188	100 [a]
	Dette extérieure	million $	3 800 [b]	1 349 [a]	4 406 [a]
	Taux d'inflation	%	••	0,4	40,0
	Dépenses de l'État Éducation	% PIB	5,2 [f]	3,3 [b]	••
	Défense	% PIB	26,1 [c]	2,0 [b]	11,4 [a]
	Production d'énergie [b]	million TEC	25,4	0,069	0,050
	Consom. d'énergie [b]	million TEC	0,83	0,28	0,48
COMMERCE	Importations	million $	1 554 [a]	502	850
	Exportations	million $	1 740 [a]	266	121
	Principaux fournis. [a]	%	CEE 45,8	PCD 51,8	CEE 33,0
		%	PVD 31,1	R-U 17,0	PVD 36,2
		%	URSS 13,9	Afr. S 33,6	URSS 7,0
	Principaux clients [a]	%	E-U 12,7	PCD 73,7	PCD 30,6
		%	AL 25,7	CEE 43,3	CEE 19,1
		%	CEE 45,6	PVD 26,3	PVD 52,5

l'heure de la privatisation, sous l'influence du programme de redressement du FMI. La Caisse de commercialisation agricole a vendu la plupart de ses plantations, de même que les conglomérats parapublics (Press Holdings et Malawi Development Corporation) ont ouvert leur capital aux investissements privés. La rentabilité de leurs activités, très diversifiées, a semblé s'en être améliorée. La difficulté demeure cependant de privatiser sans laisser s'engouffrer les capitaux étrangers. Une bataille feutrée a semblé être engagée avec la multinationale britannique Lonrho, puissamment implantée dans de nombreux secteurs économiques. Enfin, la commercialisation du maïs a elle aussi été ouverte à des entrepreneurs privés, mais la spéculation dans ce domaine n'a fait qu'aggraver l'inflation (oscillant entre 20 % et 30 % en 1989) et la précarité alimentaire des foyers les plus pauvres.

Sur le plan politique, le docteur Kamuzu Hastings Banda, président octogénaire, a semblé, de sources officieuses, prendre conscience de l'impopularité générale de son dauphin, John Tembo. L'armée, plus que jamais, se tient prête à arbitrer, voire diriger le jeu difficile de la succession présidentielle. On retiendra enfin le limogeage de Sam Kakhobwe qui, pour le pouvoir, prenait trop d'initiative dans une sphère politique en plein immobilisme. Il a été remplacé au poste de secrétaire général du président et du gouvernement par Justin Malewezi. A souligner également deux événements : la visite du pape Jean-Paul II en mai 1989 et la grève de deux jours des étudiants, une première dans le monde universitaire malawite.

Philippe G. L'Hoiry

ZAMBIE	ZIMBABWÉ
Lusaka	Hararé
752 610	390 580
7,80	9,12
10,4	23,3
3,8	3,2
80	72
53,4	58,3
54,3	27,0
19	22
66,6	92,8 [c]
1,4 [c]	3,7 [c]
15	22
454 [f]	379 [b]
0,14 [h]	0,37 [h]
15	47
—	—
1,2	2,5
2246 [a]	6110 [a]
−1,5	2,5
••	4,0
300 [a]	660 [a]
6498 [a]	2659 [a]
154,3	15,7
5,4 [f]	8,5 [c]
0,6 [b]	8,5
1,4	5,1
1,9	6,5
988	1 350
1 261	1 600
PCD 61,6	PCD 45,2
R-U 19,2	CEE 31,7
PVD 37,8	Afr. S 24,9
Jap 35,1	PCD 57,2
CEE 31,0	CEE 40,1
PVD 31,7	PVD 40,3

Chiffres 1989, sauf notes : a. 1988 ; b. 1987 ; c. 1986 ; d. 1985 ; e. 1985-90 ; f. 1984 ; g. 1980 ; h. 1983.

(*) Dernier recensement utilisable : Angola, 1970 ; Malawi, 1987 ; Mozambique, 1980 ; Zambie, 1980 ; Zimbabwé, 1982.

BIBLIOGRAPHIE

AMIN S., CHITALA D., MANDAZA I. (sous la dir. de), *Afrique australe. Face au défi sud-africain*, Publisud, Paris, 1989.

AMNESTY INTERNATIONAL, *Mozambique. Indépendance et droits de l'homme*, 1975-1989, AEFAI, Diff. La Découverte, Paris, 1990.

AUSTIN R., « Néo-colonialisme et corruption, Le scandale "Cressida" au Zimbabwé) », *Politique africaine*, n° 36, Karthala, Paris, 1989.

BOURMAUD D., DARBON D., « La politique du pain : les mots et les choses (Kénya et Zimbabwé) », *Politique africaine*, n° 37, Karthala, Paris, 1990.

BURDETTE M., *Zambia Between two Worlds*, Gower, Londres, 1988.

L'HOIRY P., *Le Malawi*, Karthala/CREDU, Paris-Nairobi, 1988.

MHLABA L., « Le retour du pangolin : les réformes politiques au Zimbabwé », *Année africaine 1987-1988*, CEAN/CREPAO/Pédone, Bordeaux, 1990.

STONEMAN C., CLIFFE L., *Zimbabwe. Politics, Economy and Society*, Pinter, Londres, 1989.

Mozambique

Le congrès du FRELIMO (Front de libération du Mozambique, parti unique) a décidé, en juillet 1989, l'abandon de toute référence au marxisme-léninisme et a annoncé l'adoption d'une constitution garantissant le respect des libertés individuelles. Cela n'a pas permis de sortir de l'enlisement les entretiens de Nairobi, placés sous le double patronage du Premier ministre du Zimbabwé, Robert Mugabe, et du président kényan, Daniel Arap Moi, et visant à dégager une solution négociée au conflit qui déchire le pays depuis 1975. Après avoir mis en doute la neutralité du chef de l'État kényan dans son rôle de médiateur, les dirigeants mozambicains ont finalement accepté, en mars 1990, d'ouvrir des pourparlers directs avec les dirigeants de la RENAMO (Résistance nationale du Mozambique).

République populaire du Mozambique

Nature du régime : marxiste-léniniste, parti unique (Front de libération du Mozambique, FRELIMO).
Chef de l'État : Joaquim Chissano (depuis le 4.1.87).
Premier ministre : Mario da Graça Machungo (depuis le 18.7.86).
Monnaie : metical (au cours officiel, 1 metical = 0,006 FF au 30.3.90).
Langues : portugais (off.), macualomué, makondé, swahili, shona, thonga, chicheva, etc.

Les États-Unis ont affiché un soutien de plus en plus explicite au régime de Maputo et se sont prononcés pour l'arrêt de tout appui étranger à la RENAMO. L'aide économique de Washington, officialisée lors de la visite à la Maison-Blanche du président Joaquim Chissano en mars 1990, devait passer de 33 millions de dollars en 1990 à 52 millions en 1991, faisant du Mozambique le premier bénéficiaire de l'aide américaine au sud du Sahara. De même l'Afrique du Sud a-t-elle exprimé son intention d'œuvrer au développement du Sud mozambicain lors de la visite du président Frederik de Klerk à Maputo en décembre 1989, et de participer à la réhabilitation de la ligne électrique de Cahora Bassa. Ces sympathies concrètes ont trouvé des prolongements auprès des organisations internationales. La Banque mondiale a ouvert un bureau à Maputo et les bailleurs de fonds ont accordé une aide de 825 millions de dollars en 1989.

L'attitude conciliante manifestée par les acteurs extérieurs n'a pas eu de traduction directement positive sur le plan intérieur. La RENAMO a momentanément mis fin à ses actions militaires dans le couloir de Nacala en août 1989. Elle n'en a pas moins repris ses sabotages contre les voies de communication au début de 1990, afin d'affaiblir le gouvernement dans le processus de négociation en cours. Le pouvoir mozambicain s'est trouvé quant à lui confronté à des tiraillements internes liés à l'évolution économique et politique imposée par le président Joaquim Chissano. La reconnaissance par décret du droit de grève sous certaines conditions a déclenché une série de mouvements sociaux dans les services publics et à l'université. Le mécontentement s'est aussi emparé de l'armée, les militaires n'ayant pas touché leurs soldes depuis septembre 1989, tandis que le FMI exigeait une diminution des effectifs de 50000 à 30000 hommes.

L'orientation vers un modèle politique plus ouvert s'est heurtée aux réticences du groupe des anciens combattants du FRELIMO qui ont mal accepté la remise en cause des acquis de la révolution et qui ont critiqué la corruption et le népotisme sévissant dans l'appareil d'État. Le conflit a culminé au début de 1990 avec l'échec de la grande offensive contre le quartier général de la RENAMO à Gorongosa, attribué à des discordances qui se seraient produites au plus haut niveau de la hiérarchie militaire.

Daniel Bourmaud

Zambie

En février 1990, la Zambie a de nouveau repris ses relations officielles avec le FMI, puis avec le Club de Paris en avril 1990. Le gouvernement de Kenneth Kaunda est resté dans l'incapacité de contrôler tant la production que le marché des principaux produits de base. En effet, la perméabilité des frontières et les différences de prix du sac de maïs entre la Zambie et le Zaïre (de 1 à 10) ont entretenu la contrebande, tandis que le cuivre a été détourné par wagons entiers. Le choix en faveur de l'exportation du coton a privé de matière première les usines textiles nationales. En mai 1989, le ministre du Commerce s'était opposé à ces ventes, autorisées par K. Kaunda. Six mois plus tard, il était révoqué. L'épuisement des mines de cuivre a commencé à susciter des inquiétudes : la production a chuté de 10 % en 1988-1989, mais la société nationale ZCCM (Zambia Consolidated Copper Mines) a réalisé des profits importants. Les pluies trop abondantes ont affecté la récolte de maïs, qui est cependant restée excédentaire, mais le manque de camions et l'insuffisance des capacités de stockage ont limité les recettes espérées.

République de Zambie

Nature du régime : présidentiel, parti unique (Parti unifié de l'indépendance nationale, UNIP).
Chef de l'État : Kenneth David Kaunda (depuis le 24.10.64).
Chef du gouvernement : général Malimba Masheke (depuis le 15.3.89).
Monnaie : kwacha (1 kwacha = 0,22 FF au 30.3.90).
Langues : anglais, langues du groupe bantu.

Mi-1989, la dette extérieure était estimée à 7 milliards de dollars, dont 40 % envers des États étrangers et 35 % envers des organisations financières internationales. Incapable de rembourser, le gouvernement a fait preuve de bonne volonté : le 30 juin 1989, le kwacha a été dévalué de 48 % et le contrôle des prix supprimé, sauf sur le *mealie-meal*, denrée de base. Il a cependant été affecté par la hausse générale des prix qui, mal accompagnée d'une hausse des salaires annoncée dans la confusion, a amené les paysans à jeter leurs produits invendus, faute d'acquéreurs. Le 27 juillet 1989, les frontières ont été fermées pour procéder à un changement des billets de banque destiné à réduire les liquidités en circulation, à sanctionner la fraude fiscale et à éliminer la fausse monnaie. Le déclin économique du pays n'a pas empêché les affaires privées de bien se porter. Le gouverneur de la Banque de Zambie a été révoqué et remplacé, en décembre 1989, par un expert canadien.

Sur le plan politique, le général Malimba Masheke est resté Premier ministre, mais c'est le président Kaunda qui a publiquement tancé ses ministres. L'emprise de la famille du président s'est accentuée. Un de ses fils était déjà député et secrétaire d'État à l'Intérieur ; un second a été élu député lors d'une élection partielle en 1989, et un troisième dirige une société de transport aérien qui concurrence la compagnie nationale. Le procès des auteurs de la tentative présumée de coup d'État d'octobre 1988 a tourné court et l'université a été périodiquement fermée. Mais en juin 1990, les revendications étudiantes ont été alimentées par les controverses sur le multipartisme et la suppression du *mealie-meal*. L'agitation s'est transformée en émeutes populaires dans la capitale (qui n'a guère été suivie par la région minière). Une tentative de coup d'État a été maîtrisée et la fidélité des forces de l'ordre à K. Kaunda a facilité le rétablissement de la situation.

François Constantin

Zimbabwé

Le Zimbabwé, qui a fêté en 1990 ses dix ans d'indépendance, a vécu en 1989 une année politique particulièrement agitée, marquée principalement par la perte rapide de popularité du parti au pouvoir depuis 1980, l'Union nationale africaine du Zimbabwé (ZANU). En dépit de

République du Zimbabwé
Nature du régime : présidentiel.
Chef de l'État : Robert G. Mugabe (depuis le 31.12.87).
Monnaie : dollar Zimbabwé (1 dollar = 2,31 FF au 30.4.90).
Langues : anglais, shona, ndebele.

tentatives d'intimidation contre la presse indépendante et l'opposition estudiantine, le pouvoir a lancé une enquête sur les pratiques d'enrichissement et de détournement de fonds publics reprochées aux principaux responsables du pays. Établie en janvier 1989, la commission Sandura (du nom de son président) a mené, dans le plus pur style anglo-saxon, une procédure d'enquête exemplaire débouchant notamment sur des interrogatoires, ouverts au public, de ministres importants. Les conclusions implacables de la commission ont conduit à la démission de quatre ministres, d'un gouverneur de province et au suicide de l'un des principaux leaders du pays, Maurice Nyagumbo.

Alors qu'un système de parti unique de fait se mettait en place lentement depuis les accords conclus en décembre 1987 avec l'Union populaire africaine du Zimbabwé (ZAPU), la corruption des milieux dirigeants a suscité la création d'un nouveau parti d'opposition, le Mouvement de l'unité du Zimbabwé (ZUM), dirigé par un ex-membre discrédité de la ZANU, Edgar Tekere. Le ZUM, qui attaque notamment le régime sur sa corruption, son projet de réorganisation des institutions politiques à partir d'avril 1990 et l'absence d'une politique de redistribution foncière, a tenté de regrouper toutes les formes d'opposition. Le pouvoir s'est senti si vulnérable qu'il n'a pas hésité à recourir à la répression, à l'intimidation et à tout l'arsenal juridique d'exception que lui procure le renouvellement de l'état d'urgence; afin d'empêcher que le ZUM ne s'exprime et ne réalise de bons scores aux élections partielles. Il est vrai que les oppositions se sont multipliées, qu'il s'agisse des évêques catholiques qui critiquent le projet de parti unique, ou même du pouvoir judiciaire qui reproche ouvertement au législatif et à l'exécutif de ne pas respecter ses décisions.

Bien que les performances globales de l'économie nationale aient été satisfaisantes et aient notamment permis de rembourser les dettes contractées par l'État, le pays a souffert d'une insuffisance d'investissement. L'augmentation rapide du chômage

(30 % de la population active) et la stagnation du pouvoir d'achat ont encore renforcé le mécontentement de la population. La nouvelle politique économique et, notamment, les règles beaucoup plus attractives et protectrices relatives à l'investissement, ainsi que la modération des positions diplomatiques du pays, ne pourront donner de résultat qu'à moyen terme.

Cette ambiance morose et tendue explique les résultats des troisièmes élections démocratiques de l'histoire du pays. Plus que le score encourageant du candidat du ZUM aux élections présidentielles du 31 mars 1990 (500 000 voix), c'est le très faible taux de participation (54 %) qui a le mieux indiqué la crise de popularité qui touche de plein fouet le pouvoir.

Dominique Darbon

Afrique australe

AFRIQUE DU SUD • BOTSWANA • LÉSOTHO • NAMIBIE • SWAZILAND

(L'Afrique du Sud est traitée p. 168. Afrique australe : voir aussi p. 478.)

Botswana

L'année 1989-1990 aura été marquée essentiellement par les cinquièmes élections législatives de l'histoire du pays. Dans un climat social morose marqué notamment par une crise du logement, une montée du chômage urbain et une insatisfaction croissante des étudiants (fermeture de l'Université en janvier 1990), le parti au pouvoir depuis 1966, le Parti démocratique du Botswana (BDP), a réussi à maintenir son quasi-monopole. Il a remporté 31 des 34 sièges à pourvoir, ne laissant à son principal rival, le Front national du Botswana (BNF), que 3 mandats. En réalité, en nombre de voix et au niveau des élections locales qui se déroulaient le même jour, le BDP a connu un certain tassement de ses positions électorales et de son audience, surtout dans les zones urbaines.

> **République du Botswana**
> **Nature du régime** : présidentiel.
> **Chef de l'État** : Dr. Quett Ketumile Joni Masire (depuis le 18.7.80).
> **Chef du gouvernement** : P.S. Mmusi (vice-président depuis le 7.10.89).
> **Monnaie** : pula (1 pula = 2,98 FF au 30.4.90).
> **Langues** : anglais (off.), setswana.

Presque totalement dépendant de son puissant voisin sud-africain, le pays a continué, grâce à ses ressources minières notamment, à connaître le taux de croissance le plus élevé d'Afrique sur la période 1970-1990 et à accroître ses réserves en devises (102 millions de dollars fin 1988). L'annonce de la mise en exploitation d'une nouvelle mine de cupro-nickel et de la découverte de champs pétrolifères devrait encore renforcer la bonne santé de cette économie dans le désert.

Lésotho

Plongée dans un scandale financier qu'elle a tenté d'étouffer en expulsant les journalistes les plus actifs, et divisée par des conflits politiques, l'équipe dirigeante du pays n'a vu d'autre ressource que de poursuivre une politique de coopération politique et économique avec l'Afrique du Sud. Le programme d'exploitation des ressources en eau (*Lesotho Highlands Water Scheme*), défini avec ce pays, a été lancé sous forme d'adjudications internationales.

> **Royaume du Lésotho**
> **Nature du régime :** monarchie constitutionnelle.
> **Chef de l'État :** roi Moshoeshoe II, déposé par le général Lekhanya le 19.2.90.
> **Chef du gouvernement :** général Metsing Lekhanya (depuis le 19.1.86).
> **Monnaie :** maloti (1 maloti = 2,12 FF au 30.4.90), rand sud-africain.
> **Langues :** sesotho, anglais.

Parallèlement, le pouvoir a cherché à attirer les investissements étrangers et notamment ceux de pays en situation diplomatique délicate tels que l'Afrique du Sud et Taïwan, pour essayer de constituer une véritable structure économique nationale. Mais la totale dépendance économique et politique à l'égard du voisin sud-africain et l'absence de ressources locales rendent ces projets largement inopérants.

Dominique Darbon

Namibie

Le 21 mars 1990, après 105 ans d'occupation étrangère, la Namibie a accédé à l'indépendance, devenant ainsi le 160e État membre de l'Organisation des Nations unies. Dans le grand stade de la capitale, Windhoek, la foule criait « à bas, à bas » lorsque le drapeau sud-africain a été amené pour la dernière fois. Le président sud-africain, Frederik de Klerk a suivi la scène la main droite sur le cœur. Puis, un athlète namibien a allumé, dans une vasque au sommet des gradins, la « flamme de la liberté ». Devant le secrétaire général de l'ONU, pris à témoin, le premier président de la Namibie, Sam Nujoma, a prêté serment de « respecter la Constitution et d'assurer la justice à tous les habitants ».

> **République de Namibie**
> **État indépendant depuis le 21.3.90.**
> **Nature du régime :** démocratique, multipartisme constitutionnel.
> **Chef de l'État :** Samuel Nujoma (depuis le 21.3.90).
> **Chef du gouvernement :** Hage Geingob (depuis le 21.3.90).
> **Monnaie :** rand (1 rand = 2,12 FF au 30.4.90).
> **Langues :** afrikaans et anglais (off.), khoi, ovambo.

Dans la tribune officielle, parmi les centaines d'hôtes de marque étrangers, le ministre soviétique des Affaires étrangères, Edouard Chevardnadze, a mis en garde : « Le combat pour le développement sera plus difficile que le combat pour la libération. » Pour à peine deux millions de Namibiens, dispersés sur un territoire désertique grand comme la France, la RFA et le Benelux réunis, l'indépendance économique reste en effet à conquérir. Au terme de soixante-quinze ans de tutelle administrative, l'Afrique du Sud a gardé le contrôle de Walvis Bay, le seul port en eau profonde, ainsi que des compagnies minières (72 % des exportations namibiennes et 64 % des recettes budgétaires).

La communauté internationale a mené à bien la plus importante opération de décolonisation. Après des décennies d'arguties juridiques sur le statut de l'ancienne colonie allemande, les Namibiens ont exprimé leur choix dans des élections « libres et équitables », organisées du 7 au 11 novembre 1989 sous la surveillance de 1 800 observateurs en provenance de 108 pays. La participation a été de 97 %. Après trente ans de lutte indépendantiste, la SWAPO (Organisation des peuples du Sud-Ouest africain) a recueilli 57 % des voix, mais elle n'a pas atteint la majorité des deux tiers qui lui aurait permis de rédiger seule la nouvelle Constitution. Celle-ci, fruit d'un compromis entre tous les partis élus et, notamment, l'Alliance démocratique de la Turnhalle (DTA), a été adoptée à l'unanimité, le 9 février 1990.

L'indépendance de la « dernière colonie d'Afrique » a finalement

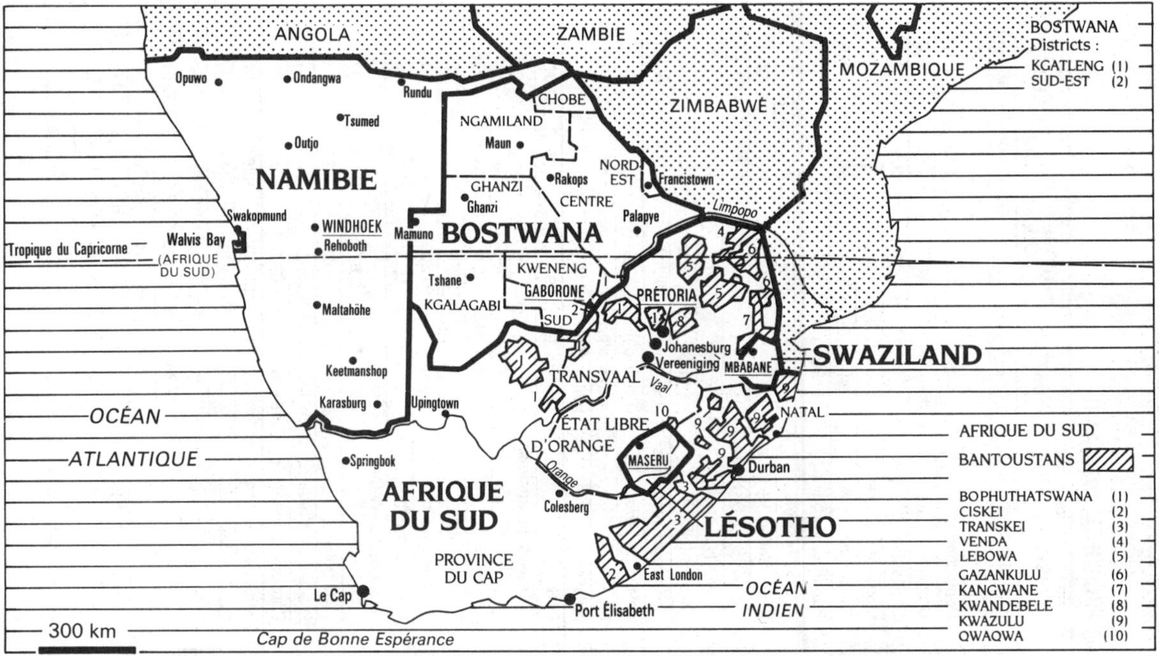
AFRIQUE AUSTRALE
ANGOLA
ZAMBIE
ZIMBABWE
MOZAMBIQUE
NAMIBIE
BOSTWANA
SWAZILAND
LÉSOTHO
AFRIQUE DU SUD
PROVINCE DU CAP
TRANSVAAL
ÉTAT LIBRE D'ORANGE
NATAL
Opuwo
Ondangwa
Rundu
Tsumed
Outjo
Swakopmund
Walvis Bay
(AFRIQUE DU SUD)
WINDHOEK
Rehoboth
Maltahöhe
Keetmanshop
Karasburg
Mamuno
CHOBE
NGAMILAND
Maun
GHANZI
Ghanzi
Rakops
NORD EST
CENTRE
Francistown
Palapye
KWENENG
GABORONE
KGALAGABI
SUD
Tshane
Limpopo
PRÉTORIA
Johanesburg
Vereeniging
MBABANE
Vaal
Upingtown
Springbok
MASERU
Orange
Colesberg
Durban
East London
Port Élisabeth
Le Cap
Cap de Bonne Espérance
Tropique du Capricorne
OCÉAN ATLANTIQUE
OCÉAN INDIEN
300 km
BOSTWANA
Districts :
KGATLENG (1)
SUD-EST (2)
AFRIQUE DU SUD
BANTOUSTANS
BOPHUTHATSWANA (1)
CISKEI (2)
TRANSKEI (3)
VENDA (4)
LEBOWA (5)
GAZANKULU (6)
KANGWANE (7)
KWANDEBELE (8)
KWAZULU (9)
QWAQWA (10)

éclipsé le dérapage initial de la mise en application de la résolution 435, le plan de transition adopté dès 1978 par les Nations unies. Le 1er avril 1989, au premier jour de la « responsabilité partagée » entre l'Afrique du Sud et l'ONU, 1 600 guérilleros armés de la SWAPO s'étaient infil-

AFRIQUE AUSTRALE

	INDICATEUR	UNITÉ	AFRIQUE DU SUD	BOTSWANA	LÉSOTHO
	Capitale		Prétoria	Gaborone	Maseru
	Superficie	km²	1 221 037	600 372	30 350
DÉMOGRAPHIE	Population (*)	million	34,5	1,26	1,72
	Densité	hab./km²	28,2	2,1	56,8
	Croissance annuelle [f]	%	2,2	3,5	2,9
	Mortalité infantile [f]	‰	72	67	100
	Espérance de vie [f]	année	60,4	58,5	55,9
	Population urbaine	%	58,3	22,7	19,6
CULTURE	Analphabétisme	%	50 [h]	19 [b]	23 [b]
	Scolarisation 12-17 ans	%	49,7 [bi]	77,1	86,4
	3e degré	%	9,6 [b]	2,7 [b]	1,8 [e]
	Postes tv [b]	‰ hab.	97 [b]	6,9	0,7
	Livres publiés [b]	titre	••	289	••
	Nombre de médecins	‰ hab.	0,70 [c]	0,15 [e]	0,08 [g]
ARMÉE	Armée de terre	millier d'h.	77,5		
	Marine	millier d'h.	6,5	4,5	2,0
	Aviation	millier d'h.	11		
ÉCONOMIE	PIB	million $	93,1	1 199 [a]	703 [a]
	Croissance annuelle 1980-88	%	1,5	10,2	1,9
	1989	%	2,1	••	5,5
	Par habitant	$	2 699	1 030 [a]	420 [a]
	Dette extérieure [a]	million $	21 500	499	281
	Taux d'inflation	%	15,3	11,3	••
	Dépenses de l'État Éducation	% PIB	2,6 [d]	7,7 [c]	3,6 [e]
	Défense	% PIB	4,0	2,2 [a]	4,6 [d]
	Production d'énergie [b]	million TEC	135,0	[k]	[k]
	Consom. d'énergie [b]	million TEC	107,6	[k]	[k]
COMMERCE	Importations	million $	18 453	886 [a]	441 [b]
	Exportations	million $	22 220	1 478 [a]	47 [b]
	Principaux fournis.	%	CEE 42,1 [a]	UDAA [j] 78,8 [b]	AfS 97 [h]
		%	RFA 19,2 [a]	R-U 2,2 [b]	CEE 2 [h]
		%	Jap 11,8 [a]	E-U 2,0 [b]	R-U 1 [h]
	Principaux clients	%	CEE 46,4 [a]	UDAA [j] 4,4 [b]	AfS 84 [h]
		%	PVD 26,6 [a]	Eur 90,5 [b]	E-U 2 [h]
		%	Jap 12,3 [a]	R-U 1,4 [b]	RFA 3 [h]

trés dans le Nord, à partir de l'Angola. Cette violation flagrante des accords de New York provoqua un carnage dans la brousse : 307 victimes en une semaine. En retard sur leur déploiement, 900 casques bleus, contingent de l'ONU pour le maintien de la paix, assistèrent impuissants à la sortie de l'armée sud-africaine de ses casernes. Finalement, *in extremis*, l'accord de Mont Etjo signé par toutes les parties intéressées, y compris les États-Unis et l'URSS, remit sur les rails de la résolution 435 le processus de décolonisation.

La SWAPO, par ailleurs accablée de témoignages sur les tortures infligées à ses dissidents, est demeurée le symbole de l'indépendance, notamment dans le Nord, son fief ethnique où elle a récolté plus de la moitié de ses voix. L'Ovamboland (région septentrionale, frontalière de l'Angola, fief des Ovambos) a enduré vingt-trois ans de « lutte anti-insurrectionnelle » menée, avec tous les excès, par l'unité spéciale sud-africaine Koveoet. Jusqu'au dernier moment, la tentation extrémiste est restée réelle. Le 12 septembre 1989, deux jours avant le retour d'exil de Sam Nujoma, l'avocat Anton Lubowski, le seul dirigeant blanc de la SWAPO, était abattu sur le pas de sa porte.

Stephen Smith

NAMIBIE	SWAZILAND
Windhoek	Mbabane
824 290	17 360
1,82	0,763
2,2	44,0
3,2	3,4
106	118
56,2	55,5
55,8	31,7
65 [b]	29 [b]
..	73,9
..	3,7 [c]
11	12
..	..
0,26 [b]	0,05 [h]
—	..
—	..
—	..
1 150 [c]	597 [a]
– 0,1	4,5
..	..
676 [c]	810 [a]
..	265
..	11,7
1,9 [g]	5,5 [b]
..	..
k	k
k	k
730 [b]	416 [b]
940 [a]	311 [a]
AfS 75 [c]	AfS 90 [e]
RFA 10 [c]	CEE 2 [e]
E-U 5 [c]	R-U 1 [e]
AfS 25 [c]	AfS 37 [e]
Sui 31 [c]	R-U 8 [e]
RFA 15 [c]	..

Swaziland

Pour tenter de reprendre en main une situation politique et sociale marquée par la succession de conflits de travail dans le secteur bancaire, les chemins de fer et les distilleries, le roi Mswati III a contraint son Premier ministre, Sotsha Dlamini, à démissionner. C'est un homme expérimenté, fondateur de la Fédération des syndicats du Swaziland et ancien

Chiffres 1989, sauf notes : a. 1988; b. 1987; c. 1986; d. 1985; e. 1984; f. 1985-90; g. 1982; h. 1983; i. 13-17 ans; j. Union douanière d'Afrique australe; k. Inclus dans les chiffres sud-africains.

(*) Dernier recensement utilisable : Afrique du Sud, 1985; Botswana, 1981; Lésotho, 1976; Namibie, 1970; Swaziland, 1986.

BIBLIOGRAPHIE

BERNARD S., « Botswana : un multipartisme fragile », *Travaux et documents du CEAN*, n° 28, Bordeaux, 1990.

LORY G. (sous la dir. de), *Afrique australe.. L'Afrique du Sud, et ses neuf voisins « laboratoires » du continent africain, leur mutation*, Autrement, H.S. n° 45, Paris, avril 1990.

Voir aussi la bibliographie « Afrique du Sud » dans la section « 34 États ».

employé du secteur bancaire et de l'industrie, Obed Dlamini, qui a pris la relève.

Ce changement s'est réalisé au moment où un accord frontalier de principe avec l'Afrique du Sud autorisait le KaNgwane et le district de Ngwavuma à revenir sous la souveraineté du Swaziland. Dans le même temps, le pays tente de renforcer ses réglementations douanières à l'exportation pour éviter que les produits sud-africains soient trop systématiquement recyclés au Swaziland. Ainsi ont continué à s'exprimer les contradictions d'un pays totalement dépendant de son voisin sud-africain.

Royaume du Swaziland (Ngwane)

Nature du régime : monarchie constitutionnelle.
Chef de l'État : roi Mswati III.
Chef du gouvernement : Sotsha Dlamini, remplacé par Obed Dlamini le 12.7.89.
Monnaie : lilangeni (1 lilangeni = 2,12 FF au 30.4.90), rand sud-africain.
Langues : swazi, anglais.

Dominique Darbon

Océan Indien

COMORES • MADAGASCAR • MAURICE • RÉUNION • SEYCHELLES

Comores

Le départ des Comores, le 15 décembre 1989, du mercenaire Bob Denard et de la trentaine de « cadres européens » de la Garde présidentielle qui opéraient sous ses ordres a été perçu par l'ensemble des forces politiques comoriennes comme une occasion unique pour le pays de se ressaisir et de se réconcilier avec lui-même. L'assassinat, le 26 novembre 1989, du président Ahmed Abdallah par un des hommes de main de Bob Denard, sinon par le chef mercenaire lui-même, aura eu deux conséquences majeures. D'une part, la France, principal bailleur de fonds de l'archipel, et l'Afrique du Sud, principal financier de la Garde présidentielle, ont mené une négociation conjointe pour obtenir, moyennant finance, le départ définitif des « affreux » (les mercenaires), dont la présence ternissait depuis de longues années l'image des Comores à l'étranger. D'autre part, si le président par intérim, Saïd Mohammed Djohar, le candidat de la « continuité », est sorti vainqueur du

République fédérale islamique des Comores

Nature du régime : présidentiel.
Chef de l'État et du gouvernement : Ahmed Abdallah puis, après son assassinat, Said Mohamed Djohar (depuis le 11.3.90).
Monnaie : franc comorien (1 franc = 0,02 FF).
Langues : comorien (voisin du swahili), français.

OCÉAN INDIEN

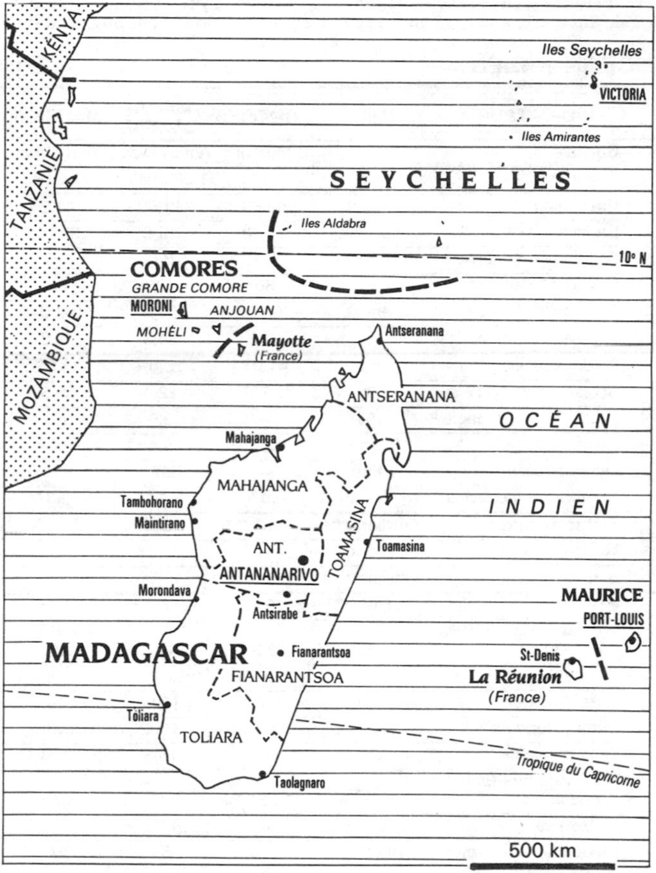

deuxième tour de l'élection présidentielle du 11 mars 1990 avec 55 % des suffrages, contre 44 % pour Mohamed Taki, leader de l'UNDC (Union nationale pour la démocratie aux Comores), le gouvernement formé le 22 mars a fait la place belle à l'opposition, toutes tendances confondues (à l'exception de l'UNDC).

La situation économique, en revanche, a connu une dégradation constante en raison de la rareté des ressources du pays et de la chute de production des principales cultures de rente (vanille, girofle, coprah et ylang-ylang). La mise en œuvre d'un plan d'ajustement structurel sous l'égide de la Banque mondiale et du FMI à partir de janvier 1990 devrait permettre aux Comores de recevoir une aide internationale accrue. Le président français, François Mitterrand, qui a effectué le 15 juin 1990 sa première visite officielle aux Comores (plusieurs fois ajournée en raison de la présence des mercenaires) a conditionné une augmentation

OCÉAN INDIEN

	INDICATEUR	UNITÉ	COMORES	MADAGASCAR	MAURICE
	Capitale		Moroni	Antananarivo	Port-Louis
	Superficie	km^2	2 170	587 040	2 045
DÉMOGRAPHIE	Population (*)	million	0,503	11,60	1,09
DÉMOGRAPHIE	Densité	hab./km^2	231,8	19,8	533,0
DÉMOGRAPHIE	Croissance annuelle [e]	%	3,1	3,2	1,3
DÉMOGRAPHIE	Mortalité infantile [e]	‰	80	120	23
DÉMOGRAPHIE	Espérance de vie [e]	année	52,0	53,5	69,0
DÉMOGRAPHIE	Population urbaine	%	27,1	24,3	42,3
CULTURE	Analphabétisme	%	41,0 [b]	26,0 [b]	14,0 [b]
CULTURE	Scolarisation 12-17 ans	%	53,7	22,4	55,5
CULTURE	3e degré [b]	%	..	3,8	1,3
CULTURE	Postes tv [b]	‰ hab.	0,2	5,5	188 [f]
CULTURE	Livres publiés	titre	..	567 [b]	85 [b]
CULTURE	Nombre de médecins	‰ hab.	0,07 [i]	0,10 [j]	0,53 [k]
ARMÉE	Armée de terre	millier d'h.	..	20	..
ARMÉE	Marine	millier d'h.	..	0,5	..
ARMÉE	Aviation	millier d'h.	..	0,5	..
ÉCONOMIE	PIB	million $	194 [a]	2027 [a]	2145
ÉCONOMIE	Croissance annuelle 1980-88	%	2,2	−0,3	6,1
ÉCONOMIE	1989	%	..	4,0	3,5
ÉCONOMIE	Par habitant	$	440 [a]	180 [a]	1968
ÉCONOMIE	Dette extérieure [a]	million $	199	3602	861
ÉCONOMIE	Taux d'inflation	%	..	16,3	10,9
ÉCONOMIE	Dépenses de l'État Éducation	% PIB	6,5 [c]	3,5 [d]	3,5 [b]
ÉCONOMIE	Défense	% PIB	..	1,8 [b]	..
ÉCONOMIE	Production d'énergie [b]	millier TEC	—	33	17
ÉCONOMIE	Consom. d'énergie [b]	millier TEC	24	416	564
COMMERCE	Importations	million $	85,3 [a]	549	1300
COMMERCE	Exportations	million $	27,1 [a]	321	1053
COMMERCE	Principaux fournis. [a]	%	CEE 55,9	PCD 51,7	PCD 57,6
COMMERCE		%	Fra 47,0	Fra 26,5	CEE 31,3
COMMERCE		%	PVD 41,9	PVD 22,0	PVD 42,3
COMMERCE	Principaux clients [a]	%	E-U 44,6	PCD 83,5	PCD 92,9
COMMERCE		%	Fra 40,2	Fra 33,1	Fra 22,7
COMMERCE		%	RFA 5,2	PVD 12,2	R-U 35,6

de l'aide budgétaire de la France à un effort accru d'assainissement économique.

RÉUNION	SEYCHELLES
Saint-Denis	Victoria
2 520	280
0,585	0,07
232,1	250,0
1,7	1,0
14	17
71,2	70 [i]
63,1	57,7
21,4 [g]	26,0 [b]
..	..
..	..
161 [f]	43
73 [d]	..
..	..
—	1,0
—	0,2
—	0,1
2 593 [c]	258 [a]
5,0	2,5
..	7,0
4 664 [c]	3 800 [a]
..	159
..	3,3
15,1 [h]	10,0 [c]
..	5,0 [a]
65	—
412	765
1 643 [a]	160
150 [a]	28
PCD 84,4	PCD 57,9
Fra 69,8	CEE 44,0
PVD 15,6	PVD 41,9
PCD 82,7	CEE 44,0
Fra 73,1	Ita 14,8
PVD 17,3	Thaï 29,9

Madagascar

Didier Ratsiraka a confirmé ses intentions annoncées durant la campagne pour l'élection présidentielle de mars 1989, dont il est sorti vainqueur, en acceptant d'introduire dans la vie politique malgache un vrai multipartisme. L'ordonnance du 9 mars 1990 a reconnu la liberté d'association politique; ainsi peuvent se constituer des partis qui ne se réclament plus seulement des idéaux de la révolution et du socialisme. En outre, 1989 a vu la dissolution du Front national de défense de la révolution (FNDR), auparavant seul cadre légal de la vie politique malgache. Plusieurs nouveaux partis ont ainsi vu le jour, comme l'Union nationale pour le développement et la démocratie fondée par Zafy Albert, un ancien partisan du général Romanantsoa, ou encore le Parti social démocrate, dirigé par André Resampa, une des principales figures du régime de l'ancien président Philibert Tsiranana.

République démocratique de Madagascar

Nature du régime : présidentiel.
Chef de l'État : amiral Didier Ratsiraka (depuis déc. 75).
Chef du gouvernement : Victor Ramahatra (depuis le 12.2.88).
Monnaie : franc malgache (1 FMG = 0,004 FF au 30.4.90).
Langues : malgache, français.

Mais l'année 1989 aura aussi été marquée par l'apparition d'une secte d'extrême droite se réclamant d'une relation privilégiée avec Didier Ratsiraka, la Sakelimihoajoro, animée par l'ancien gourou du président, Désiré Ramelison. L'activisme de ce dernier et son populisme (distribu-

Chiffres 1989, sauf notes : a. 1988; b. 1987; c. 1986; d. 1985; e. 1985-90; f. Licences; g. 1982; h. 1983; i. 1984; j. 1981; k. 1980.

(*) Dernier recensement utilisable : Comores, 1980; Madagascar, 1975; Maurice, 1983; Réunion, 1982; Seychelles, 1977.

BIBLIOGRAPHIE

Annuaire des pays de l'océan Indien, Presses du CNRS, Paris, 1988.

BADIE B. (sous la dir. de), *Contestations en pays islamiques* (vol. II : *Quelques pays autour de l'océan Indien*), Publication du CHEAM, Paris, 1987.

BANQUE MONDIALE, *The Comoros, The Arduous Path to Economic Growth : the Need for Adjustement*, Washington, 1987.

DURUFLÉ G., *L'Ajustement structurel en Afrique (Sénégal, Côte d'Ivoire, Madagascar)*, Khartala, Paris, 1988.

GORDON-GENTIL A., *Le Droit à l'excès*, Caslon Printing, Port Louis (Ile Maurice), 1987.

« La crise économique à Madagascar », *Afrique contemporaine*, n° 144, La Documentation française, Paris, 4e trim. 1987.

La Lettre de l'océan Indien (hebdomadaire), Paris.

MARTINEZ E., *Le Département français de la Réunion et la coopération internationale dans l'océan Indien*, L'Harmattan, Paris, 1989.

RAJOELIWA P., RAMELET A., *Madagascar, la Grande île*, L'Harmattan, Paris, 1989.

tion de riz aux pauvres, dénonciation de la corruption de plusieurs parents du président) ont exacerbé les divisions au sein de l'AREMA, le parti présidentiel.

Sur le plan diplomatique, la visite du pape Jean-Paul II (28 avril-1er mai 1989) a été un des temps forts de l'année, ainsi que celle du président français, François Mitterrand, le 14 juin 1990. Il a annoncé l'effacement de la dette publique malgache (4 milliards de francs). En contrepartie, D. Ratsiraka a annoncé que Madagascar allait indemniser les entreprises françaises nationalisées en 1975 et que les navires de guerre français pourraient désormais faire escale à Antseranana (ex-Diego Suarez).

La scène économique a, quant à elle, était dominée par l'adoption, en décembre 1989, d'un nouveau code des investissements et la création de zones franches industrielles tournées vers l'exportation, Madagascar s'efforce notamment d'attirer les investisseurs implantés à l'île Maurice. Le processus de privatisation de nombreuses sociétés d'État, à la demande de la Banque mondiale et du FMI (qui a octroyé à la Grande île une facilité d'ajustement structurel renforcée de 76,9 millions de DTS, droits de tirage spéciaux, en mai 1989), s'est poursuivi. Sous l'effet de la politique d'austérité et de la forte dépréciation de la monnaie qui ont entraîné une importante contraction des importations en volume, la balance commerciale est devenue positive en 1989. Mais l'économie malgache reste fragile. Les recettes en devises reposent toujours principalement sur trois produits d'exportation : le café pour plus de 30 %, la vanille pour 15 % et le girofle pour 10 %. En 1989, les exportations se sont situées entre 250 et 280 millions de dollars. La balance des paiements courants a enregistré un solde négatif voisin de 175 millions de dollars. Malgré plusieurs rééchelonnements de la dette (3,7 millions de dollars) le service de la dette représentait encore en 1989 plus du tiers des exportations des biens et des services.

Sur le plan social, la misère est restée particulièrement criante, surtout dans les villes. La Grande île, qui compte 11 millions d'habitants et a un revenu annuel par tête de 210 dollars, connaît une démographie galopante (3 % par an) supérieure aux possibilités d'absorption actuelles de son économie.

Maurice

Une amorce de réorganisation de l'échiquier politique mauricien s'est fait jour en 1989 et devrait se confirmer d'ici 1991, année électorale. Ainsi, une certaine détente est apparue entre le MMM (Mouvement militant mauricien) de Prem Nababsing et le MSM (Mouvement socialiste mauricien) du Premier ministre Aneerood Jugnauth. Les forces de droite tentent, elles aussi, de se regrouper : il s'agit du PMSD (Parti mauricien social-démocrate) de Gaëtan Duval, l'ancien Vice-Premier ministre, du PSM (Parti socialiste mauricien) et du CAM (Comité d'action musulman). Seul le Parti travailliste, pourtant membre de l'alliance au pouvoir, semble avoir une stratégie hésitante.

Maurice

Nature du régime : parlementaire.
Chef de l'État : reine Elizabeth II, représentée par un gouverneur.
Chef du gouvernement : Anerood Jugnauth, Premier ministre (depuis le 11.6.82).
Monnaie : roupie mauricienne (1 roupie = 0,37 FF au 30.4.90).
Langues : anglais, créole, français, langues indiennes.

Sur le plan diplomatique, on a noté la visite de Jean-Paul II (14-16 octobre 1989). L'île Maurice, membre du Commonwealth, a aussi fait une nouvelle démarche auprès du Royaume-Uni, en février 1989, pour la reconnaissance de sa souveraineté sur l'archipel des Chagos, loué par Londres aux États-Unis et abritant Diego Garcia, la plus grande base militaire américaine de l'océan Indien.

Sur la scène économique, le nouveau « tigre » de l'océan Indien n'a pas démenti ses performances : la croissance est restée forte (5,4 % en 1989). La situation de plein emploi, due notamment au dynamisme de la zone franche, engendre toutefois de très fortes pressions sur les salaires. L'agriculture souffre désormais d'un manque chronique de main-d'œuvre. L'ouverture de la Bourse des valeurs en juillet 1989 et les mesures attractives prises par le gouvernement de Port-Louis pour faire de l'île Maurice la première place bancaire *off-shore* d'Afrique, ont été autant de signes d'une volonté de passer à une étape supérieure dans son développement économique.

Réunion

Dans cette possession de la France qui a le statut de département d'outre-mer (DOM), plusieurs mouvements sociaux ont émaillé l'année 1989, parmi les planteurs de canne en pleine campagne sucrière (août 1989) et dans le bâtiment et le commerce. Lors d'une visite dans le département en février 1990, le ministre français des DOM-TOM, Louis Le Pensec, a déclaré que d'ici 1995 seraient assurés l'égalité sociale avec la métropole ainsi que l'alignement du SMIC (inférieur de 22 % en 1990) donnant ainsi satisfaction au Parti communiste réunionnais (PCR), première force politique de l'île. Sur le terrain politique, plusieurs résultats électoraux locaux ont dû être annulés suite à diverses irrégularités, tandis que le PCR enregistrait la défection de deux de ses cadres, Jacques Hoarau et Alexis Pota.

Le PIB a augmenté de 4 % et les investissements de 22 %, en raison de la relance dans le secteur du bâtiment. Plusieurs projets concernant la santé, la lutte contre la drogue et l'entrée clandestine de produits malgaches ont été engagés dans le cadre de la Commission de l'océan Indien qui réunit, outre la France (pour le compte de la Réunion), les Comores, l'île Maurice, Madagascar et les Seychelles.

Seychelles

Le président France Albert René, candidat unique à l'élection présidentielle, a été réélu le 12 juin 1989 pour un troisième et théoriquement dernier mandat de cinq ans. Le nouveau gouvernement élargi traduit la stabilité politique du pays. L'opposition,

République des Seychelles
Nature du régime : présidentiel.
Chef de l'État et du gouvernement : France-Albert René (depuis 5.6.77).
Monnaie : roupie seychelloise (1 roupie = 1,02 FF au 30.4.90).
Langues : créole, anglais, français.

discrète depuis l'assassinat en 1985 de son chef de file, s'est dotée d'un nouveau président, Edmond Camille. Sur le plan diplomatique, F.A. René a effectué sa première visite officielle aux États-Unis en juillet 1989 et a reçu le président français, François Mitterrand, le 12 juin 1990.

La pêche au thon, objet d'un nouvel accord avec la CEE, continue de battre des records. Le taux de croissance économique a été de 7 %, le tourisme restant la principale source de richesse. Les Seychelles demeurent très actives en matière de défense de l'environnement (un plan d'action patronné par la Banque mondiale a été mis en chantier) et de promotion de la langue créole (quatrième festival créole en octobre 1989).

Sylvie Elourimi

PROCHE ET MOYEN-ORIENT

Les notions de Proche et Moyen-Orient, introduites par les Anglo-Saxons, sont assez imprécises. Aux États-Unis, certains auteurs appellent Moyen-Orient un vaste ensemble régional s'étendant du Maroc au Pakistan. En règle générale, dans la terminologie française, l'Afrique du Nord ne fait pas partie du Proche et Moyen-Orient ; celui-ci inclut l'Orient arabe ou Machrek, le monde turco-iranien et, bien sûr, l'État d'Israël. Ainsi, le Proche et Moyen-Orient constitue un vaste ensemble géographique s'étirant de la vallée du Nil à la vallée de l'Indus.

Beaucoup emploient indistinctement les notions de Proche-Orient et de Moyen-Orient, d'autres réservent le terme Proche-Orient aux pays tournés vers la Méditerranée orientale et Moyen-Orient aux pays axés sur le golfe Arabo-Persique. Parfois, on distingue du Proche et Moyen-Orient les pays arabes de la vallée du Nil (Égypte et Soudan) qui font partie de l'Orient arabe, et on en écarte également la Turquie rattachée quelquefois à l'Europe méditerranéenne. C'est le découpage adopté dans cet ouvrage. Certains auteurs contestent le rattachement du Pakistan au Moyen-Orient et préfèrent l'étudier avec les États de l'espace indien, car il faisait partie de l'ancien « Empire des Indes » des Britanniques. Toutefois, le rattachement du Pakistan au Moyen-Orient se justifie tout autant : les mêmes groupes ethnolinguistiques (Pachtouns, Baloutches) se retrouvent de part et d'autre de la frontière pakistano-afghane, imposée par les Anglais au XIXe siècle, et, surtout, le Pakistan a été peu à peu impliqué dans la crise afghane : présence de plus de trois millions de réfugiés afghans au Pakistan, aide pakistanaise aux résistants afghans...

Dans le cadre des limites adoptées ici, le Proche et Moyen-Orient regroupe quinze États, tous situés en Asie (Pakistan, Afghanistan, Iran, Arabie saoudite, Bahreïn, Émirats arabes unis, Koweït, Oman, Qatar, Yémen, Syrie, Irak, Jordanie, Liban, Israël). En fait, le Proche et Moyen-Orient se trouve au carrefour de trois continents (Europe, Asie et Afrique) et à la rencontre de deux étendues maritimes (la Méditerranée et l'océan Indien). Cette situation géographique exceptionnelle a toujours suscité au cours de l'histoire bien des convoitises : zone de rencontre entre l'Orient et l'Occident, le Proche et Moyen-Orient a vu depuis l'Antiquité se succéder de nombreux empires et de multiples invasions, mais avec la permanence de certaines routes commerciales, continentales ou maritimes.

Une mosaïque humaine

Ces terres chargées d'histoire ont été le berceau des trois grandes religions monothéistes (judaïsme, christianisme et islam). Certes, l'islam sunnite est majoritaire dans la région, mais les chiites ont

PROCHE ET MOYEN-ORIENT BIBLIOGRAPHIE SÉLECTIVE

BONNENFANT P. (sous la dir. de), *La péninsule Arabique d'aujourd'hui*, 2 vol., CNRS, Paris, 1982.

BOURGEY A. (sous la dir. de), *Industrialisation et changements sociaux dans l'Orient arabe*, CERMOC, Beyrouth, 1983, diff. Sindbad, Paris.

Les Cahiers de l'Orient, trimestriel, Paris.

CHABRY A. et L., *Politiques et minorités au Proche-Orient*, Maisonneuve et Larose, Paris, 1984.

CHATELUS M., *Stratégies pour le Moyen-Orient*, Calmann-Lévy, Paris, 1974.

CORM G., *Le Proche-Orient éclaté*, La Découverte/Maspero, Paris, 1983.

CORM G., *Géopolitique du conflit libanais*, La Découverte, Paris, 1986.

CORM G., *L'Europe et l'Orient*, La Découverte, Paris, 1989.

DERRIENNIC J.-P., *Le Moyen-Orient au XXe siècle*, A. Colin, Paris, 1980.

GRESH A., VIDAL D., *Les 100 portes du Proche-Orient : les dates, les chiffres, les noms, les faits*, Autrement, Paris, 1989.

Maghreb-Machrek (trimestriel), La Documentation française, Paris.

« The Great Powers and the Middle East », *Middle East Report*, mars-avr. 1988.

The Middle East and North Africa 1990 (annuaire), Europa Publications, Londres, 1989.

THOBIE J. (sous la dir. de), « Mouvements nationaux et minorités au Moyen-Orient », *Guerres mondiales et conflits contemporains*, n° 191, 1988.

pris une importance grandissante depuis la révolution islamique iranienne à Bahreïn (60 % de la population totale) et en Irak (56 %). Au Liban, ils constituent désormais la première communauté libanaise (environ 30 %). Ailleurs, ils forment d'actives minorités (30 % au Koweït, 15 à 20 % en Afghanistan, etc.). Au chiisme, il faut aussi ajouter toutes les minorités qui en sont issues : ismaéliens en Syrie et au Yémen du Nord, druzes au Liban et en Syrie, alaouites en Syrie, zaïdites au Yémen du Nord... Les chrétiens, établis au Machrek bien avant l'arrivée de l'islam, ont un rôle prépondérant au Liban (en particulier les maronites).

Aux clivages confessionnels s'ajoutent les clivages ethniques et linguistiques. En Afghanistan s'opposent persanophones (Pachtouns, Tadjiks,...) et turcophones (Ouzbeks, Turkmènes...), mais aussi des groupes particuliers. Ces minorités ethnolinguistiques sont parfois nées des bouleversements politiques du XXe siècle, qui ont imposé le tracé actuel des frontières, laissant souvent des « peuples sans État ». Ainsi en est-il des Arméniens dont une faible partie de la diaspora se trouve aujourd'hui au Proche et Moyen-Orient (au Liban, en Syrie et en Iran), et surtout des Kurdes. En 1987, 21 millions de Kurdes vivent au « Kurdistan », pays écartelé entre la Turquie (10 millions de Kurdes), l'Iran (6 millions), l'Irak (4 millions), la Syrie (1 million). Les Kurdes ont toujours suscité de nombreuses révoltes pour affirmer leurs droits, aussi bien en Irak, en Iran qu'en Turquie. Leurs rapports conflictuels avec les gouvernements de Bagdad et de Téhéran se sont encore aggravés avec la guerre Irak-Iran, dont les Kurdes sont partie prenante.

Un autre « peuple sans État », les Palestiniens, se trouve également placé au centre d'un conflit régional : le conflit israélo-arabe. A la suite de la création de l'État d'Israël en 1948 et des différentes guerres israélo-arabes, la diaspora palestinienne est répartie sur plusieurs territoires : Israël même (650 000 en 1987), Cisjordanie (1 100 000), Gaza (700 000), Jordanie (1 200 000), Liban (400 000), Koweït (400 000), Syrie, Arabie saoudite... Dans les pays pétroliers du Golfe, les Palestiniens se mêlent à la masse des travailleurs étrangers liée aux migrations internationales de travail. Au début des années quatre-vingt, environ six millions d'étrangers se trouvaient dans les pays arabes du Golfe : 2,5 à 3 millions en Arabie saoudite (représentant le tiers de la population totale), 2,4 millions dans les émirats (75 % de la population au Qatar et dans les Émirats arabes unis, 62 % au Koweït, 32 % à Bahreïn et Oman), un million enfin en Irak. Ces minorités sont de plus en plus constituées de travailleurs asiatiques (Pakistanais, Indiens, Thaïlandais, Philippins, Sud-Coréens, etc.).

Tensions internes et conflits régionaux

Toutes ces minorités (confessionnelles, ethnolinguistiques, nouvelles minorités apparues au XXe siècle à la suite de guerres ou de migrations de travail) jouent un grand rôle dans la géopolitique du Proche et Moyen-Orient. Déjà au XIXe siècle, les puissances européennes, voulant intervenir dans l'Empire ottoman, s'efforçaient de susciter des incidents et des affrontements entre les communautés libanaises. Encore aujourd'hui, les interventions étrangères au Liban s'appuient sur la mosaïque confessionnelle libanaise.

En cette fin du XXe siècle, la richesse pétrolière du Moyen-Orient (56 % des réserves mondiales) ainsi que de nombreux conflits régionaux (guerre israélo-arabe, guerre Irak-Iran, crise afghane) font de ce vaste ensemble régional un des points névralgiques du monde, où s'affrontent directement ou indirectement les grandes puissances. A vrai dire, même sans le pétrole et sans ces conflits armés, le Proche et Moyen-Orient serait un enjeu géopolitique exceptionnel en raison de sa situation géographique.

La permanence des tensions internes et le développement de conflits régionaux font que le Proche et Moyen-Orient est la région du monde qui dépense le plus d'argent pour son armement. En 1984, les dépenses militaires ont représenté 30 % du PNB irakien et 25 % du PNB israélien. Pour leur part, les « pétromonarchies » du Golfe, conscientes de leur fragilité et inquiètes du prolongement du conflit irako-iranien, disposent aussi de budgets militaires considérables. La tension régionale explique, d'ailleurs, la création au printemps 1981 du Conseil de coopération du Golfe qui regroupe l'Arabie saoudite, Koweït, Bahreïn, Qatar, les Émirats arabes unis et Oman.

André Bourgey

PROCHE ET MOYEN-ORIENT
JOURNAL DE L'ANNÉE

- 1989 -

3 juin. **Iran.** Mort de l'iman Khomeiny, guide de la révolution.

13 juillet. **Kurdistan.** Trois dirigeants kurdes iraniens, dont Abdel Rahman Ghassemlou, sont assassinés à Vienne alors qu'ils négociaient avec des émissaires de Téhéran.

28 juillet. **Iran.** Hachemi Rafsandjani, président du Parlement, est élu chef de l'État.

A partir du 10 août. **Liban.** Les combats redoublent de violence entre les troupes du général Michel Aoun et les milices prosyriennes appuyées par l'artillerie de Damas.

16 septembre. **Liban.** Le comité arabe tripartite (Algérie, Arabie saoudite, Maroc) rend public un plan de paix.

21 septembre. **Arabie saoudite.** Exécution en Arabie saoudite de seize chiites koweïtiens arrêtés après des attentats commis à La Mecque en juillet durant le pèlerinage.

22 octobre. **Liban.** Les députés libanais réunis depuis le 30 septembre à Taëf (Arabie saoudite) signent un document d'entente nationale proposant des réformes politiques. L'accord de Taëf est rejeté par le général Aoun.

5 novembre. **Liban.** René Moawad (maronite) est élu président de la République par les députés libanais. Cette élection est jugée « anticonstitutionnelle » par le général Aoun. R. Moawad est tué dans un attentat le 22. Pour le remplacer, Elias Hraoui est élu le 24.

8 novembre. **Jordanie.** Premières élections législatives en Jordanie depuis 1967. Les islamistes enlèvent 31 sièges sur 80.

27 décembre. **Égypte-Syrie.** Rétablissement des relations diplomatiques entre l'Égypte et la Syrie, rompues depuis 1977.

- 1990 -

31 janvier. **Liban.** Début des combats entre l'armée du général Aoun et les milices des Forces libanaises de Samir Geagea. Cette « guerre des chrétiens » fait mille morts en trois mois.

4 février. **Conflit israélo-palestinien.** Neuf touristes israéliens sont tués en Égypte à la suite d'un attentat perpétré contre un autobus.

6 mars. **Afghanistan.** Une tentative de coup d'État, organisée par le ministre afghan de la Défense, Shanawaz Tanaï, échoue après de violents combats dans Kaboul.

15 mars. **Israël.** Le gouvernement de M. Itzhak Shamir est censuré. Une longue crise ministérielle commence.

15 mars. **Irak.** Exécution à Bagdad d'un journaliste britannique d'origine iranienne, Farzad Bazoft, accusé « d'espionnage au profit d'Israël et de la Grande-Bretagne ».

28 mars. **Irak.** Arrestation à Londres de trafiquants d'armes qui tentaient d'exporter vers l'Irak des composants de détonateurs nucléaires. En riposte, Saddam Hussein menace de détruire la moitié d'Israël.

24 avril. **Soudan.** 28 officiers sont exécutés à Khartoum après une tentative de coup d'État contre le régime du général Béchir.

2-3 mai. **Syrie-Égypte.** Visite du président Hosni Moubarak à Damas confirmant le rapprochement syro-égyptien.

20 mai. **Israël.** « Coup de folie » d'un Israélien qui tue huit Palestiniens travaillant en Israël à Rishon-le-Zion. Cet attentat relance l'agitation dans les territoires occupés où la répression israélienne est de plus en plus vive. Depuis le déclenchement de l'*intifada* en décembre 1987, 700 Palestiniens ont été tués dont 159 enfants (bilan établi en mai 1990).

22 mai. **Yémen.** Après de longues négociations, l'unification des deux Yémens est proclamée. Ce nouvel État, la « République du Yémen », a désormais Sanaa pour capitale.

28 au 30 mai. **Sommet arabe.** La réunion de Bagdad, convoquée pour répondre au « défi » de l'émigration massive des Juifs soviétiques en Israël, a surtout permis de mettre en évidence la désunion arabe, confirmée par les absences du roi du Maroc, du président algérien et, surtout, du président syrien.

André Bourgey

Croissant fertile

IRAK • ISRAËL • JORDANIE • LIBAN • SYRIE

(Israël est traité p. 214; le Liban p. 227.)

Irak

L'invasion du Koweït par l'armée irakienne, le 2 août 1990, a créé un choc dans le monde arabe et confirmé les craintes des pays voisins, lesquels (à l'exception de la Jordanie) s'inquiétaient depuis un certain temps déjà des ambitions hégémoniques de Bagdad. L'image du régime de Saddam Hussein n'avait cessé de se dégrader aux yeux des Occidentaux dès avant cette agression.

République irakienne
Nature du régime : militaire.
Chef de l'État et du gouvernement : Saddam Hussein (depuis juil. 79).
Monnaie : dinar (1 dinar = 18,14 FF au 30.4.90).
Langue : arabe.

Le cessez-le-feu conclu le 20 août 1988 avec l'Iran après huit années de guerre a été respecté, mais les négociations de paix entre les deux belligérants n'ont pas avancé. Surtout, plus de 100000 prisonniers, dont 70000 Irakiens, sont demeurés internés. Ils servent de monnaie d'échange entre Bagdad et Téhéran : le nettoyage du Chatt-el-Arab réclamé par l'Irak, le retrait total des troupes irakiennes de son territoire exigé par l'Iran.

Les effectifs de l'armée irakienne ont été sensiblement réduits en 1989 : 200000 soldats ont été démobilisés, et sont pour la plupart sans emploi, ce qui a entraîné à plusieurs reprises de violents affrontements, parfois mortels, avec des travailleurs égyptiens. Les relations entre l'Égypte et l'Irak, jusqu'alors excellentes, en ont été affectées, et 200000 Égyptiens (sur 1200000) ont regagné les bords du Nil en 1989, souvent dans des conditions dramatiques.

Les recettes pétrolières, qui représentent 95 % des revenus totaux du pays, ont atteint en 1989 15 milliards de dollars (soit 3 milliards de plus qu'en 1988), alors que le montant des importations a été de 16 milliards de dollars (5 milliards de dollars pour les achats militaires). Les recettes pétrolières, déjà à peine suffisantes pour équilibrer la balance commerciale, ne devaient pas augmenter en 1990, en raison de l'évolution du marché mondial. Or, le coût de la reconstruction est estimé à 60 milliards de dollars, tandis que Bagdad a déjà accumulé une dette de 70 milliards de dollars, venant pour moitié des monarchies du Golfe.

Bien que disposant d'un potentiel économique considérable à moyen et long terme, l'Irak s'est trouvé dans une situation financière très délicate, étant incapable d'assurer le service de sa dette. Les pays occidentaux étaient de plus en plus réticents à lui accorder de nouvelles facilités financières.

En mars et avril 1990, l'opinion publique occidentale avait été choquée par plusieurs événements. Le 15 mars 1990, Bagdad annonçait l'exécution d'un journaliste britannique d'origine iranienne, Farzad Bazoft, condamné à mort pour « espionnage au profit d'Israël et de la Grande-Bretagne » après avoir été arrêté en Irak en septembre 1989. Le 28 mars 1990, cinq trafiquants d'armes étaient arrêtés à Londres au moment où ils tentaient d'exporter en Irak des composants de détonateurs nucléaires. Enfin, le 11 avril 1990, on découvrait dans un port anglais huit cylindres d'acier destinés à l'Irak qui, selon les autorités britanniques, étaient des pièces d'un canon géant capable de semer la terreur en Israël ou en Iran. Selon Bagdad, ces cylindres n'étaient que des éléments d'oléoduc. La vie quotidienne en Irak est encore dominée par les pénuries alimentaires et une inflation de 25 % en 1989. La politique de privatisation amorcée en 1987 et 1988 a été considérablement freinée. Quant à la vie politique interne, elle a été marquée par la disparition dans un accident d'hélicoptère, le 5 mai 1989, du général Adnane Khaïrallah, ministre de la Défense et « numéro deux » du régime. Amnesty International a dénoncé en février 1990 la multiplication des exécutions, disparitions, arrestations, tortures d'opposants, ainsi que la répression impitoyable du mouvement kurde.

Jordanie

Après les violentes émeutes d'avril 1989 qui avaient fait plusieurs morts dans le sud de la Jordanie, le nouveau gouvernement s'est fixé trois priorités : organisation d'élections législatives en novembre après vingt-deux années sans élections, redressement économique et lutte contre la corruption.

Royaume hachémite de Jordanie

Nature du régime : monarchie parlementaire.
Chef de l'État : roi Hussein (depuis 1952).
Chef du gouvernement : Moudar Badrane.
Monnaie : dinar (1 dinar = 18,94 FF au 30.4.90).
Langues : arabe, anglais.

Les islamistes jordaniens ont enlevé trente et un sièges sur quatre-vingts, lors des législatives du 8 novembre 1989, la gauche et le courant nationaliste arabe obtenant huit sièges. L'opposition parlementaire représente donc presque la moitié des sièges. Le succès des islamistes a été perçu comme un avertissement adressé au roi Hussein. Ce vote protestataire a traduit une volonté de changement, particulièrement sensible chez les Jordaniens les plus pauvres, premières victimes de la crise économique. Le message semble avoir été compris par le roi qui a annoncé, le 27 novembre 1989, la prochaine légalisation des partis politiques, interdits depuis 1957.

La situation économique est demeurée préoccupante, avec un

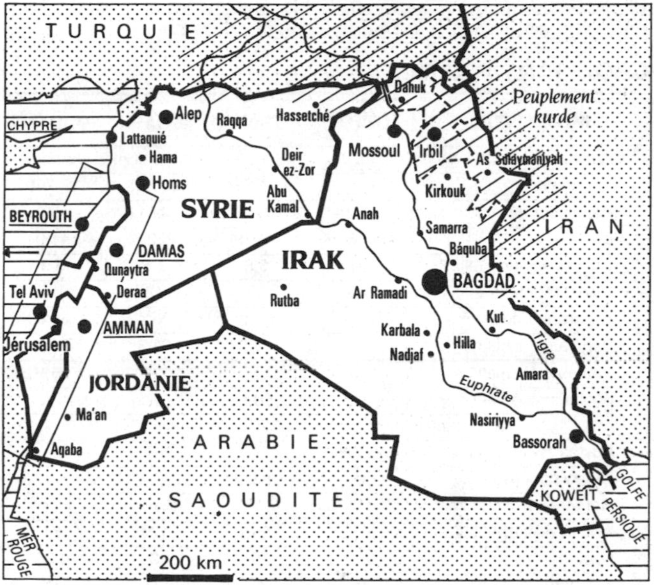

taux de chômage élevé (dépassant 20 % de la population active), une inflation galopante (entre avril 1988 et avril 1989, le dinar jordanien a perdu 75 % de sa valeur par rapport au dollar), et un endettement spectaculaire. Le rééchelonnement de la dette extérieure, estimée à 8 milliards de dollars en 1990 (soit le double de la valeur du PNB), a été désigné comme l'objectif prioritaire des autorités jordaniennes. D'habiles négociations conduites durant l'été 1989 ont permis d'obtenir ce rééchelonnement. En même temps, la Jordanie, dans le cadre d'un plan de redressement, s'engageait à réduire son déficit budgétaire (24 % du PIB en 1988, 20 % en 1989, 16 % en 1990, avec pour objectif 6 % en 1993).

L'aide financière des pétromonarchies du Golfe, et plus spécialement de l'Arabie saoudite, a permis à la Banque centrale jordanienne de reconstituer ses réserves en devises (500 millions de dollars à la fin de l'été 1989, alors qu'elles étaient tombées à 20 millions de dollars en mai 1989).

Syrie

La Syrie est restée très impliquée dans le conflit libanais. En août 1989, de très violents affrontements

> **République arabe syrienne**
> **Nature du régime :** militaire.
> **Chef de l'État :** Hafez el-Assad (depuis mars 71).
> **Chef du gouvernement :** Mahmoud al-Zuhbi (depuis nov. 87).
> **Monnaie :** livre syrienne (1 livre = 0,50 FF au 30.4.90).
> **Langue :** arabe.

ont opposé les milices libanaises prosyriennes secondées par l'armée syrienne aux forces du général Michel Aoun. La France a multiplié les initiatives diplomatiques pour obtenir un cessez-le-feu provisoire. Le gouvernement soviétique, de son côté, a fait pression auprès de Damas dans le sens de l'apaisement. Le comité arabe tripartite (Algérie, Arabie saoudite, Maroc), chargé par le sommet de la Ligue arabe de Casa-

CROISSANT FERTILE

	INDICATEUR	UNITÉ	IRAK	ISRAËL	JORDANIE
	Capitale		Bagdad	Jérusalem	Amman
	Superficie	km^2	434 924	20 770	97 740
DÉMOGRAPHIE	Population (*)	million	18,28	4,51	4,10
	Densité	hab./km^2	42,0	222,0	41,9
	Croissance annuelle [d]	%	3,5	1,6	3,9
	Mortalité infantile [d]	‰	69	12	44
	Espérance de vie [d]	année	63,9	75,4	66,0
	Population urbaine	%	73,5	91,3	67,3
CULTURE	Analphabétisme[h]	[h]%	10,7	4,9	25,0
	Scolarisation 12-17 ans	%	58,4	••	••
	3e degré	%	12,5 [b]	34,3 [c]	••
	Postes tv [b]	‰ hab.	64	264 [b]	69
	Livres publiés	titre	82 [e]	2214 [h]	••
	Nombre de médecins	‰ hab.	0,55 [b]	2,90 [g]	1,14 [e]
ARMÉE	Armée de terre	millier d'h.	955	104	74
	Marine	millier d'h.	5	9	0,25
	Aviation	millier d'h.	40	28	11
ÉCONOMIE	PIB	milliard $	34,0 [a]	38,4 [a]	4,65
	Croissance annuelle 1980-88	%	−8,1 [i]	3,2	2,3
	1989	%	••	1,0	2,3
	Par habitant	$	1950 [a]	8650 [a]	1 134
	Dette extérieure	milliard $	85,0	26,3 [b]	5,53 [a]
	Taux d'inflation	%	45,0	20,7	25,9
	Dépenses de l'État Éducation	% PIB	3,8 [h]	6,8 [h]	4,9 [b]
	Défense	% PIB	28,6 [a]	13,4 [a]	15,0 [a]
	Production d'énergie [b]	million TEC	150,9	0,08	0,032
	Consom. d'énergie [b]	million TEC	12,5	12,22	4,0
COMMERCE	Importations	million $	10200 [f]	13046	3 150
	Exportations	million $	14200	10738	1 400
	Principaux fournis.	%	E-U 11,5 [a]	E-U 18,1	E-U 11,6 [a]
		%	CEE 27,6 [a]	CEE 51,1	CEE 31,2 [a]
		%	URSS 5,1 [a]	PVD 6,5	M-O 22,4 [a]
	Principaux clients	%	E-U 13,3 [a]	E-U 29,8	PCD 9,3 [a]
		%	CEE 26,1 [a]	CEE 29,8	PVD 76,3 [a]
		%	URSS 13,0 [a]	PVD 13,4	M-O 32,7 [a]

blanca, le 26 mai 1989, d'une mission de médiation au Liban, a repris ses activités le 13 septembre après avoir annoncé fin juillet qu'il « aboutissait à une impasse » en raison du refus de la Syrie d'accepter un calendrier de retrait de ses troupes. Dès le 16 septembre, le comité arabe tripartite présentait un plan en sept points qui s'alignait en partie sur les thèses syriennes, et aboutissait à la convention de l'Assemblée nationale libanaise, le 30 septembre, en Arabie saoudite.

L'accord de Taëf, signé par les députés libanais, le 22 octobre 1989, a été considéré comme une victoire pour la Syrie, consacrant la présence syrienne au Liban, du moins pour un certain temps. De même, l'élection d'un président libanais et les affrontements très violents entre les troupes du général Aoun et les milices chrétiennes de Samir Geagea, à partir du 31 janvier 1990, ont fait le jeu de la Syrie.

Le rétablissement des relations diplomatiques entre l'Égypte et la Syrie, le 27 décembre 1989, après douze ans de brouille consécutive au rapprochement israélo-égyptien, a contribué à renforcer la position syrienne au niveau régional. Damas, en effet, toujours en opposition avec Bagdad, avait peu apprécié la création, le 16 février 1989, d'un Conseil de coopération arabe (CCA) regroupant l'Égypte, l'Irak, la Jordanie et le Yémen du Nord. Ce rapprochement avec l'Égypte, confirmé par la visite à Damas du président Moubarak, les 2 et 3 mai 1990, permet aux autorités syriennes de s'adapter au désengagement militaire soviétique au Proche-Orient (le nombre des conseillers militaires soviétiques y a diminué de moitié entre 1987 et 1990).

L'économie syrienne est toujours très fragile. La production agricole a souffert en 1989 d'une dramatique sécheresse, puis en début d'année 1990, de l'interruption par la Turquie

LIBAN	SYRIE
Beyrouth	Damas
10 400	185 180
2,90	11,72
278,6	63,3
2,1	3,6
40	48
67,0	65,0
83,0	51,3
23,0	40,0
65,1	67,6
27,4 [e]	17,8 [c]
302	58
••	119 [e]
1,50 [g]	0,77 [b]
21	300
0,5	4
0,8	40
949 [c]	21,10
– 14,4 [i]	0,4
••	2,0
327 [c]	1 800
0,499	5,00
50,0	60,0
3,4 [h]	4,7 [a]
••	13,3
0,075	17,8
3,71	11,5
2 457 [a]	2 076
709 [a]	2 658
PCD 61,5 [a]	Jap 11,2 [a]
CEE 46,7 [a]	CEE 36,3 [a]
PVD 38,5 [a]	URSS 8,6 [a]
PCD 28,9 [a]	PVD 30,6 [a]
PVD 44,5 [a]	Ita 20,2 [a]
ArS 10,3 [a]	URSS 29,1 [a]

Chiffres 1989, sauf notes : a. 1988; b. 1987; c. 1986; d. 1985-90; e. 1984; f. Sans compter importations militaires; g. 1983; h. 1985; i. 1980-86.

(*) Dernier recensement utilisable : Irak, 1987; Israël, 1983; Jordanie, 1979; Liban, 1970; Syrie, 1981.

BIBLIOGRAPHIE

GRESH A., « Retour à une logique de guerre au Proche-Orient ? », *Le Monde Diplomatique*, n° 3435, Paris, juin 1990.

« Le Golfe au sortir de la guerre » (dossier constitué par E. Longuenesse), *Problèmes politiques et sociaux*, La Documentation française, n° 594, Paris, oct. 1988.

Voir aussi les bibliographies « Israël » et « Liban » dans la section « 34 États », ainsi que la bibliographie générale « Proche et Moyen-Orient » pages précédentes.

de l'écoulement des eaux de l'Euphrate pour accélérer le remplissage du lac de retenue du barrage Ataturk, ce qui a provoqué des dégâts importants dans les cultures d'hiver, et limité les capacités électriques de la Syrie.

Grâce à la découverte d'un gisement de brut léger dans la région de Deir-ez-Zor, la production pétrolière a atteint 17,5 millions de tonnes en 1989, permettant des revenus pétroliers de 550 millions de dollars. La dette extérieure, à la fin de 1989, était estimée à 7 milliards de dollars, sans compter les 15 milliards de dollars dus à l'URSS au titre de l'aide militaire. Hormis l'aide venant d'Arabie saoudite (600 millions de dollars en 1989), Damas ne bénéficie plus des dons des autres pays arabes. Le marasme économique a favorisé une émigration définitive vers le Canada ou l'Australie, car les migrations temporaires vers les pays du Golfe ont sensiblement diminué.

André Bourgey

Péninsule Arabique

ARABIE SAOUDITE • BAHREÏN • ÉMIRATS ARABE UNIS • KOWEÏT • OMAN • QATAR • YÉMEN

Arabie saoudite

Les autorités saoudiennes sont intervenues à plusieurs reprises dans la crise libanaise dans le sens de l'apaisement ; en mai 1989, le sommet de la Ligue arabe, à Casablanca, a décidé la formation d'un Comité arabe tripartite (Arabie saoudite, Algérie, Maroc) chargé de trouver une solution à la crise libanaise. L'intervention de la diplomatie saoudienne a permis d'aboutir à l'accord de Taëf, signé le 22 octobre 1989 en Arabie saoudite par les députés libanais, après trois longues semaines de négociations dans lesquelles le roi Fahd s'est beaucoup impliqué.

Royaume d'Arabie saoudite

Nature du régime : monarchie absolue, islamique.
Chef de l'État : roi Fahd ben Abd el-Aziz (depuis juin 82).
Chef du gouvernement : émir Abdallah (prince héritier).
Monnaie : riyal (1 riyal = 1,51 FF au 30.4.90).
Langue : arabe.

Les relations avec l'Iran sont demeurées très tendues, Téhéran accusant Ryadh d'incapacité dans la gestion des Lieux saints de l'Islam. En juillet 1989, l'Iran a boycotté le pèlerinage à La Mecque pour protester contre la limitation à quarante-cinq mille du nombre des pèlerins iraniens, alors que Téhéran exigeait cent cinquante mille pèlerins.

Le rapprochement avec l'URSS s'est confirmé. Pour la première fois, un appareil de la compagnie soviéti-

PÉNINSULE ARABIQUE

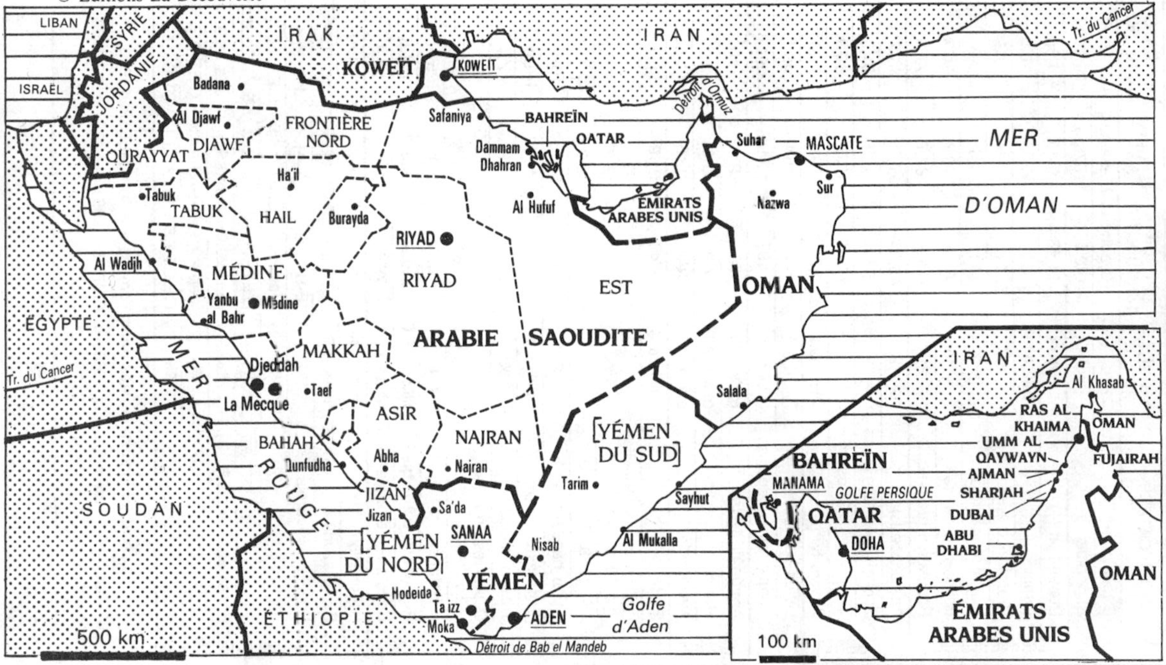

PÉNINSULE ARABIQUE

	INDICATEUR	UNITÉ	ARABIE SAOUDITE	BAHREÏN	ÉMIRATS ARAB. UNIS
	Capitale		Riyadh	Manama	Abu Dhabi
	Superficie	km²	2 149 690	678	83 600
DÉMOGRAPHIE	Population (*)	million	14,43	0,49	1,55
	Densité	hab./km²	6,7	722,7	18,5
	Croissance annuelle [e]	%	4,0	3,6	3,3
	Mortalité infantile [e]	‰	71	26	26
	Espérance de vie [e]	année	63,4	70,7	70,7
	Population urbaine	%	76,4	82,7	77,8
CULTURE	Analphabétisme	%	48,9 [g]	27,3 [d]	46,5 [f]
	Scolarisation 12-17 ans	%	53,2	91,1	61,9
	3ᵉ degré	%	13,4 [c]	10,0 [d]	8,7 [b]
	Postes tv [b]	‰ hab.	268	399	106
	Livres publiés	titre	••	46 [h]	43 [d]
	Nombre de médecins	‰ hab.	1,40 [c]	1,24 [d]	1,01 [h]
ARMÉE	Armée de terre	millier d'h.	38	2,3	40
	Marine	millier d'h.	7,2	0,6	1,5
	Aviation	millier d'h.	16,5	0,45	1,5
ÉCONOMIE	PIB	milliard $	78,40	3,19	26,10
	Croissance annuelle 1980-88	%	−2,2	2,3	−4,6
	1989	%	−0,7	2,5	3,0
	Par habitant	$	5433	6513	16882
	Dette extérieure	million $	••	1191 [b]	10990 [a]
	Taux d'inflation	%	−0,3	1,9	7,0
	Dépenses de l'État Éducation	% PIB	10,6 [c]	4,9 [b]	2,2 [b]
	Défense	% PIB	18,7	5,0 [b]	5,6
	Production d'énergie [b]	million TEC	330,9	9,2	131,8
	Consom. d'énergie [b]	million TEC	79,4	6,8	27,4
COMMERCE	Importations	million $	23044	2803	10110
	Exportations	million $	27120	2685	15610
	Principaux fournis. [a]	%	E-U 16,3	ArS 44,9	Jap 16,4
		%	Jap 13,5	CEE 18,9	CEE 30,3
		%	CEE 38,4	E-U 10,3	PVD 33,6
	Principaux clients [a]	%	E-U 20,0	Jap 9,5	Jap 38,3
		%	Jap 20,3	PVD 47,8	CEE 5,7
		%	CEE 21,6	Inde 18,1	PVD 31,5

(1) Un processus d'unification des deux Yémens a été engagé en 1990.

Chiffres 1989, sauf notes : a. 1988 ; b. 1987 ; c. 1986 ; d. 1985 ; e. 1985-90 ; f. 1975 ; g. 1982 ; h. 1984.

KOWEÏT	OMAN	QATAR	YÉMEN[1] DU NORD	YÉMEN[1] DU SUD
Koweït	Mascate	Doha	Sanaa	Aden
17 811	212 457	11 000	195 000	332 968
2,05	1,42	0,354	7,77	2,40
115,1	6,7	32,2	39,8	7,2
4,0	3,3	4,2	3,3	3,1
19	100	31	116	120
72,8	55,4	69,3	50,9	50,8
95,2	10,2	89,2	24,1	42,6
30,0[d]	..	24,3[c]	83,3[d]	58,6[d]
74,4	56,0	86,8	32,5	40,3
16,6[b]	2,1[c]	20,5[b]	2,4[c]	..
261	739	419	7,5	21
250[d]	..	461[b]	..	..
1,51[c]	0,93[b]	1,98[c]	0,17[d]	0,22[d]
16	20	6	35	24
2,1	2,5	0,7	0,5	1,0
2,2	3,0	0,3	1,0	2,5
23,75	8,04	5412	5,42[a]	1,30
1,7	11,7	−3,9	5,5	−3,2
7,5	6,0	3,0	6,0	2,0
11584	5657	15288	620[a]	543
7250	2940[a]	724[b]	2948[a]	2093[a]
3,3	..	3,9	25,0	..
5,3[b]	4,0[b]	5,6[d]	5,0[c]	7,0[g]
6,6	18,2[a]	3,2[b]	8,5[b]	17,7[h]
99,6	51,6	27,6	1,3	—
17,1	11,2	7,2	1,3	2,1
5550	2450	1300	1200	556
8000	3930	1670	570	90
Jap 12,9	Jap 14,0	PCD 64,4	PCD 47,2	URSS 39,0
E-U 12,2	R-U 24,6	CEE 36,8	CEE 30,7	PCD 35,1
CEE 29,0	EAU 21,0	PVD 33,4	PVD 40,8	PVD 25,3
Jap 16,5	Jap 48,3	Jap 49,6	E-U 18,9	RFA 19,7
CEE 26,2	Cor 18,5	PVD 42,2	RFA 21,4	Ita 18,9
PVD 42,6	R-U 7,5	Sin 9,9	Cor 19,8	Y-N 17,5

(*) Dernier recensement utilisable : Arabie saoudite, 1974 ; Bahreïn, 1981 ; Émirat arabes unis, 1980 ; Koweït, 1985 ; Qatar, 1986 ; Yémen du Nord, 1986 ; Yémen du Sud, 1988.

que Aeroflot a effectué, le 15 avril 1990, une liaison entre l'URSS et l'Arabie saoudite pour prendre livraison d'exemplaires du Coran offerts par le roi Fahd aux musulmans d'URSS. Au total, en 1990, un million d'exemplaires du Coran devaient être livrés ainsi aux musulmans soviétiques.

L'Arabie saoudite, avec le Koweït et les Émirats arabes unis, a été en grande partie responsable d'une rechute des cours du pétrole en dessous de la barre de 18 dollars le baril, en avril 1990. En effet, le gouvernement saoudien n'a pas respecté le quota fixé par l'OPEP (Organisation des pays exportateurs de pétrole), le 28 novembre 1989 (5,3 millions de barils/jour) : durant le premier trimestre 1990 la production saoudienne a atteint 7 millions de barils/jour. Déjà obligées de lancer un emprunt public de 8 milliards de dollars en 1988, les autorités ont proposé pour la seconde fois, en décembre 1989, une souscription de bons du Trésor. Le budget de 1989 a accusé un déficit de 6,6 milliards de dollars, s'ajoutant au déficit des années précédentes. Les dépenses militaires (35 % du total) sont restées très importantes, alors que les subventions à l'agriculture ont été considérablement réduites en 1989 et 1990. Il est vrai que pour atteindre l'autosuffisance alimentaire, le gouvernement avait encouragé les investissements dans ce secteur, à tel point que la production de blé a atteint, en 1989, 3 millions de tonnes pour une consommation nationale de 800000 tonnes. Or, le blé saoudien revient à 400 dollars la tonne, contre 130 dollars au marché mondial.

Bahreïn

Archipel de dimension restreinte (678 km²), Bahreïn se distingue des autres émirats par sa population chiite majoritaire (60 % de la population totale), par sa très faible production pétrolière (2 millions de tonnes), et surtout par son économie très diversifiée, avec en particulier un développement spectaculaire des activités bancaires et de service.

Émirat du Bahreïn
Nature du régime : monarchie absolue (Parlement dissous).
Chef de l'État : cheikh Issa Ben (depuis 1961).
Chef du gouvernement : cheikh Khalifa Ben Salmane al-Khalifa (depuis 1970).
Monnaie : dinar (1 dinar = 15,00 FF au 30.4.90).
Langue : arabe.

Manama, la capitale, avec ses nombreuses banques *off-shore*, dont les profits ont augmenté en 1989 après cinq années de baisse ou de stagnation, est devenue *la* place financière du Golfe. En 1989, le déficit budgétaire s'est accentué. Déjà producteur d'aluminium (avec une production record de 220000 tonnes en 1989), l'émirat a le projet de construire une usine produisant des tubes de cuivre avec du minerai importé d'Oman.

Émirats arabes unis

Fédération de sept émirats, dont trois produisent du pétrole (Abu Dhabi, Dubaï et Sharjah), les Émirats arabes unis, comme en 1988, ont un budget 1989 déficitaire de 500 millions de dollars (l'essentiel des revenus des EAU vient toujours du pétrole, dont la production a beaucoup augmenté en 1989, atteignant 80 millions de tonnes). Les EAU ont dépassé de beaucoup le quota fixé par l'OPEP et ont contribué, avec le Koweït et l'Arabie saoudite, à une

Fédération des émirats arabes unis
Nature du régime : monarchie absolue, islamique.
Chef de l'État : cheikh Zayed, émir d'Abu Dhabi (depuis 1971).
Chef du gouvernement : cheikh Rachid, émir de Dubaï (depuis 1979).
Monnaie : dirham (1 dirham = 1,54 FF au 30.4.90).
Langue : arabe.

chute du prix du pétrole au printemps 1990. Le gaz naturel, avec une production de 20 milliards de mètres cubes, devient une ressource intéressante. La moitié de la production a été exportée en 1989, l'autre moitié étant utilisée par l'industrie locale. Le développement industriel se poursuit, particulièrement dans la zone franche de Jabel Ali située dans l'émirat de Dubaï.

Koweït

Après la fin de la guerre du Golfe en août 1988, les partisans d'un retour à une certaine vie démocratique avaient commencé à s'organiser, malgré le mutisme de la presse, reprise en main par une sévère censure. L'exemple jordanien, où des élections ont eu lieu en novembre 1989 pour élire une Assemblée, a encouragé la majorité des députés koweïtiens (trente-deux sur cinquante), conduits par Ahmad Saadoun, à exiger le rétablissement du Parlement dissous en 1986, créant ainsi une grave crise politique. Un premier grand rassemblement pour la démocratie, organisé le 22 janvier 1990 dans une banlieue de la capitale, a été très violemment dispersé. D'autres manifestations dans la rue ont été aussi réprimées avec une violence inhabituelle dans un émirat ayant une certaine tradition démocratique. Pour tenter de mettre fin à la crise, l'émir de Koweït a annoncé en avril 1990 la création d'un Conseil national de soixante-quinze membres (cinquante élus au suffrage universel direct et vingt-cinq désignés par le souverain). L'opposition a décidé de boycotter la consultation électorale fixée au 10 juin 1990.

Émirat du Koweït

Nature du régime : monarchie parlementaire, islamique, jusqu'à l'invasion irakienne du 2.8.90.
Chef de l'État : cheikh Jaber al-Ahmed al-Sabah (jusqu'à l'invasion irakienne du 2.8.90).
Chef du gouvernement : cheikh Saad al-Abdallah al-Salem al-Sabah (jusqu'à l'invasion irakienne du 2.8.90).
Monnaie : dinar (1 dinar = 19,20 FF au 30.4.90).
Langue : arabe.

Ne respectant pas les quotas imposés par l'OPEP, l'émirat a beaucoup augmenté sa production pétrolière en 1989 et 1990, ce qui lui a permis de compenser la baisse de certains revenus financiers. Survenant après des pressions et menaces (l'émirat étant accusé, dans un premier temps, de favoriser la baisse du prix du pétrole), l'invasion du pays par l'armée irakienne, le 2 août 1990, a ouvert une phase de tension aiguë dans la région.

Oman

Le sultanat d'Oman a accueilli, le 17 mars 1990, la première conférence ministérielle entre les pays de la CEE et les États du Conseil de coopération du Golfe (CCG), pour préparer un accord de libre-échange. Selon les règlements européens cela suppose qu'une union douanière soit préalablement réalisée. Or, les tarifs douaniers sont très différents selon les pays du CCG (Oman, Émirats arabes unis, Qatar, Bahreïn, Koweït et Arabie saoudite).

Sultanat d'Oman

Nature du régime : monarchie absolue, islamique.
Chef de l'État et du gouvernement : sultan Qabous ben Saïd (depuis 1970).
Monnaie : riyal (1 riyal = 14,66 FF au 30.4.90).
Langue : arabe.

La diplomatie omanaise a multiplié les contacts avec Téhéran, affirmant ainsi son indépendance vis-à-vis de son puissant voisin saoudien. D'autre part, la coopération franco-omanaise se développe (visite du sultan Qabous à Paris au printemps 1989, et visite du président Mitterrand à Mascate prévue à l'automne 1990). La découverte en 1989 d'un gisement de gaz naturel et la confirmation d'importantes réserves de cuivre devraient permettre au sultanat de moins dépendre du pétrole qui assure encore 75 % des ressources de l'État.

BIBLIOGRAPHIE

« Koweït : l'État rentier au Moyen-Orient », *Problèmes économiques*, n° 2105, La Documentation française, Paris, déc. 1988.

« Le Golfe au sortir de la guerre » (dossier constitué par E. Longuenesse), *Problèmes politiques et sociaux*, n° 594, La Documentation française, Paris, oct. 1988.

SADIRA M.-T.-B., *Ainsi l'Arabie est devenue saoudite : les fondements de l'État saoudien*, L'Harmattan, Paris, 1989.

Qatar

L'émirat de Qatar devrait devenir un important producteur de gaz naturel à partir de 1991 : l'achèvement des travaux permettant la mise en valeur du gisement de North Field était prévu pour la fin 1990, mais l'usine de liquéfaction de gaz naturel était prête dès avril. Quant à l'usine d'aluminium dont la construction a commencé en juin 1989, elle devrait faire de Qatar le premier producteur de la région à partir de 1992, devançant Bahreïn. Comme les années précédentes, le budget de Qatar (pour l'année budgétaire 1989-1990) présente un déficit de 1,5 milliard de dollars, ce qui a conduit à réduire les dépenses de 3,4 à 3,1 milliards de dollars.

Emirat du Qatar

Nature du régime : monarchie absolue, islamique.
Chef de l'État : cheikh Khalifa ben Hamad al-Thani (depuis 1972).
Monnaie : riyal (1 riyal = 1,64 FF au 30.4.90).
Langue : arabe.

Yémen

Comme l'Allemagne, le Yémen a longtemps été coupé en deux et des régimes opposés s'étaient imposés à Sanaa, capitale de la République arabe du Yémen (ou Yémen du Nord, proche de l'Arabie saoudite), et à Aden, capitale de la République démocratique et populaire du Yémen (ou Yémen du Sud, allié privilégié de l'URSS). Mais à la différence de l'Allemagne morcelée depuis la fin de la Seconde Guerre mondiale, le partage du Yémen remontait au XIXe siècle, après l'installation des Anglais à Aden en 1839.

République du Yémen

Proclamée le 22.5.90, la République du Yémen correspond à l'unification du Yémen du Nord et du Yémen du Sud. Une transition de trente mois a été ménagée avant la fusion des deux parlements et la mise en place des institutions.
Chef du nouvel État : Ali Abdallah Saleh.
Capitale du nouvel État : Sanaa.

République arabe du Yémen (Yémen du Nord)

Nature du régime : militaire.
Chef de l'État : Ali Abdallah Saleh (depuis juil. 78).
Chef du gouvernement : Abdel el-Aziz Abdel el-Ghani (depuis nov. 83).
Monnaie : riyal (1 riyal = 0,46 FF au 28.2.90).
Langue : arabe.

République démocratique et populaire du Yémen (Yémen du Sud)

Nature du régime : démocratie populaire, parti unique (Parti socialiste yéménite).
Chef de l'État : Haïdar Abou Bakr el-Attas (depuis fév. 86).
Chef du gouvernement : Yassine Saïd Noomane (depuis fév. 86).
Monnaie : dinar (1 dinar = 16,32 FF au 30.4.90).
Langue : arabe.

Comme en Allemagne, et selon un processus encore plus rapide, l'année 1990 a été pour les deux

Yémens l'année de la réunification. En effet, le Parlement du Sud-Yémen, à l'unanimité, et celui du Nord-Yémen, avec quelques réticences, dues principalement à l'opposition islamiste, ont ratifié, le 21 mai 1990, l'unification des deux pays. La naissance du nouvel État, la République du Yémen, était solennellement proclamée, le mardi 22 mai 1990. Cette réunification rapide a surpris beaucoup d'observateurs, car les relations entre les deux Yémens ont longtemps été conflictuelles : les orientations contraires des deux régimes provoquaient souvent des tensions et des accrochages aux frontières et ont même abouti à deux véritables conflits armés en octobre 1972 et en mars 1979.

L'artisan de cette unification rapide a été Ali Abdallah Saleh, ancien président du Nord-Yémen, devenu premier président de la nouvelle République. Après une période intérimaire de trente mois, les deux parlements devraient fusionner et élire un Conseil présidentiel de cinq membres composé de trois Nord-Yéménites et de deux Sud-Yéménites.

La proclamation de ce nouvel État yéménite, dont la capitale est Sanaa, était initialement prévue pour novembre 1990, selon l'accord signé à Aden à l'automne 1989. L'unification a été avancée pour mettre devant le fait accompli les ennemis de l'unité, encore nombreux au Nord-Yémen. Déjà diverses institutions dans le domaine économique, administratif et militaire avaient fusionné à la mi-1989. La nouvelle République, avec treize millions d'habitants (dont 80 % sont originaires du Nord-Yémen), est désormais l'État le plus peuplé de la péninsule Arabique, ce qui ne va pas sans inquiéter l'Arabie saoudite. Malgré les nouveaux revenus pétroliers (de l'ordre d'un milliard de dollars), l'économie du nouveau Yémen, qui regroupe deux des États les plus pauvres du monde arabe, demeurera encore longtemps fragile avec une dette extérieure estimée à près de six milliards de dollars, au moment même où l'aide de l'Arabie saoudite et les envois d'argent des travailleurs yéménites émigrés diminuent de façon spectaculaire.

André Bourgey

Moyen-Orient

AFGHANISTAN • IRAN • PAKISTAN

(L'Iran et le Pakistan sont traités p. 164 et 112. Afghanistan : voir aussi p. 484.)

Afghanistan

Après la fin de l'occupation par l'Armée rouge en février 1989, la guerre qui a commencé à la fin des années soixante-dix s'est poursuivie entre le régime prosoviétique de Mohammed Najibullah et la résistance. Mais les divisions ethniques et les conflits de personnes l'ont emporté, dans les deux camps,

République d'Afghanistan

Nature du régime : régime mis en place par l'URSS.
Chef de l'État : Mohammed Najibullah, président du Conseil révolutionnaire (depuis nov. 87).
Premier ministre : Soltan Ali Keshtmand, remplacé par Fazal Haq Khalikyar le 7.5.90.
Monnaie : afghani (1 afghani = 0,011 FF au 30.4.90 au cours officiel).
Langues : pashtou, dari, etc.

MOYEN-ORIENT

	INDICATEUR	UNITÉ	AFGHANISTAN	IRAN	PAKISTAN
	Capitale		Kaboul	Téhéran	Islamabad
	Superficie	km²	647 497	1 648 000	803 943
DÉMOGRAPHIE	Population (*)	million	15,81 [e]	54,9	108,7
	Densité	hab./km²	24,4 [e]	33,3	135,2
	Croissance annuelle [d]	%	2,6	3,5	3,5
	Mortalité infantile [d]	‰	172	63	109
	Espérance de vie [d]	année	41,5	65,2	56,5
	Population urbaine	%	21,0	54,3	31,6
CULTURE	Analphabétisme [d]	%	73,6	49,2	70,4
	Scolarisation 12-17 ans	%	15,0	62,3	17,8
	3e degré	%	1,3 [b]	4,9 [c]	5,0 [c]
	Postes tv [b]	‰ hab.	7,9	53	14
	Livres publiés	titre	415 [g]	2996 [b]	••
	Nombre de médecins	‰ hab.	0,07	0,33 [c]	0,52
ARMÉE	Armée de terre	millier d'h.	50	305	480
	Marine	millier d'h.	—	14,5	15
	Aviation	millier d'h.	5	35	25
ÉCONOMIE	PIB	milliard $	3,1 [a]	167,3 [b]	41,08
	Croissance annuelle 1980-88	%	1,8	1,3	6,3
	1989	%	••	−1,0	5,6
	Par habitant	$	220 [a]	3264 [b]	378
	Dette extérieure	milliard $	4,85 [f]	5,0	17,0 [a]
	Taux d'inflation	%	56,8	14,4	5,5
	Dépenses de l'État Éducation [b]	% PIB	2,1	3,4	2,1
	Défense	% PIB	8,7 [f]	3,0	6,9
	Production d'énergie [b]	million TEC	4,1	186,4	18,5
	Consom. d'énergie [b]	million TEC	2,0	65,9	27,8
COMMERCE	Importations	million $	1558 [a]	9535	7090
	Exportations	million $	558 [a]	12523	4690
	Principaux fournis. [a]	%	URSS 58,1	CEE 39,4	Jap 14,7
		%	Jap 7,9	RFA 19,5	PVD 37,6
		%	PVD 18,4	Jap 9,6	CEE 25,9
	Principaux clients [a]	%	URSS 49,1	CEE 40,8	Jap 11,4
		%	PCD 18,5	PVD 41,9	PVD 39,3
		%	PVD 15,6	Jap 12,7	CEE 30,2

Chiffres 1989, sauf notes : a. 1988 ; b. 1987 ; c. 1986 ; d. 1985-90 ; e. Nomades non compris ; f. 1985 ; g. 1983.

(*) Dernier recensement utilisable : Afghanistan, 1979 ; Iran, 1986 ; Pakistan, 1981.

MOYEN-ORIENT

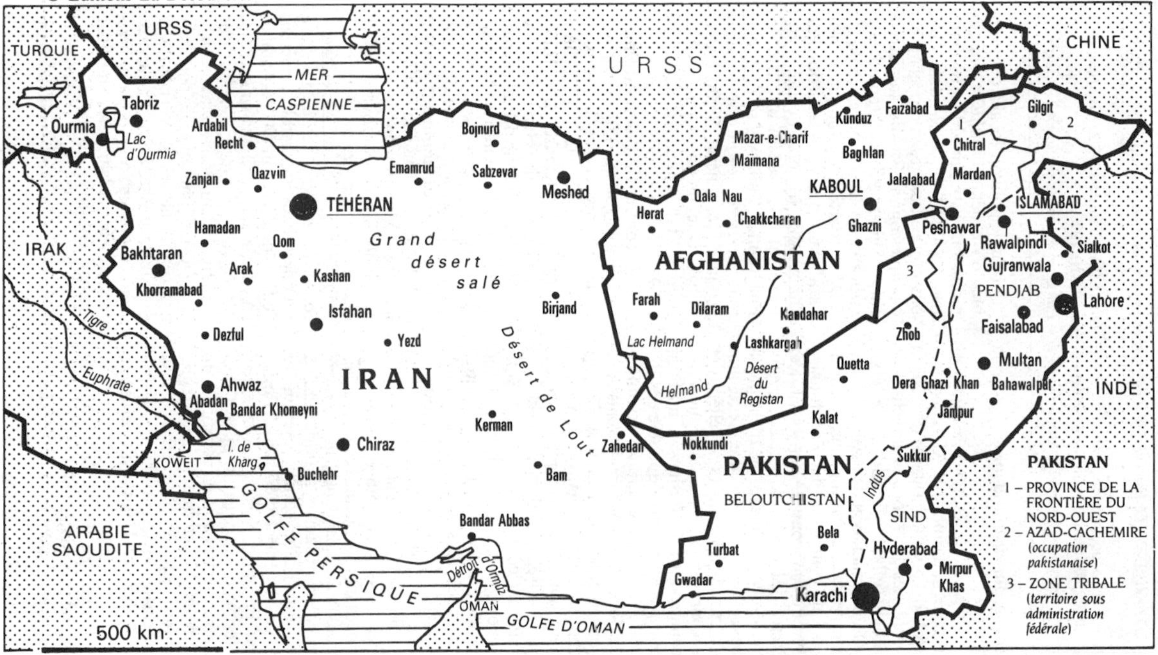

BIBLIOGRAPHIE

DIGARD J.-P., *Le Fait ethnique en Iran et en Afghanistan*, Éd. du CNRS, Paris, 1988.

« 9 ans d'occupation, 10 ans de guerre. Où va l'Afghanistan ? », *Défis afghans*, n° 22, Bureau International Afghanistan, Paris, 1990.

Voir aussi les bibliographies « Iran » et « Pakistan » dans la section « 34 États ».

sur la dimension idéologique de la guerre.

Du côté de la résistance, le « gouvernement intérimaire d'Afghanistan » (AIG), formé à Peshawar (Pakistan) en février 1989 sous la direction de Sibghatullah Mojaddedi, n'était qu'une émanation de l'Alliance sunnite des *moujahidin* afghans, essentiellement composée de Pachtounes. Étroitement contrôlé par les services secrets de l'armée pakistanaise, ce gouvernement fut incapable d'élargir sa base ethnique et religieuse. Les chiites de la résistance, basés à Téhéran et encouragés par l'Iran à trouver un compromis avec Peshawar, n'obtinrent pas un partage équitable des sièges. De même, les grands commandants de l'intérieur furent exclus de ce gouvernement. La tentative d'établir une administration dans les zones libérées, sous l'égide du gouvernement intérimaire, se solda par un échec.

Parallèlement, un conflit plus politique opposa le Hezb-e-Islami, dirigé par Gulbuddin Hekmatyar, aux autres forces de la résistance. Bénéficiaire privilégié de l'aide américaine jusqu'en août 1989, et de l'aide saoudienne même après cette date, le Hezb ne cacha plus sa volonté hégémonique, procédant en Afghanistan à des assassinats de commandants (surtout membres du parti Jamiat, majoritaire chez les Tajiks) et boycottant les réunions du gouvernement intérimaire à Peshawar. En janvier 1990, le gouvernement intérimaire annonça un plan d'élections générales afin de constituer un nouveau « Grand conseil », plus représentatif sur le plan ethnique et n'excluant plus les partisans de l'ancien roi Zaher. G. Hekmatyar refusa ce plan.

Pendant ce temps, le régime de Kaboul procéda, au moins à la campagne, à une *perestroïka* à l'afghane, confiant le pouvoir local à des notables ou à des *moujahidin* plus au moins ralliés. Le président Mohammed Najibullah tenta aussi une ouverture ethnique, en rappelant par exemple comme Premier ministre le chiite Sultan Ali Keshtmand. Les radicaux de la tendance Khalq du PDPA (Parti démocratique du peuple afghan), opposés à la faction Parcham de M. Najibullah, qui recrutent essentiellement parmi les Pachtounes Ghilzays, se regroupèrent derrière le ministre de la Défense, le général Shah Nawaz Tanaï. Une première tentative de coup d'État échoua en novembre 1989.

Une conjonction des extrêmes, fondée à la fois sur l'identité pachtoune ghilzay et sur le refus de l'ouverture politique, rapprocha le ministre de la Défense, S.N. Tanaï, et le dirigeant du Hezb, G. Hekmatyar. Mais le coup d'État préparé en commun pour renverser M. Najibullah échoua le 6 mars 1990, et celui-ci épura son régime des radicaux du Khalq, nommant comme ministre de la Défense un khalqi plus modéré, Mohammed Watanjar. M. Najibullah sortit provisoirement renforcé de la crise.

En février 1990, les Américains, conscients qu'une victoire militaire était désormais impossible, cessèrent de faire du départ de M. Najibullah un préalable à tout règlement. Les Soviétiques n'ayant jamais fait mystère de leur désir de parvenir à un règlement politique, les positions des pays impliqués dans le conflit se sont donc considérablement rapprochées, à l'exception des Saoudiens pour qui Hekmatyar reste le meilleur rempart contre les Iraniens.

Olivier Roy

ASIE ORIENTALE

On appelle Asie orientale l'immense zone qui s'étend de l'Afghanistan à la Corée, du Japon à l'Indonésie. Elle est d'abord caractérisée par sa diversité et ses cloisonnements. Le prolétaire de Calcutta n'imagine pas qu'il puisse partager un destin commun avec le salarié de Yokohama. De grands pays voisins comme la Chine et l'Inde, ou même la Chine et le Japon, se côtoient sans vraiment se connaître, bien que l'histoire les ait par moments rapprochés.

De graves conflits séparent des pays frontaliers comme l'Inde et le Pakistan, la Chine et le Vietnam, alors que deux États rivaux se disputent encore la légitimité en Corée comme en Chine. Un important clivage distingue souvent les zones planes, où sont localisés le pouvoir, les voies de transport et les richesses économiques, et les zones accidentées, abandonnées à la broussaille, aux ethnies minoritaires et aux dissidences.

Les divisions religieuses, ethniques et communautaires s'ajoutent presque partout aux extraordinaires inégalités sociales. Plus de la moitié du territoire chinois est occupé par des minorités ethniques, et l'Inde est en permanence secouée par les conflits communautaires. Mais le fossé est plus profond entre un intellectuel shanghaien et un paysan du Nord-Ouest chinois qu'entre un homme d'affaires de Bombay et son homologue de Los Angeles.

La moitié de la population du globe

Au-delà de cette diversité, cependant, l'Asie orientale est polarisée par deux grandes masses démographiques et politiques. La première est la masse indienne. Par la richesse de son passé et de sa culture, par l'ampleur de son espace et l'immensité de sa population, par l'exemplarité de son système politique et l'ambition de sa diplomatie, l'Inde est d'ores et déjà la grande puissance régionale de l'Asie du Sud et une candidate sérieuse à un statut international plus élevé.

A l'autre extrême de l'Asie, le monde sinisé s'organise autour de la Chine et du Japon. La première possède le nombre — plus d'un milliard deux cents millions d'habitants à la fin du siècle ! —, l'espace, le passé, des ambitions politiques explicites. Le second est animé par un extraordinaire dynamisme économique qui le contraint à assumer des responsabilités politiques croissantes. A la vérité, il n'est plus qu'à moitié asiatique ; par la rapidité de son progrès technologique et l'intimité de ses liens avec les grands pays développés, il figure l'extrême de l'Occident comme de l'Orient.

Enfin, entre ces deux mondes, l'Asie du Sud-Est présente toute une palette de situations intermédiaires. C'est, dans tous les domaines, une zone de brassages et de contacts où l'on rencontre à la fois une cité-État comme Singapour, des pays profondément divisés comme la Malaisie ou les Philippines et des métropoles sub-régionales comme l'Indonésie et le Vietnam.

Si elles étaient détaillées plus longuement, ces différences feraient mieux ressortir encore l'étonnante communauté de destin qui a de plus en plus nettement caractérisé l'Asie orientale depuis la Seconde Guerre mondiale. Jusqu'alors, en effet, seuls avaient été définis comme « asiatiques » le projet impérialiste japonais et certains mouvements anti-colonialistes. Dans les années qui ont suivi, l'Asie a inquiété l'Occident par ses grands nombres : c'est aujourd'hui encore la première caractéristique de la région. Celle-ci comprend plus de la moitié de la population du globe, et les zones les plus densément peuplées de la planète. La Chine et l'Inde constituent de telles masses humaines que leur développement est un impératif pour l'ensemble de l'humanité. Si une catastrophe climatique majeure survenait dans l'un ou l'autre de ces deux pays, les organisations internationales se trouveraient démunies de moyens de secours adéquats.

C'est en Asie que se sont déroulés certains des plus épouvantables épisodes de l'histoire du sous-développement : pour ne prendre qu'un exemple, la famine qui a suivi en 1959-1962 l'échec du « grand bond en avant » chinois a coûté la vie à plus de quinze millions de personnes. Les turbulences sociales et politiques ont été extraordinairement coûteuses, d'autant qu'elles se sont souvent achevées par des conflits armés ou par des massacres : si les tueries des Khmers rouges sont encore dans les mémoires, qui se souvient du massacre de centaines de milliers de « communistes » après le coup d'État de 1965 en Indonésie ? Les guerres conduites ou financées par les puissances étrangères ont été terriblement meurtrières : que l'on pense à la guerre de Corée ou aux trois guerres qui se sont succédé depuis 1945 en Indochine : la guerre française, la guerre américaine, puis la guerre entre frères ennemis, vietnamiens et cambodgiens. Dans les années quatre-vingt, l'Asie a abrité encore deux des plus importants conflits régionaux de la planète : le conflit cambodgien et le conflit afghan.

Impulsion au développement et succès des capitalismes

Et pourtant, l'évolution globale de la région, plus de quarante ans après la fin de la Seconde Guerre mondiale, paraît avoir été positive dans trois domaines. Sur le plan économique tout d'abord. En Inde et en Chine, l'impulsion a été donnée au développement, et l'autosuffisance céréalière a été en gros atteinte, même si la famine n'a pas disparu de certaines régions. Surtout, un extraordinaire pôle de dynamisme économique est apparu en Extrême-Orient grâce au

ASIE ORIENTALE
BIBLIOGRAPHIE SÉLECTIVE

Asia Yearbook 1990, Far Eastern Economic Review Publishing Co., Hong-Kong, 1990.

« Géopolitiques en Asie des moussons », *Hérodote*, n° 49, La Découverte, Paris, 2e trim. 1988.

GOUROU P., *La Terre et l'homme en Extrême-Orient*, Flammarion, Paris, 1972.

GUILLAIN R., *Orient-Extrême*, Arlea (Seuil), Paris, 1986.

The Journal of Asian Studies (périodique).

JOYAUX F., *La Nouvelle Question d'Extrême-Orient*, Payot, Paris, 1985.

KIHL Young Whan, GRINTER L.E., *Asian-Pacific Security, Emerging Challenges and Responses*, Lynne Rienser Publishers, Boulder, Colorado, 1986.

MENDE T., *La Révolte de l'Asie*, PUF, Paris, 1951.

MYRDAL G., *Asian Drama*, 3 vol., 1968.

Pacific Affairs (périodique).

SCALAPINO R. (éd.), *Asian Security of California*, Berkeley, 1988.

ZAGORIAH D.S., *Soviet Policy in East Asia*, New Haven, Yale University Press, 1982.

Japon et aux « quatre tigres », les « nouveaux pays industrialisés » (Corée du Sud, Taïwan, Hong Kong, Singapour), qui tirent derrière eux plusieurs autres économies voisines, notamment la Thaïlande et la Malaisie.

Le succès de ces capitalismes a porté un coup fatal à l'idéologie communiste. Dans l'ensemble de l'Asie, les systèmes politiques se sont consolidés, souvent assouplis. Contre toute attente, la démocratie imposée par l'occupant américain s'est acclimatée au Japon. En Inde, les désordres et les violences n'ont pas empêché la survie d'un multipartisme discutailleur.

Dans plusieurs régimes autoritaires, la détente est fragile mais incontestable : notamment à Taïwan, en Corée du Sud et aux Philippines, où la chute de Ferdinand Marcos a laissé place à une démocratisation chaotique. Enfin, dans la Chine post-maoïste, la politique de Deng Xiaoping a engendré un progrès économique et une détente sociale qui se sont révélés explosifs au printemps 1989 ; le massacre de Tien An Men n'a pas pour autant ouvert la voie à une pétrification du régime politique. Une détente analogue, également explosive, se dessine de façon plus tardive au Vietnam.

Au reste, l'Asie orientale n'est plus l'arrière-cour des grandes puissances. Certes, les traces de la guerre froide subsistent notamment en Corée. Le conflit cambodgien s'apaise sans disparaître. Plus dangereuse, sans doute, est la poussée militaire réalisée par l'Union soviétique dans les années soixante-dix, à la faveur des maladresses chinoises et américaines : intégration au moins apparente du Vietnam réunifié dans le bloc soviétique (1978), et surtout invasion de l'Afghanistan (1979). Cette poussée s'appuyait sur un renforcement considérable de la flotte d'Extrême-Orient basée à Vladivostok.

De leur côté pourtant, instruits par leur désastre indochinois de 1975, les Américains se sont résignés à une politique plus prudente, moins coûteuse et finalement plus efficace qui réservait un rôle essentiel à leurs alliés et à leurs amis, notamment le Japon. Finalement, l'URSS de Gorbatchev a compris depuis 1985 qu'une bonne politique doit être plus souple et plus discrète. Elle a évacué l'Afghanistan et plaidé pour la paix en Indochine. Elle veut reprendre pied dans les économies asiatiques les plus dynamiques. En fait, Américains et Soviétiques laissent désormais s'opérer la montée en puissance des acteurs et des ensembles régionaux. L'issue du conflit cambodgien dépend de la Chine (dont l'URSS s'est habilement rapprochée) et du Vietnam (sur lequel son autorité est faible). Des pays comme l'Indonésie, la Thaïlande et la Corée du Sud possèdent désormais un poids régional qu'il n'est plus possible de négliger.

Montée en puissance des acteurs régionaux

Plus significatifs encore sont deux phénomènes. Le premier est la consolidation progressive de l'ANSEA (Association des nations du Sud-Est asiatique) qui regroupe six pays de l'Asie du Sud-Est (Indonésie, Malaisie, Philippines, Singapour, Thaïlande, Brunéi). Le second est l'ascension politique du Japon. Ce pays, certes, continue à privilégier chaque fois que possible une discrétion favorable au commerce. Mais dans les faits, l'importance de son rôle économique et l'augmentation de son influence internationale l'amènent à jouer un rôle croissant dans les affaires asiatiques.

Toutefois, ces évolutions demeurent inégales et fragiles. En Extrême-Orient où la situation est la plus favorable, l'hostilité entre les deux Corées motive encore le stationnement de troupes américaines au Sud. Le drame chinois bouleverse Hong Kong. Certains pays demeurent dans une situation désastreuse (Birmanie), inquiétante (Philippines) ou fragile (Indonésie). Il n'est pas certain que les idéaux démocratiques puissent remplir l'espace ouvert par la crise du communisme.

Ensuite, la situation de l'Asie méridionale demeure globalement plus médiocre. Sur le plan économique, tout d'abord : cette zone abrite des pays encore très pauvres, dont les progrès demeurent aléatoires. Sur le plan politique ensuite : le conflit indo-pakistanais se ravive et l'affaire afghane s'enlise, malgré le départ des troupes soviétiques. Par-dessus tout, la situation de l'Asie est étroitement dépendante de l'évolution intérieure de ses trois plus grands pays : Japon, Inde et Chine. Or le premier demeure très sensible aux modifications de la conjoncture économique internationale ; dans le second, le développement est fragile et l'évolution politique aléatoire ; et le troisième traverse une crise grave dont l'issue est imprévisible.

Jean-Luc Domenach

- 1989 -

4 juin. **Chine.** L'intervention brutale et sanglante de l'armée met fin aux manifestations en faveur de la démocratie commencées le 17 avril, notamment à Pékin (place Tian An Men). Mandats d'arrêt lancés contre les dirigeants étudiants (le 10). Premières exécutions (le 21) de personnes condamnées à mort suite aux manifestations.

20 juin. **Corée du Sud.** Le gouvernement interdit toute participation au XIIIe Festival mondial de la jeunesse en Corée du Nord (1er-8 juillet). Im Su Kyong, déléguée du syndicat étudiant, y participe. Elle est arrêtée le 15 août pour espionnage et condamnée le 5 février 1990 à huit ans de prison.

24 juin. **Chine.** Remaniements à la tête du Parti communiste : Jiang Zemin est nommé secrétaire général en remplacement de Zhao Ziyang révoqué.

20 juillet. **Birmanie.** Les dirigeants de l'opposition de la Ligue nationale pour la démocratie, Aung San Sun Lyi et Tin Oo, sont placés pour un an en résidence surveillée. Sept des treize membres du Comité directeur et environ 2 000 adhérents sont arrêtés.

23 juillet. **Inde.** A la Chambre basse, 106 des 140 députés de l'opposition démissionnent pour protester contre le gouvernement accusé de corruption dans le contrat d'armement avec la firme suédoise Bofors en mars 1986.

23 juillet. **Japon.** Élections sénatoriales. Le Parti libéral démocrate (P L D) perd la majorité absolue, pour la première fois depuis 1955. Il perd 33 sièges et n'en dispose plus que de 109 sur 252. Le Parti socialiste, dirigé par Mme Takako Doi, progresse de 42 à 67 sièges. Le 24, démission du Premier ministre, Sosuke Uno.

30-31 juillet. **Cambodge.** Conférence internationale de Paris sur le Cambodge. Session en présence des quatre factions khmères et des représentants de 19 pays. Réunion des commissions du 1er au 28 août. Le 30, la conférence se sépare sans être parvenue à un accord.

8 août. **Japon.** Formation d'un nouveau gouvernement dirigé par Toshiki Kaifu. Il est réélu, le 31 octobre, à la présidence du P L D pour deux ans et conserve la fonction de Premier ministre.

11 septembre. **Corée.** Le président sud-coréen, Roh Tae Woo, propose un « Commonwealth coréen » comme étape vers la réunification. De son côté, la Corée du Nord est partisan du maintien du système politique de chaque pays dans le cadre d'une confédération.

22-24 septembre. **Chine.** Tenue à Paris du congrès constitutif de la Fédération pour la démocratie en Chine formée par des opposants en exil.

26 septembre. **Cambodge.** Fin du retrait des troupes vietnamiennes.

28 septembre. **Philippines.** Mort en exil, à Honolulu, de l'ancien président Ferdinand Marcos.

5 octobre. **Tibet.** Le prix Nobel de la paix est attribué au dalaï-lama.

9 novembre. **Chine.** Démission de Deng Xiaoping de son dernier poste officiel, la présidence de la Commission militaire de l'État. Jiang Zemin est nommé à sa place.

22, 24, 26 novembre. **Inde.** Élections législatives. Aucun parti ne remporte la majorité. Sur 525 sièges à pourvoir, le parti du Congrès en obtient 193 (mais en perd 200), le Janata Dal 141, le Bharatiya Janata (pro-hindou) 88. Le Premier ministre, Rajiv Gandhi, démissionne le 29. Un gouvernement de coalition est formé le 2 décembre, par Vishwanath Pratap Singh (Janata Dal).

1er-3 décembre. **Philippines.** Tentative (la sixième) de coup d'État militaire.

2 décembre. **Malaisie.** Un accord entre le ministre de l'Intérieur et le dirigeant communiste Chin Peng met fin à 41 ans de rébellion communiste armée.

2 décembre. **Taïwan.** Élections générales. Sur les 101 sièges à pourvoir au Yuan législatif (Parlement), la représentation du Parti démocrate progressiste passe de 12 à 21 sièges, en laissant 72 au Kuomintang (Parti nationaliste) et 8 aux autres partis.

31 décembre. **Corée du Sud.** L'ex-président Chun Doo Hwan comparaît devant le Parlement pour répondre des accusations de corruption et de répression brutale durant ses années de pouvoir (1980-1988).

- 1990 -

10 janvier. **Chine.** Levée de la loi martiale à Pékin, instaurée le 20 mai 1989.

19 janvier. **Inde.** L'administration de l'État de Jammu-Cachemire — à majorité musulmane — est placée sous le contrôle de l'État fédéral pour faire face aux tensions et affrontements qu'il connaît. Les relations avec le Pakistan sont tendues.

10 février. **Corée du Sud.** Création du Parti démocratique libéral issu de la fusion du Parti de la réunification et démocratie de Kim Young Sam, du Nouveau parti républicain démocratique de Kim Jong Pil et du Parti de la démocratie et de la justice (Roh Tae Woo).

18 février. **Japon.** Élections législatives. Le PLD obtient 275 des 512 sièges (46,14 % des voix), le Parti socialiste 136 sièges (24,39 % des voix). Le 27 février, le Premier ministre, Toshiki Kaifu, est réélu par la Diète (Parlement).

18 février. **Mongolie.** Légalisation du premier parti d'opposition, le Parti démocratique mongol.

18-24 février. **États-Unis-Asie.** Tournée du secrétaire d'État américain à la Défense, Dick Cheney, en Corée du Sud, aux Philippines, et au Japon : réduction de 10 % des forces américaines en Asie (environ 120 000 hommes) d'ici trois ans.

19-21 février. **Pakistan-France.** Un accord sur la vente d'une centrale nucléaire par la France est finalement conclu lors du voyage officiel de François Mitterrand.

26-28 février. **Cambodge.** A Jakarta (Indonésie), troisième conférence « informelle » entre les quatre factions khmères et les pays de l'ANSEA : aucun accord sur un communiqué final.

13 mars. **Mongolie.** Démissions de toutes les instances dirigeantes du Parti populaire révolutionnaire (PPRM), du chef de l'État et du Premier ministre. Le 23 mars, le Grand Khoural (Parlement) met fin au rôle dirigeant du PPRM. Punsalmaagyn Otshirbat est élu chef de l'État.

21 mars. **Taïwan.** L'Assemblée nationale accorde un mandat présidentiel de six ans à Lee Teng Hui. Le général Hau Pei Tsun est nommé Premier ministre.

24 mars. **Sri Lanka.** Retrait du dernier contingent de la force indienne de « maintien de la paix » en mission d'intervention depuis le 30 juillet 1987.

4 avril. **Chine.** L'Assemblée nationale vote la loi fondamentale concernant la région administrative spéciale de Hong Kong (qui doit revenir à la Chine en 1997).

8 avril. **Népal.** Le roi Birenda lève l'interdiction des partis politiques après sept semaines de manifestations. Il dissout le 13 avril le Panchayat (Parlement). Un gouvernement de coalition est formé le 18 et des élections sont prévues d'ici un an.

23-26 avril. **Chine-URSS.** Visite officielle du Premier ministre chinois, Li Peng, en URSS, la première d'un chef de gouvernement chinois depuis 1964.

1er mai. **Chine.** Levée de la loi martiale au Tibet, en vigueur depuis le 8 mars 1989.

14 mai. **Philippines-États-Unis.** Pourparlers, à Manille, sur l'avenir des bases américaines aux Philippines.

23 mai. **Corée du Nord.** Kim II Sung est réélu chef de l'État pour quatre ans.

27 mai. **Pakistan.** Dans la province du Sind, des affrontements interethniques ont fait depuis le 14 mai plus de 200 morts, notamment à Karachi et Hyderabad.

27 mai. **Birmanie.** Élections législatives. La LND (opp.) emporte 396 sièges sur 485. 70 % de participation pour un total de 20 millions d'électeurs (résultats officiels le 1er juillet).

Martine Rigoir

Périphérie de l'Inde

BANGLADESH • BHOUTAN • INDE • MALDIVES • NÉPAL • SRI LANKA

(L'Inde est traitée p. 75. Carte de la région : p. 76.)

Bangladesh

Président du Bangladesh depuis 1982, le général Hussein Mohammad Ershad semble avoir battu un record de longévité dans ce pays où les assassinats ont été, pour ses prédécesseurs, une forme quasi banalisée de succession depuis l'indépendance du pays en 1971. Les années 1989-1990 ont marqué une consolidation certaine de sa position et un renforcement de son gouvernement.

Bangladesh
Nature du régime : présidentiel autoritaire. L'islam est religion d'État.
Chef de l'État : Hussein Mohammad Ershad (depuis 1982).
Chef du gouvernement : Kazi Jafar Ahmed (depuis le 12.8.89).
Monnaie : taka (1 taka = 0,165 FF au 30.4.90).
Langues : bengali, urdu, anglais.

L'opposition est apparue de plus en plus désunie après avoir brisé son alliance fragile, consacrée en 1988 par une plate-forme unique, et être retournée à la situation antérieure de quatre blocs distincts (la Ligue awami, le Parti national du Bangladesh (BNP), le Jamaat-i islami et les petits partis de gauche). La stratégie originale de H.M. Ershad de regrouper au sein de son gouvernement des forces antagonistes de droite et de gauche a constitué un atout politique décisif dans un contexte de clientélisme et de factionnalisme généralisé. Des groupes ont pu être amenés à rallier le parti gouvernemental (Jatyo), de manière tactique, l'accréditant ainsi. Ce renforcement a confirmé la légitimité du gouvernement au regard des puissances occidentales.

La pression internationale pour plus de démocratie a en effet été très forte. Elle a abouti, en 1989, à ce que l'organisation des élections régionales suive une marche apparemment régulière, ce qui a rendu possible l'augmentation de l'aide internationale de plus en plus indispensable à l'économie du pays. A la suite des inondations catastrophiques de 1988, le gouvernement français a participé de façon croissante à l'aide internationale en faveur de ce pays. Premier président de la République française à se rendre au Bangladesh, François Mitterrand a, lors de son séjour en février 1990, proposé des solutions aux problèmes écologiques dramatiques du Bangladesh. Le projet présenté par la Banque mondiale, auquel la France participerait à hauteur de 140 millions de francs de 1990 à 1995, prévoit l'endiguement des trois fleuves.

Une forme certaine de stabilisation politique caractérise donc cette période. La paix sociale semble notablement avoir été instaurée dans les Chittagong Hill Tracts après les accords de 1989 ; les minorités ethniques et tribales, montagnards animistes, bouddhistes et chrétiens, de cette région ont en effet vu leurs représentants reconnus par l'État et ont accédé à une administration locale autonome. Néanmoins, des résistances continuent à se manifester dans la société. En 1988, l'amendement à la Constitution faisant de l'islam la religion d'État a été contesté : différents mouvements en ont ainsi appelé à la justice et une procédure a été engagée. La décentralisation des tribunaux a dû parallèlement être annulée en 1989 après un combat juridique animé par des organisations d'avocats. Des grèves systématiques, longues et meurtrières ont frappé l'université de Dhaka, fermée pour plus d'un tiers de l'année.

D'une manière générale, l'écart entre le gouvernement et la société civile s'est creusé. Les difficultés économiques de la population s'accrois-

INDE ET PÉRIPHÉRIE

	INDICATEUR	UNITÉ	BANGLA-DESH	BHOUTAN	INDE
	Capitale		Dakha	Thimbou	New Delhi
	Superficie	km²	143 998	47 000	3 287 590
DÉMOGRAPHIE	Population (*)	million	106,51	1,48	812,0
	Densité	hab./km²	739,7	31,5	247,0
	Croissance annuelle [e]	%	2,7	2,2	2,1
	Mortalité infantile [e]	‰	119	128	99
	Espérance de vie [e]	année	50,7	47,9	57,9
	Population urbaine	%	13,2	5,1	27,5
CULTURE	Analphabétisme	%	66,9 [d]	80,0	56,5 [d]
	Scolarisation 12-17 ans	%	20,2	11,4	40,6
	3e degré	%	4,9 [c]	0,2 [f]	8,9 [h]
	Postes tv	‰ hab.	3,3 [b]	0,06	6,9 [b]
	Livres publiés	titre	1 709 [b]	..	14 965 [b]
	Nombre de médecins	‰ hab.	0,19	0,06	56,5 [d]
ARMÉE	Armée de terre	millier d'h.	90	4,0 [g]	1 100
	Marine	millier d'h.	7	—	47
	Aviation	millier d'h.	6	—	110
ÉCONOMIE	PIB [a]	milliard $	18,53	0,23	276,8 [a]
	Croissance annuelle 1980-88	%	3,6	8,7	5,5
	1989	%	5,7	..	3,5
	Par habitant [a]	$	170	170	340 [a]
	Dette extérieure [a]	milliard $	10,22	0,068	57,5
	Taux d'inflation	%	8,6	..	4,5
	Dépenses de l'État Éducation	% PIB	2,2 [c]	..	3,4 [c]
	Défense	% PIB	1,2 [b]	..	3,4
	Production d'énergie [b]	million TEC	4,9	0,001	208,6
	Consom. d'énergie [b]	million TEC	6,9	0,018	220,5
COMMERCE	Importations	million $	3 660	83,5 [c]	19 183
	Exportations	million $	1 305	25,8 [c]	15 564
	Principaux fournis.	%	Jap 15,9 [a]	Inde 86,1 [c]	CEE 30,0 [a]
		%	CEE 11,8 [a]	..	PVD 30,4 [a]
		%	PVD 34,3 [a]	..	CAEM 11,4 [a]
	Principaux clients	%	E-U 26,0 [a]	Inde 99,1 [c]	CEE 23,3 [a]
		%	CEE 28,5 [a]	..	PVD 24,5 [a]
		%	PVD 25,5 [a]	..	CAEM 20,5 [a]

sent en effet et les inégalités de plus en plus flagrantes engendrent des tensions persistantes. Ainsi, en raison de la dimension du pays et de sa démographie galopante, le nombre des paysans sans terre ne cesse de progresser sans qu'aucune solution ne puisse être envisagée. En même temps, une fraction infime des habitants continue à s'enrichir, entre autres par des exportations dans le domaine de la confection en direction des pays européens. Désabusée devant l'inefficacité des lois dans la réalité quotidienne, rendue de plus en plus méfiante face aux partis et à l'État incapables d'assurer l'ordre, la population se dépolitise et prend ses distances par rapport aux instances de représentation.

Monique Selim

MALDIVES	NÉPAL	SRI LANKA
Male	Katmandou	Colombo
298	140 797	65 610
0,21	18,44	16,81
698,0	128,0	256,2
3,2	2,5	1,3
85	128	33
60,0	50,9	70,3
20,5	9,2	21,3
5,0	74,4 [d]	12,9 [d]
••	24,2	65,1
••	4,9 [d]	4,0 [c]
20 [b]	1,4 [b]	31 [b]
••	117 [c]	2368 [c]
0,16	0,05	0,19
••		40
••	35	5,5
••		3,7
0,08 [a]	3,07	6,96
7,0	4,7	4,3
9,2	1,5	−2,1
397 [a]	170	420
0,071	1,16	5,19
••	8,2	15,1
0,6 [i]	2,8 [d]	3,8 [b]
••	1,3 [a]	3,5 [a]
—	0,063	0,27
0,038	0,41	2,1
126 [a]	600	2110
44	150	1360
Sin 55,2 [a]	E-U 13,0 [a]	Jap 13,8 [a]
Jap 9,4 [a]	Inde 18,4 [a]	CEE 17,3 [a]
CEE 7,8 [a]	CEE 17,5 [a]	PVD 55,1
E-U 22,2 [a]	E-U 21,3 [a]	E-U 25,1 [a]
Thaï 39,0 [a]	RFA 24,4 [a]	CEE 23,5 [a]
CEE 18,1 [a]	Inde 24,2 [a]	PVD 36,2 [a]

Chiffres 1989, sauf notes : a. 1988; b. 1987; c. 1986; d. 1985; e. 1985-90; f. 1984; g. 1981; h. 1983; i. 1978.

(*) Dernier recensement utilisable : Bangladesh, 1981; Bhoutan, 1969; Inde, 1981; Maldives, 1985; Népal, 1981; Sri Lanka, 1981.

Bhoutan

Le Bhoutan — petit État de l'Himalaya oriental, enclavé entre l'Inde et la Chine — a poursuivi les prudents efforts d'ouverture qui caractérisent la politique étrangère du royaume depuis la fin des années soixante. L'intensification des relations avec l'Inde a pris un nouvel élan à la suite des entretiens, début 1990 à New Delhi, entre le souverain bhoutanais, Jigme Singye Wangchuck, et les principaux membres du nouveau gouvernement indien, permettant en mars la signature d'un nouveau traité de coopération. Les accords prévoient l'ouverture sur la

Royaume du Bhoutan

Nature du régime : monarchie constitutionnelle.
Chef de l'État et du gouvernement : Jigme Singye Wangchuck (roi depuis 1972).
Monnaie : ngultrum (1 ngultrum = 0,32 FF au 30.4.90).
Langue : dzong-ka (dialecte tibétain).

BIBLIOGRAPHIE

ETIENNE G., « Les problèmes du Bangladesh », *Hérodote*, n° 49, La Découverte, Paris, 1988.

HOURS B., SELIM M., *Une entreprise de développement au Bangladesh. Le centre de Savar*, L'Harmattan, Paris, 1989.

« L'Inde, puissance régionale » (dossier constitué par C. Hurtig), *Problèmes politiques et sociaux*, n° 602, La Documentation française, Paris, 1989.

MARINO E., *Political Killings in Southern Sri Lanka*, International Alert Publications, Londres, 1989.

MATTHEWS B., « Sri Lanka in 1988 », *Asian Survey*, XXIX, n° 2, févr. 1989.

MEYER É., « La Crise sri-lankaise : enjeux territoriaux et enjeux symboliques », *Hérodote*, n° 39, La Découverte, avr.-juin 1988.

Voir aussi la bibliographie « Inde » dans la section « 34 États ».

frontière de points de passage supplémentaires facilitant le commerce entre les deux pays, et le financement par l'Inde de l'extension du complexe hydro-électrique de Chukla. En novembre 1989, le net progrès des négociations avec Pékin en vue du règlement d'un différend frontalier remontant à 1959 est venu confirmer la nouvelle détente sino-bhoutanaise.

Philippe Ramirez

Maldives

Après le coup d'État avorté de novembre 1988, qu'une intervention éclair de l'armée indienne avait permis de déjouer, les Maldives ont continué d'attirer l'attention de la

République des Maldives
Nature du régime : parlementaire, sans parti.
Chef de l'État et du gouvernement : Maumoon Abdul Gayoom (depuis le 11.11.78).
Monnaie : rufiyaa (1 rufiyaa = 0,59 FF au 30.4.90).
Langues : divehi, anglais.

diplomatie indienne. Son nouveau responsable, Inder Kumar Gujral, a effectué sa première visite officielle à Male, en février 1990 : à quelques semaines du retrait des dernières troupes indiennes de Sri Lanka, il y a réaffirmé le principe de la non-ingérence de l'Inde dans les affaires de ses voisins, en même temps que sa volonté de leur venir en aide à leur demande. La présence de l'Inde aux Maldives est donc restée discrète, mais ce pays musulman, dont les échanges s'effectuaient principalement avec les pays arabes du Golfe et Singapour, se tourne davantage vers son plus proche voisin, avec qui les communications ont été améliorées et qui entraîne les officiers de sa nouvelle armée. Pour le reste, son économie reste largement dépendante du tourisme (160 000 visiteurs pour 200 000 habitants en 1989), et les équilibres naturels et sociaux continuent de s'en trouver fragilisés.

Éric Meyer

Népal

Après la suspension d'accords de commerce et d'immigration vieux de trente-neuf ans, les échanges avec l'Inde ont été interrompus de mars 1989 à juin 1990. Depuis 1987, un ensemble de différends avaient progressivement mené à une crise diplomatique entre les deux États : sort des immigrants népalais de l'Assam, revendications des autonomistes de la région de Darjeeling, achat par le Népal d'armes à la Chine. La fermeture de la frontière indienne a rapidement annihilé les quelques progrès enregistrés par l'économie népalaise en 1988-1989, et provoqué une grave pénurie en matières premières, particulièrement en combustibles.

> **Royaume du Népal**
> **Nature du régime :** monarchie constitutionnelle.
> **Chef de l'État :** Birendra Shah (roi depuis 1972).
> **Chef du gouvernement :** Marich Man Singh Shrestha, remplacé le 8.4.90 par Krishna Prasad Bhattarai.
> **Monnaie :** roupie népalaise (1 roupie = 0,19 FF au 30.4.90).
> **Langue :** népali.

Le changement de gouvernement survenu en Inde en novembre 1989 a permis, en janvier 1990, une reprise des négociations sur le renouvellement de l'ensemble des traités. A cette occasion, l'Inde a pour la première fois répondu aux efforts du roi Birendra visant à faire reconnaître la neutralité de son pays par l'ensemble de la communauté internationale.

Le 18 février 1990, le Nepali Congress, parti libéral alors clandestin, lança une campagne pour la restauration du multipartisme. Le mouvement, soutenu par les factions communistes de l'United Leftist Front (ULF), connut une répression violente qui fit une trentaine de morts en février et mars. Le 6 avril, le gouvernement de Marich Man Singh Shrestha démissionna, pour être remplacé par un cabinet de transition composé de partisans modérés du régime, mais le même jour, une centaine de manifestants étaient abattus par l'armée à Kathmandou. Le 8 avril, l'opposition obtint du roi la formation d'un gouvernement dominé par des représentants du Congress et de l'ULF.

Philippe Ramirez

Sri Lanka

De 1988 à 1990, la situation politique n'a cessé de se dégrader dans l'ensemble de l'île, au point que Sri Lanka est devenu l'un des pays du monde où la guerre civile est la plus meurtrière — davantage qu'au Liban —, les évaluations se situant entre 12000 et 40000 victimes pour les deux années 1988-1989. Cette situation dramatique s'explique par la superposition d'une série de conflits.

> **Sri Lanka**
> **Nature du régime :** présidentiel.
> **Chef de l'État :** Ranasinghe Premadasa (depuis le 19.12.88).
> **Premier ministre :** D.B. Wijetunge (depuis fév. 89).
> **Monnaie :** roupie sri-lankaise (1 roupie = 0,14 FF au 30.4.90).
> **Langues :** cingalais et tamoul (off.), anglais (semi-off.).

La lutte entre les militants tamouls du LTTE (les Tigres de l'Eclam Tamoul) et l'armée indienne, relayée par des groupes tamouls qu'elle a armés (l'Armée nationale tamoule), s'est poursuivie jusqu'à la fin de 1989. Mais le conflit le plus meurtrier a opposé le gouvernement de Ranasinghe Premadasa issu des élections présidentielles de décembre 1988, marquées par la violence et les fraudes, et des législatives de février 1989, au JVP (Janata Vimukthi Peramuna, Front de libération du peuple). Cette organisation extrémiste cinghalaise, en dénonçant l'accord indo-sri-lankais de 1987 (aux termes duquel les troupes indiennes étaient intervenues dans l'île) comme un abandon de souveraineté, et en accusant de corruption et de trahison l'ensemble de la classe dirigeante, a obtenu l'appui d'une fraction importante de la jeunesse cinghalaise. Le JVP a lancé une campagne de terreur et d'intimidation contre les membres du parti au pouvoir, les militants de l'opposition démocratique qui avaient approuvé l'accord de 1987, puis contre les policiers, les militaires et leurs familles. En désorganisant les échanges, les services de santé et l'enseignement par des grèves répétées, le JVP a créé un intense sentiment d'insécurité que le gouvernement, après une période de désarroi, a retourné à son profit.

A partir du milieu de 1989, ce sont

les milices armées par le gouvernement qui ont pratiqué une répression brutale et sans discrimination contre les villages soupçonnés d'abriter des sympathisants du JVP, surtout dans l'extrême sud du pays ; l'armée et la police sont protégées par l'immunité que leur confèrent les lois d'exception mises en place pour lutter contre la rébellion tamoule. La multiplication des armes a entraîné une généralisation de la violence qui déborde le cadre politique : les règlements de compte crapuleux sont devenus monnaie courante.

Cependant, le gouvernement Premadasa a apparemment redressé sa situation politique. Il a d'abord obtenu, à la faveur de l'échec électoral de Rajiv Gandhi, le retrait des troupes indiennes de l'île, effectif au 31 mars 1990, ce qui a ôté à la propagande du JVP et à celle du LTTE leur principal argument. Il a ensuite négocié avec le LTTE, entre juin 1989 et février 1990, un cessez-le-feu assorti de l'engagement du LTTE d'entrer dans le processus électoral, qui s'est traduit par la prise de contrôle des régions du Nord et de l'Est par les « Tigres » au fur et à mesure de leur évacuation par les Indiens. Enfin, il a éliminé la totalité des dirigeants du JVP, y compris son chef, Rohana Wijeweera, en novembre 1989.

Mais les séquelles de la violence, combinées au délabrement de l'économie résultant de près d'une décennie de guerre et d'incurie, risquent d'être fatales à ce qui reste d'État de droit, en accentuant l'évolution politique vers une forme de dictature, à moins qu'elles n'aboutissent à un émiettement de l'autorité selon un processus de type libanais.

Éric Meyer

Indochine

BIRMANIE • CAMBODGE • LAOS • THAÏLANDE • VIETNAM

(Le Vietnam est traité p. 191. Cambodge : voir aussi p. 488.)

Birmanie

Alors que la répression s'est accentuée, les espoirs d'une démocratisation ont disparu et l'économie a continué de se dégrader. D'autre part, la dissolution du Parti communiste de Birmanie et la quasi-défaite des minorités ethniques en révolte ont introduit une certaine stabilisation. Si le gouvernement a fait quelques concessions en changeant le nom du pays en Myanmar afin de démontrer qu'il appartient à tous les habitants et pas seulement aux Birmans, et en passant une loi, le 1er juin 1989, prévoyant le multipartisme et le transfert du pouvoir à un gouvernement élu après élections, la répression a vite repris le dessus. Face à de nouvelles manifestations, les militaires se sont imposés par force. En effet, pour commémorer le début de la révolution de 1988, des manifestations étudiantes ont éclaté le 21 juin 1989, menées par Aung San Suu Kyi, secrétaire général de la Ligue nationale pour la démocratie (LND) et par l'ancien Premier ministre, U Nu, fondateur de la Ligue

Union de Myanmar
(Birmanie)

Nature du régime : dictature militaire.
Chef de l'État et du gouvernement : général Saw Maung (depuis le 18.9.1988).
Monnaie : kyat (1 kyat = 0,86 FF au 30.4.90).
Langues : birman, anglais, dialectes des diverses minorités ethniques.

INDOCHINE

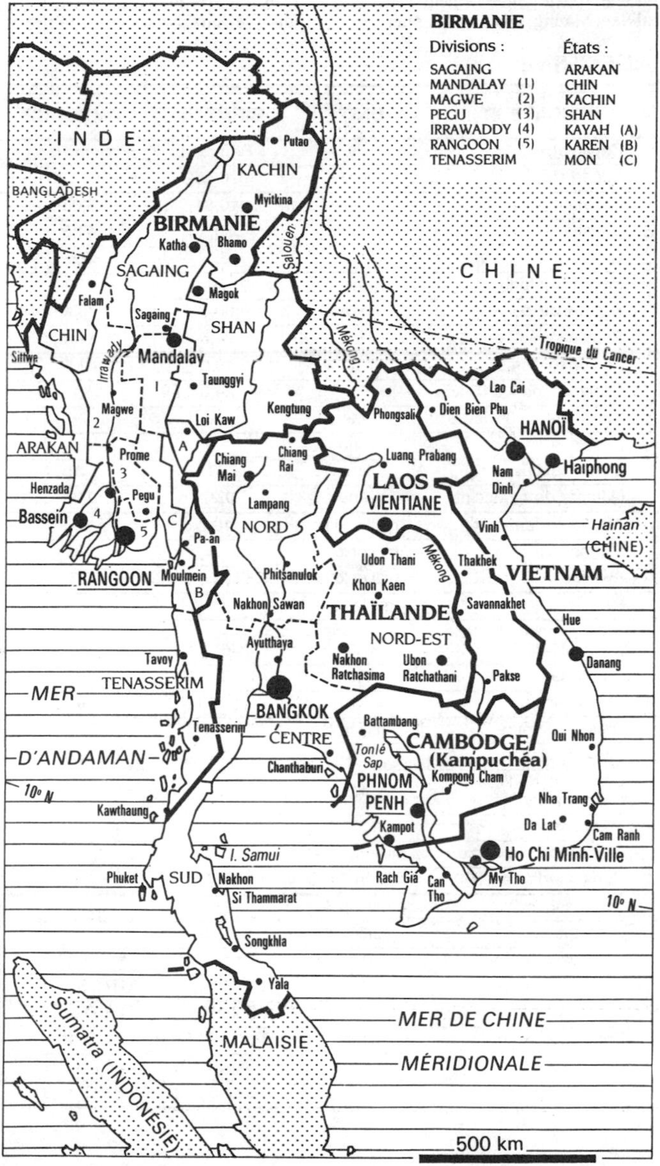

BIRMANIE
Divisions :
SAGAING
MANDALAY (1)
MAGWE (2)
PEGU (3)
IRRAWADDY (4)
RANGOON (5)
TENASSERIM
États :
ARAKAN
CHIN
KACHIN
SHAN
KAYAH (A)
KAREN (B)
MON (C)
INDE
BANGLADESH
CHINE
BIRMANIE
KACHIN
Putao
Myitkina
Katha
Bhamo
Salouen
SAGAING
Magok
Falam
Sagaing
CHIN
SHAN
Mandalay
Sittwe
Irrawady
Taunggyi
Kengtung
Mékong
Tropique du Cancer
Magwe
Loi Kaw
ARAKAN
Prome
Henzada
Pegu
Bassein
RANGOON
Pa-an
Moulmein
Chiang Mai
Chiang Rai
Lampang
NORD
Phitsanulok
Nakhon Sawan
Ayutthaya
Phongsali
Dien Bien Phu
Lao Cai
HANOÏ
Haiphong
Nam Dinh
Luang Prabang
LAOS
VIENTIANE
Vinh
Hainan (CHINE)
Udon Thani
Thakhek
VIETNAM
Khon Kaen
Savannakhet
THAÏLANDE
NORD-EST
Hue
Danang
Nakhon Ratchasima
Ubon Ratchathani
Pakse
Tavoy
TENASSERIM
MER
BANGKOK
Battambang
CENTRE
Tenasserim
D'ANDAMAN
Tonlé Sap
CAMBODGE (Kampuchéa)
Qui Nhon
Chanthaburi
PHNOM PENH
Kompong Cham
10° N
Kawthaung
Nha Trang
Da Lat
Kampot
Cam Ranh
I. Samui
Ho Chi Minh-Ville
Phuket
SUD
Nakhon Si Thammarat
Rach Gia
Can Tho
My Tho
10° N
Songkhla
Yala
Sumatra (INDONESIE)
MALAISIE
MER DE CHINE
MÉRIDIONALE
500 km

pour la démocratie et la paix (LDP). Ils ont exigé le respect des droits de l'homme par le gouvernement du général Saw Maung, à la fois Premier ministre, ministre de la Défense et des Affaires étrangères. Le 10 juillet, le nombre des manifestants a atteint 15 000, tandis que deux divisions d'infanterie

INDOCHINE

	INDICATEUR	UNITÉ	BIRMANIE	CAMBODGE
	Capitale		Rangoon	Phnom Penh
	Superficie	km²	676 552	181 035
DÉMOGRAPHIE	Population (*)	million	40,81	8,06
	Densité	hab./km²	60,3	44,5
	Croissance annuelle [e]	%	2,1	2,5
	Mortalité infantile [e]	‰	70	130
	Espérance de vie [e]	année	60,0	48,4
	Population urbaine	%	24,5	11,4
CULTURE	Analphabétisme	%	19,0	41,0
	Scolarisation 12-17 ans	%	26,0	••
	3e degré	%	••	••
	Postes tv [b]	‰ hab.	1,3	7,6
	Livres publiés	titre	673 [d]	••
	Nombre de médecins	‰ hab.	0,27	0,05
ARMÉE	Armée de terre	millier d'h.	182	42,5
	Marine	millier d'h.	9	1,0
	Aviation	millier d'h.	9	0,8
ÉCONOMIE	PIB	milliard $	8,01 [b]	0,585 [c]
	Croissance annuelle 1980-88	%	5,1	−3,2 [h]
	1989	%	3,4	••
	Par habitant	$	200 [b]	78 [c]
	Dette extérieure	million $	4 321 [a]	594 [b]
	Taux d'inflation	%	23,9	13,5
	Dépenses de l'État Éducation	% PIB	••	••
	Défense [a]	% PIB	3,2	••
	Production d'énergie [b]	million TEC	3,2	0,004
	Consom. d'énergie [b]	million TEC	2,7	0,21
COMMERCE	Importations	million $	210	150
	Exportations	million $	180	35
	Principaux fournis.	%	Jap 27,3 [a]	PCD 46,2 [i]
		%	CEE 14,2 [a]	URSS 37,0 [i]
		%	Chi 19,8 [a]	PVD 16,8 [i]
	Principaux clients	%	PVD 79,2 [a]	PCD 10,6 [i]
		%	Chi 21,2 [a]	URSS 57,6 [i]
		%	Jap 5,0 [a]	PVD 31,8 [i]

prenaient position à Rangoun. Le 20 juillet, les journalistes étrangers étaient interdits, Suu Kyi assigné à résidence ainsi que le général Tin U, président de la LND. Le 12 décembre 1989, Tin U était condamné à trois ans de prison pour incitation à la mutinerie dans les rangs de l'armée et, le 29 décembre, U Nu était assigné à son tour à résidence. A cette date, il y avait déjà 5 000 à 8 000 prisonniers politiques.

Si le gouvernement se sent si sûr de lui c'est que, au-delà des condamnations verbales, il est soutenu de l'extérieur. La Thaïlande lui apporte son appui depuis octobre 1988 pour lutter contre les Karen, ce qui lui a permis d'affirmer que cette révolte était pratiquement matée en février 1990. Puis entre mars et mai 1989, le Parti communiste birman (PCB) a éclaté lorsque ses troupes, composées uniquement de montagnards, se sont révoltées. Après s'être réfugiés en Chine, les dirigeants du Bureau politique ont été renvoyés dans l'État Kachin, en Birmanie, la Chine tenant à montrer qu'elle n'avait plus aucun lien avec eux.

Sur le plan économique, la Birmanie a accordé à la Malaisie, Singapour et Taïwan des concessions de pêche dans la mer d'Andaman. Le 3 octobre 1989, la Corée du Sud a obtenu une concession pour la recherche de pétrole dans la plaine centrale, aussitôt suivie d'accords passés avec des compagnies pétrolières des États-Unis, du Japon, du Royaume-Uni, d'Australie et des Pays-Bas. Ces contrats ont rapporté 150 millions de dollars, ce qui a permis à l'État d'acheter des munitions et de poursuivre sa répression sans soucis des pressions extérieures.

Le 27 mai 1990, pour les élections aux 486 sièges de l'Assemblée nationale, il y a eu 104 partis et 2 233 candidats. La LND (opposition) a obtenu 400 sièges et le PUN (Parti de l'unité nationale formé par les militaires) en a obtenu 50. Mais les généraux ont refusé de céder.

Martial Dassé

LAOS	THAÏLANDE	VIETNAM
Vientiane	Bangkok	Hanoi
236 800	514 000	329 556
3,97	55,45	65,68
16,8	107,9	199,3
2,5	1,5	2,2
110	39	64
48,5	65,0	61,3
18,0	22,0	21,6
16,1[d]	9,0[d]	16,0[g]
41,3	37,2	46,9
1,7[d]	19,6[d]	••
1,5	103	34
••	7 728[c]	1 930[a]
0,04	0,20	0,30
52,5	190	1 100
0,65	50	37
2,0	43	100
0,71[a]	54,47[a]	12,6[bj]
7,3[h]	5,8	6,5[h]
4,0	10,5	3,2
183[a]	1 000[a]	198[bj]
1 050	20 530	7 700[c]
12,0	6,2	39,3
2,2[c]	3,6[b]	••
••	3,2	••
0,13	11,7	5,85
0,14	26,3	7,40
209[a]	24 866	3 415[a]
58[a]	20 058	1 465[a]
URSS 66,3[d]	Jap 11,7[a]	URSS 67,2[a]
Thaï 14,0[d]	E-U 16,8[a]	PCD 17,4[a]
Jap 8,4[d]	PVD 42,3[a]	PVD 8,1[a]
Chi 41,6[d]	Jap 15,9[a]	URSS 43,8[a]
URSS 13,3[d]	E-U 20,0[a]	PCD 17,0[a]
Sin 7,6[d]	PVD 36,5[a]	PVD 25,7[a]

Chiffres 1989, sauf notes : a. 1988; b. 1987; c. 1986; d. 1985; e. 1985-90; f. 1973; g. 1980; h. 1980-86; i. 1983; j. Estimation de la CIA.

(*) Dernier recensement utilisable : Birmanie, 1983; Cambodge, 1962; Laos, 1985; Thaïlande, 1980; Vietnam, 1989.

BIBLIOGRAPHIE

Bruneau M., « La Birmanie ou la quadrature ethnique », *Hérodote*, n° 49, La Découverte, avr.-juin 1988.

Chaponnière J.-R., « Bilan des économies du Sud-Est et de l'Est asiatique en 1988 », *Industrie et Développement international*, vol. XXXVII, n° 421, 1989.

Dassé M., « La Birmanie en quête de démocratie », *Études*, n° 370/6, Paris, juin 1989.

Dassé M., « Les conflits en Asie du Sud-Est », *Études polémologiques*, n° 50, (dans le même n°, du même auteur : « Le champ de bataille au Cambodge »), oct. 1989, Paris.

Dassé M., « Birmanie : révolution et coups d'État », *Études polémologiques*, n° 51, Paris, mars 1989.

Hémery D., Nguyen Duc Nhuan , « L'Indochine en état de fragile espérance », *Le Monde Diplomatique*, n° 427, Paris, oct. 1989.

« Le Cambodge dans la guerre », *Politique étrangère*, n° 4, IFRI, Paris, hiv. 1989.

Szymusiak M., *Les pierres crieront. Une enfance cambodgienne*, La Découverte, Paris, 1988.

Taillard C., *Le Laos. Stratégie d'un État-tampon*, Éd. Reclus, Montpellier, 1989.

Voir aussi la bibliographie « Vietnam » dans la section « 34 États ».

Cambodge

En 1990, après un début de saison des pluies difficile, le gouvernement de Phnom Penh du Premier ministre Hun Sen a trouvé en la personne du secrétaire d'État américain James Baker un allié inattendu. Ce dernier a annoncé depuis Paris, le 18 juillet, à l'issue d'un entretien avec son homologue soviétique Édouard Chevardnadze, un changement spectaculaire de Washington dans le conflit cambodgien. Les États-Unis ont en effet décidé de ne plus voter en faveur du gouvernement de coalition présidé par le prince Norodom Sihanouk pour l'occupation du siège du Cambodge à l'ONU en raison de la présence des partisans de Pol Pot au sein de cette coalition.

République du Cambodge

Nature du régime : démocratie populaire à parti unique.
Chef de l'État : Heng Samrin, secrétaire général du Parti (depuis le 10.1.79).
Chef du gouvernement : Hun Sen (aussi ministre des Affaires étrangères).
Monnaie : riel (1 riel = 0,0158 FF en juin 90).
Langues : khmer, français, anglais, vietnamien.

Ce revirement diplomatique s'explique par les menaces réelles d'un retour des Khmers rouges au pouvoir par les armes et par les réactions de l'opinion publique américaine, déconcertée par la politique d'alliance trouble de Washington avec les responsables de la mort d'un million de Khmers entre 1975 et 1979. Cette décision américaine était la réponse que souhaitait Hun Sen à sa politique d'ouverture vers le monde occidental engagée au printemps 1989.

Six mois plus tôt, la tourmente qui balayait les régimes communistes de l'Europe de l'Est avait rendu caducs les accords de coopération entre le Cambodge — devenu la République du Cambodge — et un CAEM (Conseil d'assistance économique mutuelle, ou COMECON) désormais moribond.

Depuis 1980, le gouvernement de Phnom Penh bénéficiait d'une manne de l'URSS et du CAEM évaluée à un milliard, fourni à 86 % par Moscou, alors que les Occidentaux imposaient aux nouvelles autorités cambodgiennes, issues de l'intervention militaire vietnamienne contre les Khmers rouges en 1979, un blocus draconien. Mais les révolutions de l'automne 1989 en Europe centrale et orientale et la crise économique soviétique ont conduit le Cambodge à une émancipation dans des conditions incertaines. Confronté à une guerre civile sournoise dans une majorité de provinces, le régime de Hun Sen dispose néanmoins d'atouts importants pour gagner cette bataille économique de l'indépendance. En premier lieu, la Thaïlande, sous l'impulsion de son Premier ministre Chatchaï Choonhavan, a procédé à une redistribution des cartes régionales en transformant le monde indochinois d'une zone d'affrontement en une zone de commerce. Le principal bénéficiaire de ce renversement d'alliance a été le Cambodge.

Ce rapprochement entre la Thaïlande et le Cambodge a eu comme conséquence immédiate un mini-boom économique à Phnom Penh dont la population est estimée entre 800 000 et un million d'habitants. De plus, le Cambodge devait atteindre l'autosuffisance alimentaire en 1990 avec une production de paddy proche de 2 millions de tonnes (soit 1,3 million de tonnes de riz) selon le PNUD (Programme des Nations unies pour le développement), soit 80 % de la production de 1970 avant que ne débute la guerre.

Ce retour à un semblant de normalité est cependant bien fragile. Le renouveau économique ne touche en fait qu'une infime partie des 8,4 millions d'habitants. Le revenu annuel par tête d'habitant — 130 dollars — est un des plus bas du monde. *(Pour plus de détails sur le conflit, voir p. 488.)*

James Burnet

Laos

Alors que le Laos — communiste depuis 1975 — se rapprochait de plus en plus de la Thaïlande depuis 1988, une délégation vietnamienne conduite par le secrétaire général du Parti communiste du Vietnam, Nguyen Van Linh, et le Premier ministre, Do Muoi, s'est rendue à Vientiane du 2 au 5 juillet 1989 pour rappeler les « relations spéciales » entre les deux pays. *Radio Vientiane* a ensuite accusé la Thaïlande de « corrompre le peuple » par l'exportation de marchandises. En août, la même radio a annoncé que de nombreux « réactionnaires », c'est-à-dire des résistants, avaient été tués ; cela a représenté un avertissement indirect à la Thaïlande qui les soutient. Mais les mouvements de résistance ont quand même pu se développer et, le 5 décembre 1989, l'Armée lao de libération nationale (ALLN), de la province de Sayabouri, frontalière à la Thaïlande, a annoncé la formation d'un Gouvernement révolutionnaire provisoire, affirmant contrôler un tiers du pays. Il s'agit d'un mouvement monarchiste visant à rétablir sur le trône le prince Soriyavong Vonsavang, et allié aux montagnards méo du général Vang Pao. L'ALLN, engagée dans des actions de guérilla soutenues par les États-Unis et la Chine, ne comprend que quelques milliers d'hommes. Au milieu de l'année 1990, elle ne disposait pas encore de réelles « zones libérées ». Tout au long de l'année 1989, les États-Unis ont accusé le gouvernement laotien de participer à la production annuelle de 250 à 300 tonnes d'opium, ce qui a encore plus tendu les relations entre les deux pays.

République démocratique populaire du Laos

Nature du régime : démocratie populaire.
Chef de l'État : Phoumi Vongvichit (depuis sept. 87).
Chef du gouvernement : Kaysone Phomvihane, secrétaire général du Parti (depuis déc. 75).
Monnaie : kip (1 kip = 0,008 FF au 30.4.90).
Langues : lao, dialectes (taï, phoutheung, hmong), français, anglais.

Pour sortir le Laos de son isolement, le Premier ministre, Kaysone

Pomvihane, s'est rendu en Chine en octobre 1989, au Japon en novembre et en France en décembre. Ces visites se sont soldées par peu de résultats concrets. En effet, le Laos, s'alignant sur le Vietnam, a refusé de suivre l'ouverture des pays d'Europe de l'Est et a rejeté, en janvier 1990, toute idée de multipartisme.

Sur le plan économique, la situation s'est aggravée. En 1989, l'inflation a été de 60 % et la dévaluation du kip par rapport au dollar de 77 %. La production de riz a dépassé de peu le million de tonnes, provoquant une quasi-famine dans les campagnes.

Thaïlande

« L'année de l'avidité », n'ont pas hésité à proclamer des universitaires thaïlandais pour décrire l'attitude du gouvernement en 1989. Ils ont demandé au Premier ministre, le général Chatchaï Choonhavan, de mettre fin à la politique de son prédécesseur, le général Prem Tinasulanond, qu'ils accusent d'avoir construit une façade trompeuse destinée à faire croire que la Thaïlande est devenue un nouveau pays industrialisé. De fait, les conditions de vie se sont dégradées. En 1975-1976, les 10 % les plus pauvres gagnaient 2,4 % du PNB contre 1,8 % en 1986. Plus de 20 % des Bangkokiens peuplent encore les bidonvilles. De plus, l'utilisation du taux de croissance comme indice de prospérité est de plus en plus contestée car il repose principalement sur les investissements japonais (53 % des investissements étrangers en 1988, 5,8 % pour les États-Unis, 12,5 % pour Taïwan, 2,8 % pour Hong Kong et 25,9 % pour le reste du monde). En outre, le taux de croissance est calculé selon une méthode tendant à le surévaluer — 10,6 % en 1989 — tandis que l'inflation est sous-évaluée. Si officiellement elle a été de 5,1 % en 1989 elle aurait en fait atteint 8 à 10 %. L'agriculture, qui emploie 70 % de la population, n'a qu'un taux de croissance de 4,6 %.

Royaume de Thaïlande

Nature du régime : monarchie constitutionnelle et parlementaire.
Chef de l'État : roi Bhumipol Adulyadej (depuis le 10.6.46).
Chef du gouvernement : général (CR) Chatchaï Choonhawan (depuis le 8.8.88).
Monnaie : baht (1 baht = 0,21 FF au 30.4.90).
Langues : thaï (off.), chinois, anglais.

Quoi qu'il en soit, l'« avidité » économique a provoqué un déclin certain du bouddhisme dont les valeurs sont de plus en plus ignorées et la pratique en très forte baisse. La montée des écologistes s'est confirmée, ils se sont opposés, en particulier, à la construction de nombreux barrages. De plus, le problème du SIDA est devenu très inquiétant. Certaines prévisions font état d'une augmentation vertigineuse du nombre de séropositifs. On a même évoqué le seuil de 10 millions pour 1994 ! Les statistiques ont chiffré leur effectif, en 1990, à 13 000. 3,5 % des prostituées auraient déjà été touchées. Le taux le plus élevé se trouve à Chieng Maï parmi les prostituées « de bas échelon », où le taux de séropositivité aurait atteint 72 %. Les Occidentaux ont protesté de plus en plus vivement contre les difficultés à obtenir les autorisations nécessaires à leur séjour (visa, permis de travail) ou aux investissements. Ils ont demandé en octobre 1989, mais en vain, la modification de 23 lois qui minimisent les droits des étrangers en ce qui concerne la résidence et les investissements.

La Thaïlande se trouve cependant dans une situation plus stable du fait de l'auto-dissolution du Parti communiste de Malaisie dont 1 200 hommes étaient basés dans l'extrême-sud de son territoire. Son secrétaire général, Chin Peng, est venu lui-même de Pékin régler les détails de cette « paix des braves » signée le 2 décembre 1989 et suivie les 19-22 février 1990 de la destruction de toutes les armes des guérilleros.

Les rumeurs de coup d'État n'ont pratiquement pas cessé, les traditionalistes s'opposant totalement à la libéralisation intérieure du général Chatchaï. Le commandant en chef de l'armée de terre, le général Chavalit Yonchaiyuth, qui s'était discrédité en proposant, en août 1989, une loi sur la sécurité imitée des *Internal Security Acts* de Singapour et de Malaisie — qui permettent d'arrêter n'importe qui, sous n'importe quel prétexte, pour n'importe quelle durée — a démissionné le 27 mars 1990. Il a été nommé aux postes, démunis de pouvoir réel, de Vice-Premier ministre et de ministre de la Défense. Son successeur, le général Suchinda Kraprayoun, se veut apolitique et a immédiatement nommé à tous les postes clés des condisciples appartenant, comme lui, à la classe (promotion) de 1958. Ces changements ont paru apporter un nouvel équilibre entre l'armée de terre et le gouvernement.

La Thaïlande est une société en transition vers la démocratie mais est aussi une société malade, rongée par ce que certains appellent ses trois principales industries : le trafic de drogue, la prostitution et les contrefaçons industrielles.

Martial Dassé

Asie du Sud-Est insulaire

BRUNÉI • HONG KONG • INDONÉSIE • MACAO • MALAISIE PHILIPPINES • SINGAPOUR • TAÏWAN

(L'Indonésie est traitée p. 103.; les Philippines sont traitées p. 177.)

Brunéi

En juillet 1989, le jeune sultan Hassanal Bolkiah a annoncé des coupes dans les dépenses du gouvernement, le principal employeur de cet État minuscule aux immenses réserves de pétrole. Diverses mesures ont aussi été prises en vue de diversifier l'économie. Les tout premiers diplômés de l'université locale, au nombre de 170, devront contribuer à ce début de réorientation.

Sultanat du Brunéi
Nature du régime : monarchie absolue.
Chef de l'État et du gouvernement : sultan sir Hassanal Bolkiah (depuis l'indépendance, le 1.1.84).
Monnaie : dollar de Brunéi.
Langue : malais.

Ce pays hermétique a connu une intense activité diplomatique en accueillant le sommet annuel des ministres des Affaires étrangères de l'Association des nations du Sud-Est asiatique (ANSEA). Le mois suivant, en août 1989, les dirigeants des pays de l'ANSEA ont passé deux jours dans la capitale asiatique du pétrole en l'honneur du fils aîné du sultan ; ce fut l'occasion d'échanges informels sur des problèmes communs.

En janvier 1990, le monarque absolu a fait libérer six prisonniers politiques détenus depuis vingt-sept ans. Cette mesure de clémence a redoré le blason de Brunéi quelques mois après l'annonce de l'introduction de la peine du fouet. Des juges de Hong Kong avaient alors dit qu'ils n'iraient plus siéger à la Cour suprême de ce pays musulman.

Hong Kong

Dans un territoire où la méfiance était déjà grande vis-à-vis de la Chine

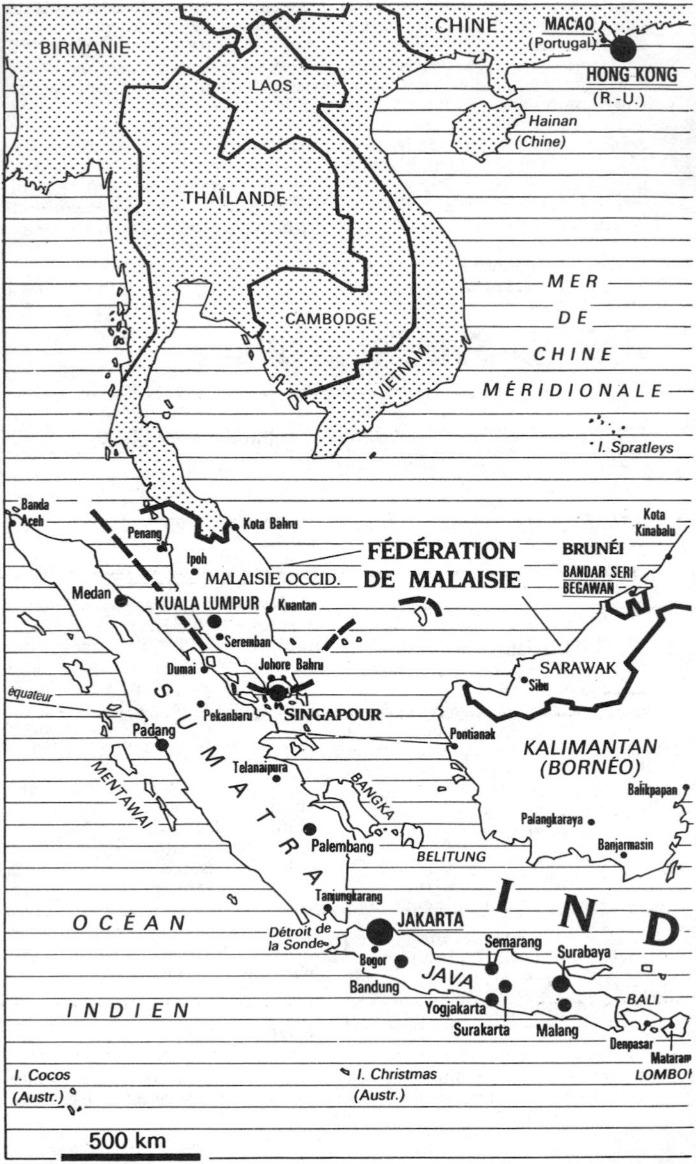
CHINE
MACAO
(Portugal)
HONG KONG
(R.-U.)
BIRMANIE
LAOS
Hainan
(Chine)
THAÏLANDE
CAMBODGE
VIETNAM
MER
DE
CHINE
MÉRIDIONALE
I. Spratleys
Banda
Aceh
Penang
Kota Bahru
Kota
Kinabalu
FÉDÉRATION
DE MALAISIE
BRUNÉI
BANDAR SERI
BEGAWAN
Ipoh
MALAISIE OCCID.
Medan
KUALA LUMPUR
Kuantan
Seremban
Dumai
Johore Bahru
SARAWAK
Sibu
équateur
SINGAPOUR
Pekanbaru
Padang
Pontianak
SUMATRA
KALIMANTAN
(BORNÉO)
MENTAWAI
Telanaipura
BANGKA
Balikpapan
Palangkaraya
Palembang
Banjarmasin
BELITUNG
Tanjungkarang
IND
OCÉAN
JAKARTA
Détroit de
la Sonde
Semarang
Surabaya
Bogor
JAVA
Bandung
BALI
INDIEN
Yogjakarta
Surakarta
Malang
Denpasar
Mataram
I. Cocos
(Austr.)
I. Christmas
(Austr.)
LOMBOK
500 km

ASIE DU SUD-EST INSULAIRE

ASIE DU SUD-EST INSULAIRE

	INDICATEUR	UNITÉ	BRUNÉI	HONG KONG	INDONÉSIE
	Capitale		Bandar S.B.	H.-Kong	Jakarta
	Superficie	km^2	5 770	1 045	1 913 000
DÉMOGRAPHIE	Population (*)	million	0,25	5,77	179,1
DÉMOGRAPHIE	Densité	hab./km^2	43,3	5 520,0	93,6
DÉMOGRAPHIE	Croissance annuelle [i]	%	3,4	1,4	1,6
DÉMOGRAPHIE	Mortalité infantile [i]	‰	11	8	84
DÉMOGRAPHIE	Espérance de vie [i]	année	71,0	76,2	56,0
DÉMOGRAPHIE	Population urbaine	%	57,7	93,1	28,1
CULTURE	Analphabétisme	%	19,7	10,0 [j]	25,7 [d]
CULTURE	Scolarisation 12-17 ans	%	..	88,0	64,1
CULTURE	3e degré	%	..	13,2 [e]	6,5 [e]
CULTURE	Postes tv	‰ hab.	174 [b]	241 [b]	40 [b]
CULTURE	Livres publiés	titre	15 [c]	..	2 052 [b]
CULTURE	Nombre de médecins	‰ hab.	0,59	1,01	0,13
ARMÉE	Armée de terre	millier d'h.	3,4	—	215
ARMÉE	Marine	millier d'h.	0,5	—	43
ARMÉE	Aviation	millier d'h.	0,3	—	24
ÉCONOMIE	PIB	milliard $	3,32 [b]	52,37 [a]	95,0
ÉCONOMIE	Croissance annuelle 1980-88	%	− 0,7	7,3	3,8
ÉCONOMIE	1989	%	2,5	4,0	6,0
ÉCONOMIE	Par habitant	$	14 120 [b]	9 230 [a]	530
ÉCONOMIE	Dette extérieure	milliard $	0,147 [b]	1,0 [c]	52,6 [a]
ÉCONOMIE	Taux d'inflation	%	2,5	9,4	6,1
ÉCONOMIE	Dépenses de l'État Éducation	% PIB	3,5 [c]	2,8 [e]	..
ÉCONOMIE	Défense	% PIB	7,2 [c]	—	1,7 [a]
ÉCONOMIE	Production d'énergie [b]	million TEC	23,2	—	131,8
ÉCONOMIE	Consom. d'énergie [b]	million TEC	2,4	10,6	47,2
COMMERCE	Importations	million $	1 256 [a]	72 155	16 057
COMMERCE	Exportations	million $	1 987 [a]	73 140	21 000
COMMERCE	Principaux fournis.	%	R-U 26,5 [a]	Jap 15,3	Jap 25,4 [a]
COMMERCE		%	Sin 36,3 [a]	PVD 56,3	E-U 12,9 [a]
COMMERCE		%	E-U 6,8 [a]	Chi 32,4	Sin 6,6 [a]
COMMERCE	Principaux clients	%	Jap 51,9 [a]	E-U 25,3	Jap 41,7 [a]
COMMERCE		%	R-U 11,6 [a]	PVD 47,6	E-U 16,2 [a]
COMMERCE		%	Cor 15,0 [a]	Chi 25,7	Sin 8,5 [a]

Chiffres 1989, sauf notes : a. 1988 ; b. 1987 ; c. 1986 ; d. 1985 ; e. 1984 ; f. 1983 ; g. Licences ; h. 1981 ; i. 1985-90 ; j. 1980.

MACAO	MALAISIE	PHILIPPINES	SINGAPOUR	TAÏWAN
Macao	Kuala Lumpur	Manille	Singapour	Taipei
16	329 750	300 000	618	35 980
0,46	16,96	60,09	2,68	20,0
28 812	51,4	200,3	4 337	555,9
4,0	2,3	2,5	1,1	1,3
13	24	45	9	7
68,0	69,5	63,5	72,8	73,0
98,7	41,5	41,8	100,0	67 [d]
••	26,6 [d]	14,3 [d]	13,9 [d]	7,4
••	68,3	71,9	85,0	••
••	6,8 [b]	38,0 [d]	11,8 [f]	22,2 [c]
••	140 [b]	36 [b]	214 [bg]	260,5
••	3 397 [c]	1 768 [b]	1 927 [e]	••
1,08	0,37	0,15	1,19	1,03
—	105	68	45	270
—	12,5	28	4,5	35,5
—	12	16	6	70
2,9 [a]	34,53 [a]	42,71	28,0	136,5
7,2	4,0	0,0	7,0	7,3
••	7,6	5,6	9,2	7,7
6 304 [a]	2 035 [a]	711	10 448	6 825
••	20,54 [a]	28,7	0,07	1,5 [a]
••	2,1	14,1	3,2	4,4
••	7,0 [b]	2,0 [b]	3,8 [b]	5,2 [c]
—	4,7 [a]	2,9	5,2	5,2
—	52,0	2,4	—	15,8 [c]
0,46	20,8	15,4	12,5	53,8 [c]
1 297 [a]	23 600	11 171	49 667	52 526
1 494 [a]	25 600	7 766	44 665	66 198
Chi 20,0 [a]	E-U 17,7 [a]	Jap 17,2 [a]	Jap 21,4	E-U 23,0
H-K 43,2 [a]	PVD 37,2 [a]	E-U 20,9 [a]	E-U 17,1	Jap. 30,7
Jap 10,4 [a]	Jap 23,0 [a]	M-O 9,5 [a]	Mal 13,2	RFA 5,0
E-U 34,1 [a]	E-U 17,3 [a]	E-U 35,7 [a]	E-U 23,3	Jap 13,7
CEE 35,5 [a]	Jap 16,9 [a]	Jap 20,1 [a]	Mal 13,7	E-U 36,2
H-K 14,0 [a]	Sin 19,3 [a]	CEE 17,7 [a]	Jap 8,5	H-K 10,6

(*) Dernier recensement utilisable : Brunéi, 1981 ; Hong Kong, 1986 ; Indonésie, 1980 ; Macao, 1981 ; Malaisie, 1980 ; Philippines, 1980 ; Singapour, 1980.

populaire, les événements de Tian An Men (juin 1989) ont eu un impact néfaste. Fait unique à Hong Kong, le 21 mai 1989, une foule estimée à un million de personnes était descendue dans les rues pour dénoncer l'instauration de la loi martiale à Pékin. En juillet 1989, la visite du chef du Foreign Office britannique dans la colonie n'a pas rassuré la population au sujet de la fermeté qu'entendait démontrer le Royaume-Uni vis-à-vis des autorités chinoises en attendant 1997, date de l'intégration de Hong Kong à la Chine. En effet, après une interruption de six mois, Londres et Pékin ont repris les discussions sur l'avenir de Hong Kong. En février 1990, Zhou Nan, le nouveau représentant de la Chine à Hong Kong, est arrivé sur place.

Début avril 1990, sous la direction de Li Peng, Premier ministre chinois, le Congrès national du peuple (Parlement chinois) a approuvé la version finale de la Loi de base, la mini-Constitution devant s'appliquer en 1997. L'exode des cerveaux n'a pas arrêté pour autant : chaque semaine, mille personnes partent pour l'étranger, dont la moitié vers le Canada. Le tourisme a chuté de 20 % mais l'économie est demeurée prospère. La fuite des capitaux, accompagnée de nombreux départs de cadres dirigeants, cause toutefois de sérieuses difficultés aux entreprises.

Malgré les déclarations de Margaret Thatcher selon lesquelles Hong Kong n'accepterait plus de réfugiés vietnamiens, et le rapatriement forcé d'une centaine d'entre eux, le problème des 52 000 « boat people » est resté entier.

Au chapitre des réformes précédant l'annexion de l'enclave britannique, les déceptions se sont multipliées. La charte des droits de la personne aura une portée très limitée, la Chine ne reconnaîtra pas la validité du deuxième passeport que détiendront les Hong-Kongais et la réforme électorale du Conseil législatif ne démocratisera pas vraiment ce petit Parlement colonial. Aussi, en avril 1990, le Parlement britannique a approuvé une loi accordant le droit de résidence à des milliers de Hong-Kongais.

Macao

Les Chinois de Macao ont vivement réagi aux événements de Tian An Men : le 21 mai 1989, 100 000 personnes ont manifesté dans les rues, soit presque le cinquième de la population. Les dénonciations n'ont toutefois pas duré. En octobre 1989, le gouverneur Carlos Melancia s'est rendu à Pékin où les autorités ont affirmé que les relations sino-portugaises n'avaient pas été perturbées. Lisbonne a même officiellement invité le président chinois Yang Shangkun à se rendre au Portugal.

Au début de sa dernière décennie à Macao (qui reviendra à la Chine en 1999), l'administration portugaise consolide l'infrastructure du territoire. Après l'inauguration d'un tunnel, la construction de l'aéroport, a commencé en septembre 1989. A la présence de la Chine à Macao, s'ajoute maintenant celle de Taïwan. En plus des nombreux touristes (transitant vers la Chine), les hommes d'affaires taïwanais investissent beaucoup et un consulat officieux a été ouvert. Le problème social le plus grave demeure celui des illégaux chinois, dont le nombre est estimé à au moins 100 000. Le 29 mars 1990, au cours d'une journée qui a tourné en émeute et fait 200 blessés, 45 000 d'entre eux ont réussi à obtenir le droit de résidence. Malgré l'échéance de 1999.

Malaisie

En 1989-1990, l'harmonie politique a prévalu dans ce pays où l'économie florissante suscite les plus grands espoirs. Les relations entre le nouveau souverain, sultan Azlan Muhibuddin, et le Premier ministre, Datuk Seri Mahathir, ont été bonnes et celui-ci a fait face à moins d'opposition que dans le passé. Un adoucissement de la loi de la sécurité interne a été suivi de la fondation d'une ligue des droits de la personne. La sévérité a cependant prévalu pour les trafiquants de drogue, avec par exemple, le 21 juillet 1990, la pendaison du Britannique Derrick Gregory. En décembre 1989, a éclaté le scandale des cassettes de pornographie, impliquant des députés, qui a défrayé la chronique pendant plusieurs semaines. Dans l'attente d'élections qui pourraient avoir lieu avant la fin de 1990, le Premier ministre et les partis politiques ont fourbi leurs armes. L'ex-ministre des Finances, Tengku Razaleigh, est apparu comme le principal rival du Premier ministre.

Fédération de Malaisie

Nature du régime : monarchie constitutionnelle.
Chef de l'État : Tuanku Mahmood Iskandar al-Hadj, remplacé le 26.4.90 par sultan Azlan Muhibuddin Shah.
Chef du gouvernement : Datuk Sari Mahathir Mohamad (depuis le 16.7.81).
Monnaie : ringgit (1 ringgit = 2,08 FF au 30.4.90).
Langues : malais, chinois.

Une grande harmonie a régné aussi sur la scène diplomatique. Les rencontres ont été fréquentes avec les autres membres de l'ANSEA (Association des nations du Sud-Est asiatique) et un sommet du Commonwealth tenu à Kuala Lumpur en octobre 1989 a réconcilié la Malaisie avec cette organisation. Comme c'est le cas dans les pays voisins, les réfugiés vietnamiens qu'on estime avoir fui le pays pour « motifs économiques » ont été repoussés à la mer.

La vigueur de la croissance économique a procuré à la Malaisie un préjugé bienveillant de la part de plusieurs pays européens, du Japon (premier investisseur), de Taïwan (le deuxième) et des États-Unis. Avec un revenu annuel par habitant dépassant maintenant deux mille dollars, la Malaisie se prépare à devenir un « nouveau pays industrialisé » ; ce titre lui fera cependant perdre des privilèges commerciaux. L'ombre au tableau a été la faillite de la deuxième banque du pays, mais les dégâts ont été limités par l'intervention de la puissante compagnie pétrolière Petronas. La « Nouvelle politique économique » doit expirer à la fin de 1990 et déjà le débat pour savoir si le gouvernement doit continuer à favoriser de façon autoritaire le groupe majoritaire malais, aux dépens des Chinois, a été lancé.

Singapour

Le renvoi de milliers d'immigrés illégaux à l'étranger en mai 1989, puis l'autorisation de leur retour, a souligné le problème de la pénurie de main-d'œuvre à Singapour. Un grave exode des cerveaux et une croissance démographique presque nulle font comprendre pourquoi le gouvernement a fait appel à 100 000 Cantonais de Hong Kong en juillet 1989. Le souci de maintenir un équilibre racial et religieux (entre Chinois, Malais et Indiens) l'a cependant amené à limiter l'immigration massive. L'économie a été florissante avec un taux de croissance de 9,2 % en 1989 et un regain dans l'industrie de la construction. Par habitant, Singapour possède des réserves de devises étrangères supérieures à celles de la Suisse ou de Taïwan.

Sur le plan diplomatique, les relations se sont améliorées avec les États-Unis. Le chef du gouvernement, Lee Kuan Yew, s'est attiré des critiques des pays voisins (Malaisie

Singapour

Nature du régime : « démocratie » parlementaire contrôlée par un parti dominant.
Chef de l'État : Wee Kim Wee (président, depuis sept. 85).
Chef du gouvernement : Lee Kuan Yew (depuis 1959).
Monnaie : dollar de Singapour (1 dollar = 3,00 FF au 30.4.90).
Langues : chinois, malais, anglais, tamoul.

BIBLIOGRAPHIE

CHAPONNIÈRE J.-R., « Bilan des économies du Sud-Est et de l'Est asiatique en 1988 », *Industrie et Développement international*, vol. XXXVII, n° 421, 1989.

DUMONT R., *Taïwan, le prix de la réussite*, La Découverte, Paris, 1987.

GENTELLE P. (sous la dir. de), *L'état de la Chine*, La Découverte, « L'état du monde », Paris, 1989.

LE CORRE P., « Taïwan fait une cure de démocratie », *Le Monde Diplomatique*, n° 429, Paris, fév. 1990.

MARGOLIN J.-L., *Singapour 1959-1987. Genèse d'un nouveau pays industriel*, L'Harmattan, Paris, 1989.

NADEAU J., *Hong-Kong 1997 : in the Mouth of the Red Dragon*, Québec/Amérique, Montréal (à paraître).

NADEAU J., *Vingt millions de Chinois « Made in Taïwan »*, Québec/Amérique, Montréal, 1988. Diffusion pour l'Europe : Vander (Bruxelles).

Voir aussi les bibliographies « Indonésie » et « Philippines » dans la section « 34 États ».

et Indonésie) lorsqu'il a offert aux États-Unis d'aménager une base militaire sur son territoire. Néanmoins, les relations avec la Malaisie et l'Indonésie se sont améliorées au point où des manœuvres militaires conjointes ont eu lieu.

En ce qui concerne les libertés civiles, un dissident politique a été libéré après 22 ans de prison. Mais l'avocate Teo Soh Lung et Vincent Cheng, tous deux accusés de complot marxiste en 1987, n'ont pas été relâchés et ont attiré régulièrement l'attention des médias occidentaux. Lee Kuan Yew, chef suprême de la petite république, a déclaré à la *BBC* (British Broadcasting Corporation) qu'il voulait prendre sa retraite à la fin de 1990, année du 25e anniversaire de la cité-État. Son dauphin demeure l'actuel « numéro deux », Goh Chok Tong. En mars 1990, le gouvernement a annoncé son intention de rendre le poste de président (traditionnellement honorifique) électif. Agé de 66 ans, Lee Kuan Yew a affirmé ne pas s'y intéresser.

Taïwan

Encouragés par le gouvernement, les insulaires ont manifesté un soutien massif aux étudiants de la place Tian An Men. Les autorités politiques se sont toutefois gardées de condamner de façon trop virulente la répression communiste. Les communications téléphoniques et postales ont alors été rétablies avec le continent. Après une période d'incertitude, les touristes ont repris le chemin du continent. Même phénomène chez les hommes d'affaires qui cherchent une main-d'œuvre peu coûteuse et investissent de plus en plus en Chine. La nouvelle que le richissime Y.C. Wang, le roi du plastique, a fait des affaires en Chine a semé la consternation. En 1989, le commerce Taïwan-Chine a augmenté de 30 % pour atteindre trois milliards de dollars.

Taïwan
(République de Chine)

Nature du régime : présidentiel autoritaire en voie de libéralisation.
Chef de l'État : Lee Teng-hui, président depuis janv. 1988.
Chef du gouvernement : Yo Kuohwa remplacé par Hau Pei Tsun le 18.5.90.
Monnaie : nouveau dollar de Taïwan.
Langue : chinois.

Malgré des mœurs politiques peu exemplaires, les élections de décembre 1989 ont fait progresser la *glasnost* (transparence). Le Parti du progrès démocratique (PPD) a enregistré des gains déterminants. Vingt candidats de la faction autonomiste du PPD ont ouvertement milité en faveur d'une République de Taïwan

— au grand déplaisir des leaders de Pékin. En mars 1990, le président Lee Teng Hui a été confirmé dans ses fonctions, mais les plus importantes manifestations d'étudiants des dernières décennies ont marqué l'événement. Les jeunes ont demandé le départ des vieux législateurs et le suffrage universel pour l'élection du président.

Sur le plan diplomatique, les nationalistes sont devenus à la fois plus agressifs et surtout plus souples. Ainsi, Taïwan a gagné trois nouveaux « alliés » (Bélize, Grenade, Libéria), soit, en mai 1990, un total de vingt-six. De plus, l'aide économique de Taipei constitue une arme diplomatique efficace. Quelques pays voisins, comme les Philippines, font une cour assidue aux capitaux taïwanais.

L'économie du pays a continué de progresser. Le taux de croissance en 1989 a été, comme en 1988, de 7 %. Les exportations ont atteint des niveaux sans précédent et les capitaux ont afflué vers l'étranger. Ces bonnes performances ont poussé les gens de tous les milieux à jouer en Bourse de façon désordonnée.

Jules Nadeau

Asie du Nord-Est

CORÉE DU NORD • CORÉE DU SUD • JAPON • MONGOLIE

(La Corée du Sud est traitée p. 186; le Japon est traité p. 85. Cartes : voir p. 66-67 et p. 359.)

Corée du Nord

La Corée du Nord est restée apparemment insensible aux vents du changement venus d'Europe de l'Est. Mais les observateurs ont été unanimes à prévoir qu'une évolution serait inévitable à terme.

République populaire démocratique de Corée

Nature du régime : démocratie populaire, parti unique (Parti des travailleurs coréens).
Chef de l'État : Kim Il Sung, président (depuis sept. 48).
Premier ministre : Yon Hyong Muk (depuis fév. 89).
Monnaie : won (1 won = 5,84 FF en juin 90).
Langue : coréen.

Un des événements les plus marquants de l'année 1989 a été le Festival mondial de la jeunesse tenu en juillet avec la participation de 30 000 personnes venues de 179 pays. Il a été conçu comme une réplique au succès des Jeux olympiques de Séoul en septembre 1988. Si ceux-ci ont consacré la Corée du Sud sur le plan international, le Festival de Pyongyang a signalé le désir de la Corée du Nord de sortir de son isolement.

En politique intérieure, ce sont naturellement les changements intervenus dans les « démocraties populaires » européennes qui ont préoccupé les dirigeants nord-coréens. En août 1989, *Radio Pyongyang* a fait état d'une lutte idéologique au sein du Parti du travail dirigée contre un courant qui tentait de « souiller la ligne juste ». Elle a précisé que Kim Jong Il, fils du président et dauphin, en est sorti vainqueur. Mais alors qu'une rumeur persistante, au début 1990, prêtait au président, Kim Il Sung, l'intention de passer le pouvoir à son fils, il n'en a rien été. On a cru pouvoir en déduire que Kim Il Sung a du mal à légitimer son fils comme héritier. Ainsi, il semble qu'il existerait, au sein du Parti, un groupe de personnes sensible au vent « libéral » qui souffle dans le monde communiste. Le système est resté apparemment verrouillé, mais des observateurs étrangers ont pu consta-

ASIE DU NORD-EST

	INDICATEUR	UNITÉ	CORÉE DU NORD	CORÉE DU SUD
	Capitale		Pyongyang	Séoul
	Superficie	km^2	120 538	99 484
DÉMOGRAPHIE	Population (*)	million	22,4	42,4
	Densité	hab./km^2	186,0	426,0
	Croissance annuelle [d]	%	2,4	1,2
	Mortalité infantile [d]	‰	24	25
	Espérance de vie [d]	année	69,3	69,3
	Population urbaine	%	66,1	70,6
CULTURE	Analphabétisme	%	..	2,0
	Scolarisation 12-17 ans	%	..	84,9
	3e degré	%	..	36,5 [a]
	Postes tv	‰ hab.	12 [b]	194 [b]
	Livres publiés	titre	..	44 288 [b]
	Nombre de médecins	‰ hab.	2,38 [a]	1,00
ARMÉE	Armée de terre	millier d'h.	930	550
	Marine	millier d'h.	40	60
	Aviation	millier d'h.	70	40
ÉCONOMIE	PIB	milliard $	20,0 [ag]	185,1
	Croissance annuelle 1980-88	%	9,5 [f]	9,2
	1989	%	2,0	5,5
	Par habitant	$	910 [ag]	4 365
	Dette extérieure [a]	milliard $	5,2	37,2
	Taux d'inflation	%	..	5,1
	Dépenses de l'État Éducation	% PIB	..	4,2 [b]
	Défense	% PIB	8,9 [a]	5,0 [a]
	Production d'énergie [b]	million TEC	50,6	21,4
	Consom. d'énergie [b]	million TEC	57,9	74,2
COMMERCE	Importations	million $	3 220 [a]	61 300
	Exportations	million $	2 335 [a]	62 331
	Principaux fournis.	%	Jap 8,2 [a]	Jap 30,7 [a]
		%	Chi 11,8 [a]	E-U 24,6 [a]
		%	URSS 60,3 [a]	PVD 25,0 [a]
	Principaux clients	%	Jap 9,1 [a]	E-U 35,3 [a]
		%	Chi 6,6 [a]	Jap 19,8 [a]
		%	URSS 34,0 [a]	PVD 24,6 [a]

ter que les intellectuels évoquaient, en privé, des questions autrefois taboues telles que les « éventuelles contradictions du socialisme ».

JAPON	MONGOLIE
Tokyo	Oulan-Bator
372 313	1 565 000
123,1	2,16
330,7	1,4
0,4	3,1
5	45
78,1	63,5
76,9	51,1
0,3	7,4 [o]
..	87,2
28,3 [b]	21,7 [c]
587	59,9 [a]
44 686 [c]	6 699 [a]
1,6 [b]	2,70 [a]
156	21
44	—
46	0,5
2 929,3	1,7 [eg]
4,0	6,7 [f]
4,8	..
23 796	880 [eg]
..	..
2,6	..
5,0 [c]	..
1,0	10,9 [b]
49,1	3,0
452,9	3,6
209 715	2 203 [a]
273 932	720 [a]
E-U 23,0	CAEM 95,7 [a]
CEE 13,4	PCD 2,1 [a]
PVD 48,1	PVD 2,2 [a]
E-U 34,0	CAEM 92,0 [a]
CEE 17,5	PCD 5,2 [a]
PVD 38,2	PVD 2,8 [a]

Dans ces conditions, il n'est pas étonnant que les événements de Roumanie aient été un choc pour le régime nord-coréen, d'autant plus que les deux régimes ont maintenu jusqu'au dernier moment des liens étroits : le Premier ministre, Yon Hyong Muk, et le ministre des Affaires étrangères, Kim Yong Nam, ont visité la Roumanie, respectivement en novembre et en décembre 1989. Mais le 27 décembre, deux jours après l'exécution des Ceausescu, Pyongyang reconnaissait le gouvernement provisoire roumain au nom du « respect du choix du peuple ». Toutefois, les autorités décidaient, le 4 janvier 1990, le rapatriement de 1 700 étudiants nord-coréens d'Europe de l'Est, dont 800 de Tchécoslovaquie.

La situation économique ne s'est pas améliorée en 1989-1990. Le Premier ministre a indiqué lors de la réunion nationale des innovateurs de la production, fin février 1990, neuf secteurs qui demandent une accélération particulière : charbon et autres minéraux, énergie, métallurgie, machines-outils, électronique, chemins de fer, industrie légère, construction et biens de consommation.

Sur le plan diplomatique également, l'année 1989 a été mauvaise pour la Corée du Nord. Le succès de la *Nordpolitik* de Séoul (vis-à-vis de l'URSS et de l'Europe de l'Est) et sa percée dans le tiers monde ont fait apparaître Pyongyang plus isolé que jamais dans son propre camp. Toutefois, la Corée du Nord a réussi à établir des contacts directs avec les États-Unis : depuis décembre 1988, plusieurs rencontres ont eu lieu à Pékin entre le conseiller politique de l'ambassade des États-Unis et son homologue nord-coréen. En novem-

Chiffres 1989, sauf notes : a. 1988; b. 1987; c. 1986; d. 1985-90; e. 1985; f. Produit matériel net; g. Estimation de la CIA.

(*) Dernier recensement utilisable : Corée du Nord, 1944; Corée du Sud, 1985; Japon, 1985; Mongolie, 1979.

BIBLIOGRAPHIE

REVET, « Un regard sur la Corée », *Le Courrier de l'A C A T*, n° 97, Paris, 1989.

Voir aussi les bibliographies « Corée du Sud » et « Japon » dans la section « 34 États ».

bre 1989, Gaston Sigur (département d'État) s'est rendu à Pyongyang puis, en mars 1990, le vice-ministre nord-coréen des Affaires étrangères s'est rendu à l'université de Stanford à la tête d'une délégation pour participer à une conférence sur le désarmement. En mai 1990, la Corée du Nord a restitué aux États-Unis cinq dépouilles de soldats américains disparus pendant la guerre de Corée (1950-1953). Les États-Unis ont, semble-t-il, mis un terme à leur politique d'ostracisme à l'égard de la Corée du Nord, ce qui a marqué un développement important, bien que peu remarqué, dans les relations entre les deux pays.

Mongolie

La *perestroïka* (restructuration) à la mongole, décidée par le Parti populaire révolutionnaire mongol (communiste) en décembre 1988, a donné quelques résultats concrets. Elle a abouti à la suppression du monopole du pouvoir du Parti en février 1990, lorsque l'Union démocratique, groupe d'opposition créé en décembre 1989, s'est transformée en Parti démocratique mongol. De plus, l'abolition du principe du rôle dirigeant du Parti s'est accompagnée du renouvellement des dirigeants : le 15 mars 1990, Jambyn Batmönh a été remplacé par Gomboshavyin Otshirbat au poste de secrétaire général tandis que, le 21 mars, le Parlement élisait Punsalmaagyn Otshirbat et Chavaryn Gungaadorji, respectivement chef de l'État et Premier ministre.

République populaire de Mongolie

Nature du régime : démocratie populaire en transition vers un régime pluraliste depuis février 1990.
Chef de l'État : Jambyn Batmönh remplacé par Punsalmaagyn Otshirbat le 21.3.90.
Premier ministre : Dumaagiyn Sodnom remplacé par Chavaryn Gungaadorji le 21.3.90.
Monnaie : tugrik (1 tugrik = 1,90 FF en juin 90).
Langue : mongol.

Sur le plan diplomatique, le retrait partiel des troupes soviétiques s'est poursuivi par étapes, tandis que l'opposition réclamait une révision des relations avec l'URSS. La visite à Pékin du chef de l'État mongol, en mai 1990, a achevé la normalisation des relations avec la Chine, naguère prisonnières du conflit sino-soviétique. Enfin, pour la première fois, en mai 1989, un ministre des Affaires étrangères du Japon, Sosuke Uno, s'est rendu en Mongolie.

Bertrand Chung

ASIE DU NORD-EST

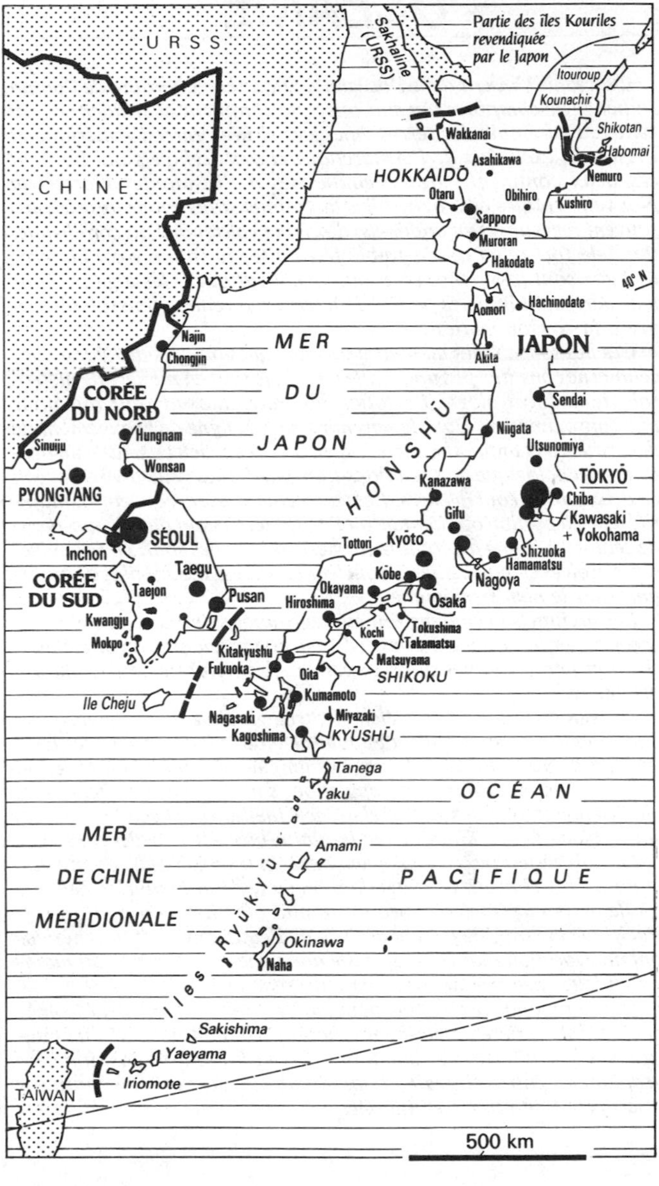

OCÉANIE

L'Océanie s'inscrit dans l'océan Pacifique et en bordure de l'océan Indien; elle comporte, au sud-ouest, le continent australien, et, au centre, l'ensemble des terres émergées situées entre l'Amérique et l'Asie, à l'exclusion de l'Antarctique et des archipels qui bordent ces deux continents, des Aléoutiennes à l'Insulinde. Hormis la Nouvelle-Guinée, il s'agit d'îles aux dimensions modestes, le plus souvent regroupées en archipels, d'origine volcanique ou corallienne, donc de fort relief ou de faible fécondité; la faune y est pauvre; les eaux sont très riches en produits halieutiques; les lagons, pour leur part, sont infectés par la ciguaterra qui rend le poisson impropre à la consommation.

Ces îles sont situées aux latitudes tropicales ou près de l'équateur; celui-ci ne constitue pas une limite repérable sauf en matière de météorologie ou d'hydrologie. La notion de « Pacifique sud » apparaît donc très approximative. Dans le sens nord-sud, la ligne de changement de date située aux antipodes du méridien de Greenwich constitue un obstacle psychologique aux relations transpacifiques; elle divise l'océan en deux parties équivalentes. Les terres émergées se trouvent en majorité dans la portion occidentale du Pacifique, surtout dans le sud-ouest de celui-ci. Le long du continent américain, les îles sont, en revanche, rares, isolées et minuscules, ce qui leur confère d'autant plus d'importance sur le plan stratégique.

Les archipels océaniens ont été regroupés selon des données anthropologiques ou naturelles. L'Australie a échappé à cette classification par ses dimensions et par la spécificité de sa population originelle.

La région voisine est la Mélanésie, triangle situé dans l'hémisphère Sud, pointé vers le sud, de la Papouasie-Nouvelle-Guinée et des Fidji jusqu'à la Nouvelle-Calédonie. Les langues mélanésiennes n'étant pas intercommunicables, les populations sont compartimentées; elles entretiennent avec le sol des relations rituelles et collectives fondées sur le clan. Leur contact avec la haute mer est peu développé.

La Polynésie s'inscrit également dans un triangle, mais pointé vers le nord, sur Hawaii, et s'étendant au sud, de la Nouvelle-Zélande à l'île de Pâques; elle est beaucoup plus étendue, couvrant tout le Pacifique central, de part et d'autre de l'équateur. Les Polynésiens ont une vocation maritime. Il existe donc une communauté au moins potentielle, liée par la tradition culturelle et par la langue.

La Micronésie possède une population à dominante polynésienne; elle est tout entière dans l'hémisphère Nord, composée d'une multitude d'îles minuscules; son importance est liée à sa position géographique, entre Hawaii et les archipels bordant le continent asiatique, Philippines et Indonésie.

L'Océanie partagée

Des groupes humains atomisés ne pouvaient résister aux influences extérieures. L'éloignement de l'Europe fut la protection provisoire de sociétés qui constituèrent parfois de véritables royaumes comme à Hawaii, au Tonga ou à Tahiti. Les Occidentaux explorèrent ces régions lointaines, surtout au XVIII*e siècle. Puis vint, à la fin du* XIX*e siècle, la phase de l'occupation et du partage, l'Espagne étant évincée par les États-Unis et l'Allemagne. Les Japonais occupèrent les lambeaux de l'empire allemand dès 1914 et les gardèrent sous leur autorité jusqu'à la Seconde Guerre mondiale.*

Au nord de l'équateur, l'Océanie est donc devenue un « lac américain » ; Hawaii est le cinquantième État des États-Unis depuis 1959 et Washington a négocié avec les archipels de Micronésie des statuts qui ménagent ses intérêts stratégiques. Les archipels de Polynésie méridionale et de Mélanésie ont été partagés entre la France et l'Angleterre ; cette dernière a transmis son influence à ses dominions « blancs » : Australie et Nouvelle-Zélande, même si tous les archipels ayant appartenu à l'empire britannique ont accédé à l'indépendance formelle entre 1962 et 1980. La France a maintenu son autorité sur ses territoires d'outre-mer par la Constitution de 1958.

La Nouvelle-Zélande et l'Australie sont riches de leur agriculture et, pour la seconde, de ressources minérales ; celles-ci sont également présentes dans de nombreuses îles ; elles constituent, avec les produits tropicaux, l'essentiel des ressources ; quant à la pêche, elle est pratiquée par les armements étrangers, sans profit pour les populations, sauf des redevances payées aux gouvernements locaux. Des immigrants furent amenés comme main-d'œuvre par les pouvoirs coloniaux, introduisant des frictions ethniques. Ces tensions sont aggravées par une forte croissance démographique.

L'intrusion de l'Occident a bouleversé le monde océanien, mettant fin à un équilibre traditionnel déjà fragile. Les missionnaires ont contribué à une restructuration de ces sociétés ; la religion y est omniprésente, parfois sous des formes aberrantes. Un développement tardif et massif, à coups de subventions et d'investissements, a introduit les populations dans l'économie monétaire débouchant sur des aspirations à la consommation. Les jeunes générations sont contraintes à l'émigration ou rejetées dans la délinquance ou les pratiques déviantes. Les sociétés océaniennes, quel que soit leur statut politique, apparaissent aujourd'hui décentrées et dépendantes ; elles sont en danger de dépersonnalisation sur le plan socio-culturel.

La curée des Grands

Les territoires océaniens sont victimes des rivalités qui se manifestent entre les grandes puissances, notamment celles qui sont riveraines du Pacifique. Les États-Unis et l'Union soviétique semblent

BIBLIOGRAPHIE

« Australasie », *Hérodote*, n° 52, La Découverte, Paris, 1er trim. 1989.

CHESNEAUX J., *Transpacifiques*, La Découverte, Paris, 1987.

FMI, *Rapport du fonds sur l'évolution économique de sept États insulaires du Pacifique, Bulletin du FMI*, vol. XVIII, n° 3, 1989.

GOMANE J.-P., « Tristes tropiques dans le Pacifique », *L'Afrique et l'Asie modernes*, n° 159, hiver 1988-1989.

GUICHONNET P., *Iles du Pacifique, paradis perdu*, Arthaud, Paris-Grenoble, 1976.

INSTITUT DU PACIFIQUE, *Pacifique, nouveau centre du monde*, Berger-Levrault, Paris, 1987.

LEIBOWITZ A., *Defining Status : A Comprehensive Analysis of the United States Territorial Relations*, Khmer Academic Publishers Hingham, MA, 1989.

PANOFF M., *Tahiti Métisse*, Denoel, « Destinés croisés », Paris, 1989.

PLENEL E., ROLLAT A., *Mourir à Ouvéa*, La Découverte-Le Monde, Paris, 1988.

PONS X., *Le Géant du Pacifique*, Economica, Paris, 1988.

« Renaissance du Pacifique », *Ethnies*, n° spéc., vol. IV, n° 8-10, Paris, 1989.

TRISTAN A., *L'Autre Monde. Un passage en Kanaky*, Gallimard, Paris, 1990.

« Vanuatu : une économie prise dans l'étau de la culture et du modernisme », *Le Courrier ACP-CE*, n° 113, Dieter Frisch, Bruxelles, 1989.

Voir aussi la bibliographie « Australie » dans la section « 34 États ».

attacher une importance croissante à cette aire maritime. La Chine y est déjà présente par des peuplements minoritaires, le Japon y développe ses activités de coopération économique. Par le biais de la Convention de Lomé, les pays de la Communauté économique européenne sont liés à huit pays du Pacifique.

Les autres riverains, du Canada à l'Indonésie, adoptent une politique fort active. L'Australie et surtout la Nouvelle-Zélande, qui possède une population polynésienne importante — les Maoris —, s'estiment investies d'une responsabilité historique.

Les institutions régionales ont incité à une réelle coopération en vue de résoudre des problèmes qui apparaissent communs malgré les clivages de langue, de statut, d'idéologie. La Commission du Pacifique sud, créée en 1948, rassemble les partenaires de la région et les grandes puissances qui y exercent des responsabilités. Pour échapper à ces dernières, les riverains ont formé, en 1972, le Forum du Pacifique sud dont les grandes puissances sont exclues et où la France a été mise en cause tant en raison de sa présence nucléaire en Polynésie que de sa politique en Nouvelle-Calédonie. Mais depuis que le gouvernement a montré sa volonté de faire évoluer le statut de ce territoire et de réduire ses activités nucléaires, la présence de la France semble mieux supportée par l'environnement international.

Jean-Pierre Gomane

OCÉANIE / JOURNAL DE L'ANNÉE

- 1989 -

1er mai. **Papouasie-Nouvelle-Guinée.** Arrêt de l'exploitation des mines de cuivre de l'île de Bougainville en raison de l'insécurité régnant dans l'île.

4 mai. **Nouvelle-Calédonie.** Jean-Marie Tjibaou et Yéwéné Yéwéné, leaders du FLNKS, sont assassinés par Djoubelly Wéa, membre du Front uni de libération kanak, dans l'île d'Ouvéa.

14 juillet. **Nouvelle-Calédonie.** Mise en fonction des institutions régionales prévues par les accords de Matignon.

7 août. **Nouvelle-Zélande.** Démission du Premier ministre, David Lange, remplacé par le Vice-Premier ministre, Geoffrey Palmer.

17-26 août. **Territoires d'outre-mer du Pacifique.** Michel Rocard, Premier ministre français, visite les trois territoires (Nouvelle-Calédonie, Wallis et Futuna et la Polynésie) après s'être rendu en Australie et à Fidji.

20 octobre. **Australie - France - Nouvelle-Zélande.** Les gouvernements de Canberra et de Paris déclarent s'opposer au plan proposé par la Nouvelle-Zélande d'exploitation minière de l'Antarctique et préconisent l'établissement d'une réserve naturelle.

5-7 novembre. **APEC (Coopération économique Asie-Pacifique).** Réunion de douze pays riverains du Pacifique à Canberra. Accord sur le principe d'une coopération économique.

22 novembre-18 janvier. **Micronésie.** A 800 milles à l'est des îles Mariannes, début de la campagne internationale « *Joint Oceanographic Institutions Deep Earth Sampling* » (JOIDES), financée par la RFA, les États-Unis, la France, le Royaume-Uni et le Japon, qui a permis de remonter en surface, pour la première fois, des échantillons de roches sédimentaires déposées dans le Pacifique il y a plus de 150 millions d'années.

28 novembre. **Polynésie française.** La France procède, à Fangataufa, au dernier tir nucléaire expérimental de l'année 1989.

12 décembre. **Palau.** George Bush, président des États-Unis, paraphe l'accord instaurant le régime de « libre association ».

22 décembre. **Nouvelle-Calédonie.** Le Parlement français adopte le projet d'amnistie relatif aux événements de Nouvelle-Calédonie.

- 1990 -

6 février. **Nouvelle-Zélande.** Les cérémonies marquant le 150e anniversaire du traité de Waitangi, présidées par la Reine, sont perturbées par des manifestants maoris.

28 février. **Papouasie-Nouvelle-Guinée.** Le cessez-le-feu invervient entre le gouvernement de Port Moresby et les séparatistes de l'île Bougainville.

11 mars. **Salomon - Nouvelle-Calédonie.** Le FLNKS adhère, à Horiara, au groupe dit du « Fer de lance » regroupant les États mélanésiens.

13 mars. **Papouasie - Nouvelle-Guinée.** Les troupes gouvernementales évacuent l'île de Bougainville qui se trouve en état de sécession. Le 17 mai, une déclaration unilatérale d'indépendance est proclamée par l'Armée révolutionnaire de Bougainville.

24 mars. **Australie.** Victoire des travaillistes (à une majorité d'un siège) aux législatives. Quatrième mandat consécutif pour Bob Hawke.

26 mars. **Polynésie française.** Les meurtriers de Faaïté sont jugés pour un cas de folie mystique qui a fait, en septembre 1988, six victimes considérées comme possédées du démon.

9 avril. **Polynésie française.** Gaston Flosse, ancien secrétaire d'État chargé du Pacifique Sud du gouvernement de J. Chirac, et Émile Vernaudon, député proche de la majorité présidentielle, réconciliés, exigent la démission du gouvernement territorial présidé par Alexandre Léontieff.

18 avril. **Nouvelle-Calédonie.** Jacques Lafleur, leader du RPCR, vend la société minière qu'il possède aux autorités de la province du Nord à majorité indépendantiste.

15 au 19 mai. **Polynésie française.** Le président de la République, François Mitterrand, se rend en voyage officiel à Papeete (Tahiti).

Jean-Pierre Gomane

Océanie

AUSTRALIE • NOUVELLE-ZÉLANDE • ÉTATS ET TERRITOIRES DU PACIFIQUE

(L'Australie est traitée p. 108. Pacifique : voir aussi p. 495.)

Nouvelle-Zélande

La situation économique a continué de s'améliorer au prix d'une privatisation de certains secteurs (télécommunications notamment) permettant le remboursement des dettes extérieures. Pour un pays petit, isolé, peu peuplé, à dominante agricole, l'équilibre de la balance extérieure se révèle extrêmement fragile. L'économie est très dépendante d'un marché mondial qui semble saturé, au moins en ce qui concerne les pays solvables. Critiquant la politique agricole commune de la CEE, la Nouvelle-Zélande participe au Groupe de Cairns, ville d'Australie où se sont réunis pour la première fois, en 1986, quatorze pays exportateurs de produits agricoles pour faire pression en faveur de la libération des échanges. L'union douanière avec Canberra devait, pour sa part, être achevée le 1er juillet 1990.

Nouvelle-Zélande

Nature du régime : démocratie parlementaire.
Chef de l'État : reine Elizabeth II, représentée par un gouverneur, sir Paul Alfred Reeves (depuis le 20.11.85).
Chef du gouvernement : David Lange, remplacé par Geoffrey W.R. Palmer depuis le 7.8.89.
Monnaie : dollar néo-zélandais (1 dollar = 3,24 FF au 30.4.90).
Langues : anglais, maori.
Territoires : îles Cook et Niue (*free association*), Tukelau (sous administration).

L'autre grave problème auquel doit faire face la Nouvelle-Zélande est celui des relations entre la majorité blanche, essentiellement d'origine anglo-saxonne, et les 13 % de Polynésiens, les Maoris. La célébration du cent cinquantenaire du traité de Waitangi, qui garantissait aux clans maoris la disposition de leurs terres, a fourni l'occasion de manifestations qui ont troublé la visite officielle de la reine d'Angleterre en janvier 1990. Tout au long du XIXe siècle, en effet, les autorités britanniques avaient violé les dispositions de ce traité, provoquant les très sanglantes guerres qui ont duré plus de vingt ans.

La rupture *de facto* de l'ANZUS (alliance militaire conclue en 1951 entre l'Australie, la Nouvelle-Zélande et les États-Unis) après le refus néo-zélandais d'octroyer un droit d'escale au destroyer nucléaire USS *Buchanan* en 1986, n'a pas empêché les avions ravitaillant les installations américaines de l'Antarctique de faire des escales de routine à Christchurch. La Nouvelle-Zélande s'est opposée à l'Australie — soutenue par la France — en adhérant à la convention de Wellington sur l'exploitation des richesses minérales de ce continent, tandis que l'accord pour la fabrication de frégates en commun avec l'Australie était remis en cause. La diplomatie néo-zélandaise, enfin, a fait preuve d'une grande prudence, tant en ce qui concerne les événements de Chine que ceux du Proche-Orient pour ne pas risquer de mécontenter d'importants acheteurs de produits agricoles.

États indépendants de Mélanésie

Un malaise certain a semblé se faire jour dans les quatre pays.

Fidji. Depuis le changement de régime de 1987, la poursuite de l'hémorragie des populations d'origine indienne a provoqué une crise de capitaux et de compétences, notamment dans le secteur tertiaire (commerce et santé).

> **Fidji**
> **Nature du régime :** démocratie parlementaire.
> **Chef de l'État :** Ratu Sir Penaia Ganilau (depuis le 6.12.87).
> **Chef du gouvernement :** Ratu Sir Kamisese Mara (depuis oct. 89).
> **Monnaie :** dollar fidjien (1 dollar = 3,65 FF au 30.4.90).
> **Langues :** fidjien, anglais.

Papouasie-Nouvelle-Guinée. Le mécontentement endémique des fonctionnaires a provoqué des troubles jusque dans l'armée. L'exploitation des mines de Bougainville a été rendue difficile par l'insécurité consécutive aux tendances particularistes de cette île qui, géographiquement, se rattache à l'archipel des Salomon. En mars 1990, les troupes et l'administration gouvernementales ont évacué l'île, entérinant ainsi *de facto* la situation de sécession. Le 18 mai 1990, le chef de l'Armée révolutionnaire de Bougainville, Francis Ona, proclamait l'indépendance tandis que le gouvernement de Port Moresby décrétait le blocus de l'île.

> **Papouasie-Nouvelle-Guinée**
> **Nature du régime :** démocratie parlementaire.
> **Chef de l'État :** reine Elizabeth II, représentée par un gouverneur, sir Kingsford Dibela, remplacé par sir Ignatius Kilage depuis le 22.2.89.
> **Chef du gouvernement :** Rabbie Namaliu (depuis juil. 88).
> **Monnaie :** kina (1 kina = 5,75 FF au 30.4.90).
> **Langues :** pidgin mélanésien, anglais, 700 langues locales.

Îles Salomon. Elles ne s'opposaient plus, à la mi-1990, contrairement au passé, à la surexploitation de leurs fonds marins par les grands armements de pêche des puissances maritimes du Pacifique. Cependant, le gouvernement de Honiara, la capitale, a proposé en juillet 1989 la constitution d'une fédération mélanésienne qui renforcerait le groupe dit du « Fer de lance » créé en 1988 pour soutenir la cause canaque. Le FLNKS (Front de libération nationale kanak et socialiste, Nouvelle-Calédonie) y a adhéré en avril 1990.

> **Îles Salomon**
> **Nature du régime :** démocratie parlementaire.
> **Chef de l'État :** reine Elizabeth II, représentée par un gouverneur, sir George Lepping (depuis juil. 88).
> **Chef du gouvernement :** Salomon Mamaloni (depuis fév. 89).
> **Monnaie :** dollar des Salomon (1 dollar = 2,24 FF au 30.4.90).
> **Langues :** pidgin mélanésien, anglais.

Vanuatu. En 1989-1990, les difficultés politiques de ce petit archipel de 12 189 kilomètres carrés, qui s'enfonce dans l'anarchie, ont continué d'aggraver le marasme économique.

> **République du Vanuatu**
> **Nature du régime :** démocratie parlementaire.
> **Chef de l'État :** Fred Timakata (depuis le 30.1.89).
> **Chef du gouvernement :** pasteur Walter Hadye Lini (depuis le 30.7.80).
> **Monnaie :** vatu (1 vatu = 0,06 FF au 28.4.89).
> **Langues :** bislamar, anglais, français.

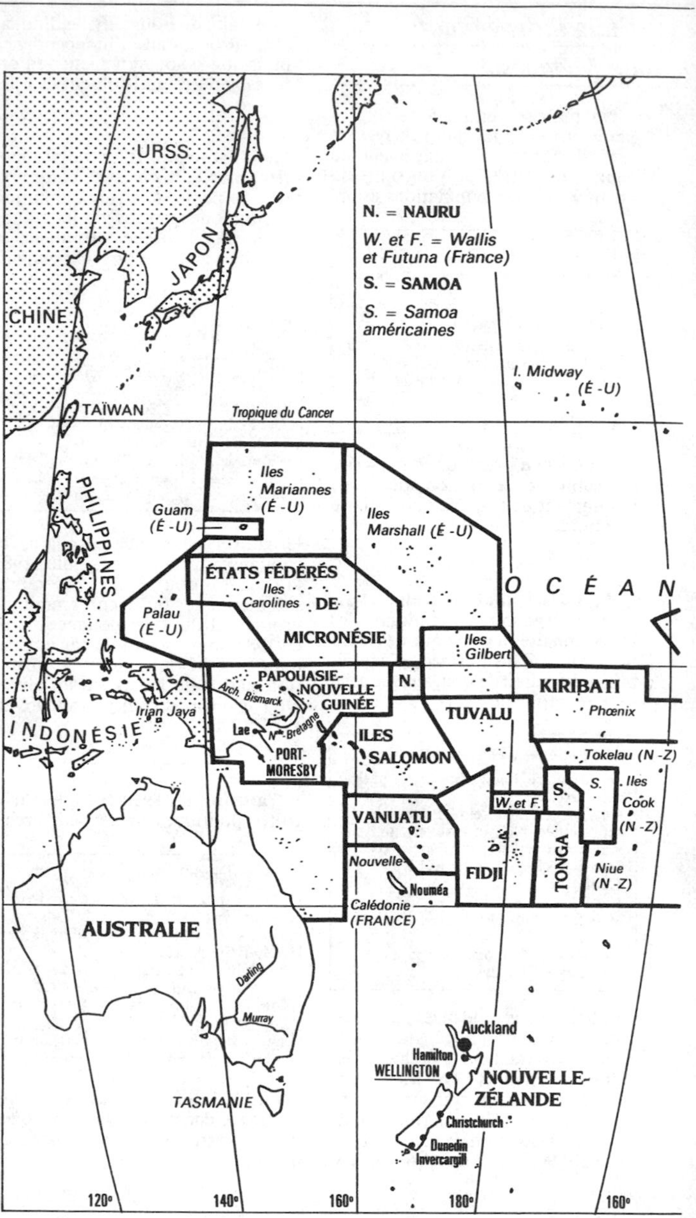
URSS
CHINE
JAPON
TAÏWAN
Tropique du Cancer
N. = NAURU
W. et F. = Wallis et Futuna (France)
S. = SAMOA
S. = Samoa américaines
I. Midway (É-U)
PHILIPPINES
Iles Mariannes (É-U)
Guam (É-U)
Iles Marshall (É-U)
ÉTATS FÉDÉRÉS DE MICRONÉSIE
Iles Carolines
Palau (É-U)
OCÉAN
Iles Gilbert
N.
KIRIBATI
Phœnix
PAPOUASIE-NOUVELLE GUINÉE
Arch. Bismarck
Nle Bretagne
Lae
PORT-MORESBY
Irian Jaya
INDONÉSIE
TUVALU
ILES SALOMON
Tokelau (N-Z)
S.
S.
Iles Cook (N-Z)
W. et F.
VANUATU
FIDJI
TONGA
Niue (N-Z)
Nouvelle-Calédonie (FRANCE)
Nouméa
AUSTRALIE
Darling
Murray
TASMANIE
Auckland
Hamilton
WELLINGTON
NOUVELLE-ZÉLANDE
Christchurch
Dunedin
Invercargill
120°
140°
160°
180°
160°

OCÉANIE

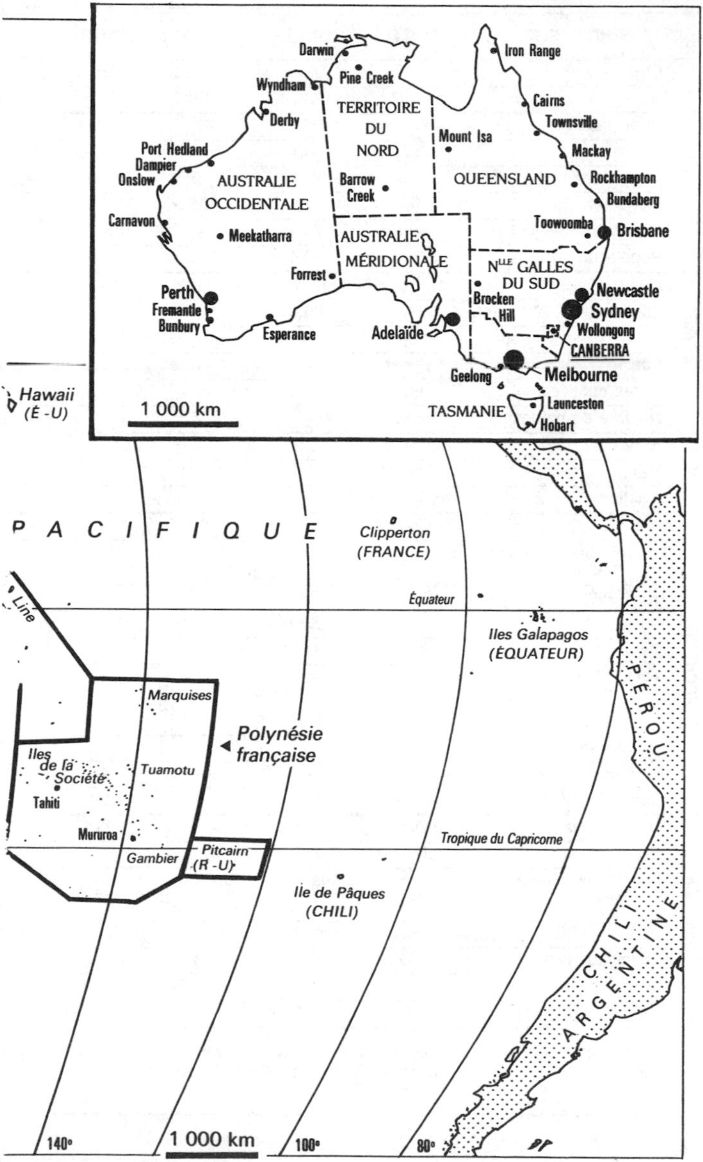
Darwin
Pine Creek
Wyndham
Derby
Iron Range
Cairns
Townsville
Mackay
Rockhampton
Bundaberg
TERRITOIRE DU NORD
Mount Isa
Port Hedland
Dampier
Onslow
AUSTRALIE OCCIDENTALE
Barrow Creek
QUEENSLAND
Carnavon
Meekatharra
Toowoomba
Brisbane
AUSTRALIE MÉRIDIONALE
Forrest
Nlle GALLES DU SUD
Perth
Fremantle
Bunbury
Brocken Hill
Newcastle
Sydney
Wollongong
CANBERRA
Esperance
Adelaïde
Geelong
Melbourne
Launceston
Hobart
TASMANIE
1 000 km
Hawaii (É-U)
P A C I F I Q U E
Clipperton (FRANCE)
Line
Équateur
Iles Galapagos (ÉQUATEUR)
Marquises
Polynésie française
Iles de la Société
Tahiti
Tuamotu
Mururoa
Gambier
Pitcairn (R-U)
Tropique du Capricorne
Ile de Pâques (CHILI)
PÉROU
CHILI
ARGENTINE
1 000 km
140°
100°
80°

ÎLES DU PACIFIQUE

	INDICATEUR	UNITÉ	FIDJI	KIRIBATI	NAURU
	Capitale		Suva	Tarawa	Nauru
	Superficie	km²	18 274	728	21
DÉMOGRAPHIE	Population (*)	millier	738	67	8
	Densité	hab./km²	40,4	92,0	381,0
	Croissance annuelle [g]	%	1,6	1,2	1,0
	Mortalité infantile [g]	‰	27	68 [d]	19
	Espérance de vie [g]	année	70,4	..	55,5 [b]
	Population urbaine	%	43,4	35,5	..
CULTURE	Analphabétisme	%	14,5 [d]	10,0 [d]	1,0 [e]
	Scolarisation 12-17 ans	%	86,0	..	..
	3e degré	%	4,4 [b]	..	..
	Postes tv	‰ hab.	14 [b]	..	..
	Livres publiés	titre	13 [d]	..	..
	Nombre de médecins	‰ hab.	0,48 [c]	0,23 [d]	..
ARMÉE	Armée de terre	millier d'h.	3,2	..	—
	Marine	millier d'h.	0,3	..	—
	Aviation	millier d'h.	—	..	—
ÉCONOMIE	PIB	million $	1 113 [a]	40 [a]	70 [d]
	Croissance annuelle 1980-88	%	0,4	0,0 [l]	..
	1989	%	7,0	..	..
	Par habitant	$	1 520 [a]	600 [a]	9 000 [d]
	Dette extérieure [a]	million $	467	..	..
	Taux d'inflation	%	4,9	..	..
	Dépenses de l'État Éducation	% PIB	6,0 [c]	9,5 [c]	..
	Défense	% PIB	1,2 [b]	..	..
	Production d'énergie [b]	millier TEC	43	—	—
	Consom. d'énergie [b]	millier TEC	282	10	59
COMMERCE	Importations	million $	615	24 [a]	28 [a]
	Exportations	million $	370	12 [a]	80 [a]
	Principaux fournis. [a]	%	Aus 29,1	Aus 41,6	PCD 64,3
		%	N-Z 16,9	Asie 26,0	Aus 51,5
		%	Asie 33,7	Jap 9,3	PVD 35,7
	Principaux clients [a]	%	Aus 14,1	PCD 83,3	Aus 69,8
		%	R-U 29,1	PVD 16,7	N-Z 13,6
		%	Asie 30,2	..	PVD 7,5

Chiffres 1989, sauf notes : a. 1988 ; b. 1987 ; c. 1986 ; d. 1985 ; e. 1979 ; f. 1971 ; g. 1985-90 ; h. 1976 ; i. 1983 ; j. 1984 ; k. 1982 ; l. 1980-87 ; m. 1981 ; n. 1980.

PAPOUASIE-NIle-GUINÉE	SAMOA	ÎLES SALOMON	TONGA	TUVALU	VANUATU
Port-Moresby	Apia	Honiara	Nuku'Alofa	Funafuti	Port-Vila
461 691	2 842	28 446	699	158	12 189
3 640	168	317	118	9	159
7,9	59,2	11,2	168,8	57,0	13,0
2,7	0,9	4,0	1,9	1,3	2,9
59	28	57,4 [m]	..	35,0 [d]	35
54,0	63,9 [d]	58,0 [d]	62,9 [d]	58,5 [n]	55,0 [j]
15,5	22 [d]	10,4	20,3	..	29,0
54,5 [d]	2,2 [f]	45,9 [h]	0,4 [h]	4,5 [i]	47,1 [e]
21,0	..	..	..	..	..
1,7 [d]	..	..	..	..	
1,9	33	..	..	..	8
..	..	..	..	..	..
0,09	0,28 [c]	0,14	0,40 [c]	0,38 [c]	0,19 [c]
2,9	..	..	..	..	..
0,2	..	..	..	..	..
0,1	..	..	..	..	..
3 648	102 [a]	192 [a]	80,8 [a]	7,1 [j]	124 [a]
2,6	1,5 [l]	6,1	3,0	..	1,8
4,3	..	..	..	..	..
1 000	610 [a]	630 [a]	800 [a]	619 [j]	820 [a]
2 270	77	105	44	..	27
1,8	12,3	10,8	..	..	..
..	..	5,2 [j]	4,2 [c]	..	..
1,4 [a]	..	..	..	..	..
54	2	—	—	..	—
1 154	57	64	32	..	25
1 530	67	125 [a]	66 [a]	4 [a]	221 [a]
1 278	13	75	10 [a]	0,5 [a]	33 [a]
Aus 46,8	Aus 23,3	Aus 54,3	Aus 30,0	Fij 57,2	Aus 10,5
Jap 15,9	N-Z 20,6	Jap 16,4	N-Z 30,3	Aus 27,8	Jap 17,4
E-U 8,6	Asie 46,9	N-Z 7,6	Asie 28,6	N-Z 2,8	CEE 57,9
PCD 83,1	Aus 16,5	Asie 56,6	E-U 25,7	Fij 47,5 [k]	E-U 22,1
Jap 40,9	N-Z 27,2	Jap 37,6	Aus 20,2	Aus 39,7 [k]	Jap 7,4
RFA 22,0	RFA 22,1	R-U 10,6	N-Z 30,3	N-Z 5,3 [k]	RFA 27,2

(*) Dernier recensement utilisable : Fidji, 1986; Kiribati, 1985; Nauru, 1977; Papouasie, 1980; Samoa, 1981; Salomon, 1986; Tonga, 1976; Tuvalu, 1979; Vanuatu, 1979.

AUSTRALIE - NIle-ZÉLANDE - NIle-CALÉDONIE

	INDICATEUR	UNITÉ	AUSTRALIE	NOUVELLE-ZÉLANDE	NOUVELLE-CALÉDONIE
	Capitale		Canberra	Wellington	Nouméa
	Superficie	km²	7 682 300	268 676	19 058
DÉMOGRAPHIE	Population (*)	million	16,8	3,31	0,163
	Densité	hab./km²	2,2	12,3	8,6
	Croissance annuelle [e]	%	1,2	0,8	1,5
	Mortalité infantile [e]	‰	8	11	14
	Population urbaine	%	85,5	84,1	79,5
CULTURE	Scolarisation 2e degré	%	98 [bf]	85 [bg]	92 [hg]
	3e degré	%	28,8 [c]	36,4 [b]	5,2 [h]
	Postes tv [b]	‰ hab.	483	369	258
	Livres publiés	titre	7 460 [c]	3 452 [h]	14 [b]
	Nombre de médecins	‰ hab.	2,25 [a]	2,71	0,66 [i]
ARMÉE	Armée de terre	millier d'h.	31,3	5,7	—
	Marine	millier d'h.	15,7	2,5	—
	Aviation	millier d'h.	22,6	4,2	—
ÉCONOMIE	PIB	milliard $	258,0	40,66	1,027 [c]
	Croissance annuelle 1980-88	%	3,1	1,6	− 1,8
	1989	%	4,9	0,8	••
	Par habitant	$	15 360	12 285	6 541 [c]
	Taux de chômage [j]	%	5,8	6,9	••
	Taux d'inflation	%	7,8	7,1	••
	Dépenses de l'État Éducation	% PIB	5,8 [c]	5,5 [b]	13,4 [d]
	Défense	% PIB	2,4	2,2	—
	Production d'énergie [b]	million TEC	193,5	11,0	0,032
	Consom. d'énergie [b]	million TEC	110,6	12,7	0,69
COMMERCE	Importations	million $	44 656	8 809	604 [a]
	Exportations	million $	37 801	8 889	468 [a]
	Principaux fournis.	%	PVD 18,8 [a]	E-U 16,3	PCD 90,2 [a]
		%	Jap 20,1 [a]	Jap 18,4	Fra 47,9 [a]
		%	CEE 22,9 [a]	CEE 19,4	PVD 7,5 [a]
	Principaux clients	%	PVD 32,8 [a]	Aus 19,1	CEE 60,4 [a]
		%	Jap 27,0 [a]	Jap 17,5	Fra 38,5 [a]
		%	CEE 15,2 [a]	CEE 16,6	Jap 23,2 [a]

Chiffres 1989, sauf notes : a. 1988 ; b. 1987 ; c. 1986 ; d. 1985 ; e. 1985-90 ; f. 12-16 ans ; g. 11-17 ans ; h. 1984 ; i. 1983 ; j. En décembre.

(*) Dernier recensement utilisable : Australie, 1981 ; Nouvelle-Zélande, 1986 ; Nouvelle-Calédonie, 1983.

États indépendants de Polynésie

Ces petits archipels sont menacés dans leur existence même, selon un rapport des Nations unies sur l'environnement, par un danger de submersion dû à l'« effet de serre ».

Kiribati. Ce pays, constitué de 33 atolls dispersés sur 4 000 kilomètres d'ouest en est et 2 000 du nord au sud, a entrepris des travaux de renforcement à Tarawa et dans les îles de la Ligne financés par la Banque asiatique de développement.

> **Kiribati**
> **Nature du régime :** démocratie parlementaire.
> **Chef de l'État et du gouvernement :** Iremia Tabai (depuis le 12.7.79).
> **Monnaie :** dollar australien (1 dollar = 4,23 FF au 30.4.90).
> **Langue :** anglais.

Nauru. Cet État a assigné l'Australie, le Royaume-Uni et la Nouvelle-Zélande devant la Cour internationale de justice de La Haye pour la destruction de son environnement naturel, à la suite de la surexploitation de ses mines de phosphates.

> **République de Nauru**
> **Nature du régime :** démocratie parlementaire.
> **Chef de l'État et du gouvernement :** Hammer De Roburt, remplacé par Bernard Dowiyoga depuis le 15.12.89.
> **Monnaie :** dollar australien (1 dollar = 4,23 FF au 30.4.90).
> **Langue :** anglais.

Samoa occidental. Ce pays se transforme en « paradis fiscal ». Trente sociétés étrangères ont déjà déposé leur demande de domiciliation.

> **Samoa occidental**
> **Nature du régime :** démocratie parlementaire.
> **Chef de l'État :** Mallietoa Tanumafili (depuis le 5.4.63).
> **Chef du gouvernement :** Tofilau Eti Alesana (depuis avr. 88).
> **Monnaie :** tala (1 tala = 2,37 FF au 30.4.90).
> **Langues :** samoan, anglais.

Tonga. Ce royaume a conclu, en juin 1989, un traité qui autorise les États-Unis à exploiter les ressources de sa « zone économique exclusive ». Des malversations au niveau gouvernemental ont provoqué des remous qui n'ont pas épargné le souverain lui-même.

> **Tonga**
> **Nature du régime :** monarchie.
> **Chef de l'État :** roi Taufa'ahau Tupou IV (depuis le 5.12.65).
> **Chef du gouvernement :** prince Fatafeehi Tu'ipelehake (depuis fév. 87).
> **Monnaie :** pa'anga (1 pa'anga = 4,23 FF au 30.4.90).
> **Langues :** tongien, anglais.

Tuvalu. Comme Kiribati, ce petit pays est menacé de submersion par l'« effet de serre », selon le rapport des Nations unies.

> **Tuvalu**
> **Nature du régime :** démocratie parlementaire.
> **Chef de l'État :** reine Elizabeth II, représentée par un gouverneur, sir Tupua Lepena (depuis le 1.3.86).
> **Chef du gouvernement :** Dr Tomasi Puapuai, remplacé par Bikenibeu Paeniu depuis le 16.10.89.
> **Monnaie :** dollar australien (1 dollar = 4,23 FF au 30.4.90).
> **Langues :** tuvalien, anglais.

Territoires sous contrôle de la France

Nouvelle-Calédonie. L'application des accords de Matignon de l'été 1988 s'est poursuivie malgré l'assassinat en mai 1989 de Jean-Marie Tjibaou et de Yéwéné Yéwéné, les principaux leaders indépendantistes, par un extrémiste du Front uni de libération kanak (FULK) opposé à ces accords. Quelques jours après, les élections pour les Conseils régionaux donnaient une majorité aux indépendantistes du FLNKS (Front de libération nationale kanak et socialiste) dans la région Nord et dans les îles Loyauté, et au RCPR (Rassemblement pour la Calédonie dans la République) anti-indépendantiste dans la région Sud, celle où se trouve Nouméa. Le FULK avait donné des consignes de boycottage et il y eut 31 % d'abstentions. En application des accords de Matignon, les institutions nouvelles ont commencé à fonctionner le 14 juillet 1989 après cessation de la période de transition d'une année d'administration directe par la France. Le territoire a reçu la visite du Premier ministre, Michel Rocard, en août 1989 et, en octobre, celle du ministre néo-zélandais des Affaires étrangères, Russel Marshall. Un programme intensif de perfectionnement des agents de l'administration locale a été mis en route et le premier sous-préfet d'origine mélanésienne a été nommé. Cependant, l'amnistie relative aux affrontements antérieurs annoncée par le gouvernement en octobre 1989 a provoqué, à Paris, une discussion parlementaire d'une grande violence et la loi n'était votée qu'à la fin de la session d'automne, en seconde lecture. La situation économique était toujours incertaine, au début 1990, et la paix civile fragile. C'est dans cette ambiance que Jacques Lafleur leader du RPCR, de plus en plus contesté par ses propres amis politiques, a annoncé, le 18 avril 1990, la vente de ses parts des mines de nickel à la province du Nord, à majorité indépendantiste, ce qui fut salué par le gouvernement comme une étape importante dans le rééquilibrage des activités productives de l'île. D'une manière générale, et contrairement à son prédécesseur à Matignon, M. Rocard s'est saisi personnellement du dossier du Pacifique sud et a poursuivi le rapprochement avec les pays voisins qui avaient une position de suspicion à l'égard de la France. En se rendant en personne dans la région, pendant l'été 1989, le Premier ministre a confirmé cette tendance ; il l'a même étendue à la Nouvelle-Zélande dès que l'arbitrage rendu en mai 1990 sur l'affaire du *Rainbow Warrior* — du nom du navire de l'organisation écologiste Greenpeace coulé en 1985 par les services secrets français dans le port d'Auckland — a mis un terme au grave contentieux qui, depuis l'été 1985, mettait aux prises les deux pays.

Wallis et Futuna. Un conflit endémique a mis aux prises l'Assemblée territoriale à majorité proche de l'opposition française et l'administrateur en chef du territoire au cours de l'année 1989. Cependant, le Premier ministre, Michel Rocard, au cours de sa visite en août 1989, a annoncé une aide supplémentaire de 55 millions FF pour le développement économique et social de l'archipel.

Polynésie française. En 1989, le plan de développement quinquennal a été adopté par le gouvernement local et le gouvernement de la République française dans un contexte politique confus où le président du gouvernement, Alexandre Léontieff, a été critiqué, même par ses amis politiques. Le Premier ministre français, Michel Rocard, a incité les Polynésiens à compter sur eux-mêmes, mais l'économie est toujours grandement dépendante des subventions de la métropole, d'autant plus que le principal employeur du territoire, le ministère de la Défense (Centre d'expérimentation du Pacifique) a diminué ses activités. La France a effectué 106 essais nucléaires souterrains en Polynésie entre 1975 et juin 1989. Le gouvernement local voudrait remettre en cause les expérimentations nucléaires sous la pression de l'opinion publique du territoire ainsi que sous celle des gouvernements voisins mais M. Rocard a dénié toute compétence en la matière aux autorités locales. Un succès diplomatique par ailleurs a été remporté par la France en engageant des négociations au nom du territoire avec les îles Cook sur des mesures de protection commune de l'espace économique maritime. Enfin, en se rendant à Tahiti pour le centenaire de la municipalité de Papeete en mai 1990, le président de la République, François Mitterrand, a annoncé la « transparence » des expérimentations nucléaires à l'égard de la communauté internationale.

Territoires sous contrôle des États-Unis

Les accords sur les modalités de « libre association » de la République de **Palau** ont été définitivement arrêtés fin 1989. Simultanément, la République des **Marshall** mettait au point un plan d'évacuation éventuelle de toute la population au cas où une élévation du niveau de l'océan submergeait la totalité des îles (il suffirait de 3,70 mètres). Dans le Commonwealth des **Mariannes**, le gouverneur Tenorio a été réélu en novembre 1989 dans des conditions confuses. Les **États fédérés de Micronésie** (Pohupei, Truk, Yap, Kosrae) ont établi des relations diplomatiques avec plusieurs États du Pacifique. Hormis ces quatre territoires sur lesquels les États-Unis exerçaient la tutelle par délégation des Nations unies depuis 1945, et l'archipel de Hawaii qui constitue, depuis 1959, le cinquantième État de l'Union, l'autorité de Washington s'exerce également sur Guam, sur les Samoa occidentales et sur deux groupes d'atolls isolés, Johnston et Kingnan, administrés par le ministère de la Défense.

Territoires sous contrôle de la Nouvelle-Zélande

Aux îles **Cook** qui ont difficilement récupéré leur équilibre économique après le typhon de 1987, l'émigration de la population active n'a pu être endiguée, malgré les aides financières extérieures. A **Niue**, le Premier ministre, mis en minorité en juin 1989, a décidé de ne pas démissionner, bloquant ainsi le fonctionnement normal des institutions de ce territoire doté de l'autonomie interne, tandis qu'un contrôle financier néo-zélandais déplorait le mauvais usage de l'aide internationale. **Tokelau** a été inscrite par les Nations unies sur la liste des archipels susceptibles d'être totalement submergés.

Territoires sous administrations diverses

L'île de **Pâques** est chilienne, les îles **Galapagos** équatoriennes et les îles **Gigedo** mexicaines. L'Australie administre le territoire de la **mer de Corail** où sont installées des stations météorologiques depuis 1921, ainsi que l'île de **Norfolk**. Les îles **Pitcairn** demeurent le seul territoire britannique de l'Océanie. Elles sont administrées par le haut-commissaire du Royaume-Uni en Nouvelle-Zélande depuis que Fidji ne fait plus partie du Commonwealth.

Jean-Pierre Gomane

AMÉRIQUE DU NORD

Un simple coup d'œil sur l'Amérique du Nord et ses données démographiques et économiques permet de comprendre que les États-Unis soient naturellement portés à considérer le Canada comme leur arrière-cour. Mais le couple Canada-États-Unis est à nul autre pareil. On y parle la même langue sauf au Québec, où se trouvent cinq millions et demi de francophones, et on y partage souvent les mêmes origines. Les liens d'amitié entre les deux peuples l'emportent d'emblée sur les conflits qui opposent les deux capitales. Ne partagent-ils pas plus de cinq mille kilomètres de frontière, d'est en ouest, sans patrouille militaire et souvent sans surveillance ? Au nord de cette frontière, vingt-six millions d'habitants occupent le territoire le plus vaste du monde après celui de l'URSS, comme se plaisent à le répéter les Canadiens, même si le Canada habité ressemble plutôt à un ruban de deux cents kilomètres de large et de six mille kilomètres de long, collé à la frontière américaine.

Ce sont deux pays neufs qui se sont construits en même temps, à force d'immigration, et de la même manière, c'est-à-dire d'est en ouest. Cependant, l'émancipation politique définitive du Canada à l'égard de la mère patrie britannique ne remonte qu'aux années trente. Après l'étroite collaboration canado-américaine du temps de guerre, les États-Unis ont pris le relais de la Grande-Bretagne comme puissance tutélaire. Les débuts de la guerre froide ont accéléré ce processus : seule la glace polaire sépare le Canada de l'URSS.

La souris et l'éléphant

Si les États-Unis ne sont jamais allés au bout de leurs tentations annexionnistes, c'est qu'ils ont longtemps cru inéluctable l'intégration politique du Canada à la moitié sud du continent. Encore aujourd'hui, le Canada représente un triomphe de la politique sur la géographie, triomphe auquel a contribué son caractère binational, et les Canadiens jugent leur cadre socio-politique plus amène que celui de leurs amis américains. Mais les flux économiques et culturels sont davantage orientés dans le sens sud-nord et le libre-échange naissant devrait encore les intensifier. Montréal n'est qu'à une heure d'avion de New York, Toronto est presque collée sur les hauts fourneaux du cœur industriel de l'Amérique (ou ce qui en reste) et Vancouver est nettement plus proche de la Californie que de l'Ontario. Quant à la télévision, au cinéma, aux journaux et magazines américains, ils sont omniprésents au Canada. L'inverse serait impensable. Les grands distributeurs de films vont même jusqu'à considérer le Canada comme partie intégrante de leur territoire.

La souris ne voit que l'éléphant qui, lui, ne peut voir la souris. Cette comparaison est certes excessive (le Canada constitue la huitième puissance économique du monde), mais elle décrit bien l'attitude américaine à l'égard de son voisin du Nord. Lorsque les Américains pensent géopolitique, ils ne pensent jamais « Canada », même si les deux pays sont chacun pour l'autre le premier fournisseur étranger. Les poids relatifs de ces échanges sont cependant très inégaux : les exportations canadiennes vers les États-Unis représentent près de 20 % du produit national alors que les exportations américaines vers le Canada en représentent moins de 3 %. Aucune économie occidentale n'est dépendante à ce point d'un seul partenaire. Hormis le secteur de l'automobile, pour lequel il existe un accord spécifique, les exportations canadiennes sont fortement axées sur les ressources naturelles et l'industrie légère, en échange de produits industriels à plus haute intensité en capital. Concernant l'énergie, les États-Unis ont longtemps prôné une stratégie continentale et cet objectif a été atteint avec l'accord canado-américain de libre-échange qui est entré en vigueur au début de 1989. A travers les échanges commerciaux et financiers, à travers les investissements américains au Canada, qui ont permis la mise en valeur des ressources naturelles canadiennes et longtemps assuré aux entreprises américaines un contrôle majoritaire sur l'industrie canadienne (ce n'est plus le cas depuis la fin des années soixante-dix), l'intégration économique du Canada à l'univers américain est très poussée. Une récession aux États-Unis signifie presque toujours une récession au Canada et la politique monétaire d'Ottawa doit largement tenir compte des clignotants économiques outre-frontière. D'aucuns qualifient cette dépendance de coloniale, mais il n'en reste pas moins vrai que les Canadiens jouissent d'un niveau de vie qui se situe au deuxième rang mondial (selon les critères de l'OCDE), juste derrière leur puissant voisin.

Une marge étroite

Cela ne signifie pas pour autant un alignement inconditionnel des positions canadiennes sur celles de Washington en matière de défense et de politique étrangère. Mais la marge est étroite. Les deux pays sont « conjointement » responsables de la défense face à l'URSS dans le Nord canadien (NORAD) et dans l'Atlantique nord, et le Canada sert de terrain d'exercice pour des missiles américains. Malgré (ou à cause de) cette symbiose, le Canada ne contribue que modestement à l'OTAN. Et Ronald Reagan n'a pas réussi à l'embrigader dans sa croisade contre « l'empire du mal », même après l'arrivée du conservateur Brian Mulroney aux commandes. Mais depuis l'arrivée de George Bush à la Maison Blanche, le Canada n'a presque pas élevé la voix. Il a intégré les rangs de l'Organisation des États américains (OEA), satisfaisant ainsi une vieille demande amé-

AMÉRIQUE DU NORD/BIBLIOGRAPHIE SÉLECTIVE

AGNEW J., *The United States in the World-Economy, a Regional Geography*, Cambridge University Press, New York, 1987.

BREBNER J.-B., *The North Atlantic Triangle*, McClelland and Stewart, Toronto, 1961 (réimp. de l'édit. orig. de 1945).

DORAN Ch., SIGLER J., éd., *Canada and the United States : Enduring Friendship, Persistant Stress*, Prentice-Hall, Englewood Cliffs, 1985.

GWYN R., *The 49th Paradox : Canada in North America*, McClelland and Stewart, Toronto, 1985.

LISÉE J.-F., *Dans l'œil de l'aigle*, Boréal, Montréal, 1990.

SOLDATOS P., « Le continentalisme dans les relations canado-américaines : sa version libre-échangiste », *in* John Quinn, *Le Milieu juridique international*, Commission MacDonald, Ottawa, 1985.

The USA and Canada, Europa Publications, Londres, 1990.

ricaine. Il a suivi la position américaine à l'égard de l'URSS, et donc beaucoup tardé à reconnaître la profondeur des changements dans ce pays. Au début des années quatre-vingt-dix, l'époque où Pierre Elliott Trudeau voulait démarquer le Canada des États-Unis semble bien lointaine ! Ainsi, concernant le passage du Nord-Ouest dans l'Arctique, l'accord de janvier 1988 stipule que la circulation des brise-glace américains est soumise au consentement préalable d'Ottawa. En échange de quoi Washington continue de ne pas reconnaître la souveraineté canadienne sur ces eaux, souveraineté qui restera longtemps théorique puisque le déficit budgétaire canadien a fait sombrer toute ambition en matière de défense nationale.

Il reste une source possible de conflit à court terme. Les premiers dix-huit mois de l'accord de libre-échange n'ont pas éliminé les tensions commerciales qui en sont à l'origine, ce qui pose un problème plus grave pour le Canada que pour les États-Unis. Cet accord ne met pas le Canada à l'abri d'un accès de fièvre protectionniste au Congrès américain, d'autant plus que le mode d'opération du tribunal d'arbitrage créé par l'Accord de libre-échange favorise davantage les États-Unis. Par ailleurs, les difficiles négociations sur les subventions admissibles dans le cadre de cet accord doivent débuter en 1991.

Le dossier des pluies acides, que les États-Unis « exportent » au Canada, a évolué en revanche d'une manière plus satisfaisante pour le Canada. La signature probable par George Bush du Clean Air Act, *que le Congrès américain doit adopter avant la fin de 1990, permet d'espérer une réduction sensible d'ici l'an 2000 des émissions industrielles qui en sont à l'origine et peut-être même un futur accord nord-américain sur la qualité globale de l'air.*

La fin de la guerre froide devrait en principe permettre à Ottawa de s'affirmer vis-à-vis de Washington. Mais les difficultés constitutionnelles canadiennes, que Washington suit sans pour autant chercher à peser sur le cours des événements, signifient que ce pays est désormais engagé dans une période de transition et d'introspection...

Georges Mathews

(Le Canada est traité p. 117; les États-Unis p. 52.)

- 1989 -

12 juin. **États-Unis-Canada.** Le président Bush propose un ambitieux programme de réduction des pluies acides. S'il est adopté par le Congrès, il répondrait aux attentes canadiennes.

3 juillet. **États-Unis.** La Cour suprême, sans remettre en cause le droit de recourir à l'avortement, autorise chaque État à refuser toute aide publique pour les interruptions volontaires de grossesse.

6 juillet. **États-Unis.** Le président Bush annonce l'annulation de la dette publique des pays d'Afrique sub-saharienne, évaluée à un milliard de dollars.

9-13 juillet. **États-Unis-Pologne-Hongrie.** George Bush est accueilli chaleureusement en Pologne et en Hongrie, où il effectue la première visite d'un président américain.

8 août. **Canada.** La Cour suprême suspend l'injonction de la Cour d'appel du Québec interdisant à Chantal Daigle de recourir à l'avortement, par suite d'une requête de son ancien compagnon. Cette affaire survient après que le Parlement canadien a été incapable d'adopter une loi relative à l'avortement.

9 août. **États-Unis.** Le président Bush signe la loi votée par le Congrès sur le sauvetage des caisses d'épargne. 159 milliards de dollars sont prévus, sur une période de dix ans, pour remettre à flot les 500 caisses ayant fait faillite (sur un total de 3 000).

5 septembre. **États-Unis.** George Bush présente un vaste plan de lutte contre la drogue, doté de 7,9 milliards de dollars et axé sur la répression. Une aide accrue, civile et militaire, est prévue pour les pays producteurs d'Amérique latine.

25 septembre. **Québec.** Le Parti libéral de Robert Bourassa remporte 92 des 125 sièges aux élections provinciales, tandis que le Parti québécois de Jacques Parizeau crée la surprise en remportant 29 sièges avec 40 % des suffrages. Le nouveau parti des anglophones de Montréal réussit à faire élire quatre de ses candidats.

17 octobre. **États-Unis.** Un violent séisme (magnitude 7,1) secoue la région de San Francisco, provoquant 72 morts.

18 octobre. **Espace.** La navette américaine *Atlantis* largue la sonde *Galileo* qui doit atteindre Jupiter en juillet 1995.

28 octobre. **Canada.** Le Canada annonce son entrée à l'Organisation des États américains (OEA).

7 novembre. **États-Unis.** L'élection à la mairie de New York est remportée pour la première fois par un Noir, David Dinkins, tandis qu'en Virginie, un autre démocrate, Douglas Wilder, devient le premier Noir élu gouverneur.

2 décembre. **Canada.** Pour la première fois une femme, Audrey McLaughlin, accède à la direction d'un parti fédéral, le Nouveau parti démocratique (social-démocrate).

2-3 décembre. **États-Unis-URSS.** Sommet Bush-Gorbatchev à Malte. Ils annoncent l'ouverture d'une ère nouvelle dans les relations internationales et décident d'accélérer les négociations sur le désarmement.

6 décembre. **Canada.** Un déséquilibré anti-féministe, Marc Lépine, pénètre avec une arme semi-automatique à l'École polytechnique de l'université de Montréal et abat quatorze femmes avant de se donner la mort.

20 décembre. **Panama.** L'armée américaine envahit le Panama pour restaurer le « processus démocratique » et capturer le général Noriega, homme fort du pays, inculpé en 1988 par la justice américaine pour trafic de drogue. Après de violents combats, celui-ci se réfugie le 24 décembre à l'ambassade du Vatican.

- 1990 -

3 janvier. **Panama.** Le général Noriega se livre à l'armée américaine. Transféré le lendemain aux États-Unis, il est inculpé de trafic de drogue par un tribunal de Floride.

15 janvier. **États-Unis-Canada.** Les géants de la distribution Allied Stores et Federated Department Stores, rachetés à prix fort en 1986 et 1988 par l'homme d'affaires canadien Robert Campeau, sont placés sous la protection de la loi sur les faillites.

29 janvier. **États-Unis.** Le projet de budget pour 1991, présenté par George Bush, prévoit une réduction du déficit à 63,1 milliards de dollars, alors qu'il a atteint 152,1 milliards en 1989.

29 janvier. **Canada.** Le Conseil municipal de Sault-Ste-Marie proclame l'anglais « seule langue officielle » de la municipalité. Plus d'une quarantaine de villes ontariennes en feront de même, illustrant ainsi l'ampleur du ressac contre la politique canadienne de bilinguisme institutionnel.

13 février. **États-Unis.** Drexel Burnham Lambert, l'une des principales banques d'affaires new-yorkaises, se met en faillite en raison de la crise des obligations de pacotille, ces obligations à haut risque qui ont servi à financer les O P A géantes des années précédentes.

20 février. **Canada.** Le ministre des Finances, Michael Wilson, dépose un autre budget d'austérité, axé sur un contrôle plus rigoureux des dépenses fédérales. La hausse des taux d'intérêt complique la gestion de l'énorme dette publique canadienne.

24-25 février. **Québec.** Le Conseil général du Parti libéral s'interroge sur l'avenir politique du Québec en cas d'échec de l'accord constitutionnel du lac Meech. Ce parti n'exclut plus automatiquement l'option de la souveraineté politique assortie d'une association économique avec le reste du Canada.

2 mars. **États-Unis.** Le plan de sauvetage des caisses d'épargne adopté le 9 août 1989 est en sérieuse difficulté, et les experts prévoient maintenant un coût global de 300 milliards de dollars sur trente ans.

22 mars. **Canada.** Le Premier ministre, Brian Mulroney, adopte une nouvelle approche pour briser l'impasse constitutionnelle. S'éloignant de la position du Québec, il crée un comité parlementaire qui recueillera les avis des Canadiens et proposera, le 17 mai, des amendements à l'accord du lac Meech susceptibles de rallier les trois provinces qui le refusent dans sa forme actuelle.

2 avril. **États-Unis.** En marge du recensement de 1990, l'hebdomadaire *Time* annonce en page de couverture, mais sans inquiétude, qu'au milieu du siècle prochain les Blancs seront minoritaires au sein de la population américaine.

5 avril. **États-Unis-Japon.** Après d'intenses négociations, le Japon signe une entente globale avec les États-Unis qui prévoit la levée de plusieurs barrières institutionnelles freinant l'importation de produits américains, dans le but de réduire l'énorme déficit commercial des États-Unis.

28 avril. **États-Unis.** Le gouvernement américain retire le Japon de la liste noire des pays ayant des pratiques commerciales déloyales.

7 mai. **Étas-Unis.** Contrairement à ses promesses électorales, le président Bush envisage une augmentation des impôts pour remédier à l'accroissement du déficit budgétaire.

22 mai. **Canada.** Lucien Bouchard, le lieutenant québécois de Brian Mulroney, quitte à la fois le gouvernement et le Parti conservateur pour siéger comme député indépendant et dénoncer la stratégie constitutionnelle du gouvernement canadien. Lucien Bouchard refuse tout amendement à l'accord du lac Meech.

24 mai. **États-Unis.** George Bush veut prolonger pour un an le statut commercial de « nation la plus favorisée » dont bénéficie la Chine.

30 mai. **États-Unis - URSS.** Début du sommet Bush-Gorbatchev à Washington. La réduction des armements nucléaires, le statut politique de l'Allemagne réunifiée et les relations commerciales entre les deux Grands figurent à l'ordre du jour.

Georges Mathews

L'été indien

Les Mohawks, une des nombreuses nations amérindiennes du Canada, sont concentrés dans la région de Montréal (à Oka et Kahnawake) et sur la frontière américaine. Ceux d'Oka ont occupé à compter de mars 1990 des terres qu'ils revendiquent et que la municipalité voudrait transformer en terrain de golf. Or une fraction des Mohawks se sont constitués au fil des ans en groupe paramilitaire (les Warriors). Ceux-ci sont venus prêter main forte aux Mohawks d'Oka (qui n'en demandaient pas forcément autant), d'où l'échec de la tentative policière du Québec de les déloger, le 11 juillet 1990 : un policier est mort.

Toute la question amérindienne, faite de revendication de territoires et d'autodétermination sur les réserves, s'est trouvée posée de manière aiguë. Fin juillet, c'était l'impasse.

G. M.

AMÉRIQUE CENTRALE ET DU SUD

Le bassin Caraïbe, zone de conflits

Le bassin Caraïbe (sept pays d'Amérique centrale et une quarantaine d'îles des Antilles) regroupe une population de quelque 60 millions d'habitants sur plus de 1,2 million de kilomètres carrés. Géopolitiquement, cet espace englobe aussi une partie des États situés autour du golfe du Mexique et de la mer Caraïbe (Mexique, Vénézuela, Colombie, Sud des États-Unis) ainsi que les trois Guyanes. Ce sont donc plus de 100 millions d'habitants qui vivent sur les rives de la « Méditerranée américaine ».

Longtemps disputée entre les puissances coloniales européennes, dont certaines (France, Royaume-Uni, Pays-Bas) sont encore présentes, la région est dominée par les États-Unis qui la considèrent comme une « arrière-cour » essentielle à leur sécurité.

Les flux économiques y sont importants : les deux tiers des importations des États-Unis y transitent et 60 % du pétrole brut destiné au marché nord-américain y est raffiné. Le canal de Panama constitue une plaque tournante de communications et sa récupération par les Panaméens continue de soulever des difficultés, comme l'atteste la crise politique que connaît le pays depuis 1987.

*Sur le plan géostratégique, la zone est considérée comme vitale pour le ravitaillement en combustible des forces de l'O T A N et la défense de l'Atlantique sud. La crainte constante d'une pénétration soviétique a conduit Washington à la multiplication des bases militaires, à l'affrontement avec le régime castriste de Cuba, ainsi qu'aux interventions militaires directes (Grenade en 1983) ou indirectes (« guerre de faible intensité » contre les sandinistes du Nicaragua). Cette partie du monde est morcelée en micro-États particulièrement vulnérables aux multiples influences qui s'y exercent : multinationales bananières, investisseurs nord-américains, Églises et sectes, hégémonie de Washington. Les économies caraïbes sont fortement dépendantes : permanence du modèle agro-exportateur lié au marché international, faible substitution des importations, enclaves, plantations en déclin imparfaitement relayées par le tourisme, généralisation des usines d'assemblage (*maquiladoras*) exploitant une main-d'œuvre à bon marché, relais des trafics de drogue et d'armes, énorme endettement extérieur. Les flux de main-d'œuvre y sont importants, notamment vers les États-Unis.*

La région est marquée par de multiples conflits : guerres civiles ouvertes (Amérique centrale) ou larvées (Surinam), affrontements dus à la marginalisation politique, à l'exclusion ethnique et à la répression institutionnalisée des demandes des plus pauvres, conflits frontaliers, interventions extérieures. Anciennes (plus de trente-cinq ans au Guatémala) ou plus récentes, ces luttes armées ont causé quelque 200 000 victimes en Amérique centrale, ainsi que plusieurs millions de déplacés et réfugiés. Le retour à la paix reste aléatoire en dépit des avancées dues au plan Arias (août 1987) et les atteintes aux droits de l'homme se perpétuent (Guatémala, massacre de jésuites au Salvador...). L'élection de gouvernants civils à l'issue de scrutins limités (absence de candidats représentant l'ensemble de la gauche au Salvador ou au Guatémala), voire parodiques (Haïti en janvier 1988) ne signifie pas une véritable implantation de la démocratie. Car les militaires, aidés par les États-Unis, demeurent une force essentielle dans nombre de pays et les tentatives de coups d'État ne sont pas rares (Guatémala, Haïti). Si les conflits persistent, cela tient à l'absence de réformes modifiant les causes structurelles des inégalités et de la misère, à la crise économique et sociale qu'accentuent les mesures imposées par le FMI (émeutes au Vénézuela en février 1989, affrontements au Guyana). Mais aussi à la volonté de Washington de préférer les solutions militaires (comme l'intervention au Panama en décembre 1989) et le statu quo *aux changements négociés.*

Daniel van Eeuwen

L'Amérique du Sud entre démocratie et dictature

La conquête et la longue colonisation hispano-portugaise ont donné à l'Amérique latine son unité géopolitique. Au XVIe siècle, en quelques décennies, le continent a été soumis, occupé, évangélisé et mis en coupe réglée par ses nouveaux maîtres. Au cours du XIXe siècle, les diverses colonies ont acquis leur indépendance, une « indépendance créole » qui les a laissées sous le contrôle de l'aristocratie foncière blanche et a donné à la vie politique l'image d'un duel entre libéraux et conservateurs : rivalité moins idéologique que d'intérêts et qui s'est traduite par la succession de dictatures caudillistes sous les dehors d'une démocratie libérale limitée.

Ce n'est qu'au XXe siècle que les transformations économiques, l'industrialisation, la concentration urbaine ont changé l'aspect social du continent, et marqué l'avènement de classes moyennes grandissantes dont l'armée prétend exprimer la vision en luttant à la fois contre l'ancienne aristocratie et contre les mouvements progressistes; à ces fins, elle interrompt régulièrement les expériences d'une démocratie dont la base s'élargit mais qui, dans son ensemble, maintient par faiblesse le dualisme social traditionnel.

Au lendemain de la Seconde Guerre mondiale, la prise de conscience des masses populaires et des populations non blanches, activée par la révolution castriste à Cuba qui a triomphé en 1959, a créé une situation d'insécurité que des dictatures militaires ont mise à profit; celles-ci se sont imposées sur la presque totalité du continent, au nom de la doctrine de la « sécurité nationale », et ont conduit une lutte sans merci contre une guérilla qui se généralisait et se radicalisait.

Le « retour à la démocratie », qui a fait tache d'huile depuis le début des années quatre-vingt est peut-être plus apparent que réel; il n'a pas réussi à apporter une amorce de solution aux grands problèmes économiques et sociaux qui assaillent le continent (inégale distribution de la terre et des richesses, dépendance des économies agro-exportatrices), à réaliser l'intégration nationale, et à éviter à la fois le spectre de la dictature et celui de la guérilla. L'Amérique latine semble ne pas encore avoir trouvé son point d'équilibre politique, et l'on peut craindre qu'elle n'évolue encore longtemps entre la démocratie et la dictature, entre gouvernements civils et militaires.

Mais tous les États latino-américains commencent à prendre conscience de leur identité commune, de leur condition de pays du tiers monde, sous-développés, écrasés par leurs dettes extérieures, étroitement surveillés par les États-Unis qui tentent de conserver sur le continent une position dominante et qui, au nom du libéralisme économique, entendent bien que continue à s'appliquer le principe traditionnel de leurs relations avec le sous-continent : trade not aid.

Si le pacte de Rio, Traité interaméricain d'assistance mutuelle de 1947, si l'Organisation des États américains créée en 1948 ont tenté d'assurer la continuité du panaméricanisme et de l'influence des États-Unis sur le pays du continent, un nouveau courant « latino-américaniste » s'est développé en réaction depuis les années soixante, conduisant à une profonde modification de la charte de l'OEA (Organisation des États américains) et traduisant une tentative d'intégration économique qu'expriment notamment l'Association latino-américaine de développement industriel (ALADI), le Système économique latino-américain (SELA), l'Organisation latino-américaine de l'énergie (OLADE), ainsi que des organisations plus étroites et plus structurées comme le Groupe andin ou le Groupe ABU (Argentine, Brésil, Uruguay) ou, au contraire, des regroupements informels visant à obtenir une renégociation générale de la dette extérieure. En même temps, les pays latino-américains ont diversifié leurs relations avec l'Europe occidentale, avec les pays socialistes et ont lancé leur nouvelle stratégie tiers-mondiste établie par le Programme d'action de Caracas (1982).

A maints égards, l'Amérique latine est un tiers monde particulier, avec des subdivisions régionales diversement latines et diversement développées. Son apparente unité dissimule mal les profondes différences qui existent entre les grands ensembles qui la composent. A lui seul, le Brésil négrolusitanien est un véritable monde à part qui a réussi à maintenir son unité par le fédéralisme alors que volait en éclats l'empire espagnol. En dépit de l'immensité de son territoire, de ses prodigieuses richesses naturelles, de l'essor économique qu'il a connu et qui fait de lui la huitième puissance économique du monde, le Brésil, écrasé sous une dette extérieure colossale, déchiré par des rivalités intestines farouches, confronté à la plus grande misère voisinant avec une richesse insolente, n'a pas su résoudre le problème de l'intégration sociale.

Amérique « indienne » et Amérique « blanche »

L'Amérique du Sud, de la mer Caraïbe à l'océan Pacifique, ethniquement très diversifiée, présente un caractère indien de plus en plus affirmé à mesure que l'on quitte les Guyanes et le Vénézuela pour aller vers les pays de la cordillère des Andes ; sa pauvreté va aussi en s'accentuant, d'un Vénézuela aux ressources pétrolières inépuisables, mais mal utilisées pour le développement harmonieux du pays, jusqu'au Pérou qui s'enfonce dans une confusion politique, économique et sociale de plus en plus grande et à la Bolivie, dont les mines depuis longtemps ne font plus la prospérité et qui est confrontée à de graves problèmes sociaux. Ces pays ont rarement connu une véritable vie démocratique, l'opposition entre riches et pauvres y est drastique, l'élément indien vit replié sur lui-même et les mouvements de guérilla y ont toujours plus ou moins prospéré. La Colombie a fait longtemps exception. Mais depuis quelques décennies, sa vie politique est de plus en plus agitée, malgré un PNB par habitant relativement élevé pour la région, et la guerre entre gouvernement et narco-traficants bat son plein, livrant le pays au chaos.

Les pays du Cône sud, Argentine, Chili, Uruguay, représentent l'Amérique latine « blanche », à forte immigration européenne, industrialisée et en plein développement, possédant le PNB le plus élevé du continent et une législation sociale avancée, mais aussi une dette extérieure très importante, une inflation galopante et de profondes oppositions de classes sanctionnées pendant des années par des dictatures militaires des plus sévères. Le dernier bastion a cédé au Chili en 1990 avec le départ du général Pinochet et le retour difficile à la démocratie. L'avenir de ces pays, englués dans une crise économique profonde et soumis de la part des gouvernements à de rudes plans d'austérité, demeure encore incertain. Quant au Paraguay, plus indien que blanc, peu industrialisé, il fait lui aussi, depuis février 1989, le réapprentissage de la vie démocratique.

Alain Gandolfi

AMÉRIQUE CENTRALE ET DU SUD / JOURNAL DE L'ANNÉE

- 1989 -

1er juin. **El Salvador.** Alfredo Cristiani succède à Napoleon Duarte dans un contexte politique difficile.

7 juin. **Surinam.** Sous la médiation de la France, un cessez-le-feu est signé entre le gouvernement et les rebelles du Commando de la jungle de Ronnie Brunswijk.

8 juillet. **Argentine.** Lors de sa prise de fonction, le nouveau président, Carlos Menem, promet « sacrifice, travail, espoir », annonce un plan d'austérité d'une « inhabituelle sévérité » ainsi que de nombreuses privatisations et la reprise du dialogue avec le Royaume-Uni.

12 juillet. **Pérou.** L'armée a repris l'offensive contre le Sentier lumineux : 1 595 tués pour le seul mois de juin (deux fois plus qu'en juin 1988), tandis que se développe un terrorisme d'extrême droite, les « commandos Rodrigo-Franco ».

13 juillet. **Cuba.** Le général Ochoa et trois autres officiers convaincus de trafic de drogue et de trahison sont fusillés.

26 juillet. **Cuba.** Hostile à la *perestroïka*, Fidel Castro dénonce les changements dans les pays de l'Est accusés de chercher « une transition pacifique du socialisme au capitalisme ».

5 août. **Bolivie.** Le parlement élit président le social-démocrate Jaime Paz Zamora (MIR), soutenu par le général Banzer, candidat de la droite.

5 août. **Nicaragua.** Accord entre le gouvernement et les 21 partis d'opposition sur l'organisation des élections.

24 août. **Colombie.** La mafia « déclare la guerre totale » au gouvernement de Bogota. Le président Virgilio Barco se déclare prêt à tous les sacrifices en vue de « la défaite définitive des narcotrafiquants ».

10-12 octobre. **Vénézuela - Équateur - Colombie.** Visite du président français François Mitterrand qui signe un accord de coopération relatif à la lutte contre la drogue.

17 octobre. **Colombie.** 17 000 fonctionnaires de la justice en grève après l'assassinat de l'un des leurs par la mafia.

27-28 octobre. **OEA.** Sommet des Amériques à San José, au Costa Rica (gouvernements et oppositions) portant sur démocratie, développement, dette externe, drogue, déboisement et désarmement. Le Canada annonce son adhésion à l'Organisation des États américains.

8 novembre. **Nicaragua.** Le président Ortega propose un plan pour le rétablissement du cessez-le-feu et pour mettre fin immédiatement à la guerre avec la *Contra.*

12-22 novembre. **El Salvador.** Grande offensive du FMLN dans la capitale en état de siège. L'aviation bombarde les quartiers populaires tenus par les guérilleros. Près de 3 000 morts.

16 novembre. **El Salvador.** Six jésuites de l'université centro-américaine sont assassinés par des militaires liés au pouvoir.

26 novembre. **Honduras.** Le candidat de l'opposition conservatrice, Rafael Callejas, remporte l'élection présidentielle : climat de fraude et absence mystérieuse de plus de 100 000 électeurs sur les listes informatisées.

26 novembre. **Uruguay.** Le candidat conservateur (blanco), Luis Lacalle, remporte l'élection présidentielle.

3 décembre. **Vénézuela.** Abstention massive (70 %) pour la première élection des gouverneurs au suffrage universel.

15 décembre. **Panama.** Le général Noriega proclame « l'état de guerre » avec les États-Unis. Washington déclare avoir donné l'ordre aux troupes américaines de « restaurer le processus démocratique ».

15 décembre. **Colombie.** Rodriguez Gacha, dit « le Mexicain », « numéro deux » de la mafia de la drogue, est abattu par la police. Le gouvernement s'attend à des représailles.

17 décembre. **Chili.** Victoire dès le premier tour du démocrate-chrétien Patricio Aylwin à l'élection présidentielle, et début d'une transition démocratique délicate.

17 décembre. **Brésil.** Victoire serrée de Fernando Collor, le candidat de droite à l'élection présidentielle, devant « Lula » du Parti des travailleurs sur lequel tous les partis de gauche se sont reportés.

20 décembre. **Panama.** Intervention militaire américaine (opération *Juste cause*) contre le général Noriega. Violents combats, M.A. Noriega se réfugie à la nonciature. Le président élu en mai, Guillermo Endarra, entre en fonctions.

- 1990 -

3 janvier. **Panama.** Le général Noriega, après s'être rendu aux troupes américaines, est transféré aux États-Unis pour y être jugé.

17 janvier. **Colombie.** Le groupe des « extradables » se dit prêt à déposer les armes, à suspendre le trafic de cocaïne et à reconnaître l'état de droit en Colombie, en échange de garanties constitutionnelles et légales.

4 février. **Costa Rica.** Le social-démocrate Rafael Calderon, est élu président de la République. Son parti obtient la majorité absolue à l'Assemblée législative.

4 février. **Colombie.** Le gouvernement et le M-19 signent un accord de paix définitif.

15 février. Drogue. Un sommet antidrogue réunit, à Carthagène, les présidents des États-Unis, de Bolivie, de Colombie et du Pérou.

15 février. **Argentine.** Les gouvernements de Buenos Aires et de Londres annoncent qu'ils vont rouvrir leurs ambassades (fermées depuis la « guerre des Malouines » de 1982).

25 février. **Nicaragua.** L'UNO, coalition de 14 partis antisandinistes, remporte les élections législatives tandis que sa candidate, Violeta Chamorro, est élue présidente.

7 mars. **Brésil.** Mort à 92 ans du grand révolutionnaire Luis Carlos Prestes.

11 mars. **Chili.** Passation des pouvoirs entre le général Pinochet et le nouveau président élu, P. Aylwin.

13 mars. **Haïti.** Après le départ forcé du général Avril, Mme Ertha Trouillot, juge à la Cour de cassation, devient présidente à titre provisoire.

15 mars. **Brésil.** Investiture du nouveau président Fernando Collor. Il lance un plan drastique contre l'inflation, notamment en bloquant les dépôts bancaires pendant dix-huit mois.

26 mars. **Surinam.** Arrestation puis remise en liberté de Ronnie Brunswijk. Les Pays-Bas s'inquiètent de la dégradation de la situation à Paramaribo qui devient une plaque tournante du trafic de la cocaïne.

27 mars. **Nicaragua.** L'Assemblée nationale vote « l'immunité à vie » à Daniel Ortega avant la passation des pouvoirs. Les États-Unis mettent fin à l'embargo économique.

8 avril. **Pérou.** L'écrivain Mario Vargas Llosa arrive en tête au premier tour de l'élection présidentielle devant un candidat surprise d'origine japonaise, Alberto Fujimori. Ce dernier sera élu en juin.

24 avril. **Chili.** La création d'une commission d'enquête sur les crimes de la dictature suscite des critiques. Protestation de la Cour suprême contre un projet de réforme de la Justice.

25 avril. **Nicaragua.** Passation de pouvoirs entre Daniel Ortega et Violetta Chamorro. Le maintien du général Humberto Ortega à la tête de l'armée crée un certain malaise. Arrivée d'un contingent de troupes de l'ONU.

26 avril. **Colombie.** Assassinat d'un troisième candidat à la présidence, Carlos Pizarro, ancien chef du M-19.

6 mai-13 mai. **Mexique.** Lors de son séjour, le pape dénonce l'injustice sociale et la corruption et propose une troisième voie entre le socialisme et le capitalisme.

9 mai. **Brésil.** Le président Fernando Collor annonce le licenciement d'un quart des fonctionnaires.

12 mai. **Nicaragua.** A la suite d'un décret annulant la réforme agraire promulguée par les sandinistes et de la menace de licenciement de 40 000 fonctionnaires grévistes, Daniel Ortega évoque le danger de « guerre civile ».

24 mai. **République dominicaine.** Victoire serrée du président sortant Joaquin Balaguer sur l'ancien président Juan Bosch.

27 mai. **Colombie.** Victoire du candidat libéral Cesar Gaviria à l'élection présidentielle. Score spectaculaire d'Antonio Navarro, candidat du M-19.

Alain Gandolfi

AMÉRIQUE CENTRALE ET DU SUD
BIBLIOGRAPHIE SÉLECTIVE

« Amérique centrale et Caraïbes, perméabilité de l'espace et autonomie du changement », *Annales des pays d'Amérique centrale et des Caraïbes*, n° 5, 1985.

BARTHÉLÉMY M., « Que peut attendre l'Amérique latine de la perestroïka ? », *Le Monde Diplomatique*, n° 430, Paris, janv. 1990.

BATAILLON C., GILARD J. (sous la dir. de), *La Grande Ville en Amérique latine*, Presses du CNRS, Paris, 1988.

« De Gibraltar à Panama », *Hérodote*, n° 57, La Découverte, Paris, 1990.

DIAL (Diffusion de l'Information sur l'Amérique latine), hebdomadaire, Paris.

L'Amérique latine face à la dette 1982-1989 (présent. par J. Adda), La Documentation française, Paris, 1990.

LAMBERT J., GANDOLFI A., *Le Système politique de l'Amérique latine*, PUF, Paris, 1987.

LEMOINE M. (sous la dir. de), *Les 100 portes de l'Amérique latine*, Autrement, Paris, 1989.

OMINAMI C., *Amérique latine, les ripostes à la crise*, CETRAL-L'Harmattan, Paris, 1988.

Problèmes de l'Amérique latine (trimestriel), La Documentation française, Paris.

ROUQUIÉ A., *Amérique latine. Introduction à l'Extrême-Occident*, Le Seuil, Paris, 1987.

SINGARAVELOU, *Les Indiens de la Caraïbe*, L'Harmattan, Paris, 1987 (3 vol.).

TOURAINE A., *La Parole et le Sang : politique et sociétés en Amérique latine*, Odile Jacob, Paris, 1988.

VAN EEUWEN D. et Y., « Amérique centrale et Caraïbes », *in* : *L'Année stratégique 1987*, FEDN, Paris, 1987, et *in* : *L'Année stratégique 1990*, IRIS-Stock, Paris, 1989.

Amérique centrale

BÉLIZE • COSTA RICA • GUATÉMALA • HONDURAS • NICARAGUA • PANAMA • EL SALVADOR

(Nicaragua et El Salvador : voir aussi p. 479; Panama : voir aussi p. 57 et p. 479.)

Bélize

Bélize

Nature du régime : démocratie parlementaire.
Chef de l'État : reine Elizabeth II, représentée par un gouverneur, dame Minita Gordon.
Premier ministre : Manuel Esquivel remplacé par George Price le 4.9.89.
Monnaie : dollar bélizéen (1 dollar = 2,82 FF au 30.4.90).
Langues : anglais (off.), espagnol, langues indiennes (ketchi, mayamopan), garifuna.

L'année 1989 a été marquée par le retour au pouvoir de George Price, le père de l'indépendance acquise en 1981. Lors des élections du 4 septembre le Parti uni du peuple (PUP) a devancé de peu le Parti démocratique uni (UDP) du Premier ministre conservateur sortant Manuel Esquivel, qui pouvait pourtant se prévaloir d'une croissance économique moyenne de 6,5 % par an depuis 1985. Cette croissance s'est néanmoins faite au prix d'un grave endettement et d'un appauvrissement de la majorité de la population.

Costa Rica

Le président Oscar Arias a pu se considérer comme un homme comblé. Élu personnalité des années quatre-vingt au Costa Rica, il a réussi les 27 et 28 octobre 1989 à convoquer seize chefs d'État à un sommet hémisphérique organisé dans le cadre des célébrations du centenaire de la démocratie costaricienne. Malgré un déficit fiscal important, il a terminé son mandat avec des indicateurs économiques sans équivalents en Amérique latine, l'inflation étant tombée à 9 % et le chômage à 3,8 %, pour une croissance de 5 % en 1989 et des exportations en progression de 11 %. En mai 1989, le FMI concédait au Costa Rica un crédit de 95 millions de dollars en partie pour racheter sa dette. En novembre, O. Arias annonçait en ce sens que, grâce au « plan Brady », l'État allait pouvoir racheter 60 % des 1,6 milliard de dollars de sa dette avec les banques privées. Même ses efforts de paix, longtemps bloqués par la campagne électorale au Nicaragua, ont, avec la victoire de Violeta Chamorro dans ce pays, porté tous leurs fruits. Devenu un héros national détaché des partis, O. Arias aura finalement peu influé sur le résultat des élections du 4 février 1990 remportées par Rafel Angel Calderón, le candidat du Parti de l'unité social-chrétienne (PUSC) qui avait été battu en 1982 et 1986. Le discours populiste de ce dernier a séduit les victimes des plans d'ajustement structurel appliqués depuis 1985 et tous ceux qui craignaient qu'un troisième mandat consécutif du Parti de libération nationale (PLN) ne transforme la démocratie costaricienne en régime de parti unique.

République du Costa Rica

Nature du régime : présidentiel.
Chef de l'État et du gouvernement : Oscar Arias Sanchez, remplacé par Rafael Angel Calderón Fournier le 4.2.90.
Monnaie : colón (1 colón = 0,064 FF au 30.4.90).
Langues : espagnol, anglais, créole.

Guatémala

1 598 personnes assassinées, 2 517 blessées, 808 séquestrées ou disparues au premier semestre de 1989, le Guatémala a connu une dramatique recrudescence de la traditionnelle violence politique. Les « escadrons de la mort » d'extrême droite que l'on croyait disparus, comme la *Mano blanco*, ont réapparu, alors que d'autres se sont créés. De son côté, la guérilla a intensifié ses activités et, pour la première fois depuis sept ans, a porté des coups jusque dans la capitale. L'année 1989 avait pourtant bien commencé. Le 2 février, à l'occasion de l'investiture du président vénézuelien Carlos Andres Perez, l'Unité révolutionnaire nationale guatémaltèque (UNRG) proposait la réouverture du dialogue avec le gouvernement. Le 1er mars, la Commission nationale de réconciliation (CNR), prévue par les accords de paix régionaux de 1987 (Esquipulas II), inaugurait un dialogue national réunissant une quarantaine d'organisations et de partis politiques, mais en l'absence de l'armée, de la guérilla et du très puissant Comité coordinateur d'associations agricoles, commerciales, industrielles et financières (CACIF). L'absence de tradition historique de

République du Guatémala

Nature du régime : présidentiel.
Chef de l'État et du gouvernement : Vinicio Cerezo Arévalo (depuis le 8.12.85).
Monnaie : quetzal (1 quetzal = 1,45 FF au 28.2.90).
Langues : espagnol, 23 langues indiennes (quiché, cakchiquel, mam,...), garifuna.

AMÉRIQUE CENTRALE

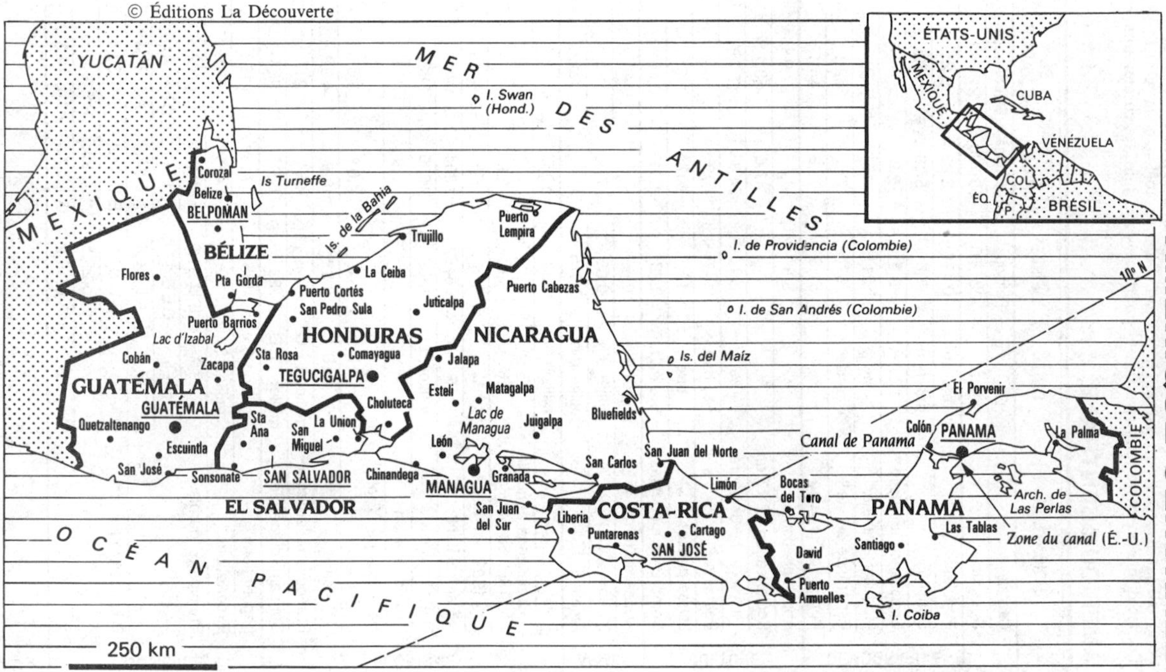

négociation politique se faisait très vite sentir, et le 9 mai 1989, un nouveau coup d'État avortait, un an après l'échec d'une première tentative. La situation économique n'étant pas brillante, l'agitation sociale est venue pendant l'été se mêler à la violence politique. Le 5 juin, les enseignants,

AMÉRIQUE CENTRALE

	INDICATEUR	UNITÉ	BÉLIZE	COSTA-RICA	EL SALVADOR
	Capitale		Belmopan	San José	San Salvador
	Superficie	km²	22 960	50 700	21 040
DÉMOGRAPHIE	Population (*)	million	0,178	2,92	5,21
	Densité	hab./km²	7,8	57,6	247,6
	Croissance annuelle [e]	%	2,2	2,6	1,9
	Mortalité infantile [e]	‰	21	18	59
	Espérance de vie [e]	année	67	74,7	62,1
	Population urbaine	%	51,3	52,8	44,1
CULTURE	Analphabétisme	%	8,8 [f]	6,4 [d]	27,9 [d]
	Scolarisation 12-17 ans	%	..	47,6	53,1
	3e degré	%	..	24,8 [b]	17,7 [b]
	Postes tv [b]	‰ hab.	147	79	82
	Livres publiés	titre	12 [d]	807 [c]	45 [d]
	Nombre de médecins	‰ hab.	0,28 [i]	1,01 [i]	0,35 [d]
ARMÉE	Armée de terre	millier d'h.	0,65		40
	Marine	millier d'h.	0,05	7,7	1,3
	Aviation	millier d'h.	0,015		2,2
ÉCONOMIE	PIB	million $	293	5 267	4 753 [a]
	Croissance annuelle 1980-88	%	3,6	2,6	– 0,4
	1989	%	7,5	5,6	– 1,5
	Par habitant	$	1 646	1 804	940 [a]
	Dette extérieure	million $	136 [a]	4 500	1 825
	Taux d'inflation	%	1,5	10,0	23,5
	Dépenses de l'État Éducation	% PIB	..	4,6 [b]	3,0 [h]
	Défense	% PIB	3,3 [a]	0,6	4,5 [b]
	Production d'énergie [b]	millier TEC	—	354	217
	Consom. d'énergie [b]	millier TEC	83	1 391	934
COMMERCE	Importations	million $	155	1 743	1 188
	Exportations	million $	90	1 404	520
	Principaux fournis. [a]	%	E-U 51,6	E-U 39,0	E-U 42,3
		%	CEE 17,0	CEE 12,9	CEE 10,0
		%	A-L 11,8	A-L 31,3	A-L 31,4
	Principaux clients [a]	%	E-U 39,8	E-U 44,4	E-U 39,4
		%	R-u 29,5	CEE 25,8	RFA 23,3
		%	A-L 16,2	A-L 17,3	A-L 19,5

bientôt rejoints par de nombreux autres fonctionnaires, entamaient une grève de onze semaines appuyant des revendications salariales.

GUATÉ-MALA	HONDU-RAS	NICA-RAGUA	PANAMA
Guatémala	Tegucigalpa	Managua	Panama
108 890	112 090	130 000	77 080
8,93	4,95	3,75	2,37
82,0	44,2	28,8	30,7
2,9	3,2	3,4	2,1
59	69	62	23
62,0	64,0	63,3	72,1
41,6	42,8	59,2	54,3
45,0 [d]	40,5 [d]	13,0 [g]	11,8 [d]
42,5	52,9	51,1	65,9
8,6 [c]	8,8 [b]	8,4 [b]	28,2 [c]
37	67	60	163
••	••	41 [b]	••
0,47 [i]	0,66 [i]	0,69 [i]	1,17 [c]
40	15,4	73,5	3,5
1,2	1,2	3,5	0,4
1,0	2,1	3	0,5
8 395	4 885	2 908 [b]	4 931 [a]
– 0,3	1,8	– 1,4	2,2
4,0	2,1	– 8,0	– 10,0
940	987	830 [b]	2 130 [a]
2 830	3 260	7 570	5 500
11,8	11,4	1 174	– 0,2
1,8 [i]	4,9 [b]	6,2 [b]	5,4 [b]
1,3 [b]	1,7 [a]	38,7 [a]	2,0 [b]
341	108	70	250
1 409	890	1 037	1 327
1 780	1 058	650	2 553
1 130	850	200	2 150
E-U 43,0	E-U 56,8	CEE 29,4	E-U 18,7
CEE 17,7	CEE 10,5	CAEM 28,7	Cor 17,5
A-L 23,1	A-L 13,4	A-L 21,8	A-L 15,4
E-U 40,2	E-U 49,4	CEE 32,1	E-U 49,5
CEE 19,8	CEE 23,9	CAEM 13,5	CEE 21,1
A-L 20,3	A-L 7,5	A-L 12,4	A-L 19,3

Au milieu de cette violence, le président Vinicio Cerezo a tenté à plusieurs reprises de reprendre l'initiative. Ainsi le 25 août, il annonçait un nouveau plan économique, le « programme des 500 jours », destiné à la « rénovation de la gestion publique pour la consolidation démocratique ». Mais l'impunité de l'extrême droite et des secteurs durs de l'armée est restée une donnée majeure du pays. Condamnés le 29 novembre 1989 à de lourdes peines de prison, les militaires responsables de la tentative de coup d'État du 9 mai étaient libérés le 29 janvier 1990, après qu'une cour d'appel eut annulé la condamnation. La chute vertigineuse des cours du café, la baisse des investissements en raison de la violence et une inflation de 30 % ont été autant de facteurs de préoccupation supplémentaires. La campagne électorale pour les élections de 1990, commencée très tôt, n'allait par ailleurs pas être de nature à apporter le calme dont aurait besoin le pays.

Honduras

Pour la quatrième fois depuis le retour à la démocratie en 1981, et alors que le pays est toujours partiel-

République du Honduras

Nature du régime : présidentiel.
Chef de l'État et du gouvernement : José Simón Azcona Hoyo, remplacé par Rafael Leonardo Callejas le 26.11.89.
Monnaie : lempira (1 lempira = 1,41 FF au 30.4.90).
Langues : espagnol (off.), langues indiennes (miskito, sumu, paya, lenca, etc.), garifuna.

Chiffres 1989, sauf notes : a. 1988; b. 1987; c. 1986; d. 1985; e. 1985-90; f. 1970; g. 1980; h. 1983; i. 1984.
(*) Dernier recensement utilisable : Bélize, 1980; Costa-Rica, 1984; El Salvador, 1971; Guatémala, 1981; Honduras, 1974; Nicaragua, 1971; Panama, 1980.

lement occupé par la *Contra* nicaraguayenne et les États-Unis, les Honduriens se sont rendus aux urnes le 26 novembre 1989. Les élections se sont soldées par une alternance au pouvoir, le Parti national (PN) succédant au Parti libéral (PL). Le nouveau président, Rafael Leonardo Callejas, allait avoir fort à faire pour tirer le Honduras du marasme dans lequel il se trouve. La violence politique, tout d'abord, qui s'est aggravée dans les mois précédents. Le 25 janvier le général Alvarez était assassiné. Il avait été chef d'état-major des forces armées entre 1982 et 1984, et responsable de l'imposition d'un « état de sécurité nationale ». Cet attentat a provoqué la réaction des groupes d'extrême droite, qui ont lancé des menaces de mort. Comme au Guatémala, le président José Simón Azcona a réagi en convoquant un dialogue national. Les attentats se sont néanmoins poursuivis, notamment contre les soldats américains qui occupent le pays. Concernant la situation des droits de l'homme, le Honduras, pour la deuxième fois en six mois, a été condamné le 20 janvier 1989 par la Cour interaméricaine des droits de l'homme pour la disparition d'une enseignante en 1982. Dans ce cadre, le président Azcona a eu le souci de maintenir le calme sur le front social. Avec une dette de 3 milliards de dollars, un chômage d'au moins 35 %, et une inflation dépassant les 10 % en 1989 alors qu'elle est traditionnellement faible au Honduras, la crainte d'une explosion sociale à la vénézuélienne lui a fait repousser les méthodes suggérées par le FMI, et notamment la dévaluation de la monnaie nationale, qui conserve sa parité de deux lempiras pour un dollar depuis 1920. En dépit d'un décret d'urgence émis pour satisfaire le FMI, les négociations avec cet organisme ont échoué. Le 2 avril 1989, la Banque mondiale déclarait le Honduras « inéligible » pour de nouveaux prêts, en raison d'arriérés se montant à 57 millions de dollars, et l'AID (Association internationale pour le développement) décidait de suspendre un versement de 70 millions de dollars. Le nouveau président Callejas a profité de sa popularité pour faire passer la cure d'ajustement structurel qu'il avait promise pour les 100 premiers jours de sa présidence, notamment en dévaluant la monnaie de 50 %, et les négociations ont repris avec le FMI. Sur le plan extérieur en revanche, la position ambiguë de Jose Simón Azcona — le Honduras souhaite la démobilisation de la *Contra* mais refuse de se charger de l'opération — a été maintenue par le président Callejas, mais la défaite électorale des sandinistes au Nicaragua a permis que s'amorce le rapatriement des combattants.

Nicaragua

Le 25 février 1990, devant plus de 5000 observateurs et journalistes, Violeta Barrios de Chamorro, la candidate de la très hétérogène coalition Union nationale d'opposition (UNO), a facilement battu Daniel Ortega, candidat à sa propre succession pour le Front sandiniste de libération nationale (FSLN). Les conséquences de ce scrutin ont dépassé le simple cadre national. En même temps qu'il s'inscrivait dans un mouvement mondial de démocratisation, il mettait en effet un terme à dix années de crise régionale. Comment en est-on arrivé là, alors que le FSLN se montrait assuré de sa victoire jusqu'à la veille des élections ?

République du Nicaragua

Nature du régime : présidentiel.
Chef de l'État et du gouvernement : Daniel Ortega Saavedra remplacé par Violeta Barrios de Chamorro le 25.2.90.
Monnaie : córdoba (1 córdoba = 0,0001 FF au 30.12.90).
Langues : espagnol (off.), anglais, créole, langues indiennes (miskito, sumu, rama), garifuna.

Les effets conjugués de la guerre, de l'embargo décrété en 1984 par les États-Unis et des erreurs économiques des sandinistes ont produit un appauvrissement du pays sans équivalent. Malgré une aide soviétique de 2 milliards de dollars en dix ans, le Nicaragua est devenu le pays le plus pauvre d'Amérique. De 24 000 % en 1988, l'inflation est certes passée à 1 174 % en 1989, mais le prix du pain a augmenté de 5 366 % et le cours de la devise nationale rapporté au dollar est passé de 920 à 38 150. Parallèlement, l'évolution sur la scène internationale ne favorisait guère le gouvernement sandiniste. Le 24 mars 1989, le président George Bush obtenait un accord bipartisan sur les grandes lignes d'une nouvelle politique centraméricaine des États-Unis mettant l'accent sur la démocratisation politique. De plus, le ministre des Affaires étrangères soviétique, Édouard Chevardnadze, venait le 6 octobre à Managua signifier aux sandinistes que l'URSS était en concordance avec les États-Unis sur ce point. Dans ces conditions, D. Ortega était acculé à faire des concessions. Le 14 février 1989, il s'engageait devant ses collègues centraméricains à avancer la date des élections, à réformer le code électoral et la loi sur les médias et à accepter une supervision internationale de tout le processus électoral par l'ONU et l'Organisation des États américains (OEA). Des négociations s'engageaient alors avec l'opposition, qui se concluaient le 4 août par un accord fixant les règles du jeu pour la campagne électorale.

Alors que D. Ortega se profilait comme le candidat incontournable du FSLN, la candidature de Violeta de Chamorro décevait les partisans d'une franche rupture avec le sandinisme. Mais en axant sa propagande autour des concepts de « démocratie, paix, réconciliation nationale et reconstruction économique », elle a sans doute évité que la campagne ne dégénère en guerre civile. En promettant que « tout ira mieux », le FSLN n'a pour sa part pas été crédible, et même le « cadeau de Noël » qu'a représenté l'invasion américaine à Panama n'a pas réussi à réveiller la fibre anti-impérialiste de la majorité de l'électorat. Fort de ses 40 % des voix et d'une organisation partisane sans failles, D. Ortega déclarait en lendemain de sa défaite qu'il continuerait à « gouverner d'en bas » pour protéger les « acquis de la révolution ». La période de transition, entre les élections et la prise de fonction de la nouvelle présidente le 25 avril 1990, a été marquée par d'intenses négociations. Les sandinistes ne voulaient pas quitter le pouvoir sans que la question de la démobilisation de la *Contra* soit réglée. Un compromis a finalement été trouvé — leur permettant de conserver le contrôle des forces armées jusqu'au démantèlement complet de la *Contra* — qui a provoqué des divisions à l'intérieur de l'UNO. En lançant une vague de grèves sans précédents au moment de la prise de fonction de Violeta Chamorro, le FSLN a fait la preuve que « gouverner d'en bas » n'était pas un vain mot.

Panama

L'intervention militaire américaine *Juste cause* du 20 décembre 1989 a mis fin à trente mois de pressions pour que l'homme fort de Panama, le général Manuel Antonio Noriega, abandonne le pouvoir et se rende à la justice américaine qui l'accuse de trafic de drogue. Depuis les élections du 7 mai 1989, annulées le 10, malgré les protestations de l'opposition qui considérait les avoir remportées, la tension ne cessait de monter dans le pays, mais le temps jouait en faveur du général. Le 12 mai, les États-Unis envoyaient un premier

République du Panama

Nature du régime : civil, sous surveillance de l'armée.
Chef de l'État et du gouvernement : Guillermo Endara (depuis le 20.12.89).
Monnaie : théoriquement le balboa (1 balboa = 5,64 FF au 30.4.90), *de facto* le dollar.
Langues : espagnol (off.), langues indiennes (guaymi, kuna, etc.).

ET LÀ,
VOUS VOYEZ,
C'EST UN
ANCIEN COPAIN !...
UN CERTAIN GEORGE B.
1976

contingent de 1 881 soldats. L'attention se détachait alors des élections et de Noriega pour se concentrer sur l'affrontement États-Unis/Panama. Le 17 mai, l'opposition déclarait une grève générale, peu suivie en raison des menaces lancées par le gouvernement. Le même jour, l'Organisation des États américains (OEA) critiquait timidement les « abus graves de Noriega », et décidait l'envoi d'une mission pour « chercher des formules d'accord ». Cette mission avoua son échec le 5 août. Le 3 octobre, le général déjouait une tentative de coup d'État, ce qui le faisait passer momentanément pour un héros. George Bush était très critiqué pour ne pas avoir apporté son soutien aux officiers séditieux. Le 15 décembre, M. Noriega se faisait désigner chef de l'État par une assemblée nationale qui se déclarait en état de guerre avec les États-Unis. Deux incidents armés décidaient enfin G. Bush à intervenir pour « renverser Noriega, rétablir la démocratie, protéger les ressortissants américains et défendre les traités concernant le canal ». Le traité Carter-Trujillos, signé en 1977, prévoyait en effet qu'à partir de 1990 le canal devait être administré par un Panaméen, et les États-Unis craignaient que M. Noriega saisisse cette occasion pour nuire à leurs intérêts. L'opération *Juste cause* portait ses fruits le 3 janvier quand M. Noriega, réfugié à la nonciature apostolique, se rendait aux autorités américaines et était envoyé en Floride pour y répondre de douze chefs d'inculpation. Les Panaméens ont vite approuvé l'intervention qu'ils ont qualifiée de « libération », mais Guillermo Endara, le nouveau président, a hérité d'une situation économique désastreuse. Le PIB a chuté de 25 %, le chômage a atteint 35 % de la population et, alors que la dette s'est montée à 5,3 milliards de dollars pour 1989, le pays est sur la liste

BIBLIOGRAPHIE

« Amérique centrale », *Les Temps Modernes*, n° 517-518, Paris, août-sept. 1989.

AMNESTY INTERNATIONAL, *Guatémala. Pouvoir civil, espoirs déçus*, AEFAI, Diff. La Découverte, Paris, 1989.

AMNESTY INTERNATIONAL , *Nicaragua. 1986-1989, années décisives*, AEFAI, Diff. La Découverte, Paris, 1989.

CORRAGIO J.-L., *Démocratie et révolution au Nicaragua*, CETRAL-L'Harmattan, Paris, 1988.

COUFFIGNAL G., « L'intervention de décembre 1989 à Panama », *Hérodote*, n° 57, La Découverte, Paris, 1990.

DABÈNE O., « Élections et crise en Amérique centrale », *Études*, n° 372-2, Paris, févr. 1990.

DABÈNE O., « L'assistance américaine à l'Amérique centrale (1979-1989) », *Problèmes d'Amérique latine*, n° 91, La Documentation française, Paris, 1er trim. 1989.

SAUVAGE L., *Les États-Unis face à l'Amérique centrale*, Balland, Paris, 1985.

STUHRENBERG M., VENTURINI E., *Amérique centrale, la cinquième frontière ?*, La Découverte, Paris, 1986.

VAISSIÈRE P., *Nicaragua : les contradictions du sandinisme*, Presses du CNRS, Paris, 1988.

VAN EEUWEN D., « L'Amérique centrale entre la démocratie ambiguë et la paix aléatoire », *Problèmes d'Amérique latine*, n° 87, Paris, 1er trim. 1988.

Voir aussi la bibliographie sélective « Amérique centrale et du Sud », page 385.

noire du FMI et de la Banque mondiale, en raison d'arriérés importants, et les États-Unis ne semblent pas vouloir fournir un effort de nature à compenser les dommages économiques qu'ils ont causés. Le président Bush pouvait se prévaloir d'avoir retiré le 13 février 1990 les 14 000 soldats envoyés en renfort du contingent de 13 000 militaires américains en permanence sur place. Il reste qu'au moment où l'URSS refusait d'intervenir en Roumanie, les États-Unis ont montré, concernant l'Amérique centrale, que les bonnes vieilles habitudes ne se perdent pas facilement.

El Salvador

Après une période d'effervescence électorale entre janvier et mars 1989, puis une période de transition dans l'attente de la prise de fonctions du nouveau président Alfredo Cristiani le 1er juin, la situation politique s'est progressivement dégradée pendant l'été 1989, pour en arriver le 11 novembre à la plus grande offensive jamais lancée par le Front Farabundo Marti de libération nationale (FMLN) en dix années de guerre civile. Tant du côté de l'Alliance républicaine nationaliste (ARENA), le parti d'extrême droite de A. Cristiani, que du côté du FMLN en 1989, les efforts de conciliation ont alterné avec les provocations. A. Cristiani a inauguré sa présidence avec un discours très modéré, promettant le dialogue mais annonçant des politiques jugées par le FMLN contraires aux intérêts du peuple. Le FMLN, de son côté, a présenté cinq propositions de paix, mais a lancé

République du Salvador
Nature du régime : présidentiel.
Chef de l'État et du gouvernement : Alfredo Cristiani (depuis le 19.3.89).
Monnaie : colón (1 colón = 1,13 FF au 30.4.90).
Langues : espagnol (off.), nahuatlpipil.

quatorze offensives militaires. Un dialogue s'est néanmoins ouvert le 13 septembre au Mexique entre le FMLN et une délégation gouvernementale; puis poursuivi au Costa Rica du 16 au 18 octobre, sans résultats concrets.

L'offensive lancée le 11 novembre 1989, même si elle n'a pas entraîné d'insurrection populaire générale, a fait la démonstration de la puissance militaire du FMLN et a fourni à l'armée le prétexte d'une vaste opération de répression dans les milieux syndicaux et universitaires. Avec le bombardement des quartiers populaires, puis le massacre de six jésuites de l'Université centraméricaine, les secteurs les plus durs de l'armée ont montré qu'ils ne reculeraient devant rien pour éliminer la subversion. Le président Cristiani en a cependant profité pour tenter d'affirmer son autorité : arrestation des coupables présumés du massacre des jésuites, changements dans la hiérarchie militaire. Lors du sommet d'urgence convoqué au Costa Rica le 10 décembre 1989, il a de surcroît obtenu une importante victoire diplomatique en faisant condamner par tous ses collègues centraméricains l'offensive du FMLN. La ligne modérée que défend A. Cristiani en est sortie renforcée, et le processus de paix a franchi une nouvelle étape.

Il reste à voir l'emprise qu'un tel consensus peut avoir sur une société salvadorienne militarisée et polarisée à l'extrême. La stratégie du FMLN en 1989 ayant consisté à essayer d'utiliser le mécontentement populaire, A. Cristiani est condamné à imposer la paix s'il veut donner quelques chances de succès à son projet économique néo-libéral et couper le FMLN de ses bases sociales. Les premières mesures adoptées — notamment l'augmentation des tarifs publics et la libéralisation des prix — ne l'y ont pas beaucoup aidé. Avec 17 % d'inflation pour l'année 1989 (mais 26,4 % de hausse des prix des produits alimentaires), le niveau de vie des plus pauvres a continué de se dégrader. Il est vrai que la diminution des prix du café et surtout la reprise de la guerre ont fait oublier à A. Cristiani sa promesse de campagne de faire disparaître la misère au Salvador.

Olivier Dabène

Grandes Antilles

BAHAMAS • CAYMAN • CUBA • HAÏTI • JAMAÏQUE • PORTO RICO • RÉPUBLIQUE DOMINICAINE

Bahamas

Avec un tourisme en hausse de 8 % en 1989, le pays a atteint un revenu annuel par tête de 2 650 dollars, mais le sous-emploi s'est élevé à 25 %. Tombé au 11e rang des places financières (3 % des dépôts bancaires mondiaux contre 6 % en 1983) du fait de la corruption, de la criminalité et de l'inefficacité administrative, il a adopté une législation fiscalement attractive pour les activités *off-shore*. L'incendie en Scandinavie d'un ferry immatriculé aux Bahamas a ranimé la querelle des

Commonwealth des Bahamas

Nature du régime : parlementaire.
Chef de l'État : reine Elizabeth II, représentée par un gouverneur, Sir Henry Taylor.
Chef du gouvernement : Lynden O. Pindling (depuis le 16.1.67).
Monnaie : dollar bahaméen, aligné sur le dollar américain (1 dollar = 5,64 FF au 30.4.90).
Langues : anglais, créole.

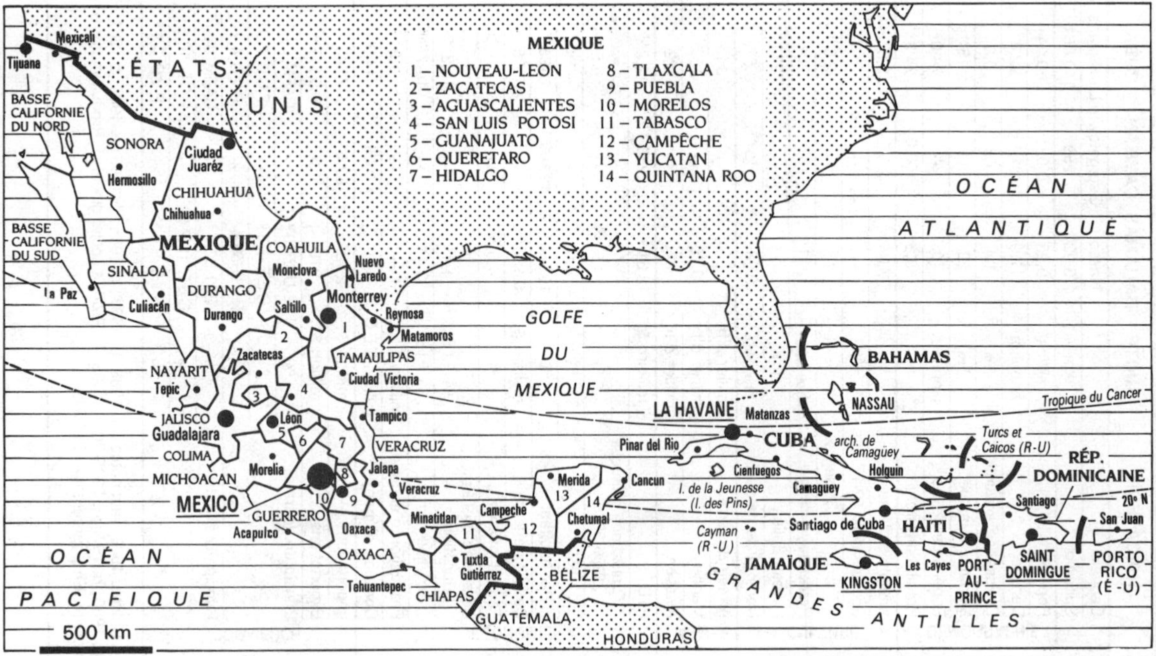
MEXIQUE
1 – NOUVEAU-LEON
2 – ZACATECAS
3 – AGUASCALIENTES
4 – SAN LUIS POTOSI
5 – GUANAJUATO
6 – QUERETARO
7 – HIDALGO
8 – TLAXCALA
9 – PUEBLA
10 – MORELOS
11 – TABASCO
12 – CAMPÊCHE
13 – YUCATAN
14 – QUINTANA ROO
ÉTATS-UNIS
MEXIQUE
Tijuana
Mexicali
BASSE CALIFORNIE DU NORD
BASSE CALIFORNIE DU SUD
La Paz
SONORA
Hermosillo
Ciudad Juaréz
CHIHUAHUA
Chihuahua
SINALOA
Culiacán
DURANGO
Durango
COAHUILA
Monclova
Saltillo
Monterrey
Nuevo Laredo
Reynosa
Matamoros
TAMAULIPAS
Ciudad Victoria
Zacatecas
NAYARIT
Tepic
JALISCO
Guadalajara
Léon
COLIMA
Morelia
MICHOACAN
MEXICO
GUERRERO
Acapulco
Oaxaca
OAXACA
Tampico
VERACRUZ
Jalapa
Veracruz
Minatitlan
Campeche
Tuxtla Gutiérrez
Tehuantepec
CHIAPAS
Merida
Chetumal
Cancun
BÉLIZE
GUATÉMALA
HONDURAS
GOLFE DU MEXIQUE
OCÉAN ATLANTIQUE
OCÉAN PACIFIQUE
500 km
LA HAVANE
Matanzas
CUBA
Pinar del Rio
Cienfuegos
I. de la Jeunesse (I. des Pins)
Camagüey
arch. de Camagüey
Holguin
Santiago de Cuba
Cayman (R-U)
JAMAÏQUE
KINGSTON
BAHAMAS
NASSAU
Tropique du Cancer
Turcs et Caicos (R-U)
HAÏTI
Les Cayes
PORT-AU-PRINCE
RÉP. DOMINICAINE
Santiago
SAINT DOMINGUE
20° N
San Juan
PORTO RICO (É-U)
GRANDES ANTILLES

GRANDES ANTILLES

	INDICATEUR	UNITÉ	BAHAMAS	CAYMAN	CUBA
	Capitale		Nassau	Georgetown	La Havane
	Superficie	km²	13 930	259	110 861
DÉMOGRAPHIE	Population (*)	million	0,25	0,021	10,24
	Densité	hab./km²	17,9	81,1	92,3
	Croissance annuelle [i]	%	1,4	1,5	0,8
	Mortalité infantile [i]	‰	20	11	15
	Espérance de vie [i]	année	70	..	74,0
	Population urbaine	%	58,8	100,0	74,3
CULTURE	Analphabétisme	%	7,0 [g]	2,5 [h]	3,8 [f]
	Scolarisation 12-17 ans	%	..	..	78,9
	3ᵉ degré	%	..	..	22,6 [b]
	Postes tv [b]	‰ hab.	221	187	204
	Livres publiés	titre	..	..	2214 [a]
	Nombre de médecins	‰ hab.	0,98 [e]	2,15 [e]	3,57 [a]
ARMÉE	Armée de terre	millier d'h.	0,75	..	145
	Marine	millier d'h.		..	13,5
	Aviation	millier d'h.		..	22
ÉCONOMIE	PIB	milliard $	2,61 [a]	0,255 [d]	12,2 [bl]
	Croissance annuelle 1980-88	%	4,5	..	4,5 [l]
	1989	%	4,0	..	− 1,0 [k]
	Par habitant	$	10560 [a]	12100 [d]	1185 [bl]
	Dette extérieure	milliard $	0,195 [a]	..	7,5
	Taux d'inflation	%	4,5	..	..
	Dépenses de l'État Éducation	% PIB	4,4 [j]	..	14,2 [bm]
	Défense	% PIB	0,4 [c]	..	10,7 [bm]
	Production d'énergie [b]	million TEC	—	—	1,3
	Consom. d'énergie [b]	million TEC	0,50	0,05	14,5
COMMERCE	Importations	million $	2120	82,8 [c]	7543 [a]
	Exportations	million $	919	1,3 [c]	5147 [a]
	Principaux fournis.	%	E-U 27,0 [a]	..	CAEM 84,8 [a]
		%	CEE 7,5 [a]	..	PCD 7,9 [a]
		%	PVD 53,4 [a]	..	PVD 4,7 [a]
	Principaux clients	%	E-U 62,8 [a]	..	CAEM 82,0 [a]
		%	CEE 15,2 [a]	..	PCD 10,5 [a]
		%	PVD 9,6 [a]	..	PVD 3,1 [a]

Chiffres 1989, sauf notes : a. 1988; b. 1987; c. 1986; d. 1985; e. 1984; f. 1981; g. 1980; h. 1970; i. 1985-90; j. 1983; k. Produit social global; l. Produit matériel net; m. En pourcentage du PMN.

RÉPUB. DOMIN.	HAÏTI	JAMAÏQUE	PORTO RICO
St-Domingue	Port-au-Prince	Kingston	San Juan
48 730	27 750	10 990	8 900
7,02	5,61	2,48	3,66
144,0	202,2	227,8	411,0
2,2	1,9	1,5	1,4
65	117	18	15
65,9	54,7	74,0	74,9
59,4	29,7	51,7	73,3
22,7 [d]	62,4 [d]	3,9 [h]	10,9 [g]
71,6 [c]	53,6	81,1	78,5
18,6 [c]	1,2 [e]	4,2 [c]	48,1 [f]
79	4,2	108	247
..	..	71 [d]	..
0,62 [e]	0,16 [e]	0,49 [e]	2,18 [j]
13	7	2,5	—
4	0,25	0,2	—
3,8	0,15	0,15	—
5,71	2,38 [a]	2,57 [a]	19,79
0,8	– 0,3	– 0,7	3,4
3,8	0,5	4,0	3,7
813	380 [a]	1 060 [a]	5 407
3,9	0,80	4,3 [a]	..
51,7	6,7	17,2	..
1,6 [c]	1,9 [b]	5,2 [b]	..
1,5 [b]	1,6 [d]	0,8 [a]	—
0,12	0,04	0,015	0,032
2,8	0,32	2,5	8,9
2 280	297	1 801	14 040
928	160	967	16 340
E-U 56,3 [a]	E-U 62,0 [a]	E-U 52,0 [a]	E-U 67,3
CEE 9,4 [a]	CEE 12,3 [a]	CEE 13,7 [a]	..
A-L 21,7 [a]	A-L 11,4 [a]	A-l 13,4 [a]	..
E-U 79,3 [a]	E-U 84,8 [a]	E-U 45,5 [a]	E-U 88,1
CEE 8,9 [a]	CEE 10,7 [a]	CEE 25,1 [a]	..
A-L 3,3 [a]	A-L 1,6 [a]	A-L 8,1 [a]	..

(*) Dernier recensement utilisable : Bahamas, 1980 ; Cayman, 1979 ; Cuba, 1981 ; République dominicaine, 1981 ; Haïti, 1982 ; Jamaïque, 1982 ; Porto Rico, 1980.

« pavillons de complaisance », mais il apparaît que la sécurité de la flotte bahaméenne est équivalente à celle des États-Unis (0,19 % de perte de navires en 1984-1988).

Un ancien ministre de Lynden Pindling et l'un de ses associés ont été inculpés aux États-Unis pour trafic de drogue – 50 % de la cocaïne vendue aux États-Unis transiterait par les 700 îlots de l'archipel situés à 47 miles des côtes américaines.

Daniel van Eeuwen

Cayman

Le gouverneur Alan Scott a affirmé qu'en ce qui concerne le secteur *off-shore*, la Constitution de l'île ne serait pas modifiée, contrairement à ce qui a été fait à Montserrat. Le développement touristique s'est poursuivi avec la construction d'un nouvel hôtel de 360 chambres à Grand Cayman (Le Radisson) et l'aménagement de deux aéroports. La Banque caribéenne de développement a octroyé une aide pour la reconstruction des routes après le passage du cyclone *Hugo* en septembre 1989.

Yolande Pizetty-van Eeuwen

Cuba

Le 13 juillet 1989, le général Arnaldo Ochoa — ancien chef de la mission militaire cubaine en Angola — et trois officiers du ministère de l'Intérieur étaient fusillés, et deux ministres étaient condamnés à vingt ans de prison. Les accusations portaient sur le trafic de drogue et la corruption, mais c'était aussi l'occasion de désigner des « boucs émissaires », voire d'éliminer des « comploteurs » favorables à une *perestroïka* (restructuration) que Fidel Castro, chef de l'État, veut considérer comme « une réponse soviétique à un problème soviétique ». La purge s'est étendue aux sommets de l'État et de l'armée.

La situation économique et les bouleversements en Europe de l'Est ont placé le régime sur la défensive. 84 % du commerce cubain s'est effectué, en 1989, avec le CAEM (Conseil d'assistance économique mutuelle, ou COMECON), dont plus de 70 % avec la seule URSS qui fournit une aide annuelle de 6 milliards de dollars, la totalité du combustible et les principales sources de devises (achat de sucre au-dessus des cours mondiaux, vente de pétrole au-dessous du prix du marché sur lequel il est ensuite revendu). Or les pays de l'Europe de l'Est, souhaitant négocier leurs produits contre des devises fortes, ont commencé à réduire leurs livraisons tandis que les médias soviétiques ont dénoncé la gabegie cubaine, l'entêtement à vouloir « défendre tout seul les grands principes du socialisme » et jusqu'à la dette envers l'URSS (chiffrée à 15 milliards de roubles). Certes, Moscou n'a pas lâché Cuba. Le 17 avril 1990, un accord commercial exceptionnel a prévu une augmentation des échanges de 8,7 % en 1990, La Havane exportant même pour la première fois des médicaments et des équipements médicaux de haute technologie. Par ailleurs, en 1989, l'URSS lui a livré des Mig-29, ses avions de combat les plus sophistiqués. Mais F. Castro se préparait à un retrait soviétique feutré et progressif (déjà le prix du pain a augmenté de 30 % au cours de l'hiver 1989 à la suite d'une réduction des approvisionnements en blé). Cuba a diversifié ses partenaires (Chine notamment) et s'est préparé à une « période spéciale en temps de paix », c'est-à-dire une économie de crise

République de Cuba

Nature du régime : socialiste à parti unique (Parti communiste cubain, PCC).
Chef de l'État : Fidel Castro (premier secrétaire du PCC, au pouvoir depuis 1959).
Monnaie : peso (1 peso = 7,05 FF au 28.2.90).
Langue : espagnol.

caractérisée par la priorité donnée aux productions alimentaires et aux activités génératrices de devises (nickel, tourisme), tandis que les crédits pour l'éducation et la santé stagnaient.

Le 16 février 1990, F. Castro a annoncé des réformes économiques et politiques qui devraient entrer en vigueur lors du IVe congrès du Parti communiste (PC) en 1991, prévoyant notamment l'accroissement du rôle des assemblées élues. Mais il a aussi réprimé toute velléité d'opposition, arrêtant des dissidents « traîtres » et des étudiants contestataires qui témoignent du malaise de la jeunesse. Les Nations unies ont critiqué, en mars 1990, la situation des droits de l'homme et quatre pays d'Europe de l'Est ont alors joint leurs votes à ceux des États-Unis. La visite du pape — annoncée par le Vatican pour décembre 1990 — a été démentie. Alors même que l'audience de l'Église catholique s'est accrue, le régime a semblé moins désireux d'accueillir le souverain pontife qui pourrait bien déranger. Le ton officiel était donc à la résistance et au durcissement interne car, selon F. Castro, « rien ne fera dévier Cuba de la voie socialiste. Les lâches se rendent, pas les révolutionnaires » (message du nouvel an 1990).

A l'extérieur, le rapatriement, commencé en septembre 1989, des troupes engagées en Angola (31 000 sur 50 000 à la mi-1990) et en Éthiopie s'est poursuivi. Moscou a fait pression pour que cesse l'aide à la guérilla salvadorienne. Quant au soutien au Nicaragua, il s'est achevé avec la défaite sandiniste aux élections de février 1990. Une défaite qui a isolé La Havane, tout comme la chute de M.A. Noriega au Panama (Cuba utilisait en effet Panama comme intermédiaire pour procéder à des achats aux États-Unis afin de contourner l'embargo américain). En novembre 1989, Cuba a été élu au Conseil de sécurité des Nations unies avec l'appui unanime des pays latino-américains dont F. Castro souhaite plus que jamais se rapprocher. Il a d'ailleurs reçu un accueil chaleureux

lors de son voyage au Brésil en mars 1990 et a affirmé que son pays, à la tête du « front des exploités », est « la première tranchée de l'indépendance de l'Amérique latine ». D'autre part, le 27 mars 1990, la télévision anticastriste *TV Marti* a commencé à émettre depuis la Floride. Pour la première fois en cinq ans, F. Castro a riposté en brouillant les ondes. Le président George Bush a annoncé, le 22 mai 1989, la poursuite de la politique de confrontation et Washington a appelé à l'amélioration des droits de l'homme et à l'organisation d'élections libres à Cuba.

Daniel van Eeuwen

Haïti

La fin de l'année 1989 et le début de 1990 ont été marqués par une intensification de la vie politique. Le 31 août 1989 naissait le Front commun contre la répression, regroupant 25 organisations populaires, syndicales et socio-professionnelles, tandis que le MOP (Mouvement organisation du pays), le PAIN (Parti agricole industriel

République d'Haïti

Nature du régime : militaire.
Chef de l'État : général Prosper Avril remplacé par Ertha Trouillot le 10.3.90.
Monnaie : gourde (1 gourde = 1,13 FF au 30.4.90).
Langues : français, créole.

BIBLIOGRAPHIE

CARDENAS O., *The Revolution of the Sergeants. Testimony of my Work as Ambassador of Cuba*, Studie centrum voor Vredesvraag Stubbers, Université catholique, Niemègue (P-B).

CLERC J.-P., « Cuba : trente ans de castrisme », *Défense nationale*, Paris, fév. 1989.

« L'Économie cubaine », *Problèmes économiques*, n° 2118, La Documentation française, Paris, 30 mars 1989.

FRAMBES BUXEDA A., *Sociologia Politica Puertorriquena*, Editorial Tortuga Verde, Hato Rey, Porto Rico, 1990.

HABEL J., *Ruptures à Cuba*, La Brêche, Montreuil, 1989.

« Haïti », *Chemins critiques*, n° 2 et n° 3, Paris, 1989 et 1990.

LEMOINE M. (sous la dir. de), « Cuba, 30 ans de révolution », *Autrement*, n° 35, hors-série, 1989.

MARTIN D.-C., « Les Caraïbes à l'ombre des États-Unis », *Études*, n° 37-22, Paris, fév. 1990.

PISANI F., « A Cuba, tout changer pour que rien ne change », *Le Monde Diplomatique*, n° 435, Paris, juin 1990.

RUDEL C., *La République dominicaine*, Karthala, « Méridiens », Paris, 1989.

TARDANICO R., *Crises in the Caribbean Basin*, University of Tulane, Sage Publications Ltd., Louisiane (É-U), 1988.

TROUILLOT M.-R., *Les Racines historiques de l'État duvaliérien*, H. Deschamps, Port-au-Prince (Haïti), 1987.

ZIMBALIST A., BRUNDENIUS C., *The Cuban Economy*, The Johns Hopkins University Press, Baltimore (É-U), 1989.

national), et le MDN (Mobilisation pour le développement national) formaient une coalition d'alliance électorale. Le Rassemblement national du « groupe des 33 », réédition du « groupe des 57 », est devenu le Front national de concertation, comprenant tous les partis politiques et des associations. Il s'est donné pour but de forcer le général Prosper Avril, chef de l'État, à certaines concessions et à réviser le calendrier électoral. En septembre 1989, a eu lieu le congrès du Konakom et le PANPRA (Parti national progressiste révolutionnaire haïtien) a décidé d'adhérer à l'Internationale socialiste. Toujours en vue des élections à venir, l'Alliance nationale pour la démocratie et le progrès a été créée en septembre 1989, regroupant le MIDH (Mouvement pour l'instauration de la démocratie en Haïti), le PANPRA et le MNP avec Marc Bazin comme candidat à la présidence. De leur côté, une partie des militaires ont fondé l'Organisation populaire du 17 septembre (OP 17).

Sous de nombreuses pressions internes et externes, P. Avril a publié, le 23 septembre 1989, un calendrier électoral en trois temps : des élections communales en avril 1990, législatives à deux tours en juillet-août et présidentielles à deux tours en octobre-novembre 1990. Toutefois, le climat d'insécurité et de violence entretenu par des éléments de l'armée s'est aggravé en novembre 1989. La CATH (Centrale autonome des travailleurs haïtiens), la KID (Confédération d'initiatives démocratiques) et l'OP 17, appuyées par le Front commun contre la répression, ont manifesté contre les tortures et ont organisé une grève, le 22 novembre, qui a été très suivie. Le 14 janvier 1990, P. Avril est parti à Taïwan, où il a conclu des accords financiers. Pendant son absence, l'opposition a organisé des manifestations et, le 15 janvier, à son retour, P. Avril a décrété l'état de siège. Le 20 janvier, des arrestations brutales de personnalités politiques ont eu lieu, mais, sous la pression de la France et des États-Unis, elles furent relâchées le soir même et il fut mis fin à l'état de siège le 30.

Le climat social et politique est resté désastreux. Des manifestations violentes ont entraîné le départ de P. Avril, le 10 mars 1990, le général Hérard Abraham, commandant en chef de l'armée, assurant l'intérim du pouvoir. Une Assemblée de concertation, regroupant douze des principaux partis politiques, a été formée, ainsi qu'un gouvernement civil de transition (sans militaires) avec comme présidente Ertha Trouillot, membre de la Cour de cassation. Un Conseil d'État de dix-neuf membres a été formé pour traiter des affaires courantes et préparer des élections libres dans les meilleurs délais.

La situation économique s'est dégradée : les conditions imposées par le FMI ont entraîné des grèves et des manifestations. Le budget 1989-1990 a privilégié l'armée (14,5 %), à qui ont été alloués plus de fonds qu'à l'agriculture, les travaux publics, la justice et les affaires sociales réunis. L'aide étrangère s'est répartie comme suit : 3,2 millions de dollars du Japon (équipement agricole), 2 millions de dollars de la France (projets agricoles), 1,7 million de dollars de la RFA (santé) et 12 millions de dollars des États-Unis (aide alimentaire). Dans l'ensemble, on a pu noter une aggravation de la pauvreté : avec un revenu annuel par habitant de 320 dollars en 1989, les trois quarts de la population se situaient au-dessous du seuil de pauvreté.

Y.P.-v.E.

Jamaïque

Jamaïque
Nature du régime : parlementaire.
Chef de l'État : reine Elizabeth II, représentée par un gouverneur, Florizel Glasspole.
Chef du gouvernement : Michael Manley (depuis le 9.2.89).
Monnaie : dollar jamaïcain (1 dollar = 0,81 FF au 30.4.90).
Langues : anglais, espagnol.

En prenant le pouvoir en février 1989, Michael Manley s'est voulu pragmatique en maintenant de bonnes relations avec les États-Unis, principaux partenaires en ce qui concerne le commerce et le tourisme, tout en affirmant son intention de renouer des relations diplomatiques avec Cuba (interrompues par Edward Seaga en 1981). Il a proposé en novembre 1989, au Congrès des États-Unis, un plan pour la création d'une force paramilitaire pour combattre le trafic de drogue, afin de se rapprocher de l'administration Bush. Une conférence antidrogue s'est tenue à Kingston du 2 au 4 octobre 1989, réunissant vingt-trois pays dont les États-Unis, le Royaume-Uni, le Canada et la France.

Sur le plan économique, la situation est restée désastreuse. Comme suite à l'accord difficilement passé en juin 1989 avec le FMI, la Jamaïque devait essayer de maintenir le déficit extérieur à 3,5 % du PNB, tout en maintenant le déficit du secteur public à 4,8 %. Mais la dépréciation du dollar jamaïcain a obligé le ministre des Finances à préparer de nouvelles restrictions et une augmentation du taux d'intérêt. Des mesures d'austérité plus grandes étaient à prévoir pour essayer de stabiliser la monnaie, ce qui risquait d'éroder le soutien populaire dont M. Manley avait bénéficié en février 1989, d'autant plus que le Parti travailliste jamaïcain (JLP) a affirmé que les mesures gouvernementales n'étaient pas adaptées pour arrêter la chute du dollar jamaïcain et ne favorisaient pas la poussée économique.

Y.P.-v.E.

Porto Rico

Le cyclone *Hugo*, en septembre 1989, a causé 30 victimes, 100 000 sans-abri et 1,3 milliard de dollars de dégâts (pertes agricoles, îles Vieques et Culebra détruites à 80 %). Mais le tourisme s'est accru (+ 4,7 %) et l'île a connu un « boom » aérien avec le retour de la PanAm. La privatisation de la compagnie des téléphones, dont la valeur a été estimée à 2,5 milliards de dollars, a été engagée malgré l'hostilité des syndicats.

Quant au statut de l'île, les partisans du rattachement aux États-Unis, derrière l'ancien gouverneur, C. Romero Barcelo, ont mobilisé avec succès, arguant d'un enrichissement immédiat des plus pauvres de l'ordre de 65 % par l'accès aux crédits sociaux et à l'aide alimentaire. Favorable à une autonomie accrue dans le cadre de l'actuelle « association », le gouverneur R. Hernandez Colon a dénoncé, au contraire, les risques économiques (départs d'entreprises perdant leurs avantages fiscaux), le chômage et les menaces pour la culture hispanique.

République dominicaine

L'économie dominicaine est restée l'une des plus dynamiques de la région (croissance des exportations de 11 %, poursuite du « boom » des quarante zones franches industrielles, recettes du tourisme). Mais l'inflation a crû en 1990 de 100 % et les prix de certains produits de première nécessité ont explosé (quintuplement du prix du lait en quatre ans). Le pouvoir d'achat de la classe moyenne s'est dégradé et, surtout, 27 % de la population (soit 1,84 million de personnes) étaient classés en dessous du seuil d'extrême pauvreté, le nombre d'analphabètes totaux atteignant 30 %, et 75 % des jeunes n'ayant pas véritablement accès à l'éducation. Le secteur de la santé est resté dans un état déplorable, la délinquance s'est accrue et la corruption est demeurée générale. Les services publics sont totalement désorganisés et la distribution d'électricité n'est assurée que quelques heures par jour. Le nouveau contrat avec l'État haïtien relatif aux coupeurs de canne ne modifie ni leurs conditions de travail dramatiques ni le recrutement forcé par l'armée dominicaine. L'année 1989 a été marquée par de nombreux conflits sociaux souvent durement réprimés (4 morts les 19-20 juin). Le peso a perdu la moitié de sa valeur entre 1988 et juin 1990. Fin septembre 1989, le pays a suspendu le paiement des intérêts de sa dette extérieure (dont le total excède 4,2 milliards de dollars) auprès des banques privées. En revanche, en décembre 1989, il a accédé aux avantages de la convention Lomé IV prévus dans les accords CEE-ACP (Afrique-Caraïbe-Pacifique), à l'exception des protocoles sucre, banane et rhum.

République dominicaine
Nature du régime : présidentiel.
Chef de l'État et du gouvernement : Joaquim Balaguer (depuis 1986, réélu le 16.5.90).
Monnaie : peso (1 peso = 0,54 FF au 30.4.90).
Langue : espagnol.

Compte tenu du bilan mitigé du président sortant Joaquim Balaguer (qui a près de 83 ans et est aveugle) et de l'affaiblissement du Parti révolutionnaire dominicain de José Francisco Peña Gomez (corruption des anciens dirigeants, scission de l'aile droite), le Parti de la libération dominicaine de l'ancien président Juan Bosch (80 ans) était donné favori pour les élections générales du 16 mai 1990. Mais le populisme de Joaquim Balaguer lui a valu des soutiens dans les campagnes, le secteur informel, le bâtiment et parmi certains des plus pauvres. Après un interminable décompte de voix qui a suscité des accusations de fraude de la part de son principal adversaire, il devait être proclamé vainqueur et entamer, le 17 août 1990, son sixième mandat présidentiel.

D.v.E.

Petites Antilles

Les petites Antilles, départements français d'outre-mer mis à part, sont présentées selon un ordre géographique, en suivant l'arc qu'elles forment, du nord au sud, dans la mer des Caraïbes.

Guadeloupe. Le cyclone *Hugo* (16-17 septembre 1989) a causé 15 victimes, 40 000 sans-abri, 4 milliards FF de dégâts (le double selon les responsables locaux), détruit 90 % des bananeraies, les deux tiers de l'hôtellerie, les cultures vivrières et révélé l'état désastreux de l'habitat. D'autre part, la crise sucrière s'est aggravée avec la menace de fermeture de l'usine de Beaufort. Les élus régionaux se sont opposés à l'implantation d'une raffinerie de pétrole à Port-Louis. Enfin, l'île de Saint-Martin, qui a accueilli la rencontre entre George Bush et François Mitterrand en décembre 1989 a confirmé — comme Marie-Galante — son rôle de relais dans le trafic de drogue.

Lors de son premier congrès public (mars 1990) l'Union populaire pour la libération de la Guadeloupe s'est convertie à l'« indépendance-association ». Le rapport Ripert (8 janvier 1990) a prôné l'égalité sociale par l'alignement du SMIC et des allocations familiales des DOM (départements français d'outre-mer) sur la métropole, ainsi que la diminution du supplément de traitement des fonctionnaires (40 % en moyenne). Il a proposé de contrôler les retards « dramatiques » de l'économie et du logement social.

Martinique. Si le revenu par tête était supérieur de 35 % à celui de la Guadeloupe, au début 1990 un tiers de la population en âge de travailler était au chômage avec des cultures traditionnelles (sucre) survivant difficilement, une industrie restée embryonnaire et un tourisme contrarié par de nombreux blocages. Mais le plan État-région pour 1989-1993 prévoit plus d'un milliard FF pour les communications, les entreprises, la formation et le développement social. Le Marché unique européen de 1993, perçu par certains comme une menace pour l'économie et l'identité culturelle de l'île, est source d'une angoisse qui a été récupérée en partie par les autonomistes. Aimé Césaire, leader du Parti progressiste martiniquais (PPM), s'est prononcé pour l'organisation de référendums locaux sur le statut européen des DOM (départements français d'outre-mer). En avril 1990, sur la base du rapport de Bernard de Gouttes (février 1990), le Premier ministre, Michel Rocard, a affirmé la nécessité de mieux insérer les départements français d'Amérique dans leur environnement caraïbe et a annoncé la création d'un fonds de 15 milliards de francs pour les projets décentralisés d'intérêt régional. La Martinique a déjà signé un accord médical et sanitaire avec Sainte-Lucie et amorcé une coopération avec Haïti et Trinidad.

Daniel van Eeuwen

Îles Vierges britanniques. Après le passage du cyclone *Hugo*, en septembre 1989, l'état d'urgence a été déclaré pour un mois. 10 % de la population est restée sans abri et le coût des dommages s'est élevé à 200 millions de dollars américains.

Îles Vierges américaines. Au référendum de novembre 1989 sur le futur statut des îles (territoires non incorporés aux États-Unis), 27 % des électeurs sont apparus favorables à l'incorporation et 26 % à l'indépendance. Le cyclone *Hugo* a ravagé l'île en septembre 1989 (13 morts, routes détruites). La capitale, Charlotte-Amélie, a été pillée et les États-Unis ont dû envoyer 930 hommes pour rétablir l'ordre.

St Kitts et Nevis. La croissance économique (4 % en 1989) bénéficie surtout du dynamisme du secteur touristique. Un accord a été signé avec la France dans les domaines portuaire, de la santé et de l'éducation, dans le cadre de la coopération régionale avec la Martinique et la Guadeloupe. L'Alliance française devait ouvrir un établissement courant 1990; ce serait le cinquième des petites Antilles. Lors de la conférence annuelle du Parti travailliste en juin 1989, Denzil Douglas a été élu pour remplacer l'ancien leader, Lee More, démissionnaire après dix ans de mandat.

> **St Kitts et Nevis**
> (Saint-Christophe et Nièves)
> **Nature du régime :** parlementaire.
> **Chef de l'État :** reine Elizabeth II, représentée par un gouverneur, Clément A. Arrindell.
> **Chef du gouvernement :** Dr. Kennedy A. Simmonds (depuis le 19.9.83).
> **Monnaie :** dollar des Caraïbes orientales (1 dollar EC = 2,09 FF au 30.4.90).
> **Langues :** anglais, créole.

Montserrat. Le bilan du cyclone *Hugo*, en septembre 1989, a été lourd : quatre morts et 95 % des immeubles détruits. Les dommages ont été évalués à 330 millions de dollars EC. Les relations ont été difficiles entre le Premier ministre, John Osborne, et le gouverneur Christopher Turner, après la décision du Royaume-Uni de transférer la responsabilité du secteur bancaire *offshore* du ministre des Finances au gouverneur. John Osborne a annoncé l'organisation d'un référendum sur l'indépendance en 1990. Une telle perspective permettrait à Montserrat de s'impliquer dans la coopération régionale.

> **Montserrat**
> **Nature du régime :** parlementaire.
> **Chef de l'État :** reine Elizabeth II, représentée par un gouverneur, Christopher Turner (depuis 1987).
> **Chef du gouvernement :** John Osborne (depuis le 28.11.78).
> **Monnaie :** dollar des Caraïbes orientales (1 dollar EC = 2,09 FF au 30.4.90).
> **Langue :** anglais.

Antigua et Barbuda. Le gouvernement de Vere C. Bird a prévu d'instituer une législation pour protéger les produits régionaux importés de la zone CARICOM (Marché commun des Caraïbes anglophones). Les ravages du cyclone *Hugo*, en septembre 1989, ont été importants : un mort, 15 % des habitations endommagées ou détruites et 10 % des hôtels hors service. De plus, l'île a été privée d'eau et d'électricité pendant près de trois semaines. Les dégâts ont été évalués à 137 millions de dollars EC.

Sur le plan politique, le Comité judiciaire du Conseil privé a décidé de relâcher, en février 1990, le leader de l'opposition, Tim Hector, emprisonné pour fausse déclaration, ce qui a constitué une victoire pour l'opposition.

> **Antigua et Barbuda**
> **Nature du régime :** parlementaire.
> **Chef de l'État :** reine Elizabeth II, représentée par un gouverneur, Wilfred E. Jacobs.
> **Chef du gouvernement :** Vere C. Bird, senior (depuis le 18.2.76).
> **Monnaie :** dollar des Caraïbes orientales (1 dollar EC = 2,09 FF au 30.4.90).
> **Langue :** anglais.

Dominique. En mars 1990, un accord de coopération a été passé avec la France, dans le cadre de la Francophonie, ainsi qu'avec la Martinique et la Guadeloupe pour la pêche. En juillet 1989, un prêt de la Banque centrale de développement de trois millions de dollars américains a été octroyé pour accompagner un programme d'ajustement de trois ans visant à réduire le chômage et à augmenter le niveau de vie. Après le passage en septembre 1989 du cyclone *Hugo*, 50 à 70 % des

PETITES ANTILLES

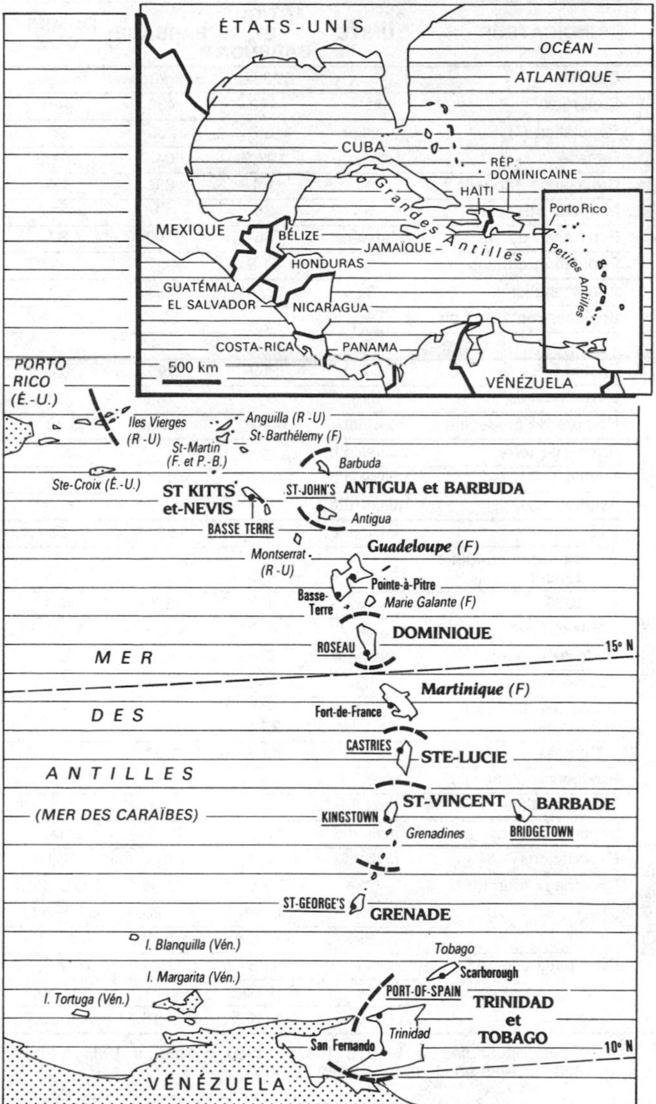

ÉTATS-UNIS
OCÉAN
ATLANTIQUE
CUBA
RÉP. DOMINICAINE
HAITI
Porto Rico
Grandes Antilles
Petites Antilles
MEXIQUE
BÉLIZE
JAMAÏQUE
HONDURAS
GUATÉMALA
EL SALVADOR
NICARAGUA
COSTA-RICA
PANAMA
500 km
VÉNÉZUELA
PORTO RICO (É.-U.)
Iles Vierges (R-U)
Anguilla (R-U)
St-Barthélemy (F)
St-Martin (F. et P.-B.)
Ste-Croix (É.-U.)
Barbuda
ST KITTS et-NEVIS
ST-JOHN'S
ANTIGUA et BARBUDA
Antigua
BASSE TERRE
Montserrat (R-U)
Guadeloupe (F)
Pointe-à-Pitre
Basse-Terre
Marie Galante (F)
DOMINIQUE
ROSEAU
15° N
MER DES ANTILLES
(MER DES CARAÏBES)
Martinique (F)
Fort-de-France
CASTRIES
STE-LUCIE
ST-VINCENT
BARBADE
KINGSTOWN
Grenadines
BRIDGETOWN
ST-GEORGE'S
GRENADE
I. Blanquilla (Vén.)
Tobago
I. Margarita (Vén.)
Scarborough
I. Tortuga (Vén.)
PORT-OF-SPAIN
TRINIDAD et TOBAGO
Trinidad
San Fernando
10° N
VÉNÉZUELA
200 km

PETITES ANTILLES

	INDICATEUR	UNITÉ	ANTIGUA ET BARBUDA	BARBADE	DOMINIQUE
	Capitale		St Jean	Bridgetown	Roseau
	Superficie	km^2	442	430	440
DÉMOGRAPHIE	Population (*)	millier	85	260	80
	Densité	hab./km^2	192,3	604,7	181,8
	Croissance annuelle [h]	%	1,4	0,6	1,3
	Mortalité infantile [h]	‰	34	11	11
	Espérance de vie [h]	année	66	73,9	67
	Population urbaine	%	31,8	44,2	••
CULTURE	Analphabétisme	%	12,0 [d]	0,5 [g]	5,9 [i]
	Scolarisation 12-17 ans	%	••	86,7	••
	3e degré	%	••	19,4 [e]	••
	Postes tv [b]	‰ hab.	250	195	••
	Livres publiés [d]	titre	••	87	20
	Nombre de médecins	‰ hab.	0,40 [k]	0,94 [e]	0,33 [e]
ARMÉE	Armée de terre	millier d'h.			0,1 [c]
	Marine	millier d'h.	0,7 [d]	0,154 [d]	••
	Aviation	millier d'h.			••
ÉCONOMIE	PIB	million $	289 [a]	1 527 [a]	138 [a]
	Croissance annuelle 1980-88	%	5,4	1,7	4,4
	1989	%	4,0	3,7	4,0
	Par habitant	$	3 440 [a]	5 990 [a]	1 700 [a]
	Dette extérieure	million $	63 [d]	820	45 [c]
	Taux d'inflation	%	••	6,6	4,3
	Dépenses de l'État Éducation	% PIB	2,7 [e]	5,9 [b]	••
	Défense	% PIB	0,8 [c]	1,0 [e]	••
	Production d'énergie [b]	millier TEC	—	127	2
	Consom. d'énergie [b]	millier TEC	129	364	21
COMMERCE	Importations	million $	171 [a]	673	100
	Exportations	million $	32 [a]	186	50
	Principaux fournis. [a]	%	PCD 90,1	E-U 35,2	PCD 49,5
		%	R-U 24,0	A-L 23,4	CEE 34,0
		%	A-L 8,8	CEE 19,0	A-L 32,5
	Principaux clients [a]	%	PCD 87,5	E-U 24,7	E-U 8,7
		%	R-U 56,3	A-L 31,1	R-U 56,1
		%	A-L 12,5	R-U 18,1	A-L 16,7

Chiffres 1989, sauf notes : a. 1988 ; b. 1987 ; c. 1986 ; d. 1985 ; e. 1984 ; f. Licences ; g. 1980 ; h. 1985-90 ; i. 1970 ; j. 1982 ; k. 1983.

GRENADE	GUADE-LOUPE	MARTI-NIQUE	SAINTE-LUCIE	ST VINCENT ET GRENADINES	TRINIDAD ET TOBAGO
St. George	Basse-Terre	Fort de F.	Castries	Kingstown	Port d'Espagne
344	1 780	1 100	620	388	5 130
101	339	330	135	109	1 263
293,6	190,4	300,0	217,7	280,9	246,2
1,3	0,3	0,2	1,3	1,3	1,6
13	12	13	21	40	20
69	73,3	74,2	71	69	70,2
..	47,9	74,0	45,9	20,2	68,0
2,2 [i]	10,0 [j]	7,2 [j]	18,3 [i]	4,4 [i]	3,9 [d]
..	..	..	..	..	60,7
..	..	..	..	..	4,2 [d]
..	211	136 [f]	19	75	290
..	..	..	63	..	..
0,40 [e]	1,40 [e]	1,42 [e]	0,28 [e]	0,26 [e]	0,99 [d]
..	—	—	..	..	2,0
..	—	—	..	..	0,6
..	—	—	..	..	0,05
162 [a]	1521 [c]	2098 [c]	223 [a]	134 [a]	4157 [a]
5,2	0,4	2,1	4,3	5,7	−5,8
5,0	..	..	6,0	7,0	−3,7
1590 [a]	4513 [c]	6354 [c]	1540 [a]	1100 [a]	3350 [a]
75 [a]	..	..	31,5 [c]	45 [a]	2060
6,8	..	..	3,5	20,0	9,3
4,6 [d]	15,0 [k]	13,5 [k]	7,5 [c]	6,3 [c]	5,8 [d]
..	—	—	..	..	1,0 [c]
—	—	—	—	2	16927
32	353	349	60	23	7063
95	1322 [a]	1199 [a]	240	135	1343
30	166 [a]	277 [a]	110	100	1555
CEE 22,1	PCD 85,5	PCD 91,4	PCD 86,7	E-U 40,1	E-U 37,1
E-U 27,7	Fra 71,6	Fra 77,9	R-U 21,6	CEE 29,1	CEE 21,3
A-L 25,8	Mart 7,3	A-L 6,2	A-L 10,6	A-L 18,6	A-L 17,2
E-U 20,7	PCD 74,8	PCD 63,0	PCD 88,7	E-U 6,7	E-U 57,1
R-U 29,2	Fra 72,8	Fra 56,9	R-U 67,1	CEE 71,7	CEE 9,1
RFA 16,2	A-L 13,3	A-L 36,8	A-L 11,3	A-L 9,6	A-L 25,6

(*) Dernier recensement utilisable : Antigua et Barbuda, 1981 ; Barbade, 1980 ; Dominique, 1981 ; Grenade, 1981 ; Guadeloupe, 1982 ; Martinique, 1982 ; Sainte-Lucie, 1980 ; Saint-Vincent et Grenadines, 1980 ; Trinidad et Tobago, 1980.

plantations de bananes ont été détruites et les routes ont été endommagées. Dans l'ensemble, les dégâts ont été évalués à 15 millions de dollars. Le taux de croissance était de 4 % en 1989, en baisse par rapport à 1988 (5,6 %).

Commonwealth de la Dominique
Nature du régime : république parlementaire.
Chef de l'État : reine Elizabeth II, représentée par un gouverneur, Clarence Seignoret.
Chef du gouvernement : Eugenia Charles (depuis le 23.7.80).
Monnaie : dollar des Caraïbes orientales (1 dollar EC = 2,09 FF au 30.4.90).
Langues : anglais, créole.

Sainte-Lucie. En 1989-1990, les autorités ont fait de la promotion touristique aux États-Unis, au Royaume-Uni, et au Canada pour arrêter la chute des flux de touristes due au cyclone *Hugo* et à la banqueroute d'Eastern Airlines. Sur le plan économique, en 1989, l'industrie bananière a accusé une baisse de 28 millions de dollars EC par rapport à 1988. Le Fonds de développement international a accordé un prêt de 1,9 million de dollars américains en décembre 1989 pour un projet d'adduction d'eau. Le gouvernement a mis en place un nouveau planning familial pour ralentir le taux d'accroissement de la population (22 ‰ ; moyenne mondiale de 16 ‰).

Sainte-Lucie
Nature du régime : parlementaire.
Chef de l'État : reine Elizabeth II, représentée par un gouverneur, Allen M. Lewis.
Chef du gouvernement : John Compton (depuis le 7.5.82).
Monnaie : dollar des Caraïbes orientales (1 dollar EC = 2,09 FF au 30.4.90).
Langues : anglais, créole.

Saint-Vincent-Grenadines. Le Premier ministre, James Mitchell, a annoncé une réorganisation des salaires du service public. Le programme de développement rural représente un coût total de 8,3 millions d'écus, couverts par le Fonds européen de développement, le Royaume-Uni, la Banque de développement des Caraïbes et l'État. De plus, St-Vincent a bénéficié d'une aide d'un million de livres du Royaume-Uni, pour 1990-1995, afin de construire des écoles, et de l'apport des États-Unis pour les routes. D'autre part, le Japon a poursuivi son soutien à la réalisation d'un marché et d'une conserverie de poisson.

Commonwealth de Saint-Vincent et les Grenadines
Nature du régime : parlementaire.
Chef de l'État : reine Elizabeth II, représentée par un gouverneur, Joseph L. Eustache.
Chef du gouvernement : James Mitchell (depuis 1984, réélu le 16.5.89).
Monnaie : dollar des Caraïbes orientales (1 dollar EC = 2,09 FF au 30.4.90).
Langue : anglais.

Barbade. Le 31 mars 1990, le ministre des Affaires étrangères, James Tudor, a démissionné pour trafic de drogue. Il avait été l'un des fondateurs du Parti travailliste démocratique. D'autre part, un nouveau gouverneur, Dame Nita Barrow, a été nommé le 6 mai 1990 pour remplacer Sir Hugh Springer, à ce poste depuis 1984.

Sur le plan économique, la recherche de nouveaux puits de pétrole

Barbade
Nature du régime : parlementaire.
Chef de l'État : reine Elizabeth II, représentée par un gouverneur, Dame Nita Barrow (depuis le 6.5.90).
Chef du gouvernement : Erskine Sandiford (depuis le 1.6.87).
Monnaie : dollar barbadien (1 dollar = 2,80 FF au 30.4.90).
Langue : anglais.

dans la région de Saint-Philip a été mise en œuvre. La production de pétrole, arrêtée en 1987, devait reprendre en 1990 si les cours mondiaux le permettaient. On a noté aussi une augmentation du PNB de 3,5 % en 1989 contre 2,2 % en 1988, mais l'inflation est passée de 2,4 % à 4,8 % et le déficit budgétaire pour 1988-1989 a été évalué à 127,8 millions de dollars barbadiens.

Grenade. Sur le plan économique, on a noté une progression dans l'industrie, le tourisme, la construction, le rhum et la banane, mais une baisse du cacao et du coprah. Si la croissance a été de 5 % en 1989, la dette a atteint 250 millions de dollars EC et le déficit commercial s'est creusé de 5,1 %.

> **Grenade**
> **Nature du régime :** parlementaire.
> **Chef de l'État :** reine Elizabeth II, représentée par un gouverneur, Paul Scoon.
> **Chef du gouvernement :** Herbert Blaize, remplacé par Nicolas Brathwaite le 29.3.90.
> **Monnaie :** dollar des Caraïbes orientales (1 dollar EC = 2,09 FF au 30.4.90).
> **Langue :** anglais.

En août 1989, le gouvernement de Herbert Blaize a été mis en minorité, ce qui a entraîné la suspension du Parlement et la scission du Nouveau parti national. Keith Mitchell en est devenu le leader et, en octobre 1989, H. Blaize a formé le Parti national, dirigé par Ben Jones. Le 19 décembre 1989, H. Blaize, qui avait été Premier ministre à l'indépendance, en 1967, est mort à 71 ans. Ben Jones est devenu Premier ministre. Fin janvier 1990, la réouverture du Parlement n'était pas fixée, mais les élections générales se sont tenues le 28 mars 1990. Nicolas Brathwaite est devenu Premier ministre et le NDC (Congrès national démocratique) a obtenu sept sièges sur quinze, tandis que le GULP (Parti travailliste) en obtenait quatre et le NNP (Nouveau parti national) deux.

Trinidad et Tobago. A la satisfaction du FMI, Trinidad et Tobago ont rempli leurs engagements, mais les devises étrangères étant épuisées ils ont dû envisager un nouveau prêt de 4,8 millions de dollars de T et T pour 1989-1991. A la suite des mesures d'austérité, la croissance a été de 2,1 % en 1989. Les progrès ont surtout concerné les activités non pétrolières, l'agriculture, les transports et les communications. Mais un équilibre politique entre les deux îles doit être trouvé pour résoudre les problèmes économiques et mettre en œuvre un programme d'austérité dans le secteur public. Un débat sur la Constitution s'est tenu, courant 1989, pour élaborer un projet constitutionnel permettant la sécession de Tobago. Jeff Davidson, membre du NAR (Alliance nationale pour la reconstruction), président de l'Assemblée de Tobago, s'est déclaré favorable à une législation autorisant la rupture. Sa position a reflété le sentiment de beaucoup de Tobagoniens qui se sont sentis exclus des consultations par le gouvernement central sur des projets qui les touchent. Une scission pourrait peut-être garantir de meilleures relations entre les deux îles et renforcer les processus de décision. Une amnistie pour 45 immigrants illégaux a été prolongée de six mois jusqu'à la fin mars 1990; ceux étant arrivés avant décembre 1986 ont pu devenir des citoyens en payant 800 dollars T et T, soit 1 120 FF.

> **Trinidad et Tobago**
> **Nature du régime :** parlementaire.
> **Chef de l'État :** Noor Hassanali.
> **Chef du gouvernement :** (au 30.7.90) Arthur Napoleon Robinson (depuis le 15.12.86).
> **Monnaie :** dollar de Trinidad et Tobago (1 dollar = 1,33 FF au 30.4.90).
> **Langues :** anglais, espagnol, hindi, créole.

Yolande Pizetty-van Eeuwen

BIBLIOGRAPHIE

Antilles : espoirs et déchirements de l'âme créole, Autrement, Paris, 1989.

Blerald A., *La Question nationale en Guadeloupe et en Martinique*, L'Harmattan, Paris, 1988.

De Gouttes B., Rapport au Premier ministre sur la coopération régionale dans la Caraïbe, fév. 1990.

Martin D.-C., « Les Caraïbes à l'ombre des États-Unis », *Études*, n° 37-22, Paris, fév. 1990.

Matthieu J.-L., *Les Dom-Tom*, PUF, Paris, 1988.

Morizot F., *Grenade, épices et poudre*, L'Harmattan, Paris, 1988.

Ripert J. (Commission présidée par), Rapport au ministre des DOM-TOM sur l'égalité sociale et le développement économique des DOM-TOM.

« Saint-Vincent et les grenadines : sous la menace du volcan », *Le Courrier ACP-CE*, n° 115, Dieter Frisch, Bruxelles, 1989.

Antilles néerlandaises. Le Premier ministre, Maria-Liberia Peters, a remporté les élections du 15 mars 1990 et formé un nouveau gouvernement de coalition. Un ministre néerlandais en visite a suggéré le partage de la fédération : *Bonaire* et *Curaçao*, d'une part, et *St-Eustache*, *St-Martin* et *Saba* de l'autre. La CEE a consenti un prêt de 3 millions d'écus pour diversifier les activités économiques trop tributaires du raffinage, mais des accords pétroliers ont continué d'être signés avec le Vénézuela — et même l'Arabie saoudite. *Aruba* a développé ses activités financières *off-shore* avec déjà 30 milliards de dollars de dépôts provenant des États-Unis.

Daniel van Eeuwen

Vénézuela-Guyanes

GUYANA • GUYANE FRANÇAISE • SURINAM • VÉNÉZUELA

Guyana

Le plan de redressement du FMI de 1989, accepté par le gouvernement de Desmond Hoyte, a impliqué une forte dévaluation monétaire et la hausse des prix alors que les salaires ont été gelés. La nouvelle parité du dollar guyanien a été établie à 35 pour 1 dollar américain. Ces mesures ont permis au gouvernement d'obtenir un prêt de 4 millions de dollars américains. Mais la situation du pays est restée désastreuse et la police a dû contrôler les queues pour l'approvisionnement en farine, en riz, etc. Les effets de l'accord avec le FMI ont provoqué des réactions violentes : sabotages et incendies dans les plantations, grèves des ouvriers du sucre et de la bauxite, manifestations de salariés affiliés aux sept syndicats indépendants (FITUG - Fédération des syndicats indépendants de Guyana) et meetings revendicatifs à Georgetown à l'appel des partis d'opposition.

République coopérative de Guyana
Nature du régime : présidentiel.
Chef de l'État : Desmond Hoyte.
Chef du gouvernement : Hamilton Green (depuis le 6.8.85).
Monnaie : dollar de Guyana (1 dollar = 0,17 FF au 30.4.90).
Langue : anglais.

Ces mouvements ont entraîné

VÉNÉZUELA - GUYANES

l'arrestation de George Daniel, président de la FITUG, et du secrétaire général du Parti progressiste du peuple. En mai 1989, lors de la réunion du conseil des Églises, les évêques ont exprimé leur profond souci pour les charges qui pèsent sur les plus pauvres et les restrictions qui ont été

VÉNÉZUELA - GUYANES

	INDICATEUR	UNITÉ	GUYANA	GUYANE FRANÇAISE
	Capitale		Georgetown	Cayenne
	Superficie	km²	214970	91000
DÉMOGRAPHIE	Population (*)	million	1,02	0,090
	Densité	hab./km²	4,8	1,0
	Croissance annuelle [f]	%	1,7	2,3
	Mortalité infantile [f]	‰	30	20
	Espérance de vie [f]	année	69,7	••
	Population urbaine	%	34,1	74,2
CULTURE	Analphabétisme	%	4,1 [d]	17,0 [g]
	Scolarisation 12-17 ans	%	54,9	••
	3e degré	%	2,1 [d]	••
	Postes tv [b]	‰ hab.	15	156 [e]
	Livres publiés	titre	55 [h]	••
	Nombre de médecins	‰ hab.	1,6 [h]	1,59 [h]
ARMÉE	Armée de terre	millier d'h.	5,0	—
	Marine	millier d'h.	0,15	—
	Aviation	millier d'h.	0,3	—
ÉCONOMIE	PIB	million $	336 [a]	231 [c]
	Croissance annuelle 1980-88	%	4,9	−0,6
	1989	%	−4,0	••
	Par habitant	$	420 [a]	2718 [c]
	Dette extérieure	milliard $	1,67	••
	Taux d'inflation	%	80,0	••
	Dépenses de l'État Éducation	% PIB	9,6 [b]	19,2 [g]
	Défense	% PIB	12,5 [c]	••
	Production d'énergie [b]	millier TEC	1	—
	Consom. d'énergie [b]	millier TEC	476	176
COMMERCE	Importations	million $	225 [a]	846 [a]
	Exportations	million $	230 [a]	54 [a]
	Principaux fournis. [a]	%	E-U 33,2	E-U 36,8
		%	CEE 16,5	Fra 42,4
		%	A-L 35,9	A-L 5,5
	Principaux clients [a]	%	E-U 22,6	E-U 15,5
		%	CEE 50,0	Fra 30,7
		%	A-L 11,6	A-L 25,6

apportées aux libertés publiques. Une rumeur de coup d'État militaire, en mars 1989, a été démentie, mais les partis politiques ont demandé une réforme électorale rapide, et une coalition de cinq partis, la Coalition patriotique pour la démocratie, a décidé de « saboter » les prochaines élections si la réforme n'était pas mise en place.

SURINAM	VÉNÉZUELA
Paramaribo	Caracas
163 270	912 050
0,397	19,25
2,4	21,1
1,5	2,6
31	36
69,5	69,7
47,1	89,9
10,0 [d]	13,1 [d]
91,9	64,1
7,7 [c]	26,5 [b]
129	142
..	1 202 [b]
0,87 [h]	1,23 [c]
2,7	34
0,25	10
0,1	6,5
1 051 [a]	48 114
−4,4	0,3
2,0	−8,1
2 450 [a]	2 499
0,075 [a]	34,8
25,0	81,0
10,4 [c]	5,4 [d]
2,3 [c]	1,0
338	175 296
492	55 147
311	8 728
465	12 600
E-U 26,6	E-U 44,0
P-B 16,7	CEE 26,6
A-L 42,3	A-L 11,9
E-U 21,1	E-U 48,9
P-B 23,6	CEE 11,1
Nor 19,4	A-L 19,9

Des accords de coopération ont été passés avec le Brésil concernant l'énergie, l'agriculture et la lutte contre la drogue. Par ailleurs, la Guyana a obtenu des prêts de la Grande-Bretagne, de la RFA, de l'Italie, de la Suisse et du Canada.

Yolande Pizetty-van Eeuwen

Guyane française

Les maux guyanais se sont accentués en 1989-1990 : le chômage a frappé la moitié des jeunes de moins de 24 ans, les cas recensés de SIDA (200 environ) ont doublé, et l'insécurité, l'immigration clandestine et le trafic de drogue se sont accrus. Lors de sa visite en avril 1990 le Premier ministre, Michel Rocard, a souhaité un retour rapide des 10 000 réfugiés surinamiens dans leur pays et l'insertion de ce département français d'outre-mer dans le sous-continent latino-américain. Et, surtout, après la mise en place d'un plan quinquennal État-région en juillet 1989, il a lancé le plan *Phèdre* (1,2 milliard FF de crédits sur 1990-1995 pour des « actions de solidarité ») (écoles, formation, logements sociaux, électricité, eau) et pour un développement du centre spatial de Kourou qui bénéficierait à tout le département. La campagne de tir de la fusée européenne Ariane, à laquelle Kourou sert de base, a remporté des succès en 1989, mais a aussi suscité diverses inquiétudes après

Chiffres 1989, sauf notes : a. 1988 ; b. 1987 ; c. 1986 ; d. 1985 ; e. Licences ; f. 1985-90 ; g. 1982 ; h. 1984.

(*) Dernier recensement utilisable : Guyana, 1980 ; Guyane française, 1982 ; Surinam, 1980 ; Vénézuela, 1981.

BIBLIOGRAPHIE

CHERUBINI B., *Cayenne, ville créole et polyethnique*, Karthala, CENADDOM, Paris, 1988.

PIZETTY-VAN EEUWEN Y., « Suriname : de la révolution des sergents au retour à la démocratie », *Problèmes d'Amérique latine*, n° 91, La Documentation française, Paris, 1er trim. 1989.

REVEL-MOUROZ J. (sous la dir. de), *Vénézuela, Centralisme, régionalisme et pouvoir local*, EST-IHEAL, Paris, 1989.

VAN EEUWEN D., « Antilles et Guyane françaises face à 1993 : France d'Amérique ou Europe tropicale ? », *Regards sur l'actualité*, n° 156, La Documentation française, déc. 1989.

« Venezuela to 1993. A Change in Direction ? », *The Economist*, Intelligence Unit Special Report, n° 2003, Londres, sept. 1989.

l'échec du lancement du 23 février 1990.

Sur le plan politique, la victoire aux sénatoriales du président du Conseil régional, Georges Othily, dissident du Parti socialiste guyanais (PSG), a aggravé la rivalité avec Élie Castor, leader du PSG et président du Conseil général.

Daniel van Eeuwen

Surinam

En 1989, le gouvernement surinamien a pris des mesures de contrôle du marché parallèle des biens de consommation, et a établi un taux d'échange du florin surinamien à 1,785 pour un dollar américain ; mais le taux réel est passé à 14 pour 1 en juin 1990. Un plan de privatisation de la compagnie Surland (exportation de bananes) a été mis en place, entraînant une grève des ouvriers qui s'y opposaient. La BID (Banque interaméricaine de développement) a accordé un prêt de 10 millions de florins pour des projets de développement industriel. Par ailleurs, la compagnie Billiton a décidé d'investir 110 millions de dollars sur cinq ans pour aménager la mine de bauxite d'Acaribo. Mais les agences internationales de prêt ont évalué la dette du Surinam à 88 millions de dollars et l'Assemblée nationale a jugé le plan de développement à long terme présenté par le gouvernement en janvier 1990 irréalisable. Il contenait 736 projets pour un coût de 4 500 milliards de florins.

République du Surinam
Nature du régime : présidentiel.
Chef de l'État : Ramsewak Shankar.
Chef du gouvernement : Henck Aaron (depuis le 26.1.88).
Monnaie : florin de Surinam (1 florin = 3,16 FF au 30.4.90).
Langues : néerlandais (off.), sranan, tongo (langues de communication).

En septembre 1989, un groupe d'Amérindiens, Tucayana Amazonia, a mené diverses attaques dans l'ouest du pays. Il demandait le retrait ou la modification des accords de paix de Kourou (août 1989) — entre les rebelles de Ronnie Brunswijk et le gouvernement —, le rétablissement du bureau des affaires indiennes et l'entrée des Indiens dans la Force spéciale qui doit intégrer le Commando de la jungle de R. Brunswijk. A la mi-1990, l'armée négociait avec les groupes rebelles, après une rencontre qui s'est tenue en novembre 1989 entre Desi Bouterse, chef de l'armée, et R. Brunswijk. D. Bouterse a utilisé son rôle d'arbitre dans le processus de paix pour s'assurer un avenir politique et pour qu'à l'étranger les soupçons sur son implication dans le trafic de drogue soient levés. Il a donc procédé à un coup de force, en profitant des accusations du même ordre qui pèsent sur le Commando de la jungle pour arrêter son chef, R. Brunswijk, le 24 mars 1990. Celui-ci fut relâché le lendemain sur ordre des autorités judiciaires. Le 18 juin, l'armée prit l'offensive — sans autorisation du gouvernement — dans la région de Moengo et près de la frontière de la Guyane française. Ronnie Brunswijk se réfugia à Paris puis obtint un visa de quinze jours pour les Pays-Bas. Cette situation a montré la faiblesse du pouvoir civil face à l'armée de Bouterse, et risquait de provoquer un nouvel afflux de réfugiés en Guyane.

Y.P.-v. E.

Vénézuela

En 1989-1990, la crise grave que traverse le Vénézuela depuis le *Caracazo*, s'est poursuivie. Les causes profondes de ces émeutes « de Caracas », que le président Carlos Andres Perez a analysées comme une révolte « des pauvres contre les riches », n'ont pas disparu. Le taux de population se trouvant au-dessous du seuil d'extrême pauvreté est passé de 15 % fin 1988 à 41 % fin 1989, celui du chômage de 7 à 10 % et l'inflation de 40 à 81 %. La délinquance s'est aggravée, tout comme le trafic de drogue, et la corruption est demeurée une maladie apparemment incurable. Les scandales dans lesquels sont impliqués des ministres et des hauts fonctionnaires de l'administration Jaime Lusinchi se sont multipliés et l'égérie de l'ancien président a été expulsée de l'Action démocratique, le parti au pouvoir. De plus, les enquêtes judiciaires ont été souvent bloquées. L'agitation sociale s'est poursuivie : grèves de policiers, manifestations d'étudiants, violences, pillages et climat d'extrême nervosité.

République du Vénézuela
Nature du régime : démocratie parlementaire.
Chef de l'État et du gouvernement : Carlos Andres Perez (élu le 4.12.88).
Monnaie : bolivar (1 bolivar = 0,12 FF au 30.4.90).
Langue : espagnol.

S'il a dénoncé le « totalitarisme économique » du FMI et a remanié son gouvernement (en août 1989 et mars 1990), le chef de l'État a maintenu son programme d'austérité. Il a libéré les prix de la moitié des produits, s'est attaqué au monopole des importateurs et a abaissé les droits de douane. Pragmatique, s'entourant de conseillers issus du monde des affaires, il a manifesté le souhait d'encourager les investissements étrangers, et une ouverture limitée du secteur pétrolier nationalisé aux compagnies internationales a été annoncée au début de 1990. Les plus bas salaires ont été relevés de 30 % à la fin de 1989 et un accord de réduction de la dette extérieure, dans le cadre du plan Brady, a été signé en mars 1990 avec les banques privées créancières, moyennant le versement de 800 millions de dollars impayés depuis le moratoire décidé en décembre 1988.

En décembre 1989, à la suite d'une réforme engagée par le président C.A. Perez, les premières élections des gouverneurs et des maires au suffrage universel direct ont été organisées. L'abstention a atteint 70 % et les candidats victorieux ont souvent été ceux qui dénonçaient les malversations des gestionnaires précédents désignés par les partis. L'opposition démocrate-chrétienne et socialiste a marqué des points et de nombreuses grandes villes ont changé de maire, même si l'Action démocratique l'a emporté dans la capitale.

A l'extérieur, la création, en août 1989, d'un Comité spécial de coopération avec le CARICOM (Marché commun des Caraïbes anglophones) a marqué un tournant dans le rapprochement avec la Caraïbe. Le Vénézuela a adhéré au Mouvement des non-alignés, le 1er septembre 1989, et a posé sa candidature au GATT (Accord général sur les tarifs douaniers et le commerce). Il a signé des accords avec la Colombie (portant sur l'intégration et la lutte anti-drogue), ainsi qu'avec Trinidad et Tobago (préférence commerciale mutuelle, délimitation frontalière) et a participé à la force de paix de l'ONU en Amérique centrale. De plus, il a recherché une solution pacifique au différend territorial avec le Guyana. Réélu vice-président de l'Internationale socialiste en juin 1989, C.A. Perez a accueilli François Mitterrand les 9 et 10 octobre 1989 et les deux chefs d'État ont décidé de coopérer contre le trafic de drogue. S'il a refusé de recevoir le vice-président des États-Unis, Dan Quayle, « pour éviter des manifestations anti-américaines après l'invasion de Panama » (de décembre 1989), le président vénézuélien s'est pourtant rapproché de Washington, et est apparu à certains comme l'interlocuteur privilégié du président des États-Unis, George Bush, en Amérique latine.

D.v. E.

Amérique andine

BOLIVIE • COLOMBIE • ÉQUATEUR • PÉROU

Bolivie

Jaime Paz Zamora, le leader du Mouvement de la gauche révolutionnaire (MIR), arrivé en troisième position lors du premier tour des élections, le 7 mai 1989, derrière Sanchez de Lozada (Mouvement nationaliste révolutionnaire, MNR) et le général Banzer (Action démocratique nationaliste, ADN) a, contre toute attente, été élu président de la République par le Congrès, le 6 août 1989. Il n'a pu le faire qu'en s'alliant avec l'ADN et en mettant sur pied un « gouvernement de convergence et d'unité nationale ». Des membres de l'ADN occupent la vice-présidence de la République et une dizaine de ministères, en particulier ceux de la Défense et des Finances. Dans ces conditions, la politique économique néo-libérale du nouveau gouvernement poursuit celle qui avait été mise en place par le gouvernement précédent de Victor Paz Estenssoro (MNR), dont l'ADN était également l'alliée.

République de Bolivie
Nature du régime : présidentiel.
Chef de l'État et du gouvernement : Victor Paz Estenssoro jusqu'au 7.5.89; Jaime Paz Zamora depuis le 6.8.89.
Monnaie : boliviano (1 boliviano = 1,83 FF au 30.3.90).
Langues : espagnol, qechua, aymara, guarani.

Les résultats économiques des deux gouvernements ont été comparables. L'inflation n'a pas dépassé 15 % en 1989, mais la croissance est restée inférieure à celle de la population. La politique de gel des salaires imposée par le FMI a provoqué, malgré une perte d'influence de la gauche et des syndicats, une forte agitation sociale. C'est ainsi que 80000 enseignants se sont mis en grève pour des augmentations de salaires. Le gouvernement a répliqué en décrétant l'état de siège, le 15 novembre 1989, arrêtant et déportant 858 syndicalistes.

La Bolivie a réussi à racheter une partie de ses dettes à l'égard des banques privées et à renégocier avec ses voisins argentin et brésilien. Mais pour relancer l'économie, le pays a encore besoin de prêts supplémentaires s'élevant à 600 millions de dollars, autant que le produit annuel des exportations de cocaïne. La Bolivie pourra-t-elle, dans ces conditions, appliquer les accords de Carthagène signés le 15 février 1990 en vue de lutter contre le trafic de drogue, et qui ont réuni les présidents des États-Unis, de Bolivie, de Colombie et du Pérou ?

AMÉRIQUE ANDINE
ÉQUATEUR
1 – RÉGION CÔTIÈRE
2 – RÉGION DE LA SIERRA
3 – RÉGION ORIENTALE
COLOMBIE
1 – MAGDALENA
2 – ATLÁNTICO
3 – BOLIVAR
4 – SUCRE
5 – SANTANDER
6 – BOYACA
7 – CUNDINAMARCA
8 – CALDAS
9 – RISARALDA
10 – QUINDÍO
11 – TOLIMA
12 – VALLE DEL CAUCA
13 – CAUCA
14 – HUILA
PÉROU
1 – AMAZONAS
2 – CAJAMARCA
3 – APURIMAC
PANAMA
Barranquilla
Sta Marta
Carthagèna
CORDOBA
LA GUAJIRA
CÉSAR
Magdalena
NORTE DE SANTANDER
VÉNÉZUELA
CHOCÓ
ANTIOQUIA
Medellin
Cucuta
Bucuramanga
ARAUCA
Orénoque
Buenaventura
Cali
Ibagué
BOGOTA
CASANARE
VICHADA
NARIÑO
Neiva
META
COLOMBIE
Équateur
Esmeraldas
Pasto
Puerto Inirida
GUAVIARE
GUAINÍA
ÉQUATEUR
QUITO
PUTUMAYO
CAQUETÁ
VAUPES
Mitú
Portoviejo
Ambato
Guyaquil
Riobamba
Machala
Cuenca
TUMBES
LORETO
AMAZONAS
PIURA
Piura
PÉROU
Iquitos
Putumayo
Amazone
Marañon
Leticia
LAMBAYEQUE
Chiclayo
SAN MARTIN
Trujillo
LA LIBERTAD
Chimbote
Pucallpa
Huaráz
ANCASH
HUANUCO
Ucayali
LIMA
PASCO
B R É S I L
Callao
JUNÍN
Huancayo
UCAYALI
LIMA
Huancavelica
H.
Ayacucho
CUZCO
MADRE DE DIOS
Cobija
PANDO
Ica
AYACUCHO
Cuzco
ICA
PUNO
LA PAZ
Mamoré
BENI
AREQUIPA
Puno
Arequipa
Lac Titicaca
Trinidad
MOQUEGUA
LA PAZ
BOLIVIE
Tacna
20° S
TACNA
Cochabamba
ORURO
Oruro
COCHABAMBA
Lac Poopo
Santa Cruz
O C É A N
Potosi
POTOSI
SUCRE
SANTA CRUZ
Oyuni
P A C I F I Q U E
Salar de Uyuni
CHUQUISACA
Tarija
TARIJA
CHILI
20° S
500 km
ARGENTINE

Colombie

A partir du 18 août 1989, date de l'assassinat par les trafiquants de drogue de Luis Carlos Galan, candidat libéral à la présidence de la République, la vie politique a été polarisée par la lutte contre le cartel

AMÉRIQUE ANDINE

	INDICATEUR	UNITÉ	BOLIVIE	COLOMBIE
	Capitale		La Paz	Bogota
	Superficie	km²	1 098 581	1 138 914
DÉMOGRAPHIE	Population (*)	million	7,19	31,19
	Densité	hab./km²	6,5	27,4
	Croissance annuelle [e]	%	2,8	2,1
	Mortalité infantile [e]	‰	110	46
	Espérance de vie [e]	année	53,1	64,8
	Population urbaine	%	50,7	69,7
CULTURE	Analphabétisme [d]	%	25,8	11,9
	Scolarisation 12-17 ans	%	53,7	70,0
	3ᵉ degré	%	17,7 [b]	13,9 [b]
	Postes tv [b]	‰ hab.	77	108
	Livres publiés	titre	412 [b]	15041 [f]
	Nombre de médecins	‰ hab.	0,63 [d]	0,84 [f]
ARMÉE	Armée de terre	millier d'h.	20	111,4
	Marine	millier d'h.	4	12
	Aviation	millier d'h.	4	7
ÉCONOMIE	PIB	million $	3943 [a]	38661
	Croissance annuelle 1980-88	%	1,7	3,0
	1989	%	2,5	3,0
	Par habitant	$	570 [a]	1240
	Dette extérieure	milliard $	4,1	17,0
	Taux d'inflation	%	16,0	26,1
	Dépenses de l'État Éducation	% PIB	0,4 [f]	2,7 [b]
	Défense	% PIB	3,0 [b]	1,0
	Production d'énergie [b]	million TEC	4,7	50,5
	Consom. d'énergie [b]	million TEC	2,1	24,5
COMMERCE	Importations	million $	611	5439
	Exportations	million $	675	5700
	Principaux fournis. [a]	%	E-U 21,0	E-U 36,7
		%	CEE 12,5	CEE 20,5
		%	A-L 56,8	A-L 16,5
	Principaux clients [a]	%	E-U 17,2	E-U 40,4
		%	CEE 18,4	CEE 28,6
		%	A-L 54,8	A-L 13,1

de Medellin. Paradoxalement, l'économie du pays ne semble pas avoir trop pâti de la violence qui le déchire depuis 1985. Certes, la croissance du

ÉQUATEUR	PÉROU
Quito	Lima
283 561	1 285 216
10,49	21,79
37,0	17,0
2,8	2,5
63	88
65,4	61,4
55,9	69,6
17,6	15,2
74,7	79,3
25,8 [a]	24,6 [c]
81	84
••	559 [b]
1,18 [d]	0,95 [f]
35	80
4	25
3	15
11 272	26 885 [a]
1,7	1,0
0,5	– 12,0
1 075	1 300 [a]
11,7	20,0
75,6	2 773,3
3,5 [b]	3,3 [b]
1,8 [b]	2,1 [a]
13,4	14,9
6,2	11,7
1 854	2 220
2 348	3 500
E-U 33,1	E-U 29,9
CEE 20,8	CEE 21,8
A-L 19,0	A-L 29,6
E-U 45,9	PCD 67,8
CEE 9,2	CEE 29,6
A-L 27,1	E-U 21,7

PIB n'a été que de 3 %, mais il n'y a pas eu de fuite des capitaux. Les investissements étrangers se sont élevés de 3 271 millions de dollars entre 1980 et 1990, c'est-à-dire cinq fois plus que durant la décennie précédente. La privatisation d'un certain nombre de secteurs de l'économie a visé à renforcer encore ce mouvement. Seul point noir, la baisse du prix du café sur le marché mondial, du fait de la rupture de l'accord liant les principaux producteurs aux acheteurs — le Brésil et les États-Unis — qui a fait perdre 300 millions de dollars à la Colombie.

République de Colombie

Nature du régime : présidentiel.
Chef de l'État et du gouvernement : Virgilio Barco, puis Cesar Gaviria, élu le 27.5.90 et investi le 7.8.90.
Monnaie : peso (1 peso = 0,012 FF au 30.4.90).
Langue : espagnol.

Sur les plans politique et militaire, les succès sur la mafia de la drogue ont été très mitigés. Ainsi, le prix du kilo de cocaïne sur le marché nord-américain est revenu à son cours d'avant août 1989, environ 15 000 dollars, puis est passé à 30 000 dollars en juin 1990. Malgré des coups sévères portés à l'appareil du cartel de Medellin comme l'exécution de Rodriguez Gacha, la partie était loin d'être gagnée à la fin du premier semestre 1990. En avril, après une trêve de deux mois, les « extradables » (membres du cartel menacés d'extradition vers les États-Unis) ont relancé la guerre par des attentats spectaculaires. Pendant cette trêve, d'anciens présidents de la République comme Turbay Ayala, Lopez Michelsen et Pastrana Borrero, le cardinal primat de Colombie, Mario Revollo, et le président de l'Union patriotique, Diego Montana, avaient

Chiffres 1989, sauf notes : a. 1988 ; b. 1987 ; c. 1986 ; d. 1985 ; e. 1985-90 ; f. 1984.
(*) Dernier recensement utilisable : Bolivie, 1976 ; Colombie, 1985 ; Équateur, 1982 ; Pérou, 1981.

mené des négociations auxquelles le gouvernement — en contradiction avec ses principes énoncés dans les forums internationaux — n'était pas totalement étranger. De plus, l'offensive de la police et de l'armée n'a guère visé le cartel de Cali, beaucoup mieux intégré à la bourgeoisie et aux partis politiques traditionnels.

L'assassinat, le 22 mars 1990, de Jaramillo Ossa, candidat présidentiel pour l'Union patriotique, rassemblant le Parti communiste et des secteurs de gauche, a été attribué tantôt à l'extrême droite, tantôt à une fraction dure des « narcos » échappant à l'autorité de Pablo Escobar (dirigeant du cartel de Medellin). Le ministre de l'Intérieur, Carlos Lemos, qui avait accusé ce candidat de complicité avec la guérilla communiste des FARC, a dû démissionner. Le 26 avril, Carlos Pizarro, candidat du M-19, mouvement de guérilla qui a déposé les armes, était assassiné à son tour. Durant toute cette période, la police et l'armée ont utilisé les 65 millions de dollars d'équipements militaires fournis par les États-Unis, en particulier des hélicoptères Faucon et des avions A-37, pour lutter contre les guérillas des FARC (Forces armées révolutionnaires colombiennes) et de l'ELN (Armée de libération nationale) et les organisations paysannes. Les violations des droits de l'homme, les arrestations et les assassinats de leaders syndicaux se sont multipliés sous prétexte de lutte contre la drogue.

Bien que la population ait continué de manifester peu d'intérêt pour les consultations électorales (60 % d'abstention lors des élections municipales de mars 1990 et 59 % aux élections présidentielles du 27 mai 1990), la gauche a renforcé sa position. Les ex-guérilleros du M-19 (Mouvement du 19 avril) dont le parti n'avait été légalisé que deux jours avant le scrutin municipal, ont obtenu la majorité dans plusieurs localités importantes. L'ancien leader du M-19, Carlos Pizarro, avait obtenu 6 % des voix aux élections municipales de Bogota. Cette percée s'est confirmée aux élections présidentielles, le candidat du M-19 obtenant 13 % des suffrages. Cesar Gaviria Trujillo, leader de l'aile gauche du Parti libéral et qui fut un proche de Carlos Galan, a été élu avec 47,6 % des voix. Il s'est distingué des candidats conservateurs, notamment en déclarant son refus de négocier avec le cartel de Medellin.

Équateur

Le président social-démocrate, Rodrigo Borja, a pris, depuis 1989, des mesures contradictoires. Conformément à ses engagements, il mène une politique nationaliste dans le domaine des hydrocarbures. Mais la situation léguée par son prédécesseur — une dette de 11 milliards de dollars et une inflation de 80 % — l'a amené à instaurer une politique d'austérité.

République de l'Équateur
Nature du régime : présidentiel.
Chef de l'État et du gouvernement : Rodrigo Borja Cevallos (depuis le 8.5.88).
Monnaie : sucre (1 sucre = 0,008 FF au 30.3.90).
Langues : espagnol, qechua.
Territoires outre-mer : îles Galapagos.

Le nouveau gouvernement cherche à nationaliser le pétrole. La société nationale Petro-Ecuador a repris, le 1er octobre 1989, le contrôle complet de l'oléoduc transéquatorien qu'il partageait avec la société américaine Texaco. (Le pétrole ne représente plus, en 1990, que 40 % du produit des exportations.) En deuxième place, les exportations de bananes ont remplacé les crevettes et ont fait un retour en force après quinze ans d'éclipse.

Parallèlement, le gouvernement a renégocié le service de sa dette avec le FMI dont les conditions ont été acceptées. Ainsi, fin novembre 1989, le prix des transports a augmenté de 20 %, alors que l'augmentation équivalente des salaires n'est intervenue qu'en janvier 1990. L'inflation a atteint 76 % à la fin de 1989 et la croissance économique n'a pas dépassé 1 %. Les conditions de vie n'ont cessé de se détériorer dans un pays où, selon une étude du Conseil économique pour l'Amérique latine (CEPAL), 67,2 % des foyers sont dépourvus d'infrastructures minimales. La principale revendication des organisations populaires et de défense des droits de l'homme porte sur ce point.

L'augmentation des prix a relancé l'agitation sociale entraînant, en novembre 1989, une vague de répression visant en particulier les lycéens et les étudiants.

Un autre sujet d'inquiétude pour le gouvernement est l'emprise croissante du trafic de drogue. Les cultures de coca s'étendent en Amazonie, mais l'Équateur est aussi devenu un pays de transit dans le commerce de la cocaïne. Le gouvernement a reçu une aide de 310 millions de francs de la France dont 20 millions doivent être consacrés à la lutte contre la production et le trafic de drogue.

Pérou

L'année 1989 et le premier trimestre de l'année 1990 ont été marqués par la préparation des élections municipales et surtout des élections générales d'avril et de juin 1990. Leurs résultats ont traduit la désaffection de la population à l'égard des formations politiques traditionnelles.

République du Pérou

Nature du régime : présidentiel.
Chef de l'État : Alan García, puis Alberto Fujimori, élu le 10.6.90.
Premier ministre : Juan Carlos Hurtado Miller (depuis le 28.7.90).
Monnaie : inti (1 inti = 0,005 le 28.3.89).
Langues : espagnol, qechua, aymara.

Le gouvernement du président Alan García s'était pourtant efforcé de contrôler la dégradation de la situation économique qui s'était accélérée en 1988. En réduisant les importations, il est parvenu à dégager un excédent de la balance commerciale atteignant un milliard de dollars, sensiblement égal au montant estimé des revenus de la cocaïne du pays. Les relations ont été rétablies avec le FMI et des conditions avantageuses ont été offertes aux investisseurs étrangers. Mais l'inflation a atteint 3000 % en 1989 et, pour la deuxième année consécutive, la croissance a été largement négative (– 14 %). Le revenu par tête a diminué de 16 % depuis 1985 et un Péruvien sur trois ne bénéficie pas du plein emploi.

Le parti du président Alan García, l'Alliance populaire révolutionnaire américaine (APRA), a payé ces échecs lors des échéances électorales. C'est le Front démocratique (FREDEMO), coalition des partis de droite ayant à sa tête l'écrivain Mario Vargas Llosa, qui l'a emporté lors des scrutins municipaux, avec 30 % des voix, suivi par la gauche (20 %). Cette dernière s'est ensuite divisée entre radicaux et sociaux-démocrates. Cependant, signe annonciateur du résultat des présidentielles, c'est un « apolitique », un journaliste propriétaire d'une radio privée, Ricardo Belmont, qui a emporté la mairie de Lima avec 45 % des voix.

De même, alors que l'on s'attendait à ce que Mario Vargas Llosa soit largement en tête lors du premier tour des présidentielles le 8 avril 1990, il n'a obtenu que 33 % des voix, suivi de très près par le candidat surprise, l'ingénieur péruvien d'origine japonaise, Alberto Fujimori (30 %). Ce dernier a largement remporté les élections du second tour avec plus de 61 % des voix contre 38 % pour Mario Vargas Llosa. Si l'écrivain a échoué, c'est sans doute que, parti très tôt dans la compétition, il a été finalement perçu comme un homme politique de plus. Son programme ultra-libéral a également effrayé les secteurs populaires et les classes moyennes. Avec deux candidats, la gauche a payé le prix de ses divisions. L'APRA, dont le candidat, Luis Alva Castro, a

BIBLIOGRAPHIE

AMNESTY INTERNATIONAL, *Pérou. Un peuple pris entre deux feux*, AEFAI, Diff. La Découverte, Paris, 1989.

« Conflicto social y violencia en Colombia », *Analysis*, n° spéc. 56, CINEP, Bogota.

BATAILLON G., « La drogue dans les pays andins : Bolivie, Colombie, Pérou », *Hérodote*, n° 57, La Découverte, Paris, 1990.

GILHODES P., *Las Luchas agrarias en Columbia*, Ecoe, Bogota, 1990.

GUGLIOTTA G., LEEN J., *Les Rois de la cocaïne, l'histoire secrète du Cartel de Medellin*, Presses de la Cité, Paris, 1989.

HERTOGHE A., LABROUSSE A., *Le Sentier lumineux du Pérou, un nouvel intégrisme dans le tiers monde*, La Découverte, « Enquêtes », Paris, 1989.

LOPEZ CASTANO H., « Colombie : le secteur informel », *Problème d'Amérique latine*, n° 92, La Documentation française, Paris, 1989.

MEUNIER J., *Les Gamins de Bogota*, A.-M. Métailié, Paris, 1989.

RÉPUBLIQUE DE BOLIVIE, *National Prevention Plan Alternative Development and Control of Illicit Drug Traffic*, Groupe consultatif, Paris, 1989.

obtenu 20 % des voix au premier tour, a été soupçonnée d'avoir suscité la candidature de A. Fujimori et se trouve en position de jouer les arbitres au Parlement.

Quant au mouvement de guérilla, Sentier lumineux, malgré l'assassinat de dizaines de candidats, il s'est révélé impuissant à enrayer une participation massive aux différentes consultations électorales et à en saboter le déroulement. D'ailleurs sa direction se serait divisée à l'égard de la pratique du terrorisme urbain. Cependant, il a continué d'être très actif dans plusieurs grands départements ruraux — Ayacucho, Apurimac, Puno, Huancayo, San Martin — et il constitue un pôle d'attraction pour une partie de la jeunesse. Dans la région amazonienne du Haut Huallaga, le général Arciniega a tenté, en 1989, avec un succès certain, de détacher les paysans du Sentier en les laissant se livrer à la production de la coca. Mais les agents de la Drug Enforcement Administration (DEA) des États-Unis ont obtenu son limogeage, rejetant les producteurs dans les bras de la guérilla. L'aide militaire américaine a été considérablement accrue, renforçant ainsi le gouvernement péruvien face au Sentier lumineux.

Alain Labrousse

Cône sud

ARGENTINE • CHILI • PARAGUAY • URUGUAY

(L'Argentine est traitée p. 124. Le Chili est traité p. 218.)

Paraguay

En février 1989, le général Alfredo Stroessner, président depuis 1954, était renversé par un coup d'État militaire. L'auteur du putsch, le général Andrés Rodriguez, un de ses anciens collaborateurs, appelait à des élections libres et se déclarait lui-même candidat du Parti colorado. En mai 1989, eurent lieu les premières élections libres depuis quarante

PÉROU
BOLIVIE
BRÉSIL
Arica
TARAPACÁ
Iquique
ANTOFAGASTA
Tr. du Capricorne
Antofagasta
ATACAMA
Copiapó
La Serena
COQUIMBO
CHILI
VALPARAISO
Vina del Mar
Valparaiso
SANTIAGO
Rancagua
Talca
MAULE
Talcahuano
Concepción
ARAUCANIE
Temuco
Valdivia
LOS LAGOS
Puerto Montt
I. de Chiloé
Puerto Aisen
Cohaique
AISÉN
50° S
MAGELLAN ET ANTARCTIQUE CHILIENNE
Puntas Arenas
Pilcomayo
Capitan Pablo Lagerenza
Fuerte Olimpo
Doctor Pedro P. Peña
PARAGUAY
Concepción
S. Pedro
ASUNCÍON
Prés. Stroessner
Villarrica
Encarnación
Posadas
JUJUY
S. Salvador
Salta
SALTA
FORMOSA
Bermejo
CHACO
Resistencia
Corrientes
S. Miguel
Santiago del E.
CATAMARCA
Catamarca
SANTIAGO DEL ESTERO
SANTA FE
CORRIENTES
La Rioja
LA RIOJA
CÓRDOBA
Córdoba
SAN JUAN
San Juan
Sta Fe
Parana
Salto
Rivera
Paysandú
URUGUAY
Rosario
Salado
Fray Bentos
Colonia
Minas
Mendoza
San Luis
SAN LUIS
MENDOZA
BUENOS AIRES
La Plata
MONTEVIDEO
Rio de la Plata
ARGENTINE
Santa Rosa
BUENOS AIRES
Azul
Olavarria
LA PAMPA
Mar del Plata
Bahia Blanca
NEUQUEN
Neuquén
Colorado
Rio Negro
San Antonio Oeste
Viedma
RIO NEGRO
Puerto Madryn
Chubut
Rawson
CHUBUT
Sarmiento
Comodoro Rivadavia
Deseado
Deseado
SANTA CRUZ
Tres Lagos
Santa Cruz
Rio Gallegos
Détroit de Magellan
TERRE DE FEU
Ushuaia
I. de Los Estados
Cap Horn
Iles Falkland (Malouines) (R-U)
Stanley
50° S
500 km
ARGENTINE
1 - MISIONES
2 - TUCUMAN
3 - ENTRE RIOS
CHILI
1 - RÉGION MÉTROPOLITAINE DE SANTIAGO
2 - LIBERTADOR GENERAL B. O'HIGGINS
3 - BIOBÍO

ans, et le général Rodriguez fut élu président. Parmi ses promesses électorales se trouvaient notamment la réforme de la Constitution et de la loi électorale, ainsi qu'une réforme agraire et la lutte contre la contrebande et le trafic de drogue.

Plus d'un an après son élection, le

CÔNE SUD

	INDICATEUR	UNITÉ	ARGENTINE	CHILI
	Capitale		Buenos Aires	Santiago
	Superficie	km²	2 766 889	756 945
DÉMOGRAPHIE	Population (*)	million	32,42	13,03
	Densité	hab./km²	11,7	17,2
	Croissance annuelle [d]	%	1,3	1,7
	Mortalité infantile [d]	‰	32	20
	Espérance de vie [d]	année	70,6	71,5
	Population urbaine	%	85,9	85,2
CULTURE	Analphabétisme [f]	%	4,5	5,6
	Scolarisation 12-17 ans	%	80,1	89,4
	3e degré	%	38,7 [c]	17,8 [b]
	Postes tv [b]	‰ hab.	217 [b]	163
	Livres publiés [b]	titre	4 836	1 654
	Nombre de médecins	‰ hab.	2,70 [e]	0,46 [b]
ARMÉE	Armée de terre	millier d'h.	55	57
	Marine	millier d'h.	25	29
	Aviation	millier d'h.	15	15
ÉCONOMIE	PIB	milliard $	79,39 [a]	19,27 [a]
	Croissance annuelle 1980-88	%	−0,3	1,6
	1989	%	−6,0	10,0
	Par habitant	$	2 520 [a]	1 510 [a]
	Dette extérieure	milliard $	61,1	17,6
	Taux d'inflation	%	4 923,3	21,4
	Dépenses de l'État Éducation	% PIB	1,9 [b]	3,6 [b]
	Défense	% PIB	1,5 [a]	2,3
	Production d'énergie [b]	million TEC	59,2	6,74
	Consom. d'énergie [b]	million TEC	59,5	11,76
COMMERCE	Importations	million $	4 218	6 496
	Exportations	million $	9 212	8 191
	Principaux fournis. [a]	%	E-U 18,8	Jap 7,7
		%	CEE 27,5	E-U 19,7
		%	A-L 33,4	CEE 19,5
	Principaux clients [a]	%	E-U 15,3	Jap 12,5
		%	CEE 30,5	E-U 19,7
		%	A-L 18,2	CEE 36,1

général Rodriguez se trouve dans une situation confortable car il a entamé un processus de libéralisation politique et il peut se vanter d'un certain succès économique. En effet, pour la troisième année consécutive, le Paraguay a enregistré une croissance significative (5,5 %) dont les principaux responsables ont été les secteurs de l'agriculture, des mines et de l'industrie. Les exportations ont augmenté de 16 % en valeur, encouragées par un taux de change unique qui s'est traduit par une dévaluation du guarani et par l'élimination des taxes. La dévaluation a été responsable de l'augmentation de l'inflation, 28,7 % en 1989 contre 16,9 % en 1988, mais aussi de la réduction du déficit commercial.

Par ailleurs, en août 1989, le Congrès paraguayen a annulé les lois répressives du régime Stroessner et a voté la formation d'une commission d'enquête bi-camérale sur les violations des droits de l'homme. Par la suite, le général Rodriguez a soumis au Congrès un projet de loi réformant la loi sur les partis politiques. Cette libéralisation a été quand même entachée par la violente répression des ouvriers de Itaipú en décembre 1989, puis par celle des occupants de terres sans titre. A la mi-1990, les limites de la dissidence qui sera tolérée par le nouveau régime n'étaient pas encore clairement établies.

PARAGUAY	**URUGUAY**
Assomption	Montévidéo
406 752	176 215
4,16	3,08
10,2	17,5
2,9	0,8
42	27
66,9	71,0
46,9	85,3
11,8	5,0
49,4	78,8
9,4[e]	41,6[c]
24	173
..	801
0,69[e]	2,15[c]
12,5	17,2
2,5	4,5
1,0	3,0
4,77[a]	8,41
1,0	− 0,9
6,0	0,5
1 180[a]	2 730
2,2	6,3
28,0	80,8
1,5[d]	3,1[b]
1,4[a]	2,3[c]
0,35	0,52
1,1	2,0
1 166	1 254
1 300	1 560
Bre 30,0	CEE 20,9
Arg 11,9	Bre 26,1
CEE 20,0	Arg 15,2
Bre 22,2	CEE 26,2
Arg 6,4	Bre 16,5
CEE 30,6	E-U 11,3

République du Paraguay

Nature du régime : présidentiel autoritaire.

Chef de l'État et du gouvernement : général Andrés Rodriguez (depuis févr. 89, pour 4 ans).

Monnaie : guarani (1 guarani = 0,005 FF au 30.3.90).

Langues : espagnol, guarani.

Chiffres 1989, sauf notes : a. 1988 ; b. 1987 ; c. 1986 ; d. 1985-90 ; e. 1984 ; f. 1985.

(*) Dernier recensement utilisable : Argentine, 1980 ; Chili, 1982 ; Paraguay, 1982 ; Uruguay, 1985.

BIBLIOGRAPHIE

ABSENTE D., « Constraints and Opportunities : Prospects for Democratization of Paraguay », *Journal of Interamericain Studies and World Affairs*, vol. XXX, n° 1, 1988.

CAVAROZZI M., GARRETON M.-A., *Muerte y resurrection. Los partidos politicos autoritarismo y democratizacion del Cono Sur*, FLACSO, Santiago, 1989.

RAMA G.W., « Uruguay : le plébiscite sur l'amnistie », *Problèmes d'Amérique latine*, n° 93, La Documentation française, Paris, 1989.

Voir aussi les bibliographies « Chili » et « Argentine » dans la section « 34 États ».

Uruguay

Après vingt-trois ans passés dans l'opposition, le Parti blanco a fait son retour au pouvoir le 1er mars 1990. Son candidat, Luis Ernesto Lacalle, a été élu président de la République lors des élections du 26 novembre 1989 avec 38 % des voix. Le Parti colorado, son principal concurrent, obtenait 31 % des suffrages. Au Congrès, aucun parti ne dispose d'une majorité suffisante pour imposer des lois.

République orientale de l'Uruguay
Nature du régime : démocratie parlementaire.
Chef de l'État et du gouvernement : Julio Maria Sanguinetti, remplacé le 1.3.90 par Luis Ernesto Lacalle.
Monnaie : nouveau peso (1 peso = 0,005 FF au 30.4.90).
Langue : espagnol.

L.E. Lacalle représente l'aile droite de son parti et partage l'enthousiasme de la majorité de ses collègues du continent pour les politiques économiques néo-libérales. Il a promis de réduire la bureaucratie par la privatisation des entreprises publiques et de restaurer le bon fonctionnement du marché en limitant notamment le droit de grève. Ceci explique la victoire du Front élargi (la formation la plus à gauche du spectre politique) aux élections municipales à Montevideo, seule grande concentration urbaine et industrielle du pays. Parmi les projets de L.E. Lacalle, figure aussi l'intention de négocier pour l'Uruguay une meilleure position au sein des organismes d'intégration contrôlés par ses grands voisins — néanmoins en crise —, le Brésil et l'Argentine. Dans ce sens, il a proposé que l'Uruguay joue le rôle de « balcon sur l'Atlantique » pour le Paraguay et la Bolivie, petits et enclavés mais aux performances économiques enviables.

L'économie uruguayenne stagne depuis 1988. En 1989 le taux de croissance a été de 0,5 % avec des différences très marquées selon les secteurs. Le taux d'inflation est passé de 69 % en 1988 à 82 % en 1988. La dette externe a baissé légèrement, bien que le service de la dette en pourcentage de la valeur des exportations soit passé de 23,8 % en 1988 à 26,7 % en 1989. L'économie uruguayenne est très sensible à l'influence de ses voisins, et la crise en Argentine et au Brésil, particulièrement la faiblesse de leur monnaie, est un élément important de ses propres résultats. Ainsi, l'inflation en Uruguay est principalement la conséquence de la dévaluation mensuelle de sa monnaie, dont l'objectif est de prévenir une perte de compétitivité par rapport à l'Argentine. Il ne faut donc pas trouver une soudaine vocation expansionniste de l'Uruguay derrière l'option du « balcon sur l'Atlantique », mais plutôt une tentative pour éviter de se faire emporter par la chute de ses voisins.

Graciela Ducatenzeiler

EUROPE

La distinction classique entre l'Europe de l'Ouest et l'Europe de l'Est n'aura pas survécu à l'ouverture du Mur de Berlin, en novembre 1989. Effet indirect des accords d'Helsinki en 1975, ce changement radical dans la géopolitique européenne voit en effet le triomphe des principes de liberté de circulation des hommes, des idées et des biens et du pluralisme démocratique. Cette évolution n'est pas symétrique de part et d'autre de l'ancien « rideau de fer ».

A l'Est, le « bloc » est en voie de dissolution, tandis que le pacte de Varsovie se réduit à une structure de négociation stratégique avec l'OTAN (Organisation du traité de l'Atlantique nord) et que plusieurs de ses membres œuvrent pour en sortir. Le CAEM — Conseil d'assistance économique mutuelle ou COMECON — est en crise et chacun des États mène, à son rythme et selon ses moyens, sa propre transition vers l'économie de marché, sans songer, dans l'immédiat, à nouer de nouveaux accords avec ses voisins. Il n'y a donc plus d'Europe de l'Est, comme « ensemble » géopolitique spécifique, si ce n'est comme espace hérité et en transition.

L'« Europe de l'Est » en transition

Il regroupe un peu plus de cent millions d'habitants et son produit national brut cumulé avoisine les cinq cents milliards de dollars pour six États. La Yougoslavie et l'Albanie ont bien des traits communs avec l'ancien bloc et connaissent aujourd'hui des problèmes — nationaux et économiques — communs. A l'Ouest, les douze États de la Communauté économique européenne (CEE) ont décidé de lier leur sort au plan économique en instaurant un « marché unique » qui prendra effet au 1er janvier 1993. La population de la CEE est de 320 millions. A quoi il faut ajouter désormais, avec l'union monétaire entre les deux Allemagnes sous l'égide du deutsche mark, les 17 millions de citoyens de RDA qui sont en voie d'intégration dans la CEE; le rétablissement des Länder en Allemagne de l'Est induisant un élargissement de la CEE sans qu'un nouvel État ne vienne s'ajouter aux Douze. L'intégration sera donc largement gérée comme celle des régions défavorisées des États de l'Europe du Sud : un nouveau Mezzogiorno industriel et urbain !

Les efforts accomplis depuis la publication du Livre blanc *rédigé par la Commission des Communautés européennes en 1985 prennent dans le contexte des changements politiques survenus en Europe de l'Est une signification nouvelle. L'Europe des Douze demeure en effet la seule structure pluri-étatique organisée disposant d'une capacité d'intervention financière en faveur de l'Est européen. La mise en place, en juin 1990, de la BERD — Banque européenne de reconstruction et de développement —, dotée d'un capital de plus de 10 milliards d'écus, est l'un des outils de coopération pour la reconstruction de l'autre Europe.*

Le rapport CEE/Europe dite de l'Est est en effet de trois à un en population et de dix à un pour le PNB. Il est donc logique que la CEE soit le point d'appui privilégié de la « re-connexion » entre les deux Europes. Le « rideau de fer » avait joué longtemps un rôle de façade aveugle au plan économique : même pour l'État le plus présent à l'Est, la RFA, les marchés de l'Est ne représentaient guère plus de 5 % des exportations. En outre, cette coupure de l'Europe avait, à l'Ouest, contribué à « verticaliser » les flux d'échange — Europe du Nord/Europe du Sud — alors que des connexions Ouest/Est, plus « horizontales », peuvent désormais s'établir en complément des précédentes.

La force acquise par la CEE induit que la fin des blocs ne débouche pas sur un simple retour des États et des nations comme seul élément structurant de l'espace européen, comme avant 1945 et, à plus forte raison, avant 1919. Si la CEE peut avancer sur les voies de l'union politique, elle y gagnera en facteurs de stabilité sur un continent où la démocratie recouvrée peut, dans un premier temps, transformer des affirmations nationales en dérives nationalistes. Après 1993, les demandes d'adhésion vont se multiplier et les pressions — migratoires, économiques, politiques — sur la CEE se renforcer.

Les responsabilités des Douze

Déjà, des négociations ont été engagées avec un autre groupe d'États qui occupe une position médiane en Europe, de la Scandinavie aux Alpes centrales, les six États de l'AELE — Association européenne de libre-échange — (à quoi s'ajoute le Liechtenstein) : peu peuplé, une trentaine de millions d'habitants, cet ensemble économique a un PNB de plus de 500 milliards de dollars ; il a aussi une spécificité géopolitique puisque la majorité de ses membres, sauf l'Islande et la Norvège, sont neutres (Suède, Suisse, Autriche) et soucieux d'équilibre (Finlande). Les Douze et les Six discutent les termes de la formation d'un « espace économique commun » (EEE) qui, de facto, *existe déjà si l'on considère que ces États sont déjà très largement imbriqués par le commerce (plus des deux tiers) et les investissements dans la CEE (Volvo, Saab, Nestlé...). L'image de cercles concentriques proposée par le président de la Commission européenne, Jacques Delors, s'impose donc pour décrire la nouvelle structuration de l'Europe, où, pour l'instant, le registre économique l'emporte. Toutefois, l'unification allemande souligne la vigueur des réalités nationales dont les divers schémas d'architecture européenne devront tenir compte.*

Sur sa lancée économique, la CEE en est désormais au stade de sa transformation en « union politique » et institutionnelle. Le sommet de Dublin (juin 1990) a confirmé cette avancée. Plusieurs voies s'offrent, qui seront au centre des débats politiques en ce début de décennie : centralisme supra-national ou structure confédérale plus ou moins décentralisée, degré de dévolution de souveraineté aux instances de la CEE à Bruxelles et aux niveaux infra-étatiques (villes, régions). Au-delà de ces débats, deux faits lourds détermineront l'avenir et les modalités de la construction (de l'idée) européenne : la politique de la nouvelle Allemagne dont la dérive à l'Ouest se confirme et la nature de la relation qui s'établira entre la CEE et la future fédération organisée autour de la Russie.

Outre la CEE, le Conseil de l'Europe, qui à la mi-1990 compte déjà 23 États-membres, joue un rôle politique croissant pour les pays de l'« autre Europe », y compris l'Union soviétique. On y discute des problèmes des minorités, d'institutions, des modalités de mise en place de l'État de droit. Par vocation, son champ géographique est beaucoup plus large que celui de la CEE. L'Europe se trouve ainsi structurée en divers regroupements aux fonctions complémentaires : OTAN, CSCE, CEE, AELE. Autant d'« arcs-boutants » d'un édifice dont la Confédération européenne serait la voûte. Architectes, à vos plans !

Michel Foucher

EUROPE / JOURNAL DE L'ANNÉE

- 1989 -

Juin-juillet. **Bulgarie.** Exode de dizaines de milliers de Bulgares de souche turque fuyant la bulgarisation forcée et la répression, et cherchant asile en Turquie.

4 juin. **Pologne.** Élections semi-démocratiques (Diète et Sénat). Succès écrasant des candidats présentés par Solidarité. S'ouvre une période de « cohabitation ». Le général Jaruzelski est élu chef de l'État le 19 juillet et Tadeusz Mazowieki (Solidarité) est nommé Premier ministre le 19 août.

15 et 18 juin. **CEE.** Élections au Parlement européen. Forte abstention. Bons scores des écologistes. Progression des socialistes grâce notamment à la forte avancée des travaillistes britanniques.

13-14 juillet. **France.** Fêtes du Bicentenaire de la Révolution. Du 14 au 16 se tient le sommet du G7. Appui aux réformes en cours en Pologne et Hongrie.

8 août. **RFA-RDA.** La RFA ferme sa représentation permanente à Berlin-Est envahie par des Allemands de l'Est souhaitant passer à l'Ouest. Le 13 août, c'est le tour de l'ambassade de RFA à Budapest puis, le 22 août, de celle de Prague.

23 août. **Pays Baltes.** Une chaîne humaine d'un million de personnes se forme en Lituanie, Lettonie, Estonie, pour condamner l'annexion des pays Baltes consécutive au Pacte germano-soviétique signé le 23 août 1939.

1er septembre. **Espagne.** Dissolution anticipée du Parlement.

6 septembre. **Pays-Bas.** Élections législatives. Les démocrates-chrétiens arrivent en tête. En novembre, Ruud Lubbers forme un gouvernement chrétien-démocrate-socialiste.

10 septembre. « **Rideau de fer** ». Les autorités hongroises décident d'ouvrir librement la frontière avec l'Autriche. Se référant aux accords d'Helsinki, elles laissent passer les fuyards de la RDA. Plusieurs milliers de réfugiés partent vers la RFA.

11 septembre. **Norvège.** Législatives. Les travaillistes perdent 7 sièges au détriment des progressistes et socialistes de gauche.

25 septembre. **RDA.** Manifestation à Leipzig réclamant des réformes. Chaque lundi, ce type de manifestation se répétera et s'amplifiera, jusqu'à la chute du régime.

27 septembre. **Yougoslavie.** Le Parlement slovène proclame le droit à l'autodétermination de la Slovénie.

30 septembre. **RDA.** Les autorités finissent par accepter l'émigration vers l'Ouest des réfugiés présents dans les ambassades de RFA à Prague et Varsovie. Le départ commence le 4 octobre.

7 octobre. **RDA-URSS.** M. Gorbatchev est présent pour les cérémonies du 40e anniversaire de la RDA. Il donne des signes d'encouragement aux réformateurs.

7 octobre. **Hongrie.** Le Parti socialiste ouvrier hongrois (PSOH, communiste) abandonne toute référence au marxisme-léninisme et se transforme en Parti socialiste hongrois (PSH).

18 octobre. **RDA.** Démission d'Erich Honecker, secrétaire général du Parti et chef de l'État, remplacé par Egon Krenz.

18 octobre. **Hongrie.** Le Parlement vote en faveur du retour au multipartisme. L'appellation « République socialiste et populaire » est supprimée. Le 23, commémoration officielle du soulèvement populaire de 1956.

23 octobre. **Espagne-France.** Troisième sommet franco-espagnol à Valladolid.

25-28 octobre. **Finlande-URSS.** Visite officielle de M. Gorbatchev en Finlande.

26 octobre. **Royaume-Uni.** Démission du chancelier de l'Échiquier, Nigel Lawson, remplacé par John Mayor. Le conseiller économique de M. Thatcher démissionne lui aussi peu après.

29 octobre. **Espagne.** Législatives. Le Parti socialiste remporte la moitié des sièges.

31 octobre. **Turquie.** Turgut Özal, qui était Premier ministre, est élu président de la République.

1er novembre. **RDA.** Réouverture de la frontière avec la Tchécoslovaquie. L'exode reprend.

5 novembre. **Grèce.** Législatives. Il manque trois sièges à la Nouvelle démocratie pour atteindre la majorité absolue. Le 20, les trois principaux partis se mettent d'accord pour un gouvernement transitoire. Nouvelles élections en avril.

7 novembre. **RDA.** Démission du Premier ministre, Willy Stoph. Remplacé par Hans Modrow, communiste réformateur.

9 novembre. **Berlin.** Les autorités de RDA annoncent l'ouverture du Mur de Berlin (édifié en 1961) et de la frontière interallemande.

10 novembre. **Conseil de l'Europe.** La Hongrie est le premier pays de l'Est à poser sa candidature d'adhésion.

17 novembre. **Tchécoslovaquie.** Manifestation étudiante à Prague pour commémorer les victimes de la répression nazie et notamment la mort de l'étudiant Jan Opletal le 17 novembre 1939. Vifs affrontements avec les forces de l'ordre. Mise en grève des facultés et théâtres. Formation d'un regroupement oppositionnel, le Forum civique. Manifestations les jours suivants, allant s'amplifiant pour obtenir la chute du régime.

18 novembre. **CEE.** Dîner des chefs d'État et de gouvernement à Paris, à l'Élysée. Aide décidée en faveur de la Pologne et de la Hongrie. La France propose la mise en place d'une Banque pour la reconstruction de l'Europe de l'Est. Cette proposition sera adoptée par le Conseil de Strasbourg le 9 décembre suivant et donnera naissance à la BERD.

20 novembre. **Roumanie.** Ouverture du XIVe congrès du Parti. Nicolae Ceausescu est réélu secrétaire général.

29 novembre. **RFA-RDA.** Plan en dix points visant à la réalisation de l'unité allemande, présenté par H. Kohl.

29 novembre - 1er décembre. **Vatican-URSS.** Rencontre M. Gorbatchev-Jean-Paul II. Le pape dit suivre la *perestroïka* avec intérêt et réclame la liberté religieuse en URSS.

1er décembre. **RDA.** Abolition du rôle dirigeant du Parti. Toutes ses instances centrales démissionnent.

8-9 décembre. **Roumanie.** Renversement de Nicolae Ceausescu au terme de manifestations et d'affrontements sanglants. Le couple Ceausescu est exécuté le 25 après une parodie de procès. Le pouvoir est exercé par un Comité de salut national (CFSN) présidé par Ion Ilescu. Premier ministre : Petre Roman.

11 décembre. **Tchécoslovaquie.** Formation d'un gouvernement de transition dirigé par Marian Calfa. Démission du chef de l'État, Gustav Husak.

29 décembre. **Pologne.** Le Parlement abolit le rôle dirigeant du Parti.

29 décembre. **Tchécoslovaquie.** Le Parlement, présidé depuis la veille par Alexandre Dubcek, élit — à l'unanimité — Václav Havel président de la République.

- 1990 -

2 janvier. **Allemagne-Tchécoslovaquie.** Visite officielle de V. Havel à Berlin-Est, puis en RFA.

15 janvier. **Bulgarie.** Abolition du rôle dirigeant du Parti. Le 18, l'ancien « numéro un », T. Jivkov, est arrêté.

19 janvier. **Hongrie-France.** Au cours d'une visite officielle, le président français F. Mitterrand développe l'idée d'une « confédération européenne ».

21 janvier. **RDA.** E. Krenz est exclu du parti.

22 janvier. **Yougoslavie.** La Ligue des communistes renonce à son rôle dirigeant.

28 janvier. **Pologne.** Le Parti communiste (POUP) s'autodissout. Il donne « naissance » à un « Parti social-démocrate de Pologne ».

28 janvier. **RFA.** Net succès des sociaux-démocrates dirigés par Oskar Lafontaine aux élections du Land de Sarre.

30 janvier. **Yougoslavie.** Plusieurs milliers de Serbes manifestent à Belgrade contre la commémoration du souvenir de Tito.

3 février. **Roumanie.** Constitution d'un Conseil provisoire d'union nationale (CPUN), transitoire jusqu'aux élections générales du 20 mai (dominé par le CFNS).

4 février. **Yougoslavie.** La Ligue des communistes de Slovénie rompt avec la Ligue des communistes de Yougoslavie.

6 février. **RDA-RFA.** Plan d'union économique et monétaire proposé par le chancelier Kohl.

8 février. **RDA.** Pour la première fois, l'État est-allemand reconnaît la responsabilité de l'ensemble du peuple allemand dans le nazisme.

21 février. **Pologne.** Le Premier ministre demande aux Allemands la signature d'un traité garantissant les frontières communes.

EUROPE/BIBLIOGRAPHIE SÉLECTIVE

AMSTRONG L., DAUVERGNE A., *L'Europe 93*, Balland, Paris, 1989.

BROSSAT A., COMBE S., POTEL J.-Y., SZUREK J.-C., *A l'Est, la mémoire retrouvée*, La Découverte, Paris, 1990.

« Deux idées de l'Europe », *L'événement européen*, n° 7, Paris, 1989.

« Est. Le nouveau pouvoir », *Les Documents du Nouvel Observateur*, n° 9, Paris, 1990.

« Europe de l'Est : la transition » (dossier constitué par G. Mink), *Problèmes politiques et sociaux*, n° 636, La Documentation française, Paris, juil. 1990.

GROSSER A. (sous la dir. de), « Les pays d'Europe occidentale », *Notes et études documentaires*, n° 4884-4885, La Documentation française, Paris, 1989.

HASSNER P., GRÉMION P., *Vents d'Est. Vers l'Europe des États de droit ?*, PUF, Paris, 1990.

« La grande Europe et ses nations » (dossier), *Esprit*, n° 2, Paris, fév. 1990.

« L'Europe de la pensée, l'Europe du politique » (actes du colloque tenu sur ce thème à Albi - 5-6.5.1989), *Cosmopolitiques*, n° spéc., Paris.

« Où va l'Est ? Les actes du colloque de la Sorbonne 20.2.90 », *Le Journal des élections/Libération*, Paris, 1990.

RUPNIK J., *L'Autre Europe, Crise et fin du communisme*, Odile Jacob, Paris, 1990.

SCHREIBER T., BARRY F. (sous la dir. de), « L'URSS et l'Europe de l'Est, édition 1989 », *Notes et études documentaire*, n° 4891-4892, La Documentation française, Paris, 1990.

SOULÉ V., *Avoir vingt ans à l'Est*, Le Seuil, Paris, 1989.

25 février. **Bulgarie.** Plusieurs dizaines de milliers de personnes manifestent contre le Parti communiste.

27 février. **Tchécoslovaquie.** Lors de la visite officielle de V. Havel à Moscou, un traité est signé qui porte sur le retrait des troupes soviétiques stationnées en Tchécoslovaquie (départ avant le 30 juin 1991).

8 mars. **Grande-Bretagne.** Violentes manifestations tournant à l'émeute, contre la réforme de la taxe d'habitation (*poll tax*). Manifestation de 200 000 personnes le 31 à Londres. Émeutes.

18 mars. **RDA.** Élections générales libres. Victoire de l'Alliance pour l'Allemagne (48,1 % dont 40,8 % pour la seule CDU), 22,8 % pour le SPD. Lothar de Maizière (CDU) accepte de former un gouvernement.

20-21 mars. **Roumanie.** A Tirgu Mures (Transylvanie), affrontements sanglants entre Roumains de souche et minorité magyare.

25 mars-8 avril. **Hongrie.** Premières élections libres depuis 1947. Victoire du Mouvement démocratique hongrois (MDF, centre droit, 43 %) devant l'Alliance des démocrates libres (SzDZs, social-libéral). Josef Antall (MDF) forme le gouvernement.

27 mars. **Yougoslavie.** Sanglants affrontements au Kosovo.

28 avril. **CEE.** Sommet extraordinaire de Dublin. L'entrée en vigueur de l'union économique et monétaire est fixée au 1er janvier 1993.

8 mai. **Albanie.** Le Premier ministre déclare que son pays souhaite participer à la CSCE. Plusieurs réformes seront par la suite annoncées.

20 mai. **Roumanie.** Élections. Le FSN recueille les deux tiers des suffrages pour chacune des deux chambres et Ion Ilescu est élu président de la République avec 85 % des voix.

26 mai. **Yougoslavie.** Lors de son XIVe congrès, et en l'absence des délégués slovènes, croates et macédoniens qui ont fait sécession, la Ligue des communistes renonce à son monopole politique.

29 mai. **BERD.** Signature à Paris du traité constitutif de la Banque européenne pour la reconstruction et le développement de l'Europe de l'Est. Quarante États sont fondateurs, dont 30 européens.

Todor Stoaïnov

(*Voir aussi la chronologie consacrée aux « Conflits et tensions » et la chronologie « URSS » pour ce qui concerne les républiques européennes de l'URSS*).

Europe germanique

AUTRICHE • LIECHTENSTEIN • RFA • RDA • SUISSE

(La RFA est traitée p. 128; la RDA p. 134.)

Autriche

A quoi sert l'Autriche ? La disparition du « rideau de fer » à l'automne 1989 et l'effacement progressif des « blocs » militaires ont relativisé la place de ce petit pays qui avait su, depuis trente ans, tirer les bénéfices de sa neutralité et de sa situation géographique à la lisière des deux Europes. Dans le rôle d'intermédiaire privilégié entre l'Est et l'ouest Vienne — où se sont ouvertes en mars 1989 d'importantes négociations sur les armements conventionnels, CFE — se voit désormais concurrencée par Prague et par Berlin. Mais la capitale autrichienne espère accueillir le secrétariat permanent de la Conférence sur la sécurité et la coopération en Europe (CSCE), clef de voûte de la « nouvelle architecture » d'un continent réunifié.

République d'Autriche
Nature du régime : démocratie parlementaire.
Chef de l'État : Kurt Waldheim (depuis juin 1986).
Chef du gouvernement : Franz Vranitzky (depuis le 16.6.86).
Monnaie : schilling (1 schilling = 0,48 FF au 30.4.90).
Langues : allemand, slovène.

En préparant pour 1995, avec la Hongrie, une exposition mondiale Vienne-Budapest, l'Autriche a ouvert la voie à une coopération régionale élargie, depuis novembre 1989, sous l'impulsion de l'Italie, à la Yougoslavie et à la Tchécoslovaquie. Mais aux yeux des dirigeants autrichiens, cette résurrection de la *Mitteleuropa* ne constitue pas une alternative réaliste à une adhésion à la Communauté européenne, à laquelle l'Autriche a déposé sa candidature en juillet 1989. Non sans susciter des réticences parmi les Douze à cause de sa « neutralité permanente », dont le contenu devra sans doute être modifié.

Stimulée par les privatisations, l'économie autrichienne a largement profité de l'ouverture à l'Est, comme en a témoigné l'essor spectaculaire de la Bourse de Vienne, tirée d'un long sommeil par les investisseurs américains et japonais. Avec un indice de croissance de 3,5 %, un taux d'inflation de 3,2 % et un chômage inférieur à 5 % (selon les prévisions pour 1990), l'Autriche a continué d'afficher de meilleurs résultats que son puissant voisin allemand.

Mais il lui reste à mener à bien la *perestroïka* d'un système encore très marqué par la « Sozialpartnerschaft », le partage du pouvoir entre socialistes du SPÖ et conservateurs de l'ÖVP (Parti populaire), dont la coalition gouvernementale, conduite par le chancelier Franz Vranitzky, à la mi-1990, semblait pouvoir se maintenir en tête jusqu'aux législatives d'octobre. Tandis que le SPÖ se relevait à peine d'une série de scandales (notamment l'« affaire Lucona » et celle des ventes d'armes à l'Iran), l'ÖVP a perdu du terrain au profit des Verts et, surtout, du parti « libéral » FPÖ (droite). Son ambitieux leader, Jörg Haider, qui a conquis en 1989 la présidence du *Land* de Carinthie, a séduit l'électorat par un discours populiste, en jouant sur la peur d'une immigration illégale venue de l'Est.

BIBLIOGRAPHIE

ALLEMANN F.-R., *Vingt-six fois la Suisse*, Éditions de l'Aire et Ex-Libris, Genève, Lausanne, 1985.

OCDE, *Études économiques : Autriche*, Paris, 1989.

OCDE, *Études économiques* : *La Suisse*, Paris, 1989.

PICHARD A., *La Suisse dans tous ses États*, Éditions 24 Heures, Lausanne, 1988.

SCHWOK R., *Horizon 1992 : la Suisse et le grand marché européen*, IUEE, Georg, Genève, 1989.

SUKUP V., « L'Autriche », *Études*, n° 37-23, Paris, mars 1990.

THALMANN J., *1992... et nous ?*, Éditions J.-M. Blanc, Lausanne, 1989.

ZIEGLER J., *La Suisse lave plus blanc*, Le Seuil, Paris, 1990.

Voir aussi les bibliographies « RDA » et « RFA » dans la section « 34 États ».

Liechtenstein

Même au Liechtenstein les grandes manœuvres européennes ont commencé : mariée depuis soixante-dix ans dans un bonheur réciproque avec la Suisse — avec laquelle elle partage monnaie, tarif douanier et système postal —, la principauté s'est tournée vers Bruxelles et a souhaité négocier directement avec la CEE un certain nombre de dossiers. Autre signe d'« indépendance » vis-à-vis du voisin helvétique, les vingt-cinq députés du Parlement de Vaduz ont donné le feu vert à une demande d'adhésion à l'ONU, laquelle sera effective à l'automne 1990. Très fière de son industrie de pointe (fibres optiques pour la NASA, prothèses dentaires, fixations Hilti pour le bâtiment), la principauté est aussi un paradis fiscal qui abrite plusieurs dizaines de milliers de sociétés holdings, et où l'on ne comptait, à la mi-1990, que dix-sept chômeurs, généreusement indemnisés. Mais les amateurs doivent se montrer patient : il faut y vivre depuis trente ans pour prétendre à la naturalisation...

Principauté du Liechtenstein
Nature du régime : monarchie constitutionnelle.
Chef de l'État : prince Hans Adam.
Chef du gouvernement : Hans Brunhart (depuis 1978).
Monnaie : franc suisse.
Langue : allemand.

Joëlle Stolz

Suisse

La Suisse a été confrontée en 1989 à une remise en question, sans précédent depuis la guerre, de ses institutions. Les autorités helvétiques se sont efforcées de rétablir la confiance envers l'État, qui avait été gravement ébranlée par le scandale Kopp. Ministre de la Justice, première femme élue au Conseil fédéral (gouvernement), Elisabeth Kopp a démissionné le 12 janvier 1989. Elle avait transmis des informations confidentielles à son mari, administrateur d'une société dont le nom a été cité dans la plus grosse affaire de blanchiment d'argent de la drogue jamais découverte en Suisse. Accusée de violation du secret de fonction, l'ancienne ministre de la Justice a été acquittée, au bénéfice du doute, le

Confédération helvétique
Nature du régime : démocratie parlementaire.
Chef de l'État : Arnold Koller (1.1.90, pour un an), président de la Confédération et du gouvernement.
Monnaie : franc suisse (1 franc suisse = 3,87 FF au 30.4.90).
Langue : allemand, français, italien, romanche.

EUROPE GERMANIQUE

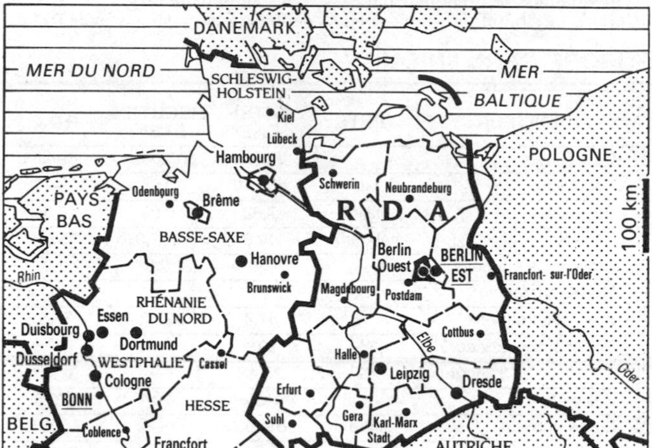

En RDA, les districts portent le nom de leur chef-lieu

SUISSE

Cantons :

BÂLE-VILLE	(1)
BÂLE-CAMPAGNE	(2)
SOLEURE	(3)
FRIBOURG	(5)
OBWALD	(7)
NIDWALD	(8)
SCHWYZ	(9)
ZOUG	(10)
SCHAFFHOUSE	(11)
APPENZELL (Rhodes ext.)	(12)
APPENZELL (Rhodes int.)	(13)
GLARIS	(14)

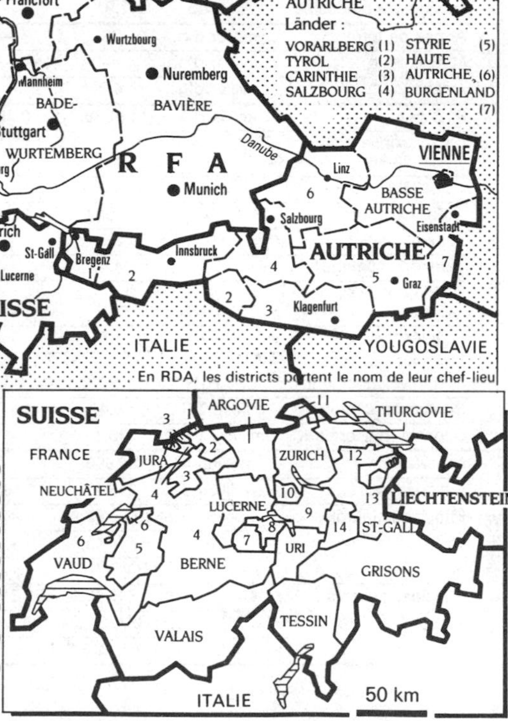

19 février 1990 par le tribunal fédéral à Lausanne.

Une commission d'enquête parlementaire a toutefois rendu, en novembre 1989, un rapport accablant sur l'affaire Kopp. De plus, elle a mis en lumière de graves carences de fonctionnement au sein de l'admi-

EUROPE GERMANIQUE

	INDICATEUR	UNITÉ	AUTRICHE	LIECHTENSTEIN	RDA
	Capitale		Vienne	Vaduz	Berlin
	Superficie	km²	83 850	157	108 178
DÉMOGRAPHIE	Population (*)	million	7,62	0,03	16,65
	Densité	hab./km²	90,9	191,0	153,9
	Croissance annuelle [d]	%	0,0	0,8	0,0
	Mortalité infantile [d]	‰	11	..	9
	Population urbaine	%	57,4	25,2	77,8
CULTURE	Scolarisation 2e degré	%	80 [bf]	..	77 [be]
	3e degré	%	29,4 [b]	..	32,0 [b]
	Postes tv [b]	‰ hab.	480	307	372,5
	Livres publiés	titre	8910 [b]	..	7908 [a]
	Nombre de médecins	‰ hab.	1,9 [b]	..	3,27 [a]
ARMÉE	Armée de terre	millier d'h.	38	—	120
	Marine	millier d'h.	—	—	16
	Aviation	millier d'h.	4,5	—	37,1
ÉCONOMIE	PIB	milliard $	133,36	0,45 [g]	207,2 [ak]
	Croissance annuelle 1980-88	%	1,7	..	4,1 [j]
	1989	%	4,0	..	2,0 [j]
	Par habitant	$	17501	16500 [g]	12500 [ak]
	Taux d'inflation	%	2,9	..	2,0
	Taux de chômage [l]	%	4,4	..	..
	Dépenses de l'État Éducation	% PIB	5,9 [b]	..	5,1 [b]
	Défense	% PIB	1,0	..	8,3 [a]
	Recherche et développement	% PIB	1,34 [a]	..	4,6 [b]
	Production d'énergie [b]	million TEC	8,4	..	95,9
	Consom. d'énergie [b]	million TEC	30,1	..	131,3
COMMERCE	Importations	million $	38980	..	17330
	Exportations	million $	31905	1162 [b]	17330
	Principaux fournis.	%	CEE 67,9	..	CAEM 65,7 [a]
		%	RFA 43,6	..	PCD 28,6 [a]
		%	PVD 9,4	..	PVD 2,9 [a]
	Principaux clients	%	CEE 63,8	AELE [i] 23,5 [b]	CAEM 67,0 [a]
		%	RFA 34,5	Sui 17,5 [b]	PCD 26,6 [a]
		%	CAEM 9,0	CEE 40,4 [b]	PVD 4,1 [a]

nistration. Consacrant l'essentiel de sa force à la protection de l'État contre la subversion (des centaines de milliers de citoyens helvétiques ont été fichés auprès de la police pour leurs activités politiques), le ministère de la Justice n'avait pas toujours accordé toute l'attention voulue à la lutte contre les formes modernes de la criminalité internationale. L'affaire de recyclage d'argent, à l'origine de la chute de Mme Kopp, a toutefois incité le Parlement à compléter rapidement le Code pénal suisse d'un nouvel article punissant le blanchiment d'argent d'origine criminelle, tandis que le gouvernement renforçait les effectifs de la section de lutte contre le trafic de drogue auprès de la police fédérale.

Le malaise éprouvé par une partie de l'opinion publique à l'égard des institutions du pays ne s'est toutefois pas entièrement dissipé. Le 26 novembre 1989, une initiative populaire demandant la suppression de l'armée était rejetée, mais recueillait néanmoins près de 36 % des suffrages.

Sur le plan économique, la Suisse a dû admettre qu'elle n'est plus un modèle de stabilité dans le monde. Tandis que le franc suisse est resté relativement moins fort que certaines autres devises européennes, l'inflation (5 % en 1989) a été nettement plus forte en Suisse qu'en France et en RFA.

Conscientes du risque d'isolement et de marginalisation qui pèse sur un petit pays, au moment où se constituent de puissants blocs économiques, les autorités helvétiques ont souhaité rapprocher davantage la Suisse des institutions économiques internationales et de la CEE. Berne a ainsi entrepris des démarches en vue d'une éventuelle adhésion au FMI (la Suisse est le seul pays développé non communiste qui ne soit pas membre du FMI).

RFA	SUISSE
Bonn	Berne
249 147	41 288
60,6	6,51
243	157,8
-0,2	0,2
9	7
86,2	59,3
94 [ce]	..
30,1 [c]	23,7 [b]
385	405
65 670	12 410 [b]
2,8 [b]	1,5 [b]
340,7	565 [h]
36,0	—
106	60 [h]
1 268,6	188,5
1,8	1,9
4,0	3,1
20 934	28 965
3,0	5,0
5,4	0,5
4,4 [c]	4,8 [b]
2,4	1,8
2,85 [b]	2,89 [c]
151,4	6,9
342,0	24,8
269 799	58 194
341 390	51 525
CEE 51,1	CEE 70,8
PVD 15,4	AELE [m] 7,3
E-U 7,5	PVD 8,9
CEE 55,1	CEE 56,6
PVD 12,6	AELE [m] 6,6
E-U 7,3	PVD 17,7

Chiffres 1989, sauf notes : a. 1988; b. 1987; c. 1986; d. 1985-90; e. 10-18 ans; f. 10-17 ans; g. 1985; h. Sur mobilisation; i. Association européenne de libre-échange; j. Produit matériel net; k. Estimation de la CIA; l. En décembre; m. Association européenne de libre-échange.

(*) Dernier recensement utilisable : Autriche, 1981; Liechtenstein, 1981; RDA, 1981; RFA, 1987; Suisse, 1980.

Par ailleurs, rompant avec sa stratégie antérieure qui visait à tisser avec la CEE le plus grand nombre possible de liens bilatéraux sans remettre en cause sa propre souveraineté, la Suisse a accepté d'entamer des négociations globales avec la CEE, en compagnie de ses partenaires de l'Association européenne de libre-échange (AELE). Le but est de créer, en vue du grand marché unique de 1993, un « espace économique européen » de dix-huit pays, dont les règles seraient fondées largement sur l'acquis de l'Europe des Douze. L'adhésion de la Suisse à l'espace économique européen sera soumise à l'approbation des électeurs helvétiques par référendum ; ces derniers, on s'en souvient, ont massivement refusé en 1986 l'entrée de la Suisse aux Nations unies.

Jean-Luc Lederrey

Benelux

BELGIQUE • LUXEMBOURG • PAYS-BAS

Belgique

Sur le plan politique, l'année 1989 a été plutôt calme, la coalition gouvernementale (chrétiens-démocrates, socialistes et nationalistes flamands) n'ayant rencontré de difficultés majeures ni sur le front social ni sur le front linguistique. Les élections au Parlement européen de juin 1989 n'ont pas révélé de bouleversements électoraux, mais on a noté une forte progression des Verts, ainsi que des résultats divergents du Parti socialiste, qui a reculé en Flandre et progressé en Wallonie.

Royaume de Belgique

Nature du régime : monarchie parlementaire.
Chef de l'État : roi Baudouin 1er (depuis 1951).
Chef du gouvernement : Wilfred Martens (depuis déc. 81).
Monnaie : franc belge (1 franc belge = 0,023 écu ou 0,16 FF au 30.4.90).
Langue : français, néerlandais (flamand), allemand.

La préparation du budget 1990 a donné lieu à quelques débats, le gouvernement de Wilfried Martens voulant réduire un fort déficit chronique en diminuant les dépenses (en matière de défense et de protection sociale notamment) et en alourdissant la fiscalité indirecte. De même, les projets de réorganisation du réseau ferroviaire, liés à l'arrivée prochaine du train à grande vitesse TGV (qui desservira Bruxelles en 1995), ont fait apparaître des dissensions entre Flamands et Wallons ; mais au printemps 1990 on s'acheminait vers un compromis. Les grands titres de la presse ont plus porté sur les démêlés judiciaires de l'ancien Premier ministre, Paul Van Den Boeynants (déjà inculpé de fraude fiscale et accusé d'avoir trempé dans une affaire de mœurs), et sur le vote d'une loi en faveur de l'avortement, malgré l'opposition des chrétiens-démocrates et du roi, lequel a très temporairement renoncé à ses pouvoirs constitutionnels pour ne pas avoir à signer le projet de loi.

Les principaux indicateurs économiques et financiers ont évolué favorablement. Même s'il est encore élevé (9,3 % de la population active à la fin de 1989), le taux de chômage a légèrement diminué, tandis que l'inflation est restée modérée (3,4 % par an). La réduction de la retenue à la source (de 25 à 10 %) sur les revenus d'obligations et de bons de caisse a freiné la fuite des capitaux vers le Luxembourg.

La restructuration des entreprises

BENELUX

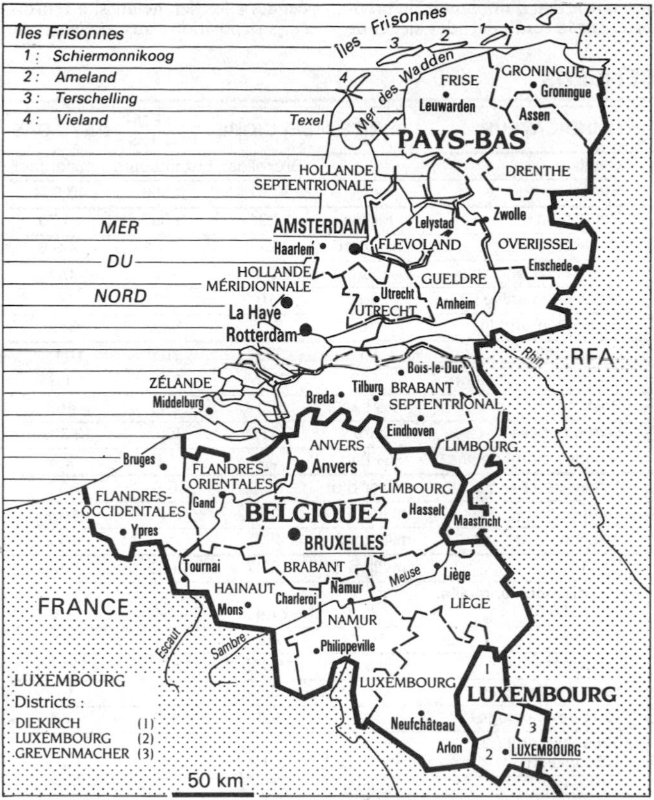

industrielles et tertiaires, qui s'était développée plus lentement et plus tardivement que dans les autres pays de la CEE, a connu une nette accélération. Comme la Compagnie financière de Suez, actionnaire majoritaire de la Société générale de Belgique (SGB), d'autres sociétés françaises (Bouygues dans le bâtiment, UAP et AGF dans les assurances, BSN dans l'agro-alimentaire et le groupe Hersant dans la presse) ont acquis des participations en Belgique, ce qui fait craindre, surtout aux Flamands, une trop forte dépendance à l'égard de centres de décision extérieurs. De son côté, le groupe sidérurgique belge Cockerill a signé un accord avec ARBED (Luxembourg) pour mettre en œuvre une spécialisation de chacune des deux firmes, tandis que la Générale de Belgique a procédé à un regroupement de ses filiales dans la métallurgie des non-ferreux et a consolidé ses participations dans le ciment et les transports maritimes. Dans le transport aérien, Sabena a créé une filiale commune avec KLM et British Airways.

La position internationale de Bruxelles s'est renforcée. La ville est devenue le lieu d'implantation privilégié, sur le continent, des sièges de grandes sociétés extérieures à la CEE. Déjà principale capitale européenne, elle cherche aussi à renforcer sa position aux dépens de

BENELUX

	INDICATEUR	UNITÉ	BELGIQUE	LUXEMBOURG	PAYS-BAS
	Capitale		Bruxelles	Luxembourg	Amsterdam
	Superficie	km²	30 514	2 586	40 844
DÉMOGRAPHIE	Population (*)	million	9,93	0,367	14,70
	Densité	hab./km²	325,5	141,9	359,9
	Croissance annuelle [f]	%	0,1	0,0	0,4
	Mortalité infantile [f]	‰	10	10	8
	Population urbaine	%	96,8	83,8	88,5
CULTURE	Scolarisation 2e degré	%	99 [bh]	76 [ci]	104 [ch]
	3e degré	%	32,7 [b]	2,8 [e]	31,3 [c]
	Postes tv [b]	‰ hab.	320 [g]	249	469
	Livres publiés	titre	8327 [d]	355 [b]	13329 [b]
	Nombre de médecins [b]	‰ hab.	3,2	1,8	2,3
ARMÉE	Armée de terre	millier d'h.	67,8	0,8	63,7
	Marine	millier d'h.	4,7	—	16,9
	Aviation	millier d'h.	19,9	—	18,2
ÉCONOMIE	PNB	milliard $	162,7	6,89	238,5
	Croissance annuelle 1980-88	%	1,4	4,4	1,6
	1989	%	4,2	3,4	4,6
	Par habitant	$	16385	18771	16226
	Taux d'inflation	%	3,6	3,9	1,3
	Taux de chômage [j]	%	8,6	1,5	7,9
	Dépenses de l'État Éducation	% PIB	5,1 [b]	2,6 [b]	6,8 [d]
	Défense	% PIB	1,7	1,2	2,9
	Recherche et développement [c]	% PIB	1,61	..	2,21
	Production d'énergie [b]	million TEC	9,2	0,012	96,2
	Consom. d'énergie [b]	million TEC	55,1	4,1	106,0
COMMERCE	Importations	million $	98452	4020 [c]	104140
	Exportations	million $	99992	3720 [c]	107573
	Principaux fournis.	%	CEE 73,1	Bel 37,6 [c]	CEE 63,2
		%	RFA 24,5	RFA 30,7 [c]	RFA 25,7
		%	P-B 17,8	Fra 12,2 [c]	PVD 14,9
	Principaux clients	%	CEE 74,3	RFA 29,1 [c]	CEE 75,4
		%	Fra 20,0	Bel 16,7 [c]	RFA 25,9
		%	RFA 19,5	Fra 15,3 [c]	Bel 14,6

Strasbourg en attirant le siège du Parlement européen.

Les relations avec le Zaïre qui, après une grave crise, s'étaient améliorées au cours de l'été 1989, ont connu de nouveaux moments difficiles en 1990. Après un conflit sur les conditions de la coopération économique et financière entre les deux pays, le massacre d'étudiants zaïrois à Lubumbashi en mai 1990 a entraîné le gel des prêts consentis par l'ancienne métropole et le renvoi de 700 coopérants belges.

Luxembourg

Les menaces sur le « paradis financier » se sont précisées. La mise en cause du Luxembourg dans des affaires de blanchiment de l'argent de la drogue (affaire Noriega) l'a obligé à accepter quelques entorses au secret bancaire (loi du 7 juillet 1989 qui punit les opérations sur les narcodollars). Une surveillance des transactions boursières et une réglementation de l'installation des banques étrangères ont complété le dispositif. Mais c'est surtout l'harmonisation, en cours, de la fiscalité sur l'épargne qui inquiète : en réduisant l'écart entre les rendements offerts dans les différents pays, elle risque en effet de priver d'un de ses principaux atouts le marché des capitaux luxembourgeois.

Grand-Duché de Luxembourg

Nature du régime : monarchie constitutionnelle.
Chef de l'État : prince Jean (depuis 1964).
Chef du gouvernement : Jacques Santer (depuis 1984).
Monnaie : franc luxembourgeois, franc belge (1 franc = 0,023 écu ou 0,16 FF au 30.4.90).
Langues : français, allemand, dialecte luxembourgeois.

Chiffres 1989, sauf notes : a. 1988 ; b. 1987 ; c. 1986 ; d. 1985 ; e. 1984 ; f. 1985-90 ; g. Licences ; h. 12-17 ans ; i. 12-18 ans ; j. En décembre.

(*) Dernier recensement utilisable : Belgique, 1981 ; Luxembourg, 1981 ; Pays-Bas, 1980.

Pays-Bas

Les Pays-Bas ont connu en 1989 un changement de gouvernement qui n'a pas traduit pour autant de profonds bouleversements politiques. Le Premier ministre (Ruud Lubbers) et le parti dominant (les chrétiens-démocrates du CDA) sont restés au pouvoir, mais leurs alliés sont cette fois les socialistes (PvdA) et non plus les libéraux. L'ancienne coalition connaissait de sérieuses dissensions depuis plus de deux ans et a éclaté en avril 1989 au sujet du financement d'un grand programme de défense de l'environnement.

Royaume des Pays-Bas

Nature du régime : monarchie constitutionnelle.
Chef de l'État : reine Beatrix Ire (depuis 1980).
Chef du gouvernement : Ruud Lubbers (depuis 1982).
Monnaie : florin (1 florin = 0,43 écu ou 2,98 FF au 30.4.90).
Langue : néerlandais.
Territoire outre-mer : Antilles néerlandaises [Caraïbes].

L'enjeu des législatives anticipées de septembre 1989 était de savoir qui, des socialistes ou des chrétiens-démocrates, arriverait en tête. Confirmant les élections du Parlement européen de juin 1989, elles ont donné la prééminence au CDA (54 sièges), le PvdA (49 sièges) perdant même trois sièges au profit des petits partis de gauche. La formation du nouveau gouvernement a été rapide, les socialistes souhaitant mettre fin à leur longue « cure d'opposition ». Les chrétiens-démocrates leur ont ainsi concédé la parité des portefeuilles ministériels et un programme politique d'orientation plus « sociale ». Le gouvernement compte pourtant poursuivre la réduction des prélèvements obligatoires, l'inflexion portant principalement sur la stabi-

BIBLIOGRAPHIE

CHRISTIANS C., DAELS L., *La Belgique*, Société géographique de Liège, 1988.

DETHOMAS B., FRALON J.-A., *Les Milliards de l'orgueil*, Gallimard, Paris, 1989.

DUPONT G., PONSAERS P., *Les Tueurs*, EPO, Anvers, 1988.

KUSSMAN-PUTTO J., *Les Pays-Bas : histoire des Pays-Bas du nord et du sud*, Stichting Ors Erfel, 1988.

« La Belgique », *Pouvoirs*, n° 54, Paris, 1990 (à paraître).

« Le système Luxembourg, enquête sur un paradis fiscal », *Science et Vie Économie*, Paris, avr. 1990.

OCDE, *Études économiques : Belgique et Luxembourg. 1988-1989*, Paris, 1990.

OCDE, *Études économiques : Pays-Bas. 1988-1989*, Paris, 1990.

lisation du budget de la défense, une hausse plus rapide des allocations et des traitements des fonctionnaires et une lutte plus active contre le chômage — qui touche encore, malgré une légère baisse, 8,9 % de la population active. Si l'on en juge par les résultats des municipales de mars 1990, les électeurs socialistes n'ont pas tous été satisfaits de ce compromis, puisque le PvdA a connu un net recul.

La conjoncture économique favorable devrait faciliter la tâche à la nouvelle coalition. L'inflation est restée très modérée (1,1 % en 1989), la croissance soutenue (3 à 4 % par an), la balance des paiements bénéficiaire, et les investissements ont marqué une forte progression. Les Pays-Bas ont gagné des parts de marché à l'étranger et les multinationales néerlandaises ont enregistré une hausse sensible de leurs bénéfices (sauf Philips qui a connu de sérieuses difficultés au début de 1990).

Les débats de société, un moment occultés par les événements politiques du printemps et de l'été 1989, sont cependant restés sous-jacents. La politique néerlandaise de tolérance vis-à-vis des drogués est de plus en plus contestée par ses voisins tandis que la violence dans les stades a plus d'une fois défrayé la chronique. Les Néerlandais sont divisés quant à l'accueil des étrangers, un des points sensibles des accords de Schengen (France, RFA, Benelux) concernant la « libre circulation des personnes » et qui devaient préfigurer le marché unique et dont la ratification a été retardée (pour être finalement réalisée en juin 1990). Une légère poussée de l'extrême droite dans les grandes villes a joué dans ce domaine le rôle d'un signal d'alarme.

Les écologistes n'ont pas réalisé la percée électorale qu'ils espéraient, mais les partis classiques ont largement puisé dans leurs propositions. La défense de l'environnement est aujourd'hui une priorité affirmée aux Pays-Bas, comme l'ont montré la détermination néerlandaise en faveur de la « voiture propre » et la mise en cause de l'intensification de l'agriculture. Mais en ce qui concerne le Rhin, la mer du Nord ou les pluies acides, la réduction de la pollution passe par des accords internationaux difficiles à établir.

Quant aux affaires européennes, les Néerlandais souhaitent consolider la CEE avant de l'élargir, et ils subordonnent l'unification de l'Allemagne à de sérieuses garanties sur la pérennité de ses frontières actuelles.

Jean-Claude Boyer

Europe du Nord

DANEMARK • FINLANDE • GROENLAND • ISLANDE • NORVÈGE • SUÈDE

Danemark

Le 15 juin 1989, les Danois ont élu leurs seize députés au Parlement européen. Le Parti conservateur a perdu deux de ses quatre sièges : un verdict sévère pour la formation de Poul Schlüter à la tête du gouvernement minoritaire tripartite (conservateurs, libéraux, radicaux). Le mouvement populaire anti-CEE a conservé ses quatre sièges. Le Centre démocrate (deux sièges) et le Parti libéral (trois sièges), tous deux très pro-européens, en ont chacun gagné un, ainsi que le parti social-démocrate (quatre sièges).

Royaume du Danemark

Nature du régime : monarchie parlementaire.
Chef de l'État : reine Marguerite II.
Chef du gouvernement : Poul Schlüter (depuis sept. 82).
Monnaie : couronne danoise (1 couronne = 0,88 FF au 30.4.90).
Langue : danois.
Territoires autonomes : Groenland ; îles Féroé (communautés autonomes au sein du royaume).

Pendant la campagne, l'Europe a soulevé moins de passions que le plan de réforme fiscale, établi sur quatre ans et présenté le 26 mai 1989. Il fixe les taux des tranches les plus imposées à 44 et 52 % (au lieu de 52 et 68 %). De plus, la baisse de l'impôt sur les sociétés (à 40 %) et de la TVA est financée par une réduction des dépenses publiques et par un accroissement des charges pesant sur les usagers des services sociaux. Pendant cinq mois, le gouvernement a tenté de négocier le soutien des sociaux-démocrates qui avaient, le 27 avril 1989, avancé leur propre plan davantage centré sur les allégements fiscaux pour les bas salaires. C'est finalement avec le Parti du progrès (opposition d'extrême droite, très critique à l'égard de l'État providence) que, pour la première fois, un accord a été trouvé et, le 14 décembre 1989, le budget, inscrit dans la lignée du plan Schlüter, a été voté.

Très fertile en concentrations et fusions de sociétés, dans la perspective du Marché unique, l'année 1989 a peut-être constitué pour l'économie danoise une transition. La consommation des ménages est restée faible (−0,5 % par rapport à 1988), le chômage s'est encore accru (9,5 %) et l'inflation s'est maintenue à 4,8 % en raison du prix élevé des matières premières importées. Cependant, au regard des deux précédentes années, le déclin de l'activité économique a paru enrayé. La croissance du PNB (1,3 %) et des investissements (0,5 %) a repris, tandis que la hausse des exportations (6,3 %), un taux de change plus favorable et la compression de la demande intérieure ont permis la réduction du déficit de la balance des paiements. Un net regain de la compétitivité a été possible au prix de hausses modérées des salaires (3 %) négociées pour deux ans en mars 1989.

Finlande

En Finlande, la croissance économique a commencé à fléchir à la fin de 1989, mais sur l'ensemble de l'année, elle est demeurée forte (près de 5 %). La consommation privée, en léger recul par rapport à 1988 (3,5 contre 5 %) et, surtout, les investissements en hausse de 12,5 %, ont contribué à ce résultat. L'offre d'emploi est restée élevée et le taux de chômage (3,5 %) a atteint son niveau le plus bas depuis une quinzaine d'années. Mais la croissance rapide a aussi eu des inconvénients : l'inflation s'est montrée plus élevée que prévu (6,5 %), et les exportations n'ont pas augmenté suffisamment (+1,5 %), à l'inverse des importations (+9,5 %), en raison de la forte demande intérieure. Enfin, la balance commerciale a, pour la première fois depuis dix ans, enregistré un solde négatif (5,5 milliards de marks finlandais), et le déficit des comptes courants s'est creusé (21 milliards de marks soit 4 % du PNB). Pour freiner cette évolution, le gouvernement de Harri Holkeri (conservateur) a décidé de maintenir des taux d'intérêt élevés et de poursuivre une politique d'excédent budgétaire. Le 15 janvier 1990, patronat et syndicats, avec la médiation de l'État, ont signé des accords de régulation des revenus couvrant les trois quarts des salariés.

République de Finlande

Nature du régime : démocratie parlementaire.
Chef de l'État : Mauno Koivisto.
Chef du gouvernement : Harri Holkeri (depuis le 25.4.87).
Monnaie : mark finlandais (1 mark = 1,42 FF au 30.4.90).
Langues : finnois, suédois.

Le commerce avec l'URSS (fondé sur le *clearing*, principe de compensation des importations et exportations) ne représente plus que 12 % des échanges de la Finlande; ce ralentissement a contribué à la crise des industries traditionnelles (textile, chaussure et construction navale). Le 23 octobre 1989, les chantiers navals Wartsila procédaient à un dépôt de bilan historique. Parallèlement, les industries dynamiques, en particulier dans l'électronique (Nokia) et la mécanique lourde (Valmet), ont multiplié les investissements dans les pays de la CEE (+30 % par an entre 1981 et 1986) et les opérations de rachat (en Grande-Bretagne, en RFA et en France). Membre de l'AELE (Association européenne de libre-échange), la Finlande a toujours souhaité développer ses relations avec la CEE, sans y adhérer. Les événements de 1989-1990 en Europe de l'Est ont renforcé ses liens privilégiés et historiques avec l'Estonie en matière culturelle et économique, et dans le domaine du tourisme.

Aucun événement politique majeur n'a marqué l'année, sinon la fusion au sein d'une Union de la gauche des deux formations communistes, la Ligue démocrate populaire, regroupant euro-communistes et socialistes de gauche, et l'Alternative démocratique, orthodoxe. En janvier 1989, le secrétaire général du Parti social-démocrate, Perrti Paasio, est entré au gouvernement : les relations entre les deux formations conservatrice et social-démocrate qui dominent la coalition gouvernementale depuis le 25 avril 1987, sont devenues plus étroites.

Groenland

Le Groenland a célébré en 1989 le dixième anniversaire de son autonomie. Dirigé par Jonathan Motzfeldt (du parti Siumut, social-démocrate), le gouvernement a poursuivi une politique de réduction des dépenses publiques, de remboursement des emprunts contractés à l'étranger et d'investissements prioritaires (énergie, télécommunications, ports). Au début de 1990, le Parlement (Landsting) a décidé une révision du système des quotas d'importation, pour répondre aux difficultés toujours présentes de l'industrie de la pêche, malgré un retour de la morue.

Groenland

Nature du régime : territoire autonome rattaché à la couronne danoise.
Chef de l'exécutif : Jonathan Motzfeldt (depuis le 26.5.87).
Monnaie : couronne danoise.
Langues : groenlandais, danois.

EUROPE DU NORD

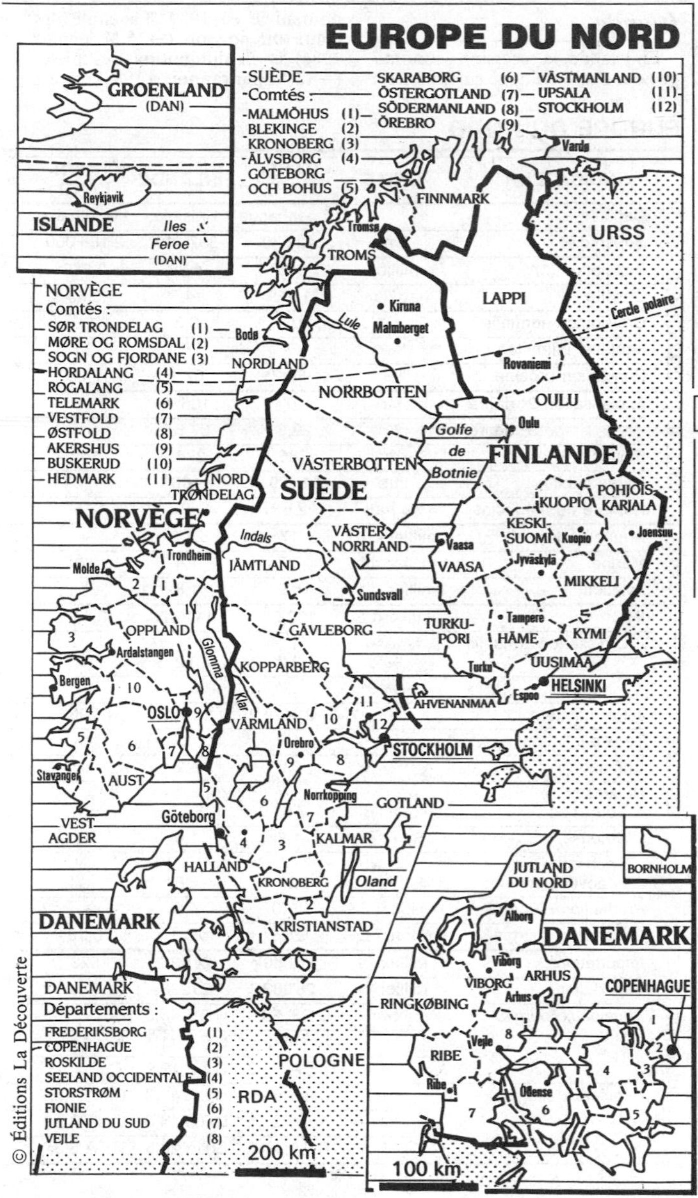

Islande

En Islande, la récession économique qui avait démarré en 1988 s'est poursuivie en 1989. La chute des cours du poisson (– 15 % depuis 1986) et la diminution des prises (– 12 % par rapport à 1988) ont été

EUROPE DU NORD

	INDICATEUR	UNITÉ	DANEMARK	FINLANDE	GROENLAND
	Capitale		Copenhague	Helsinki	Godthab
	Superficie	km²	43 070	337 010	2 186 000
DÉMOGRAPHIE	Population (*)	million	5,12	4,96	0,056
	Densité	hab./km²	118,9	14,7	0,03
	Croissance annuelle [e]	%	0,0	0,3	1,0
	Mortalité infantile [e]	‰	7	6	20
	Population urbaine	%	86,2	67,1	78,0
CULTURE	Scolarisation 2e degré	%	107 [cg]	106 [bg]	••
	3e degré	%	29,6 [c]	37,6 [b]	••
	Postes tv [b]	‰ hab.	386 [f]	374 [f]	160
	Livres publiés	titre	11 129 [b]	9 106 [b]	••
	Nombre de médecins	‰ hab.	2,6 [c]	1,9 [b]	1,15 [c]
ARMÉE	Armée de terre	millier d'h.	17	27,8	—
	Marine	millier d'h.	7,7	1,4	—
	Aviation	millier d'h.	6,9	1,8	—
ÉCONOMIE	PIB	milliard $	109,60	111,47	0,47 [c]
	Croissance annuelle 1980-88	%	2,3	3,2	••
	1989	%	1,7	5,0	••
	Par habitant	$	21 406	22 473	8 790 [c]
	Taux d'inflation	%	4,8	7,1	••
	Chômage [j]	%	9,2	3,2	••
	Dépenses de l'État Éducation	% PIB	7,9 [b]	5,9 [c]	••
	Défense	% PIB	1,8	1,6	—
	Recherche et développement	% PIB	1,24 [d]	1,66 [a]	••
	Production d'énergie [b]	million TEC	10,0	4,9	—
	Consom. d'énergie [b]	million TEC	27,4	28,1	0,16
COMMERCE	Importations	million $	26 650	24 436	523
	Exportations	million $	28 082	23 298	523
	Principaux fournis.	%	CEE 50,0	CEE 44,5	Dnk 81,0 [a]
		%	Scan 19,6	URS 11,4	Nor 11,5 [a]
		%	RFA 22,2	Scan 19,2	Can 1,4 [a]
	Principaux clients	%	CEE 50,6	CEE 43,9	Dnk 51,8 [a]
		%	Scan 21,1	URS 14,5	Jap 22,2 [a]
		%	RFA 17,5	Scan 20,6	RFA 6,5 [a]

aggravées par la hausse de l'inflation (23 %) et la détérioration des termes de l'échange (dévaluations successives), conséquences de la « surchauffe » des années précédentes. Un nouveau recul de la croissance du PNB a été enregistré (– 2,8 %), ainsi qu'une baisse du revenu disponible (– 8,2 %) et du pouvoir d'achat (– 15%), malgré une hausse de 10 % des salaires conforme aux accords d'avril 1989. La détérioration du climat s'est aussi traduite en 1989 par un record de faillites (pêche, fourrure, construction navale). Au début de février 1990, syndicats et patronat ont signé un accord salarial limitant à 9,5 % les hausses des salaires jusqu'au 15 septembre 1991. En contrepartie, le gouvernement de coalition de Steingrimur Hermannsson (Parti du progrès, centriste) s'est engagé à mener une politique déflationniste : gel des prix agricoles au moyen de subventions accrues, réduction des taux d'intérêt et limitation des hausses des tarifs publics. En septembre 1989, la coalition de centre gauche (comprenant centristes du Parti du progrès, sociaux-démocrates et socialistes de l'Alliance populaire), en baisse de popularité, a paradoxalement renforcé sa position et élargi sa majorité au Parlement (Althing) de 32 à 42 sièges sur 63 en accueillant en son sein le Parti des citoyens (centre-droit).

ISLANDE	NORVÈGE	SUÈDE
Reykjavik	Oslo	Stockholm
103 000	324 220	449 960
0,251	4,23	8,50
2,4	13,0	18,9
1,0	0,3	0,0
5	7	6
90,3	74,1	83,9
92[dh]	95[cg]	91[bg]
21,2[c]	35,3[b]	31,2[b]
297[f]	348[f]	395[f]
469[i]	6757[b]	11516[b]
2,7[b]	2,22[i]	2,8[b]
—	19	44,5
—	5,3	12
—	9,1	8
5,48	93,32	187,49
3,0	4,1	2,0
– 4,3	3,6	1,9
21 841	22 061	22 058
25,2	4,2	6,6
—	5,2	1,3
4,0[d]	6,8[c]	7,4[b]
..	3,2	2,6
0,73[c]	1,82[b]	2,93[b]
0,52	124,8	17,2
1,3	28,3	41,8
1 401	23 597	47 821
1 406	26 935	51 570
CEE 51,1	CEE 43,0	CEE 55,0
E-U 11,0	PVD 20,1	PVD 8,7
Scan 25,9	Scan 25,2	Scan 20,7
CEE 56,5	CEE 65,3	CEE 53,4
E-U 14,2	PVD 6,1	PVD 10,6
Scan 9,0	Scan 15,1	Scan 22,1

République d'Islande
Nature du régime : démocratie parlementaire.
Chef de l'État : Mme Vigdis Finnbogadóttir, réélue le 25.6.88.
Chef du gouvernement : Steingrimur Hermannson (depuis le 18.9.88).
Monnaie : couronne islandaise (1 couronne = 0,093 FF au 30.4.90).
Langue : islandais.

Chiffres 1989, sauf notes : a. 1988 ; b. 1987 ; c. 1986 ; d. 1985 ; e. 1985-90 ; f. Licences ; g. 13-18 ans ; h. 13-19 ans ; i. 1984 ; j. En décembre.

(*) Dernier recensement utilisable : Danemark, 1981 ; Finlande, 1985 ; Groenland, 1976 ; Islande, 1970 ; Norvège, 1980 ; Suède, 1985.

Norvège

Après trois années d'une stratégie d'austérité, l'économie norvégienne s'est engagée en 1989 sur la voie d'un redressement. La production de gaz et de pétrole — le 30 mars 1989 fut inauguré le nouveau gisement d'Oseberg — a atteint un niveau record avec une augmentation de 23,5 %.

> **Royaume de Norvège**
> **Nature du régime :** monarchie parlementaire.
> **Chef de l'État :** roi Olav V.
> **Chef du gouvernement :** Jan P. Syse (depuis le 25.9.89).
> **Monnaie :** couronne norvégienne (1 couronne = 0,86 FF au 30.4.90).
> **Langue :** norvégien.

L'année a été faste pour la flotte des plates-formes (la seconde mondiale après les États-Unis) et la flotte navale, ainsi que pour l'industrie (les onze plus grandes sociétés du pays ont accru leurs bénéfices et la Bourse d'Oslo a battu tous les records de transactions). On a même observé une renaissance de la construction navale. La croissance du PNB a été de 2,3 % tandis que celle des prix (4,6 %) et des salaires (4,4 %) s'est fortement ralentie par rapport à 1988. Enfin, la progression de la compétitivité de l'industrie (5,8 %), la remontée du prix du pétrole et l'augmentation des exportations — tant des produits pétroliers que des autres (12,1 %) — ont contribué à transformer le déficit des comptes courants (– 23,8 milliards de couronnes en 1988) en excédent (1,8 milliard).

Cependant, toute politique d'austérité a son revers et la Norvège n'a pas fait exception. La faiblesse de la demande intérieure engendrée par la régulation des revenus et le maintien de taux d'intérêt élevés s'est traduite, en 1989 encore, par un déclin de la consommation privée, du PNB et des investissements « continentaux », et par une nouvelle montée du chômage qui a atteint son niveau le plus élevé depuis la Seconde Guerre mondiale (4,9 % de la population active).

Cette situation a sans doute contribué au développement de sentiments racistes et au succès de la formation populiste d'extrême droite de Carl I. Hagen, le Parti du progrès. Ses propositions visant à supprimer l'aide aux immigrés et aux réfugiés politiques (nombreux à être accueillis en Norvège), et à démanteler des pans entiers de l'État-providence, se sont durcies. Après une rude campagne, les élections législatives des 10 et 11 septembre 1989 ont conduit le Parti travailliste à la défaite : la formation du Premier ministre, Mme Gro Harlem Brundtland, a enregistré son score le plus bas depuis 1930 (34,6 %) et perdu 8 sièges. Le Parti conservateur a aussi subi un échec (22,2 % des voix, soit un recul de 13 sièges), le Parti du centre (ex-agrarien) et les chrétiens-populaires se maintiennent respectivement à 6,5 % et 8,5 % des voix. A l'inverse, les extrêmes, le Parti du progrès (13 %, 22 sièges) et les socialistes de gauche (10 %, 17 sièges) se sont renforcés. Après deux semaines de négociations, Jan P. Syse, conservateur, formait un gouvernement de coalition minoritaire (62 sièges sur 165) avec le Centre et les chrétiens populaires, au prix d'importantes concessions. Ainsi J.P. Syse a dû renoncer à l'adhésion de la Norvège à la CEE et prendre une position exigeante dans les négociations entre l'AELE (Association européenne de libre-échange) et Bruxelles. Mais la division persistante des partis bourgeois (conservateur, centriste ex-agrarien et chrétien-populaire) sur l'existence même d'une union douanière, ainsi que sur les subventions agricoles que le GATT (Accord général sur les tarifs douaniers et le commerce) voudrait voir diminuer, rendait très incertain l'avenir du gouvernement. De plus, au début de 1990, les relations avec la centrale syndicale LO (Lands Orjanisasjonen) ont été difficiles. Réclamant des mesures énergiques contre le chômage, celle-ci a refusé le plan de réduction des dépenses publiques et de modération des hausses salariales, que prévoyait le budget voté le 20 décembre 1989.

Après le blocus décrété par l'URSS en avril 1990 à l'encontre de la Lituanie, la Norvège a reconnu le droit des Lituaniens à l'autodétermination par des moyens pacifiques, sans aller jusqu'à promettre l'approvisionnement en pétrole qu'ils sollicitaient.

Suède

En 1989, la santé de l'économie suédoise s'est montrée relativement bonne. La croissance du PNB, en légère diminution (1,8 % contre 2,3 % en 1988), a été soutenue surtout par les investissements en hausse de 6,2 % (10 % dans l'industrie), la consommation des ménages ayant stagné. Les exportations ont augmenté de 3,6 %, moins cependant que les importations (+6,1 %) stimulées par les investissements : l'excédent commercial est passé de 23,4 à 20 milliards de couronnes. Les capacités de production ont été pleinement utilisées et le marché du travail est demeuré tendu, certains secteurs souffrant d'une pénurie de main-d'œuvre et le taux de chômage se maintenant à un très bas niveau (1,4 %). En conséquence, les pressions en faveur de hausses salariales sont restées vives et l'inflation, rançon du plein emploi, a résisté (6,5 %). En 1989, le déficit des comptes courants extérieurs a doublé (28,2 milliards de couronnes, soit 2,3 % du PNB). Depuis 1987, la Suède a connu une baisse progressive de la compétitivité de ses produits à l'exportation, alors que son économie dépend largement du commerce.

Royaume de Suède

Nature du régime : monarchie parlementaire.
Chef de l'État : roi Carl XVI Gustaf.
Chef du gouvernement : Ingvar Carlsson (depuis le 12.3.86).
Monnaie : couronne suédoise (1 couronne = 0,92 FF au 30.4.90).
Langue : suédois.

Une bonne santé relative, donc, qui s'explique par la politique d'austérité budgétaire du gouvernement : le déficit de 86 milliards en 1982 s'est mué en excédent de 24 milliards en 1989.

Le débat économique de l'année a été dominé par le projet de réforme fiscale du gouvernement social-démocrate de Ingvar Carlsson. Étalée sur deux ans, elle devrait aboutir à supprimer, pour 90 % des Suédois, l'impôt sur le revenu au profit d'un impôt local (au taux de 30 %) et à réduire de 72 % à 55 % le taux des tranches les plus imposées (taux marginal). Le financement serait assuré par l'augmentation de la TVA, de l'impôt sur le capital et de diverses taxes indirectes. La première partie de la réforme comprenant une réduction de 7 % du taux marginal a été votée avec le soutien des libéraux le 15 décembre 1989.

Mais la spirale inflationniste, la rigueur budgétaire mal comprise et la réforme fiscale accusée de porter atteinte à l'État-providence ont été autant de facteurs responsables d'un malaise grandissant. La confiance envers le gouvernement s'est étiolée et l'année a été fertile en conflits sociaux : grève dans l'industrie au printemps 1989, mouvement sauvage des chemins de fer en août 1989, grèves des enseignants en novembre-décembre 1989, des employés de banque en janvier 1990 et dans la fonction publique en février. Le 7 février, l'échec de la rencontre des partenaires sociaux était suivi de l'annonce spectaculaire par le gouvernement d'un plan d'urgence d'une sévérité exceptionnelle : blocage pendant deux ans des prix, des salaires, des loyers et des impôts communaux, et interdiction des grèves pour revendications salariales. Le 15 février 1990, le programme, qui avait reçu l'aval de la centrale syndicale LO (Lands Organisasjonen), était rejeté par le Parlement (Riksdag) et Ingvar Carlsson présentait la démission de son gouvernement. En désaccord sur le démantèlement des centrales nucléaires, les quatre partis bourgeois (du

BIBLIOGRAPHIE

ANDERSON J.-O., « Scandinavie sans chômage », *Projet*, n° 214, Paris, déc. 1988.

OCDE, *Études économiques : Danemark*, Paris, mai-juin 1989.

OCDE, *Études économiques : Finlande*, Paris, août 1989.

OCDE, *Études économiques : Islande*, Paris, nov. 1988.

OCDE, *Études économiques : Norvège*, Paris, fév. 1990.

OCDE, *Études économiques : Suède*, Paris, mars 1989.

ORENGO P., « Le Danemark, la Finlande, l'Islande, la Norvège et la Suède en 1988 », *Notes et études documentaires*, n° spéc. 4884-4885, La Documentation française, Paris, 1989.

STORE J.G., « La Norvège à l'horizon 2000 », *Futuribles*, n° 126, Paris, nov. 1988.

VIKLUND B., « Industrial relations in Sweden in the 1990's », *Proceedings of the Annual Meeting*, Industrial Relations Research Association, 1988.

peuple, libéral ; du centre, ex-agrarien ; des modérés, conservateur ; et l'Union chrétienne-démocrate) ont été incapables de prendre la relève. Le 26 février, Ingvar Carlsson formait un nouveau gouvernement minoritaire soutenu par le Parti communiste (VPK), avec les abstentions du Centre (ex-agrariens) et des Verts sur la base d'un plan économique remanié (suppression du blocage des salaires et de l'interdiction des grèves). De cette crise politique, le Parti social-démocrate est sorti encore affaibli alors qu'en janvier 1990 sa popularité était déjà au plus bas (34 % de l'électorat).

Sur le plan diplomatique, la Suède, comme la Finlande et la Norvège, s'est rapprochée des pays Baltes, en particulier de l'Estonie, et s'est orientée vers le soutien à l'autodétermination par la négociation.

Martine Barthélémy

Îles Britanniques

IRLANDE • ROYAUME-UNI

(Le Royaume-Uni est traité p. 144.)

Irlande

République d'Irlande

Nature du régime : parlementaire.
Chef de l'État : Patrick J. Hillery (depuis le 3.12.83).
Chef du gouvernement : Charles Haughey (depuis le 12.7.89).
Monnaie : livre irlandaise (1 livre = 1,29 écu ou 8,99 FF au 30.4.90).
Langues : anglais, irlandais.

En juin 1989, les Irlandais, du Nord et du Sud, se sont rendus aux urnes à l'occasion des élections européennes. Ceux du Sud ont aussi voté pour renouveler leur Parlement. Les résultats en Ulster ont confirmé les grandes tendances de la vie politique nord-irlandaise de la période 1980-1990. On a constaté, en effet, une baisse du soutien des protestants à l'unionisme (mouvement qui exprime l'attachement au Royaume-Uni). En revanche, l'assise des nationalistes s'est confirmée, voire même

ÎLES BRITANNIQUES

ÉCOSSE
Régions :
CENTRE (1)
FIFE (2)
LOTHIAN (3)
STRATHCLYDE (4)
DOMFRIES ET GALLOWAY (5)
SHETLAND
ORCADES
HÉBRIDES
Thurso
MER DU NORD
HIGHLAND
Ullapool
Inverness
GRAMPIAN
OCÉAN ATLANTIQUE
ÉCOSSE
Aberdeen
TAYSIDE
Dundee
Oban
Perf
ROYAUME-UNI
Edimbourg
Glasgow
BORDERS
Hawick
ULSTER
Londonberry
IRLANDE DU NORD
Dumfries
NORD
Newcastle
Belfast
Carlisle
CONNAUGHT
ULSTER
Kendal
Ile de Man
IRLANDE
YORKSHIRE ET HUMBERSIDE
NORD OUEST
York
DUBLIN
Leeds
Beverley
LEINSTER
Bradford
Liverpool
Limerick
Carnarvon
Manchester
Scheffield
MIDDLAND DE L'EST
MUNSTER
Stoke
Waterford
MIDDLAND DE L'OUEST
Nottingham
Cork
Canal Saint-Georges
Birmingham
Norwich
Leicester
PAYS-DE-GALLES
Coventry
EST-ANGLIE
Cambridge
ANGLETERRE
Cardiff
SUD-EST
Oxford
Bristol
LONDRES
SUD-OUEST
Douvres
Southampton
Brighton
Plymouth
Pas-de Calais
Ile de Wight
MANCHE
Iles Anglo-Normandes
FRANCE
100 km

ÎLES BRITANNIQUES

	INDICATEUR	UNITÉ	IRLANDE	ROYAUME-UNI
	Capitale		Dublin	Londres
	Superficie	km²	70 280	244 046
DÉMOGRAPHIE	Population (*)	million	3,51	56,86
	Densité	hab./km²	49,9	233,0
	Croissance annuelle [d]	%	0,9	0,1
	Mortalité infantile [d]	‰	9	9
	Population urbaine	%	58,7	92,3
CULTURE	Nombre de médecins	‰ hab.	1,4 [b]	1,4 [b]
	Scolarisation 2e degré	%	98 [gh]	83 [cf]
	3e degré	%	24,2 [g]	22,3 [c]
	Postes tv	‰ hab.	228 [e]	434 [b]
	Livres publiés [g]	titre	2679	52861
ARMÉE	Armée de terre	millier d'h.	11,2	155,5
	Marine	millier d'h.	1,0	64,6
	Aviation	millier d'h.	0,8	91,5
ÉCONOMIE	PIB	milliard $	34,13	830,0
	Croissance annuelle 1980-88	%	0,5	3,0
	1989	%	4,5	2,2
	Par habitant	$	9722	14597
	Taux d'inflation	%	4,7	8,0
	Taux de chômage [i]	%	17,5	5,8
	Dépenses de l'État Éducation [c]	% PIB	7,1	5,0
	Défense	% PIB	1,1	4,0
	Recherche et développement	% PIB	0,92 [c]	2,29 [b]
	Production d'énergie [b]	million TEC	4,0	332,1
	Consom. d'énergie [b]	million TEC	15,5	290,8
COMMERCE	Importations	million $	17420	197730
	Exportations	million $	20672	152344
	Principaux fournis.	%	CEE 65,4	CEE 52,6
		%	R-U 40,9	PVD 13,3
		%	E-U 16,1	E-U 10,8
	Principaux clients	%	CEE 74,6	CEE 50,7
		%	R-U 33,9	PVD 18,6
		%	E-U 7,9	E-U 13,1

Chiffres 1989, sauf notes : a. 1988; b. 1987; c. 1986; d. 1985-90; e. Licences; f. 11-17 ans; g. 1985; h. 12-16 ans; i. En décembre.
(*) Dernier recensement utilisable : Irlande, 1986; Royaume-Uni, 1981.

BIBLIOGRAPHIE

DEUTSCH R., RAFROIDI P., *La Question d'Irlande du Nord*, PUL, Lille, 1988.
GUIFFON J., *La Question d'Irlande*, Complexe, Bruxelles, 1989.
Voir aussi la bibliographie « Royaume-Uni » dans la section « 34 États ».

renforcée. Toutefois, chez ces derniers, le Sinn Fein, l'aile politique de l'IRA (Armée républicaine irlandaise), a enregistré, en 1989, une baisse qui s'était déjà manifestée auparavant. L'adjonction d'une dimension politique à l'activité armée des républicains serait-elle donc un échec ? Décidée au moment de la grève de la faim de membres de l'IRA en 1981, elle a donné, dans un premier temps, des résultats spectaculaires. De 146 000 voix (élections européennes irlandaises en 1984), le Sinn Fein est passé à 86 000 en 1989. Cela ne suffit pas, néanmoins, pour conclure à l'échec de la stratégie politique républicaine. Quant à la stratégie militaire, ce ne sont ni les succès du début des années quatre-vingt ni les déboires de la fin de la décennie qui ont empêché l'IRA de poursuivre son action. Elle a continué, en 1989 et 1990, sa guerre contre la présence britannique en Irlande. Deux attentats ont eu un retentissement particulier : l'explosion d'une bombe à la Bourse de Londres (20 juillet 1990) et l'assassinat du député conservateur Ian Gow, un proche de Margaret Thatcher (30 juillet).

Les résultats des élections législatives du 15 juin 1989 en République d'Irlande ont constitué une surprise désagréable pour le Premier ministre, Charles Haughey, à la tête d'un gouvernement minoritaire depuis 1987, qui avait décidé de profiter de l'occasion qu'offraient les élections européennes pour tenter d'obtenir une majorité à la Chambre de Dublin. Les bons résultats économiques et des sondages d'opinion favorables l'avaient encouragé dans cette voie. Mais il n'obtint que 77 sièges contre 81 deux ans auparavant, sur un total de 166. Pour rester au pouvoir, son parti, le Fianna Fail, a été obligé d'accepter, pour la première fois de son histoire, de former un gouvernement de coalition (avec un petit parti de droite, les démocrates progressistes).

Le bilan économique de l'année a été globalement positif, avec une croissance du PNB de plus de 4 %. Les exportations ont augmenté de 11 % et les échanges commerciaux et financiers ont dégagé un solde positif. Même le chômage, bien que resté très élevé (17 %), a baissé quelque peu. De plus, à partir de janvier 1990, pour six mois, Dublin est devenue la capitale de la CEE et le Premier ministre président en exercice du Conseil, à un moment d'une importance historique pour toute l'Europe.

Les relations entre l'Irlande et la Grande-Bretagne ont connu quelques moments difficiles. Cela a été le cas pendant la libération, en octobre 1989, des quatre Irlandais du Nord finalement jugés innocents après avoir passé quatorze ans en prison en Angleterre pour deux attentats meurtriers commis par des républicains en 1974. Par ailleurs, la justice irlandaise a refusé, en mars 1990, d'extrader deux républicains déjà condamnés en Ulster. Néanmoins, les relations entre les deux pays ont continué à être gérées, avec un certain succès, dans le cadre de l'accord de 1985 (qui confère à Dublin un droit de regard sur les affaires nord-irlandaises). Bien que l'opposition unioniste à son égard n'ait pas diminué, quelques pas semblent avoir été faits dans la direction d'une solution politique au conflit nord-irlandais.

Paul Brennan

Europe latine

ANDORRE • ESPAGNE • FRANCE • ITALIE • MONACO • PORTUGAL • SAINT-MARIN • VATICAN

(L'Espagne est traitée p. 154; la France p. 138; l'Italie p. 149.)

Andorre

L'année 1989 a marqué l'amorce d'un certain changement dans la coprincipauté pyrénéenne, face aux problèmes de ses lois et institutions « médiévales ». Les élections de décembre 1989 ont amené au Conseil général des vallées une majorité de réformateurs — très modérés. Ils ont remplacé à la tête du gouvernement le conservateur Josep Pintat par Oscar Ribas Reig, un banquier ayant déjà gouverné de 1982 à 1984 — mais qui avait démissionné faute de pouvoir entreprendre des réformes. Il a annoncé une Loi sur le droit des gens qui pourrait autoriser les syndicats apolitiques et assouplir les lois restrictives sur la nationalité.

Principauté d'Andorre

Nature du régime : « parrainé » par deux coprinces : François Mitterrand, président de la République française, et Joan Marti Alanis (évêque d'Urgel).
Président du Conseil général : Josep Maria Beal (syndic.).
Chef du gouvernement : Oscar Ribas Reig (depuis déc. 89).
Monnaie : franc français, peseta espagnole.
Langues : catalan, français, espagnol.

Le Conseil a approuvé un traité avec la CEE qui fait d'Andorre un membre de l'Union douanière pour les marchandises industrielles, et un pays tiers pour les produits agricoles. Le port franc en souffrira, mais le tourisme, grâce à un budget augmenté de 42 %, devrait compenser le manque à gagner.

Marie-Christine Aymé

Monaco

Centre bancaire *off-shore* où les non-résidents ne sont soumis ni au contrôle de change ni aux impôts sur le revenu et sur le capital, Monaco est aussi l'une des régions économiques les plus dynamiques du sud de la France avec notamment une industrie pharmaceutique, de plastique et de cosmétiques qui représente plus du quart de son activité. Mais ses liens avec son voisin — union douanière et harmonisation de la taxe à la valeur ajoutée (TVA), par exemple — lui font craindre les conséquences du « grand marché européen » de 1993. Principale source de revenu, la TVA devrait baisser. Monaco ne compte plus que 37 banques depuis la fermeture de la Banque industrielle de Monaco (BIM) par la Banque de France, le 29 janvier 1990, pour « opérations aventureuses ». Mais c'est surtout le remplacement du chef de la Sûreté publique, en février 1990, après une série de hold-up et de vols qui a contribué à ternir l'image de l'État le plus sûr du monde (400 policiers pour 28 000 habitants).

Principauté de Monaco

Nature du régime : constitutionnel.
Chef de l'État : prince Rainier III.
Ministre d'État : Jean Ausseuil.
Monnaie : franc français.
Langues : français, monégasque.

Catherine Weiller

EUROPE LATINE

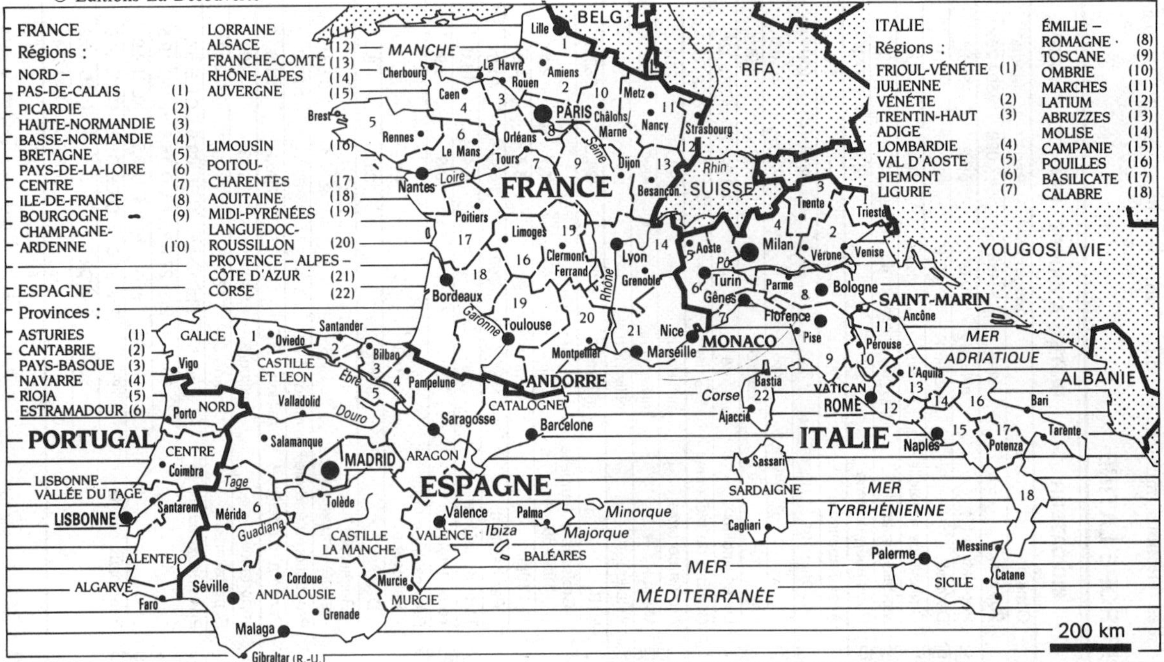

Portugal

Les élections municipales du 17 décembre 1989 ont bouleversé la donne politique au Portugal. Le Parti social-démocrate (PSD), qui

EUROPE LATINE

	INDICATEUR	UNITÉ	ANDORRE	FRANCE	ESPAGNE
	Capitale		Andorra-la-V.	Paris	Madrid
	Superficie	km²	453	547 026	504 782
DÉMOGRAPHIE	Population (*)	million	0,047	56,2	38,81
	Densité	hab./km²	103,8	102,7	76,9
	Croissance annuelle [d]	%	1,0	0,4	0,4
	Mortalité infantile [d]	‰	4	8	10
	Population urbaine	%	..	74,0	77,9
CULTURE	Analphabétisme	%	—	—	5,6 [j]
	Scolarisation 2ᵉ degré	%	..	92 [bg]	102 [cg]
	3ᵉ degré	%	..	30,9 [b]	30,0 [c]
	Postes tv [b]	‰ hab.	116	396	368
	Livres publiés	titre	..	43 505 [b]	38 302 [b]
	Nombre de médecins	‰ hab.	..	3,19 [a]	3,30 [j]
ARMÉE	Armée de terre	millier d'h.	—	292,5	210
	Marine	millier d'h.	—	65,5	39
	Aviation	millier d'h.	—	94,1	36
ÉCONOMIE	PIB	milliard $	0,34 [o]	994,3	362,8
	Croissance annuelle 1980-88	%	..	1,7	2,6
	1989	%	..	3,4	4,9
	Par habitant	$	9 000 [o]	17 693	9 261
	Taux de chômage [n]	%	..	9,4	16,6
	Taux d'inflation	%	..	3,6	6,9
	Dépenses de l'État Éducation	% PIB	..	5,7 [c]	3,2 [b]
	Défense	% PIB	—	3,0	1,8
	Recherche et développement	% PIB	..	2,33 [a]	0,57 [c]
	Production d'énergie [b]	million TEC	..	67,1	26,2
	Consom. d'énergie [b]	million TEC	..	206,9	81,9
COMMERCE	Importations	million $	530,6 [c]	193 038	74 469
	Exportations	million $	16,6 [c]	179 394	44 492
	Principaux fournis.	%	Fra 42,4 [c]	CEE 60,0	CEE 57,1
		%	Esp 27,0 [c]	PVD 15,8	PVD 19,5
		%	..	E-U 7,7	E-U 9,0
	Principaux clients	%	Fra 54,3 [c]	CEE 61,2	CEE 66,8
		%	Esp 32,8 [c]	PVD 19,3	PVD 15,3
		%	..	E-U 6,6	E-U 7,4

avait obtenu 50,2 % des suffrages exprimés aux législatives du 19 juillet 1989, a reculé à 31,4 %, tandis que le Parti socialiste (PS), allié pour la première fois au Parti communiste portugais (PCP), a conquis les mairies des deux plus grandes villes, Lisbonne et Porto, et dépassé le PSD, avec 32 % des votes exprimés.

ITALIE	MONACO	PORTU-GAL	SAINT-MARIN
Rome	Monaco	Lisbonne	San Marino
301 225	1,81	92 080	61
57,5	0,028	10,47	0,023
191,0	15470	113,7	377,0
0,1	0,7	0,3	0,6
11	4	15	10
68,3	100,0	32,9	74
3,0[j]	—	16,0[j]	3,9[f]
75[bh]	..	56[ij]	..
24,3[c]	..	12[j]	..
257[e]	667	159[e]	350[e]
17109[b]	105[k]	7733[b]	..
4,24[c]	2,23[l]	2,6[b]	..
265	—	44	—
52	—	16,1	—
73	—	15,2	—
877,3	0,28[o]	44,97	0,188[b]
2,0	..	2,3	..
3,4	..	4,8	..
15257	11350[o]	4295	8590[b]
10,5	..	5,1	..
6,3	..	11,6	..
4,0[c]	..	4,5[b]	..
1,9	..	2,7	..
1,32[a]	..	0,4[c]	..
30,3	..	1,4	..
204,4	..	13,6	..
153017	..	31285	..
140739	..	12664	..
CEE 56,7	..	PCD 83,2	..
PVD 19,9	..	CEE 67,9	..
E-U 5,5	..	PVD 16,1	..
CEE 56,5	..	PCD 90,6	..
PVD 16,9	..	CEE 71,8	..
E-U 8,6	..	PVD 7,2	..

République du Portugal

Nature du régime : démocratie parlementaire.
Chef de l'État : Mario Soarès, président de la République (élections présidentielles : fév. 1991).
Chef du gouvernement : Anibal Cavaco Silva, Premier ministre (élections législatives : juil. 1990).
Monnaie : escudo (100 escudos = 0,55 écu ou 3,8 FF au 30.4.90).
Langue : portugais.
Territoire outre-mer : Macão [Asie].

A l'approche des deux grands scrutins de 1991 (présidentiel en février, et législatif en juillet), le Premier ministre social-démocrate, Anibal Cavaco Silva, a pu mesurer le désenchantement des électeurs. Il lui restait à tabler sur l'intensification du programme gouvernemental de libéralisation de l'économie pour reconquérir l'estime de la population.

La révision de la Constitution réalisée en 1988, avec l'accord du PS, a permis les premières privatisations des grands groupes qui avaient été nationalisés en 1975, au lendemain de la « révolution des œillets ». Des 120 entreprises passées dans le giron de l'État, plusieurs journaux (*A Capital*, *Diario Populaz*, *Jornal de Notícias*), deux banques, deux compagnies d'assurances et un groupe industriel ont été à nouveau confiés au secteur privé. La poursuite des privatisations devait rapporter 1,6 milliard de dollars à l'État en 1990 et contribuer d'autant à la réduction du déficit du secteur

Chiffres 1989, sauf notes : a. 1988; b. 1987; c. 1986; d. 1985-90; e. Licences; f. 1976; g. 11-17 ans; h. 11-18 ans; i. 12-17 ans; j. 1985; k. 1984; l. 1981; m. 1978; n. En décembre; o. 1982.

(*) Dernier recensement utilisable : Andorre, 1954; France, 1982; Espagne, 1981; Italie, 1981; Monaco, 1982; Portugal, 1981; Saint-Marin, 1982.

BIBLIOGRAPHIE

Gérard, « La stabilité retrouvée au Portugal », *Revue du Droit Public*, Paris, janv.-fév. 1989.

« Études économiques : Portugal », OCDE, Paris, 1989.

Luneau R. (sous la dir. de), *Le Rêve de Compostelle*, Le Centurion, Paris, 1989.

Marcade, *Le Portugal au xxe siècle, 1910-1985*, PUF, Paris, 1988.

Martin J.-P., *Le Vatican inconnu*, Fayard, Paris, 1988.

Montclos Ch. de, *Les Voyages de Jean-Paul II. Dimensions sociales et politiques*, Le Centurion, Paris, 1990.

Voir aussi les bibliographies « Espagne », « France » et « Italie » dans la section « 34 États ».

public, lequel atteint 10 % du PNB, soit le double de la moyenne communautaire.

Depuis son adhésion à la CEE, en 1986, le Portugal a enregistré une croissance économique rapide, de 4,2 % par an en moyenne, et une diminution du chômage, ramené à 5 % de la population active (1989). Mais la relance de la demande intérieure et la réduction des barrières douanières ont provoqué une reprise de l'inflation et une détérioration de la balance des paiements. L'inflation a été ramenée de 28 % en 1984 à 9,7 % en 1988, mais elle est remontée à 12,7 % en 1989, un niveau deux fois plus élevé que la moyenne européenne. Le gouvernement a adopté en octobre 1989 des mesures de restriction du crédit qui ont freiné son programme de libéralisation du secteur bancaire, et provoqué le mécontentement des électeurs.

Le président de la République, Mario Soares, qui entend briguer un deuxième mandat en 1991, a fustigé les « inégalités sociales » qu'entraîne, selon lui, la politique libérale du gouvernement social-démocrate. Dans son sillage, le secrétaire général du PS, Jorge Sampaio, a dénoncé l'intransigeance de l'« État orange » (la couleur fétiche du PSD). Au cours du IXe congrès du Parti socialiste (25-27 mai 1990), il a été réélu avec 91 % des voix et il a lancé le PS à « la reconquête du pouvoir », avec un programme favorable à l'intensification de l'intégration politique et économique dans la CEE et à une plus grande participation de la société civile à la gestion des affaires internes du pays. Jorge Sampaio a trouvé dans ces deux domaines un terrain d'entente avec le Parti communiste. Ce dernier s'est cependant isolé davantage : au cours de son congrès extraordinaire, les 18-20 mai 1990, faisant fi des bouleversements à l'Est, le secrétaire général Alvaro Cunhal a écarté tous les « critiques » de la ligne orthodoxe du parti et s'est fait réélire à son poste, qu'il occupe depuis 1961.

Ana Navarro Pedro

Saint-Marin

Le hasard de l'histoire a rendu hommage à la plus ancienne (elle fut fondée en 1686) république libre du monde : c'est elle en effet qui devait assurer pour six mois (à partir du 10 mai 1990) la présidence du Conseil de l'Europe au moment où celui-ci s'ouvrait aux pays de l'Est.

République de Saint-Marin
Nature du régime : parlementaire.
Chef de l'État : deux capitaines-régents élus tous les six mois. Ils président le Conseil d'État (10 membres) qui assure le gouvernement.
Monnaie : lire italienne.
Langue : italien.

C'est donc une année spéciale pour les 23 000 habitants de la petite enclave au nord-est de l'Italie à trente kilomètres de la mer Adriatique. Le tourisme (avec environ 3 millions de visiteurs par an), les transferts d'argent de ses citoyens vivants à l'étranger, la philatélie et quelques entreprises industrielles (textiles, céramique, liqueurs) assurent un « minimum vital » aux Saint-Marinais. Le gouvernement — présidé en alternance par un des deux « capitaines-régent » — est formé par une coalition entre démocratie-chrétienne (40 % des suffrages) et Parti progressiste démocratique saint-marinais (29 %). Sous ce nom, il faut lire « ancien Parti communiste ». En changeant de nom, le parti saint-marinais a en effet pris une longueur d'avance sur son cousin italien.

Salvatore Aloise

Vatican

Karol Wojtyla, pape polonais, pense beaucoup à l'Europe. Il considère que son action et celle de l'Église romaine ont été décisives dans le basculement des « démocraties populaires » et dans la retraite du communisme. Et il entend bien ne pas en rester là. C'est le message qu'il a de nouveau délivré à St-Jacques-de-Compostelle le 19 août 1989 où étaient réunies des foules de jeunes venus de l'Est comme de l'Ouest. De ce lieu symbole — où il s'était déjà rendu en 1982 — qui vit au cours des siècles converger des chrétiens de l'Europe entière pour le célèbre pèlerinage et où, au VIIIe siècle, fut stoppée la progression musulmane en Espagne, il a réitéré son appel à la rechristianisation du Vieux Continent.

Conforté par le fait que, depuis qu'il préside aux destinées du catholicisme romain (1978), il a vu se défaire le communisme en Pologne, puis en Europe, le pape est certain que le renouveau de l'Église qu'il encourage est inscrit dans l'Histoire. Son ambition est de refonder à la fois l'idée de religion, de mission et de nation. Deux événements ont marqué symboliquement sa quête européenne : sa rencontre spectaculaire — une première historique — avec Mikhaïl Gorbatchev le 1er décembre 1989 au Vatican, et sa visite éclair effectuée en Tchécoslovaquie les 21 et 22 avril 1990 pour célébrer le « retour à l'Europe » de la patrie de Václav Havel.

Poursuivant son œuvre de « nouvelle évangélisation », le pape est allé par ailleurs prêcher comme chaque année aux quatre coins de la planète : Scandinavie (juin 1989), Corée du Sud, Indonésie, Ile Maurice (octobre 1989), pays du Sahel (janvier 1990), Mexique (mai 1990)...

Sur le plan intérieur, le remaniement de l'Institut des œuvres de la religion (IOR), la « Banque vaticane », a confirmé le départ de Mgr Marcinkus qui en occupait la présidence depuis 1971 et qui avait été mêlé au scandale de la banque Ambrosiano. Un Conseil de direction de cinq laïcs, experts financiers, a été nommé pour tourner la page.

Nicolas Bessarabski

POLONAISES, POLONAIS, J'AI UNE BONNE NOUVELLE : NOS RELATIONS AVEC LE VATICAN SONT RÉTABLIES !
AH ! LES CHOSES BOUGENT !
PLANTU

Méditerranée orientale

CHYPRE • GRÈCE • MALTE • TURQUIE

(La Turquie est traitée p. 182.)

Chypre

Les négociations intercommunautaires, sous l'égide des Nations unies, reprises en août 1988 entre Georges Vassiliou, président de la République de Chypre et Rauf Denktash, président de la République turque de Chypre du Nord — uniquement reconnue par Ankara — ont encore une fois échoué malgré l'espoir de Javier Perez de Cuellar, secrétaire général de l'ONU, d'obtenir un accord courant juillet 1989. Le 28 juin, R. Denktash récusait l'entremise de l'ONU et réclamait des conversations directes entre les communautés. Mais le 19 juillet, prenant prétexte des manifestations de Chypriotes grecs sur la ligne de démarcation, à l'occasion de l'anniversaire de l'invasion turque, il suspendait toute négociation. Ses propositions de « reconnaissance mutuelle des deux États chypriotes » furent à leur tour rejetées par le gouvernement chypriote grec le 22 août. Au printemps 1990, R. Denktash annonça des élections présidentielle et législatives anticipées pour renforcer sa position. Il fut réélu, le 22 avril, avec près de 67 % des voix, tandis que son principal rival, soutenu par la gauche, n'obtint que 32 % des suffrages. Son parti d'union nationale (droite, au pouvoir depuis 1985) obtint également, contre toute attente, 64 % des voix aux élections législatives du 6 mai. Les succès électoraux de R. Denktash ne pourront que le renforcer dans son intransigeance.

République de Chypre
Nature du régime : démocratie parlementaire.
Chef de l'État et du gouvernement : Giorgos Vassiliou (élu le 21.2.88).
Monnaie : livre chypriote (1 livre = 11,75 FF au 30.4.90).
Langues : grec, turc, anglais.

Grèce

Après la crise de confiance causée par le scandale du banquier Georges Koskotas qui frappa de plein fouet le Mouvement socialiste panhellénique (PASOK), au pouvoir depuis 1981, la Grèce est entrée dans un processus laborieux d'alternance. Il n'a pas fallu moins de trois élections en dix mois pour que le pouvoir revienne à Constantin Mitsotakis, chef du parti de la droite libérale, Nouvelle démocratie (ND). Les élections du 16 juin 1989, qui se sont déroulées dans un climat passionnel réchauffé par des révélations successives sur les responsabilités des ministres de l'ancien gouvernement dans le scandale Koskotas, donnèrent 44,25 % de voix et 144 députés à la ND, 39,15 % et 125 sièges au PASOK et 13,12 % (29 députés) à la coalition de la gauche commu-

République de Grèce
Nature du régime : démocratie parlementaire.
Chef de l'État : Christos Sartzetakis, remplacé par Constantin Karamanlis depuis le 4.5.90.
Chef du gouvernement : Contantin Mitsotakis (depuis le 8.4.90).
Monnaie : drachme (100 drachmes = 0,49 écu ou 3,4 FF au 30.4.90).
Langue : grec.

MÉDITERRANÉE ORIENTALE

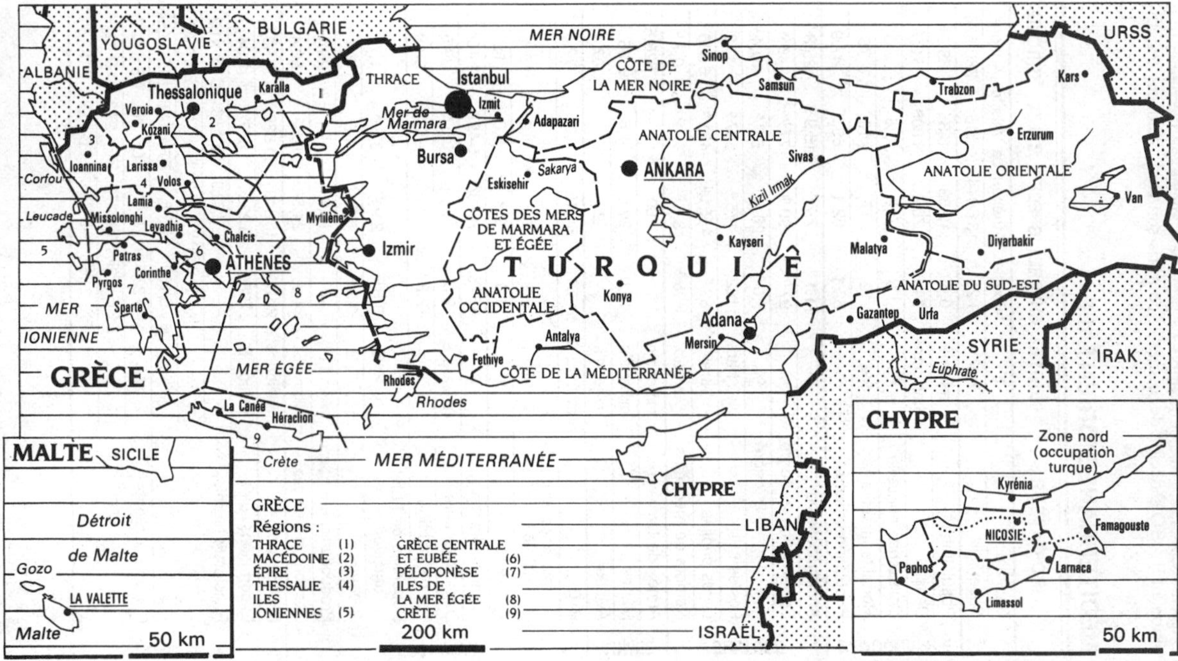

niste, sur un total de 300 sièges. Après des tractations qui durèrent plusieurs semaines, l'ancienne opposition au PASOK décida de former une coalition chargée d'opérer la « catharsis » (l'épuration) des membres de l'ancien gouvernement, y compris son chef, Andreas Papan-

MÉDITERRANÉE ORIENTALE

	INDICATEUR	UNITÉ	CHYPRE	GRÈCE	MALTE	TURQUIE
	Capitale		Nicosie	Athènes	La Valette	Ankara
	Superficie	km²	9 251	131 944	316	780 576
DÉMOGRAPHIE	Population (*)	million	0,69	10,03	0,35	56,74
	Densité	hab./km²	74,6	76,0	1 008	72,7
	Croissance annuelle [c]	%	1,0	0,2	0,5	2,0
	Mortalité infantile [c]	‰	12	17	10	76
	Population urbaine	%	52,1	62,1	68,3	47,9
CULTURE	Analphabétisme	%	11,1 [g]	7,7 [d]	15,9 [d]	25,8 [f]
	Scolarisation 2e degré	%	87 [bi]	90 [dj]	77 [bk]	46 [bi]
	3e degré	%	7,0 [h]	26,2 [d]	5,7 [b]	10,4 [b]
	Postes tv [b]	‰ hab.	132	175 [e]	387 [e]	172
	Livres publiés	titre	82 [d]	4 651 [d]	421 [b]	6 685 [d]
	Nombre de médecins	‰ hab.	1,35 [h]	3,3 [b]	1,12 [l]	0,7 [b]
ARMÉE	Armée de terre	millier d'h.		160		528,5
	Marine	millier d'h.	13,0	20,5	1,5	55
	Aviation	millier d'h.		28		67,4
ÉCONOMIE	PIB	milliard $	4,54	54,15	1,91	77,8
	Croissance annuelle 1980-88	%	5,8	0,6	1,9	5,4
	1989	%	6,0	2,3	6,0	1,8
	Par habitant	$	6 575	5 398	5 457	1 454
	Dette extérieure [a]	milliard $	2,0	23,5	0,37	39,6
	Taux d'inflation	%	2,8	14,8	−0,2	68,8
	Dépenses de l'État Éducation	% PIB	3,6 [b]	2,9 [d]	3,6 [b]	1,7 [b]
	Défense	% PIB	3,3 [b]	7,0	1,3	3,4
	Production d'énergie [b]	million TEC	—	10,8	—	28,1
	Consom. d'énergie [b]	million TEC	1,6	24,5	0,62	52,4
COMMERCE	Importations	million $	2 166	18 049	1 589	14 803
	Exportations	million $	708	8 225	887	10 647
	Principaux fournis. [a]	%	CEE 54,5	CEE 62,9	Ita 22,3	CEE 41,2
		%	Jap 11,6	PVD 19,2	R-U 17,9	E-U 10,6
		%	PVD 25,7	M-O 8,4	RFA 14,8	M-O 17,5
	Principaux clients [a]	%	M-O 33,9	CEE 61,7	PCD 81,2	CEE 43,7
		%	CEE 42,8	PVD 17,1	RFA 27,3	M-O 22,3
		%	R-U 21,6	E-U 7,1	PVD 13,9	E-U 6,5

dréou, et d'organiser de nouvelles élections en novembre 1989. Il s'agissait donc d'un gouvernement de « juges » de l'ancienne direction. Les communistes, qui réussissaient coup sur coup deux premières, celle de surmonter leurs divergences internes en formant une coalition électorale et celle d'un « compromis historique » de coalition avec la droite, posèrent comme condition de leur participation au gouvernement le choix d'un Premier ministre moins politiquement marqué que C. Mitsotakis. Ainsi fut formé le gouvernement de Tzannis Tzannetakis.

Aux élections de novembre 1989, la ND augmenta son score, atteignant 148 députés (46,20 % des voix), mais le PASOK en fit autant avec 128 sièges (40,67 % des voix) aux dépens de la coalition de gauche qui chuta à 10,96 % (21 sièges). En même temps, un écologiste entra pour la première fois au Parlement grec. Cette fois ce fut une coalition nationale qui se constitua sous la présidence d'un économiste de renom mondial, Xénophon Zolotas, mais âgé (85 ans), prisonnier des différentes tendances politiques et paralysé par les nouvelles perspectives électorales.

Ainsi, la transition politique, s'ajoutant aux scandales, finit par désorganiser complètement l'économie du pays. En mars 1990, X. Zolotas se trouvait dans l'obligation d'assurer les fonctionnaires qu'ils recevraient normalement leur salaire d'avril, ainsi que leur prime de Pâques. Cette précision n'était pas inutile, puisqu'en décembre le gouvernement avait dû emprunter 50 millions de dollars pour payer les salaires et la prime de Noël. Le déficit de la balance des comptes courants, qui est passé de 1,01 milliard de dollars en 1988 à 2,5 milliards en 1989, a atteint le milliard de dollars pour les seuls mois de janvier et de février 1990, avec une inflation (14,9 % en 1989) la plus élevée de la CEE. D'autre part, les partis ont proposé de supprimer l'imposition des retraités (ND) ou de doubler les pensions agricoles (PASOK).

Enfin, aux élections du 8 avril 1990, la ND, continuant sa progression, gagna 46,88 % des voix (150 députés), c'est-à-dire la moitié des sièges du Parlement grec. En s'adjoignant l'unique député du centre, C. Mitsotakis put enfin former son gouvernement. Le PASOK chuta à 38,62 % et la coalition de gauche à 10,28 %. Les écologistes conservèrent leur siège, tandis que les musulmans de la Thrace occidentale, appuyés par le gouvernement turc, firent élire au Parlement deux députés défendant la turcité de cette communauté. Il restait à C. Mitsotakis à entreprendre, avec une majorité réduite à sa plus simple expression, la difficile tâche du redressement économique du pays.

Chiffres 1989, sauf notes : a. 1988 ; b. 1987 ; c. 1985-90 ; d. 1985 ; e. Licences ; f. 1984 ; g. 1976 ; h. 1986 ; i. 11-16 ans ; j. 12-17 ans ; k. 11-17 ans ; l. 1982.
(*) Dernier recensement utilisable : Chypre, 1976 ; Grèce, 1981 ; Malte, 1985 ; Turquie, 1985.

Malte

Associée à la CEE depuis dix-neuf ans, Malte a déposé sa demande officielle d'entrée dans la Communauté européenne en juillet 1990. Le gouvernement libéral de Fenech-Adami, qui a succédé en mai 1987 à seize ans de pouvoir travailliste, a continué, en 1989-1990, à chercher son style. Ce dernier, tout en se rendant à l'Assemblée générale des Nations unies, à la Conférence des non-alignés à Bel-

République de Malte
Nature du régime : démocratie parlementaire.
Chef de l'État : Agatha Barbara, remplacée par Vincent Tabone depuis mai 1989.
Chef du gouvernement : Eddie Fenech-Adami (depuis mai 87).
Monnaie : lire maltaise (1 lire = 16,98 FF au 30.4.90).
Langues : maltais, anglais, italien.

BIBLIOGRAPHIE

AMIN S., YACHIR F., *La Méditerranée dans le monde*, La Découverte, Paris, 1988.

« Grèce », *Autrement*, n° 39 (hors série), Paris, 1989.

PÉCHOUX P.-Y., « Chypre : géopolitique d'une île fracturée », *Hérodote*, n° 48, La Découverte, Paris, 1988.

RAVENEL B., *Méditerranée, le Nord contre le Sud*, L'Harmattan, Paris, 1990.

VANER S. (sous la dir. de), *Le Différend gréco-turc*, L'Harmattan, Paris, 1988.

Voir aussi la bibliographie « Turquie » dans la section « 34 États ».

grade et en RFA, a décidé de ne pas renouveler en l'état le traité d'amitié avec la Libye, échu le 19 novembre 1989. Le tourisme, activité principale de l'île, a effectué en 1989 une progression modérée (7,2 %) par rapport à l'année précédente, mais le projet d'une zone franche a suscité des inquiétudes en Europe parce qu'il risquerait de transformer l'île en plaque tournante de la drogue.

Stéphane Yérasimos

Balkans

ALBANIE • BULGARIE • ROUMANIE • YOUGOSLAVIE

(La Roumanie est traitée p. 222; Yougoslavie : voir aussi p. 490.)

Albanie

L'Albanie a fini elle aussi par être touchée par les effets des bouleversements « à l'Est ». Le président Ramiz Alia et l'écrivain Ismaïl Kadaré ont plaidé pour une libéralisation du régime, et le successeur d'« Enver » (Hoxha) est même allé jusqu'à évoquer le 19 avril 1990 une possible réconciliation avec l'URSS et les États-Unis, les deux ennemis jurés d'hier.

République populaire socialiste d'Albanie

Nature du régime : communiste, parti unique (Parti du travail albanais, PTA).
Chef de l'État : (au 20.7.90) Ramiz Alia, président du présidium de l'Assemblée populaire (depuis 1983), également premier secrétaire du Parti (depuis avril 1985).
Chef du gouvernement : (au 20.7.90) Adil Carcani (depuis décembre 1981).
Monnaie : lek (1 lek = 0,82 FF en juin 90).
Langue : albanais.

Le 8 mai 1990, le Premier ministre Adil Carcani a annoncé la volonté de son pays de participer à la Conférence sur la sécurité et la coopération en Europe (CSCE). Puis, dans les jours suivants, le Parlement a adopté plusieurs réformes radicales concernant les droits de l'homme : droit de voyager à l'étranger ; rétablissement du ministère de la Justice (supprimé en 1965). La « propagande religieuse » n'est par ailleurs plus considérée comme un crime contre l'État.

En décembre 1989 et en janvier 1990, la presse yougoslave, relayée par les médias grecs, avait fait état de « troubles » survenus dans la ville de Shkoder, au nord de l'Albanie, où l'état d'urgence aurait été décrété. Ces informations, démenties par les diplomates sur place, ont émané de

BALKANS

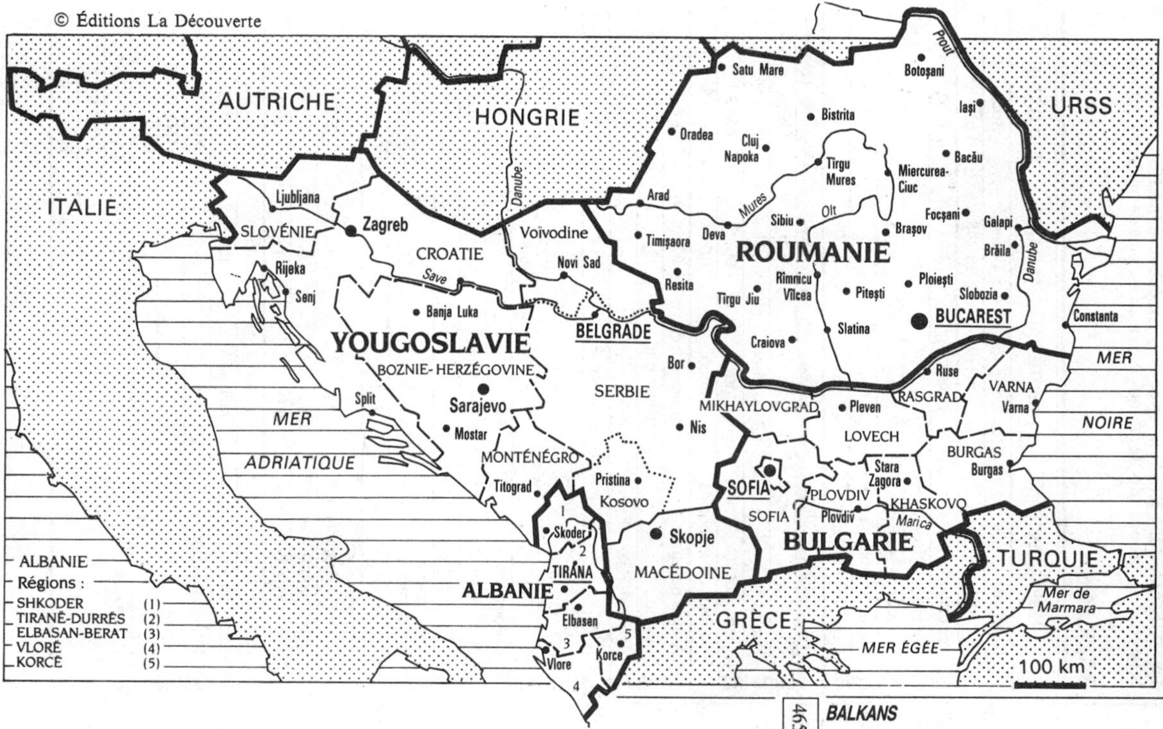

AUTRICHE
HONGRIE
URSS
ITALIE
ROUMANIE
YOUGOSLAVIE
BULGARIE
ALBANIE
TURQUIE
GRÈCE
MER ADRIATIQUE
MER NOIRE
MER ÉGÉE
Mer de Marmara
SLOVÉNIE
CROATIE
Voïvodine
BOZNIE-HERZÉGOVINE
SERBIE
MONTÉNÉGRO
Kosovo
MACÉDOINE
MIKHAYLOVGRAD
LOVECH
RASGRAD
VARNA
BURGAS
PLOVDIV
KHASKOVO
SOFIA
Satu Mare
Botoşani
Iaşi
Bistrita
Oradea
Cluj Napoka
Tirgu Mures
Miercurea-Ciuc
Bacău
Arad
Timişoara
Deva
Sibiu
Braşov
Focşani
Galaţi
Brăila
Resita
Tirgu Jiu
Rîmnicu Vîlcea
Piteşti
Ploieşti
Slobozia
Craiova
Slatina
BUCAREST
Constanta
Ljubljana
Zagreb
Rijeka
Senj
Novi Sad
Banja Luka
BELGRADE
Bor
Split
Sarajevo
Mostar
Nis
Titograd
Pristina
Skopje
Ruse
Pleven
Varna
Stara Zagora
Burgas
Plovdiv
Marica
Skoder
TIRANA
Elbasen
Vlore
Korce
Danube
Prout
Mures
Olt
Save
100 km
ALBANIE
Régions :
SHKODER (1)
TIRANË-DURRËS (2)
ELBASAN-BERAT (3)
VLORË (4)
KORCË (5)

pays avec lesquels l'Albanie entretient un lourd contentieux (à propos des Albanais du Kosovo avec Belgrade, à propos de la minorité grecque d'Albanie avec Athènes).

Au début juillet 1990, l'afflux de centaines, puis de milliers d'Albanais

BALKANS

	INDICATEUR	UNITÉ	ALBANIE	BULGARIE
	Capitale		Tirana	Sofia
	Superficie	km²	28 748	110 912
DÉMOGRAPHIE	Population (*)	million	3,21	9,00
	Densité	hab./km²	111,7	81,2
	Croissance annuelle [e]	%	1,8	0,1
	Mortalité infantile [e]	‰	39	16
	Population urbaine	%	35,0	69,5
CULTURE	Scolarisation 2e degré [b]	%	76 [h]	76 [i]
	3e degré [b]	%	7,8	22,6
	Postes tv	‰ hab.	83 [b]	186,9 [am]
	Livres publiés	titre	959 [c]	4 379 [a]
	Nombre de médecins	‰ hab.	1,05 [b]	3,75 [a]
ARMÉE	Armée de terre	millier d'h.	31,5	81,9
	Marine	millier d'h.	2,0	8,8
	Aviation	millier d'h.	7,2	26,8
ÉCONOMIE	PIB [ka]	milliard $	2,8	67,6
	Croissance annuelle 1980-88	%	3,5 [f]	4,4 [f]
	1989	%	5,6 [g]	−0,4
	Par habitant [a]	$	930	7 540
	Dette extérieure	milliard $	—	10,5
	Taux d'inflation	%	..	..
	Dépenses de l'État Éducation	% PIB	..	6,9 [bn]
	Défense [b]	% PIB	4,0	4,7
	Recherche et développement [b]	% PIB	..	3,3 [n]
	Production d'énergie [b]	million TEC	6,4	20,9
	Consom. d'énergie [b]	million TEC	4,0	53,1
COMMERCE	Importations	million $	536 [a]	14 890
	Exportations	million $	452 [a]	16 020
	Principaux fournis.	%	..	CAEM 75,3 [a]
		%	..	PCD 15,4 [a]
		%	..	PVD 7,9 [a]
	Principaux clients	%	CAEM 52,0 [a]	CAEM 82,6 [a]
		%	PCD 22,2 [a]	PCD 6,4 [a]
		%	PVD 25,0 [a]	PVD 9,4 [a]

dans les ambassades occidentales à Tirana marquait l'entrée en scène de la population dans le scénario d'évolution politique du pays.

ROUMANIE	YOUGOSLAVIE
Bucarest	Belgrade
237 500	255 804
23,20	23,71
97,5	92,7
0,5	0,6
22	25
50,1	49,4
79 [h]	80 [j]
9,8	18,6
165,7 [bm]	175 [bm]
5 276 [d]	10 619 [b]
2,11 [a]	1,83 [c]
128	138,0
9	10,0
34	32,0
151,3	154,1
4,7	0,5
2,1 [a]	0,8 [l]
6 570	6 540
1,4	21,7 [a]
..	2 685,4
2,1	3,8 [c]
1,3 [a]	3,9
..	0,88
91,3	35,7
106,1	56,7
8 390	14 829
11 340	13 460
URSS 38,5 [a]	CEE 38,9
PCD 10,2 [a]	CAEM 29,0
PVD 28,9 [a]	PVD 16,9
URSS 26,0 [a]	CEE 36,9
PCD 25,0 [a]	CAEM 34,8
PVD 29,5 [a]	PVD 14,2

Sur le plan extérieur, Tirana a poursuivi sa prudente ouverture, en particulier dans le cadre du processus de rapprochement balkanique. Elle a marqué un rapprochement avec Pékin et normalisé ses relations avec les pays d'Europe de l'Est, tandis qu'à l'Ouest, la RFA est devenue un partenaire privilégié.

Le régime n'a plus caché qu'il considérait les difficultés économiques, surtout agricoles, comme un problème « majeur ». Le 9e plénum des 22 et 23 janvier 1990 a adopté un programme de changements en 25 points comportant une série de mesures économiques visant notamment à élever le niveau des cadres et à donner plus d'autonomie aux entreprises. Dans le souci probable d'éviter une explosion à la roumaine, le plan 1989 accordait déjà la priorité à la production de biens de consommation.

Bulgarie

La Bulgarie a connu en 1989 l'une des révolutions les plus discrètes d'Europe de « l'Est » avec l'éviction de Todor Jivkov, soixante-dix-huit ans, trente-cinq ans de pouvoir, et son remplacement à la tête de l'État par le communiste réformateur Petar Mladenov, cinquante-quatre ans. Très inspiré de la *perestroïka* (restructuration) soviétique, le processus de démocratisation bulgare s'est heurté à une poussée de fièvre nationaliste, faisant apparaître le problème de la minorité turque — évaluée à un million de membres — un peu plus de 10 % de la population — comme l'un des principaux dangers dans la transition.

Chiffres 1989, sauf notes : a. 1988 ; b. 1987 ; c. 1986 ; d. 1985 ; e. 1985-90 ; f. PMN ; g. Production industrielle seulement ; h. 14-17 ans ; i. 15-17 ans ; j. 11-18 ans ; k. Estimations de la CIA ; l. Produit matériel brut ; m. Licences ; n. En pourcentage du PMN.

(*) Dernier recensement utilisable : Albanie, 1979 ; Bulgarie, 1985 ; Roumanie, 1977 ; Yougoslavie, 1981.

En destituant Todor Jivkov, chef de l'État et du Parti, lors du plénum du 10 novembre 1989, Petar Mladenov avait provoqué la surprise.

République populaire de Bulgarie

Nature du régime : communiste, en transition vers le multipartisme. Le rôle dirigeant du Parti a été aboli et des élections libres ont eu lieu les 10 et 17.6.90.

Chef de l'État : L'ancien chef d'État, Todor Jivkov, au pouvoir depuis 1954, a été écarté le 10.11.89. Petar Mladenov, élu le 3.4.90 président de la République, a démissionné le 6.7.90. Remplacé par Jelio Jelev, élu le 2.8.90.

Chef du gouvernement : Andreï Loukanov, Premier ministre (du 8.2.90, jusqu'à sa démission le 7.8.90).

Monnaie : lev (1 lev « lourd » = 7,08 FF en juin 90).

Langue : bulgare.

Ministre des Affaires étrangères depuis 1971, il ne s'était pas illustré par des positions réformatrices. Mais, au cours des mois précédents, il avait pris ses distances avec la politique d'assimilation de la minorité musulmane, qui avait conduit à l'exode de quelque 300000 Turcs de Bulgarie vers la Turquie durant l'été 1989.

Exclu du Parti, Todor Jivkov a été inculpé le 18 janvier 1990 d'abus de pouvoir, de détournement de fonds publics et d'« incitation à la haine nationale ».

Le Parti socialiste bulgare (PSB) est le seul parti communiste au pouvoir hier à « l'Est » à être sorti vainqueur d'élections libres. Il a recueilli 47 % des suffrages lors du scrutin des 10 et 17 juin 1990, obtenant la majorité absolue à l'Assemblée constituante élue pour dix-huit mois. L'ex-PCB a réussi à se maintenir en prenant de vitesse une opposition faible et divisée. Dès décembre 1989, il a proposé d'abandonner le principe de son « rôle dirigeant » inscrit dans l'article 1 de la Constitution (supprimé par l'Assemblée nationale le 15 janvier 1990) ; il s'est prononcé pour le multipartisme et une économie de marché lors de son XIVe congrès extraordinaire (30 janvier-2 février 1990). A l'issue d'un référendum interne, les communistes ont rebaptisé leur organisation Parti socialiste bulgare (PSB).

L'Union des forces démocratiques (UFD), coalition d'opposition formée à la fin 1989 et regroupant seize organisations, a réalisé un très bon score électoral eu égard à son inexpérience et à l'hétérogénéité du mouvement. Elle a recueilli 36,2 % des voix et est arrivée en tête dans plusieurs grandes villes dont Sofia. Soucieuse de se consolider, l'UFD a refusé de participer au gouvernement de coalition souhaité par les ex-communistes. Le 6 juillet 1990, P. Mladenov a dû démissionner, confondu par une cassette vidéo où il apparaissait, appelant de ses vœux, fin 1989, une intervention des blindés lors d'une manifestation hostile aux communistes.

En janvier 1990, le pays a été secoué par des manifestations antiturques provoquées par la décision officielle de restituer leurs droits aux membres de la minorité, lesquels avaient notamment été forcés d'adopter des patronymes bulgares lors de la brutale campagne de « bulgarisation » de l'hiver 1984-1985. Une loi allant dans ce sens a été votée le 5 mars 1990.

Avec une dette extérieure estimée à 11 milliards de dollars l'économie traverse une passe difficile, en partie due aux réformes confuses et contradictoires des années précédentes. Alors qu'une partie de l'opposition réclame des changements radicaux, le nouveau pouvoir a opté pour une transition graduelle à l'économie de marché, prévoyant par exemple de ne libérer que 40 % des prix d'ici la fin 1990.

Yougoslavie

La Yougoslavie est arrivée au début de l'année 1990 au bord de la désintégration. La situation au Kosovo, province de la Serbie où se déchirent Serbes et Albanais, s'est encore détériorée ; le conflit entre la

Serbie et la Slovénie a connu une brusque escalade, tandis que les aspirations nationalistes resurgissaient en Croatie.

République socialiste fédérative de Yougoslavie

Nature du régime : communiste, en transition vers le multipartisme (élections libres prévues au niveau fédéral pour la fin 1990).
Chef de l'État : rotation annuelle. Borisav Jovic a remplacé Janez Drnovsek le 15.5.90.
Premier ministre : Ante Markovic, président du Conseil exécutif fédéral (depuis mars 1989).
Monnaie : dinar (au taux officiel, 1 dinar = 0,48 FF au 30.4.90).
Langue off. : serbo-croate, macédonien, slovène, albanais.

Après la flambée de violence du printemps 1989, provoquée par l'adoption d'une réforme constitutionnelle permettant la reprise en main du Kosovo par la Serbie, la province a connu de nouvelles émeutes en janvier 1990 qui ont fait officiellement 26 morts. L'agitation a ensuite été relancée par une mystérieuse vague d'empoisonnements survenue le 22 mars 1990 dans un lycée de la ville de Podujevo et qui a touché les seuls élèves albanais.

En avril 1990, les autorités fédérales ont fait trois concessions de taille à l'opposition albanaise. L'état d'urgence instauré dans la province en février 1989 a été levé ; l'écrivain albanais Adem Demaci, doyen des prisonniers politiques qui avait été condamné pour « séparatisme », a été amnistié ; enfin, l'ex-chef du Parti du Kosovo, Azem Vlasi, poursuivi pour « activités contre-révolutionnaires » a été acquitté.

Mais le président de Serbie, le communiste Slobodan Milusevic, devenu porte-drapeau du nationalisme serbe, a relancé sa croisade en faveur du « réveil serbe ». Alors que les autres républiques annonçaient la tenue d'élections libres, il proposa que la Serbie adopte d'abord une nouvelle Constitution qui renforcerait ses pouvoirs sur les deux provinces autonomes, la Voïvodine, et surtout le Kosovo, et qu'ensuite seulement des élections démocratiques soient organisées.

Le problème du Kosovo a envenimé les rapports, déjà tendus, entre la Serbie et la Slovénie. Pour protester contre les mesures d'urgence décrétées dans la province, Ljubljana retirait son contingent de policiers du Kosovo. Le 29 novembre 1989, la Serbie décrétait un boycottage économique de la Slovénie à la suite de la décision slovène d'interdire une manifestation de Serbes et de Monténégrins à Ljubljana destinée à « faire connaître la vérité sur le Kosovo ».

Sur le plan politique, le fossé s'est creusé entre la Serbie, favorable à un centralisme renforcé, et la Slovénie et la Croatie. Ces dernières, qui réclament plus d'autonomie pour les républiques fédérées et dont le président serbe est la bête noire, ont dénoncé les « visées hégémoniques serbes ».

Le 27 septembre 1989, la Slovénie introduisait le droit à l'autodétermination dans sa Constitution, faisant poindre la menace d'une sécession. Le 22 janvier 1990, la délégation slovène claquait la porte du 14e congrès extraordinaire de la Ligue des communistes de Yougoslavie (LCY). Consacrant l'éclatement du Parti, la Ligue des communistes slovènes rompait avec la LCY le 4 février 1990 et devenait le Parti du renouveau démocratique. La Ligue des communistes croates lui emboîtait le pas et se rebaptisait Parti du changement démocratique.

La Slovénie et la Croatie ont connu au printemps 1990 leurs premières élections libres depuis la Seconde Guerre. En avril, les Slovènes ont élu le communiste réformateur Milan Kucan président de la République et donné une nette victoire à l'Assemblée à la coalition d'opposition Demos. En mai, les Croates, qui élisaient leur Parlement, ont plébiscité les nationalistes de l'Union démocratique croate.

Champion européen de l'inflation, (2600 % en 1989), la Yougoslavie, dont la dette extérieure a atteint

BIBLIOGRAPHIE

Champseix E. et J.-P., *57, Boulevard Staline, Chroniques albanaises*, La Découverte, Paris, 1990.

Krulic J., « Quel avenir pour la Yougoslavie ? », *Esprit*, n° 6, Paris, juin 1990.

Roux M., « Les trois crises de la Yougoslavie », *Hérodote*, n° 48, La Découverte, Paris, 1988.

Schreiber T., Barry F. (sous la dir. de), « L'URSS et l'Europe de l'Est. Édition 1989 », *Notes et études documentaires*, n° 4891-4892, La Documentation française, Paris, 1990.

Voir aussi la bibliographie « Roumanie » dans la section « 34 États ».

22 milliards de dollars, a donné les signes d'une timide reprise, en particulier sur le plan du commerce extérieur. Les créanciers occidentaux ont porté ce succès au crédit du Premier ministre Ante Markovic qui a introduit des réformes économiques libérales, ouvrant le pays au capital étranger et supprimant les contraintes pesant sur le secteur privé.

La Yougoslavie a poursuivi ses efforts en direction de la Communauté économique européenne sans abandonner sa position au sein du mouvement des non-alignés dont elle a accueilli le sommet en septembre 1989. Les relations se sont tendues avec deux de ses voisins balkaniques : l'Albanie, en raison du problème du Kosovo, et la Bulgarie, autour de l'épineuse question de la minorité macédonienne de Bulgarie (dont Sofia nie l'existence).

Véronique Soulé

Europe centrale

HONGRIE • POLOGNE • TCHÉCOSLOVAQUIE

(La Pologne et la Hongrie sont traitées p. 159 et 209. Voir aussi p. 503, 506, 527 et 536.)

Tchécoslovaquie

République fédérative tchèque et slovaque

Nature du régime : démocratie parlementaire ayant succédé à un régime communiste.
Chef de l'État : Václav Havel, élu président de la République le 29.12.89 par le Parlement, confirmé le 5,7.90.
Premier ministre : Marian Calfa, reconduit le 12.6.90.
Monnaie : couronne tchécoslovaque (1 couronne = 0,20 FF en juin 90).
Langues : tchèque, slovaque.

Les signes du changement qui ont abouti à l'écroulement du régime totalitaire s'étaient multipliés tout au long de l'année 1989. En janvier, des affrontements avaient eu lieu entre la police et de jeunes manifestants à l'occasion du 20e anniversaire de l'immolation par le feu de Jan Palach. Václav Havel, emprisonné à cette occasion, était bientôt libéré en raison des protestations de milliers d'artistes et de nombreuses personnalités du monde entier. Les manifestations allaient se répéter. Le groupe au pouvoir, dirigé par Miloš Jakeš, même en ayant recours à la violence, perdait de son autorité et de sa crédibilité, inspirant plus de

EUROPE CENTRALE

TCHÉCOSLOVAQUIE
Républiques :
RÉPUBLIQUE TCHÈQUE A
RÉPUBLIQUE SLOVAQUE B
En Pologne, les provinces portent le nom de leur capitale.
SUÈDE
URSS
MER BALTIQUE
POLOGNE
Slupsk
Gdánsk
Koszalin
Elblag
Suwalki
Olsztyn
Szczecin
Vistule
Bydgoszcz
Pila
Toruń
Ostroleka
Lomzá
Bialystock
RDA
Gorzów Wielkopolski
Wloklawek
Ciechanów
Poznań
Plock
Siedlce
Elbe
Oder
Konin
Skierniewice
VARSOVIE
Biala Podlaska
Zielona Góra
Leszno
Kalisz
Lódź
Radom
Piotrkow Trybunálski
Sieradz
Lublin
Chelm
Leganica
Jelenia Góra
Wroclaw
Walbrzych
Opole
Czestochowa
Kielce
Tarnobrzeg
Zamość
Katowice
Tarnów
Rzeszow
Cracovie
Bielsko-Biala
Przemyśl
Nowy Sacz
Krosno
SEVERO ČESKÝ
Usti
PRAGUE
Hradec Králové
A
Plzeň
STŘEDOČESKÝ
VÝCHODO ČESKÝ
Ostrava
ZÁPADO ČESKÝ
SEVERO MORAVSKÝ
JIHOMORAVSKÝ
Brno
JIHOČESKÝ
České Budějovice
TCHÉCOSLOVAQUIE
B
RFA
Banská Bystrica
Košice
VÝCHODO SLOVENSKÝ
ZÁPADO SLOVENSKÝ
STŘEDO SLOVENSKÝ
Danube
Miskolc
Bratislava
AUTRICHE
8
14
13
PEST
HEVES
12
1
Gyor
2
BUDAPEST
11
Debrecen
HONGRIE
Comtés :
GYÖR-SOPRON (1)
KOMÁROM (2)
VESZPRÉM (3)
SOMOGY (4)
BARANYA (5)
TOLNA (6)
FEJER (7)
NOGRAD (8)
BÁCS-KISKUN (9)
CSONGRÁD (10)
SZOLNOK (11)
HAJDÚ-BIHAR (12)
SZABOLCS-SZATMÁR (13)
BORSOD-EBAÚJ-ZEMPLÉEN (14)
VAS
3
7
ZALA
4
HONGRIE
BÉKÉS
10
Szeged
Békéscsaba
Kaposvár
6
9
5
Pécs
Tisza
ROUMANIE
YOUGOSLAVIE
Danube
100 km

moquerie que de peur. Malgré une forte campagne de dissuasion, le manifeste *Quelques phrases* demandant la démission du gouvernement allait être signé par des dizaines de milliers de personnes.

Le dernier acte commença le 17 novembre. Au centre-ville de Pra-

EUROPE CENTRALE

	INDICATEUR	UNITÉ	HONGRIE	POLOGNE	TCHÉCO-SLOVAQUIE
	Capitale		Budapest	Varsovie	Prague
	Superficie	km²	93 030	312 677	127 880
DÉMOGRAPHIE	Population (*)	million	10,58	37,9	15,64
	Densité	hab./km²	113,7	121,2	122,3
	Croissance annuelle [d]	%	– 0,2	0,7	0,2
	Mortalité infantile [d]	‰	15,8	18	15
	Population urbaine	%	59,6	62,8	68,0
CULTURE	Nombre de médecins [a]	‰ hab.	3,32	2,56	3,66
	Scolarisation 2e degré [b]	%	70 [g]	80 [h]	38 [g]
	3e degré [b]	%	15,2	17,8	16,2
	Postes tv [a]	‰ hab.	277,6	265,5	298,3
	Livres publiés [a]	titre	8621	10728	6977
ARMÉE	Armée de terre	millier d'h.	68,0	217	148,6
	Marine	millier d'h.	—	25	—
	Aviation	millier d'h.	23,0	105	51,1
ÉCONOMIE	PIB [ai]	milliard $	91,8	276,3	158,2
	Croissance annuelle 1980-88	%	1,6	2,5	2,0 [e]
	1989	%	0,5	••	1,8 [e]
	Par habitant [a]	$	8670	7280	10130
	Dette extérieure	milliard $	20,7	40,0	6,9
	Taux d'inflation	%	17,0	639,6	1,8
	Dépenses de l'État Éducation [b]	% PIB	5,6	4,4	5,2 [f]
	Défense	% PIB	3,3 [a]	1,8 [a]	4,6 [f]
	Recherche et développement [b]	% PIB	2,6	1,5	4,2 [f]
	Production d'énergie [b]	million TEC	22,0	180,4	67,9
	Consom. d'énergie [b]	million TEC	40,5	181,5	98,2
COMMERCE	Importations	million $	9080	10456	14240
	Exportations	million $	9830	13156	14400
	Principaux fournis. [a]	%	CAEM 44,5	URSS 36,3	CAEM 74,1
		%	PCD 43,4	PCD 29,1	PCD 18,6
		%	PVD 7,3	PVD 16,8	PVD 3,5
	Principaux clients [a]	%	CAEM 45,5	URSS 32,1	CAEM 75,2
		%	PCD 39,3	PCD 29,7	PCD 16,3
		%	PVD 10,1	PVD 18,7	PVD 4,7

BRAVO
BRAVO
BRAVO
VACLAV HAVEL
JE ME RELÈVE QUAND ?
C'EST PAS PRÉVU DANS LA PIÈCE !
PLANTU

gue la police intervint brutalement contre une manifestation des étudiants, blessant des centaines d'entre eux. Bientôt toutes les facultés et les théâtres de Prague étaient en grève et les manifestants commençaient à se réunir tous les jours sur la place principale, par dizaines, puis par centaines de milliers.

Animé par Václav Havel, le Forum civique — groupement « d'anciens » dissidents, d'étudiants en grève et d'artistes — prit la tête du mouvement de protestation. Sous la pression grandissante de l'opinion publique, le régime, ne trouvant plus la force de résister, allait devoir se résigner. Après l'essai manqué de Ladislav Adamec, Premier ministre du gouvernement Jakeš, qui tenta de former un gouvernement avec l'opposition, le Forum constituait lui-même un cabinet d'entente nationale, le 11 décembre. Marian Čalfa devint alors Premier ministre, les ministères les plus importants étaient attribués soit à des membres du Forum civique, soit à des adhérents d'autres partis ou du PC soutenus par le Forum.

Le même jour le président Gustav Husák démissionnait, et le 29 décembre, Václav Havel était élu président de la République. Le Parlement allait être remanié : les députés les plus compromis le quittèrent, puis après accord des forces politiques de la « table ronde » qui fut réunie, il fut complété par de nouvelles personnalités. Alexandre Dubček, personnalité dirigeante du processus de réformes en 1968, fut porté à sa présidence.

A l'initiative de ces forces politiques, le Parlement a adopté un ensemble de lois garantissant les droits civiques et politiques fondamentaux. Une loi électorale a été adoptée, fondée sur la représentation

Chiffres 1989, sauf notes : a. 1988 ; b. 1987 ; c. 1986 ; d. 1985-90 ; e. PMN ; f. En pourcentage du PMN ; g. 14-17 ans ; h. 15-18 ans ; i. Estimation de la CIA.

(*) Dernier recensement utilisable : Hongrie, 1980 ; Pologne, 1978 ; Tchécoslovaquie, 1980.

BIBLIOGRAPHIE

ERRERA R., « Václav Havel, une morale de la liberté », *Études*, n° 37-23, Paris, mars 1990.

FRANÇOIS-PONCET J., « L'évolution économique de la Tchécoslovaquie, de la Pologne et de la Hongrie », *Rapport d'information*, n° 285, Sénat, Paris, 1990.

HAVEL Václav, *Essais politiques* (textes réunis par R. Errera et J. Vladeslav), Calmann-Lévy, Paris, 1989.

« Où est le pouvoir en Pologne, Hongrie, RDA, Tchécoslovaquie » (dossier), *La Nouvelle Alternative*, n° 17, Paris, mars 1990.

RUPNIK J., *L'Autre Europe*, Odile Jacob, Paris, 1990.

RUPNIK J., « Tchécoslovaquie, la révolution douce », *Politique étrangère*, n° 1, IFRI, Paris, print. 1990.

SCHREIBER T., BARRY F. (sous la dir. de), « L'URSS et l'Europe de l'Est. Édition 1989 », *Notes et études documentaires*, n° 4891-4892, La Documentation française, Paris, 1990.

« Tchécoslovaquie : le cancre de la perestroïka se rebiffe » (dossier), *La Nouvelle Alternative*, n° 16, Paris, déc. 1989.

Voir aussi les bibliographies « Pologne » et « Hongrie » dans la section « 34 États ».

proportionnelle et fixant le seuil d'entrée des groupes et partis politiques au Parlement à 5 % des voix. Les élections ont eu lieu les 8 et 9 juin 1990. Elles ont été largement gagnées par le Forum civique et son « homologue » slovaque, Public contre la violence (46,6 % des voix dans les élections à la Chambre au niveau des deux républiques — le Forum a dépassé 50 % dans le pays tchèque), qui ont précédé le Parti communiste (13,6 %) et l'Union chrétienne démocrate (12 %). La participation a été de 96 %... Un accord a aussi été passé sur les principes devant guider les réformes économiques, et le passage à l'économie de marché : restauration de la propriété privée, privatisation d'une grande partie de l'industrie, participation du capital étranger, nouvelle fiscalité, annulation du contrôle de la plupart des prix, etc.

Le nouveau gouvernement a de même changé les principes de la politique étrangère, la faisant passer d'une orientation univoque vers l'Union soviétique à une collaboration avec tous les États du monde. Cette politique étrangère s'est donné pour programme « le retour à l'Europe ». La Tchécoslovaquie a passé avec l'URSS un accord sur le retrait de ses troupes (départ prévu avant le 30 juin 1991). Restant membre du pacte de Varsovie, elle s'est surtout orientée vers la création de nouvelles structures de sécurité européenne.

Le passage du totalitarisme à la démocratie a été paisible (on a parlé de « révolution de velours »), notamment du fait de l'épuisement de l'ancien régime (qui ne s'est pas permis d'intervenir par la violence contre la résistance populaire), mais aussi de la force et de l'esprit d'organisation des nouvelles forces politiques et de la tradition démocratique du pays. Mais de sérieux problèmes se sont profilés pour l'avenir : la réalisation de la réforme économique sera très épineuse ; elle touche aux intérêt sociaux de milliers de gens et peut provoquer une baisse de niveau de vie dans un premier temps. Il faudra aussi régler le problème des relations entre les Tchèques et les Slovaques dans l'organisation institutionnelle de la fédération, et les problèmes de nationalités en Slovaquie où, outre 600 000 Hongrois, vivent de plus petites minorités, ukrainienne et polonaise. Il sera aussi nécessaire de renouveler la culture politique, plus ou moins oubliée depuis des dizaines d'années. Malgré tout la Tchécoslovaquie a de solides bases pour ancrer durablement un ordre démocratique.

Rudolf Slánský Jr.

ÉVÉNEMENTS ET TENDANCES

LE PRÉSIDENT EST EN PRIÈRE, POUR SAVOIR OÙ EST PASSÉ L'ARGENT QUE VOUS LUI AVEZ PRÊTÉ !
BASILIQUE HOUPHOUËT
FMI
PLANTU

CONFLITS ET TENSIONS

JOURNAL DE L'ANNÉE

- 1989 -

4 juin. **Chine.** L'intervention sanglante de l'armée met fin aux manifestations en faveur de la démocratie commencées en avril.

7 juin. **Surinam.** Cessez-le-feu entre le gouvernement et les rebelles du Commando de la jungle de Ronny Brunswijk.

Juin-juillet. **Bulgarie.** Exode de dizaines de milliers de Bulgares de souche turque fuyant la bulgarisation forcée et la répression, et cherchant asile en Turquie.

6 juillet. **Conflit israélo-palestinien.** Un attentat contre un autobus fait 14 morts près de Jérusalem.

12 juillet. **Pérou.** L'armée reprend l'offensive contre le Sentier lumineux. 1 595 tués pour le seul mois de juin.

14 juillet. **Somalie.** Répression sanglante d'émeutes. Des centaines de victimes, des milliers d'arrestations.

30-31 juillet. **Cambodge.** Conférence internationale de Paris en présence de quatre factions khmères. Le 30 août, séparation sans accord [*voir article dans ce même chapitre*].

7 août. **Nicaragua.** A Tela (Honduras), adoption d'un plan de démantèlement de la *Contra* par les cinq chefs d'État d'Amérique centrale [*voir article dans ce même chapitre*].

21 août. **Sénégal-Mauritanie.** Dakar rompt ses relations diplomatiques avec Nouakchott, consécutivement aux affrontements qui avaient commencé sur les berges du fleuve Sénégal en avril précédent [*voir article dans ce même chapitre*].

22 août. **Soudan.** Des discussions de paix entre les autorités et l'Armée populaire de libération du Soudan (A P L S) échouent (notamment sur la question de la *charia*).

24 août. **Colombie.** La mafia des narcotraficants déclare la « guerre totale » au gouvernement de Bogota.

26 août. **Cambodge.** Hanoï annonce avoir retiré en totalité son corps expéditionnaire.

6 septembre. **Liban.** Les États-Unis évacuent leur ambassade à Beyrouth.

7 septembre. **Éthiopie.** Après la prise de Massawa par le Front populaire de libération de l'Érythrée, des représentants des autorités et du F P L E entament des discussions sous l'égide de Jimmy Carter.

12 septembre. **Afrique du Sud.** Au Cap, une marche contre l'apartheid est autorisée.

14 septembre. **Namibie.** Retour de Sam Nujoma à Windhoek. Il était en exil depuis trente ans.

18 septembre. **Sri Lanka.** L'armée indienne, qui n'est pas venue à bout de la résistance tamoule, annonce le retrait de ses troupes.

5 octobre. **Tibet.** Le dalaï lama se voit décerner le prix Nobel de la paix [*voir article au chapitre « Portraits »*].

22 octobre. **Liban.** A Taef (Arabie saoudite) où les députés libanais sont réunis depuis le 1er, un accord est approuvé, visant à l'« entente nationale ». Il est dénoncé le 4 novembre par le général Aoun qui juge qu'il fait la part trop belle aux Syriens. Le 5, les députés élisent René Moawad chef de l'État. Le 22, ce dernier est tué dans un attentat. Le 24, Elias Hraoui est élu pour le remplacer.

30 octobre. **Cambodge.** Restauration du cessez-le-feu à Phnom Penh. Les Khmers rouges apparaissent à l'offensive [*voir article dans ce même chapitre*].

2 novembre. **Yougoslavie.** Affrontements au Kosovo [*voir article dans ce même chapitre*].

7 novembre. **Namibie.** Élections constituantes sous contrôle de l'O N U. Victoire de la S W A P O (57 % des suffrages, 41 des 72 sièges). Une Constitution sera adoptée le 9.

9 novembre. **Berlin.** Ouverture du Mur, prélude à la réunification de l'Allemagne. Dans les semaines et mois qui suivent, le démantèlement de l'ordre des blocs issu de la Seconde Guerre mondiale va poser le problème d'une nouvelle architecture européenne et nécessite de nombreuses redéfinitions stratégiques [*voir articles au chapitre « Questions stratégiques »*].

10 novembre. **El Salvador.** Offensive du FMLN dans la capitale en état de siège. L'aviation gouvernementale bombarde les quartiers populaires tenus par la guérilla. Près de 3 000 morts. Le 16 novembre, six jésuites de l'université centraméricaine sont assassinés par des militaires proches du pouvoir [*voir article dans ce même chapitre*].

31 novembre. **Tchad-Libye.** Un protocole est signé à Alger à propos du contentieux de la bande d'Aozou.

9 décembre. **Territoires occupés.** Deuxième anniversaire du soulèvement (*intifada*). La tension est toujours aussi vive et les affrontements fréquents. Un bilan établira, six mois plus tard, à 700 le nombre de Palestiniens tués depuis 1987.

20 décembre. **Panama.** Intervention militaire américaine pour renverser le général Noriega, accusé de trafic de drogue. Violents combats. Noriega se rend le 3 janvier [*voir article dans ce même chapitre*].

30 décembre. **Israël.** Répression d'une manifestation pour la paix rassemblant 20 000 personnes à Jérusalem.

- 1990 -

13 janvier. **URSS.** Caucase. Violences interethniques notamment à Bakou et à la frontière de l'Arménie et de l'Azerbaïdjan. Pogroms anti-arméniens. Situation de rébellion ouverte en Azerbaïdjan. Les chars soviétiques investissent brutalement Bakou le 20. Nombreuses victimes.

16 janvier. **Bulgarie.** Table ronde gouvernement-opposition sur la question de la minorité de souche turque.

19 janvier. **Inde.** Pour faire face aux affrontements que connaît l'État du Jammu-Cachemire (à majorité musulmane), son administration est placée sous contrôle de l'État fédéral.

31 janvier. **Liban.** Début des combats entre l'armée du général Aoun et les milices des Forces libanaises de Samir Geagea. Cette « guerre des chrétiens » fera 1 000 morts en trois mois.

2 février. **Afrique du Sud.** L'interdiction pesant sur l'ANC et d'autres mouvements (PAC, SACP...) est levée.

4 février. **Conflit israélo-palestinien.** Neuf touristes israéliens sont tués en Égypte dans un attentat.

11 février. **Afrique du Sud.** Libération de Nelson Mandela après 27 ans de détention.

12 février. **URSS.** Tadjikistan. Émeutes sanglantes à Douchanbé.

15 février. **Drogue.** A Carthagène (Colombie), sommet anti-drogue réunissant les présidents des États-Unis, de Bolivie, de Colombie et du Pérou.

25 février. **Nicaragua.** Élections. Violeta Chamorro, candidate de la coalition d'opposition UNO, l'emporte sur Daniel Ortega, candidat sandiniste (54,7 % contre 40,8 %). Processus de démantèlement de la *Contra* au cours des mois suivants.

20-21 mars. **Roumanie.** A Tirgu Mures (Transylvanie), affrontements sanglants entre Roumains de souche et la minorité magyare.

21 mars. **Namibie.** Accès à l'indépendance.

5 avril. **Chine.** Affrontements sanglants au Xinjiang. Au moins vingt morts.

20 mai. **Libéria.** La rébellion du Front national patriotique du Libéria (NPFL), dirigée par Charles Taylor, atteint les portes de la capitale Monrovia.

20 mai. **Israël.** A Rishon-le-Zion, un civil israélien tue 8 ouvriers palestiniens. La répression des manifestations palestiniennes qui s'ensuivent fait 7 autres morts.

21 mai. **Inde.** Violences au Cachemire. Des dizaines de morts.

Serge Priwarnikow

En complément de cette chronologie (conflits intercommunautaires et interétatiques), on consultera également celles consacrées à l'URSS [voir article « URSS »] et aux mouvements sociaux [au chapitre « Mouvements sociaux »] ainsi que l'encadré traitant de l'évolution des négociations sur le désarmement [au chapitre « Questions stratégiques »].

L'application de l'accord de paix en Afrique australe

Signés le 22 décembre 1988 au siège des Nations unies à New York, les accords des paix liant le départ des soldats cubains d'Angola à l'accession à l'indépendance de la Namibie ont vécu leur épreuve du feu trois mois plus tard. Le 1er avril 1989, jour « J » de la phase transitoire en Namibie, 1 600 guérilleros de la SWAPO (Organisation des peuples du Sud-Ouest africain), le mouvement indépendantiste namibien, se sont infiltrés à partir de l'Angola. En vertu des engagements souscrits, l'Afrique du Sud était alors en droit de dénoncer les accords qui prévoyaient, en particulier, la remontée au nord du 16e parallèle des combattants de la SWAPO ainsi que leur cantonnement sous contrôle international.

Le 1er avril, deux ans de patients efforts diplomatiques visant à imposer la primauté du droit sur la déstabilisation militaire étaient ainsi remis en question. Devant la menace d'un retour à l'affrontement régional, le représentant spécial des Nations unies en Namibie, Marrti Ahtisaari, autorisait la sortie des troupes sud-africaines, en principe assignées à base dès l'entrée en vigueur de la résolution 435 de l'ONU. La SWAPO, pour avoir voulu établir à la dernière minute des « zones libérées » à l'intérieur d'une patrie dont vingt-trois ans de lutte armée n'avaient permis aucune conquête, payait son aventure militaire au prix de sang : plus de 300 de ses meilleurs combattants ont été abattus par l'armée sud-africaine en moins de dix jours. Puis, en présence de représentants américain et soviétique, une réunion tripartite des signataires de l'accord — Afrique du Sud, Angola, Cuba — a permis de sauver la paix régionale. A Mont Etjö, dans le nord de la Namibie, toutes les parties ont réitéré, en mai 1989, leur engagement en faveur de l'indépendance du pays, au plus tard en avril 1990, et du retrait des 50 000 Cubains d'Angola, conformément au calendrier de départ échelonné sur vingt-sept mois.

Retrait cubain et indépendance namibienne

Le dernier *barbudo* du « contingent internationaliste » doit embarquer le 31 juin 1991. De fait, le retrait cubain d'Angola a pris de l'avance en 1989. Une fois décidée au départ, La Havane a également rapatrié tous ses coopérants civils « pour des raisons de sécurité ». Hanté par l'image d'une armée harcelée dans sa retraite, Cuba a même pris langue — à Paris et Bonn — avec les rebelles angolais de l'UNITA (Union nationale pour l'indépendance totale de l'Angola, dirigée par Jonas Savimbi). Dans la confusion du maquis angolais, des « accrochages involontaires » se sont cependant produits. Après la mort de cinq soldats cubains près de Lobito, Fidel Castro a « provisoirement suspendu », le 25 janvier 1990, le retrait cubain. Cinq semaines plus tard, au terme de nouvelles tractations avec l'UNITA, le rapatriement cubain, toujours en phase avec l'échéancier fixé à New York, a repris.

Entre les gouvernements signataires, des contacts suivis se sont établis, notamment au sein de la « commission tripartite de vérification » qui siège à tour de rôle en Angola, à Cuba et en Afrique du Sud. Les rencontres répétées ont noué d'excellentes relations personnelles et permis une coopération régionale inimaginable auparavant. Le 1er mars 1990, le chef de la diplomatie sud-africaine, Roelof « Pik » Botha, s'est rendu pour la première fois en visite officielle à Luanda, la capitale angolaise. La collaboration économique sur le plan régional a été évoquée. Au lendemain de la libération de Nelson Mandela, le 11 février 1990, et de l'indépendance de la Namibie, le 21 mars, l'Afrique australe songe aux potentialités d'un « espace économique unifié » : entre la province minière du Shaba, au Zaïre, et Le Cap, en Afrique du Sud, 100 millions d'habitants, dans leur immense majorité de langue bantou, représentent un formidable « pôle de développement ». Les accords de New York ont ouvert cette voie sur laquelle le maintien de l'apartheid en Afrique du Sud reste cependant un obstacle insurmontable.

Respectés par leurs trois signataires, les accords de New York n'ont été remis en question que par les parties intéressées écartées du processus de négociations : la SWAPO de Sam Nujoma et l'UNITA, le mouvement rebelle angolais. L'aventure militaire du 1er avril 1989 a failli faire dérailler la transition pacifique vers l'indépendance de la Namibie. En Angola, la persistance de la guerre civile a continué de faire peser une hypothèque sur la paix en Afrique australe. Privé de l'aide militaire sud-africaine et de ses bases arrière dans le nord de la Namibie, Jonas Savimbi dépend désormais des seules livraisons d'armes américaines. Leur transit par le Zaïre constitue un moyen de pression entre les mains du maréchal Mobutu. En octobre 1989, pour forcer Jonas Savimbi au retour à la table des négociations, le président zaïrois a coupé les vivres a l'UNITA. Sur l'insistance de Washington, le transit de l'aide américaine a repris six semaines plus tard.

Pour sa part, à l'abri des raids militaires sud-africains depuis la Namibie, le gouvernement de Luanda a pu compenser la perte du soutien cubain. Après l'échec de sa « politique d'harmonisation nationale », qui visait à coopter les cadres de l'UNITA au sein du régime, le pouvoir central est revenu à « l'option militaire ». Une vaste offensive a été lancée, fin 1989, pour gagner du terrain dans le sud-est de l'Angola, le sanctuaire des rebelles de Jonas Savimbi. La « bataille de Mavinga » a fait rage en février 1990. « En 1982, nous avions déjà pris Mavinga, mais les Sud-Africains nous ont obligés à partir », a expliqué le chef d'état-major de l'armée angolaise, le général Antonio dos Santos Franca. Il fait désormais « suffisamment confiance aux accords de New York » pour exclure une nouvelle intervention sud-africaine. En fait, partenaire contractuel de Luanda, le gouvernement de Pretoria a proposé, en mars 1990, ses « bons services pour contribuer à la réconciliation nationale en Angola »...

Stephen Smith

Amérique centrale : la paix ?

Le 25 février 1990, à la surprise générale, Violeta Chamorro gagnait les élections nicaraguayennes face à Daniel Ortega, président sortant et candidat du Front sandiniste de libération nationale (FSLN). Cette date pourrait bien signifier un tournant majeur dans les crises centraméricaines et ouvrir une période de paix résignée après dix années de conflits meurtriers. La décennie avait pourtant débuté avec d'immenses espoirs de transformation sociale, consécutifs à la chute de Somoza et la victoire du FSLN en juillet 1979, dont beaucoup pensait qu'elle annonçait des mutations dans l'ensemble des pays de la région. Bien loin de cela, cette décennie aura surtout été marquée par des guerres et guérillas

(Nicaragua, El Salvador, Guatémala), assorties d'une impressionnante militarisation de tous les régimes politiques de la région.

Ces élections ont constitué un incontestable succès de la stratégie mise en œuvre à partir d'août 1987 par les présidents centraméricains, en application du plan proposé par leur collègue du Costa Rica, Oscar Arias. L'originalité de ce plan, par rapport à ceux antérieurement proposés par le *Groupe Contadora* (Mexique, Colombie, Vénézuéla, Panama), consistait en effet à lier la pacification de la zone avec la démocratisation des régimes des pays qui la composent.

Processus de démocratisation

Plusieurs fois, ce plan avait semblé devoir être enterré, du fait de la lenteur des processus de démocratisation dans la plupart des pays. En février 1989, la relance vint de Daniel Ortega, qui proposa d'avancer la date des élections nicaraguayennes à février 1990 et de les placer entièrement sous contrôle international, en contrepartie d'un démantèlement dans les trois mois des bases des rebelles de la *Contra* au Honduras (il est à noter que ces bases existaient toujours plus d'un an après...). Il donnait ainsi des gages à la fois aux États-Unis, qui depuis un an avaient cessé leur aide militaire (mais non humanitaire) à la *Contra*, et à l'URSS, qui avait fait savoir à Managua que le temps des soutiens systématiques aux régimes hostiles à Washington était passé.

Un mois après cet engagement, l'extrême droite, soutenue par l'armée et les milieux d'affaires, sortait victorieuse des élections salvadoriennes, à la satisfaction semble-t-il de la guérilla du FMLN (Front Farabundo Marti de libération nationale). Cette dernière préférait avoir pour interlocuteurs les vrais détenteurs du pouvoir plutôt qu'une démocratie chrétienne déconsidérée. De fait, très tôt, des négociations avaient été engagées, sans résultats. En novembre 1989, le FMLN lançait alors une vaste offensive contre la capitale et les principales villes du pays. Le but était de tenter de renverser le gouvernement Cristiani avant que les bases arrière nicaraguayennes ne soient définitivement coupées, comme le laissaient prévoir tant les nouveaux rapports entre les deux grands (le ministre des Affaires étrangères soviétique, Édouard Chevardnadze, s'était rendu à Managua le mois précédent...) que le processus électoral au Nicaragua (l'opposition critiquait violemment le soutien de Managua à la guérilla salvadorienne). Très vite, l'objectif du renversement du régime était abandonné, l'insurrection populaire escomptée ne s'étant pas produite. Mais le FMLN démontra à cette occasion la réalité de sa puissance militaire. Les secteurs les plus durs de l'armée salvadorienne, ceux qui voulaient un affrontement total, s'en trouvèrent affaiblis, d'autant plus qu'ils commirent l'« erreur », pour leur image internationale, de fomenter ou laisser perpétrer l'assassinat de six jésuites prestigieux de l'Université centraméricaine. En avril 1990, des contacts étaient rétablis à Mexico pour ouvrir de nouvelles négociations. Il semblait y avoir désormais une volonté réciproque d'aboutir.

Opération « Juste cause » au Panama

Novembre 1989, échec de l'offensive de la guérilla salvadorienne, décembre 1989, succès de l'intervention militaire nord-américaine au Panama. Il s'agissait de contraindre le général Manuel Antonio Noriega à abandonner le pouvoir (si possible s'emparer de lui) et installer Guillermo Endara, le président élu en mai (le Tribunal électoral avait annulé ces élections pour ne pas reconnaître la victoire de l'opposition). Intervention baptisée *Juste cause* : revendication d'un droit moral d'ingérence pour rétablir la démocratie et chasser un dictateur, qui au surplus était poursuivi pour trafic de drogue par la justice américaine. Quelques jours plus tard, les États-Unis signalaient qu'ils comprendraient que l'URSS intervînt en Roumanie pour chasser Nicolae Ceausescu du pouvoir. Le nouvel ordre mondial permet désormais d'assortir de considérations éthiques ce qui n'est qu'un retour à la politique du *big stick* (gros bâton) de Theodore Roosevelt.

De février 1989 — relance du processus de paix par Daniel Ortega — à février 1990 — défaite de celui-ci aux élections présidentielles nicaraguayennes — le paysage de la région s'est profondément modifié. La paix semblait pouvoir s'installer au Nicaragua et les pourparlers de paix progresser au Salvador. L'intervention nord-américaine au Panama a été peu ou prou acceptée par la population concernée. L'horizon pourrait donc paraître serein. Rien n'est moins sûr. Il ne serait en effet pas étonnant que des foyers de tension perdurent, voire se développent de manière diffuse dans divers pays. Au Guatémala, l'année 1989 a été marquée par une très forte recrudescence de la violence politique, qu'il s'agisse de celle de la guérilla, qui a repris de manière spectaculaire ses activités après l'échec des pourparlers de paix, ou de celle liée aux groupes d'extrême droite liés à la toute-puissante armée. Au Honduras, le ressentiment de la population à l'égard des dix à douze mille hommes de la *Contra* basés sur son territoire est allé croissant. Ces derniers, dont beaucoup ne sont désormais que de vulgaires mercenaires, n'étaient pas tous enthousiastes à l'idée de rendre leurs armes et de rentrer au Nicaragua. Certains veulent rester au Honduras, d'autres aimeraient régler quelques comptes au Nicaragua, d'autres enfin ont déjà commencé à négocier leurs armes au FMLN. Tout ceci sur fond de développement rapide du trafic de la drogue dans l'ensemble de la région. Commerce des armes, commerce de la drogue... Il se pourrait que la fin apparente des conflits ait pour corollaire la multiplication des foyers de violence diffuse dans la région.

Georges Couffignal

Aux origines de la question caucasienne

Le Caucase, par sa configuration géographique, chaîne de montagnes culminant à plus de 5 000 mètres, et sa situation géopolitique, lieu de passage d'est en ouest et du nord au sud, fut toujours un espace politique tourmenté. Les vallées de la chaîne du Grand Caucase, orientées vers le nord, abritèrent une multitude de peuples fuyant les grandes invasions, dont le lieu de passage se situe immédiatement au nord, entre la Volga et le Don. On parle encore aujourd'hui dans ces vallées une quarantaine de langues d'origines fort diverses. Au sud, dans les plaines du Kura et de l'Araxe, séparées par le massif du Petit Caucase, se trouvent trois grands peuples, les Géorgiens, les Arméniens et les Turcs-Azéris (les deux premiers chrétiens, le troisième musulman), dont les derniers arrivés — les Turcs — sont là depuis près d'un millénaire.

Si cela explique l'absence d'unité politique au long de l'histoire, il faut y ajouter le rôle de marche que joue la région pour les grands empires qui ont occupé successivement le plateau iranien, le plateau anatolien, ou les steppes russes. Dans ces conditions, les Géorgiens, adossés à la chaîne du

Caucase et à la mer Noire, relativement à l'écart des grandes routes, ont préservé leur indépendance jusqu'au début du XIXe siècle, malgré un morcellement interne et une inféodation successive aux puissants du moment. En revanche, les Arméniens, situés à la jonction du plateau anatolien et du plateau iranien, ont servi d'État tampon entre Byzance et ses ennemis de l'Est, Persans ou Arabes, et fini par perdre leur indépendance, dès le XIe siècle. De même, l'invasion turque, peuplant aussi bien l'Anatolie que la basse plaine entre le Kura et l'Araxe, l'actuel Azerbaïdjan soviétique, a placé les Arméniens dans une position inconfortable, source de conflits futurs, qui ne feront pourtant leur apparition qu'avec la montée des nationalismes, au XIXe siècle.

Ottomans, Persans et Russes

Dès le XVIe siècle, le Caucase devint lieu d'affrontement entre Ottomans, Persans et Russes, ces derniers se profilant à l'horizon après la prise d'Astrakhan en 1557. On comptait à l'époque six principautés géorgiennes, soumises tantôt aux Ottomans et tantôt aux Persans, mais aspirant déjà à la protection russe, et une dizaine de khanats musulmans, abritant des populations azéries, arméniennes ou kurdes, sous contrôle iranien, tandis que le nord du Caucase vivait dans un émiettement tribal infini, sous l'influence de la Russie et du khanat tatare de Crimée, lui-même vassal de l'empire Ottoman.

La descente russe vers le Caucase ne commença véritablement qu'après l'absorption par les tsars du khanat de Crimée, en 1783. Les royaumes géorgiens chrétiens seront pacifiquement absorbés pendant la première décennie du XIXe siècle, mais il faudra une série de guerres avec la Perse et la Turquie pour parvenir à l'annexion des khanats musulmans. La conquête russe de la Transcaucasie sera toutefois accomplie pour l'essentiel en 1828, tandis que les tribus du nord du Caucase résisteront bien plus longtemps, jusqu'à la fin des années 1860. Cette conquête du Caucase unifia pour la première fois politiquement cet espace, au prix de la disparition des structures locales du pouvoir. La paix russe amena en même temps les conditions d'un certain développement économique et culturel, lequel à son tour posa les bases de nouvelles revendications nationales.

Le détonateur en fut le mouvement arménien : l'aire d'expansion arménienne dépassait le Caucase russe et plongeait dans les territoires ottomans, et la dispersion arménienne, résultant de la disparition précoce de son indépendance politique (au XIe siècle), avait créé des mélanges inextricables avec les Kurdes et les Turcs en territoire ottoman, avec les Azéris et les Géorgiens en territoire russe. A cela s'ajoutait le fait que les Russes, prompts à appuyer les revendications arméniennes sur le territoire ottoman pour justifier de nouvelles conquêtes (1877, 1914), avaient été beaucoup plus réticents pour favoriser une autonomie arménienne une fois ces territoires passés sous leur juridiction.

La tragédie arménienne de 1915

La révolution russe de 1905 attisa les mouvements nationaux dans le Caucase, ce qui aboutit surtout à des luttes interethniques. La Première Guerre mondiale apparut alors comme l'événement qui devait trancher le nœud gordien. Le mouvement arménien espérait réunir son territoire historique grâce à l'avance russe, tandis que le parti Jeune-Turc, au pouvoir à Istanbul, entendait obtenir la jonction des Turcs d'Anatolie avec ceux d'Azerbaïdjan et — pourquoi pas — avec ceux de l'Asie centrale (Turkmènes, Ouzbeks, Kirghizes, etc.), en faisant sauter le verrou arménien. L'adhésion à cette occasion du mouvement arménien à la cause russe et les difficultés de l'armée tsariste sur le front pendant le premier hiver de la guerre donnèrent au gouvernement Jeune Turc l'occasion et le prétexte de « régler la question » sur son propre territoire en déportant et massacrant les Arméniens (1915). Ceux qui purent s'enfuir vinrent s'entasser dans le Caucase russe, créant une situation explosive. Et quand les Russes finirent par occuper en 1915-1916 la majeure partie du territoire ottoman revendiqué par le mouvement arménien, ils refusèrent d'accorder l'autonomie à une région vidée de sa population arménienne.

Les visées turques

L'effondrement de l'autorité russe au Caucase lors de l'ébranlement révolutionnaire de 1917 fit resurgir l'ensemble des particularités ethniques, aiguisées par la tragédie arménienne, les visées turques et une explosion sociale dans les villes industrielles comme Bakou.

Tandis que, à l'exception de cette dernière ville, le Caucase refusa de se soumettre au pouvoir soviétique, les Turcs jouèrent des conflits ethniques pour y lancer une offensive. Les trois républiques caucasiennes (Géorgie, Azerbaïdjan, Arménie) furent instituées pratiquement sous le diktat turc, espérant ainsi un meilleur traitement. Mais, devant la pression de l'armée turque, la Géorgie se réfugia dans un protectorat allemand, l'Azerbaïdjan s'inféoda complètement aux Turcs, tandis que l'Arménie vivait dans une situation extrêmement précaire. Les Turcs prirent Bakou et leur marche vers le nord du Caucase ne fut arrêtée que par la fin de la Première Guerre mondiale.

Les illusions de la soviétisation

Ils furent aussitôt remplacés par les Britanniques, lesquels, attirés par le pétrole de Bakou, se trouvèrent rapidement pris dans le guêpier. Les mélanges ethniques et les haines réciproques, attisées par la guerre, rendirent impossibles des accords mutuels sur les frontières et insupportables les conditions de vie des minorités dans chaque nouvel État. En même temps, le gouvernement soviétique et le mouvement national turc, qui se développait en Anatolie en réaction au partage de l'empire Ottoman entre les vainqueurs de la guerre, considéraient les gouvernements caucasiens comme des « agents de l'impérialisme ». Ankara œuvrera ainsi activement à la soviétisation de l'Azerbaïdjan en 1920. L'offensive turque contre l'Arménie (septembre 1920), qui essaie de conserver une partie du territoire ottoman conquis pendant la guerre par les Russes, aboutira également à l'instauration du régime soviétique dans cette république. Enfin, les visées turques sur la Géorgie accélèrent l'offensive de l'armée soviétique au début de l'année 1921, accomplissant ainsi la reconquête du Caucase.

Le pouvoir soviétique entendit geler les conflits par un système complexe de frontières et d'autonomies internes, feignant de croire que l'éducation socialiste ferait disparaître les conflits ethniques et le nationalisme. Les problèmes artificiellement « réglés », s'ajoutant à une détérioration économique et à un appauvrissement culturel, n'ont fait qu'aggraver les tensions qui ont éclaté au grand jour à la fin des années quatre-vingt, dès l'affaiblissement du pouvoir central.

Stéphane Yérasimos

La guerre d'Afghanistan après le retrait soviétique

Dans ce conflit déjà décennal, le retrait des troupes soviétiques, achevé le 15 février 1989, n'a pas entraîné la chute du régime de Mohammed Najibullah. Au contraire, les positions des deux camps se sont stabilisées sur le plan militaire. En février 1989, confiant dans l'effrondrement du régime, les *moujahidin* lancèrent une offensive désordonnée sur la ville clef de Jallalabad, pensant qu'elle tomberait de l'intérieur. Après un succès initial (prise de la garnison de Samar Kheyl), l'offensive marqua le pas dès le mois d'avril. Ailleurs dans le pays, les *moujahidin*, qui avaient marqué des points entre les deux phases du retrait soviétique (mai 1988-février 1989), ne purent progresser.

Les raisons de l'échec des *moujahidin* sont d'abord politiques. La convocation d'une assemblée ou *choura* (février 1989) chargée d'élire un gouvernement intérimaire de la résistance afghane revint à entériner l'hégémonie de l'Alliance sunnite formée à Peshawar, récusée aussi bien par les chiites que par nombre de commandants de l'intérieur. La mise en avant des éléments les plus fondamentalistes de la résistance, soutenus par un bataillon de volontaires islamiques venu des pays arabes et qui commirent des atrocités lors du siège de Jallalabad, dissuada nombre de militaires gouvernementaux de passer dans le camp de la résistance.

Mais l'échec fut aussi causé par la stratégie américano-pakistanaise. Convaincus de l'imminence de la chute de Kaboul, l'armée pakistanaise se préoccupa avant tout de mettre en place un gouvernement de *moujahidin* qui lui soit le plus favorable, c'est-à-dire centré sur des éléments les plus radicaux au plan idéologique, et sur les Pachtounes Ghilzays ou de l'Est au plan ethnique. C'est donc Gulbuddin Hekmatyar chef du Hezb-e-Islami qui fut choisi, au détriment des partis plus représentatifs ou des commandants de l'intérieur. Or si Hekmatyar est bien implanté à Peshawar, ses forces militaires en Afghanistan sont assez faibles. Pour éviter que les commandants de *moujahidin* de l'intérieur ne perturbent le jeu, les Pakistanais leur coupèrent tout approvisionnement en armes et les tinrent à l'écart du plan de bataille. Si bien que l'assaut contre Jallalabad fut mené par des troupes venues de Peshawar, mal entraînées et sans commandement de valeur. Dans le même temps, les Américains, également convaincus de l'imminence de la chute de Kaboul et inquiets de voir des stocks d'armes sophistiquées rester aux mains des *moujahidin*, cessèrent toute livraison d'équipements militaires de décembre à juillet 1989. Or les Soviétiques, loin d'abandonner Najibullah, maintinrent un approvisionnement continu en armes, introduisant même des missiles sol-sol SCUD, dont un bon millier furent tirés au cours de l'année 1989 contre les positions des *moujahidin*.

Malgré l'annonce d'une réévaluation de la politique américaine en août 1989 (distribution des armes directement aux commandants de l'intérieur, marginalisation d'Hekmatyar), la situation ne connut pas de grands changements, les Pakistanais s'efforçant toujours de faire d'Hekmatyar la clé de voûte de leur stratégie. Utilisant les connexions tribales et ethniques entre le parti d'Hekmatyar et l'aile radicale du Parti au pouvoir à Kaboul, le Khalq, (faction du Parti démocratique du peuple afghan, PDPA), les services secrets pakistanais mirent sur pied un plan de coup d'État à Kaboul, dirigé par le ministre de la Défense, le général Shah Nawaz Tanaï. Déclenché le 6 mars 1990, ce coup d'État échoua. S.N. Tanaï se réfugia au Pakistan et annonça son passage du côté des *moujahidin*. Mais les deux villes clefs de Jallalabad et de Khost (pourtant fief d'origine de Tanaï) ne tombèrent pas.

L'alliance entre Tanaï et Hekmatyar n'a été que le syndrome d'une évolution plus générale du conflit : la dimension idéologique disparaît en faveur de réalignements ethniques et tribaux. Les combats sont parfois plus violents à l'intérieur de chaque camp (Khalq contre Parcham (autre faction du PDPA) pour le gouvernement, Hezb-e-Islami d'Hekmatyar contre le Jamiat-e-Islami pour les résistants) qu'entre les deux camps, comme l'a montré le massacre par le Hezb d'Hekmatyar, en juillet 1989, de sept commandants dépendant de Massoud.

Olivier Roy

Le conflit sénégalo-mauritanien

La sécheresse était terminée. Il fallait bien qu'un drame d'une autre nature frappe les marches occidentales du Sahel. Depuis avril 1989, c'est chose faite. Un nouveau foyer de tension est né sur les rives du fleuve Sénégal qui, bien qu'il n'ait pas dégénéré en guerre ouverte, ne semble pas près de s'éteindre. Entre la Mauritanie et le Sénégal, les relations sont coupées et les rapports se résument pour l'essentiel à de fréquentes et souvent sanglantes escarmouches tout au long de la vallée.

A la suite d'un conflit entre éleveurs mauritaniens et agriculteurs sénégalais, le 9 avril 1989, qui provoqua mort d'hommes, des émeutes antimaures éclatèrent à Dakar qui provoquèrent en retour des massacres de Sénégalais dans les principales villes mauritaniennes. Une semaine de folie se soldait à Dakar le 27 avril par la mise à mort d'une soixantaine de « beydanes » mauritaniens par une foule déchaînée. Lourd bilan des deux côtés : 200 à 400 morts sénégalais en Mauritanie, plus de soixante victimes mauritaniennes au Sénégal, un exode massif vers leurs pays respectifs des quelque 250 000 Mauritaniens installés au Sénégal où ils étaient spécialisés dans le commerce de détail, et des 100 000 Sénégalais qui jouaient un rôle clef dans certains secteurs de l'économie mauritanienne.

Si la violence des événements d'avril 1989 a surpris plus d'un observateur, on pouvait prévoir l'imminence d'une crise aux origines multiples. Le conflit sénégalo-mauritanien est tout d'abord la conséquence directe des affrontements qui secouent depuis des décennies la société mauritanienne elle-même. État né de la volonté coloniale, et peuplé à la fois de nomades arabo-berbères et de cultivateurs sédentaires noirs concentrés dans la vallée du Sénégal, la Mauritanie a choisi depuis l'indépendance de privilégier sa dimension arabe au détriment de sa composante négro-africaine, provoquant au sein de cette dernière des frustrations d'autant plus graves qu'elle représente depuis le début des années quatre-vingt près de la moitié de la population totale. L'irrigation des terres de la vallée et leur mise en valeur intensive grâce à la construction des deux barrages de Diama et de Manantali ont aggravé l'hostilité latente entre les deux communautés dans la mesure où, grâce à la promulgation par Nouakchott d'une nouvelle loi foncière en 1983, de nombreuses terres appartenant depuis toujours, selon le droit coutumier, aux agriculteurs des deux rives du fleuve ont été redistribuées à de nouveaux propriétaires, tous Maures, le gouvernement mauritanien craignant entre autres que la nouvelle richesse de la vallée ne donne aux Noirs un pouvoir économique leur permettant de revendiquer un traitement moins inégalitaire dans l'appareil d'État et la société. Hégémonie maure doublée de la défense de nouveaux intérêts économiques nés de l'« après-barrages », influence croissante de la composante panarabe au sein du pouvoir à Nouakchott, renforcée par l'ancrage de la Mauritanie au Maghreb, tous les ingrédients d'une crise mauritano-mauritanienne étaient prêts.

D'une crise sénégalo-mauritanienne également, Dakar étant le défenseur traditionnel des populations de la vallée, cherchant à protéger les droits coutumiers de ses ressortissants cultivant les terres de la rive droite du fleuve et à limiter la transhumance des troupeaux mauritaniens en territoire sénégalais. Depuis 1985, le contentieux foncier entre les deux capitales n'a cessé de s'alourdir.

Les massacres d'avril auraient pu les convaincre de tenter de régler leurs différends. Mais, tandis que l'opposition sénégalaise se lançait dans la surenchère, Nouakchott mettait la crise à profit pour tenter de régler la « question noire » en expulsant massivement vers le Sénégal, dans la foulée des rapatriements respectifs, plusieurs dizaines de milliers de Mauritaniens noirs (150 000 selon les organisations internationales). Ensuite, la situation sur le terrain a été explosive : soutenus par les populations sénégalaises, les réfugiés mauritaniens installés dans des conditions précaires sur la rive gauche ont multiplié les coups de main de l'autre côté de la frontière et les accrochages avec les gardes-frontière mauritaniens ne se sont plus comptés. Quant au gouvernement sénégalais, longtemps accusé de faiblesse par son opinion publique, il s'est réclamé d'un décret promulgué en 1933 par la France pour affirmer que la frontière entre les deux pays se situe sur la rive droite du fleuve, le cours d'eau lui-même étant entièrement sénégalais. Nouakchott récuse évidemment cette interprétation.

Aucune des deux parties ne paraît cependant souhaiter une nouvelle explosion. Devant la montée de la tension qui a menacé au début de 1990 de dégénérer en conflit ouvert, les deux capitales ont discrètement repris leurs discussions en janvier sous l'égide de plusieurs médiateurs et, pour la première fois depuis le début du conflit, la volonté de calmer le jeu a semblé gagner du terrain. Mais pour résoudre un différend aux racines profondes, il faudrait que tous les protagonistes veuillent accepter d'apurer les contentieux ; faute de quoi, fragilisés par de graves crises internes, ils risquent d'y épuiser leurs modestes ressources.

Sophie Bessis

Les Baltes, pour l'indépendance

Le 11 mars 1990, une page inédite et extraordinaire de l'histoire de l'URSS s'écrit à Vilnius : le Soviet suprême de Lituanie, élu le 24 février à l'issue de la première consultation réellement démocratique de l'histoire soviétique, proclame l'indépendance de la république, moins de trois mois après que le Parti communiste lituanien a proclamé son indépendance du Parti communiste de l'Union soviétique (PCUS). V. Landsbergis, président du Sajudis (Front populaire), est le nouveau chef d'un État qui renoue avec une tradition rompue par l'annexion de 1940. Les événements vont dès lors se précipiter dans une région considérée comme le « poisson pilote » de la *perestroïka*.

Le 16 mars, Mikhaïl Gorbatchev donne un « délai de trois jours » à la Lituanie pour revenir sur sa décision. Le 17 mars, le nouveau gouvernement lituanien, qui se dit prêt à engager des négociations avec Moscou, lance un « appel aux nations démocratiques » et annonce la mise en place de postes de douane sur ses frontières avec l'Union soviétique.

Le 18 mars, l'Estonie et la Lettonie votent à leur tour, assurant la victoire des forces favorables à l'indépendance. Le 30 mars, le Parlement estonien vote la restauration (*restitutio ad integrum*) de l'indépendance de la république à l'issue d'une « période de transition ».

Le 19 avril, après plusieurs semaines de tractations et d'hésitations, Moscou décrète le blocus de la Lituanie : pétrole, gaz et pièces détachées ne parviennent plus dans une république qui tente désespérément de diversifier ses approvisionnements.

Le 4 mai, le Parlement letton vote à son tour une déclaration restaurant l'indépendance de la Lettonie. Comme en Estonie, elle est assortie d'une « période de transition ». Le 12 mai, les trois présidents des parlements baltes annoncent (par une déclaration commune) la reconstitution du Conseil de la Baltique qui avait été fondé en 1934.

Le 15 mai, 5 000 russophones anti-indépendantistes tentent de s'emparer du Parlement estonien après avoir hissé le drapeau soviétique, tandis qu'à Riga plusieurs centaines de militaires soviétiques manifestent contre le « séparatisme ». Le 16 mai, le Soviet suprême d'Estonie vote un programme d'action et une loi établissant les règles de la période de transition. Malgré la tension, le contact n'a jamais été rompu : Moscou se déclare prêt à lever le blocus en échange de la déclaration par Vilnius d'un « moratoire temporaire de l'acte d'indépendance pendant la période de négociation avec l'Union soviétique ». Le 29 juin, le Soviet suprême de Lituanie se déclare prêt à suspendre pour cent jours sa déclaration d'indépendance dès que débuteront des négociations avec Moscou. Moscou lève ses sanctions économiques.

Deux ans après leur irruption sur le devant de la scène soviétique, les républiques baltes, longtemps réputées pour leur calme et leur pondération, semblaient enfin pouvoir mener à son terme un processus entamé avec la *perestroïka*.

PAYS BALTES

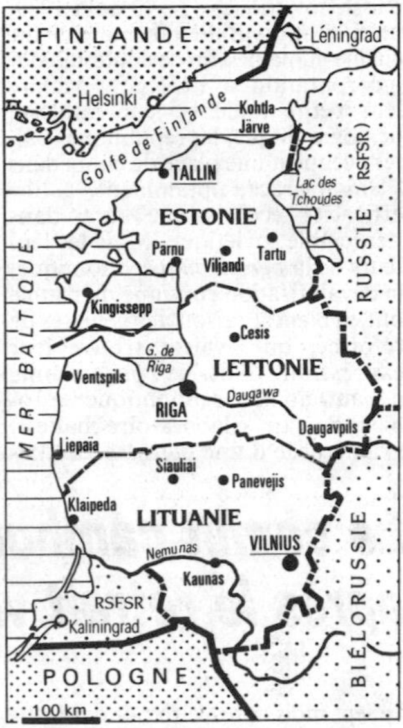

© Éditions La Découverte

A partir de l'automne 1987, l'Estonie, la Lituanie et la Lettonie ont été saisies par un fort bouillonnement où le politique l'a disputé au national. A l'automne 1988, après plusieurs mois d'une préparation intensive, les Fronts populaires de soutien à la *perestroïka* qui rassemblent réformistes du Parti et nationalistes modérés, ont vu le jour. Ils ont bientôt acquis une véritable hégémonie sur des sociétés qui ont pris conscience de leur singularité et de leurs potentialités. Fascinées par une Scandinavie dont elles envient les performances et le niveau de vie, elles ont constaté le retard accumulé depuis leur annexion, en 1940, à la suite du Pacte germano-soviétique.

Elles n'ont dès lors eu de cesse de détruire la base juridique de la domination soviétique, établie en « violation des traités signés en 1920 par la Russie soviétique ». Le 23 août 1989, un million de Baltes formaient une chaîne humaine afin de contester leur incorporation à l'URSS. Malgré leur petite taille et leur faiblesse démographique, les républiques baltes occupent une place de choix dans l'Union grâce, notamment, à une efficacité économique rare dans l'ensemble soviétique. Mais les lenteurs de la *perestroïka* économique, la dévalorisation continue du rouble ont eu bientôt raison des velléités de réforme, qui avaient trouvé leur expression dans le programme d'« autonomie économique estonienne ». Le « laboratoire balte », avant-garde d'une *perestroïka* maîtrisée dans la sphère économique, a vécu. Il a cédé la place à la conviction que seule l'indépendance politique est porteuse de promesses. Mais la Lettonie et l'Estonie doivent faire face à une situation démographique tendue : on comptait, en 1989, 48 % de russophones en Lettonie, 37 % en Estonie (20 % de Russes et de Polonais en Lituanie). Ceux-ci ont manifesté leur inquiétude concernant les conséquences d'une rupture avec l'URSS. Longtemps organisés dans des « interfronts » manipulés par les éléments conservateurs, ils ont cependant semblé relativement mieux accepter l'idée d'indépendance, « synonyme » de sortie de la crise.

Charles Urjewicz

Le conflit cambodgien après le retrait vietnamien

Sept mois après le retrait des troupes vietnamiennes, la situation au Cambodge semblait s'être stabilisée. C'est le constat optimiste que faisait, fin avril 1990, à quelques semaines du début de la saison des pluies — période favorable à la guérilla — le Premier ministre Hun Sen de l'État du Cambodge devant une délégation du Parlement européen. Deux mois plus tard, les Khmers rouges avaient sensiblement progressé, occupant toute une partie du centre du pays.

Un ballon d'oxygène inattendu pour le régime de Phnom Penh est venu de Washington. Le 18 juillet, le secrétaire d'État américain James Baker a en effet annoncé que, pour l'occupation du siège du Cambodge à l'ONU, les États-Unis ne voteraient plus en faveur du gouvernement de coalition présidé par le prince Norodom Sihanouk et dont les Khmers rouges — responsables de la mort d'un million de leurs compatriotes entre 1975 et 1979 — sont la principale force militaire. J. Baker annonça aussi l'octroi d'une aide humanitaire à Phnom Penh et l'ouverture d'un dialogue avec le Vietnam.

Ce tournant diplomatique est venu à point. Près de deux mois après le retrait des forces vietnamiennes du Cambodge (26 septembre 1989), l'armée de Phnom Penh, qui compte 60 000 hommes appuyés par 100 000 membres des milices paysannes, donnait en effet de spectaculaires signes de faiblesse. En novembre, les Khmers rouges s'étaient emparés sans combattre de Pailin, dans l'ouest du pays, et avaient récupéré un important matériel militaire, dont trois chars soviétiques T-54.

Sur leur lancée, ils avaient porté la ligne de front à 25 kilomètres à l'ouest de Battambang, la deuxième ville du pays. Parallèlement, les deux mouvements non communistes de la guérilla — l'Armée nationale sihanoukiste (ANS) et le Front national de libération du peuple khmer (FNLPK) de l'ancien Premier ministre Son Sann — multipliaient les offensives dans le nord-ouest, s'emparant de la ville de Svay Chek et portant des coups sévères aux défenses gouvernementales de Sisophon, ville-verrou entre Battambang et la frontière khméro-thaïlandaise.

Pour la première fois, l'armée cambodgienne était confrontée seule aux redoutables combattants khmers rouges. Depuis l'intervention vietnamienne au Cambodge en janvier 1979, les « Bo Doi » avaient toujours été en première ligne face à la guérilla. Peu à peu, la jeune armée cambodgienne avait été engagée dans des combats, mais toujours encadrée par des officiers vietnamiens. Et, au lendemain de la défaite de Pailin, les experts militaires vietnamiens ont été surpris par le manque de combativité des soldats de Phnom Penh. Après cette chaude alerte, le Premier ministre Hun Sen a procédé à une réorganisation des commandements régionaux, surtout dans l'ouest du pays. Il a été contraint également de transférer une grande partie du dispositif militaire déployé dans l'est vers la frontière khméro-thaïlandaise. Deux mesures qui semblent avoir porté leurs fruits puisque la guérilla a perdu certaines de ses positions conquises immédiatement après le retrait vietnamien. Mais en contre partie, Phnom Penh est confronté à un problème majeur : le coût de cette guerre civile.

Le danger khmer rouge

Pendant les années quatre-vingt, le Vietnam avait pris en charge la quasi-totalité de cette guerre, Phnom Penh recevant par ailleurs une aide matérielle soviétique par le biais du troc. Désormais, le gouvernement cambodgien est obligé d'acheter du matériel militaire. Ce qui, selon Phnom Penh, aurait augmenté de 50 % son budget militaire. Toute la stratégie des Khmers rouges consiste à faire traîner les négociations afin de renforcer leur présence sur le terrain et escompter, dans l'hypothèse d'élections « générales et libres », gagner quelques sièges dans la future Assemblée.

Après l'échec de la conférence de Paris en août 1989, la diplomatie a tenté de reprendre l'initiative à partir du plan australien qui prévoit un rôle déterminant des Nations unies dans le processus de paix et la période de transition devant précéder les élections. Parallèlement, les cinq membres permanents du Conseil de sécurité (Chine, États-Unis, France, Royaume Uni, URSS) ont multiplié les consultations. Un exercice périlleux, dès lors que la Chine, confrontée à ses problèmes intérieurs, traînait des pieds pour aboutir à une solution. D'autant que le conflit cambodgien n'était plus une priorité de la diplomatie soviétique. Les discussions entre le président Mikhaïl Gorbatchev et le Premier ministre chinois Li Peng à Moscou, en avril 1990, n'ont à aucun moment été consacrées au problème cambodgien.

L'accélération d'un processus de paix dépend donc des trois membres occidentaux du Conseil de sécurité et plus spécifiquement des États-Unis. Après avoir adopté un profil bas pendant la conférence de Paris, la diplomatie américaine s'est décidée à jouer un rôle plus actif et à forcer la main à Pékin. Au sein de l'administration américaine, on a pris conscience du danger d'assister, si le conflit se poursuit, à un retour au pouvoir des Khmers rouges, lesquels reçoivent en permanence une aide militaire chinoise. En outre, le président George Bush, qui s'est montré depuis le massacre de la place Tien An Men, le 4 juin 1989, le plus conciliant des dirigeants occidentaux à l'égard des autorités chinoises, a affiché ouvertement sa déception devant la rigidité de Pékin.

Reste, enfin, le rôle du prince Norodom Sihanouk. La prudence de l'ancien chef d'État du Cambodge à reprendre le dialogue avec le Premier ministre Hun Sen, malgré les démarches du gouvernement thaïlandais, risque de le marginaliser.

James Burnet

Le problème des nationalités en Yougoslavie

La Yougoslavie est l'État d'Europe dont la population a la structure nationale la plus composite. Depuis sa création (1918), la vie politique y est dominée par la question des nationalités. Les principaux groupes nationaux y réalisent des concentrations spatiales généralement imparfaites ; de ce fait, les enjeux politiques sont très fortement territorialisés, avec une foule de problèmes de limites, de cohabitation, de minorités locales. Mais aucun de ces groupes n'émerge assez pour assumer durablement un rôle de « grand frère » comparable à ce qu'a été celui des Russes en Union soviétique.

Deux conflits nationaux majeurs affectent l'histoire de la Yougoslavie : entre Serbes et Croates, et entre Serbes et Albanais. Le premier renvoie à la lutte des deux principales nations du pays pour le partage du pouvoir, le second au problème de l'intégration d'un fort groupe non slave annexé malgré lui à la Serbie en 1912. Le conflit serbo-croate domina la vie politique de l'entre-deux-guerres, alors que le royaume de Yougoslavie était gouverné de façon centraliste par une dynastie et un personnel politique serbes et que les Croates luttaient pour l'obtention d'un statut d'autonomie. Hitler l'exploita à son profit en 1941, occupant la Serbie mais satellisant la Croatie, où eurent lieu des pogroms antiserbes.

Détenteurs du pouvoir dans la Yougoslavie libérée, les communistes tentèrent de résoudre la question nationale en donnant à l'État une structure fédérative (six républiques, deux provinces autonomes dans le cadre de la République de Serbie) et en mettant l'accent sur le développement. On attendait de celui-ci, et de la mobilité spatiale qu'il entraîne, une évolution des mentalités et un affaiblissement des particularismes nationaux. Ceux-ci, toutefois, sont demeurés vigoureux, sous-tendant des clivages au sein même de la Ligue des communistes, comme lors de la crise politique de 1971, où la direction de Croatie fut contrainte de démissionner. L'affaiblissement du pouvoir de la Fédération au profit de

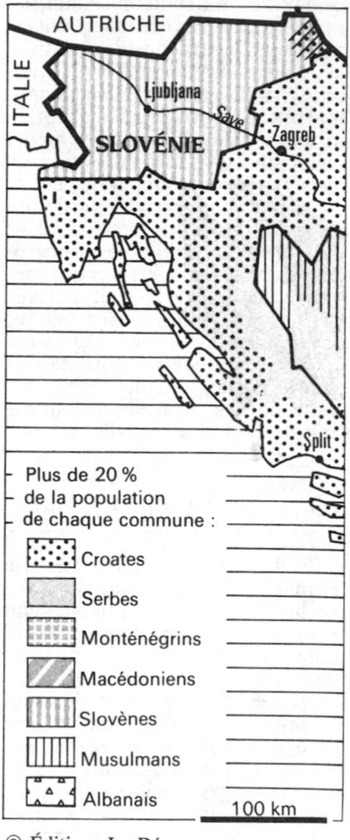

celui des républiques et provinces, inscrit dans l'évolution des institutions mais précipité par la mort de Tito (1980), leur a donné une impulsion nouvelle dans un contexte de crise généralisée. C'est alors que le conflit serbo-albanais vint occuper le devant de la scène.

Les Albanais, majoritaires au Kosovo, avaient déjà réclamé en 1968 la transformation de cette province en une septième république yougoslave. Tito leur avait alors donné en partie satisfaction en accroissant l'autonomie provinciale. Reprise avec plus de force en 1981, cette revendication entraîne cette fois de la part de la Serbie un refus catégorique, suivi d'une répression sévère, au motif qu'il s'agirait d'une entreprise séparatiste inspirée par l'Albanie. Dans les années suivantes, les relations se dégradent au Kosovo entre les Albanais et la minorité serbe et monténégrine, qui se plaint de subir des pressions et émigre. Or, les

LES NATIONALITÉS EN YOUGOSLAVIE

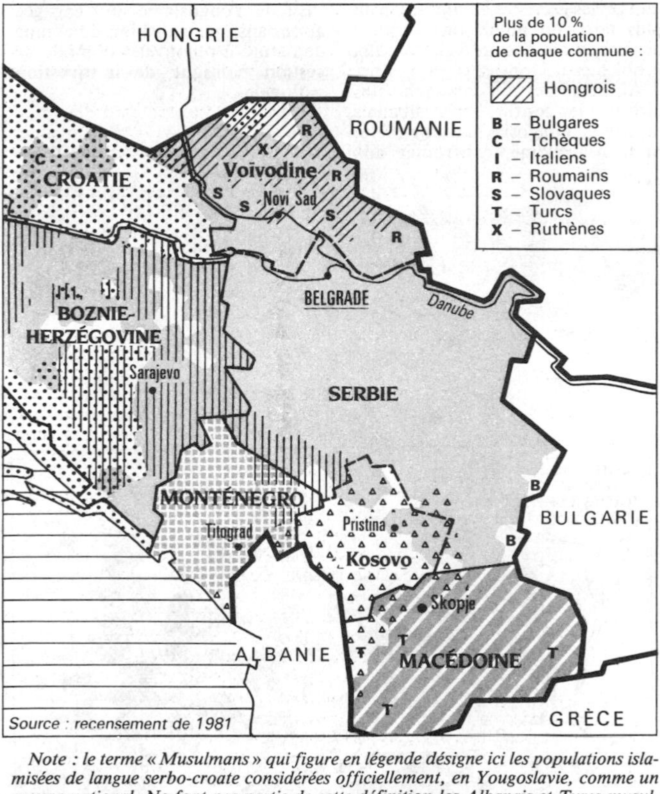

Note : le terme « Musulmans » qui figure en légende désigne ici les populations islamisées de langue serbo-croate considérées officiellement, en Yougoslavie, comme un groupe national. Ne font pas partie de cette définition les Albanais et Turcs musulmans de confession.

Serbes regardent le Kosovo comme le berceau de leur nation : pas question de le laisser aux seuls Albanais !

A l'automne 1987 arrive au pouvoir en Serbie, autour de Slobodan Milošević, une équipe décidée à traiter le problème du Kosovo de façon plus radicale. Les Serbes sont mobilisés, l'été et l'automne 1988, en des rassemblements de masse à tonalité fortement nationaliste, à l'appui d'une politique qui aboutit, au printemps 1989, à l'adoption d'une nouvelle Constitution qui réduit l'autonomie provinciale, tandis que la répression s'abat de nouveau sur les manifestants et les grévistes albanais. Un an plus tard, on notait une certaine détente, mais aucune solution aux problèmes de fond.

Au-delà de ses protagonistes directs, le conflit serbo-albanais affecte la Yougoslavie tout entière. Si la Macédoine, confrontée aux revendications de ses propres Albanais, approuve la politique de la Serbie, la Slovénie s'y oppose, leur conflit allant jusqu'au boycottage économique réciproque et au retrait des Slovènes de la Ligue des communistes de Yougoslavie (janvier 1990). D'autre part, les élections libres organisées, pour la première fois depuis l'avant-guerre, en Slovénie et en Croatie ont donné la victoire à des coalitions de centre-droit après des campagnes électorales dominées par des thématiques nationalistes (avril-mai 1990). Comme d'autres États d'Europe de l'Est, la Yougoslavie s'est engagée ainsi dans une transition de régime de nature à renouveler le mode de gestion politique de la question nationale.

Michel Roux

ORGANISATIONS INTERNATIONALES

JOURNAL DE L'ANNÉE

- 1989 -

8 juin. **Conseil de l'Europe.** Un statut d'« invité spécial » est accordé par l'organisation européenne à l'URSS, la Pologne, la Hongrie et la Yougoslavie.

13-14 juin. **HCR.** La conférence sur les réfugiés d'Asie du Sud-Est, réunie à Genève, préconise le « retour volontaire » des « boat people » vietnamiens mais n'exclut pas le principe du retour forcé.

15 et 18 juin. **CEE.** Élections au Parlement européen : taux d'abstention en hausse, forte poussée des Verts (entrée de Verts français et italiens au Parlement), montée des socialistes (grâce au succès des travaillistes britanniques), renforcement de l'extrême droite (élection de six députés « Republikaner » en RFA).

19 juin. **CNUCED.** Entrée en vigueur du Fonds pour la stabilisation du prix des matières premières, créé en 1980.

14-16 juillet. **G7.** Au quinzième sommet des sept pays très industrialisés à Paris, trois priorités sont fixées : croissance équilibrée, réduction de la dette des pays en développement et sauvegarde de l'environnement. La CEE est chargée de coordonner l'aide occidentale à la Pologne et à la Hongrie.

31 juillet-30 août. **Cambodge.** Conférence internationale (dix-neuf pays participants) de Paris sur le Cambodge : pas de règlement global en vue.

11 août. **OMS.** Rapport alarmant de l'Organisation mondiale de la santé sur la recrudescence du paludisme (100 millions de nouveaux cas chaque année).

26-28 septembre. **FMI-Banque mondiale.** Quarante-quatrième assemblée générale à Washington : le G7 se prononce contre la hausse du dollar et pour le soutien financier à l'Europe de l'Est. Demande réitérée aux banques de négocier des réductions de dette avec les pays en développement dans le cadre du plan Brady de mars 1989. Débat sur l'augmentation du capital du FMI, sans accord final.

9-19 octobre. **Antarctique.** XVe conférence consultative du traité de l'Antarctique à Paris entre partisans et adversaires de l'exploitation des ressources minérales de l'Antarctique [*voir article dans ce même chapitre*].

9-20 octobre. **Environnement.** Interdiction jusqu'en 1992 du commerce de l'ivoire d'éléphant décidée par les 103 signataires de la Convention sur le commerce des espèces menacées à Lausanne (Suisse) [*voir article au chapitre « Environnement »*].

18-22 octobre. **Commonwealth.** Au sommet de Kuala Lumpur (Malaisie), appel au renforcement des sanctions contre l'Afrique du Sud, malgré l'opposition britannique. Margaret Thatcher décidera la levée des sanctions le 20 février 1990 — après la la libération de Nelson Mandela le 11 — malgré l'opposition de ses partenaires européens.

28 octobre. **OEA.** Au « sommet des Amériques » (San José, Costa Rica), le Canada annonce son adhésion à l'Organisation des États américains dont il devient le trente-deuxième membre.

5-7 novembre. **APEC (Coopération économique Asie-Pacifique).** Réunion de douze pays riverains du Pacifique à Canberra. Accord sur le principe d'une coopération économique dans la région Pacifique. La deuxième réunion était prévue à Singapour en juillet 1990 [*voir article dans ce même chapitre*].

6-7 novembre. **Sud-Sud.** A Genève, quinze pays en développement constituent le Groupe au sommet de consultation et de coopération Sud-Sud, chargé d'organiser un sommet économique du tiers monde.

15 novembre. **Conseil de l'Europe.** La Hongrie dépose officiellement sa candidature. D'autres pays de l'Est suivront [*voir article dans ce même chapitre*].

20 novembre. **ONU.** L'Assemblée générale adopte la Convention internationale sur les droits de l'enfant.

30 novembre. **CSCE.** Mikhaïl Gorbatchev propose de réunir en 1990 la CSCE, suite à l'ouverture du Mur de Berlin, le 9 novembre.

3 décembre. **Est-Ouest.** A l'issue du sommet États-Unis-URSS de Malte, George Bush et Mikhaïl Gorbatchev annoncent une «ère nouvelle» dans les relations internationales. Les observateurs considèrent que cette rencontre marque une étape dans l'intégration de l'URSS à la communauté internationale. Elle obtient le statut d'observateur au GATT le 14 mai suivant.

4 décembre. **OTAN/Pacte de Varsovie.** Respectivement à Bruxelles et à Moscou, les deux alliances se prononcent pour le maintien des frontières et des organisations politico-militaires en Europe. Condamnation par le pacte de Varsovie de son intervention militaire en Tchécoslovaquie en 1968.

8-9 décembre. **CEE.** Le sommet européen de Strasbourg fixe à fin 1990 la Conférence intergouvernementale chargée de modifier le traité de Rome pour instaurer l'union économique et monétaire. Adoption du projet de charte sociale, malgré l'opposition britannique sur ces deux points.

15 décembre. **CEE-ACP.** Signature de la IVe convention de Lomé entre les Douze et 68 États ACP (Afrique-Caraïbes-Pacifique) qui entrera en vigueur le 1er mars 1990 pour dix ans et portera l'aide financière de 8,5 à 12 milliards d'écus [*voir article dans ce même chapitre*].

- 1990 -

9-10 janvier. **CAEM.** Réunion, à Sofia, des dix pays membres : pas de dissolution dans l'immédiat, mais étude d'une réforme des structures et du fonctionnement d'ici le sommet de juin 1990.

21-23 janvier. **UMA.** Sommet des cinq États maghrébins, à Tunis. La Tunisie succède au Maroc à la présidence de l'organisation.

12-28 février. **OTAN - Pacte de Varsovie.** Ouverture à Ottawa de négociations sur le projet dit «ciel ouvert», impliquant des contrôles aériens réciproques. Signature de deux accords, l'un sur la réduction des forces conventionnelles en Europe, l'autre sur l'ouverture de négociations sur les aspects internationaux du statut de l'Allemagne.

17 avril. **ONU.** La Namibie, indépendante depuis le 21 mars, devient le 160e membre de l'ONU et le 50e État du Commonwealth.

28 avril. **CEE.** Conseil européen extraordinaire de Dublin : l'union économique et monétaire devra être achevée au 1er janvier 1993, et le Conseil de juin est chargé d'étudier la question d'une seconde conférence intergouvernementale consacrée à l'union politique.

3 mai. **OTAN.** Annonce par le gouvernement américain de l'abandon du projet de modernisation des armes nucléaires à courte portée (les SNF qui avaient divisé l'OTAN en 1989), stationnées en RFA.

5 mai. **«2+4».** Ouverture des négociations sur les «aspects extérieurs» de l'unification allemande à la conférence dite «2+4» : RFA et RDA, et États-Unis, France, Royaume-Uni et URSS. La Pologne est associée aux discussions sur ses frontières. L'URSS réaffirme son refus d'une Allemagne intégrée à l'OTAN et demande un «traité de paix».

6-8 mai. **FMI.** A la réunion de Washington, le groupe des sept grands pays industrialisés s'accorde sur l'augmentation de 50 % des ressources financières du Fonds (de 120 à 180 milliards de dollars), qui entraîne une révision des quotes-parts des États membres : le Japon passe de la cinquième à la deuxième place derrière les États-Unis, *ex aequo* avec la RFA, et le Royaume-Uni quitte la deuxième place pour la cinquième, *ex aequo* avec la France.

29 mai. **BERD.** Signature à Paris du traité constitutif de la Banque européenne pour la reconstruction et le développement de l'Europe de l'Est par les quarante fondateurs : 30 pays européens, États-Unis, Canada, Mexique, Japon, Corée du Sud, Australie, Nouvelle-Zélande, Israël, Égypte, Maroc et deux organisations (la Banque européenne d'investissement et la Commission européenne). Le siège sera à Londres, et le président le Français Jacques Attali. Avec un capital de 70 milliards FF, elle commencera ses prêts en mars 1991.

Véronique Chaumet

Coopération en Asie-Pacifique : l'APEC et les autres...

En 1990, plusieurs pays riverains de l'océan Pacifique ont tenté de se doter d'un nouvel organisme de coopération régional. Réunis en décembre 1989 à Canberra, puis en juillet 1990 à Singapour, les pays de l'ANSEA (Association des nations du Sud-Est asiatique), l'Australie, la Corée du Sud, le Canada, les États-Unis, le Japon et la Nouvelle-Zélande ont donné naissance à l'APEC (Asia Pacific Economic Cooperation/Coopération économique pour l'Asie et le Pacifique).

Née aux forceps grâce à une initiative australienne, l'APEC n'a pu résoudre, lors de sa première année d'existence, ni les contradictions entre ses ambitions originelles et la rapide évolution des données internationales, ni les oppositions entre ses membres fondateurs.

Si l'APEC devait déboucher sur une OCDE du Pacifique, et élaborer une banque de données sur les partenaires commerciaux de la zone, celle-ci devrait-elle être mise à la disposition de pays aux statuts aussi divers que Kiribati et la Nouvelle-Calédonie ? Ou encore tels que la Chine qui a perdu, le 4 juin 1989, son brevet de pays fréquentable avec la répression du « printemps de Pékin » ? Ou que l'URSS, qui dans la zone Asie-Pacifique, ne l'a pas encore tout à fait conquis ?

A la mi-1990, plusieurs des fondateurs cherchaient encore à donner à l'APEC le profil correspondant le mieux à leurs besoins et ambitions. La disparité de leurs situations rendait peu crédible la constitution à terme d'un bloc commercial homogène et éventuellement protectionniste dans la zone Asie-Pacifique, cherchant à se placer en concurrente des marchés uniques américano-canadien et européen.

L'initiative ayant été australienne, on ne peut soupçonner l'APEC d'être l'aboutissement du vieux projet américain visant à disposer, sous contrôle de Washington — ou plus probablement de Los Angeles ou Honolulu —, d'un outil de coopération économique régionale unique. Toutefois les États-Unis ont tenté d'être... « plus égaux que les autres », dans une zone géographique où ils jouissent d'une complète suprématie stratégique, et connaissent de vives tensions commerciales avec le Japon. Ce dernier a cherché au contraire à se faire le plus discret possible dans les textes formels afin d'être plus présent et plus efficace dans les alliances industrielles et financières.

L'Australie a été sans doute plus « sincère » dans sa démarche, cherchant à se placer à l'exacte pointe du triangle entre l'Asie développée et l'allié américain. Enfin, les États de l'ANSEA ont été placés face à une délicate contradiction : soit ils se décidaient à être « dedans », et ne pouvaient faire preuve d'activisme sans risque de se vider eux-mêmes de leur substance ; soit ils se maintenaient à l'écart et laissaient se développer sans contrôle un organisme en définitive concurrent du leur.

Le multilatéralisme, un credo minimal

Courant 1990, il paraissait donc audacieux de préjuger de l'avenir de cette nouvelle organisation. Le credo minimal de l'APEC pouvait cependant être compris comme favorable au multilatéralisme, désireux d'abaisser les barrières douanières, et voulant mettre sur pied une coopération inter-régionale dans les domaines des transports, de l'environnement, des communications et du commerce. En revanche, il était clair que l'APEC, contrairement à certaines perceptions régionales, ne ferait pas double emploi avec les autres organismes lui préexistant à l'exception de l'ANSEA. Ceux-ci étaient alors au nombre de quatre.

Dans le Pacifique nord (pour nord de l'équateur), le *Conseil économique du bassin Pacifique* (PBEC) — créé en 1967 à San Francisco par des hommes d'affaires du secteur privé — dont l'objectif initial (qui s'est remarquablement concrétisé au cours des années soixante-dix et quatre-vingt) était de constituer un groupe de pression régional — un lobby; la *Conférence de coordination économique du Pacifique* (PECC) créée en 1980 à l'initiative du Japon et de l'Australie, organe de concertation et de réflexion permettant aux représentants des États de la région, tout comme aux milieux d'affaires et universitaires, et aux réseaux bancaires, de se rencontrer, de rechercher et de diffuser de l'information sur la région, et de transmettre des recommandations à leurs gouvernements respectifs. Sur proposition de Canberra, un secrétariat permanent a été établi en juin 1990 à Singapour.

Pour le Pacifique sud, la *Commission du Pacifique sud* (CPS) a été créée le 6 février 1947, à l'initiative du Royaume-Uni, par les six puissances de tutelle de l'époque — Australie, États-Unis, France, Royaume-Uni, Nouvelle-Zélande et Pays-Bas. L'accession à l'indépendance des territoires britanniques allait grossir le nombre des membres de la CPS. Très apolitique, ou plus précisément très technique, la CPS a financé et géré des programmes d'aide.

Efficace, plutôt de bonne réputation dans la région, bien que très lourde dans son fonctionnement, la CPS a cependant commis une erreur en acceptant que les fonds d'aide en provenance de la CEE — FED (Fonds européen de développement), convention Lomé III, puis Lomé IV — transitent et soient gérés par l'organe économique du *Forum du Pacifique*. Ce dernier a été créé en août 1971, pour répondre au désir des États insulaires indépendants — y compris l'Australie et la Nouvelle-Zélande — de se doter d'un organe proprement politique, pouvant se faire entendre sur la scène internationale.

La France a bien contre son gré joué un rôle majeur dans la gestation et la cohésion du Forum. Tant grâce à la permanence de ses essais nucléaires en Polynésie que par la légèreté avec laquelle la question calédonienne a été gérée de 1979 à avril 1988, elle a servi de bouc émissaire aux États membres du Forum, leur fournissant un dénominateur commun. Les États membres ont semblé se tourner depuis vers un adversaire à la fois omniprésent et déstabilisateur : la pauvreté.

Jean-Christophe Victor

De nouvelles ambitions pour le Conseil de l'Europe?

Fin du grand sommeil? Ou spasme de l'agonisant? Le Conseil de l'Europe, « cette institution qui dort au bord du Rhin » comme disait le général de Gaulle, s'est réveillé en 1990, à la faveur du printemps de l'Est. Siège d'une activité qu'elle n'avait pas connue depuis sa création, cette quadragénaire a accueilli au fil des semaines les « démocraties populaires » en rupture de ban. Et sa secrétaire générale, la Française Catherine Lalumière, a émis le souhait d'en faire le principal pilier de la « confédération européenne » évoquée par le président français, François Mitterrand, lors de son allocution de la Saint-Sylvestre 1989. Mais la concurrence entre organisations est vive et l'issue du débat sur les rôles respectifs des États-Unis et de l'URSS, bien incertaine.

Fille de la guerre froide — sa naissance, le 5 mai 1949 à Berlin, se produit six jours avant la fin du blocus de la capitale du Reich —, l'Assemblée des 23 pays de l'Europe occidentale doit sa renaissance à la détente venue de l'Est. En 1987, Mikhaïl Gorbatchev avait fait sensation en faisant connaître discrètement son souhait d'être invité à une session du Conseil de l'Europe. La même année, le général-président polonais Jaruzelski parlait d'une paneuropéanisation du Conseil. Cependant, ce n'est que depuis l'été 1989 que le véritable virage a été négocié.

Six juillet. Devant les députés des « 23 », le président de l'Union soviétique annonce la fin de la « doctrine Brejnev » (qui donnait à Moscou un droit de regard sur la conduite des « pays frères ») et envisage que la « maison commune » [de l'Europe] soit construite à Strasbourg. Septembre. Des parlementaires de Hongrie, de Pologne, d'URSS et de Yougoslavie sont admis de manière permanente dans l'hémicycle du Conseil au titre d'« observateurs ». Seize novembre. La Hongrie dépose une demande officielle d'adhésion, ouvrant ainsi la voie à la Pologne, la Yougoslavie et la Bulgarie, qui font acte de candidature dans les semaines qui suivent.

Selon toute vraisemblance, Budapest allait rejoindre les « 23 » avant la fin de l'année 1990.

Mais la nouvelle architecture qui permettra à l'Europe d'éviter de se dissoudre à nouveau dans des conflits peut tout aussi bien être bâtie sur les fondations de la CSCE (Conférence sur la sécurité et la coopération en Europe) ou celles, plus étroites mais aussi plus solides, de la CEE. Choisir la première c'est retenir le critère de l'exhaustivité : à la mi-1990, tous les pays européens, à l'exception de l'Albanie, y sont représentés et débattent de sujets aussi divers que la sécurité, les droits de l'homme ou la coopération économique. S'arrêter sur la seconde, c'est miser sur l'expérience la plus aboutie d'intégration économique et politique.

Chaque solution a ses inconvénients. Pour pouvoir incarner le socle de la future « maison européenne », la CSCE — organisation occidentale dont sont membres l'URSS mais également les États-Unis et le Canada — devrait créer en son sein un môle strictement européen. A l'opposé, l'adhésion rapide de nouveaux États membres pourrait mettre en péril la cohésion de la Communauté européenne. Ces deux institutions ont toutefois le mérite d'avoir acquis du poids quand le Conseil de l'Europe acceptait de réduire ses prétentions.

Décidés à se faire une place au soleil entre ces deux monstres sacrés, les responsables du Conseil ont proposé en mars 1990 une nouvelle répartition des tâches. A eux, la « troisième corbeille » de la CSCE, autrement dit la dimension politique, juridique et culturelle ; à la CEE, la « deuxième corbeille », c'est-à-dire la coopération économique ; à la maison mère, enfin, la responsabilité suprême, la sécurité. Mais tout le monde ne l'entendait pas de cette oreille.

Roland Dumas, le ministre français des Affaires étrangères, s'est dit « réservé ». « La CSCE a prouvé son utilité et il est bon que le désarmement, les mesures économiques et les droits de l'homme aillent de pair », a-t-il expliqué. De son côté, Jacques Delors, le président de la Commission européenne, a renvoyé dos à dos ses deux rivaux. « Je note qu'il demeure bien des divergences sur le

Sont membres du Conseil de l'Europe : les douze membres de la CEE, les pays de l'Association européenne de libre-échange (AELE : Autriche, Finlande, Islande, Norvège, Suède, Suisse), Chypre, le Liechtenstein, Malte, Saint-Marin et la Turquie.

rôle que pourrait jouer la CSCE, dans le domaine du désarmement comme dans d'autres», a-t-il commenté, avant de souligner que le Conseil de l'Europe était avant tout le «gardien des valeurs démocratiques».

Le baiser du prince Gorbatchev a réveillé la belle au Rhin dormant. Celle-ci se pique désormais de connaître un destin glorieux. Mais elle devra compter avec les quenouilles que ne manqueront pas de lui glisser ses rivales.

François Féron

Convention de Lomé, le temps des bilans

Signée le 15 décembre 1989, la nouvelle convention de Lomé (Lomé IV) est entrée en vigueur le 1er mars 1990. Prévue pour une durée deux fois plus longue que les précédentes (dix ans au lieu de cinq), elle régira jusqu'à la fin du siècle les rapports de la CEE avec 69 États ACP (Afrique, Caraïbes, Pacifique) parmi lesquels trois nouveaux signataires : Haïti, la République dominicaine, la Namibie. Une telle réaffirmation de l'attention privilégiée des Douze envers des pays, africains pour la plupart, parmi les plus pauvres de la planète a représenté une note positive dans le marasme ambiant des relations Nord-Sud. Non seulement le dispositif instauré vingt-cinq ans plus tôt, à l'initiative de la France, pour préserver les liens particuliers entre anciennes métropoles et anciennes colonies a été régulièrement reconduit mais il s'est perfectionné pour se poser en modèle «exemplaire» de dialogue entre pays riches et pays pauvres.

Le système de Lomé présente, en effet, l'originalité d'être établi sur une base contractuelle, négociée pour une longue durée, dans un cadre juridique mis en œuvre par des institutions spécifiques. Il représente surtout une combinaison unique de divers instruments d'aide au développement : aide financière et préférences commerciales, mais aussi système de stabilisation des recettes d'exportation des produits de base (Stabex), d'encouragement à la production minière (Sysmin), de soutien aux politiques sectorielles.

Les dispositions de Lomé IV

L'enveloppe financière de Lomé IV est en augmentation de 40 % par rapport à celle de Lomé III : 12 milliards d'écus (84 milliards FF) d'aide globale pour les cinq premières années, contre 8,5 milliards d'écus (environ 60 milliards FF) précédemment. La somme est moins élevée que celle réclamée par les ACP (15,5 milliards d'écus) mais, contrairement à ce qu'auraient souhaité les Pays-Bas et le Royaume Uni, elle représente plus qu'un simple rattrapage de l'inflation. Les fonds du Stabex sont passés de 960 milliards d'écus (6,4 milliards FF) à 1,5 milliard (10,5 milliards FF), les aides allouées dans ce cadre ne seront plus remboursables. Par ailleurs, quelques améliorations ont été apportées pour faciliter l'accès au marché communautaire des produits en provenance des ACP (préférences tarifaires étendues à de nouvelles denrées, assouplissement de la règle dite «d'origine» fixant un taux élevé de contenu local dans la valeur ajoutée du produit exporté).

Compte tenu de ces progrès, comment expliquer la morosité entourant Lomé IV ? En réalité, chacun le sait, la marginalisation croissante des pays ACP dans le commerce international, la stagnation de leurs revenus par tête (sauf rares exceptions — Île Maurice, Ghana), la dégradation de leur situation alimentaire, sanitaire, politique, sont des défis que l'aide communautaire est impuissante à relever. Faute de savoir, pouvoir, vouloir innover, la Communauté a reconduit les mécanismes existants, les a améliorés à la marge, en a augmenté les volumes financiers. Mais la question de l'efficacité des instruments de Lomé est posée.

La grande nouveauté de Lomé IV devait être l'engagement de la CEE dans les politiques d'ajustement structurel (réorganisation des politiques économiques des États aidés). Le faible montant des crédits consacrés à cette nouvelle orientation (1,15 milliard d'Écu au lieu des 2 milliards considérés comme un minimum par la Commission) lui donnera peu de moyens pour accompagner les programmes définis par la Banque mondiale et le Fonds monétaire international.

Le souci de contribuer à des réformes macro-économiques se marque surtout dans la nouvelle *conditionnalité* liée au Stabex. Depuis 1987, celui-ci s'avère insuffisant pour enrayer les effets de la baisse des cours des produits de base et compenser les recettes d'exportation des ACP en direction de la CEE. Or rien ne laisse prévoir un redressement significatif du cours des matières premières tropicales.

Souvent, par le passé, les fonds du Stabex alloués sans conditionnalité ni contrôle servaient à reconstituer des capacités de production et d'investissement dans le secteur même où les cours étaient déprimés, contribuant ainsi à accroître la crise de surproduction. Lomé IV a prévu désormais une utilisation contrôlée des fonds, dirigés en priorité vers la restructuration du secteur agricole, la diversification de la production et des exportations.

Limites et contradictions

Mais comment y parvenir ? La procédure PMDT (Production, mise en marché, diversification et transport) est encore un concept plus qu'une réalité. En admettant que les engagements soient tenus et que le Stabex serve à rationaliser le secteur primaire et à dégager des moyens d'investissement dans des secteurs d'activité en aval des produits de base, sur quels marchés écouler les nouvelles productions agricoles ou les produits transformés ? Les productions africaines ne sont pas compétitives sur le marché mondial et le marché communautaire, contrairement à ce que l'on dit, reste un marché protégé. L'agro-industrie européenne n'encourage pas, c'est le moins qu'on puisse dire, la transformation sur place de produits agricoles pouvant lui faire concurrence. Sur le plan commercial, les pays ACP n'ont pas obtenu les concessions substantielles demandées. Quant aux préférences dont ils disposent, elles tendent à disparaître dans une libéralisation généralisée orchestrée par le GATT (Accord général sur les tarifs douaniers et le commerce). Comment, dans ces conditions, considérer avec optimisme la promotion de leurs exportations ?

La coopération « exemplaire » a rencontré ses limites et montré ses contradictions. La Communauté tient ses engagements pour ne pas avoir honte de ne pas l'avoir fait mais ses industriels et ses opérateurs privés regardent ailleurs. Placée sous le signe de l'aide publique, Lomé IV est une manifestation, sans illusions.

Marie-Claude Smouts

MÉDIAS ET COMMUNICATION

Vidéoway, une télévision interactive au Canada

On peut qualifier d'interactivité aussi bien la relation qui s'établit entre un appareil vidéodisque au laser et son utilisateur que l'action du téléspectateur qui communique *via* son minitel à une station de télévision pour exprimer sa préférence quant au déroulement de l'intrigue d'un prochain épisode comme c'est le cas avec l'émission française *Salut les homards*. En janvier 1990, c'est une technologie intermédiaire entre ces deux niveaux d'interactivité qui a été proposée aux téléspectateurs canadiens.

Propriété du deuxième plus important câblodistributeur canadien, le groupe Vidéotron, la télévision interactive (TVI) est commercialisée sous le nom *Vidéoway* et utilise le câble coaxial. Après trois mois, la TVI se retrouvait dans près de 20 000 foyers et connaissait un rythme de croissance remarqué : plus d'un millier d'appareils par semaine.

Vidéoway se présente comme le premier système de télévision véritablement commercial diffusant des émissions expressément conçues et développées pour être écoutées en mode interactif. Toutefois, *Vidéoway* se démarque de ses prédécesseurs par l'utilisation personnalisée des contenus interactifs qu'il soumet à ses usagers. Cette individualisation est rendue possible par le biais d'un terminal domestique relié au réseau de câblodistribution et sur lequel l'abonné opère au moyen d'une télécommande spéciale.

A l'instar des services de vidéotex comme le minitel en France ou Alex au Canada qui constituent de larges banques de données, *Vidéoway* contient vingt-quatre familles de services télématiques auxquels l'abonné a accès en tout temps (jeux vidéo, météo, Bourse...). Tous ces services sont offerts sans frais d'utilisation, à l'exception des messageries électroniques qui font l'objet d'une tarification à la pièce. Ce qui rend *Vidéoway* unique, c'est son intégration, sous un même système, des services télématiques, de la télévision payante et d'un canal entièrement réservé à la diffusion d'émissions interactives. Le système *Vidéoway* est disponible à un tarif mensuel fixé de 18,95 dollars qui s'ajoute aux frais d'abonnement du câble.

La programmation en TVI y tient l'antenne tous les jours, de 10 heures à 22 h 30. A l'exception de quelques émissions en langue anglaise qui ont été produites aux États-Unis, toutes les émissions interactives sont réalisées à Montréal. Pour la saison 1989-1990, on y trouve des émissions produites tant pour les enfants, les adolescents que les adultes. La grille de programmation est composée d'émissions pré-enregistrées dans lesquelles le téléacteur peut choisir parmi un maximum de quatre déroulements distincts ; d'émissions en direct converties en mode interactif ; ainsi que de couverture en direct d'événements spéciaux. Le défi pour les architectes de la TVI est de trouver la juste équation entre des émissions interactives de facture originale et des émissions déjà connues du public mais adaptées au mode interactif.

Les médias nord-américains ont été très réceptifs à la présentation du premier match de hockey interactif en février 1990. Au moyen de quatre touches, le téléspectateur peut soit suivre le match en version régulière, soit isoler un joueur adverse, soit suivre un joueur local ou encore revoir, à sa convenance, le dernier jeu en reprise.

Au mois de mars 1990, la TVI a inauguré la présentation quotidienne du bulletin d'information de début de soirée en version interactive; le « téléacteur » peut se confectionner un bulletin d'information personnalisé. En plus du déroulement normal des informations, il peut choisir entre trois autres possibilités, à savoir un reportage approfondi sur une des nouvelles présentées dans le premier segment, ou une « entrevue du jour » avec une personnalité qui occupe les manchettes, ou encore un résumé des informations. La TVI s'est également engagée dans la diffusion de certains grands événements de type gala. C'est ainsi que les téléacteurs ont pu faire l'expérience de la remise des Oscars à Hollywood en mode interactif...

Malgré l'engouement initial du public montréalais à l'égard de *Vidéoway*, plusieurs observateurs font montre d'un prudent optimisme. Néanmoins un fait demeure indéniable : l'arrivée de l'interactivité engendre une profonde mutation au sein d'un des fiefs technologiques les plus communs de notre époque, la télévision. Il reste à voir jusqu'à quel point le téléspectateur souhaite s'impliquer activement dans son expérience télévisuelle.

André H. Caron
Pierre C. Bélanger

Câble : la diversité européenne

Si le câble existe dans à peu près tous les pays européens depuis le début des années soixante, son développement n'a pas emprunté partout le même modèle. La diversité des langages, des cultures et des traditions s'ajoute à la diversité politique des puissances européennes. L'environnement social et politique d'un pays est une clé de la compréhension des médias : c'est pourquoi le câble, comme avant lui la télévision, a vu son développement fortement marqué par les particularités nationales.

Taux de pénétration (en % des foyers TV)

	1986	1987	1988
RFA	9,4	13	18
France	0,15	0,45	0,5
R-U	0,9	1,2	1,3
Belgique	84	88,5	89
Pays-Bas	60	65	70
Irlande	27	28	31

Source : BIPE

Un premier modèle, la câblodiffusion. Une forte pratique de câblage existe depuis le début des années quatre-vingt aux Pays-Bas, en Belgique et en Irlande. Le petit nombre des télévisions nationales et le fait que dans ces pays coexistent plusieurs communautés linguistiques ont rendu les téléspectateurs sensibles à une extension de l'offre télévisuelle, extension qui trouve sa source dans les télévisions étrangères de mêmes langues.

L'autre modèle, la câblodistribution. La France, la Grande-Bretagne et la RFA, dont les configurations diffèrent des pays cités plus haut à la fois par la taille, le nombre de chaînes nationales et l'unicité de la langue officielle, ont connu un développement du câble beaucoup plus tardif. L'enjeu prioritaire de celui-ci n'était pas de diversifier un paysage audiovisuel trop restreint, mais de proposer un média nouveau, précurseur des services à domicile. Le développement réussi de la RFA

(2 millions d'abonnés dès 1986) contraste avec l'échec observé en France et en Grande-Bretagne. La concurrence du satellite au Royaume-Uni, et la relative saturation du paysage hertzien français s'ajoutent à l'absence d'une image forte et d'une spécificité des programmes. Une telle offre n'existe pas, et ce en raison d'un processus de décision complexe (erreur de positionnement initial, dissociation des fonctions d'opérateur technique et d'opérateur commercial) qui a provoqué un phénomène de frustration des différents acteurs.

L'Espagne et l'Italie sont des cas particuliers. Le câble est inexistant en Italie. Le phénomène est lié à une déréglementation anarchique de l'audiovisuel qui n'a pas laissé de place au câble. Les vidéocommunications andalouses, versions pirates du câble, sont nées des quartiers et ont profité d'un vide juridique pour s'imposer sur le marché de la communication à domicile.

Les particularités de chaque pays se manifestent aussi dans l'industrie du câble. On distingue néanmoins deux blocs d'où émergent deux métiers.

Deux races d'opérateurs

On peut classer les opérateurs du câble en deux groupes. Les premiers, qu'on appellera les câblodiffuseurs, proposent un service unique dans lequel on trouve les chaînes nationales et les chaînes étrangères de même langue (certaines chaînes françaises sont diffusées sur le câble en Belgique) ; la plupart de ces chaînes sont généralistes. Ainsi, ces opérateurs n'ont pas amorcé de véritable révolution médiatique : le câble n'apporte pas de nouveaux contenus. Le téléspectateur ne choisit pas un service mais adopte le mode de réception qui est le plus adapté à l'organisation audiovisuelle de son pays.

Si, en apparence, la situation semble la même (mêmes procédés techniques, abonnement pour un groupe de programme), la câblodistribution procède de concepts très différents. Il ne s'agit pas en France ou en Allemagne de suppléer à une offre nationale insuffisante, mais de mettre en œuvre un nouveau média tant du point de vue des contenus qu'il véhicule que du mode de consommation qu'il suppose. L'offre du câblodistributeur est de proposer un choix de programmes multiples qui comprend des chaînes de langues étrangères, des chaînes thématiques et des chaînes à péage. Les abonnements peuvent être multiples : antenne, basique, thématique, européen... On assiste donc dans ces pays à l'émergence d'une nouvelle offre télévisuelle qui est l'émanation des groupes de communications existants et de ceux qui ont opéré une diversification dans le câble, le plus souvent des deux. La principale nouveauté se trouve ainsi, en France, du côté des chaînes thématiques (*Planète*, *T V Sport*, *Ciné Folies*...) et des chaînes à péage (*Canal Enfants*, *Sports 2/3*...) qui sont, en 1990, à l'état de projet. Comparés aux monstres économiques qui les accouchent, ces chaînes sont « minces » économiquement mais elles stimulent la production et surtout préparent le téléspectateur à l'offre audiovisuelle de demain.

Les révolutions médiatiques sont longues à réaliser et nécessitent des marchés de plus en plus grands : les nouvelles générations de contenus qui font appel au financement du téléspectateur ont besoin de larges territoires. A l'horizon 1995, 34 millions de foyers (sur 134 en Europe de l'Ouest) devraient être abonnés au câble. Il existera alors réellement un marché pour des contenus et des services nouveaux.

Sylvain Flanagan

Gazeta, premier en date des quotidiens indépendants à l'Est

La décision de créer *Gazeta Wyborcza* (La Gazette électorale), un quotidien d'information indépendant, fut prise lors des négociations de la « table ronde » en février 1989 entre le gouvernement du général Jaruzelski et l'opposition polonaise. Selon ces accords, le journal, fonctionnant initialement comme organe de l'opposition pendant la campagne électorale en vue des élections du 5 juin 1989 au Parlement se transformerait par la suite en un quotidien « normal ». Ainsi donc, paradoxalement, c'est le gouvernement qui allait devoir fournir le papier et les moyens techniques pour que *Gazeta* puisse paraître tous les jours.

Le premier numéro parut le 8 mai 1989, après un délai-record de préparation (trois semaines), et avec des moyens on ne peut plus modestes — la rédaction démarra dans une ancienne crèche délabrée avec une seule ligne téléphonique...

C'est Adam Michnik, historien, l'une des figures de proue de l'opposition polonaise, qui devint rédacteur en chef, avec l'accord officiel de Lech Walesa. Quant aux autres membres de la rédaction (et notamment Helena Luczywo, rédacteur en chef adjoint), la plupart venait de *Tygodnik Mazowsze* (L'Hebdomadaire de Mazovie), publication clandestine la plus populaire et la plus importante parmi les nombreux titres de la presse polonaise indépendante entre 1982 et 1989. L'équipe de *Gazeta* a su attirer tant les jeunes journalistes débutants, que nombre d'auteurs connus qui travaillaient avant « le grand tournant » dans les journaux officiels.

Le tirage du journal, allant jusqu'à 500 000 exemplaires, s'est stabilisé après la mise en œuvre de la réforme économique en janvier 1990 (qui a fait sensiblement augmenter le prix du numéro) autour de 100 000 exemplaires (selon les responsables du journal, cela correspond facilement à quatre fois plus de lecteurs). *Gazeta* paraît le matin, six fois par semaine, au format tabloïd, sur huit pages, avec un supplément culturel du week-end, et un supplément économique le jeudi. Le quotidien, distribué dans cinq villes, publie, depuis février 1990, une édition en anglais (*Gazeta International*), une sorte de *Readers Digest* de la semaine.

Dès le départ, le principal souci de l'équipe du journal a été d'assurer son indépendance de toute pression politique ou financière. C'est dans cette optique qu'une société privée (Agora) fut créée, avec un partenariat limité à trois actionnaires (Zbigniew Bujak, leader syndical de Varsovie, Aleksander Paszynski, journaliste, devenu depuis ministre du Logement, et Andrzej Wajda, le célèbre metteur en scène, élu député lors des dernières élections). Dans ce contexte, il est utile de signaler que *Gazeta* vit de ses ventes et, de plus en plus, de la publicité, qui représentait, au début de 1990, 25 % de ses recettes. Deux exemples de cette « liberté d'esprit » de *Gazeta* : sa prise de position lors du conflit du carmel d'Auschwitz, qui s'est clairement démarquée de celle de l'Église polonaise [*voir au chapitre « Religions et sociétés »*] et, plus tard, l'accent mis sur l'intolérance de la population et des autorités locales face aux malades atteints par le SIDA.

Il est évident, du fait de ses origines, que les sympathies des rédacteurs de *Gazeta* vont au syndicat Solidarité (son sigle figure toujours à côté du titre du journal mais L. Walesa a contesté le fait en juin 1989, dans le contexte de la campagne électorale qu'il avait engagée), et reflètent les idées du Club civique au Parlement (OKP, le groupe de députés de « Solidarité » présidé par Bronislaw Geremek, et dont A. Michnik fait partie), mais le journal s'est donné pour tâche première d'informer plutôt que de se satisfaire d'exercer une influence sur ses lecteurs. C'est un objectif qui n'était guère évident. En effet, il faut avoir à l'esprit cette banale vérité : pendant plus de quarante ans, chaque journal en Pologne était soumis à la censure, et l'« information objective » n'existait pas. Le lecteur s'est habitué à décoder la langue de bois et à lire entre les lignes.

Gazeta, c'est d'abord la restitution et la réhabilitation, dans la presse polonaise, du rôle de l'information en tant que telle, sans commentaires. Cela implique un style d'écriture — rapide, nerveux —, le choix des titres qui attirent tout de suite l'œil du lecteur (fréquents jeux de mots), le rapport direct avec l'actualité. Bref, tout ce qu'il faut pour faire un quotidien populaire, moderne (malgré un niveau technique déplorable), mais sans toutefois une analyse approfondie des événements.

Sans vouloir donner une image trop idyllique (les critiques sont fréquentes, notamment sur la qualité et la lenteur des informations venant de l'étranger), force est de constater que *Gazeta*, en un laps de temps très court, est devenu la « lecture obligatoire » tant pour l'ouvrier que pour l'intellectuel polonais. Ceci n'est pas rien pour un « jeune » journal paraissant dans un pays en pleine mutation.

Agnieszka Grudzinska

ÉDUCATION ET CULTURE

La Seconde Guerre mondiale dans les manuels scolaires japonais

Au théâtre de la mémoire nippone les certitudes sont ombres légères et l'écriture de l'histoire semble être une chose bien trop sérieuse pour être laissée aux seuls historiens. Aussi, l'amnésie d'une mémoire devenue trop encombrante est fréquente. Voilà plus d'un siècle que l'Inspection — l'*imprimatur* — exerce son droit de censure sur les manuels scolaires. L'effondrement de l'empire en 1945 avait fait, un temps, espérer la liquidation de cette mesure. Il n'en a rien été. Après le retournement idéologique dicté par les États-Unis en 1949, ce fut l'escalade dans la police des idées. La procédure d'admission des manuscrits est complexe, longue, coûteuse et biaisée par la présence parmi les inspecteurs d'anciens thuriféraires du régime défunt et même d'un honorable criminel de guerre ayant assumé de très graves responsabilités.

On parle au Japon de version légitimiste de l'histoire. En effet, la mythologie des manuels d'enseignement du primaire et du secondaire en constitue une source éclairante. La Seconde Guerre mondiale est à cet égard exemplaire. Son point de départ est à lui seul sujet à controverse. Dans certains manuels on s'en tient comme date d'entrée en guerre du Japon au 8 décembre 1941 à Pearl Harbor, ce qui permet d'effacer les opérations antérieures menées depuis une dizaine d'années.

La guerre de « Quinze Ans », la « guerre Sainte », a réellement commencé en septembre 1931 avec l'« incident » de Mandchourie : le Japon, responsable de l'explosion d'un tronçon du chemin de fer sud-mandchourien, en avait accusé les Chinois, ce qui attisa le ressentiment tant à l'intérieur qu'à l'extérieur du pays. Le Japon avait en effet mis en œuvre, à partir des années trente, une stratégie d'expansion et de conquête militaires visant à dominer l'Asie. En 1932, il annexa la Mandchourie en créant un État satellite, le Mandchoukouo, et à partir de 1937 il envahit le sud et l'ouest de la Chine où s'engagea une guerre non déclarée. Ayant formé une alliance avec l'Allemagne nazie, il profita, à partir de 1940, des victoires allemandes sur le théâtre européen pour occuper les territoires coloniaux d'Asie du Sud-Est : le nord de l'Indochine puis, à partir de 1942, la Malaisie, Singapour, les Philippines, la Birmanie et les Indes néerlandaises.

L'historiographie officielle n'hésite pas à malmener les faits afin de flatter la « fierté nationale ». Les agressions sur les populations civiles, comme les atrocités perpétrées lors du sac de Nankin en décembre 1937 et lors de la retraite sanglante des unités japonaises à Okinawa en juin 1945, deviennent ainsi des « incidents ». En 1986, la parution d'un manuel « ultra » — à laquelle le Premier ministre de l'époque, Yasuhiro Nakasone, apporta son soutien — provoqua un tollé. On y reprochait l'« ingratitude de ceux qui nous doivent tout » et on y lisait, entre autres, que le bilan de la colonisation nippone était globalement positif et que la guerre avait été inévitable... En 1988 près de 9 000 exemplaires de ce texte étaient utilisés en classe de terminale. Dans les autres manuels d'histoire on chercherait en vain mention de la préparation de la guerre bactériologique par la célèbre unité 731 dans le camp-laboratoire près de Harbin (environ 2000 cobayes humains non japonais). De même manque-t-il un paragraphe sur l'empereur blanchi en dépit de toutes les charges accumulées contre lui, ou sur la « reconversion » et l'utilisation par les Américains, dans leurs services de renseignement en période de guerre froide, d'anciens criminels de guerre. Enfin, avec la révision de 1990 des programmes scolaires, le ministère de l'Éducation entend « familiariser » les jeunes générations au Rescrit impérial (texte promulgué en 1890 prônant le sacrifice pour le Trône et rendu caduc par la Diète en juin 1948) et au Kimigayô, chant militariste qu'aucune loi ne stipule être l'hymne national.

Les conservateurs ont fait de la normalisation du passé, du « bilan de l'après-guerre » et de la reconquête de l'orgueil national le fondement de leur programme politique. Le désintérêt poli des jeunes générations lors du décès de l'empereur Shôwa, en janvier 1989, a néanmoins laissé apparaître les limites du mensonge. Si le Parti communiste dénonce, avec un faible impact, la révision de l'histoire par les conservateurs, le reste de la classe politique s'en tient au silence. Le procès intenté depuis 1965 par le professeur Ienaga — historien et auteur de manuels — contre l'État japonais au sujet de la censure a contribué à sensibiliser l'opinion à la question. Cependant, le problème de l'interprétation du passé n'a pas suscité jusqu'ici de véritable intérêt dans la société japonaise. Si au Japon l'espoir d'une restauration impériale n'est guère caressé que par une poignée de nostalgiques, il n'en est pas moins surprenant qu'au pays de l'information, le révisionnisme historique soit le fait même de l'État.

Christophe Sabouret

L'émergence d'une opinion publique en Europe de l'Est

Dans les ex-« démocraties populaires », l'opinion publique réelle n'a jamais coïncidé avec la représentation qu'en donnaient les médias communistes, et encore moins avec celle des propagandistes de l'État-Parti. L'effondrement des pouvoirs communistes a été révélateur de la profondeur et de la diversité des opinions qui subsistaient ou qui se sont formées sous le monopole d'expression et d'information détenu par les gouvernants communistes.

La déstabilisation des élites communistes a été notamment induite par le constat non seulement que les individus ne ressemblaient en rien dans leurs pensées, sentiments, valeurs, attitudes et comportements à la superbe image propagandiste, mais aussi que les moyens traditionnels du pouvoir autoritaire pour connaître les déviants, et notamment la surveillance policière la plus sophistiquée, ne suffisaient point pour connaître la véritable dimension de cette déviance. Les communistes l'ont compris à la vue des mouvements répétés de révolte ou en constatant le dysfonctionnement de la machine économique : la déviance avait envahi tous les esprits. A raison, on incrimina les appareils ecclésiastiques de s'immiscer dans la vie spirituelle de la plupart des Est-Européens, mais on ne s'était pas rendu compte que des structures de préservation d'identité et de résistance — comme la famille — pouvaient un jour contribuer à l'échec du modèle idéologique communiste.

Un bref moment, le pouvoir communiste avait tenté le mariage contradictoire de la velléité de tout soumettre à son contrôle et du recours aux moyens techniques modernes de collecte des données sur l'opinion publique. Dans les sphères gouvernementales, on se plaisait alors à répéter qu'il n'y a pas de bon gouvernement sans une bonne information sur les gouvernés. L'idée qu'il faut avoir recours à des sondages d'opinion pour mener une politique préventive des tensions sociales faisait du chemin. Les professionnels de la sociologie y voyaient une chance unique de promouvoir leur discipline.

En jouant habilement comme en Pologne sur le traumatisme de l'appareil du Parti provoqué par les émeutes ouvrières, ou en plaidant pour l'aspect utilitaire des sondages qui auraient permis de comprendre la démobilisation qui affectait les économies planifiées, les sociologues avaient rallié les libéraux des partis communistes en mal de légitimité ou plus simplement de popularité qui recherchaient des formules nouvelles de compromis social. Dans un article retentissant, le journaliste polonais Michaal Radgowski a décrit en 1976, dans l'hebdomadaire *Pólityka*, le processus d'aliénation de l'opinion publique dans les systèmes de type soviétique : « Dans la mesure où l'on ne tient pas assez compte du fait que l'opinion publique est un ensemble d'opinions diversifiées qui peuvent s'exprimer dans la presse, dans les discussions, et peuvent avoir un effet sur les décisions prises démocratiquement au sein des instances du pouvoir, on la contraint à fonctionner clandestinement dans les réunions d'amis, les couloirs des grandes conférences et non plus, comme elle le devrait, dans les salles de débats. De surcroît, si on prend en considération qu'elle n'a qu'un accès limité à l'information, son aliment préféré devient alors le ragot, la spéculation, la magie et la prédiction [...]. Il paraît très important de signaler que cette opinion change d'orientation, s'arme d'agressivité, se dirige contre les centres de décision du pouvoir qui sont présentés comme ne voulant pas "entendre la voix des petites gens". »

Mais pouvait-on sonder la population sans lui faire part des résultats ? La quadrature du cercle du pouvoir communiste était bien là : les sondages qui révèlent des données contredisant les clichés de la propagande ne sont guère du goût de leurs commanditaires.

Les contours de l'opinion en devenir

Des formations post-communistes émergent de nouveaux clivages idéologiques et politiques qui composent un socle nouveau de l'opinion publique. On constate une explosion des représentations, stéréotypes, valeurs, idéologies qui mettent parfois mal à l'aise les observateurs occidentaux encore sous le charme de ces révolutions qui ont exigé d'abord haut et fort la consécration politique de la démocratie pluraliste parlementaire à l'occidentale comme modèle universel. Or, la crise révolutionnaire semble propice aussi à l'expression de l'angoisse de l'opinion publique : soif de vengeance, recherche de boucs émissaires, montée des nationalismes interétatiques ou interethniques, provincialisme xénophobe, etc.

La disparition de l'adversaire communiste, cible de toutes les haines que les résultats de sondages d'opinion réalisés dans de bonnes conditions méthodologiques enregistraient sous forme d'une vision dichotomique du monde «*eux*» (communistes)/«*nous*» (tous les autres), risque de faire partir à la dérive des pans entiers de l'opinion publique. Car les points de repère qui pourraient guider la construction d'une représentation universaliste du monde au nom des valeurs démocratiques sont aussi faibles que fut systématique leur destruction par les mécanismes de soviétisation. La déstabilisation de la vie sociale interne se combine aux turbulences du contexte géopolitique. Les leaders politiques sauront-ils gérer les nombreuses incertitudes qui parsèment la voie vers la démocratie et proposer une réponse face au vide spirituel et idéologique sans se laisser aller à l'aventure des dictatures autoritaires et populistes refermées sur elles-mêmes ? De la réponse à cette question dépend l'avenir de l'Europe entière.

Ou bien, après l'effervescence révolutionnaire, se produira un retour aux vieilles catégories politiques qui départageront l'opinion publique de manière traditionnelle comme si le communisme avait été le congélateur des antagonismes d'avant 1945 ; ou bien l'empreinte de la soviétisation a transformé les gens au point que la disparition des pouvoirs communistes débouchera sur des formules nouvelles qui à leur tour auront un effet de *feed back* sur les échiquiers politiques mondiaux et surtout sur les débats politiques de l'Europe occidentale.

Déjà sont apparus au cours des élections de 1990 — en Hongrie par exemple — des courants d'opinion prêts à soutenir le social-libéralisme, formule nouvelle qui ne se veut ni de gauche ni de droite et pourtant plus à gauche qu'à droite, et dont les théoriciens retravaillent l'héritage de la social-démocratie à la lumière des méfaits du communisme.

Georges Mink

L'arabisation en Algérie. Les deux facettes du bilan

L'organisation linguistique de l'Algérie est complexe. Avant l'occupation française de 1830, on y parlait des dialectes régionaux, soit arabes, soit berbères, essentiellement oraux. A partir du VIIᵉ siècle, l'Islam y avait introduit la langue arabe classique (dite coranique), langue écrite et utilisée pour les usages surtout religieux. Celle-ci était largement répandue par le fait que de nombreux habitants avaient appris par cœur le Coran, en tout ou en partie. Elle était enseignée dans des écoles coraniques, puis dans des *medersa* et des universités. La colonisation a presque supprimé cet enseignement et lui a substitué celui de la langue française, dont l'usage a été étendu à toute la gestion administrative et économique du pays, et qui a été la seule langue d'ouverture du pays sur le monde moderne durant la colonisation.

L'arabisation a manifesté la volonté des autorités algériennes, à partir de l'accession à l'indépendance en 1962, de restaurer la place de la langue arabe. Il ne pouvait s'agir que de la langue arabe écrite, dont une version modernisée et adaptée aux usages d'une langue nationale, avait été mise en œuvre dans les autres pays arabes.

Une mise en place progressive

Même si, pour des raisons nationales (indépendance culturelle) et religieuses (attachement à l'islam), cette volonté semblait incontestable, elle a pourtant soulevé les réticences d'une partie de la population, qui en a craint l'avènement d'un régime islamique réactionnaire. Elle a aussi divisé le pays sur le thème de la sélection sociale, opérée par la dominance de la langue française. C'est donc dans un contexte conflictuel larvé que s'est réalisée la politique d'arabisation dans l'enseignement, l'administration et l'environnement global du pays. Dans l'enseignement, cette arabisation est devenue effective dans le primaire, puis dans le secondaire, enfin dans le supérieur, malgré de fortes réticences, concernant notamment le niveau de l'enseignement. La stratégie suivie pour la réaliser, notamment le caractère progressif de sa mise en place, a réussi à venir à bout des oppositions qu'elle rencontrait, même au sein du pouvoir et du parti unique, le Front de libération nationale (FLN).

Quel bilan établir de l'arabisation ? Elle a apparemment réussi. La langue arabe a pris en Algérie une place majoritaire, dans l'enseignement, dans l'administration, dans les médias. Mais il ne s'agit là que d'un succès apparent, car les bénéfices qui en étaient attendus n'ont pas été obtenus.

En effet, en développant la politique d'arabisation, l'État espérait transférer sur lui-même la légitimité islamique attachée à la langue arabe. Mais le résultat fut inverse : la mise en place de l'arabisation dans l'enseignement, même si elle était en principe distincte de l'islamisation, a été en réalité portée par des courants islamistes et a abouti au renforcement de leur audience. A partir de 1980, avec l'essor de ces derniers s'est accentuée la mise en cause de l'action modernisante de l'État et la critique de son caractère occidental. Cette critique s'est trouvée renforcée par la faillite retentissante de la politique de développement entreprise par l'État.

Arabe classique et arabe parlé

Mais il existe sans doute à l'échec de l'arabisation une raison plus radicale, qui tient à la structure linguistique elle-même. Les pays de culture arabe fonctionnent depuis toujours sur un registre linguistique double : une langue classique, seule écrite, à référence religieuse, unique dans tout le monde arabe, et une multiplicité de dialectes oraux, presque jamais écrits, véritables langues maternelles, expressions concrètes dans leurs spécificités ethniques et régionales de l'identité islamique universelle. Les conséquences culturelles profondes de cette situation, quoique jamais analysées, sont de toute évidence importantes. Il est possible que cette dualité linguistique soit beaucoup plus structurante que la dualité masculin-féminin généralement mise en avant. Avec la colonisation, cette dualité a été remise en cause — mais seulement de l'extérieur — par l'introduction de la langue française, qui associe écrit et oral, universel et particulier. Ce modèle de langue a été largement diffusé et reçu. La politique d'arabisation visait à répéter l'opération, mais de l'intérieur, en mettant une langue arabe *unique* à la place du français. Sa réussite aurait nécessité que cette langue moderne arabe morde sur le registre de la langue maternelle, comme l'a montré Malika Greffou dans son ouvrage *L'École algérienne, de Ibn Badis à Pavlov* (Laphomic, Alger, 1989). Or cette langue arabe n'a nulle part la place de langue maternelle ni d'usage quotidien. Par ailleurs, au Maghreb si les dialectes arabes pouvaient bénéficier d'une certaine survivance dans une langue arabe unifiée, les dialectes berbères, parlés par plus de 4 millions de locuteurs (Kabyles, Chaouïas, Mozabites...) sur une population de 25 millions d'habitants, auraient été conduits à leur disparition totale : ce que ces populations ont très vite deviné. C'est pourtant dans cette voie que l'État s'est engagé. L'arabisation, apparemment dirigée contre la langue française, l'était en réalité contre les dialectes, arabes et berbères (ceux-ci témoignant d'une réalité culturelle antérieure à l'Islam). L'État pratiquait en cela spontanément une politique jacobine d'effacement des spécificités régionales.

La langue française, quant à elle, est restée seule à détenir le label de modernité que l'arabisation devait transférer à la langue arabe. De ce fait, elle n'a pas cessé de représenter un facteur décisif de promotion et de valorisation sociales.

Dans la question de l'arabisation, l'État a ainsi perdu sur tous les tableaux : loin d'asseoir sa légitimité, il s'en est privé ; loin de promouvoir une langue nationale, il en a fait une langue artificielle qui n'évoque que le pouvoir ; surtout, loin de sortir la personnalité algérienne du complexe colonial en restaurant la dignité de sa langue maternelle, il s'est affirmé, en ce domaine comme en bien d'autres, comme une structure qui, au lieu de transmettre les héritages multiples dont l'Algérie est le prolongement et dont témoigne sa richesse linguistique, n'en a repris que la face coloniale et son obsession : le primat d'un pouvoir central. Les antennes paraboliques qui, sur les toits des grandes villes, défient les frontières pour capter les chaînes de télévision européennes sont devenues le signe efficace d'une volonté collective de l'Algérie de ne pas se voir réduite à une seule dimension de sa personnalité, fût-elle qualifiée d'arabo-islamique.

Gilbert Grandguillaume

Migrations internationales : la fin des illusions

En 1989, la République fédérale d'Allemagne, seize ans après avoir fermé ses frontières aux étrangers, a accueilli près d'un million d'immigrants. Le nombre de demandeurs d'asile en France s'est accru à l'instar des autres pays développés, passant de 34 000 en 1988, à 61 000 en 1989. Le « programme d'amnistie » prévu par *l'Immigration Reform and Control Act* (1986) s'est soldé aux États-Unis par la régularisation d'environ trois millions de personnes. Certes, l'immigration en RFA est, pour l'essentiel, le fait de personnes d'origine allemande, les demandeurs d'asile en France se prévalent des conditions liées au pays de départ, et par définition les « programmes d'amnistie » visent à mettre fin à l'immigration plutôt qu'à l'entretenir. Pourtant, ces flux que l'on se plaît à rattacher aux conditions économiques et politiques des pays d'origine traduisent également l'évolution des marchés du travail des zones d'accueil : la baisse du nombre d'actifs en RFA, le développement du secteur informel dans l'économie française, la demande de travail persistante dans l'agriculture et les services en Californie et au Texas. Les indices d'une reprise des mouvements sont manifestes et apparaissent en contradiction avec l'affirmation de la fermeture des frontières. Faut-il conclure pour autant à un renversement de la tendance ?

Déséquilibres aggravés

Les mouvements internationaux de population ne prennent véritablement leur signification que dans une perspective de longue durée. Néanmoins, on peut dire sans risque que des transformations majeures sont intervenues au cours de la décennie quatre-vingt et retenir, sans artifice, quelques lignes de force qui conditionnent l'avenir. A beaucoup d'égards, ces années ont marqué la fin des illusions, pour les candidats à l'émigration et pour les États qui se reconnaissent le droit de contrôler les mouvements et de définir le statut de leurs résidents.

Les années de prospérité avaient entretenu l'apparence d'une demande illimitée de travailleurs étrangers par les pays industriels ou en voie d'industrialisation — en particulier en Asie — qui venait s'ajouter aux possibilités d'émigration vers les pays d'établissement, principalement les États-Unis et le Canada. La fermeture des frontières en Europe occidentale (RFA : novembre 1973, France : juillet 1974, Belgique : août 1974), la chute de la demande de travail étrangère dans les pays du golfe Arabo-Persique (dans les années 1983-1984), le long débat aux États-Unis sur la réforme de l'immigration ont rappelé un fait d'évidence : le nombre d'individus prêts à émigrer reste très supérieur à celui que les pays récepteurs sont disposés à accueillir.

Ce déséquilibre s'est aggravé au cours des années quatre-vingt pour des raisons multiples, qui tiennent, du côté des pays du tiers monde, à l'exceptionnel accroissement démographique, à la crise de l'agriculture, à l'instabilité politique, et, du côté des pays plus riches, à la diminution des ressources (pays producteurs de pétrole), à la montée du chômage (pays développés, surtout d'Europe), sans oublier l'inquiétude croissante des opinions publiques devant l'implantation de communautés étrangères.

Les politiques d'immigration s'analysent alors comme des tentatives pour contenir les entrées, et sous la contrainte de ce rationnement global, de privilégier certains flux, soit que l'on souhaite éviter l'établissement des immigrants (préférence *de facto* des pays arabes du Golfe pour les immigrants non arabes), soit que l'on cherche à la favoriser (système de préférence américain qui met l'accent sur les liens familiaux).

La dimension politique du fait migratoire

Ces politiques ont réduit l'espoir des candidats au départ de voir leur projet se réaliser. Mais elles se sont révélées également illusoires pour les États concernés. L'allongement de la durée de séjour et l'établissement définitif des migrants temporaires, souvent rejoints par leur famille, le développement de l'immigration illégale et l'afflux de réfugiés ont modifié les données du problème. Les États qui ont perdu le contrôle des entrées ont pensé apurer la situation en accordant une amnistie aux clandestins : en ont témoigné l'opération exceptionnelle de régularisation de 1981-1982 en France, l'*Immigration Reform and Control Act* aux États-Unis et des opérations de même nature en Espagne (1985), en Italie (1987-1989 et à nouveau en 1989-1990). C'est en effet une novation de la période de voir s'estomper la ligne de clivage entre les pays d'émigration et les pays d'immigration, soit que les anciens pays d'émigration soient devenus à leur tour des pays récepteurs (Italie, Espagne, Grèce), soit qu'ils servent de lieu de transit (Hong Kong, Grèce, Italie, Espagne). Les pays de l'Europe de l'Ouest redécouvrent — à leurs dépens — la dimension politique du fait migratoire. Une fois les immigrants entrés et installés sur leur territoire, les options qui s'offrent aux États démocratiques sont extrêmement restreintes, ils ne peuvent réduire la présence étrangère que par des politiques d'incitation au retour qui se sont révélées peu efficaces.

Les changements intervenus en Europe et dans le bassin méditerranéen ne doivent pas faire oublier que pour la moitié des émigrants légaux, à l'échelle du monde, les États-Unis restent la terre promise. Ici, le fait nouveau, c'est le développement de l'immigration clandestine et l'afflux de réfugiés qui a atteint, en 1980, un maximum de 300 000 entrées. L'immigration nette a contribué pour environ 25 à 30 % à l'accroissement de la population américaine de la fin des années quatre-vingt.

Les mouvements migratoires ont accru l'internationalisation des économies nationales. Les pays récepteurs sont contraints désormais de définir des politiques similaires (ainsi en témoignent l'accord de Schengen — 1985 — et les dispositions d'application — 1990 [*voir au chapitre « Droit et démocratie »*]) et d'envisager des réformes institutionnelles pour éviter que des communautés étrangères importantes n'adoptent un comportement minoritaire. On ne peut exclure désormais que les migrations internationales, que l'on considère généralement comme un facteur de rééquilibre du système mondial, ne deviennent un facteur de déséquilibre.

Georges Photios Tapinos

Comment mesurer l'impact du SIDA sur la démographie africaine

Au 1er mars 1990, l'Organisation mondiale de la santé annonçait 222 740 cas de SIDA déclarés dans 153 pays : 122 000 cas pour les États-Unis sur 147 000 pour le continent américain, 7 400 cas en Ouganda pour 41 000 pour le continent africain, 8 900 cas en France pour 32 000 cas pour l'Europe, 2 173 cas dans le Pacifique ouest, 308 cas au Moyen-Orient et 84 cas en Asie du Sud-Est. Les cas sont donc très inégalement répartis en comparaison de la population, mais s'agit-il d'un retard dans l'extension de la maladie ou de structures très différentes de l'épidémie ? Même si on ne s'intéresse qu'au virus principal, le VIH 1 (virus d'immunodéficience acquise n° 1), on distingue au moins deux types d'épidémie. En effet, le rapport de masculinité est de l'ordre de 5 à 7 cas d'infections masculines pour une infection féminine aux États-Unis et en Europe, et de 1 pour 1 environ en Afrique noire. L'épidémie est ainsi essentiellement homosexuelle (50 à 70 % des cas) dans les pays occidentaux et essentiellement hétérosexuelle en Afrique. Les communautés homosexuelles, bien organisées, de petite taille, ont très rapidement réagi dès la découverte du virus en 1983. Hélas ! le mal était en partie fait et on estimait, au début 1990, que plus de 65 % de la communauté homosexuelle initiale de San Francisco est aujourd'hui séropositive ou décédée.

Peut-on faire des projections de l'épidémie pour l'Afrique noire ? Leurs techniques sont assez diverses et dépendent du terme de la projection. Dans les modèles à court terme, on extrapole les tendances passées. Dans les modèles à plus long terme, on tente d'expliquer les phénomènes de transmission et de saturation en incorporant le renouvellement de la population. Ces derniers modèles se heurtent à l'estimation de paramètres encore mal connus et contestés comme la probabilité de transmettre le virus lors d'un contact sexuel. En effet, une étude cruciale portant sur des couples dont l'un des partenaires a été transfusé avec du sang infecté indique qu'au cours d'une vie commune de cinq ans en moyenne, le virus est transmis environ une fois sur cinq et que cette transmission semble indépendante du nombre des rapports sexuels qui variaient de 1 à 1 000 en cinq ans suivant les couples étudiés. Bon nombre de chercheurs considèrent depuis que la variable importante est le nombre moyen de partenaires sexuels en un an. C'est d'ailleurs ce nombre beaucoup plus élevé en Afrique noire qui serait la cause principale de l'épidémie dans ces pays. On estime actuellement qu'en Occident ce nombre est de l'ordre de 8 à 11 dans les communautés homosexuelles et tourne autour de 1 dans la population adulte hétérosexuelle. On laisse entendre, pour donner un ordre de grandeur, que l'épidémie se propagerait durablement si ce nombre moyen dépassait 3, ce qui pourrait bien être le cas dans certaines régions d'Afrique.

L'épidémie touche actuellement plus l'Afrique centrale et l'Afrique de l'Est (Ouganda, Kénya, Zaïre) que l'Afrique de l'Ouest — bien qu'on ait noté, à la mi-1990, que 14 % des décès des hôpitaux d'Abidjan étaient porteurs à cette date du VIH —, plus les grandes villes que les campagnes, sans qu'on puisse savoir s'il s'agit d'un retard dans la propagation de la maladie ou de différences structurelles (comme, par exemple, une liberté sexuelle plus ou moins grande).

Une réunion en décembre 1989 au sein des Nations unies à New York, réunissant une dizaine d'experts, a eu pour but la confrontation de résultats de projections démographiques à l'horizon 2010 d'une population africaine type en tenant compte du SIDA. Les résultats, issus de techniques de projections variées, ont tous donné des fourchettes extrêmement importantes puisque les hypothèses basses concluent à une stagnation de l'épidémie, stagnation observée par exemple parmi la population des femmes enceintes de Kinshasa (5 à 7 %), et les hypothèses hautes à une prévalence (nombre de cas de maladie par habitants) de l'ordre de 50 % de la population adulte en 2010 !

Si la prévalence atteignait un niveau important, la croissance de la population africaine (3 à 4 % par an) serait fortement affectée. En effet, non seulement la mortalité de la population adulte serait accrue puisque la durée moyenne d'un infecté est estimée à dix ans, mais aussi la fécondité effective des femmes séropositives serait réduite de 40 % puisqu'on estime que la transmission du virus à l'enfant est de cet ordre. L'inversion du signe de la croissance démographique n'aurait lieu qu'en 2030 à cause de la grande inertie démographique, mais réciproquement, comme les infectés peuvent transmettre le virus pendant près de 10 ans, l'inertie de l'épidémie serait aussi très importante. En comparaison, la durée d'infection moyenne de la peste est de sept à huit jours, et la population de Marseille a été touchée à 50 % en 1720 mais l'épidémie n'a duré que six mois.

Nicolas Brouard

La bombe démographique palestinienne

Le conflit israélo-palestinien est entré dans la seconde phase de son histoire. Après cinq guerres entre Israël et les États voisins, en 1987 l'*intifada* (la « révolte des pierres ») a porté le combat à l'intérieur même des frontières. Il s'y est transformé en lutte interethnique entre deux composantes de la population sous administration israélienne : la communauté juive (3,7 millions) qui détient sans partage le monopole du pouvoir, et la communauté arabe (2,4 millions), répartie entre un tiers de citoyens israéliens et deux tiers de ressortissants des territoires occupés après la guerre de 1967, Gaza et Cisjordanie. Les Palestiniens disposent avec leur natalité d'une arme redoutable, bien plus lourde que les pierres qu'ils ramassent dans la rue, parce qu'elle devrait les mener à dépasser l'effectif des Juifs vers l'an 2005 ou 2010 dans l'ensemble formé par Israël et les territoires occupés. Israël juxtapose en effet deux démographies, l'une déjà déclinante et l'autre au faîte de sa croissance. Dans toute société, la distinction entre les groupes d'inégale vitesse de reproduction tend en général à s'estomper grâce à divers processus de fusion, les mariages mixtes notamment. Mais en entretenant un état d'« intégration-ségrégation », Israël risque de renforcer la vigueur du différentiel de croissance démographique.

Dès la création d'Israël en 1948, les Juifs avaient une croissance naturelle inférieure à celle des musulmans, majoritaires chez les Palestiniens. Grâce aux succès de la « loi du retour », un solde migratoire d'un million de personnes entre 1949 et 1967 permit aux Juifs de conserver leur proportion dans la population d'Israël autour de 87 % jusqu'en 1967. L'occupation de Gaza et de la Cisjordanie la fit tomber à 64 %. Dans une première période, qui dura environ jusqu'en 1982, la croissance démographique des Palestiniens de Gaza et de Cisjordanie n'excéda pas celle des Juifs, en dépit d'une natalité deux fois plus faible de ces derniers (25 ‰ contre 50 ‰). En effet, malgré des signes de ralentissement, l'immigration juive s'était poursuivie tandis que se mettait en place une puissante émigration palestinienne, vers la Jordanie puis vers les marchés du travail du Golfe. Les jeunes furent particulièrement concernés : la tranche des 15-19 ans de 1967 avait ainsi perdu, vingt ans plus tard, 55 % de ses effectifs en Cisjordanie et 47 % à Gaza.

C'est au cours des années quatre-vingt que l'équilibre se rompit. Avec une natalité poursuivant son déclin chez les Juifs tout en se maintenant chez les Arabes, l'écart d'accroissement naturel se creusa encore, mais la balance migratoire inverse des deux communautés cessa de le compenser. L'immigration juive en Israël commença en effet à tarir et la ré-émigration à prendre de l'ampleur. Dans le même temps, le contre-choc pétrolier arrêta l'embauche des étrangers dans le Golfe et les Palestiniens cessèrent pratiquement d'émigrer.

L'avenir de l'équilibre démographique dépend de deux facteurs : l'évolution de la fécondité arabe et les comportements migratoires. Bien engagée chez les Arabes israéliens (indice de fécondité de 4,7 pour les musulmans et 4,23 pour les druzes en 1985-1989), spectaculaire parmi la petite communauté chrétienne (2,45 en 1985-1989) désormais moins féconde que les Juifs (2,8 en 1985-1989), la baisse de fécondité se dessine à peine à Gaza et en Cisjordanie (7,0 en 1985-1989), comme par réflexe d'une communauté menacée. Dans d'autres sociétés arabes, c'est l'entrée des femmes dans le monde du travail urbain qui a déclenché cette baisse. En contribuant à confiner la femme à son foyer, le chômage qui frappe les territoires sous occupation israélienne a-t-il figé des structures familiales, qui attendraient, pour se transformer, une relance de l'économie ? La migration, quant à elle, se laisse mal prédire. Son rôle dans la reproduction de la population juive a constamment décliné : les natifs d'Israël n'étaient que 35,4 % en 1948 ; ils sont 63,3 % en 1989. L'ouverture des frontières soviétiques depuis la fin des années quatre-vingt pourrait la relancer temporairement, mais en apportant cette fois-ci une population à fécondité faible, contrairement à celle venue jadis du Maghreb. Quant aux Palestiniens, la proportion de ceux qui vivent dans la diaspora n'a cessé de croître : elle atteint aujourd'hui 60 %. Mais la guerre du Liban et la récession pétrolière ont singulièrement réduit les possibilités d'exil.

Pour éviter qu'en 2005-2010 la population palestinienne ne soit supérieure à la population juive, l'État d'Israël devra renoncer aux territoires occupés. Faute de quoi, il serait contraint à reconsidérer ses fondements institutionnels eux-mêmes afin de les adapter à une société pluriethnique contraire à leur vocation initiale.

Philippe Fargues

MOUVEMENTS SOCIAUX

JOURNAL DE L'ANNÉE

- 1989 -

1er juin. **Nigéria.** Au terme de dix jours de manifestations étudiantes contre la dégradation des conditions de vie, le bilan de la répression se solde officiellement par 45 morts.

1er juin. **Argentine.** Malgré l'état de siège instauré à la suite des pillages du 29 mai à Rosario, les émeutes de la faim reprennent à Buenos Aires. Le 11 juillet, l'annonce du plan d'austérité par le nouveau président, Carlos Menem, provoque de nouvelles scènes de pillage.

2 juin. **Espagne.** La grève générale lancée en décembre contre la politique économique du gouvernement socialiste s'étend à l'ensemble du secteur public et nationalisé.

12 juin. **États-Unis.** Les 37 000 mineurs de Charlestown entament une grève qui durera neuf mois, émaillée d'attentats à la bombe contre la société et de violents affrontements contre les « jaunes ». La grève sera victorieuse.

13 juin. **France.** Les agents des impôts entament une grève de cinq mois, marquant le début d'une forte agitation catégorielle dans la fonction publique (ministère des Finances, gendarmes, gardiens de prison).

19 juin. **Vietnam.** Les étudiants qui manifestent pour réclamer de meilleures conditions d'études voient leurs revendications immédiatement satisfaites.

19 juin. **République dominicaine.** La grève générale de quarante-huit heures lancée par les syndicats avec le soutien de l'Église catholique pour protester contre le plan d'austérité du gouvernement paralyse le pays. La manifestation des grévistes est violemment réprimée.

21 juin. **Royaume-Uni.** Londres est paralysée par la grève des cheminots protestant contre la baisse du pouvoir d'achat et les menaces sur leur statut. Grève pour les mêmes motifs des dockers, le 6 juillet, et des ambulanciers du service de santé, le 15 septembre.

11 juillet. **URSS.** La grève des mineurs de Mejdouretchevk, en Sibérie orientale, marque le début d'un large mouvement qui va toucher, le 15, tous les puits sibériens, le 18 ceux du Donbass en Ukraine, le 21 ceux du Grand Nord et du Kazakhstan. Devant la menace de paralysie du pays, les revendications sont partiellement satisfaites et le travail reprend le 25.

6 août. **Pologne.** Suite à la mise en place d'une économie de marché décidée par le gouvernement issu de Solidarité, une vague de grèves contre la hausse des prix secoue le pays, renforcée le 25 par la grève des cheminots.

14 août. **Pérou.** La grève des 350 000 mineurs, médecins et ouvriers du bâtiment contre une inflation annuelle de 6 000 % culmine lors d'une manifestation le 18 à Lima devant le Parlement.

5 septembre. **France.** Dans l'industrie, début de l'une des grèves parmi les plus fortes depuis quinze ans. Les salariés des usines Peugeot (Mulhouse et Sochaux) reprennent le travail le 25 octobre à l'appel des syndicats sans avoir obtenu satisfaction.

15 septembre. **Bénin.** La grève générale des fonctionnaires réclamant le paiement de leurs traitements ouvre une période d'agitation sociale qui culmine, le 11 décembre, par une manifestation demandant la réforme du pouvoir marxiste-léniniste [*voir article dans ce même chapitre*].

3 octobre. **États-Unis.** Les 57 000 ouvriers de Boeing entament une grève victorieuse de deux mois pour obtenir le partage des bons résultats financiers de la firme.

7 octobre. **États-Unis.** 200 000 personnes manifestent à Washington contre le scandale des sans-logis.

25 octobre. **URSS.** Les comités de grève des mineurs du Grand Nord relancent le mouvement, rejoints par ceux du Donbass, afin d'accélérer les accords de juillet et la reconnaissance officielle des comités.

2 novembre. **Iran.** Violente répression d'une émeute de la faim à Téhéran.

2 novembre. **Afrique du Sud.** Début de la grève des 26 000 cheminots noirs qui verra s'affronter violemment grévistes et non-grévistes noirs le 9 janvier.

15 novembre. **Bolivie.** La grève générale des enseignants soutenus par les syndicats ouvriers, afin de protester contre la politique néo-libérale du gouvernement, se solde par 700 arrestations.

5 décembre. **Italie.** L'annonce d'un projet de financement partiel des universités par les entreprises provoque un mouvement étudiant d'occupation des universités qui culmine, le 3 février, lors d'une manifestation de 80 000 étudiants à Rome.

- 1990 -

9 janvier. **Algérie.** A Oran, vive répression d'une manifestation d'étudiants protestant contre la réduction du montant des bourses.

17 janvier. **Gabon.** Les manifestations étudiantes et les pillages dans la capitale, Libreville, déclenchent une agitation sociale croissante : grèves d'étudiants, d'enseignants et dans les secteurs de l'électricité et des banques contre la politique du président Omar Bongo. Le 23 mars, ce dernier proclame le couvre-feu.

22 janvier. **Corée du Sud.** Violents affrontements entre les forces de l'ordre et une coalition d'étudiants et de syndicalistes alors qu'est fondé, sur un campus proche de Séoul, un syndicat ouvrier indépendant.

9 février. **Niger.** La répression sanglante d'une manifestation d'étudiants à Niamey — 10 morts, 80 blessés — provoque un vaste mouvement de grève qui culmine le, 16, lors d'une manifestation à l'appel des syndicats, conduisant trois hauts responsables politiques à démissionner.

19 février. **Côte d'Ivoire.** Une manifestation d'étudiants protestant contre leurs conditions d'études déclenche une agitation sociale croissante qui conteste directement le chef de l'État, Félix Houphouët-Boigny, et le plan d'austérité conclu avec le FMI. Une manifestation de lycéens et de fonctionnaires est violemment réprimée le 2 mars.

20 février. **Vénézuela.** Les pillages de magasins, violemment réprimés un an plus tôt, reprennent dans plusieurs villes de province.

8 mars. **Royaume-Uni.** Après l'annonce de la réforme de l'impôt local, la *poll tax* très défavorable aux ménages les moins aisés, les premières émeutes éclatent en province. Le 31, une manifestation de 200 000 personnes se transforme en émeute au cœur de Londres.

17 mars. **Brésil.** Vague de pillages de magasins à Rio au lendemain de l'annonce du plan anti-inflation du nouveau président Ferdinand Collor. Le 29, 4 000 paysans pillent un entrepôt d'État dans le Nord-Est.

26 mars. **Côte d'Ivoire.** L'agitation sociale reprend avec la grève des cadres hospitaliers et une grande manifestation des étudiants et enseignants. Devant le refus du pouvoir de négocier, l'agitation lycéenne et les grèves s'intensifient en avril. Le 3 mai, F. Houphouët-Boigny renonce au plan d'austérité et annonce la légalisation du multipartisme. Malgré cela, des grèves catégorielles se succèdent jusqu'à la fin du mois [*voir article dans ce même chapitre*].

1er avril. **Royaume-Uni.** Les détenus de la prison de Strangeways, à Manchester, se mutinent et incendient les bâtiments avant que 700 d'entre eux ne se retranchent sur les toits. Le 8, les mutineries s'étendent dans une dizaine de prisons, provoquant d'importants dégâts. Les derniers « funambules » de Strangeways se rendent le 25.

18 avril. **Roumanie.** Multiplication de grèves dans les grands centres industriels à l'appel des nouveaux syndicats indépendants concernant l'abolition des procédures bureaucratiques et les menaces sur l'exercice du droit de grève.

26 avril. **Corée du Sud.** Les 20 000 ouvriers de Hyundai à Ulsan occupent leur chantier naval pour protester contre l'arrestation de deux dirigeants syndicaux. Le 28, 12 000 policiers donnent l'assaut. Les combats se poursuivent jusqu'au 29 dans la ville. Les grèves de solidarité s'étendent, le 9 mai, à tout le pays alors que 50 000 manifestants affrontent la police à Séoul.

27 avril. **RFA.** Le syndicat IG Metal lance des grèves d'avertissement en vue de la négociation d'un nouvel accord salarial. La pression permet la signature, le 4 mai, d'un accord prévoyant l'instauration des 35 heures de travail hebdomadaire en 1995 pour les quatre millions de salariés de la métallurgie.

3 mai. **Zaïre.** Des manifestations d'étudiants réclamant de meilleures conditions de travail s'étendent à Kisangani et Lubumbashi, où une cinquantaine d'entre eux sont tués le 11 par les troupes d'élite du gouvernement.

10 mai. **RDA.** Journée de manifestations et de grèves dans les entreprises et l'enseignement afin d'obtenir des mesures d'accompagnement social du processus interallemand de réunification.

11 mai. **Nicaragua.** A l'appel des syndicats sandinistes, les 40 000 fonctionnaires se mettent en grève contre les menaces sur leur statut et la hausse des prix décidée par le nouveau gouvernement de Violeta Chamorro issu des élections de février.

22 mai. **Grèce.** A l'appel des principaux syndicats, une grève générale de vingt-quatre heures paralyse le pays, en protestation contre le plan d'austérité du nouveau gouvernement conservateur de Constantin Mitsotakis.

23 mai. **Gabon.** Au lendemain de l'annonce officielle de l'introduction du multipartisme, la découverte du cadavre d'un dirigeant de l'opposition déclenche des émeutes et des pillages à Libreville et Port-Gentil, provoquant la mise en place du couvre-feu. L'armée française intervient pour « protéger » ses ressortissants. Les manifestations à Port-Gentil se prolongent jusqu'à la fin du mois [*voir article dans ce même chapitre*].

Eric Macé

Grèves, révoltes, révolutions... une année peu ordinaire

Au fil des ans, les conflits que l'on classe sous la rubrique « mouvements sociaux » ne font l'objet que de recensions occasionnelles dans la presse. Mais qu'éclate au grand jour un conflit durable qui vient déranger l'ordre politico-économique en place, ou qu'un mouvement tourne à l'affrontement ou à l'émeute, et l'opinion publique redécouvre pour quelques jours ou pour quelques semaines qu'il existe un « monde d'en haut » et un « monde d'en bas » et que sous la résignation apparente de ce dernier couvent des mécontentements qui peuvent donner naissance à de puissants mouvements revendicatifs. Lorsque surgissent ces mouvements, l'on se souvient que le « social » ne peut que rarement être réduit à l'expression des seules frustrations économiques, et l'on se rappelle qu'il peut être un puissant levier politique.

La période 1989-1990, de ce point de vue, n'aura pas été commune. De Caracas à Séoul, de Pékin à Port-Gentil en passant par Katmandou, Leipzig, Prague ou Timisoara, « la rue » a été au centre de l'actualité politique, exprimant des refus innombrables et des aspirations multiples.

Actions ouvrières tout d'abord, avec des conflits emblématiques, comme celui des « gueules noires » en URSS, exigeant du pouvoir, dans la « patrie des prolétaires », de meilleures conditions de vie et de travail et posant des revendications très politiques. Clin d'œil de l'Histoire, au cœur de l'Amérique, dans les Appalaches, plusieurs dizaines de milliers de mineurs menèrent eux aussi une grève longue et âpre.

Courantes elles aussi, les *explosions sociales*, ces tragiques « émeutes de la faim », qui régulièrement embrasent telle ou telle ville du tiers monde, n'ont pas manqué. Elles ont notamment touché deux pays d'Amérique latine hier encore considérés comme disposant de potentiels de développement significatifs : l'Argentine (26-28 mai 1989) et le Vénézuela, seul pays du sous-continent à n'avoir connu ni dictature ni violence politique au cours des deux décennies précédentes et où la répression des émeutes de Caracas (le *Caracazo*) du 27 février au 3 mars 1989 a fait des centaines de morts.

Il est à noter que dans ce pays, le chef de l'État, le social-démocrate Carlos Andres Perez, plutôt que d'accuser comme il est de coutume en pareil cas d'hypothétiques « subversifs » d'être à l'origine des troubles, a reconnu publiquement qu'ils étaient la conséquence de la chute des prix du pétrole et du « programme de choc » appliqué pour obtenir un refinancement garanti par le FMI. Le Vénézuela fut d'ailleurs l'un des premiers États à bénéficier d'un accord de réduction de sa dette bancaire dans le cadre du plan Brady (20 mars 1990).

Mais cette période a aussi été celle de puissants *mouvements de foule*, mêlant tout à la fois aspirations à une vie meilleure, revendications pour la démocratie et luttes pour mettre à bas les dictatures. Les manifestations chinoises du printemps 1989 et leur répression tragique à partir du 4 juin n'étaient qu'un prélude à l'automne révolutionnaire qui, dans les « démocraties populaires », allait voir le rejet puis la chute des régimes communistes, et le passage à la transition démocratique. Les manifestations, combinant résistance passive et stratégies de prise de pouvoir, ont accéléré la décomposition des communismes est-européens. Elles ont conclu un cycle décennal inauguré avec la grève ouvrière de Gdansk (Pologne, 1980) et la naissance de Solidarnosc, première opposition massive, organisée et durable dans l'Europe de l'Est de l'après-guerre.

Les révolutions à l'Est allaient bientôt avoir un écho en Afrique, avec la mise en cause de plusieurs régimes autoritaires et corrompus, notamment au Gabon et en Côte d'Ivoire [*voir article dans ce même chapitre*].

Il serait cependant naïf de ne voir dans tous ces mouvements, en Europe de l'Est comme dans le tiers monde, qu'une marche triomphale des peuples vers la démocratie « à l'occidentale ». Dans certains pays, la puissance de l'aspiration au changement, confrontée à l'absence de culture démocratique et à la crainte du vide face à l'accélération de l'Histoire, peut en effet favoriser l'irruption de populismes autoritaires et démagogiques. Elle peut aussi faciliter les radicalisations identitaires, comme en témoignent les affrontements interethniques qui ensanglantent certaines républiques de l'URSS depuis 1988 [*voir chronologie « Conflits et tensions »*]. Dans un autre domaine, la spectaculaire poussée des islamistes en Algérie peut aussi partiellement s'analyser ainsi [*voir article p. 524*].

Nicolas Bessarabski

« Paristroïka » dans l'Afrique ex-française ?

Le Mur de Berlin était déjà tombé mais la dictature de Ceausescu tenait encore lorsque, les 6 et 7 décembre 1989, les instances dirigeantes du Bénin décidèrent de saborder la République populaire, de renoncer à l'idéologie marxiste-léniniste, de séparer le parti (unique) de l'État et de convoquer une « conférence nationale des forces vives de la nation » pour jeter les bases constitutionnelles d'un nouveau départ. Les jalons de cette démocratisation ont été posés — sur demande du président Mathieu Kérékou — par « les autorités françaises ». Leurs « suggestions sur le contenu des réformes à opérer » ont été suivies à la lettre dans l'ancien « quartier latin » de l'Afrique de l'Ouest.

« Paristroïka » sous les tropiques ? Comme l'URSS face aux régimes en faillite en Europe de l'Est, la France, dans ses anciennes colonies d'Afrique, a choisi d'accompagner un mouvement qu'elle n'aurait de toute façon pu empêcher. Car les raisons d'une crise à la fois économique, sociale et politique se trouvent au Bénin, en Côte d'Ivoire, au Gabon et au Zaïre. La liste n'est pas limitative. En 1990, partout en Afrique — surtout francophone — des mouvements revendicatifs ont brusquement émergé pour réclamer le multipartisme face au parti unique des autocrates, l'État de droit à la place du règne de l'arbitraire et, enfin, la « moralisation de la vie publique » dans des pays gangrenés par une corruption effrénée.

Au Bénin, qui est devenu malgré lui un modèle pour d'autres pays africains, la faillite de l'État était totale. Les fonctionnaires n'étaient plus payés, les écoles et l'université fermées pendant deux ans et l'administration publique paralysée. Fin 1989, le général Mathieu Kérékou n'avait plus rien à sauver sinon la continuité de l'État... et sa propre image politique. Pour se mettre « audessus de la mêlée », il a délesté la fonction présidentielle de ses prérogatives exorbitantes. Une « conférence nationale », siégeant du 19 au 28 février 1990 à Cotonou, s'est déclarée « souveraine » et a désigné en son sein le chef d'un « gouvernement de transition ». Ancien administrateur de la Banque mondiale, Nicéphore Soglo a été chargé, le 18 mars 1990, de conduire son pays à des élections libres, en janvier 1991, sur la base d'une nouvelle constitution pluraliste.

Une nouvelle race de premiers ministres

La faillite de l'État, la contestation sociale puis politique, la déconfiture des régimes profondément corrompus et le rejet des « dictateurs-voleurs » ont constitué les éléments de départ. Partout, en réponse à la poussée démocratique, le parti unique est devenu le fusible des autocrates, soudain si empressés de réinventer la « profession de président ». Pour prendre en charge la gestion « technique » du pays, des premiers ministres « apolitiques » ont été nommés : Nicéphore Soglo au Bénin ; Alassane Ouattara, l'ancien gouverneur de la Banque centrale des États de l'Afrique de l'Ouest, à la mi-avril en Côte d'Ivoire ; le 27 avril, Casimir Oyé-Mba, l'ancien directeur général de la Banque centrale des États de l'Afrique centrale, au Gabon ; puis, quelques jours plus tard, au Zaïre, le professeur Lunda Bululu, auparavant secrétaire exécutif de la Communauté économique des États de l'Afrique centrale. En 1990, trente ans après les indépendances en Afrique, il faut être jeune et discret technocrate, de préférence auprès d'une institution internationale, pour arriver aux affaires... sous la houlette d'un chef de l'État qui, lui, reste au pouvoir.

Pour avoir suivi, dans ses grandes lignes, le « modèle béninois », les différents pays bouleversés par « l'éveil démocratique » n'en ont pas moins préservé leurs spécificités. En Côte d'Ivoire, pays phare de l'ancienne AOF (Afrique occidentale française), le mécontentement social a viré d'emblée à la contestation du règne de Félix Houphouët-Boigny, âgé de quatre-vingt-quatre ans et au pouvoir depuis l'indépendance. Le 2 mars 1990, le « vieux sage de l'Afrique » était conspué comme « voleur » dans les rues d'Abidjan. Pour les 60 % de la population qui ont moins de vingt ans, les réminiscences historiques dans lesquelles s'est enfermé « le Vieux » n'ont aucune signification.

Félix Houphouët-Boigny a perdu sa « guerre du cacao ». Après deux ans de « grève de vente » pour faire monter les cours de Londres, le premier producteur mondial, accablé par une dette extérieure de 14,5 milliards de dollars, était en cessation de paiement. Une fin de règne interminable bouchait toute perspective de redressement. L'austérité décrétée par le chef de l'État n'a pas été acceptée et la population, réfractaire aux sacrifices demandés, a réclamé la fin de la corruption.

Ce cri d'accusation contre la classe dirigeante a retenti aussi en Afrique centrale. Au Zaïre, la démocratisation a été décrétée, le 24 avril 1990, par le maréchal Mobutu. En octroyant le multipartisme limité à trois formations, le président zaïrois a ouvert les portes avant qu'elles ne soient enfoncées. Au Gabon, le président Omar Bongo avait fait preuve de la même intelligence politique en convoquant une « conférence nationale » représentative de toutes les couches de la population. Cependant, en trahissant ses résolutions, il a provoqué une éruption contestataire, à la suite de la mort « suspecte » de l'opposant Joseph Rendjambe. L'insurrection à Port-Gentil, la capitale économique du pays, a même justifié, en mai 1990, une nouvelle intervention militaire française au Gabon.

Reste à savoir pourquoi le vent d'Est a secoué les cocotiers principalement en Afrique francophone. La chute des partis uniques en Europe de l'Est, le soulèvement des peuples contre les dictatures vieilles de quarante ans ont été suivis, grâce aux images et ondes étrangères, à travers le continent. Mais c'est là où l'Afrique semblait la plus stable et prospère, souvent grâce à l'appui de l'ancienne métropole coloniale, que l'impact de ces nouvelles a été, dans un premier temps, le plus fort : moins dans le Sahel que sur les côtes du golfe de Guinée, plus en Afrique francophone que dans les anciennes colonies britanniques, italiennes ou portugaises.

Stephen Smith

Du social au politique, la dynamique du PT brésilien

Trente et un millions de Brésiliens ont voté pour Luis Ignácio *Lula* da Silva, du Parti des travailleurs (PT), lors du second tour des présidentielles le 16 décembre 1989. Cet ancien ouvrier de la métallurgie n'a pas été élu — son adversaire, Fernando Collor, candidat de la droite, l'ayant emporté avec 35 millions de voix — mais l'impact de la campagne électorale a suscité l'espoir que l'autoritarisme du système politique brésilien serait désormais plus efficacement combattu. En détournant les symboles et le langage de la toute-puissante chaîne de télévision *Globo*, le PT a inauguré un style de propagande qui a rencontré un vrai succès auprès du public. L'humour ayant remplacé la langue de bois, la dénonciation des responsables de la misère et de l'oppression n'en a pas été moins ferme. Dans de gigantesques meetings, d'un bout à l'autre du pays, la foule a répété les paroles de la chanson *Sem medo de ser feliz* (« Sans peur du bonheur »), comme si les gens osaient imaginer un pays plus démocratique. Et, en fin de campagne, le regroupement des forces d'opposition dans le Front Brésil populaire a semblé annoncer une rupture avec une longue tradition d'émiettement.

Fondé en 1980, le PT est issu du mouvement ouvrier de l'ABC (Santo André, São Bernardo, São Caetano), la grande concentration industrielle de São Paulo, d'où sont sortis de nouveaux cadres, de nouvelles conceptions sur le syndicalisme et sur la représentation politique des travailleurs. Lors des grèves sauvages dans les usines automobiles, à la fin des années soixante-dix, seuls les stades de football disposaient d'assez de place pour les assemblées générales. Lula, président du syndicat des métallos de São Bernardo, a alors acquis une renommée nationale en tant que leader d'un syndicalisme de masse fondé sur des pratiques de

démocratie directe. En même temps, une activité fébrile d'organisation se développait parmi de larges secteurs de la population.

Des acteurs de ce foisonnement d'initiatives collectives, des intellectuels, des parlementaires du Mouvement démocratique brésilien (parti d'opposition toléré par les généraux) et, après l'amnistie de 1979, des cadres des organisations d'extrême gauche allaient s'associer au projet des syndicalistes de l'ABC de créer un parti qui, pour la première fois dans l'histoire du pays, se proposait de représenter les couches traditionnellement exclues des décisions politiques. Dès sa fondation, le PT a cherché à resserrer ses liens avec les mouvements sociaux et à avoir un fonctionnement interne démocratique, en donnant un poids très important aux cellules (*núcleos*) de base.

Tout au long des années quatre-vingt, la conception de la « société socialiste et démocratique » du PT est restée néanmoins imprécise. Conséquence de l'hétérogénéité de sa composition — outre la diversité d'origine politique et idéologique de ses militants, le PT héberge des organisations trotskistes —, le parti est sans cesse traversé par des conflits opposant deux tendances principales, celles qui se qualifient mutuellement de *chiite* et de *light* (légère, en anglais, pour modérée). Leurs divergences ne portent pas sur des vétilles. En effet, elles concernent la stratégie de prise du pouvoir, la position à l'égard des formes représentatives de démocratie et la nature du PT lui-même : front révolutionnaire ou parti institutionnalisé ? Le PT a certes participé aux nombreux scrutins qui ont jalonné la transition à la démocratie, avec un succès grandissant. Mais dans les mois qui ont suivi les présidentielles, le PT déroutait à nouveau les observateurs. Menacés d'expulsion, les groupes considérés comme les plus radicaux du parti connaissaient un regain d'influence dans des États importants (Rio de Janeiro, Minas Gerais, Rio Grande do Sul et Pernambuco). La tendance *Articulação*, celle des dirigeants historiques, voyait ainsi mettre en cause son projet de présenter des candidats du Front populaire dès le premier tour des élections de novembre 1990. Un fait a suscité encore davantage la perplexité : Lula, malgré son formidable score électoral, ne voulait briguer aucun mandat lors des législatives à venir. Sur la signification de ces événements, les avis étaient partagés : pour les uns, le PT risquait de ne pas consolider sa position de grand parti national du fait de la résurgence du mépris à l'égard de la voie électorale ; pour les autres, cette crise du PT n'était que la réaction, somme toute normale, d'une force politique populaire confrontée à un système de domination dont l'autoritarisme s'est exacerbé avec le début du gouvernement Collor.

Ana Maria Galano

RELIGIONS & SOCIÉTÉS

JOURNAL DE L'ANNÉE

- 1989 -

3 juin. **Iran.** Mort de l'imam Khomeiny. Immense douleur de ses partisans à Téhéran, vif soulagement dans le monde. Ses dix années de théocratie laissent un pays exsangue et totalement isolé.

19 juin. **Thaïlande.** L'arrestation du moine Pothirak, chef de file des religieux réformateurs et adversaire des militaires au pouvoir, aiguise les conflits au sein du bouddhisme.

12 juillet. **Islam.** Les femmes sont plus nombreuses que jamais au pèlerinage de La Mecque : elles forment 41 % des contingents venant d'autres pays que l'Arabie saoudite.

17 juillet. **Pologne.** Rétablissement des relations diplomatiques avec le Vatican. Soutenue par les évêques lors des élections de juin, parvenue au gouvernement avec le catholique Tadeusz Mazowiecki en juillet, l'opposition démocratique ne s'en émancipe pas moins de la tutelle de l'Église qui perd son monopole face à l'ancien pouvoir communiste.

19 septembre. **Juifs/catholiques.** Malgré le primat polonais Josef Glemp, et pour mettre fin à de vives polémiques qui ont duré tout l'été, le Vatican se déclare pour le déplacement du carmel d'Auschwitz dans un nouveau centre éloigné du camp (première pierre posée le 19.2.90) [*voir article dans ce chapitre*].

4 octobre. **France.** Trois jeunes musulmanes sont exclues des salles de classe d'un collège parce qu'elles portent un « foulard islamique ». S'ensuit une longue et vive polémique nationale qui atteste du trouble de la société française face à l'immigration [*voir encadré p. 143*].

5 octobre. **Tibet.** Le prix Nobel de la paix est attribué au dalaï-lama. Protestations chinoises [*voir article au chapitre « Portraits »*].

11 octobre. **Amérique latine.** Le Vatican reprend en main la Confédération des religieux favorable à une lecture populaire de la Bible. Après le démantèlement en août au Brésil de l'œuvre progressiste de Helder Camara, c'est un nouvel épisode de l'affrontement interne au catholicisme qui a pour enjeu la célébration, en 1992, du 5e centenaire de l'évangélisation du sous-continent.

17 octobre. **URSS.** 100 000 Ukrainiens uniates participent à Lvov à une messe catholique illégale, contre le rattachement de leur Église, en 1946 par Staline, au patriarcat orthodoxe de Moscou.

12 novembre. **France.** Le rabbinat organise une manifestation au Bourget. Le mouvement identitaire juif ne se satisfait plus du cadre laïc d'émancipation proposé deux siècles plus tôt par l'abbé Grégoire, à l'heure où les cendres de celui-ci (12 décembre) entrent au Panthéon.

16 novembre. **El Salvador.** Six jésuites de l'Université centro-américaine sont assassinés par des militaires liés au pouvoir.

1er décembre. **Vatican.** Rencontre Gorbatchev-Jean-Paul II. Le premier invite le second à Moscou. Le pape dit suivre la *perestroïka* avec intérêt et réclame la liberté religieuse en URSS, notamment pour les uniates d'Ukraine.

3 décembre. **Inde.** Le nouveau Premier ministre, V.P. Singh, souhaite la reconnaissance légale des minorités religieuses et un musulman entre dans son gouvernement qui s'appuie cependant sur un groupe extrémiste qui veut faire de l'hindouisme la religion d'État.

Décembre. **Birmanie-Bangladesh-Inde.** Face à l'exode continu des Bengalais hindous vers l'Inde et au récent passage au Bangladesh de 100 000 Birmans musulmans, les trois gouvernements se concertent.

- 1990 -

15 janvier. **Islam.** Le Conseil supérieur islamique de Tunisie condamne la première tentative d'adaptation du Coran en bande dessinée, publiée par Youssef Sedik à Paris.

Février-mai. **URSS.** Suite à une manifestation antisémite à Moscou du mouvement nationaliste Pamiat, d'insistantes rumeurs de pogroms circulent. Les Juifs soviétiques se ruent sur les agences de voyage pour émigrer en Israël.

4 avril. **Roumanie.** Démissionnaire le 18 janvier pour ses compromissions avec N. Ceausescu, le patriarche Teoctist est réintégré dans sa fonction par le Saint-Synode orthodoxe roumain.

21-22 avril. **Tchécoslovaquie.** Invité par Václav Havel, Jean-Paul II prend acte de l'échec de l'« idéologie matérialiste », alerte contre les « virus » de l'Occident et relance son projet d'Europe chrétienne.

Avril. **Chine.** Face à la montée d'un nationalisme islamique, Pékin envoie des troupes dans le Xinjiang.

10 mai. **France.** Un cimetière juif est profané à Carpentras. Les importantes manifestations de réprobation ne parviennent pas à masquer la crise de la politique à l'origine du réveil des identités ethnico-religieuses.

Paul Blanquart

L'islamisme au Maghreb

Perçu un temps comme un phénomène circonstanciel plus ou moins étroitement lié à la révolution iranienne de 1979, l'islamisme occupe aujourd'hui une place centrale sur l'échiquier politique maghrébin. L'écume extrémiste du phénomène a masqué en effet la gestation de forces politiques plus conséquentes que les simples groupes activistes auxquels elles ont été longtemps identifiées. L'émergence du pluralisme politique permet aujourd'hui aux noyaux militants d'opérer la jonction avec une périphérie électorale qui, sans leur être réductible, pourrait néanmoins, le temps d'un scrutin, se reconnaître dans leur discours. Ni à Alger, ni ailleurs dans la région, il n'est donc désormais exclu que la thématique qui a permis aux adeptes de l'imam de Qom de sortir du ghetto des oppositions clandestines ne les rende un jour capables de recueillir tout ou partie de l'héritage des formations nationalistes au pouvoir depuis les indépendances.

Tel n'est pas bien sûr le point de vue des régimes, qui entendent bien démontrer que démocratisation ne veut pas forcément dire alternance. Si tous sont également vulnérables à un coup de force venu de leurs armées, institutionnellement, leurs lignes de défense sont toutefois loin d'être identiques : au Maroc et en Libye, ils sont à l'abri de la simple défaite électorale qui suffirait, en théorie, à renverser leurs homologues tunisien et plus encore algérien.

En Libye jamahiryenne, les partis, quels qu'ils soient, sont interdits et le verrouillage des *congrès populaires* par les *comités révolutionnaires* rend illusoire l'émergence d'une opposition au « *Guide de la Révolution* ». Au Maroc, le trône est à l'abri des partis et le *fondamentalisme de contestation*, affaibli autant par une répression très préventive (Abdessalam Yassine, principale figure du mouvement Ousrat al Adl wal ihsan a renoué en janvier 1990 avec la détention qu'il avait déjà connue pendant six années) que par la puissante concurrence du *fondamentalisme de l'État* (terrain sur lequel le « *Commandeur des croyants* » est passé maître), n'a pas eu le loisir de se constituer sur une base associative et encore moins partisane.

En Libye, l'importance de la répression (entre 1 500 et 3 000 arrestations au début de l'année 1989) atteste que la situation est plus tendue : les membres du *Jihad*, même s'ils sont encore loin de faire figure d'alternative gouvernementale, n'en sont pas moins considérés par Mouamar Kadhafi, qui a appelé à leur élimination physique, comme ses tout premiers challengers. Ici comme au Maroc, aucune échéance électorale n'obscurcit toutefois à court terme l'horizon politique.

Vers des ruptures politiques

Bien différentes sont les perspectives tunisiennes et algériennes, où les formations islamistes peuvent, en théorie au moins, renverser le régime. A une nuance près, toutefois, qui a son importance : alors que depuis le 17 septembre 1989, le *Front islamique de salut* (FIS) évolue de plein droit dans le nouveau système partisan algérien et qu'aucun obstacle *juridique* ne le sépare plus d'une victoire électorale d'ampleur nationale, en Tunisie la plus ancienne formation islamiste maghrébine, le *Parti de la renaissance* Hezb Ennahda de Rached Ghannouchi (appellation prise par le *Mouvement de la tendance islamique*-MTI pour satisfaire à la loi de 1988 interdisant aux partis de faire référence à la religion), bénéficie d'une tolérance qui peut lui être à tout moment retirée. Le 2 avril 1989, les premières élections auxquelles il ait pris part ont révélé qu'avec 12 % des voix (mais en ayant frôlé la majorité dans plusieurs circonscriptions urbaines) il faisait bien figure, sur les ruines d'une gauche affaiblie par l'ouverture présidentielle (et qui a obtenu moins de 4 % des voix), de toute première force d'opposition au régime du président Zine el-Abidine Ben Ali. Mais le successeur de Habib Bourguiba, conscient que la contre-offensive idéologique tentée au début de son mandat a partiellement échoué, a préféré ensuite risquer de compromettre la crédibilité de son discours démocratique plutôt que de laisser, en légalisant leur formation, ses challengers entrer de plain-pied dans le jeu électoral. Le 10 juin 1990, cette tactique a montré ses limites. Toutes les formations d'opposition ayant décidé de boycotter des élections dont la crédibilité s'était par trop affaiblie, le RCD (Rassemblement constitutionnel démocratique, parti au pouvoir), comme au temps du parti unique, s'est retrouvé seul face aux urnes et condamné à assumer une « victoire massive » qui ne l'a pas rajeuni.

La situation algérienne n'est pas comparable. Dans une société qui a connu cent trente-deux années de colonisation, le déblocage politique engagé à partir du mois de novembre 1988 (à la suite des émeutes d'octobre) a révélé l'importance du potentiel islamiste.

Le laboratoire politique algérien

Après avoir démontré à plusieurs reprises dans la rue (notamment les 21 décembre 1989 et 20 avril 1990) l'étendue de son assise populaire, le Front islamique de salut (FIS) de Abbassi Madani (créé le 17 mars et agréé le 6 septembre) a obtenu, lors des élections locales (communes et willayas) du 12 juin, une spectaculaire consécration des urnes. Le chef de l'État Chadli Bendjedid avait semble-t-il imaginé qu'une prise de participation politique du FIS à concurrence de 30 % des voix pourrait l'aider à casser la résistance que la vieille garde boumédiéniste de son parti (le Front de libération nationale — FLN), revenue en force lors du congrès de novembre 1990, opposait à sa politique de réforme. Le scrutin du 12 juin a fait voler en éclats ces subtiles espérances : les listes islamistes ont remporté une majorité écrasante (sans doute plus des deux tiers des voix).

L'analyse territoriale de sa victoire donne au FIS toute l'« Algérie utile » du Nord et fait douter de la bonne tenue du FLN dans un Sud traditionnellement plus propice à la manipulation électorale. La thématique du Front des forces socialistes (FFS) de H. Aït-Ahmed, qui avait prôné l'abstention, n'a pas réussi à sortir du ghetto kabyle. Et ni la revendication démocratique (RCD, Rassemblement pour la culture et la démocratie) ni l'effet répulsif du discours islamiste n'ont suffi à asseoir une majorité électorale. Aucun segment de la société algérienne (ni l'armée, ni les femmes, contrairement à ce qu'on a trop écrit, ni les Berbères) ne se trouvant extérieur à la dynamique islamiste, on voyait mal, à la mi-1990, comment l'essai marqué le 12 juin pourrait ne pas être transformé à plus ou moins brève échéance lors d'un scrutin législatif. Entre-temps, le laboratoire politique algérien risque d'être l'objet de la double sollicitude, des régimes arabes désireux de limiter l'exemplarité de l'expérience locale du FIS, et des courants islamistes qui feront tout, au contraire, pour que les erreurs éventuelles des « ambassadeurs » algériens de leur cause ne viennent pas hypothéquer sa crédibilité.

Le temps n'en joue pas moins, à Alger, comme ailleurs, en faveur des islamistes. A mesure que s'effrite la portée du discours des élites indépendantistes, s'accentue en effet leur capacité à apparaître comme les héritiers d'une dynamique nationaliste qui ne suffit plus à soutenir ses premiers promoteurs mais dans laquelle ils sont parvenus, en la déplaçant sur le terrain culturel, à trouver de nouvelles et puissantes ressources.

François Burgat

L'affaire du carmel d'Auschwitz

L'affaire du carmel n'est intelligible qu'à la lumière des enjeux de mémoires qui entourent le musée d'Auschwitz. Celui-ci, né en 1947 à l'initiative du gouvernement polonais comme « musée du martyre de la nation polonaise et des autres nations », exprima dès le premier jour une idéologie antifasciste que le nouveau pouvoir communiste sut habilement faire coïncider, afin de mieux se faire légitimer, *avec* celle de la « construction du socialisme ». Il exprima également une mémoire polonaise, tant le camp d'Auschwiz s'était gravé dans l'opinion de ce pays comme celui de l'horreur et de l'éradication de ses élites.

Mais si le dispositif muséologique ainsi conçu put, par l'entremise de l'antifascisme, s'ouvrir aux autres nations, surtout à celles du bloc de l'Est, il ne sut pas rappeler de façon forte et précise que le camp d'Auschwitz fut avant tout *le lieu* du génocide des Juifs. Plusieurs raisons expliquent cette occultation : volonté consensuelle de l'antifascisme de ne pas isoler des catégories particulières de victimes, volonté de ne pas « chausser » les catégories des SS, politique d'assimilation des Juifs polonais rescapés. Mais dès les années soixante, et surtout soixante-dix, la mémoire juive, représentée notamment par des organisations d'anciens déportés, mit en cause de plus en plus vigoureusement l'anonymat général du musée.

Quant à l'Église de Pologne, elle fit progressivement son « entrée » dans le camp-musée. La béatification du père Kolbe eut lieu en 1971 et Jean-Paul II y effectua une visite mémorable en 1979. Au cours de ces cérémonies, où l'affluence de visiteurs battit tous les records, deux symboles contribuèrent à territorialiser une mémoire catholique polonaise : la cellule où mourut le père Kolbe, la croix, longue de sept mètres, qui servit à l'office religieux du pape. Mais, c'est à partir des années quatre-vingt qu'elle investit les lieux mêmes du camp : le bâtiment appelé le « Théâtre » fut transformé en carmel (1984) et l'ancienne *Kommandantur* de Birkenau en église. Cette présence ecclésiastique, impensable vingt ans plus tôt, traduisait autant le nouveau rapport de force entre l'État et l'Église que la volonté de cette dernière de ne pas laisser au « pouvoir athée » le monopole des symboles et signes de ce qui fut le summum de l'horreur.

Pour les communautés juives, la symbolisation chrétienne fut ressentie comme étant d'autant plus intolérable que, non seulement elle se superposait à l'occultation initiale, mais qu'elle violait l'indispensable

QUOI DE NEUF ?
OH ! RIEN !... LES JUIFS QUI NOUS CHERCHENT ENCORE DES HISTOIRES !
UN DÉTAIL !
AUSCHWITZ
PLANTU

silence du plus grand cimetière juif. Cette demande de *silence*, formulée par la partie juive, est commune à une perspective aussi bien religieuse — qui exige pour les morts nudité et distance — que laïque — qui dénie à quiconque le droit d'apposer à Auschwitz des emblèmes, surtout si ceux-ci évoquent l'antisémitisme traditionnel, notamment polonais.

Lors des négociations qui s'engagèrent en 1986 et 1987 à Genève entre des délégations catholiques et polonaises, il fut entendu que les carmélites quitteraient le couvent le 22 février 1989 et qu'un centre d'information, d'éducation, de rencontres et de prières, qui serait édifié à cinq cents mètres du camp, les accueillerait. A cette date, non seulement elles ne l'avaient pas quitté, mais des signes concordants (travaux importants dans le couvent, déclarations diverses) indiquaient que cet engagement ne serait pas respecté. Les relations judéocatholiques s'envenimèrent dès lors. Le cardinal Josef Glemp, primat de Pologne, dans une homélie prononcée le 26 août 1989, récusa les accords de Genève et formula à l'encontre des juifs des propos d'un antisémitisme classique et renouvelé.

Le conflit ne pouvait trouver d'arbitrage définitif qu'au niveau le plus élevé de la hiérarchie catholique. Le pape s'exprima le 19 septembre 1989, par la voix du cardinal Willebrands, président de la commission pontificale pour les relations avec le judaïsme, tranchant en faveur du respect des accords de Genève.

Jean-Charles Szurek

Les Églises dans la transition en Europe de l'Est

Le voyage de Jean-Paul II en Tchécoslovaquie, en avril 1990, à l'invitation du président Václav Havel a eu valeur de symbole. Sanction du rôle joué par l'Église catholique dans l'opposition au régime, ce voyage consacrait également le religieux dans sa fonction de producteur des valeurs éthiques nécessaires à la reconstruction morale de sociétés très sinistrées sur ce plan. De la longue confrontation avec le projet et la pratique soviétiques, certaines Églises sont sorties à l'évidence créditées d'un réel prestige, telles les Églises catholiques polonaise et tchécoslovaque, ou les Églises protestantes de RDA et de la Transylvanie roumaine. Telle n'a pas été, à l'inverse, la situation de la plupart des Églises orthodoxes qui, comme en Roumanie ou en Bulgarie, se sont compromises avec le pouvoir au point d'avoir à en demander aujourd'hui pardon à leur peuple. Le patriarche roumain Theoctist a ainsi dû démissionner, au lendemain de la révolution. De même, les Églises hongroises, tant protestante que catholique, sont apparues discréditées à l'heure de la transition. Enfin, les Églises qui ont survécu dans la clandestinité, telle l'Église uniate en Roumanie, ont inévitablement vu dans la chute des régimes qui les avaient martyrisées un signe et une revanche.

Mais quelle que soit la façon dont les Églises sont entrées dans la période nouvelle, celle-ci est lourde pour elles des défis d'une modernité socio-politique à laquelle elles ne sont guère préparées. Elles doivent cependant y faire face. La faiblesse de la tradition démocratique et la gravité de la crise socio-économique peuvent déboucher partout à l'Est sur une aspiration populaire à des pouvoirs forts, au sein desquels les Églises pourraient être tentées de tenir une place.

Plusieurs facteurs s'ajoutant à la contrainte que représente une transition particulièrement difficile, permettent d'expliquer pourquoi la religion peut devenir une machine de guerre contre une démocratie qui ne répondrait pas aux espoirs qu'elle a pu susciter. L'exemple de l'Ouest fait redouter une politique rationnellement désenchantée où se diluerait l'influence sociale des Églises. En fait, la plupart des hiérarchies religieuses ont du mal à définir ce que pourrait être un choix intermédiaire entre l'« ecclésiocentrisme », pour lequel avaient opté plusieurs d'entre elles, notamment protestantes, et l'intervention directe dans le champ politique, en utilisant le prestige acquis et le poids institutionnel qui en déroule (l'affaire du carmel d'Auschwitz a été fort révélatrice à cet égard), ou au contraire en tentant de trouver là une solution au discrédit dont elle sont frappées. Ces logiques internes peuvent d'ailleurs être relayées par des ambitions plus vastes : le projet de reconquête spirituelle de l'Europe, qui est au cœur de la pensée de Jean-Paul II, peut apparaître comme le dernier projet « total » sur le continent, justifiant des engagements politiques des Églises locales.

La religion, comme véhicule privilégié d'une quête identitaire, constitue par ailleurs un instrument potentiel de légitimation d'une utopie nationale, avec tous les risques qu'une telle fonction induit. Alfred Schoener, grand rabbin de Budapest, déclarait ainsi : « Je ne sais pas si l'antisémitisme d'aujourd'hui est plus fort que jamais, mais il est certainement plus visible qu'avant. » Ces inquiétudes sur la capacité de mobilisation nationaliste du catholicisme, qui pourrait trouver en Pologne une traduction politique avec la création d'un parti nationaliste-chrétien, s'appliquent à d'autres situations, telles la Slovaquie ou la Croatie.

Les Églises orthodoxes, quant à elles, se sont enfermées, par crainte, passivité ou servilité, dans un conservatisme et un ritualisme qui laissent mal augurer de leur attitude dans un processus politique tendant à la démocratisation. Même si la hiérarchie orthodoxe s'est gardée de tout dérapage antisémite, le risque existe, en Roumanie ou en Bulgarie, de voir la religion utilisée par des forces politiques fondant leur action sur l'exclusion des minoritaires, et les Églises elles-mêmes verser dans la surenchère nationaliste pour faire oublier leur compromission avec l'ancien régime. En fait, dans cette partie de l'Europe où l'identification à un État était plus l'exception que la règle, la religion peut servir, comme durant l'entre-deux-guerres, de discriminant national, le pouvoir y puisant les stéréotypes légitimateurs dont il a besoin.

Patrick Michel

QUESTIONS ÉCONOMIQUES

JOURNAL DE L'ANNÉE

- 1989 -

19 juin. **SME.** Entrée de la peseta espagnole dans le Système monétaire européen.

29 juin. **Politique monétaire.** Hausse du taux d'escompte allemand de 4,5 % à 5 %, suivie par les banques centrales de France, des Pays-Bas, de Belgique et de Suisse.

3 juillet. **Café.** La suspension des quotas d'exportation provoque une chute brutale des cours. Échec des négociations pour le renouvellement de l'accord international de stabilisation des prix de 1983.

6 juillet. **Dette.** Le gouvernement américain annonce l'annulation de la dette publique de seize pays d'Afrique subsaharienne, pour un montant d'un milliard de dollars.

9 juillet. **Argentine.** Plan de redressement économique du nouveau président, Carlos Menem : très forte hausse des tarifs publics, dévaluation de l'austral, suspension des subventions aux entreprises, privatisation d'entreprises publiques et réforme fiscale.

14-16 juillet. **G7.** Sommet de Paris. Soutien des sept grands pays industrialisés au plan Brady de mars 1989 sur la réduction de la dette bancaire des pays en développement, accord sur la lutte contre l'inflation et la sauvegarde de l'environnement. La CEE est chargée de coordonner l'aide occidentale à la Pologne et à la Hongrie.

23 juillet. **Dette.** Première application du plan Brady au Mexique : accord entre le gouvernement et 460 banques créancières pour échanger leurs créances contre des obligations à trente ans avec un rabais de 35 % et à un taux d'intérêt supérieur. L'accord sera officialisé le 7 février 1990. Le deuxième accord dans le cadre du plan Brady portera, le 16 août, sur la réduction de 1,2 milliard de dollars de la dette privée philippine (sur 12,1 milliards).

4 août. **États-Unis.** Le Congrès vote un plan de sauvetage des caisses d'épargne américaines d'un montant de 159 milliards de dollars.

29 août. **Banques.** La fusion des deux banques commerciales japonaises, Mitsui et Taiyo, donne naissance au deuxième groupe bancaire japonais et mondial, avec 262 milliards de dollars en dépôt.

8 septembre. **RFA.** Accord gouvernemental sur la prise de contrôle du groupe aéronautique Messerschmitt-Bölkow-Blohm (MBB) par le groupe automobile Daimler-Benz, bien que l'Office des cartels s'y soit opposé le 28 mars ; ce sera le troisième groupe industriel européen et le premier en matière d'armements.

27 septembre. **OPA.** Le groupe électronique japonais Sony rachète la compagnie de cinéma américaine Columbia pour 3,4 milliards de dollars. C'est la plus grosse OPA japonaise à l'étranger.

5 octobre. **Politique monétaire.** Nouvelle hausse des taux d'intérêt européens, suivie du relèvement du taux japonais le 11, après la réunion du G7, le 23 septembre, qui porte sur la hausse du dollar.

9 octobre. **URSS.** Reconnaissance et réglementation (interdiction dans les secteurs clefs de l'économie) du droit de grève.

13 octobre. **Bourse.** « Mini-krach » à la Bourse de New York, chute de 7 % (190 points) de l'indice Dow Jones des valeurs américaines (il avait perdu 22 % lors du krach d'octobre 1987).

Novembre. **Afrique.** Rapport de la Banque mondiale sur la situation économique critique de l'Afrique : le doublement de l'aide publique au développement d'ici l'an 2000 y est préconisé.

28 novembre. **Pétrole.** A Vienne, l'OPEP porte ses quotas de production de 20,5 à 22 millions de barils par jour. La production mondiale approche du record de 1979. Mais le 3 mai 1990, elle décide une réduction de production (de

1,4 million de barils par jour) pour enrayer la chute des cours en dessous du prix de référence de 18 dollars le baril (15 dollars en avril 1990 contre 20,5 en janvier).

8-9 décembre. **CEE.** Accord des Douze sur l'instauration de l'union économique et monétaire, au sommet européen des chefs d'État et de gouvernement à Strasbourg.

15 décembre. **CEE-ACP.** La convention de Lomé porte l'aide financière de la Communauté aux 68 États ACP (Afrique - Caraïbes - Pacifique) à 12 milliards d'écus.

17 décembre. **Pologne.** Le gouvernement polonais présente son plan de stabilisation : réduction des investissements publics, privatisations, gel des salaires, réforme fiscale impliquant une baisse importante du niveau de vie. Le Club de Paris accepte, le 15 février, un rééchelonnement de 9,4 milliards de dollars de la dette polonaise (d'un montant total de 40 milliards de dollars).

- 1990 -

29 janvier. **États-Unis.** Le président George Bush présente le projet de budget américain qui prévoit une réduction du déficit budgétaire de 152 à 63 milliards de dollars, sans augmentation d'impôt ; mais le 15 mai, contrairement à ses promesses, il devra envisager une hausse fiscale pour endiguer ce déficit.

7 février. **Drogue.** Le rapport d'un groupe d'experts, le GAFI (Groupe d'action financière sur le blanchiment de capitaux), créé par le G 7 au sommet de Paris en juillet 1989, propose la limitation du secret bancaire, approuvée par quinze pays.

27 février. **Yougoslavie.** Réouverture de la Bourse yougoslave, fermée depuis 1941.

28 février. **URSS.** Adoption, au Soviet suprême, de la « loi sur la terre » permettant aux familles paysannes de bénéficier de baux à perpétuité sur des terres agricoles. La loi sur la propriété privée du citoyen est approuvée le 6 mars.

2-3 mars. **Japon - États-Unis.** Rencontre entre Toshiki Kaifu (Premier ministre japonais) et George Bush à Palm Springs dans le cadre SII (Initiatives sur les obstacles structurels) relatif au rééquilibrage de leurs échanges commerciaux.

6 mars. **Japon - RFA.** Les groupes japonais Mitsubishi et allemand Daimler-Benz décident de coopérer dans les domaines automobile, aéronautique et électromécanique.

13 mars. **États-Unis - Nicaragua.** Le gouvernement américain annonce la levée de l'embargo économique contre le Nicaragua, après la défaite des sandinistes à l'élection présidentielle du 25 février.

16 mars. **Brésil.** Le nouveau président, Fernando Collor, lance un plan de « reconstruction nationale » anti-inflation : gel de l'épargne pour dix-huit mois, blocage des prix, création d'un impôt sur la fortune et sur le patrimoine des entreprises, licenciement d'un quart des fonctionnaires et privatisations.

20 mars. **Dette.** Quatrième accord signé dans le cadre du plan Brady. Il concerne le Vénézuela et 400 banques créancières pour une réduction de la dette bancaire (21 milliards de dollars), un an après les « émeutes de la faim » (février 1989). Le Maroc signe, le 10 avril, un accord de restructuration de sa dette bancaire (3,2 milliards sur une dette totale de 20 milliards de dollars).

1er avril. **Grande-Bretagne.** Entrée en vigueur du nouvel impôt local, la *poll tax*, précédée de violentes manifestations. Cette réforme des impôts locaux est très défavorable aux ménages les moins aisés.

5 avril. **États-Unis - Japon.** Accord préliminaire entre les États-Unis et le Japon sur l'accès des produits étrangers au marché japonais (superordinateurs, satellites...) contre l'engagement américain de réduire son déficit budgétaire. Le gouvernement américain retire, le 28 avril, le Japon de la « liste noire » des pays qu'il menaçait de sanctions économiques.

7 avril. **Politique monétaire.** Le G 7, réuni à Paris, s'inquiète de la baisse du yen (20 % en un an) et de la chute de l'indice boursier japonais (35 % en trois mois).

11 avril. **Automobile.** En France, projet de loi transformant la Régie Renault en société anonyme détenue à 75 % par l'État français, qui permettra au groupe suédois Volvo d'acquérir 25 % du capital (accord de février).

18 mai. **Allemagne.** Signature à Bonn du traité instaurant l'union économique et sociale entre la RFA et la RDA à compter du 2 juillet, sur la base de la parité des deux marks pour les salaires et les retraites. L'accord prévoit la création d'un fonds de 111 milliards de deutschmarks.

24-25 mai. **URSS.** Présentation au Soviet

suprême d'un projet de réforme économique pour le passage à une économie de marché en cinq ans : réforme des prix, diversification des formes de propriété et « démonopolisation » de l'industrie. Ce projet suscite crainte et oppositions et sera repoussé par le Soviet suprême le 13 juin.

29 mai. **BERD.** La Banque européenne pour la reconstruction et le développement de l'Europe de l'Est (BERD) est créée par quarante pays (trente européens, États-Unis, Canada, Mexique, Japon, Corée du Sud, Australie, Nouvelle-Zélande, Israël, Égypte, Maroc) et deux organisations — la Banque européenne d'investissement et la CEE.

Véronique Chaumet

Tableau de bord de l'économie mondiale en 1989-1990

Après avoir connu une expansion exceptionnellement rapide en 1988 (4,1 % de croissance), l'économie mondiale s'est ralentie, le taux de croissance tombant à 3 % en 1989. Ce ralentissement a concerné toutes les catégories de pays : pays développés, pays en voie de développement (PVD) et pays d'Europe de l'Est.

Le taux de croissance des pays industrialisés est passé de 4,4 % en 1988 à 3,5 % en 1989. Ce ralentissement a été principalement provoqué par les politiques d'austérité monétaire appliquées depuis le début de 1988 dans la plupart des pays industrialisés, afin de freiner le glissement à la hausse des taux d'inflation. Dans ce cadre, les taux d'intérêt à court terme ont partout été considérablement relevés ; le taux d'intérêt moyen des sept plus grands pays industrialisés est ainsi passé de 6,7 % en 1987 à 9,3 % au début de 1990.

L'augmentation des taux d'intérêt est censée réduire les tensions inflationnistes en diminuant la demande (la dépense) des ménages et des entreprises. Cette politique comporte néanmoins un grave inconvénient : en ralentissant la demande, elle diminue la croissance. Ainsi, devant un ralentissement inquiétant de l'économie, les États-Unis ont dû, au deuxième trimestre 1989, relâcher leur politique monétaire bien que celle-ci n'ait pas encore produit les effets espérés sur les prix.

Pays industrialisés : quelle politique monétaire ?

Au début de 1990, les politiques de restriction monétaire appliquées par les pays développés avaient réussi à stabiliser l'inflation à un palier voisin de 4 % par an sans que celle-ci manifeste une tendance à diminuer. Devant ce demi-succès, deux points de vue s'affrontaient. Selon le premier (développé notamment par le FMI), il fallait accentuer la politique anti-inflationniste et essayer d'éradiquer totalement ce fléau. Pour d'autres (la fraction « pragmatique » dominante au sein du gouvernement américain, par exemple), il serait dangereux pour l'investissement et nocif pour les pays endettés du tiers monde d'augmenter encore les taux d'intérêt ; selon ce point de vue, une inflation modérée (3 à 4 %) peut être acceptée comme un moindre mal, en tout état de cause moins grave que le risque d'une récession.

Pour les institutions internationales (FMI, OCDE, etc.) les perspectives de croissance, à la mi-1990, étaient excellentes pour les pays développés ; la réunification de l'Allemagne était susceptible d'augmenter le taux de croissance de la RFA d'un point et demi de pourcentage, ce dont bénéficierait toute l'Europe. Les changements politiques à l'Est

TABLEAU 1. PRODUCTION MONDIALE PAR GROUPES DE PAYS
(Taux de croissance annuel)

	1970-80	1980-89	1987	1988	1989
Monde	3,9	3,0	3,4	4,1	3,0
PCD[a]	3,1	2,9	3,5	4,4	3,5
PVD[b]	5,5	3,2	3,8	4,1	3,0
CAEM (Europe)[c]	5,2	2,8	2,1	4,0	1,8

a. Pays capitalistes développés ; b. Pays en voie de développement ; c. URSS, Bulgarie, Tchécoslovaquie, RDA, Roumanie, Pologne et Hongrie.

TABLEAU 2. PAYS CAPITALISTES DÉVELOPPÉS
(Taux de croissance annuel)

	1970-80	1980-89	1987	1988	1989
Ensemble	3,1	2,9	3,5	4,4	3,5
États-Unis	2,8	2,8	3,7	4,4	3,0
Japon	4,8	4,1	4,6	5,7	4,9
RFA	2,7	2,0	1,7	3,6	4,0
France	3,7	2,1	1,9	3,5	3,4
Royaume-Uni	1,9	2,7	4,8	4,4	2,3
Europe (OCDE)	2,9	2,2	2,7	3,7	3,4

TABLEAU 3. PAYS EN VOIE DE DÉVELOPPEMENT
(Taux de croissance annuel)

	1970-80	1980-89	1987	1988	1989
Ensemble	5,5	3,2	3,8	4,1	3,0
Afrique	3,8	1,7	1,1	2,3	2,9
Asie	5,3	6,9	8,0	9,0	5,1
Moyen-Orient	7,2	0,8	− 0,8	3,8	3,9
Amérique latine	5,9	1,3	2,9	0,3	0,9

TABLEAU 4. PRODUCTION MONDIALE PAR PRODUITS
(Taux de croissance annuel)

	1960-70	1970-80	1980-89	1988	1989
Prod. agricoles	2,5	2,0	2,2	0,5	4,0
Prod. minéraux[a]	5,5	2,5	− 0,2	5,5	2,0
Prod. manufacturés	7,5	4,5	3,7	6,5	5,0
Ensemble[b]	6,0	4,0	2,7	4,5	4,0

a. Y compris produits pétroliers ; b. Services non compris.

TABLEAU 5. COMMERCE INTERNATIONAL PAR PRODUITS
(Taux de croissance annuel des exportations)

	1960-70	1970-80	1980-89	1988	1989
Prod. agricoles	4,0	4,5	2,2	5,0	4,0
Prod. minéraux [a]	7,0	1,5	0,9	6,0	4,5
Prod. manufacturés	10,5	7,0	5,3	10,0	8,0
Ensemble [b]	8,5	5,0	4,3	8,5	7,0

a. Y compris produits pétroliers ; b. Services non compris.

permettront par ailleurs de substantielles réductions des dépenses militaires des pays occidentaux, qui, si elles se traduisent en une augmentation de l'investissement productif, pourront être aussi un important facteur d'accélération de la croissance.

PVD : la dette est toujours là

La croissance des pays en voie de développement (P V D) s'est ralentie, passant de 4,1 % en 1988 à 3 % en 1990. Ce résultat s'explique par l'application de politiques d'austérité dans plusieurs pays qui avaient vu leur inflation s'accélérer (en Chine notamment) et par la détérioration de l'environnement international : un taux de croissance plus faible du commerce mondial (conséquence du ralentissement de la croissance dans les pays développés), des taux d'intérêt plus élevés pour rembourser la dette (conséquence des politiques monétaires restrictives évoquées plus haut) et un affaiblissement du prix des matières premières non pétrolières.

La stagnation, voire la chute, du revenu par habitant depuis 1980 en Afrique et en Amérique latine a fini par convaincre les dirigeants mondiaux que les pays en voie de développement ne pourraient retrouver la croissance sans une réduction préalable de la charge de leur dette extérieure. Deux projets en ce sens ont vu le jour. Le premier, à l'initiative du chef d'État français François Mitterrand, fut adopté au sommet des pays industrialisés de Toronto (19-21 juin 1988), avec pour objectif l'abandon d'une partie de la dette contractée à l'égard des créanciers officiels par les pays les plus pauvres (les pays d'Afrique sub-saharienne notamment). Les mesures appliquées dans ce cadre ont été décevantes : à la mi-1990, elles n'avaient permis qu'une réduction négligeable (2 %) du service de la dette des pays concernés.

Le second projet — proposé le 10 mars 1989 —, le « plan Brady », du nom du ministre américain des Finances, concerne les pays à revenu moyen lourdement endettés (Mexique, Argentine, Brésil, etc.). Quelque 30 milliards de dollars ont été avancés (par la Banque mondiale, le FMI et le gouvernement japonais) afin de constituer un fonds permettant d'inciter les banques à échanger les créances qu'elles détiennent contre des obligations d'une valeur moindre (ou qui portent un taux d'intérêt inférieur à celui du marché) mais dont le service est plus certain, étant garanti par le fonds en question. Les résultats de ce projet ont été eux aussi décevants. En juin 1990, quatre pays seulement avaient abouti à des accords avec les banques. Le Mexique avait réussi par ce biais à réduire de 1 milliard de dollars par an les intérêts à verser (à peine 6 % des intérêts dus en 1989).

Pays de l'Est : le retour du marché...

Les pays d'Europe de l'Est et l'URSS ont aussi connu une croissance plus faible en 1989. Constatant, depuis de nombreuses années, le ralentissement systématique de leur croissance, la plupart de ces pays ont pris la décision de mettre fin à la planification centralisée et d'instaurer, à sa place, des mécanismes de marché, espérant ainsi insuffler une vigueur nouvelle à leurs économies.

Cette volonté de réforme s'était déjà manifestée depuis 1968 en Hongrie et depuis 1981 en Pologne, mais ces pays avaient cherché à garder le système d'entreprises d'État et d'économie planifiée tout en le dotant de quelques éléments de marché : autonomie plus grande des entreprises, révision du système des prix, etc. Les résultats de cette méthode de réforme graduelle ont été médiocres et les mouvements sociaux que les pays de l'Est ont connus en 1989 et 1990 ont créé une opinion publique favorable à un changement beaucoup plus radical du système économique.

... mais aussi du chômage et de l'inflation

De l'avis des experts, la libéralisation simultanée de tous les éléments de l'économie devrait donner lieu à deux phénomènes qui peuvent devenir dangereux et faire échouer la réforme. D'abord, la libération des prix provoquera une hausse qui peut dégénérer en une spirale inflationniste à moins que les gouvernements ne l'accompagnent d'une sévère politique d'austérité destinée à freiner les salaires réels. Deuxièmement, la suppression des subventions aux entreprises et la nécessaire politique d'austérité pour éviter l'inflation conduiront certainement à une diminution de la production et à des licenciements. La question qui se pose est de savoir si ces phénomènes seront passagers. Le nouveau dynamisme attendu des mécanismes de marché se traduira-t-il, après une période transitoire, en un taux de croissance suffisant pour résorber le chômage initial ? Il est parfaitement possible qu'après avoir mené l'essentiel des réformes, certains pays de l'Est s'enfoncent dans une situation durable de faible croissance et haute (ou hyper) inflation, comme ce fut le cas pour des pays d'Amérique latine pendant les années quatre-vingt.

Les difficultés (passagères ou durables) qui risquent d'accompagner la transition risquent d'aliéner les opinions publiques de ces pays qui pourraient devenir hostiles aux réformes. Pour éviter cette éventualité deux démarches semblent possibles. Soit ne réduire que progressivement les subventions et libérer les prix par étapes afin d'éviter au maximum le développement du chômage; soit réaliser ces réformes d'un coup mais en créant un « filet de sécurité » (un système d'allocations chômage notamment) pour ceux qui en souffriraient.

Francisco Vergara

L'hyperinflation, ses causes et ses formes

Une hausse exponentielle des prix est survenue dans de nombreux pays : la plupart des pays latino-américains, l'Iran, plusieurs pays de l'Est (Pologne, Yougoslavie), hier Israël et le Vietnam, demain d'autres pays de l'Est. Ce n'est pas un phénomène passager. Ses conséquences socio-politiques peuvent être très importantes ainsi que nous l'enseignent les expériences des années vingt. Il convient donc de préciser certains de ses aspects. La hausse des prix devient, à la fois, exponentielle, incontrôlable, et imprévisible; les prix relatifs deviennent incohérents (incohérence qu'illustre la réflexion courante « il n'y a plus de prix » et qui alimente la hausse accélérée des prix) ; enfin, la monnaie nationale perd l'exercice des fonctions de la monnaie : fonctions de réserve de valeur et d'unité de compte, mais aussi, sur une plus ou moins grande échelle, fonction de moyen de circulation, au profit du dollar.

Généralement, à partir de l'expérience des années vingt, on qualifie de non durables les situations hyperinflationnistes. L'incertitude qui grandit, la difficulté, voire l'impossibilité, de tout calcul économique, la complexité des opérations les plus quotidiennes conduisent au chaos : pénuries et ruptures d'approvisionnement se développent, les opérations d'achat/vente tendent à être paralysées. Et c'est ce chaos lui-même qui prépare le terrain pour un retournement de la situation. L'arrêt des hyperinflations a toujours été brutal.

Cependant un autre type de phénomène a fait son apparition dans les années quatre-vingt. L'inflation s'accélère, puis, à quelques parenthèses près, reste stable à des niveaux élevés de façon durable, puis s'accélère à nouveau. En d'autres termes, on a une situation inédite, par rapport aux hyperinflations des années vingt. Il existe ce qu'on peut appeler une hyperinflation *rampante*, avec les caractéristiques de l'hyperinflation mais sans que ce soit encore véritablement le chaos : ni la perte de contrôle des prix, ni les pénuries/ruptures d'approvisionnement ne sont générales. L'expérience des années quatre-vingt montre que cette hyperinflation rampante peut être durable, et que c'est à partir de cette rampe de lancement que peuvent survenir des hyperinflations *ouvertes* où le chaos prend, cette fois, toute son amplitude.

40 000 000 %, 300 000 000 %...

A la base de l'hyperinflation rampante, qui va se manifester par une hausse des prix, sur l'ensemble des années quatre-vingt, de l'ordre de 15 000 % au Mexique, de 40 000 000 % au Brésil, et de 300 000 000 % en Argentine, deux phénomènes : une ponction externe, due conjointement à l'énorme service de la dette extérieure et au quasi-arrêt des prêts, ponction égale en Amérique latine à 2 à 6 % du PIB, c'est-à-dire davantage que le montant des réparations allemandes de l'après-Première Guerre mondiale, dont on estime qu'elles ont été à l'origine de l'hyperinflation de l'Allemagne des années vingt ; et des politiques d'ajustement, destinées à permettre l'obtention de ressources suffisantes pour assurer le service de la dette, et qui auront de graves effets pervers venant aggraver la situation. Trois mécanismes vont se développer.

1. L'accélération même de l'inflation aura pour conséquence d'aggraver le déficit budgétaire, malgré la limitation des dépenses publiques. En effet, d'une part, la pression fiscale baisse, en raison de l'accélération d'une évasion fiscale déjà très forte, et parce que la hausse des prix qui se produit entre le moment où les recettes fiscales sont fixées et celui où elles sont perçues ronge les recettes réelles. D'autre part, le service de la dette publique connaît un processus d'auto-entretien, lié pour l'essentiel aux mécanismes d'indexation aux prix et au dollar. Le déficit budgétaire s'accroît, la dette publique se gonfle, constituant une véritable bombe à retardement.

2. Les investissements productifs baissent ou ralentissent. La faiblesse de la demande interne, liée en particulier aux politiques salariales restrictives, la limitation de l'accès aux prêts bancaires (taux d'intérêt très élevés, processus de démonétisation), la hausse des charges financières, les atteintes aux capacités d'importation, expliquent cette situation. Parallèlement, la spéculation financière, qui est plus rentable que les investissements productifs, connaît un grand essor. Au total, la production régresse ou augmente moins rapidement que durant la décennie précédente, pesant négativement sur

l'offre, et faisant donc naître de nouvelles pressions inflationnistes.

3. Dans les années quatre-vingt, les *conflits distributifs* vont, là aussi, s'aggraver, le gâteau à partager étant moindre, et une partie de ce gâteau étant servie aux créanciers internationaux. Les firmes oligopolistiques sont incitées à augmenter encore plus leurs prix, tandis que les mécanismes d'indexation, formelle ou informelle, induisent des ajustements de prix relatifs qui se font de plus en plus rapidement vers le haut, au détriment des revenus du travail.

C'est donc à partir de cette situation d'hyperinflation rampante durable, que naîtront des processus d'hyperinflation ouverte, notamment en Bolivie, en 1984-1985 (les prix augmentent durant le premier trimestre 1985 au rythme annuel de 127612 %), ou en Argentine, en 1989-1990. Au-delà d'un certain seuil d'inflation, les prix tendent à suivre un seul indicateur, aisé à connaître et qui évolue tous les jours, le taux de change, en l'occurrence, le *cours du dollar parallèle*. C'est pourquoi, d'ailleurs, la condition d'arrêt de l'hyperinflation ouverte est précisément la stabilisation du taux de change. Étant entendu que cet arrêt ne signifie pas pour autant la disparition automatique des conditions qui induisent l'existence d'une hyperinflation rampante. Si ces conditions demeurent, l'hyperinflation ouverte demeurera une menace toujours présente. Celles-ci constituent parallèlement une menace pour les processus de démocratisation en cours.

Pierre Salama, Jacques Valier

Les problèmes de la reconstruction économique à l'Est

L'Europe de l'Est est-elle devenue un nouveau « Far East » ? L'ampleur des programmes de privatisation, l'abandon rapide de la planification, l'arrivée au pouvoir de nouvelles majorités conservatrices ont modifié sensiblement le paysage. Les investisseurs étrangers ne s'y sont pas trompés. De nombreuses opérations de prises de contrôle, de créations d'entreprises conjointes ont vu le jour, qui ont touché presque tous les secteurs d'activité.

Les économies de l'Europe de l'Est (Bulgarie, Hongrie, Pologne, RDA, Roumanie, Tchécoslovaquie) se sont engagées, à la suite de l'implosion du système communiste, dans un processus de restructuration qui doit les transformer en économies de marché. Au-delà des différences qui existent entre les six pays, la transition vers le marché soulève une série de questions que l'on peut résumer autour de trois grands points :

1. Les réformes institutionnelles et la question des droits de propriété. Le marché ne peut fonctionner efficacement que dans le cadre d'institutions particulières qui permettent le développement et le fonctionnement de ses mécanismes. Une des premières mesures appliquées a concerné la redistribution des droits de propriété, notamment à travers la privatisation des actifs publics en vue de favoriser l'émergence d'une classe d'entrepreneurs. L'étendue, la modalité et le financement des privatisations divergent d'un pays à l'autre, comme le montrait la situation à la mi-1990.

En Pologne et en Hongrie, on cherchait à privatiser la totalité des actifs détenus par l'État quelle que soit l'origine des acquéreurs. Le gouvernement polonais souhaitait liquider rapidement le secteur d'État alors que les nouveaux dirigeants hongrois envisageaient de s'en défaire progressivement au cours des années quatre-vingt-dix. La Tchécoslovaquie insistait sur la nécessité de contrôler le patrimoine national et se proposait de limiter les possibilités d'acquisition par les capitaux étrangers. En RDA, le processus d'absorption engagé posait le problème dans des termes un peu différents : la structure industrielle et les formes de propriété devront s'harmoniser, à moyen terme, avec celles de la RFA. En Bulgarie et en Roumanie, où les ruptures institutionnelles ont été moins nettes, les projets restaient encore vagues.

Quant aux modalités, les solutions proposées divergent. L'idée de créer un actionnariat populaire, admise dans tous les pays, se heurte à la difficulté de mobiliser l'épargne privée. Si l'on considère, d'un côté, l'aversion au risque manifestée par la très grande majorité de la population et la méconnaissance du fonctionnement des Bourses de valeurs, et de l'autre, l'état déplorable de nombreuses entreprises d'État, on devine la difficulté de mobiliser l'épargne des citoyens. Les banques récemment créées pourraient contrôler une partie des actifs. La question du maintien d'un secteur public, au moins pour une période transitoire, est donc posée. L'appel au capital étranger avec le danger de vendre à l'encan le patrimoine national peut soulever le mécontentement d'une partie de la population. L'absence de capitaux risque de limiter l'étendue des privatisations.

2. L'émergence d'un entrepreneurship et la restructuration des entreprises. Parallèlement au démantèlement des trusts socialistes, le problème de l'entrepreneurship est posé. Dans les économies d'Europe de l'Est, on constate une très grande asymétrie entre les firmes d'État, d'un côté, et les entreprises privées, issue de l'économie seconde, de l'autre. Or la force des économies occidentales réside, notamment, en l'existence d'un réseau serré de petites et moyennes entreprises qui absorbent une très grande partie des salariés. On cherche à favoriser l'émergence de PME dépassant la taille dérisoire des petites entreprises privées existantes afin de prendre en charge les fonctions auparavant mal remplies par les firmes d'État.

Les entreprises doivent par ailleurs rechercher une taille critique leur permettant d'entrer en compétition avec les firmes occidentales sur des marchés ouverts et très concurrencés. La restructuration industrielle et la modernisation des entreprises constituent un objectif prioritaire avec le risque de voir se développer rapidement un important volant de chômage. Beaucoup de firmes ont des équipements obsolètes et sont spécialisées dans des secteurs en déclin (sidérurgie, métallurgie) ; dans de nombreux domaines, leurs performances sont inférieures à celles de leurs concurrents occidentaux, la qualité est souvent en deçà des standards. La spécialisation des industries de ces pays doit permettre de diversifier l'offre sur les marchés domestiques et de prendre des parts de marché à l'Ouest. La modernisation des entreprises doit permettre, à travers les exportations, de dégager des surplus en devises convertibles pour pallier l'abandon du CAEM (Conseil d'assistance économique mutuelle, ou COMECON), assurer les transactions en devises convertibles avec l'URSS qui demeure encore le premier partenaire économique de tous ces pays.

3. Des choix de politique économique. L'ajustement micro-économique est rendu difficile par le poids de la contrainte macro-économique. Deux types de contraintes se sont fait jour.

— La contrainte externe : les pays de l'Est sont tous fortement endettés ; ceux qui ne le sont pas devront le devenir (Roumanie, Tchécoslovaquie) pour se moderniser. La charge du service de la dette risque d'obérer le degré de liberté de la politique économique et de rendre plus difficile l'importation des équipements occidentaux et le niveau de l'investissement.

— Au niveau interne, la principale difficulté risque de provenir de la déstabilisation politique et de la difficulté, pour les responsables de la politique économique, d'arbitrer entre mesures de stabilisation (réduction du niveau d'inflation et de l'endettement interne) et défense des catégories sociales les plus touchées par les mesures d'ajustement.

Xavier Richet

Économie : le temps des OPA

L'économie occidentale a connu, pendant les années quatre-vingt, une formidable augmentation des fusions entre sociétés et des prises de contrôle d'une entreprise par une autre. Deux vagues similaires à celle-ci ont déjà eu lieu au XXe siècle : l'une dans les années vingt et une autre à la fin des années soixante et au début des années soixante-dix. La vague actuelle s'est d'abord manifestée aux États-Unis et au Royaume-Uni (à partir de 1981) avant de s'étendre à l'Europe continentale et notamment à la France. Dans ce pays, elle a commencé timidement en 1985 (264 opérations — fusions, cessions et acquisitions — représentant 31,7 milliards FF) pour connaître une véritable explosion en 1987 (915 opérations, 165,8 milliards FF) qui s'est poursuivie les années suivantes (1 053 opérations, 306,3 milliards FF en 1988).

Lorsqu'une entreprise (ou un individu) cherche à acheter la majorité des actions d'une société cotée en Bourse, la meilleure manière d'éviter une flambée du cours est d'acheter, le plus discrètement possible, des petits paquets d'actions, jusqu'à atteindre une majorité de contrôle. C'est ainsi qu'en France, à la surprise générale, Jean-Luc Lagardère de Matra prit naguère le contrôle de Hachette. Cette voie, appelée « grignotage », consiste à profiter de l'ignorance des actionnaires et lèse leurs intérêts ; elle n'est plus autorisée en France. Le législateur a voulu que l'actionnaire soit totalement informé de ce qui se prépare. Ainsi, depuis 1988, un acheteur qui détient plus de 20 % des actions est obligé d'annoncer « publiquement » ses intentions et, selon la réglementation de 1989, dès qu'il dépasse 33 % il est obligé d'adresser une offre d'achat *à l'ensemble des actionnaires*. Une tentative de prise de contrôle passe donc, presque obligatoirement, par une OPA (offre publique d'achat).

Quelles mesures de défense ?

Les OPA peuvent être « amicales » ou « hostiles ». Dans le premier cas, la direction de l'entreprise « cible » (celle qui est visée par le rachat) consent à l'opération, la considérant dans son intérêt ; elle a même pu en prendre l'initiative.

Dans le cas d'une OPA « hostile », en revanche, l'offre d'achat passe « au-dessus de la tête » de la direction de l'entreprise visée et s'adresse directement aux actionnaires. La direction de l'entreprise attaquée va tenter de résister, ce qu'elle peut faire par divers moyens. Si elle pense que, de toute manière, elle ne pourra pas garder son indépendance, elle peut faire appel à un « chevalier blanc » : un acquéreur plus à son goût que celui qui lance l'OPA (un acquéreur qui ne changera pas la direction, par exemple, ou qui respectera la politique sociale en place, ou qui ne dépècera pas l'entreprise). En France, c'est à Framatome que fit appel, comme « chevalier blanc », l'entreprise Télémécanique, cherchant, sans succès, à échapper à l'OPA lancée par Schneider en février 1988.

En revanche, si une entreprise veut garder son indépendance, elle dispose de nombreuses astuces pour se rendre difficile à « croquer ». Elle peut procéder à une LBO (*leveraged buy-out*, rachat avec recours au crédit) qui consiste à s'endetter pour racheter ses propres actions, évitant ainsi qu'elles ne tombent dans les mains de l'acheteur hostile. La loi n'autorise pas ce type de riposte en France, mais c'est ainsi que Goodyear (deuxième fabricant mondial de pneus d'automobile) a échappé, aux États-Unis, à l'OPA lancée par Jimmy Goldsmith, le financier anglo-français.

Une deuxième mesure consiste à céder à la pratique dite de « *greenmail* » (de *blackmail*, chantage) qui consiste, pour l'entreprise visée, à payer le prix fort pour racheter le paquet d'actions qu'a réussi à accumuler le *raider* (spécialiste de la prise de contrôle) qui la menace. C'est ainsi que Philips Petroleum échappa, en 1985, au célèbre *raider* américain Carl Icahn.

Une troisième pratique est celle, très populaire aux États-Unis, des « pilules empoisonnées » : la direction procède à une augmentation du capital et offre à ses actionnaires fidèles, à un très bon prix, un nombre important de nouvelles actions. Plus grand devient le capital de la société, plus coûteuse sera la prise de contrôle pour le *raider*.

Spéculation ou stratégie industrielle ?

La société ou l'individu qui lance une OPA peut avoir deux types de buts. Premièrement, un but spéculatif à court terme (dépecer l'entreprise cible et la vendre « par appartements », par exemple). Le cas le plus célèbre d'OPA de ce genre est celui qui toucha la multinationale Singer qui, après avoir été rachetée par un « prédateur », passa en quelques mois de 28 000 à 3 800 salariés. Moins de 1 % des OPA qui ont eu lieu aux États-Unis dans les années quatre-vingt appartenaient à cette catégorie, mais c'est ce type d'opération qui a fait la « une » de la presse et qui a le plus choqué l'opinion publique américaine. La furie des OPA hostiles à but spéculatif (qui s'est cantonnée aux pays anglo-saxons) a semblé en net déclin, aux États-Unis. En ce début de décennie, la technique de financement la plus typique de ce genre d'opération, l'émission d'obligations à haut taux d'intérêt, gagées sur les actifs de la société visée — les célèbres *junk bonds* — ne semble plus trouver la faveur des investisseurs. La valeur des *junk bonds* placés auprès du public, après une croissance vertigineuse de 1984 à 1988, a plafonné à 200 milliards de dollars avant de tomber à 150 milliards au début de 1990.

Une OPA peut aussi avoir pour but une stratégie industrielle à moyen ou à long terme : l'intégration de la société rachetée à une autre entreprise afin d'obtenir des synergies, ou des économies d'échelle, ou encore une augmentation de la part de marché, parvenir à une taille critique, etc. C'est à cette dernière catégorie que correspondent la majorité des OPA (surtout en France mais aussi aux États-Unis) lesquelles ont lieu, en règle générale, de manière amicale.

On peut distinguer deux grands types de stratégies industrielles. Une première, qui caractérise la vague des fusions et acquisitions de la fin des années soixante, consiste en une *diversification* des activités, contribuant à la formation de grands « conglomérats ». Les grandes entreprises, s'attendant à une longue période de ralentissement de la demande pour leurs produits (les multinationales du tabac et du pétrole notamment), ont cherché à maintenir leurs profits non en augmentant la production (qu'il aurait été très difficile d'écouler) mais en achetant des filiales orientées sur d'autres activités. Un exemple tardif de cette diversification a été l'achat par BAT (British American Tobacco) du huitième assureur américain, Farmers.

Une seconde stratégie, qui caractérise la vague d'O P A de la dernière décennie, consiste, au contraire, à effectuer un *recentrage sur les activités fondamentales* du groupe. Elle s'explique en grande partie par le retour de la croissance dans l'ensemble du monde occidental, par l'échéance du Grand Marché européen, en 1993, et par les résultats décevants de la politique de diversification antérieure. C'est dans le cadre de cette politique que les vaccins Mérieux (Lyon, France) ont racheté les vaccins Connaught du Canada (16 octobre 1989), et que l'électronique Bull (France) a racheté les activités électroniques de l'américain Zénith (4 octobre 1989). C'est dans cette optique aussi que Axa-Midi (troisième assureur français) s'est joint à l'O P A lancée par Jimmy Goldsmith contre British American Tobacco avec le but spécifique de s'approprier l'assureur Farmers que B A T avait acheté quelques années auparavant.

Quel bilan ?

De nombreux économistes se sont demandé (surtout aux États-Unis et au Royaume-Uni) si le phénomène des *raiders*, des prédateurs et des O P A hostiles était une bonne ou une mauvaise chose pour l'économie dans son ensemble. Selon certains, l'une des causes les plus importantes du déclin relatif de l'économie américaine et britannique résiderait dans l'attitude assoupie des directions des grandes entreprises ; la surveillance exercée par les conseils d'administration et les assemblées d'actionnaires ne suffirait pas à assurer leur efficacité. Il faudrait les stimuler : c'est ce rôle que jouerait la crainte, pour les directeurs non performants, de se voir remplacés par une autre direction en cas d'O P A réussie sur leur société. La vague d'O P A hostiles jouerait ainsi un rôle salutaire, remplaçant les managers incompétents mais surtout incitant l'ensemble des directions à une gestion plus efficace.

Mais tout le monde ne voit pas que des avantages à ces pratiques : la vague des *raiders* et des O P A hostiles présenterait plusieurs inconvénients graves. D'abord, elle encouragerait le comportement à court terme chez les dirigeants. Par crainte de mécontenter leurs actionnaires, qui pourraient céder à la tentation de vendre leurs titres, les entreprises donneraient la priorité au court terme (distribuer des bénéfices « juteux », par exemple) au détriment des investissements à long terme, et notamment de la recherche-développement.

L'activité des *raiders* aurait aussi contribué au considérable alourdissement de la dette des entreprises américaines, multipliant ainsi les risques de faillite en cas de récession. En effet, les sociétés ont en quelque sorte substitué des dettes à des actions. Elles se sont endettées pour lancer des O P A ou pour éviter les O P A lancées à leur encontre ; elles ont, dans le même temps, racheté (retiré des mains du public) une grande quantité d'actions, une situation qui pourrait se révéler très dangereuse dans un contexte de récession. En pareil cas, en effet, les profits diminuent ; les entreprises peuvent néanmoins survivre en diminuant les dividendes distribués aux actionnaires ; mais elles ne peuvent pas réduire les intérêts versés sur leur dette. En cas de récession, plus les entreprises sont endettées et moins elles ont d'actions placées auprès du public et plus haute est donc leur probabilité de faire faillite.

Francisco Vergara

Virage conservateur à la Cour suprême américaine

Le 17 mai 1990, Dalton Prejean est exécuté en Louisiane. Il avait dix-sept ans au moment de son crime et l'âge mental d'un enfant de treize ans. Le 27 juin 1989, par cinq voix contre quatre, la Cour suprême autorise (dans les arrêts *Penry c. Linaugh* et *Stanford c. Kentucky*) les États à exécuter les débiles mentaux ou les mineurs de plus de seize ans au moment des faits.

Ronald Reagan, qui n'est plus président depuis janvier 1989, a gagné le seul pari politique qui valait d'être tenu : il a réussi à renverser la majorité politique de la Cour suprême qui, depuis quarante ans, exaspérait les conservateurs. Malgré les tentatives répétées de ses prédécesseurs républicains depuis Richard Nixon en 1969, cette majorité progressiste avait tenu contre tous les assauts. Depuis la nomination (ratifiée en janvier 1988) d'Anthony Kennedy, ce sont les conservateurs qui ont enfin repris le pouvoir judiciaire. Cette nouvelle majorité conservatrice devait être renforcée par le remplacement du chef de file progressiste, William Brennan, qui a démissionné en juillet 1990.

Sur le plan institutionnel, la répartition des prérogatives entre les divers organes de l'État fédéral — que nul ne remet en cause — n'en sera pas atteinte. Elle est dorénavant établie au bénéfice de la Présidence et ne peut être modifiée qu'à la marge. Même si les querelles entre l'exécutif et le législatif semblent énormes, elles rappellent plus, dans leur réalité quotidienne, les guerres picrocholines qu'un combat de titans. Le Congrès peut jouer les mouches du coche et ne saurait détenir le pouvoir : la Présidence est devenue la clé de voûte du système politique.

En ce qui concerne les relations entre les divers niveaux de la pyramide fédérale, la Cour suprême persiste dans sa politique constante depuis les origines : elle ne cesse, dans l'ensemble, de renforcer le pouvoir central. Ainsi a-t-elle autorisé le 18 avril 1990 (*Missouri c. Jenkins*) les juges fédéraux à obliger les collectivités locales à augmenter les impôts pour remédier à des situations violant les normes constitutionnelles en matière, par exemple, de déségrégation scolaire ou de surpopulation des prisons.

Ironiquement, c'est au moment même où les libertés individuelles font des progrès qui semblent décisifs dans les pays communistes (à l'exception de la Chine), en Afrique du Sud ou en Amérique latine que la situation semble régresser aux États-Unis. Il est vrai que, traditionnellement, la Cour suprême s'est plus intéressée à la construction de l'État central et au développement de l'économie nationale qu'à la protection des droits individuels. Il faut attendre 1925 (*Gitlow c. New York*) pour que les États commencent à être dans l'obligation d'appliquer à leurs citoyens la Déclaration des droits de 1791. Les choses n'avaient, depuis, cessé de progresser mais la Cour Rehnquist (du nom de son président) remet en cause, partiellement au moins, cette évolution.

Certes, les libertés les plus fondamentales ne sont pas touchées. Ainsi, la Cour suprême a-t-elle réaffirmé à maintes reprises en 1989-1990 les principes de liberté religieuse ou de liberté d'expression. En juin 1990 encore dans (*US c. Eichman* et *US c. Haggerty*), la Cour a estimé, au nom de la liberté d'expression, qu'il n'est pas illégal de brûler ce symbole sacré entre tous qu'est le drapeau américain.

L'exécution des mineurs et débiles mentaux

En revanche, la Cour suprême est revenue en arrière sur bien d'autres points. Elle a autorisé par exemple les États à exécuter des mineurs ou des débiles mentaux. Curieusement, elle a invoqué ici le sentiment de la communauté. Or, si l'opinion américaine est massivement en faveur de la peine de mort, elle est majoritairement opposée à son utilisation dans le cas de faibles d'esprit ou de mineurs.

Cette opinion, toujours invoquée, est d'ailleurs fort subtile : si elle considère que l'avortement est un crime, elle estime que la décision d'avorter ou non appartient uniquement à la femme concernée. Or la Cour, en la matière, n'a cessé depuis 1989 d'effriter peu à peu les conquêtes récentes du citoyen américain en matière de droit du justiciable, de droits sociaux ou de droits à l'intimité : sans aller (encore) jusqu'à déclarer ces droits anticonstitutionnels, elle permet aux États de les limiter jusqu'à les vider de toute substance. Ainsi, le 3 juillet 1989, dans *Webster c. Reproductive Health Services*, elle n'ose pas dire qu'elle estime majoritairement que l'avortement est inconstitutionnel. Cela lui sera reproché, au nom de la logique (et, sur ce point, à juste titre), par le juge Scalia — mais il fallait rallier la seule femme de la Cour suprême, le juge O'Connor, et savoir par conséquent ne pas aller trop loin : la Cour se contente d'affirmer que les États ont le droit d'interdire l'utilisation des fonds, des hôpitaux et des personnels publics en cas d'interruption volontaire de grossesse. Dorénavant, la question est devenue un enjeu électoral — et certains élus, républicains notamment, regrettent fort de s'être prononcés aussi nettement contre l'interruption volontaire de grossesse car l'électorat ne semble pas approuver ce point de vue.

Dans ces arrêts, la Cour suprême a clairement choisi le camp conservateur : elle estime que des droits ne peuvent constitutionnellement exister que s'ils sont décrits précisément dans la Déclaration des droits. Aux États-Unis, la fonction de l'État de droit est plus de circonscrire les libertés individuelles que de limiter l'emprise publique sur la vie des citoyens.

Marie-France Toinet

Les immigrés exclus de la construction européenne

Malgré le rapprochement de l'échéance du 1er janvier 1993 qui verra l'ouverture des frontières entre les douze États de la Communauté, l'Europe a continué à hésiter sur le traitement à réserver aux quelque huit millions d'étrangers non ressortissants d'un État de la Communauté qui vivent sur son territoire. Perdus parmi 340 millions d'Européens (y compris la RDA), ils sont demeurés exclus de la construction européenne, chaque État restant maître de sa politique à leur égard et les libertés reconnues par le traité de Rome ne les concernant pas, à la différence, notamment, des cinq millions d'immigrés européens (migrants d'un pays de la CEE dans un autre).

Ce qui est vrai pour ces étrangers résidant régulièrement l'est aussi, *a fortiori*, pour les personnes en provenance de l'extérieur, les États pouvant autoriser l'accès de leur territoire à qui ils l'entendent, migrants économiques, familles, demandeurs d'asile, etc. Une telle cacophonie des politiques d'immigration ne peut se perpétuer sans dommage : la suppression des frontières intérieures de la Communauté en 1993 et la création d'un nouvel espace territorial politique et économique qu'elle entraîne rend inéluctable l'harmonisation en matière d'entrée et de séjour, d'intégration des étrangers et, à plus long terme, de nationalité. Une harmonisation qui, avec retard, a commencé dans des domaines très circonscrits.

Tous les États n'y ont pas le même intérêt. Il est vrai que les huit millions d'immigrés non européens (dont six originaires du tiers monde) sont inégalement répartis. Ainsi, 86,9 % d'entre eux résident dans trois pays : en RFA (3 195 000), en France (2 103 000) et en Grande-Bretagne (1 651 000) où ils représentent respectivement 5,2 %, 3,9 % et 2,9 % de la population totale. Mais la situation évolue très rapidement : des pays d'émigration traditionnels comme l'Espagne, l'Italie ou la Grèce sont devenus des pays d'immigration au cours des années quatre-vingt. En outre, il faut se méfier des chiffres qui n'offrent qu'une vision synchronique : en France, par exemple, environ 100 000 étrangers deviennent Français chaque année contre 36 000 en RFA. Ce qui signifie que l'hexagone a accueilli bien plus d'étrangers que son voisin d'outre-Rhin. A cela il faut ajouter des histoires coloniales diverses — et donc des liens particuliers avec d'anciennes colonies — ainsi que des traditions migratoires différentes. Bref, une série d'éléments qui ne concourent pas à dégager sans heurt un dénominateur commun.

Le traité de Rome, même modifié par l'Acte unique, ne facilite pas non plus cette tâche d'harmonisation : d'après les textes fondateurs de la Communauté, cette dernière n'a, en théorie, aucune compétence dès lors qu'il s'agit des relations avec les pays tiers. L'harmonisation ne peut donc se faire que par la voie de la coopération politique. On quitte la politique intégrée du Traité pour retomber dans les classiques négociations multipartites entre États souverains où les égoïsmes nationaux peuvent librement s'exprimer.

L'esprit du traité de Schengen

Malgré tout, les instances de concertation et d'harmonisation sur l'immigration ont pu se multiplier dans ce cadre. Les Douze ont d'abord créé en 1976 le Groupe de « Trévi », réunissant les ministres de l'Intérieur, qui a compétence en matière de sécurité au sens large. Ensuite, le groupe « *ad hoc* immigration » a vu le jour à Londres en 1986 : son but spécifique est de coordonner les politiques d'immigration et la Commission de Bruxelles y détient un statut d'observateur. Cette dernière instance a adopté le 15 juin 1990 à Dublin un traité sur le pays responsable d'une demande d'asile afin de lutter contre les demandes multiples. Une seconde convention sur les contrôles aux frontières extérieures de la Communauté devait être adoptée à Rome en décembre de la même année. Cet embryon de politique commune trouve son origine au Conseil européen de Rhodes de 1988 qui a chargé des « coordonnateurs » — un par État — de, comme leur nom l'indique, coordonner les travaux en cours sur l'Europe des citoyens.

Un second coup de fouet a été donné par le Conseil européen de Strasbourg de décembre 1989 qui a exigé que les deux conventions « asile » et « contrôle aux frontières » soient adoptées courant 1990. Objectif tenu. Il a aussi confié à la Commission de Bruxelles le soin de recenser les politiques d'intégration pratiquées chez les Douze, probable prélude à une extension des compétences de cette dernière.

Cependant, les Européens les plus actifs n'ont pas attendu cette tardive accélération : ils se sont regroupés au sein du « groupe de Schengen » (RFA, France et les trois États du

Benelux) dès 1985. Le 14 juin de cette même année, ces cinq États signaient un accord dans le but de lever « avant le 1er janvier 1990 si possible » les frontières intérieures les concernant dans des conditions de sécurité intérieure satisfaisantes ; une sorte de « laboratoire de l'Europe », dans lequel, là aussi, les instances communautaires n'ont qu'un rôle de spectateur. Le traité n'a pu être signé que le 19 juin 1990 (et inclut la RDA dans son champ), et la disparition des frontières ne devrait être effective qu'en 1992 au plus tôt. Ce texte a donné un avant-goût du sort qui sera réservé aux immigrés des pays tiers dans l'Europe de 1993. Les conditions d'entrée ont été harmonisées (visa commun, notamment), tout comme le traitement des demandes d'asile, mais ces étrangers n'ont obtenu qu'un droit nouveau : celui de se rendre librement pendant moins de trois mois dans un des pays du groupe Schengen, sans visa. En revanche, ils ne pourront pas librement changer de pays de résidence.

Il est douteux qu'avant 1993 les Douze aillent beaucoup plus loin que les dispositions du traité de Schengen ou que les conventions signées à douze dans la voie de l'harmonisation. Les immigrés des pays tiers resteront donc exclus de la libre circulation : pour eux les frontières continueront d'exister, autant à l'intérieur qu'à l'extérieur, même si sur ce dernier point les modalités d'accès au territoire européen seront harmonisées.

Toutefois, il ne s'agit que d'une étape : à plus long terme, un espace sans frontière rendra obligatoire l'harmonisation des conditions de séjour et des politiques d'intégration : par exemple, on voit mal l'Allemagne continuer à exclure les Turcs de l'accès à sa nationalité pendant que les immigrés vivant en France deviennent au fil du temps français. Il reste seulement à savoir comment cette harmonisation se fera : par le bas ou par le haut ?

Jean Quatremer

Les prisons de la SWAPO

Le 4 juillet 1989, un groupe de cent cinquante personnes arrive à Windhoek, capitale d'une Namibie bientôt indépendante, en provenance du sud de l'Angola. A la différence de leurs compatriotes qui ont quitté par milliers les camps de réfugiés pour rentrer au pays, ces hommes, ces femmes et ces enfants sortent des prisons de la SWAPO (Organisation des peuples du Sud-Ouest africain). Qualifiés par le mouvement indépendantiste d'« espions » et d'« agents de l'ennemi » sud-africain, les prisonniers affirment être des dissidents, victimes des purges au sein de la SWAPO. Ils accusent leurs geôliers de les avoir torturés et d'avoir exécuté plusieurs détenus. Certains, parmi eux, ôtent leurs vêtements pour montrer aux journalistes des cicatrices de brûlures, affirmant qu'elles leur ont été infligées avec du plastique fondu. D'autres parleront de cellules enfouies dans le sol, de privations alimentaires, de tortures à l'électricité... et de confessions filmées à la caméra vidéo comme autant de « preuves » d'un complot contre le mouvement. Le chef de la sécurité de la SWAPO, Salomon Hawala, qui répond au doux nom de guerre de « Jésus », est accusé d'avoir orchestré la répression et fait régner la terreur.

Ces révélations sont désastreuses pour le mouvement qui espère alors obtenir les deux tiers des sièges de l'Assemblée constituante dont l'élection est fixée au 6 novembre. Cette majorité qualifiée lui permettrait d'imposer son texte à l'opposition et notamment à la DTA (Democratic Turnhalle Alliance), organisation proche de l'Afrique du Sud. La SWAPO réagit de façon confuse et en ordre dispersé aux accusations de ses anciens prisonniers. Le 8 juillet, Theo Ben Gurirab, secrétaire aux affaires extérieures du mouvement, déclare à propos des pratiques de torture : « Si ceci est vraiment arrivé, je présente mes excuses à ces personnes et à leurs familles. » Le 17 septembre, à l'occasion d'une réunion électorale, Moses Garoeb, secrétaire administratif de la SWAPO, évoque les détentions et affirme : « Nous n'avons aucune excuse à fournir. Si nous n'avions pas arrêté ces agents de l'ennemi, je ne serais pas là aujourd'hui. C'était la révolution. C'était la lutte, pas un pique-nique. »

La SWAPO est soucieuse de ne pas faire de la question des prisonniers un thème de la campagne électorale et juge qu'il est de sa seule responsabilité de prendre des sanctions contre les responsables des tortures. La confusion est grande chez tous ceux qui, en Namibie et en Europe notamment, ont soutenu la cause namibienne à travers le mouvement indépendantiste. Si personne ne songe à nier la réalité de l'espionnage sud-africain, on devine que l'organisation s'en est parfois servi comme prétexte pour réprimer ses opposants. Le 8 août, le groupe des députés Verts ouest-allemands transmet à ses « chers amis et camarades de la SWAPO » une lettre dans laquelle on peut lire : « Un mouvement de libération qui lutte pour le respect des droits de l'homme ne doit pas perdre de vue cet objectif lorsqu'il traite avec ses propres "dissidents" ».

Dérive policière ?

Où s'arrêtent les impératifs du combat politique et de la guérilla ? L'histoire de la SWAPO, fondée en 1960, offre plusieurs enseignements. Ainsi, en 1976, le leadership de Sam Nujoma, président de l'organisation est contesté par Andreas Shipanga, secrétaire à l'information qui exige la convocation d'un congrès. Les forces armées de Zambie, pays qui abrite alors la SWAPO, interviennent pour régler le conflit au profit du président. A. Shipanga et ses partisans sont emprisonnés. La même année, l'Assemblée générale des Nations unies accorde à la SWAPO le statut de « seul représentant authentique du peuple namibien ». L'aide internationale afflue vers les camps contrôlés par l'organisation. Avec l'accession de l'Angola à l'indépendance (1975) et la victoire du MPLA (Mouvement populaire de libération de l'Angola), la SWAPO dispose d'un nouveau sanctuaire qui lui permet d'intensifier ses activités militaires sur le territoire namibien. L'organisation est dominée par les Ovambos, ethnie qui vit des deux côtés de la frontière angolo-namibienne. Pour Ingolf Diener, spécialiste de la Namibie, la répression interne s'explique en partie par la stratégie militaire de la SWAPO : « Elle a choisi pour chefs militaires des intimes du terrain... En l'absence de voies institutionnelles pour régler les conflits, la direction politique, comptant à son tour sur la loyauté des militaires pour tuer dans l'œuf la contestation de militants d'origines ethniques diverses, a couvert les bavures initiales. » S'y ajoute l'anti-intellectualisme de certains responsables envers les cadres ou les étudiants. En 1984, la direction de la SWAPO affirme avoir découvert un réseau d'espions et reconnaît deux ans plus tard détenir « une centaine de prisonniers ». Mais, à l'instar de nombreux États autoritaires, elle ne fournit aucun renseignement sur ses détenus en dépit des demandes d'Amnesty International et le CICR (Comité international de la Croix-Rouge) n'est pas autorisé à visiter les camps contrôlés par l'organisation. Il faudra attendre le règlement international du conflit à la fin de la décennie, pour que deux cents prisonniers soient relâchés (printemps 1989) et que l'opinion internationale découvre l'utilisation de la torture.

Dérive des services de sécurité ou politique connue et couverte par la direction ? Pour le pasteur allemand Siegfried Groth, qui a longtemps travaillé avec les réfugiés et recueilli leurs témoignages, il n'y a guère de doute : les principaux dirigeants de la SWAPO étaient informés de ce qui se passait. Un rapport de l'ONU publié en octobre 1989 indique qu'*au moins* 914 personnes avaient été emprisonnées par le mouvement de libération... Cent quinze étaient présumées décédées.

Les élections qui ont eu lieu en novembre 1989 ont donné 57 % des voix à la SWAPO, moins que ce qu'elle espérait (obtenir la majorité des deux tiers), mais une majorité tout de même. Et le 21 mars 1990, la Namibie était proclamée indépendante. Selon le discours officiel, le temps de la « réconciliation nationale » est venu, l'heure ne serait plus au décompte des atrocités commises dans le passé dans les deux camps. Mais, à la mi-1990, des familles continuaient d'affirmer que des prisonniers namibiens étaient encore détenus secrètement en Angola.

José Casas

L'interdiction du commerce de l'ivoire

Les États parties à la CITES (Convention réglementant le commerce international des espèces de flore et de faune sauvages menacées d'extinction), réunis à Lausanne, ont voté le 17 octobre 1989 l'arrêt, pour une période minimale de deux ans et demi, du commerce de l'ivoire. Ils ont ainsi tenté de remédier à la diminution dramatique du nombre d'éléphants d'Afrique : 10 millions au siècle dernier, 1,3 million en 1983 et, selon les estimations, de 400 000 à 600 000 en 1988.

Pourtant, la situation de l'éléphant est variable sur le continent. En Afrique de l'Ouest et centrale, où il est en forte concurrence avec les activités agricoles et où il a été longtemps chassé pour son ivoire, on compte sept à dix éléphants pour dix kilomètres carrés. De même en Afrique de l'Est, où l'on a protégé la faune à des fins touristiques, mais où le braconnage est très intensif depuis 1980. Dans ces régions, l'éléphant est très menacé, la diminution des effectifs variant entre 8 % et 20 % par an.

En revanche, les États d'Afrique australe ont su préserver leurs éléphants. La faune est protégée dans les réserves et le braconnage est assez faible : on compte seize éléphants pour dix kilomètres carrés et les populations sont stables ou en augmentation, ce qui oblige parfois à des abattages de régulation, fournissant de l'ivoire pour l'exportation et de la viande pour le marché local.

La plus grande menace qui pèse sur l'éléphant est le commerce, souvent illicite, de l'ivoire. Celui-ci transite généralement par Singapour et surtout Hong Kong, centre mondial du travail de l'ivoire, et est ensuite importé au Japon, aux États-Unis et en Europe. Jusqu'alors, la CITES contrôlait le commerce par un système de quotas qui n'a pas permis de juguler les trafics clandestins. De plus, la matière est devenue des plus précieuses : de 7 dollars le kilo en 1970, elle a atteint 200 dollars en 1989.

Le volume du commerce a régulièrement augmenté, passant de 204 tonnes en 1950 à 564 tonnes en 1970, et à 1 000 tonnes en 1983. Ensuite s'est amorcé un déclin (611 tonnes en 1984, 176 en 1988), qui est dû à deux facteurs. D'abord, le braconnage a éliminé les grands mâles porteurs de lourdes défenses, et s'attaque désormais aux animaux plus jeunes (le poids moyen des défenses recueillies était de 45 kilos en 1960, il varie en 1990 entre 5 et 10 kilos). Par ailleurs, l'opinion publique des pays importateurs s'est émue de ces massacres, et la demande a commencé à baisser. Aussi les États-Unis, le Canada, l'Australie, le Japon et la CEE ont-ils pris au cours de l'été 1989 des mesures interdisant l'entrée de l'ivoire sur leur territoire.

En octobre 1989, lorsque, dans le cadre de la CITES, le Kénya et la Tanzanie ont réclamé l'arrêt du commerce mondial de l'ivoire, ils ont été soutenus par une forte majorité. En revanche, les États d'Afrique australe (Zimbabwé, Botswana, Afrique du Sud) ont défendu leur droit à vendre l'ivoire qu'ils produisent, affirmant vouloir consacrer les sommes obtenues à des programmes de protection de la nature. Ils ont également proposé la création d'une Bourse de l'ivoire pour mieux contrôler le commerce. Ces propositions ont été rejetées, et le commerce des produits de l'éléphant a donc été interdit jusqu'au printemps 1992, date à laquelle une nouvelle réunion examinera si certaines populations peuvent être de nouveau exploitées.

Cependant, six États ont refusé d'appliquer cette décision : le Botswana, la Chine, le Malawi, l'Afrique du Sud, la Zambie et le Zimbabwé. Et le Royaume-Uni, en janvier 1990, a autorisé Hong Kong à continuer le commerce jusqu'au 18 juillet 1990. Certes le marché des États parties à la CITES est fermé à ces vendeurs potentiels, mais le commerce reste possible avec les États non signataires, en particulier la Corée du Sud, le Koweït et Bahreïn. De plus, l'interdiction du commerce n'est en fait qu'un moratoire, car elle sera réexaminée en 1992. Les traficants peuvent donc décider de stocker en attendant une éventuelle reprise du commerce (le braconnage semble avoir continué au Kénya après la convention de Lausanne).

L'interdiction du commerce de l'ivoire n'a donc pas été le coup de baguette magique espéré. Mais l'information de l'opinion publique et la fin de la demande d'ivoire peuvent jouer un grand rôle. Enfin, la survie de l'éléphant dépend aussi d'autres facteurs : le coût de la protection de ses habitats, et la place réservée à ce pachyderme encombrant dans une Afrique en proie à l'explosion démographique.

Marie-Laure Lambert

Les « industries propres », un nouveau créneau économique

Les questions d'environnement ne sont pas nouvelles pour les entreprises, mais leur problématique s'est profondément renouvelée depuis le début des années soixante-dix.

Dans un premier temps, les rapports entre protection de l'environnement et compétitivité industrielle ont été analysés essentiellement en termes de *contraintes et finalement de surcoûts* à la charge des industries polluantes et non pas en termes de coût intégré, ni d'investissement à long terme. La question de la délocalisation s'est très vite posée pour des activités comme la pâte à papier ou la chimie, reportant les conséquences et les contraintes environnementales sur d'autres pays (les coûts de prévention des pollutions représentent entre 10 et 15 % des investissements de la chimie en Europe).

La croissance se ralentissant durablement à partir de la seconde moitié des années soixante-dix, les politiques de l'environnement durent également prouver qu'elles n'étaient pas condamnées à obérer des capacités de financement réduites. L'accent fut ainsi mis sur les technologies propres et sur l'intégration des préoccupations écologiques dans des *process* productifs devenus non ou moins polluants.

Depuis le milieu des années quatre-vingt, la conjonction d'une série d'accidents graves (Seveso 1976; Bhopal 1984; Tchernobyl 1986; Bâle...) a montré qu'il ne s'agissait pas seulement de réduire le flux de pollutions rejetées en régime permanent, mais aussi de faire face à des situations inopinées et donc d'intégrer la préoccupation de prévention des risques technologiques majeurs. Parallèlement, l'idée a commencé à se faire jour selon laquelle l'arsenal des technologies et procédés propres, comme des équipements et services spécialisés dans la prévention des pollutions, constituait en soi un nouveau secteur d'activités dont le développement est désormais au moins deux fois plus rapide que celui de l'activité économique générale.

Mais d'autres changements, plus importants peut-être pour les entreprises, sont également intervenus. Alors que l'environnement concernait surtout au départ les *process* industriels, les *produits* eux-mêmes et leur *utilisation* allaient être maintenant en première ligne, qu'il s'agisse des PCB, des CFC (chlorofluoro-carbures), des lessives, de l'essence sans plomb ou de la voiture propre.

Le chimiste qui parviendra le premier à mettre sur le marché un substitut crédible aux CFC, les constructeurs automobiles qui sauront vendre la voiture propre comme, dans les années soixante-dix, certains ont su associer leur image à celle de véhicules économes en énergie, disposeront d'un avantage compétitif important par rapport à leurs concurrents. Aussi des secteurs pour lesquels la protection de l'environnement ne constituait jusqu'ici qu'un aspect périphérique de la compétitivité, voient-ils désormais ces préoccupations jouer un rôle beaucoup plus central dans leur stratégie de marketing ou de recherche-développement.

Des marchés inégalement développés en Europe

En se limitant à la gestion de l'eau et à la lutte contre les pollutions, le tableau ci-après chiffre les principaux marchés européens de l'environnement.

Le domaine de l'eau (alimentation en eau potable, assainissement et épuration des eaux usées domestiques et industrielles) vient largement en tête, mais les perspectives de croissance les plus rapides concernent la gestion des déchets, notamment industriels, et la lutte contre la pollution de l'air, en particulier en Allemagne.

LES PRINCIPAUX MARCHÉS DE L'ENVIRONNEMENT DANS LA CEE

Domaines	En milliards FF aux prix 1989		Accroissement annuel moyen 1989-1999 (%)
	1989	1999	
Eau	144	270	6,5
Déchets	63	200	7,0
Air	84	124	9,0
Bruit	9	16	6,0
Total	300	610	7,4

Source : BIPE, juin 1990.

Avec 36 % de l'ensemble communautaire, le marché de la RFA vient largement en tête, suivi de la France (19 %) et du Royaume-Uni (17 %). La perspective de l'unification et l'état des principaux établissements industriels en RDA laissent à penser que le poids de l'ensemble allemand devrait s'accroître d'ici à 2000.

On peut distinguer quatre stratégies concernant les marchés de l'environnement. En premier lieu, ils attirent de nouveaux acteurs en quête de *diversification*. Cette démarche consiste à développer « en interne » des départements « environnement » ou à racheter des entreprises spécialistes, étant entendu que les activités concernées restent minoritaires. Une telle stratégie est perceptible en France chez Spie Batignolles (création de Valorga dans les déchets urbains avec Gaz de France et Idex) comme en Allemagne où Philipp Holzmann, leader du BTP, a racheté de nombreuses entreprises spécialisées dans l'environnement depuis 1988.

La stratégie d'*offre intégrée* consiste à proposer un ensemble de biens et services ayant trait aux différents domaines de l'environnement. Elle est illustrée en France par la Compagnie générale des eaux, la Lyonnaise des eaux et la SAUR (Groupe Bouygues) qui, partant de la distribution, se sont intéressées aux déchets et ont mené une politique très active de croissance externe, au Royaume-Uni et en Espagne notamment. En Allemagne, cette stratégie a été développée par Deutsche Babcock en s'appuyant sur son savoir-faire industriel de génie mécanique.

L'occupation d'une *niche technologique* est fréquente dans les systèmes de mesures de données relatives à l'environnement, mais elle est également mise en œuvre par les cimentiers qui proposent des prestations d'incinération à haute température de déchets toxiques.

Enfin, la stratégie de *différenciation* consiste à associer aux *process* ou aux produits d'une entreprise une image forte de qualité écologique. Elle se rencontre dans une très large variété de secteurs : dans la chimie bien sûr (détergents, aérosols et réfrigérants) mais aussi dans les matériaux de construction ou l'automobile.

Au total, l'environnement fournit l'exemple d'un marché qui, partant d'une situation de fragmentation nationale et sectorielle, tend de plus en plus à se globaliser en Europe et dans le monde.

Jean-Marie Poutrel

Les enjeux de la conférence sur le traité de l'Antarctique

Signé le 1er décembre 1959, le traité de Washington sur l'Antarctique fête ses trente ans. Il instituait le gel des revendications territoriales, la non-militarisation et la non-nucléarisation du continent. Mais beaucoup de chemin a été parcouru depuis : contesté par un nombre croissant d'États du tiers monde non membres, ce traité présente des lacunes quant au régime d'exploration et d'exploitation des ressources minérales. Ainsi, le 2 juin 1988, a été adoptée à Wellington (Nouvelle-Zélande) la Convention sur la réglementation des activités relatives aux ressources minérales de l'Antarctique, qui vise à compléter le traité de Washington. Mais s'inscrit-elle dans le prolongement logique de ce traité ou constitue-t-elle une dangereuse innovation ?

A priori, on pourrait pencher pour la première explication. En effet, son préambule, après avoir rappelé les principes et objectifs consacrés en 1959 et noté l'existence possible de ressources minérales exploitables, rappelle que toutes les activités menées dans l'Antarctique doivent être conformes à ces principes et objectifs. Il prend note de l'exceptionnelle valeur écologique, scientifique et naturelle du continent et reconnaît que des activités relatives aux ressources minérales pourraient avoir un effet négatif sur son environnement ou sur les écosystèmes dépendants et associés. Il réglemente ces éventuelles activités, c'est-à-dire qu'il pose les principes et les règles suivant lesquelles cette exploration serait acceptable : tout un régime juridique dont le moins qu'on puisse dire est qu'il apparaît d'un réel sérieux quant au fond, et d'une éventualité bien lointaine quant à sa mise en œuvre, étant donné les obstacles de tous ordres qui s'opposent à ces activités.

En effet, pour de nombreux États, dont la France et l'Australie, et pour les associations de défense de l'environnement, notamment la Fondation Cousteau, l'entrée en vigueur de la convention de Wellington ouvrirait, à leurs dires, la porte à tous les appétits, à tous les abus, et transformerait un continent où régnait une coopération scientifique pacifique en un champ de bataille économique où viendraient s'affronter les États par l'intermédiaire des grandes firmes multinationales. Pour ces États et associations, ce serait raviver la compétition internationale dans une zone d'où elle avait été exclue, en l'étendant sans doute à la totalité de la société internationale. C'est pourquoi de nombreux pays en développement ont proposé de donner à l'Antarctique le statut de patrimoine commun de l'humanité (dont les principes fondamentaux sont la non-appropriation, l'utilisation pacifique et l'exploitation dans l'intérêt de l'humanité). Mais il serait à craindre, au cas où cette éventualité se produirait et où la gestion de ce patrimoine serait confiée aux Nations unies, que la solution ne soit pas pour autant satisfaisante.

Des risques écologiques importants

Il ne faut surtout pas sous-estimer les risques écologiques encourus par l'ensemble de l'humanité du fait de l'inévitable atteinte que cette exploitation porterait au continent antarctique et, par là même, au monde entier. La pollution locale importante engendrée par le développement des activités humaines entraînerait la dégradation et la perturbation des espèces animales, le ralentissement du processus biologique, voire la destruction d'un écosystème fragile et unique, une vraie menace pour de futures réserves nutritionnelles de l'humanité (krill et poissons). Les activités humaines porteraient également atteinte aux principales réserves de froid et d'eau douce de la planète. Cela dénaturerait le seul continent vierge, notamment par les marées noires, et affecterait considérablement la recherche scientifique par l'altération d'un champ d'observation irremplaçable. Enfin, les conséquences d'éventuels accidents industriels seraient incalculables et irréversibles. Par la fonte de la calotte glaciaire qu'ils seraient susceptibles de provoquer, ils aggraveraient l'effet de serre résultant de la concentration en gaz carbonique ; les plus pessimistes prévoient dans de telles conditions une élévation du niveau des mers d'un mètre cinquante à deux mètres d'ici un siècle.

Alors que les États-Unis et le Royaume-Uni se sont affirmés favorables à la convention de Wellington, la France et l'Australie, suivies notamment par la Belgique, l'Inde et l'Italie, lui ont manifesté une franche opposition, ce qui en a paralysé l'entrée en vigueur. Elle devra donc être renégociée ou, mieux, faire place à une convention globale de conservation et de protection de l'Antarctique pouvant déboucher sur une déclaration constituant le « continent blanc » en une immense réserve naturelle internationale pour les générations futures. Cette réserve serait protégée de toutes convoitises industrielles ou commerciales et serait vouée à la recherche scientifique et aux seules activités sans conséquences néfastes sur l'environnement local et global. Après la XVIe conférence consultative tenue à Paris en octobre 1989, où partisans et adversaires du projet de parc national international ont pu se compter, une réunion spéciale aura lieu en Allemagne en 1990 dont l'environnement sera le thème unique. Gageons que les discussions y seront rudes, mais espérons que la sagesse finalement l'emportera.

Alain Gandolfi

SCIENCES & TECHNIQUES

JOURNAL DE L'ANNÉE

- 1989 -

Juin. **Anthropologie.** Se fondant sur l'analyse de 34 paramètres de 1 000 squelettes aïnous (aborigènes), l'anthropologue américain Loring Brace montre que ces derniers, qui sont l'objet de mépris culturel au Japon, seraient en fait les ancêtres des samouraïs.

Juin. **Physiologie.** Le professeur Jouvet de l'INSERM (France) annonce la mise au point d'une pilule antisommeil sans effets secondaires. Le « modafinil », mis au point par les laboratoires Lafon, est déjà utilisé par les militaires pour rester éveillé pendant trois jours sans diminution de performances.

Juin. **Médecine.** Trois chercheurs britanniques démontrent que des sujets séronégatifs peuvent quand même être porteurs du virus HIV du SIDA.

Juin. **Génétique.** Des chercheurs de l'Institut de technologie biomédicale de Rome annoncent avoir réussi à introduire des gènes étrangers dans des spermatozoïdes de souris. Grâce à cette méthode, ils prétendent avoir donné naissance à des animaux transgéniques. L'information est aussitôt contestée par de nombreux biologistes qui la trouvent « trop simple pour être vraie ».

Juillet. **Fusion froide.** La revue britannique *Nature* publie une série de résultats négatifs montrant que le phénomène de la fusion froide (production de neutrons à température ambiante) mis en évidence par les chercheurs Stanley Pons et Martin Fleischman ne reposait sur aucune base valable. D'autres chercheurs, à la suite de Pons et Fleischman, prétendent le contraire. Cette question divisera durablement la communauté scientifique internationale.

Août. **Recherche spatiale.** Lancement (le 25) du satellite *Hipparcos* dont l'objectif est de dresser la cartographie des 100 000 étoiles de la galaxie avec la précision inégalée de 0,002 seconde d'arc. A la suite de la défaillance du moteur d'apogée, le satellite n'a pu remplir qu'une infime partie de sa mission.

Août. **Physique des particules.** Inauguration (le 14) au CERN à Genève de l'accélérateur de particules LEP (Large Electron Positron Collider). Sa puissance (70 GeV) en fait l'accélérateur de particules le plus puissant du monde. En août, le prix Nobel Carlo Rubia identifie les premières particules élémentaires Z°, vecteurs de la force faible.

Août. **Astronomie.** A l'observatoire européen de La Silla (Pérou) l'astronome Bo Reipurth observe pour la première fois la naissance d'une étoile éloignée à 1 500 années-lumière dans la constellation d'Orion.

Août. **Recherche spatiale.** La sonde américaine *Voyager 2* photographie (le 24) la planète Neptune à 29 180 km de distance seulement, après un voyage de 4 milliards de kilomètres. Elle y découvre des vents de 2 500 km/h à la surface de la planète. Cette séance de photos met un terme à une exploration du système solaire par *Voyager 2* commencée le 20 août 1977.

Août. **Génétique.** Des chercheurs américains et canadiens (Université Ann Arbor, Hôpital des enfants malades à Toronto) identifient le gène responsable de la mucoviscidose, la plus fréquente des maladies génétiques. Cette anomalie génétique se traduit par un trouble de certaines glandes endocrines qui se mettent à sécréter un mucus visqueux, entraînant de sérieux troubles respiratoires.

Septembre. **Biologie.** Thomas Cech et Sidney Altman, prix Nobel, mettent en évidence une molécule d'ARN qui induit la fabrication enzymatique de l'ADN. Cette découverte ouvre la voie à de nombreuses applications, notamment la fabrication de rybozomes artificiels susceptibles d'entraîner la fabrication accélérée de végétaux.

Septembre. **Neurobiologie.** Deux chercheurs anglais, C. J. Lueck et S. Seki, mettent en évidence les centres de détection et d'identification des couleurs dans le cerveau.

Octobre. **Planétologie.** Au cours d'un colloque consacré à la planète Mars, les scientifiques français et soviétiques affirment que le sous-sol de la planète Mars contient autant d'eau que la Terre, ce qui permet d'envisager l'installation permanente d'hommes sur cette planète.

Septembre. **Prix Nobel de physiologie et de médecine.** Il est décerné aux Américains Michael Bishop et Harold Varmus pour des travaux sur les oncogènes réalisés dans leur laboratoire par le professeur français Dominique Stehelin. Le fait que ce dernier n'ait pas été associé au prix suscite des protestations dans la communauté scientifique française.

Novembre. **Astrophysique.** Lancement (le 27) du satellite américain *COBE* (*Cosmic Background Explorer*) pour observer le rayonnement fossile à 2,7°K. Cette observation est de toute première importance pour vérifier le bien-fondé de la théorie du Big Bang dont le rayonnement isotrope serait le dernier vestige observable.

Novembre. **Prix Nobel de chimie.** Sydney Altman (Canada) et Thomas Cech (États-Unis) le reçoivent conjointement pour la découverte de propriétés catalytiques de l'ARN.

Novembre. **Prix Nobel de physique.** Il est décerné à Norman Ramsey, Hans Dehmelt (États-Unis) et Wolgan Paul (RFA) pour leurs travaux sur la spectroscopie atomique.

Novembre. **Physiologie.** Le Français Étienne Émile Baulieu de l'INSERM obtient le prix Lasker (la plus haute récompense médicale) pour ses travaux de mise au point de la pilule anticonceptionnelle RU-436, dite « pilule du lendemain ».

Décembre. **Danse des abeilles.** En réalisant une abeille électronique vibrante et battant des ailes, capable de mimer les danses des abeilles, les Danois Michelsen et Zendersen de l'université d'Odense, et les Allemands Kirchner et Lindauer de l'université de Wurzbourg, parviennent à diriger des abeilles vers un point choisi d'avance.

Décembre. **Astronomie.** L'objet le plus lointain (donc le plus vieux de l'Univers) est détecté par un jeune astronome de l'équipe de Maarten Schmidt de l'Observatoire du Mont Palomar. Il s'agit d'un quasar situé à 14 millions d'années-lumière.

Décembre. **Paléontologie.** Un coelacanthe, ce véritable fossile vivant considéré comme étant le chaînon manquant entre les reptiles et les mammifères, est observé pour la première fois vivant dans la fosse marine des Comores lors d'une expédition organisée par l'ORSTOM et le Max Plank Institute.

- 1990 -

Janvier. **Recherche spatiale.** La navette spatiale *Columbia* quitte Cap Kennedy (le 9) avec à bord trois hommes et deux femmes. C'est le premier lancement humain de la navette américaine depuis la catastrophe de *Challenger* (28 janvier 1986).

Janvier. **Génétique.** Steven A. Brenner a fabriqué deux nouvelles « lettres » K et X de l'alphabet génétique qui complètent celles que l'on connaissait déjà et dont sont constituées les molécules d'ADN du monde vivant : les quatre bases azotées adénine, cytosine, guanine et thymine. Cette découverte ouvre de nouvelles perspectives pour de nouveaux médicaments antiviraux.

Janvier. **Physiologie.** Des pharmaciens de la firme japonaise Fujisawa isolent un nouvel immunosuppresseur, le FK 506, à la fois plus puissant et moins toxique pour le rein que la cyclosporine.

Janvier. **Généalogie.** S'appuyant sur des études d'ossements humains découverts en Grèce, le Français Luis de Bonis du Laboratoire de paléontologie des vertébrés de l'université de Poitiers affirme que les plus anciens hominidés auraient vécu en Grèce il y a 9 à 10 millions d'années. Sa thèse s'oppose à celle défendue depuis 20 ans par l'Américain Leakey qui affirme que les plus anciens hominidés auraient vécu en Afrique il y a 4 millions d'années.

Février. **Biomatériaux.** Les techniciens de la firme japonaise Toshiba mettent au point une rétine artificielle capable de convertir les signaux lumineux en signaux électriques, comme les cellules visuelles de la rétine biologique.

Février. **Astrophysique.** L'Américain Alan Dressler décèle dans la région de l'amas stellaire Virgo l'existence d'un « grand attracteur », c'est-à-dire d'une masse invisible estimée à 30 millions de milliards de fois celle du Soleil et située à 150 millions d'années-lumière. Cette masse invisible attire vers elle plusieurs centaines de galaxies situées dans un volume de plusieurs centaines de millions d'années-lumière.

Février. **Recherche spatiale.** La sonde spatiale américaine *Voyager 1* profitant d'un alignement exceptionnel des planètes réussit à photographier sur une seule image toutes les planètes du système solaire vu depuis l'orbite de Pluton (le 28).

Février. **Ozone.** Une campagne scientifique franco-germano-américaine sur la stratosphère confirme la destruction de la couche d'ozone.

Mars. **Vieillissement moléculaire.** En étudiant les fibroblastes humaines, Tara Seshadri et Judith Campisi, de la faculté de médecine de Boston, ont découvert des gènes (le proto-encogène « c-fos ») qui, tant qu'ils ne sont pas inhibés, commandent la reproduction cellulaire.

Mars. **Recherche spatiale.** Le 28, la sonde soviétique *Phobos 2*, arrivée en orbite martienne, cesse de fonctionner, comme son prédécesseur *Phobos 1*. Lancées en juillet 1988, les deux sondes devaient étudier la surface de la planète rouge et de son satellite *Phobos*.

Avril. **Astronomie.** Mise en orbite du télescope spatial *Hubble* (le 25 avril). Lancé avec 7 ans de retard sur le programme initial, ce télescope permettra d'atteindre la magnitude 28 et de voir des astres situés à 14 milliards d'années-lumière avec une résolution d'une seconde d'arc.

Avril. **Virologie.** Des chercheurs de la firme Boehringer identifient les récepteurs permettant aux virus responsables du rhume de s'accrocher à la surface des cellules. En fabriquant un analogue à ce récepteur, ils ont réussi à inhiber la liaison du virus avec le récepteur cellulaire.

Mai. **Génétique.** En mariant deux espèces de bactéries, deux chercheurs français de l'université Paris-XI dirigés par M. Radman ont réussi pour la première fois à franchir la barrière génétique qui sépare les sopèces. L'expérimentation a été faite sur des entérobactéries.

Jean-René Germain

En attendant le Supercollisionneur supraconducteur...

Avec la production, en juillet 1989, des premières particules élémentaires Z°, par le Grand accélérateur de protons LEP (*Large electron positron machine*) installé au CERN à Genève (Centre d'études et de recherches nucléaires), les Européens acquéraient une longueur d'avance sur leurs collègues américains dans la course à la puissance. En physique des particules élémentaires, plus la puissance d'un accélérateur est importante, mieux elle peut « casser » les particules élémentaires en ses constituants, et par là atteindre les « briques » ultimes de la matière. Destiné à accélérer des faisceaux d'électrons, le LEP installé à cheval sur la frontière franco-suisse a un rayon de 27 kilomètres. Dès ses premiers essais, il a produit les premières « bouffées » de particules Z° considérées comme les vecteurs de la force faible par tous les physiciens.

Ce défi européen ne sera relevé par les Américains qu'aux environs de 1997-1999, avec une machine encore plus gigantesque, le SSC (Supercollisionneur supraconducteur). Calculé pour accélérer les protons (comme un autre accélérateur du CERN, le SPS), le SSC américain sera enfoui dans un tunnel de 86 kilomètres de diamètre au sud de Dallas (Texas). Il remplacera l'accélérateur de protons le plus puissant au monde, le Tevatron du Fermi-Lab, qui est installé à côté de Chicago. Ce dernier peut accélérer les protons avec une énergie d'un trillion d'électron-volts [1 électron-volt correspond à l'énergie acquise par un électron soumis à une différence de potention de 1 volt]. Ceux accélérés par le SSC seront théoriquement vingt fois plus énergétiques. Pour y parvenir, les aimants supraconducteurs doivent être plus nombreux que ce qui avait été initialement prévu, ce qui entraîne forcément un dépassement du coût de construction. De la fin 1989 au début 1990, ce dernier est passé de 5,9 à 7 milliards de dollars, et il est probable qu'il grimpera encore ! Pour éviter cette issue qui peut compromettre leur projet, les physiciens américains se sont ingéniés pendant le premier semestre 1990 à rechercher des solutions qui permettraient au projet de se réaliser. C'est ainsi qu'ils ont imaginé utiliser deux injecteurs de protons inspirés du Tevatron du Fermi-Lab. Mais, dans ce cas, la puissance du SSC n'irait pas au-delà de 15 TeV (trillion d'électron-volts), alors qu'on s'accorde à penser qu'il ne faut pas descendre en dessous de 20 TeV. D'autres proposent d'utiliser deux Tevatrons de 20 TeV chacun pour accélérer des faisceaux de protons les uns contre les autres et atteindre ainsi 40 TeV. Mais on rencontre ici des limitations techniques, car, pour accélérer les protons, il est très difficile de dépasser le dixième de cette énergie sans augmenter la puissance des champs magnétiques des électro-aimants. Alors que les spéculations allaient bon train, aucune décision définitive n'était prise durant le premier trimestre 1990, et on espérait que le président Bush accorderait les 380 millions de dollars prévus en 1990 pour continuer les travaux. Le Japon a fait savoir qu'il désirait s'associer au projet.

Pour leur part, les physiciens européens entendent relever le défi américain, et recherchent le moyen de « bricoler » le LEP pour lui faire produire des particules au moins aussi énergétiques que celles du Tevatron, notamment en recherchant les moyens de réduire les pertes d'énergie lors de l'accélération. L'idée est d'équiper le Grand collisionneur de hadrons d'aimants supraconducteurs pour générer des champs électromagnétiques plus puissants qu'avec les méthodes conventionnelles. L'énergie ainsi espérée devait être de 8 TeV.

Américains et Européens travaillent tous aux énergies limites disponibles par la technologie actuelle. Personne ne peut dire si le SSC sera suivi d'autres collisionneurs. Une seule chose reste certaine, il risque bien d'être le dernier de son espèce : le CERN a mis plus de quarante ans pour réaliser le LEP !

Jean-René Germain

Le séquençage du génome humain

Après deux ans de débats, le Parlement européen a adopté, en mai 1990, un programme de recherche en génétique baptisé « séquençage du génome humain ». Aux États-Unis, ce même programme est déjà sur les rails depuis 1988. Il s'agit en fait du plus vaste projet de recherche jamais lancé en biologie, qui va coûter quelque vingt milliards FF et s'étaler sur une quinzaine d'années. C'est, dit-on, le projet « Apollo » de la biologie. D'importantes retombées médicales en sont attendues, comme l'éradication des maladies héréditaires, ainsi que des progrès technologiques considérables dans le secteur des bio-industries (sans parler des effets économiques induits dans ce même secteur).

Le patrimoine génétique (ou génome) est la composante la plus fondamentale des êtres vivants : c'est le plan de construction et de fonctionnement, non seulement des cellules, mais aussi de tout l'organisme. On conçoit que, si l'une des « pièces » de ce plan est défectueuse, cela puisse entraîner des malformations et maladies héréditaires. Le but du programme de séquençage du génome humain est donc de faire l'inventaire complet et de décrire avec précision chacune des 100 000 pièces — ou gènes — du génome humain.

Concrètement, ce patrimoine génétique se présente sous la forme de 23 paires de chromosomes — corpuscules en forme de bâtonnets — logées dans le noyau de toutes les cellules. Chaque chromosome consiste en une molécule filamenteuse géante d'acide désoxyribonucléique, ou ADN, formée de l'enchaînement à la queue leu leu de 150 millions d'éléments chimiques appelés nucléotides. Le séquençage du génome humain consiste, en définitive, à identifier la succession (ou séquence) des 3 milliards de nucléotides figurant dans la totalité des chromosomes humains. Un gène est tout simplement une petite portion de filament d'ADN chromosomique, comprenant quelques milliers ou dizaines de milliers de nucléotides. Le but du programme de séquençage est donc d'identifier chacun des gènes, en termes de sa séquence en nucléotides : grâce à cela, il sera possible de comprendre son rôle dans l'organisme.

Des techniques biochimiques permettant d'identifier un à un les nucléotides de n'importe quelle séquence d'ADN existent depuis 1977. Le premier objectif des programmes américain ou européen de séquençage est, avant tout, de les perfectionner et de les automatiser. Avant 1995, on devrait disposer d'appareils capables d'identifier automatiquement 100 000 nucléotides par jour. C'est seulement à ce moment que commencera véritablement le séquençage du génome humain, pour ne s'achever que vers 2000-2005.

D'ici là, les programmes européen et américain prévoient d'avancer sur un autre front : la cartographie des chromosomes. Il s'agit de repérer des points particuliers sur les chromosomes pouvant servir de balise : le séquençage ne pourra en effet se faire que sur des fragments de chromosome, et les balises appelées « marqueurs de séquence » permettront d'identifier les fragments en cours de séquençage.

Un enjeu éthique

La retombée la plus crédible de ce programme de recherches sera sans doute la maîtrise des maladies héréditaires. En 1990, on en a déjà recensé 3 000, qui frappent le bébé à sa naissance, ou quelquefois ne se déclarent qu'à l'âge adulte. L'identification de la séquence de nucléotides des gènes responsables permettra de préparer des outils biochimiques, appelés « sondes génétiques », utilisables au dépistage prénatal de ces maladies, en vue de l'avortement thérapeutique. Ultérieurement, la connaissance du rôle des gènes permettra d'envisager la thérapeutique des maladies héréditaires.

Une autre retombée possible de ce programme de recherches est le développement d'une médecine dite prédictive. L'idée est que toutes les maladies — infarctus cardiaque, diabète, rhumatismes... — ont une composante génétique. Autrement dit, il y aurait des gènes de prédisposition qui précipiteraient un individu dans la maladie, dès lors qu'il rencontrerait certains facteurs d'environnement (régime alimentaire, virus, germes pathogènes...). La médecine prédictive consisterait à repérer dès la naissance les gènes de prédisposition et à prévenir l'apparition de la maladie en prescrivant des mesures d'hygiène ou des médications préventives. Il a ainsi été possible d'empêcher l'apparition du diabète chez des souris qui y sont génétiquement prédisposées. Chez l'homme, le gène de prédisposition au diabète juvénile a été identifié au début de l'année 1990 par l'équipe de Laurent Degos à l'Hôpital Saint-Louis.

Le programme de séquençage du génome humain comporte néanmoins des risques : surestimant les connaissances ainsi acquises en génétique humaine, certains biologistes pourraient prétendre avoir identifié des gènes de prédisposition à des aptitudes mentales (intelligence, mémoire, etc.). Ce pseudo-savoir pourrait être utilisé pour classer les gens en « bons » et « mauvais », et les orienter en fonction de cela vers certaines filières scolaires, certains métiers...

L'histoire de l'eugénisme prouve que des dérives de ce type se sont produites dans des pays démocratiques comme les États-Unis, dans les années 1910-1930. C'est en raison de ces risques futurs de discrimination sur des bases génétiques que les parlementaires de la CEE ont repoussé la première version du projet européen de séquençage. Dans la version qui a été retenue en deuxième lecture à Strasbourg en mai 1990, il n'est plus du tout fait mention de la médecine prédictive. En outre, il est prévu d'adjoindre à ce programme de recherches un comité d'éthique et de mener des recherches sur les mesures juridiques nécessaires à prendre pour éviter une utilisation abusive des résultats de l'étude du génome humain.

Marcel Blanc

Espace : l'année des nouveaux départs

Avec la fin spectaculaire de la mission américaine *Voyager* et le lancement de plusieurs nouvelles missions très prometteuses, l'année 1989 a marqué un tournant dans l'histoire de l'exploration spatiale.

Le passage de *Voyager 2* aux environs de la planète Neptune, le 25 août 1989, est venu couronner de succès une mission lancée en 1977 afin de profiter d'un alignement planétaire qui ne se produit qu'une fois tous les 176 ans. Après avoir parcouru plus de sept milliards de kilomètres et exploré tour à tour Jupiter (juillet 1979), Saturne (août 1981) et Uranus (janvier 1986), la petite sonde de moins d'une tonne a été exacte à son dernier rendez-vous en frôlant Neptune à moins de 5 000 kilomètres. En plus de la découverte de six nouvelles lunes autour de Neptune, *Voyager 2* y a détecté cinq anneaux complets et ses caméras ont même révélé la présence de volcans crachant de la glace de méthane à la surface de Triton, la plus grosse lune de Neptune.

Lancée le 4 mai 1989, la sonde *Magellan* a été la première mission interplanétaire américaine à prendre le chemin de l'espace en près de douze ans. Après s'être mise en orbite autour de Vénus, le 10 août 1990, la sonde utilisera son radar pour en percer l'épaisse couverture nuageuse et procéder à une cartographie détaillée de sa surface. Après *Magellan*, ce fut au tour de la sonde *Galileo* à être lancée, le 18 octobre 1989. Contrairement aux deux sondes *Voyager* qui n'avaient fait que traverser en quelques heures les environs de Jupiter, *Galileo* doit se mettre en orbite autour de la planète géante le 7 décembre 1995. Pendant près de deux ans, *Galileo* va ensuite scruter les lunes et les anneaux de la planète, étudier sa surface gazeuse et analyser son atmosphère en y laissant tomber une sonde.

Les ambitions du télescope « Hubble »

La mise en orbite terrestre du Télescope spatial *Hubble*, le 25 avril 1990, a marqué une date capitale dans l'histoire de l'observation astronomique. Mis en chantier une vingtaine d'années plus tôt, l'observatoire qui a coûté deux milliards de dollars des États-Unis a repoussé radicalement les limites mêmes de l'observation astronomique. Placé en orbite à 500 kilomètres au-dessus de l'atmosphère terrestre, l'instrument de 13 tonnes dispose d'un miroir de 2,4 mètres de diamètre et peut observer des objets situés à plus de 14 milliards d'années-lumière (magnitude 29). Il sera donc à même de scruter les limites du cosmos et d'étudier la naissance de l'univers, dont l'âge estimé se situe entre 13 et 18 milliards d'années. Malheureusement, une imperfection du miroir principal, découverte après le lancement, risque de limiter pour un certain temps la qualité des images retransmises par le télescope.

Au début de 1990, le programme de construction de la station orbitale américaine a franchi une étape critique en passant de sa phase de définition à la première étape de réalisation concrète. Entre-temps, le coût prévu du projet a plus que doublé pour frôler la quarantaine de milliards de dollars des États-Unis. Le problème chronique de financement de la NASA (Administration nationale de l'aéronautique et de l'espace) a donc entraîné un glissement dans l'échéancier de construction et une redéfinition de certains aspects de la station orbitale. Ces changements ont été très mal accueillis par les partenaires européens et japonais de la NASA dont les modules seront lancés avec un an de retard et devront, de plus, s'accommoder d'une alimentation réduite en électricité. Le début de l'assemblage a été fixé pour 1995 et la fin des travaux pour l'an 2000.

Pendant ce temps, la station orbitale soviétique *Mir* a continué de grandir avec l'addition, le 6 décembre 1989, du module Kvant-2 (module D). Presque aussi grand que la station elle-même, ce module de 20 tonnes est le premier d'une série de quatre modules géants qui doivent s'y arrimer progressivement.

L'année 1989 avait très mal commencé pour le programme spatial soviétique. Après que la sonde *Phobos-2* se fut placée comme prévu en orbite autour de Mars le 29 janvier, les techniciens ont perdu tout contact avec elle le 27 mars suivant ; tout comme ils l'avaient perdu, en septembre 1988, avec sa sonde jumelle *Phobos-1*. Dans les deux cas, l'enquête a mis en cause des problèmes de programmation des ordinateurs de commande des sondes. L'échec de cette mission a porté un rude coup à l'ambitieux programme soviétique d'exploration de Mars.

Dans le domaine des lanceurs commerciaux, la société européenne Arianespace a franchi une étape le 15 février 1989, en commandant un nouveau lot de cinquante fusées Ariane 4. Une commande aussi massive (20 milliards FF sur dix ans) lui permettra de réduire le coût de ses fusées de 20 %. Arianespace espère mettre en orbite plus de la moitié des 200 satellites qui doivent être lancés dans les pays occidentaux au cours de la décennie quatre-vingt-dix. Après une impressionnante série de dix-sept succès consécutifs à compter de mai 1986, Arianespace a connu à nouveau l'échec, le 22 février 1990. Moins de deux minutes après sa mise à feu, une Ariane 44L, la version la plus puissante de la fusée européenne, a explosé en détruisant du même coup deux satellites de télécommunication appartenant à des entreprises japonaises. Cet échec a été causé par un problème d'alimentation en eau des moteurs qui ne remettait pas en cause la conception même du lanceur.

Le 24 janvier 1990, le Japon est devenu le troisième pays, après l'URSS et les États-Unis, à lancer un satellite en direction de la Lune. Cette mission a permis aux Japonais d'acquérir de l'expérience en navigation spatiale et en transmission de données à longue distance. Avec cette première sonde lancée vers la Lune — la première depuis quatorze ans —, les Japonais ont désiré prendre date en vue de participer à un éventuel projet de construction d'une base lunaire américaine.

Le gouvernement canadien a quant à lui lancé, en mars 1989, son Agence spatiale. Installée à Montréal, elle disposera d'un budget d'environ 3 milliards de dollars (CAN), réparti sur quinze ans, et sera responsable de toutes les activités spatiales canadiennes. La construction d'un module d'entretien pour la station orbitale américaine et d'un satellite de télédétection (Radarsat) monopoliseront près de 75 % de cette somme, le reste allant au domaine des télécommunications et des sciences spatiales.

Jean-Marc Carpentier

PORTRAITS

Tenzin Gyatso, dalaï lama

En décernant le prix Nobel de la Paix 1989 au dalaï lama, le Comité Nobel a non seulement récompensé l'un des plus ardents défenseurs de la paix de notre époque pour son action résolument non violente dans sa lutte pour la libération du peuple tibétain, mais il a aussi infligé un camouflet magistral aux autorités de Pékin quelques mois après le massacre de la place Tian An Men de juin 1989. Et du même coup éclairé l'opinion internationale sur la question tibétaine occultée depuis plus de trente ans.

Réincarnation de Chenrezig, bouddha de la Compassion infinie, Tenzin Gyatso est né le 6 juillet 1935 dans la province de l'Amdo (actuellement Qinhai) au nord-est du Tibet. Rien ne prédispose, au départ, ce fils d'humbles paysans à un destin aussi exceptionnel, jusqu'au jour où il fut reconnu à l'âge de deux ans comme la réincarnation de son prédécesseur, le 13e dalaï lama. Intronisé à l'âge de quatre ans, il poursuit ses études de philosophie bouddhique dans le décor austère du Potala, sa résidence d'hiver à Lhassa et passe son doctorat devant 20 000 moines en 1959.

1949. La Chine envahit le Tibet. Le jeune dalaï lama doit assumer pleinement son pouvoir temporel sur la demande insistante du régent et du cabinet. Sa tentative de négociation avec Mao Zedong échoue et le peuple tibétain se soulève le 10 mars 1959. Le dalaï lama doit fuir en Inde suivi de 80 000 de ses compatriotes. Il établit son gouvernement en exil à Dharamsala, petit village himalayen situé au nord de l'Inde et promulgue, en 1963, une Constitution démocratique basée sur les principes bouddhistes et sur la *Déclaration universelle des droits de l'homme*.

En dépit des trois résolutions adoptées par l'ONU, le Tibet retombe dans l'oubli. La Chine se livre alors à un véritable génocide humain et culturel, provoquant la mort de 1,2 million de Tibétains et la destruction de plus de six mille temples et monastères. Après la mort du Grand Timonier, une lueur d'espoir apparaît avec la politique d'ouverture économique pratiquée par Pékin. Le Tibet est enfin accessible aux étrangers et les autorités chinoises tentent de panser les plaies en autorisant la reconstruction de certains grands monastères.

En 1987, le dalaï lama propose aux autorités chinoises un plan de paix comprenant cinq éléments fondamentaux : la transformation du Tibet tout entier en zone de paix; l'abandon par la Chine de sa politique de transfert de populations qui compromet l'existence même des Tibétains en tant que peuple ; le respect des droits de l'homme et des libertés démocratiques fondamentales; la reconstitution de l'environnement naturel du Tibet et sa protection ainsi que le renoncement par la Chine à fabriquer des armes atomiques au Tibet et à y entreposer des déchets nucléaires; l'ouverture de négociations véritables sur le statut futur du Tibet et sur les relations entre le peuple chinois et le peuple tibétain. Dans son discours de Strasbourg en 1988, le dalaï lama renonce à l'indépendance en proposant une entente-association avec la Chine. Celle-ci conservant la responsabilité de la défense et des affaires étrangères. Ce compromis divise la diaspora tibétaine mais Pékin rejette cette proposition.

A Lhassa, les manifestations se succèdent après septembre 1987, provoquant de nombreuses victimes et des centaines d'arrestations. Le Tibet est à nouveau coupé du monde avec l'imposition de la loi martiale en mars 1989, aucun journaliste étranger n'étant autorisé à y séjourner. En Occident la cause tibétaine rassemblant de nombreux sympathisants, des groupes de soutien se sont formés dans la plupart des pays démocratiques tandis que, sous la pression chinoise, les chefs d'État continuaient de faire la sourde oreille. Mais le dalaï lama n'a pas « désarmé ». Il a continué d'aller plaider la cause de son peuple à travers le monde, au Congrès américain, au Parlement européen, il participe à des colloques et conférences sur la paix, rencontre de nombreux intellectuels et scientifiques et depuis les événements du printemps 1989, des militants chinois qu'il soutient dans leur lutte pour la conquête de la démocratie en Chine. Une démocratie qu'il souhaite tant voir instaurée au Tibet, qui lui permettra de se retirer des affaires politiques pour laisser la place aux élections libres.

Anne de La Celle

Doi Takako

On dit volontiers du Japon qu'il est une société machiste, dans laquelle les femmes sont maintenues dans d'éternels seconds rôles. Pourtant l'État nippon naissant, il y a plus de treize siècles, a eu pour chef des impératrices qui ont su et gouverner le pays et se faire obéir des hommes.

Les militants socialistes japonais doivent garder, quelque part en eux, la mémoire de ces temps anciens puisqu'ils ont élu massivement une femme à la tête de leur parti le 8 septembre 1986, Doi Takako, avec plus de 83 % des voix. La presse la surnomme « la madone de l'opposition » ou la « Thatcher du Japon » (*wasei satchaa*). Elle est la fille d'un médecin de Kobe, le grand port du Kansai. Née en 1929, elle a gardé un souvenir fort de la période de guerre. Elle est connue pour être franche et ne pas mâcher ses mots. Au moment de la mort de l'empereur Hirohito survenue en janvier 1989, elle a affirmé d'une voix forte, que celui-ci portait la responsabilité de l'entrée du Japon dans la Seconde Guerre mondiale et que chacun se devait de ne pas l'oublier. Ce courage et cette insistance, c'est aussi celui du juriste qu'elle est, ex-professeur de droit constitutionnel à l'université de Doshisha à Kyoto. Elle tient à rappeler aux adeptes locaux du révisionnisme historique que, dans la Constitution démocratique d'après-guerre, la souveraineté réside dans le peuple et non dans le pouvoir impérial.

Pourquoi les leaders hommes du Parti socialiste japonais (PSJ, Shakaito) se sont-ils effacés devant cette femme ? Au lendemain des élections législatives du 6 juillet 1986 où le PSJ avait reculé brusquement de 112 à 86 sièges, le président Ishibashi démissionna et Doi Takako, qui était déjà vice-présidente, posa sa candidature. Refusant de voir dans son élection le résultat d'une démoralisation extrême du Parti, Doi Tokako a voulu au contraire considérer sa promotion comme l'expression de la volonté des socialistes d'œuvrer à la reconnaissance du droit des femmes. Une reconnaissance qui relève à ses yeux d'une prise en compte globale et ne peut se réduire aux seuls problèmes du travail.

La déjà populaire Mme Doi est ainsi devenue une quasi-vedette nationale. Un sondage effectué en 1986 par le quotidien *Mainichi* indiquait que 44 % des Japonais approuvaient son élection, alors que le PSJ ne recueillait qu'un taux de soutien de 12 %. Une majorité de femmes japonaises, de toutes opinions politiques, a vu en elle le défenseur de leurs droits et les conservateurs du Parti libéral-démocrate, qui ont remporté les élections législatives de février 1990, ont craint un moment pour leur suprématie parlementaire, incontestée depuis 1948. Aux dernières élections législatives ; du 18 février 1990, elle a cependant grandement contribué à faire bondir les résultats de son parti, lequel est passé de 86 à 136 sièges (24 % des votants). Cela devait renforcer son autorité au sein du P S J pour réaliser un aggiornamento : passer des objectifs programmatiques révolutionnaires qui furent les siens à un parti social-démocrate à l'européenne.

La disparition de la grande centrale syndicale Sohyo et son remplacement par une nouvelle, plus droitière, la Rengo, va peut-être permettre au P S J de prendre davantage d'autonomie par rapport aux syndicalistes de gauche, dont l'élection parlementaire constitue le « bâton de maréchal ». En choisissant plus de candidats féminins, plus d'intellectuels... reflétant davantage la société japonaise actuelle, et ce, autour d'un vrai programme, le premier parti nippon dirigé par une femme semble en mesure d'obtenir encore un meilleur score. Un des slogans de Takako Doi, « 2 000 candidates femmes pour l'an 2000 » est un message qui interpelle chaque élu puisqu'on ne compte que 27 femmes députés ou sénateurs contre 737 hommes. Au sein même du P S J, un quota de représentation féminine de 10 % a été accepté et il y a eu 87 représentants sur 629 lors du LVe congrès du P S J. Le Parti conservateur au pouvoir devra, s'il veut conserver l'appui du vote féminin, tenir compte de ces évolutions.

Le dixième président du Parti socialiste qui n'est pas mariée, aime, dit-on les patates douces, le baseball, le *pachinko* (sorte de flipper nippon) et chanter au micro sur des musiques d'accompagnement (le grand sport des *salarymen* japonais). Pas étonnant, avec ces signes de reconnaissance populaires, que plus d'un Japonais s'identifie à ce leader du troisième type.

Jean-François Sabouret

Omar Bongo

« Franchement, qu'est-ce qu'on est venu foutre ici ? On parle, on parle et puis, rien. » Avec son langage truculent, à la limite de la vulgarité, Omar Bongo avait fait scandale, en 1988 lors du XVe sommet franco-africain à Casablanca, en interpellant l'ancienne métropole coloniale. Dix-huit mois après, aux retrouvailles de la « famille » africaine, en juin 1990 à La Baule, le chef de l'État gabonais était dans ses petits souliers. L'armée française venait d'intervenir dans son pays après une explosion contestataire à Libreville et un soulèvement insurrectionnel à Port-Gentil, la capitale économique. Sa trajectoire semble alors revenir à ses débuts : promu chef de l'État avec le soutien actif de la France pour en devenir l'un des alliés les plus intimes en Afrique, Omar Bongo apparaît à la recherche de nouveaux points d'appui. A l'intérieur et, craint-on à Paris, à l'extérieur du Gabon...

Albert-Bernard Bongo est né à Lewai, près de Franceville, le 30 décembre 1935 d'une famille paysanne de neuf enfants. Il appartient à l'ethnie minoritaire des Batéké. Après des études secondaires à Brazzaville, il devient fonctionnaire des PTT avant d'être appelé sous les drapeaux, en 1958, pour effectuer son service militaire dans l'armée de l'air à Fort-Lamy, l'actuelle N'Djaména. Il en sort avec le grade de lieutenant au titre français. Rappelé en octobre 1960 au Gabon indépendant, rien ne semble le prédestiner à accéder à la magistrature suprême de son pays. Il s'imposera cependant par son courage, son instinct politique et...

l'appui de Raoul Delaunay, le tout-puissant ambassadeur de France de l'époque.

Après un bref passage au ministère des Affaires étrangères, A.-B. Bongo est nommé, en mars 1962, directeur de cabinet adjoint du président de la République, « Papa Léon Mba ». Sept mois plus tard, il devient titulaire, pleinement associé à l'exercice du pouvoir. Mais c'est dans la tourmente du coup d'État militaire et de l'intervention militaire française qui « rétablit » le pouvoir de Léon Mba, en 1964, que le « jeune loup » du régime, âgé seulement de trente et un ans, montre ses qualités. Dès lors, Raoul Delaunay contribue puissamment à rendre son ascension irrésistible. Ministre délégué à la présidence chargé de la défense nationale et de la coordination, il cumule, à partir d'août 1966, ses attributions décisives avec le contrôle des médias. Trois mois plus tard, le 14 novembre 1966, un message radio-télévisé, enregistré dans la chambre de l'hôpital parisien où agonise Léon Mba, règle le problème de la succession. Nommé vice-président, A.-B. Bongo accède au pouvoir après le décès du père de l'indépendance, le 2 décembre 1967.

Les compromissions de la France

En instaurant, en mars 1968, un parti unique dans un pays déchiré de haines, le nouveau chef de l'État vise à mieux conforter « un équilibre démocratique qui ne suscite pas la confiance des économistes ». Puis, le pétrole permet au Gabon, grand comme la moitié de la France mais peuplé seulement d'un million d'habitants, toutes les frasques et palinodies. L'adhésion à l'OPEP (Organisation des pays exportateurs de pétrole) valant bien un pèlerinage, le président Bongo, de retour de Libye, ne se fait plus appeler Albert-Bernard mais « El Hadj Omar ». Soucieux d'accroître la mainmise gabonaise sur son pactole pétrolier, il proclame en 1976 le « progressisme démocratique et concerté ». C'est l'époque où le « grand camarade » professe volontiers que le Gabon n'est « la chasse gardée de personne ».

Pour préserver son eldorado sous l'équateur, Paris se prête à toutes les compromissions. L'amant de l'épouse d'Omar Bongo est assassiné sur le sol français dans des circonstances jamais élucidées. Sur demande gabonaise, le Fonds d'aide et de coopération (FAC) finance le revêtement, en peaux de serpent, de l'avion présidentiel. Le priapisme et les excès pécuniaires du « roi des Batéké » ne cessent de défrayer la chonique de journaux, d'autant plus inspirés que Pierre Péan leur a livré, dans son ouvrage *Affaires africaines*, le dessous des relations franco-gabonaises. Faute de pouvoir empêcher la sortie du livre, Omar Bongo interdit pendant plusieurs mois toute mention de la France sur les antennes de la radio continentale *Africa n° 1*...

Puis, en 1986, vient la crise pétrolière, joliment appelée « ramadan financier ». Le temps des largesses révolu, Omar Bongo prêche l'austérité à ses compatriotes incrédules. Ils se révoltent. Le chef de l'État se tourne à nouveau vers la France. Mais Paris n'intervient qu'à moitié et incite à plus de démocratie. « Vous êtes prudent et malin », reproche, à la clôture du sommet de La Baule, Omar Bongo à François Mitterrand...

Stephen Smith

LE DOSSIER DE L'ANNÉE

LE SYSTÈME SOVIÉTIQUE EN RÉVOLUTION

Présentation

En ces temps où l'histoire contemporaine franchit un seuil et où tous nos repères se brouillent, nous avons choisi de consacrer le « dossier de l'année » au thème « Le système soviétique en révolution ».

Année après année, L'état du monde *a proposé à ses lecteurs un bilan détaillé des changements intervenus en URSS, à l'Est et dans le monde depuis que Mikhaïl Gorbatchev a accédé au pouvoir suprême à Moscou. Aux articles consacrés à chacun des pays concernés se sont ajoutées de nombreuses études d'événements et de tendances majeures.*

Le dossier ci-après complète ces chroniques annuelles : en offrant un ensemble d'éclairages permettant de mesurer l'ampleur des changements opérés, il vise à donner du recul au lecteur. Composé d'un ensemble d'articles didactiques, rédigés par des soviétologues et des historiens du communisme, il montre comment le système soviétique s'est construit et comment il se défait.

Le communisme, ce fut d'abord une utopie fantastiquement mobilisatrice, en laquelle de nombreux hommes et femmes placèrent leur espoir d'un monde meilleur. C'est ce que rappelle l'article introductif qui retrace l'histoire de la « construction du socialisme » (voir p. 565). Une histoire qui, avec la « révolution gorbatchévienne », a connu un tournant majeur, une « remise en mouvement » (voir p. 571). Le communisme soviétique tel qu'il a existé jusqu'aux années quatre-vingt peut être analysé selon quatre dimensions essentielles : son système politique (voir p. 574), son modèle économique (voir p. 577), sa politique des nationalités (voir p. 582) et sa politique internationale (voir p. 587).

L'approche proposée par les auteurs de ces différents articles répond à une logique commune : analyser les racines et les conditions historiques du modèle mis en place, pour en dresser le bilan.

S. C.

La « construction du socialisme », l'Histoire et l'utopie

L'Histoire, tout au long de son cours, a produit maintes variétés d'utopies communistes. Mais celle qui voit le jour au milieu du XIXe siècle se distingue radicalement de toutes ses devancières.

Le communisme des temps modernes se veut *scientifique*. Karl Marx (1818-1883) déduit son avènement non d'une aspiration humaniste mais de la découverte des « lois de l'Histoire » à l'œuvre dans la société. Le capitalisme, qui a libéré les forces productives des entraves du féodalisme, fait à son tour obstacle à leur développement. Tôt ou tard, mais inévitablement, il devra céder la place à une nouvelle société, fondée sur la propriété collective des moyens de production qui correspond à la division de plus en plus poussée du travail. Ce sera dans une première étape le socialisme, phase d'édification, grâce au pouvoir des travailleurs, du nouvel ordre social. Puis, lorsque pourront s'épanouir librement les forces productives, viendra le communisme qui inscrira sur ses drapeaux « de chacun selon son travail, à chacun selon ses besoins ».

Cette promesse de libération radicale de l'être humain (sa « désaliénation »), avait plus d'une raison de rencontrer un large écho. Elle venait comme la continuation du projet émancipatoire de la Révolution française au moment même où celle-ci marquait ses limites. La formation du prolétariat industriel jetait une lumière crue sur les inégalités sociales et leur enracinement dans les structures économiques. C'est ce prolétariat, en tant qu'il est la classe la plus exploitée, qui, pour Karl Marx, sera le fer de lance de la nouvelle — et, cette fois, complète — révolution. Mouvement ouvrier et communisme, sans se confondre, ont partie liée.

Alors que s'effondrait la vieille foi religieuse, le communisme apparut comme une espérance de salut pour l'humanité. Sa force messianique découla de ses fondements prétendument scientifiques : il semblait totalement ancré dans le réel. C'est à la cité terrestre que, désormais, les hommes pouvaient demander ce qu'ils n'attendaient, antérieurement, que du Ciel. Or, la Terre promise du communisme était à la fois parfaitement mythique et lourdement tributaire de l'époque. Société idéale, elle résultait en réalité d'une prolongation à l'infini de ce qui, avec les transformations rapides du monde dues à la révolution industrielle, à l'essor impétueux du capitalisme et à la mise en place de l'État moderne, apparaissait comme l'ébauche d'une maîtrise rationnelle de la nature et de la société. Cette projection dans l'avenir déifiait, en fait, les pouvoirs de la science, de la technique et des nouveaux modes d'organisation de la production et de la vie sociale.

« Prolétaires de tous les pays... »

« Prolétaires de tous les pays, unissez-vous. » Par ce mot d'ordre, le communisme affirma d'emblée son universalisme. De même que les communistes, regroupés en parti, forment à l'échelon national l'avant-garde politique de la classe ouvrière, une organisation internationale sera l'instrument par lequel se réalisera, par-delà les frontières, l'unité du prolétariat. Karl Marx contribua personnellement à la mise sur pied de l'*Association internationale des travailleurs* (1864-1872), la Ire Internationale qui porta les premiers espoirs de révolution mondiale. L'instauration de la Commune de Paris en

CHRONOLOGIE

1848. Les révolutions en Europe. *Manifeste du parti communiste* de Karl Marx et Friedrich Engels.

1864. Création, à Londres, de la Ire Internationale.
Parution du *Capital* (livre premier) de Karl Marx.

1870. Guerre franco-allemande.

1871. Commune de Paris.

1880. Fondation du Parti social-démocrate allemand (SPD).

1883. Constitution, à Genève, de la première organisation marxiste.

1889. Fondation de la IIe Internationale.

1900. Fondation du Labour Party en Angleterre.

1905. Fondation du Parti socialiste en France (SFIO).
Première tentative de révolution en Russie.

1912. Congrès de l'Internationale socialiste à Bâle (résolution contre la guerre).

1914. Assassinat de Jean Jaurès.
Début de la Première Guerre mondiale.

1915. Réunion internationale, à Zimmervald (Suisse), des socialistes hostiles à la poursuite de la guerre.

1917. Révolution de Février en Russie et renversement du tsarisme.
Révolution d'Octobre et prise du pouvoir par les *bolcheviks*.

1918. Paix de Brest-Litovsk.
Fin de la Première Guerre mondiale.
Révolution spartakiste en Allemagne.

1918-1920. Scissions dans les partis socialistes, donnant naissance aux partis communistes.

1871, au cours de laquelle le prolétariat a, pendant deux mois, détenu le pouvoir politique, apparut comme la première concrétisation de ces espoirs.

Mais la fin du siècle n'obéit pas aux prévisions de Karl Marx sur l'inexorable « paupérisation relative et absolue » des travailleurs. Grâce notamment à leur lutte, leur condition sociale s'améliore. L'extension du suffrage universel et les progrès de l'instruction conduisent de plus en plus les partis de la IIe Internationale (*Internationale ouvrière*, fondée en 1883) à concevoir le socialisme comme l'expression nécessaire de la volonté populaire. Sociaux-démocrates, ils considèrent que le changement radical s'accomplira, comme Karl Marx l'avait prévu, d'abord dans les pays les plus développés, mais par les voies de la démocratie représentative. Les faits semblent leur donner raison. La première décennie du XXe siècle voit les partis socialistes conquérir une large assise populaire et de fortes représentations parlementaires dans la plupart des pays européens. Le mouvement d'émancipation paraît alors irréversible.

Ces illusions s'effondrent brutalement avec le déclenchement de la Première Guerre mondiale. La IIe Internationale n'ayant professé qu'un pacifisme imprécis, en 1914 chaque parti socialiste estime que la guerre de son pays est juste, vote les crédits militaires et réalise l'« union sacrée » avec la bourgeoisie.

En Russie, la guerre entraîne la décomposition du régime tsariste. Celui-ci est balayé par une révolution de type démocratique en mars 1917. Mais à côté des institutions représentatives classiques, surgit une forme originale de pouvoir populaire direct : les *soviets* (conseils) d'ouvriers, de soldats, de paysans. Le Parti bolchevique, sous la direction de Lénine, proclame : « Tout le pouvoir aux soviets. » Ses mots d'ordre (la paix, la terre aux paysans, l'usine aux ouvriers, la liberté aux nationalités opprimées) lui assurent un large appui dans l'opinion, et l'insurrection du 7 novembre (octobre selon l'ancien calendrier) le porte au pouvoir.

Octobre 17, une seconde naissance

La révolution d'Octobre constitue véritablement la seconde naissance du communisme. Les peuples d'Europe, que la guerre saigne littéralement, tournent leur regard vers les bolcheviks qui ont su mettre à profit le conflit pour faire la révolution. Les circonstances spécifiquement russes qui expliquent la facilité avec laquelle elle s'est accomplie (Lénine : « Prendre le pouvoir était aussi aisé que de soulever une plume ») passent au second plan. On ne veut retenir que le résultat et la méthode. Dans les partis socialistes européens l'opposition grandit contre des dirigeants accusés de n'avoir pas emprunté la voie suivie en Russie. En provoquant la scission au sein de ces partis, elle conduit à la formation des partis communistes qui rejoignent la IIIe Internationale créée à Moscou par Lénine, le *Komintern* (1919-1943).

L'exemple russe, le terrible traumatisme de la guerre, la crise économique, le sentiment de l'imminence de la révolution mondiale qu'accrédite notamment la révolution spartakiste en Allemagne : tout dans ces années 1918-1920 semble donner raison à Lénine. Lorsqu'il jette la démocratie politique avec l'eau du bain de la « république bourgeoise » et préconise, sous l'appellation de « dictature du prolétariat », la dictature d'une minorité agissante (le « parti d'avant-garde », organisé sur le mode militaire), le discrédit qui frappe alors le suffrage universel, les parlements et les institutions représentatives est tel que beaucoup, de bonne foi, considéreront qu'il n'y a plus d'autre voie, non seulement pour accéder au socialisme, mais pour sauver la civilisation. Pour les mêmes raisons, les mises en garde qui, déjà, parviennent de Russie contre les aspects terroristes et totalitaires des pratiques bolcheviques n'atteignent pas ceux qui ont opté pour Octobre.

La dimension religieuse, présente originellement dans le communisme, connaît un renouveau extraordinaire. Le communisme n'est plus seulement une promesse annoncée par la science : il a vu le jour et se construit. L'utopie, désormais, a sa terre. Et quelle terre : un sixième de la planète !

Un message universaliste

Les premiers liens affectifs qui se nouent avec cette terre sont d'autant plus forts que la Russie, considérée comme le foyer initial de la révolution mondiale, doit faire face à l'hostilité des autres grandes puissances. L'attraction qu'elle exerce à l'extérieur va bien au-delà des milieux pacifistes, des ouvriers avancés et des intellectuels progressistes. La part prise par les masses paysannes à la révolution et les décrets de celle-ci sur la remise de la terre « à ceux qui la travaillent » rencontrent des échos notamment là où les campagnes restent en butte aux survivances féodales. Surtout, la révolution d'Octobre apparaît comme la destruction de cette « prison des peuples » qu'était l'empire tsariste. A l'heure où la domination coloniale atteint son apogée, elle représente la première tentative de mise en œuvre du droit des peuples à disposer d'eux-mêmes.

La révolution d'Octobre a donné à l'idée de révolution mondiale, née au siècle dernier, un caractère plus large. Son message semble d'une portée réellement universelle : ce ne sont pas seulement les gros bataillons du prolétariat industriel qui vont mener l'assaut contre le capitalisme, mais toutes les masses exploitées et opprimées de la planète. Si le prolétariat constitue toujours l'avant-garde révolutionnaire, ces masses sont des inépuisables réserves.

1919. Proclamation de la République des Conseils à Budapest.
Assassinat de Karl Liebknecht et Rosa Luxemburg en Allemagne.
Création, à Moscou, de la IIIe Internationale (Komintern).
Fondation du Parti communiste chinois.

1923. Joseph Staline au pouvoir.

1924. Mort de Lénine.

1928. Lancement du premier plan quinquennal en URSS.

1929. Krach boursier de Wall Street.
Collectivisation agraire en URSS. « Liquidation des koulaks ».

1933. Prise du pouvoir par Hitler.

1934-1935. La « Longue marche » en Chine.

1936. Guerre civile en Espagne.
Front populaire en France.
Procès de Moscou.

1938. Accords de Munich.

1939. Pacte germano-soviétique.
Début de la Seconde Guerre mondiale.

1940. Assassinat de Léon Trotski sur ordre de Staline.

1941. L'Allemagne envahit l'URSS.

1943. Victoire de Stalingrad.
Dissolution de la IIIe Internationale.

1945. Conférence de Yalta.
Capitulation de l'Allemagne.

1945-1948. Prises du pouvoir par les communistes en Europe de l'Est.

1947. Création du Kominform, centre de coordination des partis communistes.

1948. Schisme titiste en Yougoslavie.

1949. Victoire de la Révolution chinoise.

Dans l'imaginaire communiste tel qu'il se forme au lendemain de la guerre, le pouvoir soviétique est la tête de pont de cette révolution et la IIIe internationale son état-major. L'un et l'autre tiennent leur légitimité de la révolution d'Octobre. Pour les communistes, ceux des membres des partis socialistes qui ont refusé de les suivre (ils ont été, sauf en France, la majorité) sont des traîtres. Ils perpétuent la trahison de la IIe Internationale en 1914. Par l'influence qu'ils conservent sur la classe ouvrière, ils constituent l'obstacle essentiel à la révolution mondiale et c'est contre eux que les coups doivent être prioritairement dirigés. Non seulement le mouvement ouvrier et socialiste est divisé, mais cette « diabolisation » conduit chacun de ses deux tronçons à voir dans l'autre, et non pas dans la droite ou l'extrême droite, son ennemi principal. Cette situation sera l'un des principaux atouts du fascisme en Italie, du nazisme en Allemagne et du franquisme en Espagne.

Le « socialisme dans un seul pays »

Dès la fin de 1921, toutes les tentatives révolutionnaires dans le monde ont échoué et les espoirs de révolution mondiale doivent être sinon abandonnés, du moins tempérés. Staline, successeur de Lénine, fait triompher contre Trotski, partisan de la « révolution permanente », la théorie de la « construction du socialisme dans un seul pays ». C'est un changement de cap décisif car, jusqu'alors, cette construction n'était envisagée que simultanément dans les pays développés. Il signifie que, désormais, les prolétariats des pays capitalistes et les peuples colonisés doivent subordonner leur stratégie *aux intérêts d'État* de l'Union soviétique puisque c'est de sa survie et de son renforcement que dépendra, fondamentalement, l'essor ultérieur de la révolution mondiale. L'attachement indéfectible des partis communistes à l'Union soviétique, plus que jamais de règle après leur « bolchevisation », a changé de nature. On sait les impasses et les drames auxquels les ont conduits les aléas de la politique étrangère soviétique (écrasement de la révolution chinoise en 1927, par exemple). Dans tous les cas, la direction de l'Internationale communiste se comporta en véritable instrument du pouvoir soviétique.

Le tournant qui s'opère avec Staline confirme la dimension mythique prise, dès ses premiers pas, par la révolution d'Octobre. Les pratiques effectives du PCUS et la réalité soviétique continuent à être de peu de poids à côté de la foi générée par cette révolution. Les effets du mythe perdurent selon une cohérence qui lui est propre. Nombreux sont ceux qu'ils rendent aveugles aux monstruosités du stalinisme et sourds à leurs révélations.

Aveuglement devant la terreur de masse

Mais parce qu'elle aide énormément à croire, la Révolution russe aide aussi énormément à lutter. L'image idéalisée de la « construction du socialisme », à l'extérieur de la Russie, agit auprès des victimes du capitalisme à la manière d'un révélateur des carences et des tares de ce système et stimule les aspirations à un monde meilleur. Sur le terrain, les militants communistes sont, en règle générale, au premier rang des luttes populaires. Enfin, l'URSS, en tant qu'État, a acquis un poids important sur la scène internationale où elle fait figure d'obstacle à la montée du fascisme et de la guerre.

On comprend les difficultés rencontrées par la dénonciation de la terreur stalinienne pour atteindre les consciences : dans les conditions d'une lutte acharnée, elle peut facilement être à son tour dénoncée comme une « machination de l'ennemi ». Loin d'affaiblir la confiance dans la patrie soviétique, elle la renforce souvent.

Lorsque survient la Seconde Guerre mondiale, l'URSS, après la parenthèse du pacte germano-soviétique de 1939, non seulement devint effectivement l'allié espéré contre l'hitlérisme, mais supporta la plus grande part des sacrifices humains et matériels qu'exigea sa défaite. Son prestige dans le monde fait alors un bond à la mesure des espoirs de libération qu'elle représenta pour les peuples tombés sous la domination nazie.

Mais ce ne sont plus une idée, une révolution, une théorie ou un pays qui sont maintenant déifiés. C'est un homme. Staline est à la fois le guide génial et le plus grand savant de tous les temps. Sorte de dieu vivant, il est celui que des centaines de millions d'hommes à travers le monde « aiment le plus ».

La révolution d'Octobre semble bien alors sur le point de tenir sa promesse de révolution mondiale. L'Union soviétique forme avec les

1954. Chute de Dien Bien Phu au Vietnam. Fin de la première guerre d'Indochine commencée en 1946. Les communistes sont au pouvoir au Nord-Vietnam.

1953. Mort de Staline, Nikita Khrouchtchev est nommé premier secrétaire du PC de l'URSS.

Grèves insurrectionnelles à Berlin-Est.

Fin de la guerre de Corée.

1956. XXe congrès du PC de l'URSS et première dénonciation officielle du stalinisme.

Révolution hongroise, révoltes en Pologne.

1959. Prise du pouvoir par Fidel Castro à Cuba.

1960. Début du schisme entre communistes soviétiques et chinois.

1964. N. Krouchtchev est écarté du pouvoir et remplacé par Leonid Brejnev.

1965. Début de la « révolution culturelle » en Chine.

1968. « Printemps de Prague » et intervention des troupes du pacte de Varsovie en Tchécoslovaquie.

1974. Éthiopie, Angola, Mozambique,... la politique expansionniste de Brejnev paraît aller de succès en succès dans le tiers monde.

1975. Chute de Saïgon, clôturant l'engagement militaire américain en Indochine. Au Vietnam, au Laos et au Cambodge, les communistes sont au pouvoir.

1975-1979. Politique génocidaire des Khmers rouges au Cambodge.

1979. Intervention militaire vietnamienne au Cambodge.

Envahissement de l'Afghanistan par les troupes soviétiques.

1980. Grève aux chantiers navals de Gdansk, en Pologne, et création de « Solidarité ».

1985. Mikhaïl Gorbatchev élu secrétaire général du PC de l'URSS.

1989. Implosion des régimes communistes en Europe de l'Est.

1990. Abandon du principe du parti unique en URSS.

G. B.

pays d'Europe centrale et orientale qu'elle a occupés du fait de la guerre un « système socialiste mondial » qui se fixe pour but de gagner le soutien de toutes les forces hostiles à l'« impérialisme », de l'isoler et de le vaincre. L'essor du mouvement ouvrier dans le monde, le réveil du tiers monde et le triomphe de la Révolution chinoise en 1949 promettant une victoire prochaine au « camp socialiste ».

Le « socialisme réel » en crise

Nikita Khrouchtchev, le XXe congrès du Parti soviétique, en 1956, les premières révélations « officielles » sur le stalinisme... La secousse est immense. Mais les plaies du « culte de la personnalité » rapidement pansées et quelques révoltes écrasées (Pologne, Hongrie, Berlin), le « socialisme » retrouve les apparences d'un second souffle. La stratégie de la tension cède la place à la recherche de la « coexistence pacifique » avec les pays capitalistes qui doit permettre au socialisme de faire la preuve de sa supériorité dans la compétition économique. « Nous vous enterrerons ! » affirment aux Américains N. Khrouchtchev, puis Leonid Brejnev. Le succès de *Spoutnik* et Youri Gagarine ne leur donnent-ils pas raison ?

La division du Mouvement communiste international (MCI) à partir de la rupture entre Soviétiques et Chinois, au début des années soixante, a des effets contradictoires. Elle écorne l'image d'un socialisme un et indivisible, fruit d'un marxisme qui tirait son pouvoir de la valeur universelle de ses principes et de ses lois. Mais, en compensation, le maoïsme offre l'alternative d'une pureté doctrinale retrouvée, à un moment où le modèle soviétique laisse de plus en plus entrevoir sa véritable substance. Ce modèle est de plus en plus contesté, jusqu'au sein des partis communistes orthodoxes. Dans les années soixante-dix, l'eurocommunisme dans lequel les Italiens jouent un rôle important apparaît comme une tentative de s'en dégager, tout en sauvegardant ses principaux fondements théoriques.

Mais la crise du « socialisme existant » se précipite. Après Soljénitsyne, il est devenu impossible de ruser avec le Goulag. L'invasion de l'Afghanistan en 1979 ajoute, s'il était besoin, au discrédit grandissant de l'URSS. Les pays socialistes décrochent dans la compétition technologique et toutes leurs réformes économiques échouent. L'heure des réformes politiques a sonné. Pour résoudre ce problème : comment sortir du socialisme ?

Gérard Belloin

La révolution gorbatchévienne a changé le monde

Les ouvertures, les bouleversements, les ruptures, accomplis par Mikhaïl Gorbatchev et son équipe depuis le 11 mars 1985 (date de son élection comme secrétaire général du Parti communiste d'Union soviétique — PCUS) sont incommensurables. Certes, cinq ans plus tard, la *perestroïka* (restructuration) stagne sur le plan économique et les vannes ouvertes par la *glasnost* (transparence) et la *nouvelle mentalité* mettent en péril l'existence même de la Fédération soviétique : certaines républiques veulent faire sécession, tandis que d'autres, par des querelles interethniques, glissent vers la guerre civile. Images contradictoires d'une réforme qui par sa profondeur est révolutionnaire ; d'un remaniement sans précédent dans les sphères de l'idéologie, de la politique, de la diplomatie, de l'économie et du social, mais qui n'arrive guère pour l'heure à surmonter l'écueil des problèmes économiques et à rendre la vie des hommes meilleure.

D'entrée de jeu, et en tenant compte des limites des seules réformes économiques (hongroise des années soixante-dix, chinoise des années quatre-vingt), M. Gorbatchev a œuvré à des changements tous azimuts, mais des résultats concrets et positifs ne sont enregistrés que dans le domaine des relations internationales, dans la résolution ou l'évolution de certains conflits régionaux (Afghanistan, Angola, Cambodge) — c'est-à-dire leur sortie de l'axe Est-Ouest —, dans les progrès concernant le désarmement, dans la possibilité laissée aux pays de l'Est de choisir démocratiquement et librement leurs gouvernements et dans le droit reconnu aux pays du tiers monde qui avaient dans les années 1970-1980 choisi l'« orientation socialiste » à changer de voie.

Une remise en mouvement

A l'intérieur de l'URSS, la libéralisation s'est faite d'une manière progressive et irréversible, devant aboutir à l'instauration du pluralisme politique, à la création d'un État de droit et à l'établissement d'une économie de marché. A la mi-1990, tous ces acquis n'étaient qu'embryonnaires, mais la voie était désormais tracée dans ce sens. Les mutations idéologiques effectuées entre le XXVIIe congrès (février 1986) et le XXVIIIe congrès (juillet 1990) en passant par la conférence nationale du Parti (juin 1988) ont consacré la sortie du léninisme, une sortie en douce, en pointillés, par omissions et oublis, par retouches et compromis. La page

BIBLIOGRAPHIE

AGANBEGUIAN A. G., *Le Double Défi soviétique*, Économica, Paris, 1987.

BOGOMOLOV O., *Socialisme et Compétitivité*, Les Pays de l'Est dans l'économie mondiale, Presses de la FNSP, Paris, 1989.

CHAUVIER J.-M., *L'URSS : une société en mouvement*, Éd. de l'Aube, La Tour-d'Aigues, 1988.

GORBATCHEV M., *Perestroïka, vues neuves sur notre pays et le monde*, Flammarion, Paris, 1987.

LÉVESQUE J., *L'URSS et sa politique internationale, de Lénine à Gorbatchev*, 2e éd., A. Colin, Paris, 1987.

MARCOU L., *Les Défis de Gorbatchev*, Plon, Paris, 1988.

TATU M., *Gorbatchev, l'URSS va-t-elle changer ?*, Le Centurion/Le Monde, Paris, 1987.

a néanmoins été tournée avec une pensée qui plonge ses racines dans le XIXe siècle, M. Gorbatchev voulant préparer pour son pays l'entrée dans le XXIe siècle.

La liberté de création, de publication, l'apparition d'une presse diversifiée et d'une télévision d'opinion, enfin la nouvelle lecture de l'histoire de l'URSS permettent à l'intelligentsia soviétique de s'exprimer vraiment et d'apporter sa contribution à l'évolution en cours.

Cet inventaire sommaire montre, s'il le fallait encore, que l'effet Gorbatchev n'est pas du « déjà vu », que cette réforme/révolution n'a rien à voir ni avec la démarche de Lénine en 1921 lorsqu'il lança la NEP (Nouvelle politique économique), ni avec la déstalinisation limitée et par la suite bloquée par Nikita Khrouchtchev et ses successeurs. La *perestroïka* est un phénomène autrement plus complexe, avec des répercussions internationales sans commune mesure avec les réformes préconisées ou effectuées au fil du temps par un Tito en Yougoslavie, un Dubček en Tchécoslovaquie, un Kadar en Hongrie ou un Deng Xiaoping en Chine.

Fin de l'utopie collectiviste

Critique et réaliste, M. Gorbatchev avait compris, depuis longtemps, que l'URSS est au bord du gouffre et que le changement est sa dernière chance, que celui-ci doit être profond, mettre en cause les fondements mêmes du système, sinon le système lui-même, et qu'il sera de longue durée. Cependant, si l'URSS entre dans l'après-Lénine, si par certains traits les nouvelles lois économiques marquent une ouverture vers le capitalisme et si les acquis de la social-démocratie occidentale sont pris en compte, la finalité de la *perestroïka*, au moins au niveau des vœux et des proclamations, est la recherche d'un modèle de socialisme inédit — ni le modèle bolchevique issu de la révolution d'Octobre, ni le socialisme existant à l'Ouest.

C'est la fin de l'utopie collectiviste et égalitariste et l'émergence de la *morale* à travers une place centrale accordée à l'homme avec ses besoins, ses intérêts et ses droits. Il ne s'agit pas de copier l'Occident mais d'y prendre ce qui est nécessaire au changement de l'URSS. En substitution au messianisme lié à la révolution mondiale, M. Gorbatchev propose, non pas de changer le monde, mais de le connaître afin de l'intégrer et, par là, faire évoluer la société soviétique elle-même. A l'idée de l'indispensable guerre idéologique, que tous ses prédécesseurs ont associée à la coexistence pacifique, M. Gorbatchev oppose la recherche de valeurs universelles pour un monde plus que jamais interdépendant et donc uni, afin de régler en commun les problèmes globaux propres à l'ère nucléaire. Une nouvelle vision prend forme ainsi, qui s'éloigne de plus en plus de la vision léniniste de deux camps irrémédiablement opposés dont, au nom d'un déterminisme historique érigé en termes de loi, l'un, le camp socialiste, avait l'avenir devant lui et l'autre, le camp capitaliste, était voué à une disparition certaine.

Les résultats sont minces à l'heure du bilan de plus de soixante-dix années de « socialisme réel », même là où on pouvait légitimement penser qu'il y avait acquis — les droits sociaux et la mobilité sociale. Les tragédies de l'ère stalinienne avec leur cortège de camps, de morts et de terreur ; les blocages, la médiocratie et les retards accumulés lors de la période brejnévienne n'ont abouti en cette fin de siècle que sur une société de pénurie, avec un retard scientifique et technique, par rapport aux pays de l'Ouest, qui se compte en décennies. La crise des idéologies de gauche fait basculer en URSS des pans entiers de l'opinion publique vers des idéologies d'extrême droite, obscurantistes, xénophobes et antisémites.

La « nouvelle mentalité »

L'« homme nouveau » qu'on a cru avoir forgé ne rêve pour l'heure que d'être comme les autres, en quête de bien-être, de consommation ; il se situe bien loin des valeurs qui lui furent inculquées durant un siècle de pouvoir communiste. D'où la place de la morale dans le système de pensée de M. Gorbatchev, dont l'acte le plus significatif a été la relégation de la lutte de classes en seconde position derrière les valeurs humanistes. Rappelant à maintes occasions qu'au nom d'une idéologie tous les moyens ont été acceptés, allant jusqu'au meurtre, M. Gorbatchev a rejeté la violence telle qu'elle fut reconnue et pratiquée par Lénine et Staline en passant par Trotski, entraînant par là des mœurs particulières — peur, suspicion, délation, trahison. Cela l'a amené à clamer la fin de toute idée de projet bien déterminé, sinon définitif, qui devrait être plaqué sur une réalité forcément mouvante et changeante. C'est la leçon qu'il a tirée des erreurs du passé : c'est ce qu'on appelle la *nouvelle mentalité*.

S'il y a une actualisation implicite des idéaux d'Octobre, elle s'exprime explicitement par un retour à des actions politiques promises alors et jamais accomplies depuis : le pouvoir aux soviets (compris dans sa forme parlementaire) ; les usines aux ouvriers (par la forme du cointéressement et de l'actionnariat) ; la terre aux paysans (retour à la propriété privée) ; la paix aux peuples (par la reconnaissance du principe de « libre choix » pour les pays de l'Est européen et du tiers monde et par l'application du principe de l'« équilibre d'intérêts » des grandes puissances) ; la libre autodétermination aux nations (par la préparation des lois qui permettront d'une manière juridique de sortir de l'Union à celles des républiques qui le souhaitent).

Mais tout cela, à la mi-1990, apparaissait seulement comme un programme d'avenir, tandis que le présent était de jour en jour plus incertain et gros de dangers de toutes sortes.

Les risques du futur

Image contrastée d'un dirigeant populaire dans le monde et controversé dans son propre pays. Réalité contradictoire d'une société qui retrouve la démocratie, les libertés, ses droits et qui risque par une incapacité à résoudre ses problèmes économiques et sociaux, de sombrer dans l'anarchie. M. Gorbatchev a changé le monde, sans parvenir à maîtriser le changement dans son pays. Il se veut l'homme du juste milieu et il risque à terme des dérapages incontrôlables. Les radicaux lui reprochent ses lenteurs, ses piétinements et ses indécisions ; les conservateurs l'accusent d'avoir bradé l'héritage bolchevique ; et le peuple le tient pour responsable du mal de vivre de chacun. Bien qu'en maintes occasions il ait fait preuve d'une maîtrise des situations difficiles, Gorbatchev vit, en 1990, un des moments les plus critiques de cette expérience déjà riche en périls. Sa position centriste risque de faire capoter, dans une période de crise aiguë, toute l'entreprise à laquelle il a attaché son nom. Sa lenteur, souvent apparente, faite de calculs savamment dosés, a montré ses limites comme méthode de gouvernement. Tout s'effrite, son pouvoir risque d'en pâtir aussi. Alors que le PCUS est en voie de scission et que les républiques baltes vont prendre tôt ou tard le chemin de l'indépendance, que des partis politiques sont en formation, l'avenir de ce que nous avons fini par appeler le gorbatchévisme reste incertain. Après avoir été le détonateur d'un processus dont il est trop tôt pour mesurer la portée, mais dont il est certain qu'il a d'ores et déjà changé le monde issu de la Seconde Guerre mondiale, il pourrait être dépassé par une vague de fond contestataire très diversifiée dans ses revendications. Apprenti sorcier ou grand manœuvrier, M. Gorbatchev nous étonnera-t-il encore ou nous laissera-t-il dans l'inconnu d'une évolution difficile à saisir dans ses multiples contours ? A un moment où l'histoire quitte les manuels et descend dans la rue, il faut rester prudent et se limiter à enregistrer les faits afin de les expliquer dans les moments de répit indispensables à toute analyse politique.

Lilly Marcou

Un système politique longtemps réputé irréversible

En février 1990 l'onde de choc qui avait provoqué l'effondrement des régimes communistes de l'Europe du centre et de l'Est revenait au centre du système d'où elle était partie. L'Estonie proclamait son indépendance. A Moscou, le Parlement dépossédait le PCUS (Parti communiste d'Union soviétique) de son monopole sur la vie publique en introduisant le multipartisme dans la Constitution et en transférant le pouvoir exécutif à une instance présidentielle autonome. Mikhaïl Gorbatchev était élu président de l'URSS à l'issue de débats houleux suscités par l'opposition d'un groupe parlementaire qui demandait l'application immédiate de la loi fondamentale qui prévoit l'élection du président au suffrage universel direct.

La presse internationale salua la mort du communisme tandis que les différents protagonistes de ces journées de février, friands d'analogies historiques, parlaient de « révolution de février », identifiant par là ce changement de régime à la chute du tsarisme en février 1917, refermant du même coup la parenthèse inaugurée par la prise du pouvoir du Parti bolchevique. Les observateurs ne manquèrent certes pas de souligner le décalage persistant de l'URSS vis-à-vis de ses anciens satellites où les conditions semblaient, du moins pour certains d'entre eux, plus propices à une transition vers la démocratie. Bref, l'URSS s'obstinait à tenter de réformer son système plutôt que d'en changer.

Périodes d'équilibre, périodes d'instabilité

C'était reposer le problème de la nature même de ce système, longtemps réputé immuable et irréversible, et qui, désormais, se voyait affecté dans son noyau dur, dans ses fondements intangibles : le monopole du parti unique sur le pouvoir politique, l'administration de l'État, la production, l'information, exerçant son contrôle total sur toutes les activités et les institutions de la société au nom de l'idéologie marxiste-léniniste dans le but de construire une société communiste.

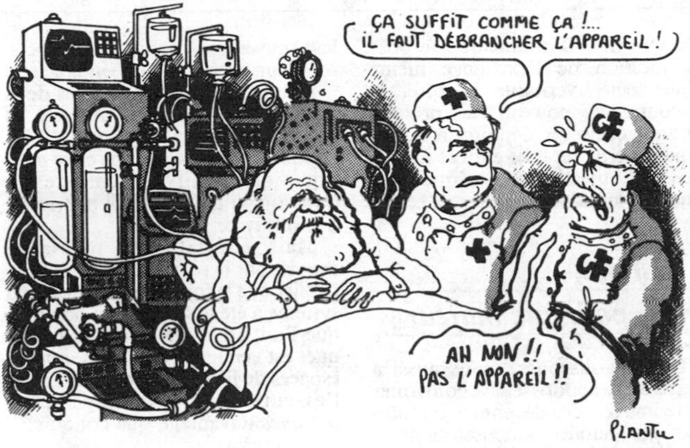

Si l'on s'en tient à l'examen des seules modalités concrètes de la mise en œuvre de ce modèle, le résumé le plus succinct de l'histoire soviétique montre bien le dessaisissement du pouvoir détenu à l'origine par les soviets (conseils élus qui incarnaient la légitimité populaire) au bénéfice du seul Parti bolchevique, puis sa captation par le seul *appareil* du Parti, puis la dictature totalitaire de Staline (1929-1953) par les purges et la terreur de masse du Goulag. Si le dégel khrouchtchévien, de 1956 jusqu'au début des années soixante, desserre l'étau, le système retrouve sa stabilité sous Leonid Brejnev (1964-1982), mais au prix d'un immobilisme qui met en danger sa survie. Les réformes de Mikhaïl Gorbatchev, à partir de 1985, visent dès lors à restaurer son dynamisme.

Du point de vue des intentions du pouvoir, les principes, dans leur affirmation et leur mise en acte, n'ont guère varié. En revanche, ce simple rappel historique souligne déjà que, dans les variations qu'a connues le régime pour s'affirmer et se maintenir, l'instabilité l'emporte sur l'équilibre.

De fait, l'adaptation des mécanismes de pouvoir fait apparaître des variables qui ne sont pas nécessairement synchrones. Ainsi, la pression du pouvoir sur la société présente une alternance de phases de mobilisation, violentes ou molles, et d'adaptations accompagnées d'un relâchement, ces phases ne coïncident pas nécessairement avec les périodes d'expansion ou de repli, d'ouverture ou de fermeture en matière de relations internationales. En outre, l'exercice personnel ou collectif du pouvoir suprême ne recoupe pas son degré d'arbitraire ou de codification : le passage de la référence de « dictature du prolétariat » à celle de l'« État du peuple tout entier » (Constitution de 1936) s'accompagne d'une dégénérescence des soviets ; autre illustration, l'inscription dans la Constitution du rôle dirigeant du Parti n'intervient qu'en 1977.

On le voit, la trame réelle du système de pouvoir échappe pour une part à une approche qui situerait l'État et la société en position

BIBLIOGRAPHIE

FERRO M., *Les Origines de la perestroïka*, Ramsay, Paris, 1990.

GREMION P., HASSNER P., *Vents d'Est, vers l'Europe des États de droit ?*, PUF, Paris, 1990.

« La réforme politique en URSS », (dossier constitué par R. Berton-Hogge), *Problèmes politiques et sociaux*, n° 611, La Documentation française, Paris, 1989.

LEWIN M., *La Grande Mutation soviétique*, La Découverte, Paris, 1989.

« URSS : décomposition ou recomposition », *Cosmopolitique*, n° 14-15, Paris, 1990.

d'extériorité. D'autant que se pose la question de l'existence même d'une société véritable. En effet, le discours du pouvoir la prétend « homogénéisée », dépourvue de clivages internes et tout entière identifiée à l'objectif idéologique vers lequel il la guide.

L'histoire, enjeu politique majeur

D'autres discours, tenus aussi à l'extérieur, aboutissent à confirmer cette image : des décennies de totalitarisme l'auraient atomisée au point qu'il ne subsisterait plus aujourd'hui en URSS qu'une pseudo-société, une société « résiduelle » ; on évoque aussi la passivité traditionnelle du peuple russe qui serait éternellement voué à une histoire folle.

Or, le passé — qui n'est pas exclusivement russe, faut-il le rappeler — n'est pas seulement un poids. Préservé dans les mémoires nationales et familiales, il a joué un rôle actif d'identification, il s'est révélé un ferment qui n'a jamais pu être éradiqué. Ainsi, depuis la déstalinisation amorcée en 1956, l'histoire pré-révolutionnaire et soviétique constitue un enjeu politique majeur. Le monopole de l'histoire officielle n'est pas parvenu à conserver au Parti la légitimité historique dont il avait disposé. C'est sur le terrain de l'histoire que la société a élargi la brèche de la *glasnost* (« transparence ») dès 1987 pour reconquérir une expression politique autonome. C'est au nom de l'histoire que les républiques allaient affirmer leur souveraineté nationale et proclamer leur droit à l'indépendance.

D'autres aspirations venues de la société ont pu ainsi affecter le système, éroder ses fondements idéologiques et provoquer une crise politique qui allait le remettre en question, si tant est qu'il parvienne à y survivre.

Mais constater la puissance acquise par la société ne saurait faire oublier que le foyer des mutations du système a été le sommet du pouvoir, que l'initiative des réformes politiques est venue « d'en haut », que les espaces de liberté demeuraient pour l'essentiel au printemps 1990 octroyés davantage que conquis.

De formidables mutations de société

Car si la société a su se préserver malgré ses traumatismes, elle a surtout vécu de formidables mutations. L'industrialisation brutale, accomplie à un rythme forcené, avait bouleversé les structures sociales à l'issue des années cinquante. Le degré d'urbanisation, d'éducation et de différenciation des catégories sociales et des régions nécessitait une redéfinition de l'architecture des pouvoirs. Les réformes entreprises par Nikita Khrouchtchev pour adapter les appareils administratifs du Parti-État ont remis en cause des situations acquises, suscitant des conflits au sommet qui ont révélé une crise des formes de légitimation. L'équilibre institutionnel rétabli par Leonid Brejnev a conforté le poids décisif des clientèles, des réseaux et des groupes de pression. En les centralisant, le *Politburo* (Bureau politique) est devenu, dans les années soixante-dix, le cœur du système. Mais l'exercice de ce monopole conflictuel a conduit avant tout à une gestion déconcentrée, menacée de paralysie.

Parallèlement, en réponse à la dissolution des anciennes institutions de la société civile et pour prendre en compte les nouvelles stratifications sociales, un réseau extrêmement dense d'organisations sociales s'est mis en place dès les années trente. Entièrement soumis au contrôle du Parti, il constitua un instrument d'emprise totalitaire. Une partie des prérogatives de l'État lui furent transférées. Ainsi, les syndicats gèrent la sécurité sociale. Dans les années soixante-dix, s'est profilée une sorte d'auto-surveillance, d'auto-contrôle de la société par elle-même. La répression du mouvement dissident sera conduite autant par l'organe de répression qu'est le KGB qu'au sein de l'Union des écrivains ou de l'Académie des sciences. Mais dans le même temps ces organisations ont constitué une filière de sélection et de promotion de cadres, sur des critères de loyauté, facteurs de médiocrité mais aussi de compétence. La montée des spécialistes, des experts au cœur de l'appareil devint un phénomène politique dans la mesure où ce sang neuf, loin de dynamiser le système, y a introduit d'autres clivages qu'institutionnels ou idéologiques. Ce mouvement a mis en cause le carcan que constituaient, pour les couches éduquées, informées et modernistes de la population, le monopole du Parti sur la production, la décision politique ou l'information et il a accéléré l'exigence d'une légitimation démocratique.

La nomination de M. Gorbatchev au poste de secrétaire général du Parti, en 1985, a été de ce point de vue l'aboutissement d'un processus. Les réformes politiques qu'il a introduites à partir de 1988 ont entériné l'échec prolongé des tentatives d'aménagement du système. Elles ont donné une expression politique aux dynamiques propres de la société. En cela, elles ont connu un début de réussite.

Les zones d'autonomie réduite et partielle à l'intérieur même du système se sont révélées les pépinières dont sont issus les acteurs de la vie politique suscitée par les réformes d'« en haut » engagées à partir de 1985 : leaders d'opinions, responsables d'associations, entrepreneurs privés, journalistes, dirigeants de mouvements nationaux, députés et membres des gouvernements issus des parlements renouvelés... Si à l'issue de ces mutations le système apparaissait suffisamment démantelé pour empêcher un retour à l'ordre ancien, la faiblesse des nouveaux pouvoirs laissait craindre qu'ils ne puissent à eux seuls endiguer une instabilité persistante ni lever les incertitudes quant aux recompositions à venir.

Marie-Hélène Mandrillon

La réforme, seule issue à l'échec économique

Les réformes entreprises ou annoncées dans les pays de l'Est et en URSS se concentrent en ce début des années quatre-vingt, sur le passage d'une économie planifiée à une économie de marché. La similitude des projets comme des discours dans les différents pays indique que l'on était bien en présence d'un système commun. Les difficultés éprouvées pour en sortir soulignent qu'il était cohérent. Si aujourd'hui il n'est question que de le transformer radicalement, voire de l'abandonner, c'est bien que le bilan qui en est tiré est fortement négatif. Le rythme plus ou moins rapide des réformes dans les différents pays concernés montre aussi que son application n'y fut pas identique et qu'il n'y a pas laissé les mêmes traces.

Le modèle économique soviétique semble ainsi appelé à disparaître; sans doute est-ce le moment de revenir sur ce qui fut tant une réalité incontournable que l'objet de débats multiples. La spécificité de ce modèle tient pour une part au fait qu'il prit naissance dans un pays, l'URSS, dont les dirigeants prétendaient construire, de manière consciente et volontaire (et même volontariste), une alternative globale au capitalisme. Que la réalité n'ait pas correspondu aux ambitions comme aux espérances n'empêche pas que cet aspect de construction d'un système joue un grand rôle dans les perceptions que l'on peut avoir d'un tel système, aussi bien dans les pays occidentaux qu'en Union soviétique ou dans les pays de l'Est.

L'expérience des économies de guerre

Ce modèle doit beaucoup à l'expérience de la Première Guerre mondiale. Le succès des économies de guerre avait convaincu de nombreux spécialistes de la possibilité de diriger une économie. Les dirigeants bolchéviques ont largement puisé dans l'expérience de l'économie de guerre russe des années 1915-1916. Ils y ont trouvé les méthodes, les institutions et les hommes qui correspondaient à leur projet.

La cohérence du système économique soviétique doit donc moins à l'idéologie qu'à l'héritage de ces années. Elle provient aussi largement de la dynamique induite par certaines transformations. Ainsi, la suppression de la nécessité de vendre (car un organisme d'État remplace le système commercial) incite les entreprises à produire le plus possible sans souci des coûts ou de l'adéquation de leur produit à la demande. Les besoins en intrants qu'engendre un tel comportement conduisent inévitablement à des déséquilibres importants. Ceux-ci nécessitent une organisation des approvisionnements et la mise en place de listes d'attente. La garantie de vente débouche sur la planification à travers les pénuries qu'elle provoque. Elle implique aussi la transformation du système financier et des modes de propriété (généralisation de la propriété d'État) sous peine de voir l'économie se désagréger. De proche en proche se constitue ainsi un ensemble d'institutions, de règles et de comportements qui fait système.

Le terme même d'économie planifiée est trompeur. En réalité, ce modèle économique repose sur un jeu complexe de priorités s'articulant, non par la volonté d'un despote, mais par l'agrégation de multiples marchandages. Une telle économie du marchandage produit les formes sociales et politiques qui alimentent, tant pour les observateurs extérieurs que pour les participants, l'illusion de la direction totalitaire. Le modèle économique soviétique n'est pas seulement un système économique cohérent, il induit la mise en place d'une instrumentalisation du droit, de relations clientélistes, d'un certain emploi de la coercition policière qui contribuent à donner son visage global à la société.

Ce modèle n'est pas surgi en un jour ni en quelques mois. Sa réalisation, en URSS comme en Europe de l'Est, a pris l'aspect d'un processus historique tulmutueux, souvent dramatique, parfois meurtrier.

En Union soviétique, la guerre civile (1918-1921) lui donna une première impulsion. Les nécessités de la lutte armée furent pour beaucoup dans l'usage systématique par les *bolcheviks* de l'héritage de l'économie de guerre. Ce n'est pas un hasard si le retour de la paix fut l'occasion d'un assouplissement bénéfique de ce modèle au travers de la NEP (Nouvelle politique économique).

L'« économie mobilisée »

Le tournant fondamental, qui devait enraciner le modèle, tout en lui donnant le visage qui nous est familier, survint avec la collectivisation de l'agriculture (hiver 1929-1930). La quasi-guerre civile qui en résulta conduisit au développement et à la généralisation des procédures qui avaient été en vigueur durant la guerre civile. Et si la collectivisation rendit nécessaire la mobilisation de l'économie, elle permit aussi à l'*économie mobilisée*, cette économie de guerre en temps de paix, de s'étendre sur un secteur qu'elle avait jusque-là épargné : l'agriculture.

A la fin des années trente, le système économique soviétique avait pris les caractéristiques qui furent les siennes jusqu'en 1985. Il avait fallu pour cela 5 à 7 millions de morts dans la famine de 1932-1934, des millions de déportés et des centaines de milliers d'exécutés, et une baisse dramatique du niveau de vie. Les Soviétiques allaient devoir attendre 1954 pour retrouver un niveau de consommation égal à celui de 1928.

L'extension du modèle hors de l'URSS

A partir de 1945, ce modèle s'étendit hors d'URSS. Dans un premier temps, les dirigeants soviétiques semblèrent prêts à s'accommoder de transformations limitées dans les pays que l'armée soviétique avait libérés. Alors que les Yougoslaves se faisaient tancer pour leur volonté d'imiter immédiatement le « Grand Frère », en Pologne et en Tchécoslovaquie s'ébauchaient d'intéressantes expériences d'économie mixte. Cette attitude de Moscou semble avoir tenu tant aux incertitudes quant à l'évolution de la situation internationale qu'à l'existence en URSS même d'un débat sur le modèle économique.

A partir de la fin de l'année 1947, les démocraties populaires furent sommées d'abandonner leurs expériences et de s'aligner sur le modèle soviétique. Ceci ne se fit pas sans de

LES ORDRES DE MOSCOU SONT FORMELS ! INVESTISSEZ DANS L'AGRO-BUSINESS !
PLANTU

BIBLIOGRAPHIE

Sur la définition du modèle et ses mécanismes

KORNAI J., *Socialisme et économie de la pénurie*, Economica, Paris, 1984.

NOVE A., *L'Économie soviétique*, Economica, Paris, 1981.

ROLAND G., *Économie politique du système soviétique*, L'Harmattan, Paris, 1989.

SAPIR J., *L'Économie mobilisée*, La Découverte, Paris, 1990.

Sur la réalisation et le fonctionnement du système

BETTELHEIM C., *Les Luttes de classes en URSS. Troisième période, 1930-1941*, Le Seuil, Paris, 1982.

BRUS W., *Histoire économique de l'Europe de l'Est* (1945-1985), La Découverte, Paris, 1986.

CHAVANCE B., *Le Système économique soviétique*, Nathan, Paris, 1989.

LEWIN M., *La Formation du système soviétique*, Gallimard, Paris, 1987.

SAPIR J., *Les Fluctuations économiques en URSS, 1941-1985*, Éditions de l'EHESS, Paris, 1989.

ZALESKI E., *La Planification stalinienne*, Economica, Paris, 1984.

Sur le bilan et les réformes

AGANBEGUIAN A.G., *Perestroïka*, Économica, Paris, 1987.

BOGOMOLOV O., *Socialisme et compétitivité*, Presses de la FNSP, Paris, 1989.

DESAI P., *Perestroïka in Perspective*, Princeton University Press, Princeton, NJ, 1989.

HEWETT E., *Reforming the Soviet Economy*, The Brookings Institution, Washington, DC, 1988.

KORNAI J., RICHET X. (sous la dir. de), *La Voie hongroise*, Calmann-Lévy, Paris, 1986.

fortes tensions sociales et politiques. L'économie de ces pays, durement éprouvée par la guerre, fut très sévèrement secouée par une transformation brutale des structures. Le niveau de vie baissa partout et, dans certains cas, les pénuries s'amplifièrent en disettes. Ce choc fut pour beaucoup dans les soulèvements qui se produisirent en Hongrie et en Pologne en 1956.

En effet, à l'inverse de l'URSS où ce modèle peut apparaître comme plus ou moins fidèle à une certaine tradition nationale, il fut toujours perçu en Europe de l'Est comme un greffon étranger. Les structures de coopération économique, comme le CAEM (Conseil d'assistance économique mutuelle, ou COMECON), créé en 1949, restèrent assimilées à des institutions coloniales. Que l'usage de la force armée ait été nécessaire en 1956 à Budapest et en 1968 à Prague pour mettre au pas les contestataires ne pouvait que renforcer cette image.

Un bilan clairement négatif

Dresser un bilan du modèle économique soviétique soulève immédiatement des questions fort différentes. L'ambition initiale était de créer une alternative au capitalisme. Or, on l'a vu, ce modèle a emprunté ses institutions et ses méthodes à une forme de l'économie capitaliste. La garantie de vente n'a fait disparaître ni la marchandise, ni le salariat. Comment s'étonner si nombreux furent ceux qui y virent un capitalisme d'État? L'« économie mobilisée » pourrait bien être traduite par économie capitaliste non commerciale.

Cependant, rien n'oblige de prendre pour norme le projet bolchevique initial. Incontestablement, le modèle soviétique a été un instrument de développement et d'industrialisation. Si l'on veut juger à cette aune, ce qui importe alors ce sont les caractéristiques de ce développement. Ce dernier s'est traduit par des torsions importantes du schéma de croissance. Le surdéveloppement de l'industrie lourde, la mauvaise qualité de la production, les entraves à l'innovation en sont des exemples dans la sphère productive. Le sacrifice de la consommation, que ne saurait camoufler une législation parfois généreuse mais inappliquée, le saccage du cadre de vie, aux conséquences graves pour la santé des populations, sont autant d'autres exemples.

Le modèle soviétique n'a même pas épargné aux pays concernés les fluctuations de l'activité économique. Et si le chômage y a été faible, c'est essentiellement en raison de la demande de main-d'œuvre issue de la faible productivité et de la course à la production qu'engendre la garantie de vente. Les travailleurs ont payé ce système de la suppression des organisations syndicales indépendantes et d'un niveau de répression qui fut, jusqu'aux années quatre-vingt, très élevé. Enfin, on aurait pu croire que la planification favoriserait l'intégration et la coopération économique. Or, le fonctionnement du CAEM n'a été perçu comme satisfaisant ni par les Soviétiques ni par leurs partenaires (sept pays d'Europe de l'Est, Cuba et le Vietnam). Trop souvent le CAEM a été utilisé par l'URSS comme instrument pour imposer aux autres pays des spécialisations à son avantage. Inversement, la non-convertibilité des monnaies employées a permis à certains pays d'Europe de l'Est d'accumuler sans conséquence pour eux des déficits commerciaux avec l'URSS, au grand dam des dirigeants soviétiques.

De l'utopie centralisatrice à l'illusion ultra-libérale

Mais, surtout, c'est en Union soviétique même que le modèle a connu de ce point de vue son plus grand échec. L'incapacité à traiter les déséquilibres inter-régionaux, voire la tendance à les accentuer ont conduit à une polarisation dangereuse du pays. L'opposition entre un Nord-Ouest développé et le sous-développement de l'Asie centrale alimente bien des revendications nationalistes. En outre, les mécanismes propres du modèle économique tendent à provoquer de fortes tensions inflationnistes qui se révéleront un obstacle important à la mise en œuvre des réformes.

Le bilan apparaît ainsi clairement négatif. Aux difficultés structurelles évoquées sont venues s'ajouter des crises conjoncturelles graves, accentuées parfois par des politiques économiques aberrantes (Pologne des années soixante-dix, Roumanie des années quatre-vingt). La réforme est donc la seule issue, et son rythme est largement dicté par l'état de désagrégation de ces économies.

L'ultime aspect négatif de ce modèle se dévoile alors. Après avoir entretenu les illusions centralisatrices, son rejet conduit aux illusions ultra-libérales, susceptibles d'entraîner des politiques aux conséquences sociales telles que des explosions politiques capables de compromettre le rétablissement de la démocratie sont possibles. Ce modèle a discrédité la totalité des instruments d'une action étatique, alors que cette dernière s'avère souvent nécessaire et parfois particulièrement efficace, comme en témoigne l'exemple japonais.

Jacques Sapir

L'« État multinational », un mythe qui cachait un désastre

Lorsque les *bolcheviks* s'emparent du pouvoir, en 1917, l'empire tsariste n'est déjà plus que l'ombre de lui-même.

Au Nord, la Finlande proclame son indépendance dès le 6 décembre, bientôt suivie par la Lituanie le 11 décembre, la Lettonie le 12 janvier 1918, et l'Estonie le 24 février. A l'ouest, en novembre 1918, la Pologne s'apprête à faire renaître la *Rzespopolita* (« république nobiliaire ») détruite à la fin du XVIIIe siècle, tandis que l'Ukraine, héritière d'une histoire tourmentée et tragique, tente depuis le 22 janvier sa première expérience étatique. Au sud, fin mai 1918, les peuples de Transcaucasie, désormais privés de la protection militaire russe par Octobre et la guerre civile, croient trouver la clef d'une survie menacée par la Turquie dans l'indépendance, un mois seulement après la création d'une fédération transcaucasienne velléitaire et chaotique regroupant la Géorgie, l'Arménie et l'Azerbaïdjan [*voir article au chapitre « Conflits et tensions »*]. A l'Est, en Asie centrale, notamment dans ce qu'on appelle alors le Turkestan, dans une région longtemps restée en retrait des grandes mutations, les élites urbaines hésitent entre une tradition séculaire et les formes radicales d'une modernité venue de Russie et de Turquie.

En 1897, après pratiquement quatre siècles d'une extension ininterrompue et rapide — l'océan Pacifique a été atteint dès le XVIIe siècle —, l'empire russe compte 124 600 000 sujets (44 % de Russes, 18 % d'Ukrainiens, 6 % de Polonais, 11 % de « Turcs », 4 % de Juifs). Dans un monde dominé par les grands empires européens, cet ensemble est atypique. Immense territoire d'un seul tenant, il se distingue par une domination exercée sur des peuples (Baltes, Finnois, Polonais) dont le niveau de développement est plus élevé qu'en Russie.

Sortir de la « prison des peuples »

Au tournant du siècle, cette domination est de plus en plus mal acceptée. Nations détentrices d'une tradition étatique, peuples s'éveillant à la conscience nationale, populations éparpillées sur toute l'étendue d'une Russie devenue une « prison des peuples » se détournent d'un système bloqué qui opprime les Polonais, russifie les Ukrainiens, humilie les Juifs.

La révolution de 1905 est un révélateur : la dimension nationale, en particulier en Pologne et au Caucase, est fortement présente au sein d'un mouvement de libération sociale et politique qui ébranle fortement la dynastie des Romanov.

Mais l'opposition radicale au tsarisme reste divisée face au problème national. Sous l'impulsion de Lénine, bientôt relayé par Staline, les *bolcheviks* rejettent « tout ce qui pourrait diviser le prolétariat », en particulier la solution confédérale des socialistes révolutionnaires et les conceptions d'« autonomie culturelle extra-territoriale » venues du courant de pensée austro-marxiste. A la veille de la révolution de 1917, le parti bolchevique n'a pas réussi de percée massive parmi les populations « allogènes », malgré le mot d'ordre léniniste de « droit à l'autodétermination jusqu'à la séparation ». La dynamique d'Octobre ne parviendra pas à entraîner la périphérie de l'empire ; le bolchevisme est essentiellement un phénomène russe et urbain.

PEUPLES ET DÉMOGRAPHIE

Parmi la centaine de nationalités recensées en URSS, deux grands groupes se détachent : les peuples slaves et les peuples turcophones.

Les peuples slaves représentaient 205,9 millions de personnes en 1989 et formaient 72 % de la population soviétique totale (285,7 millions). Les Russes sont les plus nombreux : 145 millions, soit 50 % de la population de l'URSS (53,5 % en 1970); viennent ensuite les Ukrainiens (44 millions) et les Biélorusses (10 millions).

Les peuples turcophones représentent désormais près de 37 millions d'individus. Les Ouzbeks (16,7 millions en 1989) en sont le groupe le plus nombreux. Viennent ensuite les Kazakhs (8,1 millions), les Azéris (6,8 millions), les Turkmènes (2,7 millions), et les Kirghizes (2,5 millions).

La croissance démographique est très différenciée selon les républiques et les groupes ethniques. La communauté musulmane, qui compte notamment, outre les peuples turcophones déjà cités, les Tatars (6,6 millions) et les Tadjiks (4,2 millions), connaît ainsi — notamment en Asie centrale — des taux d'accroissement naturel plus élevés (plus de 30 ‰), sans comparaison avec ceux de la partie européenne de l'URSS : 6,8 ‰ en Russie, 2,7 ‰ à Moscou, 4 ‰ en Estonie...

On estime que les musulmans (un cinquième de la population totale) contribuent désormais pour moitié à l'augmentation de la population de l'Union. Les chiffres sont parlants : de 1959 à 1989, la population a augmenté de 25 % en Russie, de 245 % en Ouzbékistan et de 258 % en Tadjikistan.

Les tensions politiques qui touchent de nombreuses régions (Caucase — qui comprend la Géorgie, l'Arménie, l'Azerbaïdjan; l'Asie centrale — Kazhakstan, Turkménistan, Khighizie, Ouzbékistan, Tadjikistan; pays Baltes — Lituanie, Lettonie, Estonie) pourraient accélérer les flux migratoires engagés depuis la fin des années quatre-vingt. Les réformes économiques, avec les restructurations industrielles qu'elles ne manqueront pas de provoquer, seront par ailleurs causes de nouvelles migrations.

C. U.

Entre 1918 et 1920, la guerre civile parachève le processus de démembrement de l'empire. Un moment réduite à une peau de chagrin, la Russie soviétique est le centre d'un territoire aux frontières mobiles. Mais bientôt, l'Armée rouge ne se contente plus de repousser les troupes blanches, elle impose l'ordre bolchevique hors des limites de la RSFSR (République socialiste fédérative de Russie). La reconquête des marches les plus riches s'achève en 1921 : à Moscou, on considère stratégiques le blé et le charbon d'Ukraine, le pétrole et le manganèse de Transcaucasie. Le pouvoir soviétique s'est imposé le plus souvent par la violence des armes. Il se maintiendra grâce à un subtil cocktail qui alliera répression et concessions culturelles, création de nouvelles nations et manipulations frontalières.

L'établissement des républiques soviétiques

Des républiques soviétiques, nouvelles entités aux droits mal définis, remplacent progressivement les États nés de la désintégration de l'empire.

BIBLIOGRAPHIE

BENNIGSEN A., LEMERCIER-QUELQUEJAY C., *Les Musulmans oubliés, l'Islam en Union soviétique*, Maspero, « PCM », Paris, 1981.

CARRÈRE D'ENCAUSSE H., *Le Grand Défi. Bolcheviks et nations (1917-1930)*, Flammarion, Paris, 1987.

« La crise des nationalités en URSS » (dossier constitué par C. Urjewicz), *Problèmes politiques et sociaux*, n° 616, La Documentation française, Paris, 1989.

« Les marches de la Russie », *Hérodote*, n° 54-55, La Découverte, Paris, 1989.

MOURADIAN C., *L'Arménie. De Staline à Gorbatchev, histoire d'une république soviétique*, Ramsay, Paris, 1990.

NEKRICH A., *Les Peuples punis*, Maspero, Paris, 1982.

Les relations entre le centre et la périphérie sont tendues : parfois la résistance est active et massive ; nombre de communistes sensibles aux revendications nationales se heurtent à un appareil rigide. Formellement souveraines, les républiques sont en effet dirigées par des PC républicains eux-mêmes soumis à un contrôle strict du comité central du Parti communiste russe.

Fin 1922, la « crise géorgienne » (le Comité central du PC de Géorgie démissionne à la suite d'un grave différend avec Staline responsable de la politique des nationalités) sert de révélateur à une crise plus profonde dont l'enjeu est la stucture du futur État soviétique. Géorgiens et Ukrainiens s'opposent au « projet d'autonomisation » de Staline qui revient à soumettre les républiques à la RSFSR. Lénine tranche en faveur d'une solution fédérale. Mais le trouble s'est emparé du père de la révolution. Dans son « testament » (décembre 1922), il envisage une très large décentralisation. Il n'empêche : le Parti doit rester l'arbitre suprême et indiscuté.

Dans l'URSS de la NEP (Nouvelle politique économique, instaurée en 1921) l'intervention de l'État reste pourtant faible, en particulier dans les zones rurales. Conciliant en Ukraine où il soutient activement le processus d'ukrainisation, le pouvoir soviétique réprime sauvagement l'insurrection géorgienne d'août 1924 ; encourage l'émergence de nationalismes provinciaux en Asie centrale en créant de nouvelles nations dotées de territoires dont les tracés ont été décidés à Moscou (Kirghizie, Kazakhstan, Ouzbékistan...). Il s'agit non seulement d'adapter la région au modèle européen d'État-nation dont se réclament les *bolcheviks*, mais aussi de neutraliser des sociétés rendues suspectes par leur rapport à la tradition islamique.

Russification systématique

La mise en place d'un système autoritaire et centralisé n'a pas empêché le réveil des revendications nationales, en particulier dans une Ukraine où l'on met désormais en avant la maîtrise de l'économie, tandis que les Basmachis poursuivent la lutte armée en Asie centrale. Avec le premier plan quinquennal, les républiques perdent les derniers éléments de maîtrise de leurs économies ; en Asie centrale, Moscou impose ainsi la monoculture d'un coton payé à un prix dérisoire ; la collectivisation entraîne la disparition des derniers éléments de pluralisme alors que la famine s'abat sur la paysannerie : au Kazakhstan et en Ukraine (1932-1933), les victimes se comptent par millions.

Instrument de la centralisation la langue russe se substitue rapidement aux langues nationales dans toute

RÉPUBLIQUES ET NATIONALITÉS

La constitution de l'Union soviétique sous l'angle étatique et national a commencé en 1922. L'URSS était formée, lorsque l'année 1990 a débuté, de quinze républiques fédérées, *de vingt* républiques autonomes, *et de dix-huit* régions autonomes [voir carte p. 42-43].

Les républiques fédérées *détiennent formellement de nombreux attributs d'un État souverain, dont celui de sortir de l'Union : frontières, Constitution, Parlement, hymne, drapeau, parti communiste (sur ce dernier point, la Russie, la plus importante des républiques fédérées, a fait exception jusqu'en juin 1990).*

Bien que disposant elles aussi de constitutions et de parlements, les républiques autonomes *ont des droits moins étendus : elles ont pour rôle de prendre en charge les intérêts spécifiques (nationaux, linguistiques ou religieux) d'une population vivant sur un territoire donné.*

Enfin, les régions et arrondissements autonomes *ont pour but de permettre à une minorité nationale d'exercer ses prérogatives culturelles et linguistiques sur un territoire pouvant être distant de sa région d'origine.*

Dans le système soviétique, la citoyenneté est distincte de la nationalité. *Ainsi, le « citoyen de l'Union soviétique » porte, mentionné sur son passeport intérieur, à la rubrique nationalité : « Géorgien », « Russe », « Juif », ou « Allemand » selon ses origines nationales ou communautaires, si celles-ci correspondent à l'une des 102 nationalités répertoriées en URSS.*

A la fin des années quatre-vingt — surtout à partir de 1988 — les tensions interethniques et l'expression au sein de nombreuses républiques de revendications nationales croissantes ont souligné la nécessité d'une refonte de la conception et de la structure de l'Union. Annoncée, cette refonte n'était pas encore engagée à la mi-1990.

C. U.

une série d'actes de la vie sociale et culturelle. Dans les républiques slaves (Ukraine, Biélorussie...), la violente campagne lancée contre le « nationalisme bourgeois » est bientôt accompagnée d'une russification systématique qui ne cessera qu'avec la *perestroïka*, dans la seconde moitié des années quatre-vingt. L'histoire n'échappe pas à la normalisation. Le pouvoir soviétique, à la recherche d'une légitimité, ne se contente plus de falsifier les conditions de la soviétisation : c'est désormais le passé colonial russe qu'on commence à réhabiliter. Dans la seconde moitié des années trente, les élites intellectuelles et politiques nationales sont décimées par les purges.

Nations et ethnies ont été coupées de leurs références culturelles et religieuses, privées de leur mémoire historique. Le repli sur soi, l'ignorance ou le mépris de l'*autre*, perçu comme un *ennemi* mettant en danger sa propre nation, deviennent la règle dans un système marqué par la précarité de l'existence : chacun tente de se calfeutrer dans des frontières linguistiques et territoriales rigides, voire de soumettre et d'assimiler plus faible que soi.

Des « peuples punis »

Dans le système soviétique, il n'y aura bientôt d'existence nationale que territoriale. Univers clos, fier de sa singularité, admiré dans un tiers monde à la veille de la décolonisation, l'État multinational soviétique devient un monde idéal : conflits et contradictions s'estompent derrière de chaleureuses déclarations officielles autour de l'« amitié fraternelle » entre les peuples, l'internationalisme et la fusion des nations.

A la veille de la Seconde Guerre mondiale, les premiers « peuples punis » prennent le chemin d'un exil forcé : Coréens chassés de l'Extrême-Orient soviétique en 1936, Allemands de la Volga expulsés vers le Kazakhstan peu après l'attaque nazie de juin 1941. Des dizaines de milliers de Baltes ont été déportés, moins d'un an après le rattachement forcé, en 1940, de leurs républiques à l'URSS. Peu après leur soviétisation, l'Ukraine occidentale (1939) et la Moldavie (1940) n'échapperont pas à la répression de masse.

La « Grande Guerre patriotique » (1941-1945) semble souder les peuples de l'URSS contre le nazisme. Mais nombre d'Ukrainiens ou de Baltes sont divisés entre la résistance à l'occupant allemand et le rejet du pouvoir soviétique. En 1943-1944, une seconde vague de « peuples punis », sur lesquels plane l'accusation de « trahison » au profit des hitlériens, prend la route de l'Asie centrale : Kalmouks, Tchétchènes, Ingouches, Balkars et Tatars de Crimée sont bientôt suivis des « Turcs Meskhs ». Après la victoire, le discours officiel dérape : de patriotique, il devient chauvin. Le régime stalinien s'identifie à une tradition qui se veut, en droite ligne, héritière de l'ancienne Russie dont on revendique ouvertement le passé impérial. Xénophobe, il fustige « impérialistes » et « cosmopolites sans racines ». Un antisémitisme féroce et prédateur détruit toutes les institutions de la culture juive, envoie à la mort les plus grands écrivains de langue yiddish.

L'étendue des dégâts

La mort de Staline, en 1953, met un terme aux excès les plus criants du système. Les appareils républicains tentent alors d'arracher quelques parcelles de pouvoir à un centre fragilisé. De nouveaux équilibres se mettent en place : concessions aux intelligentsias nationales dont on veut s'attirer les grâces ; développement vertigineux de la corruption qui devient un élément essentiel du fonctionnement social, en particulier en Asie centrale et au Caucase. Mais la planification centrale continue de sévir.

Rendue difficile par la répression,

l'isolement et l'atomisation des républiques et des nations, la résistance à la centralisation et à la russification a activement commencé dès les années soixante, en particulier en Ukraine et en Lituanie. Dissidents, mais aussi groupes d'intellectuels proches du pouvoir tentent de freiner le processus de russification rampante impulsé par le centre tandis que le mouvement des *refuzniki* (Juifs auxquels l'autorisation d'émigrer est refusée), ébranle aux yeux du monde l'image monolithique de l'État soviétique.

En 1985, avec l'arrivée au pouvoir de Mikhaïl Gorbatchev, la nouvelle direction ne semble pas consciente de l'étendue des dégâts : l'État multinational, malgré ses nombreux défauts lui apparaît encore solide. Il faudra le choc des émeutes d'Alma-Ata au Kazakhstan (décembre 1986), le pogrom anti-arménien de Soumgaït (février 1988), le dilemme du Haut-Karabakh en Azerbaïdjan et le drame de Tbilissi (brutale répression en avril 1989), pour qu'on commence à prendre la mesure du désastre : le nationalisme c'est aussi la cristallisation de toutes les souffrances et de toutes les frustrations de nations soumises depuis trop longtemps à des conditions de vie difficiles et souvent humiliantes.

Charles Urjewicz

Politique internationale : la tradition remise en cause

Depuis la fondation du régime soviétique, on a régulièrement entendu des affirmations diamétralement opposées pour caractériser sa politique internationale. Pour les uns, l'URSS était devenue rapidement une puissance classique dont les objectifs se comprenaient essentiellement par l'héritage géopolitique de la Russie tsariste. Selon cette approche, son comportement aurait ainsi été axé tantôt sur le maintien du *statu quo* international, tantôt sur son réaménagement par les moyens classiques de la diplomatie et de la puissance, en vue d'objectifs limités et traditionnels.

Pour d'autres, inversement, l'URSS aurait été une puissance révolutionnaire qui cherchait à bouleverser l'équilibre international tant par sa puissance militaire que par un encouragement tous azimuts à tous les mouvements révolutionnaires. Elle était ainsi une puissance radicalement différente des autres États, avec laquelle ceux-ci ne pouvaient entretenir aucune coopération stable et durable. Chacune de ces deux approches, considérées séparément, était fausse. Cependant, on peut les tenir pour justes à la condition de les considérer simultanément. La contradiction se trouvait au cœur même de la politique internationale de l'URSS.

Jusqu'à la « révolution gorbatchévienne » commencée en 1985, la politique internationale soviétique était à la fois celle d'une puissance classique en interaction avec d'autres États, et celle d'un État qui entretenait un peu partout dans le monde, par-delà les régimes en place, des relations avec des partis ou des mouvements révolutionnaires officiellement voués au renversement de régimes avec lesquels l'URSS maintenait souvent par ailleurs des relations diplomatiques normales. *C'est sur cette équivoque, sur cette dualité que reposait la spécificité de la politique internationale de l'URSS.*

Deux composantes conflictuelles

Évidemment, les deux composantes de cette dualité étaient éminemment conflictuelles dans la pratique de la politique de l'URSS. Il n'était pas facile pour elle d'entretenir avec

BIBLIOGRAPHIE

CARR E. H., *La Révolution bolchevique*, 3 tomes, 1. La Formation de l'URSS; 2. L'Ordre économique, 1969 ; 3. La Russie soviétique et le monde, 1974 ; Minuit, coll. « Arguments », Paris.

LÉVESQUE J., *L'URSS et sa politique internationale de 1917 à nos jours*, Armand Colin, Paris, 1988.

MARCOU L., *Les Pieds d'argile : le communisme mondial au présent, 1970-1986*, Ramsay, Paris, 1986.

SCHRAM S., CARRERE D'ENCAUSSE H., *L'URSS et la Chine devant les révolutions dans les sociétés pré-industrielles*, Presses Fondation nationale des sciences politiques, Paris.

ULAM A., *Expansion and Coexistence. A History of Soviet Foreign Policy*, Praeger.

un État des relations qu'elle voulait souvent les plus normales et les plus avantageuses possibles, tout en œuvrant d'une façon ou d'une autre, à plus ou moins long terme, à son affaiblissement ou à son renversement. Il en résultait des problèmes dans le choix des priorités qui ont été une source de dilemmes permanents et qui ont très souvent divisé les dirigeants soviétiques. C'est cet élément conflictuel qui a fait précisément toute la complexité et tous les rebondissements de cette politique internationale.

Ces deux dimensions d'une politique à la fois classique et révolutionnaire ont été continuellement présentes, et cela presque dès le début du régime soviétique. Au cours des années trente, Léon Trotski et à sa suite ses disciples ont affirmé que l'URSS avait trahi et abandonné toute perspective révolutionnaire. Certes, à cet égard, les trahisons ont été nombreuses. On peut penser notamment à l'insurrection des communistes grecs à la fin de la Seconde Guerre mondiale, pour laquelle Staline n'a strictement rien fait, ou encore à la rencontre Nixon-Brejnev de mai 1972, le premier sommet à se tenir à Moscou depuis Yalta, à un moment d'escalade militaire sans précédent des Américains au Vietnam, avec le blocus de Haïphong. Mais, si les abandons ont été effectivement fréquents, ils n'ont jamais été définitifs. Même si elle a été très rarement dominante, la dimension révolutionnaire a été presque toujours présente. Sans cela, les liens qui ont existé entre Moscou et divers partis communistes et mouvements révolutionnaires n'auraient eu aucun fondement objectif.

Avec Staline et la priorité absolue accordée à la construction du socialisme en URSS, le soutien accordé aux moments révolutionnaires à travers le monde fut définitivement subordonné aux intérêts immédiats de l'État soviétique sur la scène internationale. Subordonné ne veut cependant pas dire abandonné. Les objectifs révolutionnaires furent souvent assumés, mais dans la stricte mesure où ils n'entraient pas en conflit avec ceux de l'État soviétique ou pouvaient les servir. Dans diverses conjonctures, ces intérêts d'État et ceux de divers mouvements ou partis révolutionnaires purent coïncider, et certains d'entre eux connurent effectivement un essor important en dépit de cette subordination.

Cette dualité a été un facteur à la fois de force et de faiblesse pour l'URSS sur la scène internationale. Grâce à une politique classique, l'URSS a en effet pu nouer des alliances qui lui ont été salutaires dans des moments extrêmement difficiles. On peut penser ici à la grande alliance avec la Grande-Bretagne et les États-Unis au cours de la Seconde Guerre mondiale et qui a été un élément probablement décisif de la victoire sur l'Allemagne hitlérienne. De même, dans ses rapports avec les autres États, Moscou a pu bénéficier d'avantages économiques très importants en matière de commerce et de coopération. Par la dimension révolutionnaire de sa politique, l'URSS a pu affaiblir ses adversaires, se créer de nouveaux alliés sur la scène internationale et y accroître très sensiblement son influence. Ainsi, pourrait-on dire, l'Union soviétique a pu jouer plus ou moins simultanément sur deux tableaux et cumuler à la fois certains avantages découlant de la diplomatie classique et d'autres, résultant des succès de divers mouvements révolutionnaires.

Avantages amoindris

Mais la dualité de cette politique a été aussi une source de difficultés et de faiblesses. Tout d'abord, en raison de ses liens avec divers mouvements révolutionnaires, l'URSS n'a pas pu bénéficier de tous les avantages qu'elle aurait pu tirer de la coopération avec les autres États. Ceux-ci ont toujours entretenu à son égard une grande méfiance qui a eu pour effet de limiter l'ampleur de leur coopération. Certaines de ses options en faveur de mouvements révolutionnaires ont eu pour effet de lui faire perdre des avantages péniblement acquis par le jeu de la diplomatie.

Au niveau du mouvement révolutionnaire, le comportement de l'URSS comme puissance classique lui a causé de nombreuses difficultés, entraînant de graves échecs. On pense ici au conflit sino-soviétique. C'est la priorité donnée par l'URSS à l'aménagement de ses rapports avec les États-Unis qui a amené au début des années soixante la Chine à conclure que les dirigeants de Moscou sacrifiaient beaucoup trop à cet objectif les intérêts de la Chine et du mouvement révolutionnaire. De même, on peut dire que si le mouvement communiste international s'est progressivement désintégré, si l'autorité soviétique s'y est tant émoussée au cours des années soixante et soixante-dix, c'est bien précisément parce qu'à la longue l'État soviétique n'a pas pu impunément faire passer ses intérêts d'État avant ceux des partis communistes.

On se trouve ainsi devant un paradoxe qui a constitué un problème central pour l'URSS. A cause de la dimension révolutionnaire de sa politique, l'URSS manquait de crédibilité comme puissance classique. Inversement, à cause de sa politique d'État, elle manquait aussi de crédibilité auprès des mouvements révolutionnaires.

Si cette politique a été maintenue jusqu'aux années quatre-vingt, c'est que les prédécesseurs de M. Gorbatchev estimaient, non sans raison, qu'au total, malgré les difficultés et échecs rencontrés, cette dualité avait été plutôt un facteur de force. A la fin des années soixante-dix, la puissance internationale de l'URSS atteignait des sommets inégalés auparavant et une ampleur dont personne ne pouvait encore évaluer correctement toute la fragilité. Cette puissance avait connu une décennie d'expansion sans précédent. Grâce à son soutien ou son action directe ou à celles d'alliés comme Cuba et le Vietnam, le camp socialiste avait étendu ses franges jusqu'en Angola, en Éthiopie, au Cambodge, en Afghanistan et au Nicaragua. Les États-Unis apparaissaient alors comme la superpuissance déclinante.

Les limites d'une puissance en extension

D'autre part, il faut souligner que l'obstination de l'URSS pendant tant d'années à maintenir sa domination en Europe de l'Est, à étendre les limites du camp socialiste et à tâcher de conserver l'existence d'un mouvement communiste international de plus en plus éclaté, trouvait une explication très importante au-delà des considérations de coûts économiques et d'avantages stratégiques. Elle tenait à la spécificité même du régime soviétique et de son système de légitimation. Contrairement à ceux des pays occidentaux, les dirigeants soviétiques n'ont jamais prétendu tenir la légitimité de leur pouvoir d'abord et avant tout du suffrage populaire et du résultat d'élections. Leur revendication de légitimité était essentiellement idéologique. Elle reposait sur l'idée de la supériorité historique du socialisme sur le capitalisme et sur la conviction qu'il représentait l'avenir de l'Humanité. Plus encore que le mouvement communiste international dans son ensemble, les États du camp socialiste en Europe de l'Est et dans le tiers monde, dans la mesure où ils représentaient un pouvoir achevé, témoignaient, tant auprès des communistes que de la population soviétique, du fait que la révolution d'Octobre et le régime soviétique n'étaient pas des accidents de l'Histoire et qu'ils avaient une valeur et un caractère universels. Les coûts économiques et politiques du maintien des régimes de l'Europe de l'Est et de l'expansion du communisme dans le tiers monde étaient ainsi supportables dans la mesure où ils apportaient une contribution de première importance à la légitimation du pouvoir des dirigeants soviétiques, et ce, tout d'abord à leurs propres yeux.

Deux conditions étaient donc nécessaires pour que Mikhaïl Gorbatchev puisse mettre fin à la dualité de la politique internationale de l'URSS et abandonner non seulement la promotion du communisme dans le monde, mais renoncer à l'existence de ce qui était le cœur même du camp socialiste : les régimes d'Europe de l'Est. Il fallut d'abord que l'économique prenne sa revanche sur le politique qui avait toujours été l'atout principal de l'URSS. Au milieu des années quatre-vingt, le constat devenait inéluctable : le surengagement international, avec ce que cela supposait de colossale mobilisation de moyens pour tenir le rang de superpuissance dans la course aux armements et dans le soutien à des régimes et des alliés répartis sur un espace de plus en plus planétaire, devenait incompatible avec la stagnation de la puissance économique et le déclin de la compétitivité internationale de l'URSS. L'incapacité de l'URSS à consolider ses nouveaux alliés du tiers monde soulignait en même temps les limites d'une stratégie d'expansion reposant essentiellement sur la puissance militaire.

Pour rompre avec la logique de la dualité, il fallait aussi une véritable révolution dans le système politique intérieur de l'URSS. L'abandon de l'hégémonie soviétique en Europe de l'Est et de la promotion du socialisme dans le monde n'ont été possibles que parce que la direction « gorbatchévienne » était à la recherche d'un nouveau système de légitimation, plus exactement d'une légitimité démocratique.

Les problèmes et bouleversements internes de l'URSS et les conséquences qui en résultent dans sa politique internationale sont tels qu'elle cherche même à se définir autrement que comme une puissance traditionnelle. En font foi ses propositions en matière de désarmement, sa promotion des concepts de « sécurité mutuelle et collective », de « défense non offensive ». Il reste à voir comment ces propositions et concepts pourraient effectivement transformer la réalité internationale.

Jacques Lévesque

STATISTIQUES MONDIALES

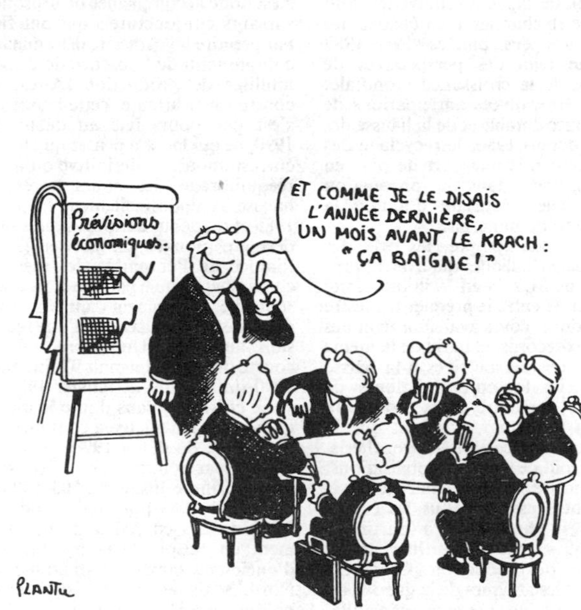

Mines et métaux. Conjoncture 1989-1990

A la mi-1989, un renversement de tendance s'est produit sur le marché des produits miniers. Après trois années euphoriques de hausse des cours, stimulée par la reprise de l'activité dans les secteurs industriels consommateurs, plusieurs facteurs se sont conjugués pour stopper ce cycle. Ce fut tout d'abord la crainte d'un début de récession industrielle aux États-Unis, premier consommateur mondial de métaux. A la perspective d'une baisse durable de la demande est venue s'ajouter l'entrée en production de capacités nouvelles dont la mise en chantier avait été décidée au cours des années 1986-1987 compte tenu des perspectives de reprise de la croissance mondiale. Autre effet de ces anticipations de croissance durable et de la hausse des cours depuis 1986, le recyclage des métaux a pris une part de plus en plus grande dans la production industrielle, réduisant d'autant la demande de minerais.

En fin de compte, les prix des minerais métalliques qui avaient progressé de 61,2 % en 1988 ont chuté de 23,5 % entre le premier trimestre 1989, où les cours avaient atteint des niveaux records, et la fin de la même année. Les perspectives à la baisse ont incité les consommateurs de métaux à réduire leurs stocks au niveau minimum, d'autant que la hausse des taux d'intérêt renchérissait le coût de telles immobilisations. Ce contexte a rendu le marché extrêmement sensible à tous les événements — nombreux à partir de mi-1989 — pouvant influer sur les niveaux de production. Ce furent d'abord les attaques de la guérilla du Sentier lumineux contre les installations d'exploitation et de transport des mines de cuivre, de zinc et de plomb au Pérou. Ce fut ensuite l'arrêt de la mine de cuivre de Bougainville, en Papouasie-Nouvelle-Guinée, suite aux pressions et aux actions, souvent meurtrières, des mouvements indépendantistes ; mouvements encouragés, selon certains, par des firmes concurrentes de la société australienne exploitante. Ce furent, enfin, les différents mouvements de grève qui ont affecté les mines nord-américaines de cuivre, de zinc et d'aluminium pour soutenir des revendications salariales, ainsi que la faillite de la mine de cuivre mexicaine de Cananea.

La tendance de fond à la baisse s'est donc accompagnée de brusques sursauts conjoncturels qui ont fini par prendre un caractère déterminant compte tenu de l'absence de disponibilités de production. Ainsi, et contre toute attente, cette baisse ne s'est pas poursuivie au début de 1990, ce qui laisse à penser qu'elle ne correspondait en définitive qu'à un rééquilibrage des cours après la hausse exceptionnellement forte de 1988 et du début de 1989. Après une dernière plongée fin janvier 1990, l'indice de l'ensemble des métaux communs, stimulé par une croissance soutenue, notamment dans le secteur des transports (la crainte d'une récession aux États-Unis aura été de courte durée), atteignait 97 fin mars 1990 (indice 100 = janvier 1988).

Le *cuivre* est sans doute le métal qui a reflété le mieux la conjoncture de 1989 et du début 1990. De 1 380 dollars par tonne début 1987, son prix a grimpé jusqu'à 3 500 dollars en janvier 1989 pour redescendre à 2 500 dollars en juillet, principalement en raison de la réouverture d'anciennes mines en Amérique du Nord. Mais les facteurs sociaux et politiques déjà évoqués ont entraîné une nouvelle hausse à la fin de l'année qui a hissé les cours jusqu'à 2 800 dollars fin mars 1990. L'ouverture de la mine géante de La Escon-

(suite p. 598.)

Les productions minières en 1989

BAUXITE

Pays	Millier tonnes [b]	% du total
Australie	38 583	36,8
Guinée	16 834	16,1
Jamaïque	9 395	9,0
Brésil	8 442	8,1
URSS [a]	5 900	5,6
Total 5 pays	79 154	75,5
Inde	4 027	3,8
Surinam	3 434	3,3
Yougoslavie	3 252	3,1
Chine [a]	2 850	2,7
Hongrie [a]	2 643	2,5
Grèce	2 420	2,3
Guyane	1 433	1,4
Sierra Léone	1 379	1,3
États-Unis	635	0,6
Turquie	562	0,5
France	550	0,5
Vénézuela	550	0,5
Indonésie	518	0,5
Roumanie [a]	500	0,5
Total monde	104 812	100,0

a. 1988 ; b. Poids du minerai brut.

FER (minerai) [a]

Pays	Million tonnes [b]	Teneur %	% du total
URSS	252,0	60	27,0
Brésil	144,3	68	15,5
Chine	107,7	50	11,5
Australie	104,7	64	11,2
États-Unis	59,3	63	6,4
Total 5 pays	668,0		71,6
Inde	53,9	63	5,8
Canada	41,7	61	4,5
Suède	23,2	63	2,5
Afrique du Sud	22,4	63	2,4
Vénézuela	19,3	64	2,1
Libéria	12,2	62	1,3
France	10,2	30	1,1
Chili	7,9	61	0,8
Mauritanie	7,9	65	0,8
Mexique	7,6	63	0,8
Pérou	5,0	60	0,5
Total monde	932,7		100,0

a. 1987 ; b. Poids du minerai brut.

CUIVRE

Pays	Millier tonnes [b]	% du total
Chili	1 609,3	17,6
États-Unis	1 498,2	16,4
URSS [a]	990,0	10,8
Canada	721,9	7,9
Zambie	510,2	5,6
Total 5 pays	5 329,6	58,2
Pologne [a]	441,0	4,8
Chine [a]	370,0	4,0
Pérou	364,1	4,0
Australie	289,0	3,2
Mexique	242,7	2,6
Papouasie - N.-G.	204,0	2,2
Philippines	189,5	2,1
Afrique du Sud	178,9	2,0
Indonésie	144,0	1,6
Mongolie [a]	130,0	1,4
Portugal	103,7	1,1
Yougoslavie	99,1	1,1
Bulgarie [a]	80,0	0,9
Total monde	9 163,0	100,0

a. 1988 ; b. Métal contenu dans les minerais et concentrés.

PLOMB

Pays	Millier tonnes [b]	% du total
URSS [a]	520,0	15,3
Australie	495,0	14,6
États-Unis	418,6	12,3
Chine [a]	311,6	9,2
Canada	275,0	8,1
Total 5 pays	2 020,2	59,5
Pérou	192,2	5,7
Mexique	162,8	4,8
Yougoslavie	97,1	2,9
Bulgarie [a]	90,0	2,7
Corée du Nord [a]	90,0	2,7
Suède	82,9	2,4
Afrique du Sud	78,2	2,3
Espagne	74,1	2,2
Maroc	61,1	1,8
Pologne [a]	49,5	1,5
Roumanie [a]	32,8	1,0
Irlande	32,1	0,9
Total monde	3 393,1	100,0

a. 1988 ; b. Métal contenu dans les minerais et concentrés.

ÉTAIN

Pays	Millier tonnes [b]	% du total
Brésil	50,2	22,5
Malaisie	32,0	14,4
Indonésie	31,3	14,0
Chine [a]	30,0	13,5
URSS [a]	16,0	7.2
Total 5 pays	159,5	71,6
Thaïlande	15,7	7,0
Bolivie	14,4	6,5
Australie	7,8	3,5
Pérou	5,1	2,3
Royaume-Uni	4,0	1,8
Canada	3,6	1,6
RDA [a]	2,8	1,3
Zaïre	2,0	0,9
Afrique du Sud	1,3	0,6
Namibie	1,2	0,5
Mongolie [a]	1,2	0,5
Zimbabwé	0,8	0,4
Total monde	222,8	100,0

a. 1988 ; b. Métal contenu dans les minerais et concentrés.

ZINC

Pays	Millier tonnes [b]	% du total
Canada	1 214,6	17,1
URSS [a]	960,0	13,5
Australie	803,0	11,3
Pérou	597,4	8,4
Chine [a]	527,3	7,4
Total 5 pays	4 102,3	57,6
États-Unis	285,2	4,0
Mexique	281,3	3,9
Espagne	239,0	3,4
Corée du Nord [a]	220,0	3,1
Pologne [a]	183,4	2,6
Irlande	168,8	2,4
Suède	163,5	2,3
Brésil	151,7	2,1
Japon	131,8	1,9
Thaïlande	94,0	1,3
Zaïre	87,6	1,2
Afrique du Sud	77,3	1,1
Bolivie	71,8	1,0
Yougoslavie	71,8	1,0
Total monde	7 122,5	100,0

a. 1988 ; b. Métal contenu dans les minerais et concentrés.

NICKEL

Pays	Millier tonnes [b]	% du total
URSS [a]	205,0	23,4
Canada	196,2	22,4
Nlle-Calédonie	98,6	11,2
Australie	65,0	7,4
Indonésie	59,6	6,8
Total 5 pays	624,4	71,2
Cuba	46,5	5,3
Afrique du Sud	34,8	4,0
Rép. dominicaine	29,8	3,4
Chine [a]	28,6	3,3
Botswana	18,6	2,1
Colombie	16,0	1,8
Brésil	13,7	1,6
Grèce	13,5	1,5
Philippines	12,9	1,5
Zimbabwé	11,6	1,3
Finlande	10,5	1,2
Albanie [a]	8,0	0,9
Yougoslavie	5,6	0,6
Total monde	877,2	100,0

a. 1988 ; b. Métal contenu dans les minerais et concentrés.

MANGANÈSE [a]

Pays	Millier tonnes [b]	% du total
URSS [c]	9 300,0	40,2
Afrique du Sud	3 480,7	15,0
Brésil	2 500,0	10,8
Gabon	2 250,0	9,7
Australie	1 985,5	8,6
Total 5 pays	19 516,2	84,3
Chine	1 600,0	6,9
Inde	1 275,0	5,5
Ghana	245,0	1,1
Mexique	174,8	0,8
Hongrie	64,0	0,3
Autriche	44,3	0,2
Chili	42,1	0,2
Yougoslavie	41,0	0,2
Bulgarie	40,0	0,2
Maroc	32,9	0,1
Indonésie	23,0	0,1
Iran	20,0	0,1
Total monde	23 153,2	100,0

a. 1988 ; b. Poids brut des minerais et concentrés ; c. 1987.

TUNGSTÈNE [a]

Pays	Tonne [b]	% du total
Chine [c]	18 000	42,9
URSS [c]	9 200	21,9
Corée du Sud	3 650	8,7
Portugal	2 603	6,2
Australie	1 261	3,0
Total 5 pays	34 714	82,8
Autriche	1 250	3,0
Bolivie	1 165	2,8
Birmanie	1 050	2,5
Corée du Nord [c]	1 000	2,4
Brésil	875	2,1
Thaïlande	610	1,5
Pérou	545	1,3
Suède	300	0,7
Mexique	214	0,5
Japon	127	0,3
Rwanda	100	0,2
Total monde	41 949	100,0

a. 1988; b. Métal contenu dans les minerais et concentrés; c. 1987.

CADMIUM

Pays	Tonne [b]	% du total
Japon	2 700,0	12,8
URSS [a]	2 650,0	12,6
États-Unis	2 105,9	10,0
Belgique	1 754,0	8,3
Canada	1 569,8	7,4
Total 5 pays	10 779,7	51,1
RFA	1 208,3	5,7
Mexique	1 207,0	5,7
Chine [a]	840,0	4,0
Australie	696,3	3,3
Finlande	612,0	2,9
Pologne [a]	600,0	2,8
Pays-Bas	505,0	2,4
Pérou	472,0	2,2
Corée du Sud	460,0	2,2
Royaume-Uni	394,5	1,9
Corée du Nord [a]	380,0	1,8
Italie	369,4	1,7
France	364,4	1,7
Zaïre	299,0	1,4
Yougoslavie	284,0	1,3
Brésil	283,2	1,3
Total monde	21 112,9	100,0

a. 1988; b. Métal produit à partir de matières premières domestiques et importées.

URANIUM

Pays	Tonne	% du total
Canada	11 000	32,4
États-Unis	4 600	13,6
Australie	3 800	11,2
Namibie	3 600	10,6
France	3 190	9,4
Total 5 pays	26 190	77,2
Niger	3 000	8,8
Afrique du Sud	2 900	8,5
Gabon	950	2,8
Espagne	216	0,6
Inde	200	0,6
Argentine	150	0,4
Portugal	150	0,4
Yougoslavie	85	0,3
Belgique	40	0,1
RFA	30	0,1
Pakistan	30	0,1
Total monde [a]	33 941	100,0

a. Chine et URSS non compris.

CHROME [a]

Pays	Millier tonnes [b]	% du total
Afrique du Sud	3 749,3	36,1
URSS [c]	3 150,0	30,4
Albanie [c]	830,0	8,0
Inde	655,0	6,3
Zimbabwé	561,5	5,4
Total 5 pays	8 945,8	86,2
Turquie	383,0	3,7
Finlande	267,4	2,6
Brésil	250,0	2,4
Philippines	134,4	1,3
Cuba [c]	120,0	1,2
Nlle-Calédonie	70,3	0,7
Yougoslavie	60,0	0,6
Madagascar	44,0	0,4
Grèce	30,8	0,3
Iran	30,0	0,3
Vietnam [c]	15,0	0,1
Total monde	10 375,0	100,0

a. 1988; b. Poids brut des minerais et concentrés; c. 1987.

COBALT [a]

Pays	Tonne [b]	% du total
Zaïre	10 032,0	38,5
Zambie	4 997,0	19,2
URSS [c]	4 500,0	17,3
Canada	2 337,0	9,0
Norvège	1 951,0	7,5
Total 5 pays	23 817,0	91,5
Finlande	1 132,0	4,3
Afrique du Sud	500,0	1,9
Chine [c]	270,0	1,0
Japon	109,0	0,4
Zimbabwé	100,0	0,4
Total monde	26 028,0	100,0

a. 1988 ; b. Métal contenu dans les minerais et concentrés ; c. 1987.

MAGNÉSIUM [a]

Pays	Millier tonnes [b]	% du total
États-Unis	142,0	42,2
URSS [c]	86,0	25,6
Norvège	50,3	15,0
France	13,9	4,1
Japon	9,6	2,9
Total 5 pays	301,8	89,8
Chine [c]	9,0	2,7
Canada	7,6	2,3
Italie	6,0	1,8
Yougoslavie	6,0	1,8
Brésil	5,8	1,7
Total monde	336,2	100,0

a. 1988 ; b. Magnésium raffiné primaire ; c. 1987.

ANTIMOINE

Pays	Tonne [b]	% du total
Chine	32 993	50,6
Bolivie	9 332	14,3
URSS [a]	6 000	9,2
Afrique du Sud	5 201	8,0
Canada	2 422	3,7
Total 5 pays	55 948	85,8
Turquie	1 665	2,6
Mexique	1 535	2,4
Australie	1 360	2,1
Guatémala	1 335	2,0
Yougoslavie	821	1,3
Total monde	65 188	100,0

a. 1988 ; b. Métal contenu dans les minerais et concentrés.

MOLYBDÈNE

Pays	Millier tonnes [b]	% du total
États-Unis	62,4	53,8
Chili	16,6	14,3
Canada	13,7	11,8
URSS [a]	11,5	9,9
Mexique	4,2	3,6
Total 5 pays	108,4	93,5
Pérou	3,2	2,8
Chine [a]	2,0	1,7
Mongolie [a]	1,1	0,9
Iran	0,5	0,4
Bulgarie [a]	0,2	0,2
Total monde	115,9	100,0

a. 1988 ; b. Métal contenu dans les minerais et concentrés.

DIAMANTS INDUSTRIELS [a]

Pays	Million carats [b]	% du total
Zaïre	18,7	34,7
Australie	16,9	31,4
URSS	7,1	13,2
Afrique du Sud	5,2	9,6
Botswana	3,8	7,1
Total 5 pays	51,7	95,9
Chine	0,6	1,1
Brésil	0,4	0,7
Total monde	53,9	100,0

a. 1988.

TITANE [a]

Pays	Millier tonnes [b]	% du total
Australie	1 084,8	31,2
Afrique du Sud	520,0	15,0
Canada	500,0	14,4
Norvège	400,3	11,5
URSS [c]	240,0	6,9
Total 5 pays	2 745,1	79,0
Malaisie	207,0	6,0
États-Unis	140,0	4,0
Inde	100,0	2,9
Sierra Léone	80,0	2,3
Chine [c]	75,0	2,2
Sri Lanka	46,6	1,3
Total monde	3 476,8	100,0

a. 1988 ; b. Contenu en dioxide de titane des minerais et concentrés ; c. 1987.

Les productions métallurgiques en 1989

ACIER [a]

Pays	Million tonnes [b]	% du total
URSS	162,0	21,5
Japon	106,7	14,1
États-Unis	90,0	11,9
Chine	59,1	7,8
RFA	41,0	5,4
Total 5 pays	458,8	60,8
Brésil	24,6	3,3
Italie	23,7	3,1
Royaume-Uni	19,0	2,5
France	19,0	2,5
Pologne	16,9	2,2
Tchécoslovaquie	15,4	2,0
Canada	15,2	2,0
Inde	14,2	1,9
Roumanie	13,8	1,8
Espagne	11,6	1,5
Belgique	11,2	1,5
Afrique du Sud	9,1	1,2
RDA	8,2	1,1
Total monde	754,6	100,0

a. 1988.

ALUMINIUM

Pays	Millier tonnes [b]	% du total
États-Unis	4030,2	22,4
URSS [a]	2440,0	13,6
Canada	1554,8	8,6
Brésil	887,9	4,9
Norvège	859,0	4,8
Total 5 pays	9771,9	54,3
RFA	742,0	4,1
Chine	700,0	3,9
Vénézuela	546,0	3,0
Inde	422,0	2,3
Espagne	352,4	2,0
France	334,9	1,9
Royaume-Uni	297,3	1,7
Yougoslavie	293,2	1,6
Pays-Bas	274,1	1,5
Nlle-Zélande	259,7	1,4
Roumanie [a]	250,0	1,4
Italie	219,3	1,2
Total monde	17981,6	100,0

a. 1988; b. Production d'aluminium primaire.

PLATINE [a]

Pays	Tonne [c]	% du total
Afrique du Sud	79,0	68,3
URSS [b]	29,6	25,6
Canada	4,6	4,0
États-Unis	0,8	0,7
Colombie	0,8	0,7
Total 5 pays	114,8	99,3
Japon	0,6	0,5
Australie	0,1	0,1
Finlande	0,1	0,1
Total monde	115,6	100,0

a. 1988; b. 1987; c. Métal contenu dans les minerais et concentrés.

MERCURE [a]

Pays	Tonne [c]	% du total
URSS [b]	1650,0	28,1
Espagne	1552,5	26,5
Chine [b]	900,0	15,4
Algérie	776,3	13,2
États-Unis	386,5	6,6
Total 5 pays	5265,3	89,8
Tchécoslovaquie [b]	164,0	2,8
Finlande	135,2	2,3
Mexique	124,0	2,1
Turquie	104,0	1,8
Yougoslavie	67,0	1,1
Rép. dominicaine	2,0	0,0
Total monde	5861,5	100,0

a. 1988; b. 1987; c. Métal produit à partir des minerais et concentrés.

OR		
Pays	Tonne [a]	% du total
Afrique du Sud	605,4	32,5
URSS	280,0	15,0
États-Unis	237,9	12,8
Australie	191,8	10,3
Canada	154,8	8,3
Total 5 pays	1 469,9	78,9
Chine	100,0	5,4
Brésil	55,6	3,0
Philippines	35,3	1,9
Colombie	29,6	1,6
Papouasie - N.-G.	23,3	1,3
Chili	20,0	1,1
Zimbabwé	16,0	0,9
Corée du Sud	14,3	0,8
Équateur	10,0	0,5
Mexique	8,7	0,5
Japon	6,1	0,3
Corée du Nord	5,0	0,3
Espagne	5,0	0,3
Fidji	4,3	0,2
Yougoslavie	4,3	0,2
Pérou	4,3	0,2
Inde	4,1	0,2
Zaïre	3,7	0,2
Suède	3,7	0,2
Indonésie	3,5	0,2
Bolivie	3,2	0,2
Malaisie	2,9	0,2
Total monde	1 863,5	100,0

a. Métal contenu dans les minerais et concentrés.

ARGENT		
Pays	Tonne [b]	% du total
Mexique	2 308	16,1
États-Unis	1 901	13,2
Pérou	1 840	12,8
URSS [a]	1 580	11,0
Canada	1 282	8,9
Total 5 pays	8 911	62,0
Pologne [a]	1 063	7,4
Australie	1 007	7,0
Chili	491	3,4
Corée du Nord [a]	310	2,2
Bolivie	260	1,8
Afrique du Sud	178	1,2
Espagne	178	1,2
Suède	170	1,2
Maroc	166	1,2
Japon	156	1,1
Chine [a]	150	1,0
Yougoslavie	133	0,9
Namibie	118	0,8
Italie	97,0	0,7
Argentine	81,6	0,6
Corée du Sud	77,9	0,5
Papouasie - N.-G.	68,0	0,5
Brésil	64,0	0,4
Grèce	51,9	0,4
Honduras	50,0	0,3
Indonésie	47,6	0,3
Philippines	46,4	0,3
RDA	40,0	0,3
Total monde	14 369	100,0

a. 1988 ; b. Métal contenu dans les minerais et concentrés.

(Suite de la p. 592.)

dida au Chili, en 1991, apparaît seule à même de stabiliser les cours à cette échéance.

Les cours de l'*aluminium* ont suivi l'évolution de ceux du cuivre. A ceci près que les stocks sont demeurés à un niveau encore plus bas. Ils étaient estimés, fin 1989, à 3,2 millions de tonnes (niveau le plus faible jamais atteint depuis vingt ans), soit à peine quarante-deux jours de consommation. Cette situation, due à une utilisation à pleine capacité des installations d'affinage de bauxite, a créé un état d'extrême nervosité sur le marché. La tendance est donc restée nettement orientée à la hausse.

Ces deux exemples démontrent que l'apathie de l'investissement, malgré l'épuisement de nombreux gisements et le vieillissement de l'outil de production, est demeurée la cause principale de la fermeté des cours. Il est vrai qu'à une époque où la mode est aux O P A (offres publiques d'achat) et autres opérations boursières sur le court terme, la mine, longue à rentabiliser, ne suscite guère de vocations chez les investisseurs financiers.

Antoine Labey

Énergies combustibles. Conjoncture 1989-1990

Accalmie sur le marché des énergies combustibles. Tandis que le charbon et, surtout, le gaz continuaient sur leur lancée, le pétrole, produit maudit des pays consommateurs, avait retrouvé depuis 1989 une stabilité que l'on croyait disparue, la concurrence entre les différentes formes d'énergie jouant à fond.

Pétrole : douze mois de stabilisation du marché

Le marché pétrolier mondial avait retrouvé une sérénité quasi absolue en 1989. Cette tendance s'était confirmée au premier semestre 1990, à tel point que les observateurs, avant l'invasion du Koweït par l'armée irakienne (2 août 1990), avaient unanimement rejeté toute idée de nouveau choc pétrolier au cours des prochaines années. Il y avait plusieurs raisons à cela. En premier lieu, la consommation continuait à croître, mais à un rythme moindre qu'en 1988 (+2,5 % contre +4,5 %). Cette progression, provenant essentiellement des pays du Sud-Est asiatique dont les économies connaissent toujours un rythme de croissance soutenu, a permis aux prix de rester fermes : 17 à 18 dollars le baril. Sur ce marché orienté vers la demande, les pays producteurs — qui ont tiré les enseignements des précédents chocs pétroliers — se sont montrés soucieux de ne pas provoquer une envolée des cours qui leur serait préjudiciable à terme. Une trop forte hausse aurait pour effet de favoriser les énergies de substitution (charbon, gaz et nucléaire) et les économies d'énergie, provoquant en retour une chute de la demande.

Au niveau de l'OPEP (Organisation des pays exportateurs de pétrole), cette contrainte de la concurrence a été doublement ressentie avec la montée en puissance des pays producteurs non membres (les NOPEP) qui ont représenté en 1989 un peu plus de 50 % de la production mondiale. Pour conserver, sinon accroître, sa part de marché, l'OPEP a donc adopté une attitude « raisonnable », en s'alignant sur les prix du marché et en évitant tout recours à la guerre des prix. Cette prudence a prévalu lors des différentes réunions de l'organisation en 1989 et au début de 1990. Un très large consensus s'est dégagé en faveur d'une progression modérée des prix à partir de leur niveau de 18 dollars et d'un contrôle des niveaux de production au cas où les prix redescendraient en dessous des 18 dollars, attitude bien accueillie par les pays consommateurs. Ce principe a été appliqué en mai 1990 lorsque, face à la chute des cours jusqu'à 15 dollars par baril en raison de la clémence de l'hiver, l'OPEP a décidé une réduction de 2 millions de barils (soit 10 %) de sa production.

Charbon : incertitudes en Europe de l'Est

Le charbon n'est pas mort. S'il ne représente plus qu'environ 30 % de la consommation mondiale d'énergie primaire contre plus de 50 % dans les années cinquante, sa production n'en a pas moins continué de progresser au plan mondial : plus de 3,5 milliards de tonnes en 1989 contre 2,8 milliards en 1978.

C'est vers l'Europe de l'Est, principalement l'URSS et la Pologne qui représentent près du tiers de la production mondiale, que les regards se sont tournés en 1989. Les restructurations économiques, impliquant l'arrêt des subventions à la production ainsi que la lutte contre le gas-

ÉLECTRICITÉ TOTALE

Pays	TWh	% du total
États-Unis	2918,8	26,4
URSS	1728,5	15,6
Japon	671,6	6,1
Canada	533,3	4,8
France	407,4	3,7
Total 5 pays	6259,6	56,5
Mexique	400,0	3,6
RFA	378,5	3,4
Royaume-Uni	331,3	3,0
Brésil	257,1	2,3
Inde	250,0	2,3
Afrique du Sud	158,1	1,4
Espagne	146,1	1,3
Suède	145,5	1,3
RDA	112,8	1,0
Tchécoslovaquie	95,7	0,9
Corée du Sud	94,4	0,9
Chine	80,4	0,7
Yougoslavie	79,7	0,7
Pays-Bas	74,1	0,7
Belgique	67,9	0,6
Suisse	55,0	0,5
Finlande	53,1	0,5
Pakistan	50,0	0,5
Bulgarie	44,4	0,4
Argentine	43,9	0,4
Hongrie	27,7	0,3
Total monde	11072,9	100,0

GAZ NATUREL

Pays	Milliard m³	% du total
URSS	796,0	39,2
États-Unis	483,6	23,8
Canada	104,1	5,1
Pays-Bas	71,9	3,5
Algérie	48,4	2,4
Total 5 pays	1504,0	74,1
Royaume-Uni	44,8	2,2
Indonésie	40,3	2,0
Roumanie	32,0	1,6
Norvège	30,6	1,5
Arabie saoudite	29,8	1,5
Mexique	26,2	1,3
Iran	22,2	1,1
Argentine	20,4	1,0
Vénézuela	19,6	1,0
Total monde	2029,9	100,0

ÉLECTRICITÉ NUCLÉAIRE

Pays	TWh	% du total
États-Unis	557,5	28,7
France	303,9	15,6
URSS	212,6	10,9
Japon	186,7	9,6
RFA	149,5	7,7
Total 5 pays	1410,2	72,5
Canada	83,2	4,3
Royaume-Uni	71,9	3,7
Suède	65,6	3,4
Espagne	56,1	2,9
Corée du Sud	47,4	2,4
Belgique	41,2	2,1
Chine	28,3	1,5
Tchécoslovaquie	26,4	1,4
Suisse	22,9	1,2
Finlande	18,8	1,0
Bulgarie	14,6	0,8
Hongrie	13,8	0,7
RDA	12,3	0,6
Afrique du Sud	11,7	0,6
Argentine	5,0	0,3
Yougoslavie	4,7	0,2
Inde	4,0	0,2
Pays-Bas	4,0	0,2
Brésil	1,8	0,1
Mexique	0,4	0,0
Pakistan	0,1	0,0
Total monde	1944,3	100,0

CHARBON[a] (houille)		
Pays	**Million tonnes**	**% du total**
Chine	885,0	27,3
URSS	610,0	18,8
États-Unis	606,5	18,7
Pologne	291,5	9,0
Inde	179,8	5,5
Total 5 pays	2572,8	79,4
Afrique du Sud	174,8	5,4
Australie	134,2	4,1
Royaume-Uni	103,8	3,2
RFA	78,8	2,4
Canada	58,1	1,8
Tchécoslovaquie	26,0	0,8
Corée du Sud	22,0	0,7
Espagne	18,5	0,6
Colombie	15,0	0,5
France	12,1	0,4
Japon	10,2	0,3
Mexique	9,7	0,3
Roumanie	9,0	0,3
Brésil	6,5	0,2
Turquie	3,5	0,1
Total monde	3240,4	100,0

a. 1988.

PÉTROLE BRUT		
Pays	**Million tonnes**	**% du total**
URSS	607,0	19,5
États-Unis	425,7	13,7
Arabie saoudite	270,6	8,7
Mexique	145,0	4,7
Iran	143,9	4,6
Total 5 pays	1592,1	51,1
Irak	139,4	4,5
Chine	136,9	4,4
Vénézuela	96,8	3,1
Émirats arabes U.	96,6	3,1
Koweït	94,9	3,0
Royaume-Uni	91,8	2,9
Canada	90,7	2,9
Nigéria	79,0	2,5
Norvège	74,9	2,4
Indonésie	65,7	2,1
Libye	57,5	1,8
Algérie	55,2	1,8
Égypte	46,5	1,5
Inde	33,6	1,1
Oman	30,8	1,0
Brésil	30,7	1,0
Total OPEP	1148,5	36,9
Total monde	3116,5	100,0

pillage et la pollution, vont entraîner de profonds bouleversements au sein de la filière. Cela n'a pas empêché le commerce mondial de demeurer actif, stimulé par la forte demande européenne. Dans cette région, la sécheresse a pesé sur les disponibilités en énergie d'origine hydraulique tandis que la France devait en outre compenser les difficultés rencontrées dans ses centrales nucléaires. Le Japon, premier importateur mondial, a accepté une hausse des prix de 10 % sur ses achats, fixant ainsi le niveau des prix mondiaux.

Gaz : le vent en poupe

Réserves importantes et bien réparties, énergie peu polluante, coûts de production modérés : ces trois facteurs suffisent à expliquer la place qu'a su se tailler le gaz naturel dont la consommation a augmenté de près d'un tiers depuis 1980. Celle-ci s'est accompagnée d'une progression similaire des échanges puisque, à l'exception de l'URSS, les principaux producteurs (Algérie, Qatar, Indonésie et Nigéria) consomment peu leur gaz. Pour conforter la place du gaz face aux énergies concurrentes, les pays producteurs ont adopté des positions résolument commerciales qui se sont concrétisées par trois événements majeurs en 1989 : la conclusion des négociations entre le Nigéria et ses clients européens pour la construction d'une usine de liquéfaction ; l'accord sur la révision des prix entre la Sonatrach algérienne et ses clients français, belges et américains et la fin du contentieux (également sur les prix) entre l'Indonésie et le Japon.

Antoine Labey

Céréales. Conjoncture 1989-1990

La sécheresse de 1987 en Amérique du Nord avait accentué les effets des baisses volontaires des surfaces en blé et en céréales secondaires. Aussi, la production avait diminué plus que prévu. Ce n'était pas dramatique étant donné la suraccumulation des stocks depuis le début de la décennie. Mais le maintien des bas niveaux de production de 1988-1989 aurait pu être dangereux à terme.

L'année céréalière 1989-1990 a été marquée par une reprise de la production mondiale de blé, de céréales secondaires et de riz. Les données publiées par le Conseil international du blé (CIB) ont évalué la production de blé de 1989 à 535 millions de tonnes (contre 505 en 1988) et la production de céréales secondaires à 808 millions de tonnes (contre 723). Selon les données publiées par l'USDA (United States Department of Agriculture), la production de riz s'est élevée à environ 504 millions de tonnes en 1989 contre 488 en 1988. La récolte de 1990 devrait confirmer cette reprise. En mai 1990, les prévisions l'estimaient à 557 millions de tonnes pour le blé et à 831 pour les céréales secondaires.

Cette reprise de la production a été essentiellement due à l'accroissement des surfaces emblavées en blé. En 1990, les surfaces récoltées seraient supérieures de plus de dix millions d'hectares à ce qu'elles étaient deux ans auparavant, l'essentiel de cet accroissement étant le fait du Canada (+2,1 millions d'hectares), des États-Unis (+5,5) et de l'Argentine (+1,2). La CEE, elle, n'a augmenté ses surfaces récoltées que de 0,4 million d'hectares. Dans l'ensemble, les rendements en 1989 ont été assez voisins de ceux des années précédentes, sauf en Turquie où, du fait d'une sécheresse exceptionnelle, la production est passée de 19 à environ 13,5 millions de tonnes. L'accroissement des surfaces cultivées en céréales secondaires aux États-Unis a été compensé par une baisse dans d'autres régions du monde. Les surfaces en riz sont restées, pour leur part, sensiblement les mêmes.

Assainissement des stocks

Malgré ces relances de la production, les stocks mondiaux de report devaient s'établir, en juin 1990, à environ 98 millions de tonnes soit 7 millions de moins que l'année précédente, un niveau comparable à celui de 1980-1981. Les stocks de céréales secondaires ont également fléchi, pour passer à 121 millions de tonnes contre 134 l'année précédente. On peut donc estimer que la situation de suraccumulation des stocks mondiaux qui avait entraîné l'effondrement des cours et la guerre économique entre les grands exportateurs est assainie. Ainsi, les négociations du GATT (Accord général sur les tarifs douaniers et le commerce), dans le cadre de l'Uruguay Round, qui devaient, en principe, s'étaler jusqu'à la fin de l'année 1990, allaient se terminer dans une conjoncture moins tendue qu'à leurs débuts. Cette baisse des stocks n'a pas pour autant entraîné l'inquiétude des opérateurs au regard d'un éventuel écart entre la production et les besoins de consommation. Ainsi, les cours mondiaux sur le marché du blé, principale céréale consommée par l'homme, étaient plus bas au début de l'année 1990 qu'ils ne l'étaient deux ans plus tôt. Ceci a été la conséquence d'une demande d'importation plus faible que prévue — du fait des bonnes perspectives de production — et du maintien de la concurrence entre pays exportateurs.

L'accroissement de la demande a été plus fort pour les céréales secon-

CÉRÉALES (production)

Pays	Million tonnes	% du total
Chine	365,0	19,6
États-Unis	284,2	15,2
URSS	200,0	10,7
Inde	193,3	10,4
France	56,9	3,1
Indonésie	49,6	2,7
Canada	48,0	2,6
Brésil	43,8	2,3
Bangladesh	27,6	1,5
Pologne	26,7	1,4
RFA	26,2	1,4
Thaïlande	26,2	1,4
Turquie	23,6	1,3
Roumanie	23,2	1,2
Royaume-Uni	22,5	1,2
Total monde	1 865,3	100,0

CÉRÉALES (exportations) [a]

Pays	Million tonnes	% du total
États-Unis	99,9	43,1
France	28,2	12,2
Canada	24,0	10,4
Australie	14,8	6,4
Argentine	9,9	4,3
Total monde	231,8	100,0

a. 1988.

CÉRÉALES (importations) [a]

Pays	Million tonnes	% du total
URSS	35,8	15,7
Japon	28,0	12,3
Chine	21,4	9,4
Corée du Sud	9,4	4,1
Égypte	8,5	3,7
Italie	7,5	3,3
Pays-Bas	6,4	2,8
Algérie	6,1	2,7
Mexique	5,7	2,5
Total monde	228,1	100,0

a. 1988.

RIZ (paddy)

Pays	Million tonnes	% du total
Chine	179,4	35,4
Inde	107,5	21,2
Indonésie	43,2	8,5
Bangladesh	26,7	5,3
Thaïlande	21,5	4,2
Vietnam	17,6	3,5
Birmanie	13,6	2,7
Japon	13,0	2,6
Total monde	506,9	100,0

MILLET ET SORGHO

Pays	Million tonnes	% du total
Inde	21,6	24,3
États-Unis	15,7	17,7
Chine	11,8	13,3
Nigéria	8,1	9,1
Mexique	4,2	4,7
URSS	3,2	3,6
Soudan	2,4	2,7
Argentine	2,2	2,4
Total monde	88,7	100,0

BLÉ

Pays	Million tonnes	% du total
Chine	90,0	16,8
URSS	89,0	16,6
États-Unis	55,4	10,3
Inde	54,5	10,1
France	32,0	6,0
Canada	24,4	4,5
Turquie	16,5	3,1
Australie	14,2	2,6
Total monde	537,3	100,0

MAÏS

Pays	Million tonnes	% du total
États-Unis	191,2	40,6
Chine	76,3	16,2
Brésil	26,5	5,6
URSS	15,0	3,2
Roumanie	14,0	3,0
France	12,6	2,7
Afrique du Sud	11,7	2,5
Mexique	11,2	2,4
Yougoslavie	9,3	2,0
Total monde	470,6	100,0

daires, notamment de la part de l'URSS. De ce fait, davantage de blé a été consommé aux États-Unis par les animaux, et les cours mondiaux du maïs et de l'orge se sont rapprochés de ceux du blé au printemps 1990. Ainsi, globalement, les échanges mondiaux de céréales secondaires ont continué de croître légèrement.

Vers l'autosuffisance alimentaire ?

Il semble, en revanche, qu'à la fin des années quatre-vingt la tendance à l'amélioration de l'autosuffisance dans d'importantes régions du monde pour l'alimentation en céréales de base, blé et riz, se soit confirmée : leur volume commercialisé sur les marchés mondiaux stagne depuis plusieurs années (97 millions de tonnes en 1989-1990 contre 106 deux ans plus tôt).

Cette tendance à l'autosuffisance restera encore longtemps difficile à percevoir pour l'URSS qui demeure soumise à de très grandes variations climatiques. De plus, les changements politiques qui s'y produisent, ainsi qu'en Europe de l'Est, ne permettent pas d'établir des tendances par rapport au passé. En revanche, de nombreux pays importateurs d'Asie (Chine, Inde, Indonésie, Bangladesh, Pakistan, etc.) accroissent leur production et réduisent leurs importations. Les importations de blé de l'Afrique devraient se réduire pour la deuxième année consécutive, mais il est ici plus difficile de parler d'autosuffisance car ce mouvement recouvre une dégradation des situations nutritionnelles.

Les importations de blé ont été exceptionnellement importantes en Syrie et en Iran (où elles pourraient dépasser 5 millions de tonnes pour 1989). Toutefois, il n'est pas impossible que cette région du Moyen-Orient puisse aussi suivre une tendance vers plus d'autosuffisance. Les pays qui ne peuvent suivre ce mouvement sont ceux qui disposent de peu de terres pouvant être facilement mises en valeur et où la démographie continue de s'accroître rapidement, en Égypte et au Maghreb notamment.

Selon la FAO (Organisation des Nations unies pour l'agriculture et l'alimentation), une quinzaine de pays du tiers monde présentaient, pour 1990, des perspectives défavorables de récoltes au regard des années considérées comme normales. Dans certains pays, cela résulte principalement de facteurs climatiques : Algérie, Botswana, Chypre, Iran, Jordanie, Namibie, Philippines, Rwanda, Samoa occidental, Tunisie. Dans d'autres, il s'agit davantage de troubles civils et, éventuellement, de leurs effets sur la pénurie en intrants : Afghanistan, Angola, Mozambique. Le Pérou subit à la fois les effets d'une sécheresse et des pénuries d'intrants.

Marcel Marloie

Autres productions agricoles

COTON (fibres)

Pays	Millier tonnes	% du total
Chine	4 100	23,9
États-Unis	2 663	15,5
URSS	2 504	14,6
Inde	1 474	8,6
Pakistan	1 447	8,4
Brésil	756	4,4
Turquie	621	3,6
Égypte	346	2,0
Mexique	298	1,7
Australie	286	1,7
Grèce	255	1,5
Paraguay	221	1,3
Total monde	17 164	100,0

CAFÉ VERT

Pays	Millier tonnes	% du total
Brésil	1 510	26,3
Colombie	629	11,0
Indonésie	390	6,8
Mexique	306	5,3
Côte d'Ivoire	265	4,6
Éthiopie	200	3,5
Inde	195	3,4
Ouganda	180	3,1
Total monde	5 741	100,0

SUCRE BRUT

Pays	Millier tonnes	% du total
Inde	10 200	9,5
URSS	9 800	9,1
Cuba	8 124	7,6
Brésil	7 430	6,9
États-Unis	6 464	6,0
Chine	6 030	5,6
France	4 130	3,9
Thaïlande	4 052	3,8
Australie	3 790	3,5
Mexique	3 712	3,5
RFA	3 109	2,9
Afrique du Sud	2 550	2,4
Pakistan	2 011	1,9
Total monde	107 246	100,0

CACAO (fèves)

Pays	Millier tonnes	% du total
Côte d'Ivoire	740	29,9
Brésil	397	16,1
Ghana	330	13,3
Malaisie	255	10,3
Nigéria	170	6,9
Cameroun	125	5,1
Équateur	78	3,2
Indonésie	60	2,4
Total monde	2 473	100,0

THÉ

Pays	Millier tonnes	% du total
Inde	690	28,0
Chine	591	24,0
Sri Lanka	195	7,9
Kénya	175	7,1
URSS	143	5,8
Indonésie	135	5,5
Turquie	124	5,0
Japon	90	3,7
Total monde	2 462	100,0

CAOUTCHOUC NATUREL

Pays	Millier tonnes	% du total
Malaisie	1 658	33,5
Indonésie	1 140	23,0
Thaïlande	936	18,9
Inde	255	5,2
Chine	248	5,0
Philippines	140	2,8
Sri Lanka	125	2,5
Libéria	90	1,8
Total monde	4 948	100,0

SOJA

Pays	Million tonnes	% du total
États-Unis	52,4	48,5
Brésil	24,0	22,2
Chine	11,7	10,8
Argentine	6,3	5,8
Inde	1,9	1,8
Paraguay	1,6	1,5
Italie	1,5	1,4
Indonésie	1,3	1,2
Total monde	108,0	100,0

INDEX GÉNÉRAL

Index général et thématique

LÉGENDE

- 467 : référence du mot clé.
- **388** : référence d'un *article ou d'un paragraphe* relatif au mot clé.
- **532 et suiv.** : référence d'une *série d'articles* relatifs au mot clé.

A

B

C

CONFLITS ET TENSIONS

D

E

F

G

H

I

J

K

— L —

— M —

— N —

— O —

P

— Q —

— R —

T

U

V

W

X

Y

Z

ABRÉVIATIONS UTILISÉES DANS LES TABLEAUX STATISTIQUES

AELE .... Association européenne de libre-échange
Afr .... Afrique
AfS .... Afrique du Sud
AL .... Amérique latine
Alg .... Algérie
Ang .... Angola
A & NZ .... Australie, Nouvelle-Zélande
Arg .... Argentine
ArS .... Arabie saoudite
Aus .... Australie
Bah .... Bahreïn
Bar .... Barbades
Bel .... Belgique
Bré .... Brésil
CAEM ... Conseil d'assistance économique mutuelle
Cam .... Cameroun
Can .... Canada
CdI .... Côte d'Ivoire
CEE .... Communauté économique européenne
Chi .... Chine populaire
Com .... Comores
Cor .... Corée du Sud
Dnk .... Danemark
EAU ..... Émirats arabes unis
Égy .... Égypte
Esp .... Espagne
E-U .... États-Unis
Eur ...... Europe occidentale
Fin .... Finlande
Fra .... France
Gha .... Ghana
h .... hommes
hab .... habitants
HK .... Hong Kong
Indo .... Indonésie
Isr .... Israël
Ita .... Italie
Jap .... Japon
Ken .... Kénya
Kow .... Koweït
(L) .... Licences
Mad .... Madagascar
Mal .... Malaisie
Mart .... Martinique
Mau .... Maurice
M-O .... Moyen-Orient
Nig .... Nigéria
Nor .... Norvège
N-Z .... Nouvelle-Zélande
Oug .... Ouganda
Pak .... Pakistan
P-B .... Pays-Bas
PCD .... Pays capitalistes développés
PIB* ... Produit intérieur brut
PMN* ... Produit matériel net
PNB* .. Produit national brut
Por .... Portugal
PS .... Pays socialistes
PSG* ... Produit social global
PVD .... Pays en voie de développement
R-U .... Royaume-Uni
Scan .... Pays scandinaves
Sén .... Sénégal
Sin .... Singapour
SL .... Sri Lanka
Som .... Somalie
Suè .... Suède
Sui .... Suisse
Syr .... Syrie
Tan .... Tanzanie
TEC ...... Tonne d'équivalent charbon
Thaï .... Thaïlande
Tri .... Trinidad et Tobago
Tur .... Turquie
URS .... Union soviétique
Ven .... Vénézuela
YN .... Yémen du Nord
You .... Yougoslavie
Zaï .... Zaïre

* : voir définition page 18, « Les indicateurs statistiques ».
Notations statistiques : •• non disponible; — négligeable ou catégorie non applicable.

Liste alphabétique des pays

□ Territoire non souverain (colonie, DOM-TOM, territoire associé à un État, territoire sous tutelle, etc.).
● État non membre de l'ONU.
Les pays en caractères gras sont traités dans la section « 34 États » ; les autres, dans la section « 33 ensembles géopolitiques ».

Index des cartes

Voir aussi p. 487 (Pays Baltes) et p. 491 (Nationalités en Yougoslavie).

Index des chronologies

Index des articles géopolitiques

AUTRES TITRES AU CATALOGUE BORÉAL

Bertrand Bellon et Jorge Niosi, L'Industrie américaine. Fin de siècle.
Sous la direction de Gérard Boismenu et Jean-Jacques Gleizal, Les Mécanismes de régulation sociale. La justice, l'administration, la police.
Philippe Breton, Serge Proulx, L'explosion de la communication. La naissance d'une nouvelle idéologie.
Collectif, Le Nouvel État du monde. Bilan de la décennie. 1980-1990.
Denys Delâge, Le Pays renversé. Amérindiens et Européens en Amérique du Nord-Est, 1600-1664.
Serge Denis, Un syndicalisme pur et simple. Mouvements ouvriers et pouvoir politique aux États-Unis. 1919-1939.
Louis Gill, Économie mondiale et impérialisme.
Louis Gill, Les Limites du partenariat. Les expériences social-démocrates de gestion économique en Suède, en Allemagne, en Autriche et en Norvège.
Jean Hamelin et Jean Provencher, Brève histoire du Québec.
Michel Jurdant, Le Défi écologiste.
Constance Lamarche, L'Enfant inattendu. Comment accueillir un enfant handicapé et favoriser son intégration.
Marc Laurendeau, Les Québécois violents. La violence politique. 1970-1972.
Marie Lavigne et Yolande Pinard, Travailleuses et féministes. Les femmes dans la société québécoise.
Georges Mathews, Le Choc démographique.
Gabriel Mazars, L'Homme sans douleurs. Les moyens existent d'éliminer les douleurs les plus rebelles. Les malades ont le droit et les médecins le devoir de le savoir.
Christian Miquel, Guy Ménard, Les Ruses de la technique.
Lise Noël, L'Intolérance. Une problématique générale.
Jean Provencher, Les Quatre Saisons dans la vallée du Saint-Laurent.
Louis-Bernard Robitaille, Paris, France.
Pierre Sormany, Le Métier de journaliste. Guide des outils et des pratiques du journalisme au Québec.
Françoise Tétu de Labsade, Le Québec, un pays, une culture.

Les Éditions du Boréal

Achevé d'imprimer en septembre 1990
sur les presses de
l'Imprimerie Gagné Ltée,
à Louiseville.